여러분의 합격을 응원하는
해커스공  특별 혜택

FREE 공무원 행정법 특강

해커스공무원(gosi.Hackers.com) 접속 후 로그인 ▶ 상단의 [무료강좌] 클릭 ▶ [교재 무료특강] 클릭 후 이용

 해커스공무원 온라인 단과강의 20% 할인쿠폰

6988B86235EF7BCZ

해커스공무원(gosi.Hackers.com) 접속 후 로그인 ▶ 상단의 [나의 강의실] 클릭 ▶
좌측의 [쿠폰등록] 클릭 ▶ 위 쿠폰번호 입력 후 이용

* 등록 후 7일간 사용 가능(ID당 1회에 한해 등록 가능)

합격예측 온라인 모의고사 응시권 + 해설강의 수강권

828FF3F7FE2374DY

해커스공무원(gosi.Hackers.com) 접속 후 로그인 ▶ 상단의 [나의 강의실] 클릭 ▶
좌측의 [쿠폰등록] 클릭 ▶ 위 쿠폰번호 입력 후 이용

* ID당 1회에 한해 등록 가능

단기 합격을 위한
해커스공무원 커리큘럼

입문
탄탄한 기본기와 핵심 개념 완성!
누구나 이해하기 쉬운 개념 설명과 풍부한 예시로 부담없이 쌩기초 다지기
TIP 베이스가 있다면 **기본 단계**부터!

기본+심화
필수 개념 학습으로 이론 완성!
반드시 알아야 할 기본 개념과 문제풀이 전략을 학습하고
심화 개념 학습으로 고득점을 위한 응용력 다지기

기출+예상 문제풀이
문제풀이로 집중 학습하고 실력 업그레이드!
기출문제의 유형과 출제 의도를 이해하고 최신 출제 경향을 반영한
예상문제를 풀어보며 본인의 취약영역을 파악 및 보완하기

동형문제풀이
동형모의고사로 실전력 강화!
실제 시험과 같은 형태의 실전모의고사를 풀어보며 실전감각 극대화

최종 마무리
시험 직전 실전 시뮬레이션!
각 과목별 시험에 출제되는 내용들을 최종 점검하며 실전 완성

PASS

단계별 교재 확인 및
수강신청은 여기서!

gosi.Hackers.com

* 커리큘럼 및 세부 일정은 상이할 수 있으며,
자세한 사항은 해커스공무원 사이트에서 확인하세요.

해커스공무원

신동욱
행정법총론

기본서 | 1권

해커스

서문

승리는 가장 끈기 있는 자에게 돌아간다.

행정법은 다른 법에 비해 낯선 개념들이 더 많이 등장하기 때문에 여러 법과목 중에서도 비교적 어려운 과목으로 알려져 있습니다. 특히, 법을 처음 공부하는 수험생들에게는 더더욱 어렵게 느껴질 것입니다. 이를 극복하기 위해서는 결국 시간이 필요합니다. 차근차근 묵묵히 내용을 읽고 학습을 반복한다면 어느덧 합격의 열매를 거두실 것입니다.

『해커스공무원 신동욱 행정법총론 기본서』는 다음과 같은 특징이 있습니다.

행정법총론의 핵심 내용만을 체계적으로 구성한 본 교재는 본인의 학습 과정 및 수준 등에 맞춰 수험 생활 전반에 두루 활용할 수 있도록 다음과 같은 특징을 가졌습니다.

첫째, 본문에 수록된 '핵심정리', '판례정리', '판례연구' 등 다양한 학습장치를 통해 행정법총론의 이론, 판례, 법조문을 다각도로 꼼꼼하게 학습할 수 있습니다.

둘째, 본문 내용과 연관된 주요 기출지문을 선별하여 '핵심OX' 문제로 구성하고 연관된 본문 내용과 나란히 배치하여, 기본서에서 학습한 내용이 실제 시험에서는 어떻게 출제되었는지를 바로 확인해볼 수 있습니다.

셋째, 각 편의 뒷부분에 수록된 '학습 점검 문제'를 통해, 실제 시험에 출제되는 문제 유형을 확인하고 문제에 대한 응용력을 키울 수 있습니다.

넷째, 교재의 마지막에 '판례색인'을 수록하여 원하는 판례만을 빠르고 간단하게 찾아볼 수 있습니다.

그 밖에 자세한 책의 구성 및 특징은 '이 책의 활용법(p.8~9)'을 참고하시기 바랍니다.

행정법총론 학습은 어떻게 해야 할까요?

9급 행정 직렬을 비롯한 여러 직렬에서 행정법총론이 필수과목으로 변경되어 당락을 좌우하는 핵심과목으로 자리매김 되고 있는 만큼, 처음부터 제대로 확실하게 준비하여야 합니다.

이론은 지엽적인 학설이나 그 논거보다는 기본 개념이나 다수설의 입장이 주로 출제되므로, 이를 중점적으로 학습하여야 합니다.

판례는 학습 시간이 짧다면 결론 위주로 학습하는 방법도 크게 문제 없습니다. 그러나 고난도 문제나 사례형 문제를 대비하고자 한다면 판례의 주요 쟁점 및 그 이유와 근거까지 파악해둘 필요가 있습니다.

법조문은 행정법총론과 관련된 법령을 파악하고, 자주 출제되는 중요 조문들은 따로 꼼꼼히 정리하여 암기하는 학습이 필요합니다. 특히 구체적인 숫자나 주어, 어미 등을 주의하여야 하고, 내용을 분명하게 학습하시기 바랍니다.

더불어, 공무원 시험 전문 사이트 **해커스공무원(gosi.Hackers.com)** 에서 교재 학습 중 궁금한 점을 나누고, 다양한 무료 학습 자료를 함께 이용하여 학습 효과를 극대화할 수 있습니다.

확실한 목표를 정하고 매진하며 땀을 흘리는 모습은 그 자체로 아름답고 보람된 일입니다. 힘든 과정들이 있지만 멋진 꿈을 이루어가는 즐거운 여정이니 행복하게 즐기시기를 바랍니다.

부디 『**해커스공무원 신동욱 행정법총론 기본서**』와 함께 공무원 행정법총론 시험 고득점을 달성하고 합격을 향해 한걸음 더 나아가시기를 바랍니다. 여러분들의 빠른 합격과 건강을 기원합니다.

신동욱, 해커스 공무원시험연구소

목차

목차

이 책의 활용법

만점이 보이는 이론 구성

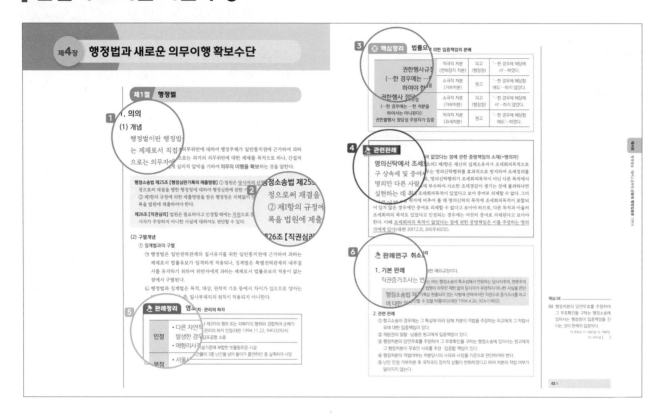

1 이론 정리

공무원 행정법총론의 최신 출제 경향 및 개정 법령을 반영한 이론을 수록하여, 7·9급 공무원/국회직/군무원/소방 시험까지 대비할 수 있습니다.

2 법조문 정리

본문과 연관된 법조문을 그대로 수록하여 별도의 법령집 없이도 효율적으로 학습할 수 있습니다.

3 핵심정리

학습한 내용의 핵심을 간략하게 정리하고, 서로 유사하거나 대비되는 개념들을 서로 비교하여 학습할 수 있습니다.

4 관련판례

본문의 내용을 이해하는 데에 필요한 관련판례를 최대한 원문 그대로 수록하여 판례 내용을 그대로 학습할 수 있습니다.

5 판례정리

판례 내용의 핵심을 간략하게 정리하고, 서로 유사하거나 대비되는 판례 입장을 비교하여 학습할 수 있습니다.

6 판례연구

주요한 기본 판례의 세부 내용과 함께 학습하면 좋을 관련 판례의 핵심 내용까지 간략하게 정리하여, 여러 가지 판례를 한번에 심화 학습할 수 있습니다.

합격이 보이는 교재 활용

1. 핵심 OX

본문 내용을 빠르게 확인해볼 수 있는 기출지문 OX

1. 본문과 연관된 기출지문을 OX 문제 형식으로 수록하였습니다.

2. 학습한 내용을 잘 이해하였는지 바로 점검해볼 수 있으며, 실제 시험에서는 어떻게 출제되었는지 확인하여 실전 실력까지 향상시킬 수 있습니다.

2. 학습 점검 문제

문제 응용력을 키울 수 있는 핵심문제 및 상세한 해설

1. 공무원 행정법총론 문제 중 출제될 가능성이 높은 핵심문제들을 수록하여, 실제 시험에 출제되는 문제의 유형을 확인하고 문제에 대한 응용력을 키울 수 있습니다.

2. 상세한 해설과 더불어 관련 이론 및 판례를 함께 정리하여, 학습한 내용을 점검할 수 있고 이를 통해 반복학습 효과를 누릴 수 있습니다.

3. 판례색인

주요 판례를 쉽게 찾을 수 있는 판례색인

1. 본 교재에 수록된 모든 판례를 판례색인으로 정리하여 수록하였습니다.

2. 학습 중 더 알아보고 싶은 판례가 있으면 판례색인에서 판례번호를 찾아 해당 판례가 수록된 페이지만을 빠르고 편리하게 파악할 수 있습니다.

제1편

행정법 서론

제1장 행정법의 기초

제1절 행정법의 의의

1 행정법의 개념

1. '행정'에 관한 법

'행정법'이라는 명칭의 단행법은 없지만 '행정기본법'이 행정에 관한 일반법이라고 할 수 있다. 행정법은 이론상의 개념으로 도로교통법, 식품위생법, 경찰관 직무집행법, 행정절차법, 행정소송법 등 행정에 관한 법규범의 총체를 의미한다.

2. 행정에 관한 '공법'

행정법이라고 하여 행정에 관련된 모든 법을 의미하는 것은 아니고 행정에 관한 공법(公法)만을 의미한다. 따라서 행정주체가 자동차, 책상, 각종 물품 등을 구입하거나 관공서 청사를 건설하기 위한 계약을 체결하는 것과 같이 일반사인과 같은 입장에서 행하는 국가작용은 행정법이 아니라 사법(私法)인 민법 등에 의해 규율된다.

3. 행정에 관한 '국내공법'

행정법은 국내법이다. 따라서 국가 상호간의 관계를 규율하는 국제법과는 구별된다. 한편 헌법 제6조는 "헌법에 의하여 체결·공포된 조약과 일반적으로 승인된 국제법규는 국내법과 같은 효력을 가진다."라고 규정하고 있으므로 조약과 국제법규 중에서 국내행정에 관한 내용은 행정법의 일부에 해당한다.

2 행정개념의 성립배경

1. 행정개념의 탄생

절대왕정 시대에는 모든 국가권력이 군주에게 귀속되어 입법·사법과 구별되는 행정의 고유개념이 성립될 수 없었다. 그러나 근대입헌주의 시대에 이르러 국가권력이 3권으로 분립되었고, 입법·사법과 구별되는 행정개념이 비로소 탄생하게 되었다.

2. 권력분립론

(1) 의의

절대왕정에 의하여 융합되었던 국가권력을 입법·행정·사법의 3권으로 분립시키고, 국가권력 상호간의 견제와 균형을 통하여 권력의 집중과 남용을 억제함으로써 국민의 자유를 '보장'하기 위한 자유주의적 조직원리이다.

(2) 성질

국가권력의 남용을 방지하기 위한 소극적인 원리이며, 절대왕정에 대한 회의적·비관적 인간관에서 비롯되었다. 국가권력 상호간의 견제와 균형의 원리가 그 본질이다.

(3) 고전적 권력분립론

① 존 로크[J. Locke(권력분립론의 창시자)]: 『시민정부2론』(1690)에서 입법과 집행의 2권분립을 주장하였고, 영국의 의원내각제 성립에 영향을 주었다.

② 몽테스키외[C. Montesquieu(권력분립의 완성자, 3권분립의 창시자)]: 『법의 정신』(1748)에서 입법·사법·행정의 3권분립을 주장하였고, 미국의 대통령제 성립에 영향을 주었다.

(4) 현대적 권력분립론(기능적·동적 권력분립)

① 고전적 권력분립의 위기: 사회구조의 변화로 각종 이익집단(예 노조 등)과 정당이 등장함으로써 국가권력은 융합하게 되었으며, 복지국가사상에 의한 행정권의 역할 증대로 행정부가 국가권력의 중심이 되었다.

② 권력분립의 수정[뢰벤슈타인(K. Loewenstein)의 동태적 권력분립론]: 고전적 권력분립이 한계를 드러내자 뢰벤슈타인은 국가기능을 동적으로 파악하여 ㉠ 정책결정, ㉡ 정책집행, ㉢ 정책통제의 기능분립으로 파악해야 한다고 주장하였다.

3. 행정개념의 출발으로서의 권력분립

입법부의 법정립작용, 행정부의 법집행작용, 사법부의 법판단·선언작용 중에서 행정은 헌법에 의한 권력분립을 통하여 구체적인 법집행을 행하는 국가활동으로서 헌법과 법률에 의하여 부여된 권한으로 행사된다. 행정이란 개념은 헌법의 권력분립을 전제로 한 개념이며, 언제나 헌법에 종속된다.

3 행정의 의의

행정은 실정법에 의하여 행정부의 권한으로 규정된 형식적 의미의 행정과, 국가작용의 성질상의 차이로 정립하는 실질적 의미의 행정으로 나누어진다.

1. 형식적 의미의 행정

(1) 의의

국가작용의 성질이 아닌 실정제도상 행정부의 권한을 기준으로 한 개념으로서, 행정기관에 의해 이루어지는 모든 작용을 말한다.

(2) 내용

실정법상 행정기관의 권한에 속하는 경우, 실질적으로 입법이나 사법에 해당하는 것일지라도 형식적으로는 모두 행정으로 보게 된다. 즉, 행정부가 행정심판을 하면 그것이 성질상 사법적 작용이라 하더라도 행정이며, 행정입법을 제정하면 성질상 입법부의 작용이라 하더라도 행정이라는 것이다. 따라서 형식적 의미의 행정과 실질적 의미의 행정은 그 내용에 있어서 반드시 일치하는 것은 아니다.

2. 실질적 의미의 행정

(1) 의의

국가작용의 성질상의 차이가 있음을 전제로 하여 입법·사법과 구별되는 행정개념
을 정립하려는 것이다.

(2) 내용

행정은 구체적인 집행 작용을 의미하므로 입법부에서 구체적인 집행작용을 하거나
(예 국회사무총장의 직원 임명), 사법부에서 구체적인 집행작용(예 법원의 등기)을
하면 담당기관을 불문하고 이것을 행정으로 인정하는 것이다. 이는 행정의 본래의
고유한 성질을 밝히려는 것이지만, 이에 대하여 다양한 학설이 있다.

3. 행정의 개념에 대한 학설

(1) 긍정설

① **의의**: 전통적 견해로서 국가작용 중 입법은 법규의 정립, 행정은 법집행, 사법은
   법판단·선언작용이라는 전제하에 구체적인 개념이 무엇인가에 대하여 소극설
   과 적극설의 대립이 있다.

② **종류**

   ㉠ **소극설(공제설)**: 다양한 형식으로 행하여지는 행정개념을 적극적으로 개념짓
   기 어렵기 때문에 국가작용 중 입법과 사법을 제외한 나머지 작용이 행정이
   라는 설[오토 마이어(O. Mayer)]이다. 이러한 소극설은 근대국가에서 군주의
   통치작용 중 입법과 사법이 독립되고 남아 있는 국가작용을 행정으로 정의함
   으로써 행정의 역사적 형성과정과 행정의 다양성 측면에서는 타당하다고 할
   수 있다. 그러나 소극설은 행정의 통일적인 표지를 지적하지는 못했다는 비
   판과 행정개념이 너무 확대된다는 비판이 있다.

   ㉡ **적극설**

   ⓐ **목적설(국가목적실현설)**: 행정은 법질서 아래에서 국가목적을 실현하기 위
      한 사법 이외의 작용이라는 설이다. 행정은 국가목적적 작용, 공익목적적
      작용인 점에서 입법·사법과 구별되는 것이다. 그러나 공익을 입법·사법
      에서도 실현할 수 있으며, 공익이란 개념이 구체적으로 무엇을 의미하는
      가에 대해서도 비판이 있다.

   ⓑ **양태설(결과실현설, 다수설)**: 행정이란 '법 아래서 법의 규제를 받으면서, 사
      법 이외의 국가목적 실현을 위하여 구체적으로 행하여지는 전체로서 통일
      성을 지닌 계속적·형성적 국가활동[다나카 지로(田中二郎)]', '법의 범위
      내에서 법에 의하여 행하여지는 장래에 대한 계속적인 사회형성활동[포르
      스트호프(E. Forsthoff)]'이라 한다. 오늘날 행정이 소극적인 질서유지에 있
      지 않고 모든 영역에서 적용되는 적극적 작용이라고 인식하여 현실적인
      결과에 중심을 두는 견해이다. 이에 대해서는 행정의 법적 성격을 떠나 사
      실로서만 이해한다는 비판이 있다.

(2) 부정설

① **의의**: 부정설은 순수법학파[켈젠(H. Kelsen), 메르클(A. Merkl) 등]의 견해로서 입법·사법·행정 사이에 실질적 구별은 불가능하다고 본다.

② **종류**

    ⑦ **법단계설[켈젠(H. Kelsen)]**: 실정법 질서인 단계적 구조에 따라 입법은 헌법의 직접적 집행이라고 보는 반면에, 행정은 헌법의 간접적 집행이라고 본다. 따라서 모두 헌법의 집행이라는 점에서는 차이가 없다.

    ⓛ **기관양태설[메르클(A. Merkl)]**: 그 담당기관의 양태에 따라 사법은 병렬적 기관복합체의 작용인 데 대하여, 행정은 종속적 기관계층체의 작용이라고 본다.

③ **한계**: 부정설은 국가기관의 양태의 차이는 결국 국가기관이 하는 작용의 성질에 차이가 있다는 점을 전제로 하여 그 작용의 성질에 알맞은 기관을 선택한 것인데, 오히려 양태에서 국가작용의 성질상의 구별을 하려고 한 것은 모순이라고 해석하는 견해가 있다.

(3) 개념징표설[포르스트호프(E. Forsthoff)]

행정의 다양성 때문에 어느 학설도 행정개념을 정확히 정의하지는 못하고 있다. "행정은 정의내릴 수는 없고, 다만 묘사할 수밖에 없다."라는 포르스트호프의 견해가 행정개념 정립의 어려움을 나타내 주고 있다. 그 개념징표는 다음과 같다.

① 행정은 행정주체의 작용으로서 공익을 실현하는 사회형성 활동이다.

② 행정은 적극적·능동적·미래지향적인 사회형성 활동이다.

③ 행정은 다양한 법형식으로 통일적이고 계속적인 사회형성 작용이다.

④ 행정은 법의 지배를 받으면서도 광범위한 재량을 갖는 작용이다.

⑤ 행정은 구체적인 사안에 대한 집행 작용이다.

4. 실질적 의미의 입법·행정·사법

구분	입법	행정	사법
내용	일반적·추상적	개별적·구체적	개별적·구체적
성격	적극적·능동적·미래지향적	적극적·능동적·미래지향적	소극적·수동적·과거지향적

5. 형식적 의미와 실질적 의미의 입법·행정·사법

구분		실질적 의미		
		입법(법 정립)	행정(법 집행)	사법(법 판단·선언)
형식적 의미	입법	법률제정	국회사무총장의 직원 임명	국회의원의 자격심사·징계·제명
	행정	• 대통령의 긴급명령 제정 • 행정입법(대통령령·총리령·부령·조례·규칙) 제정	• 행정이 하는 일체의 활동(각종 허가·인가·특허·하명) • 대법원장·대법관 임명(대법원장·대법관 모두 국회동의를 얻어 대통령이 임명)	• 행정심판 • 토지수용재결 • 징계위원회의 징계의결 • 소청심사위원회의 결정 • 국가배상심의회의 배상결정 • 통고처분 • 대통령의 사면·복권
	사법	대법원규칙 제정	• 법원행정처장의 직원 임명 • 일반법관의 임명(일반법관은 대법관회의의 동의를얻어 대법원장이 임명) • 법원의 등기 • 법원 예산의 집행	법원의 재판작용

제2절　행정의 분류

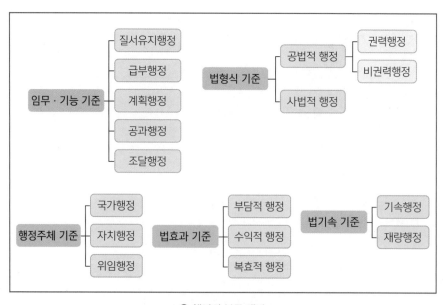

◆ 행정의 분류 개관

1 행정의 책무 및 그 실현방법에 따른 분류

> **행정기본법 제3조【국가와 지방자치단체의 책무】** ① 국가와 지방자치단체는 국민의 삶의 질을 향상시키기 위하여 적법절차에 따라 공정하고 합리적인 행정을 수행할 책무를 진다.
> ② 국가와 지방자치단체는 행정의 능률과 실효성을 높이기 위하여 지속적으로 법령 등과 제도를 정비·개선할 책무를 진다.
>
> **제4조【행정의 적극적 추진】** ① 행정은 공공의 이익을 위하여 적극적으로 추진되어야 한다.
> ② 국가와 지방자치단체는 소속 공무원이 공공의 이익을 위하여 적극적으로 직무를 수행할 수 있도록 제반 여건을 조성하고, 이와 관련된 시책 및 조치를 추진하여야 한다.
> ③ 제1항 및 제2항에 따른 행정의 적극적 추진 및 적극행정 활성화를 위한 시책의 구체적인 사항 등은 대통령령으로 정한다.

1. 질서유지행정

(1) 의의

질서유지행정은 공공의 안녕과 질서를 유지하기 위한 행정을 말한다. 과거에는 질서행정이 행정의 주된 임무였으며, 여기에는 경찰작용을 포함하여 보건·위생·영업·도로 및 건축 등 특수행정분야에서의 질서유지작용도 포함하였다.

(2) 성질

행정은 질서유지를 위하여 명령적으로 국민의 권리·이익을 침해·제한하거나 강제함으로써 행정임무를 수행하므로 '침해행정'이 전형적이다. 그러나 질서유지행정은 침해행정을 통해서만 이루어지는 것은 아니고(예 경찰의 교통안내, 미아보호 등), 모든 권력행정이 반드시 침해행정인 것도 아니다. 침해행정의 법적 의미는 법률유보원칙의 적용을 받는다는 점에서 의미가 있다.

2. 급부행정

(1) 의의 및 종류

급부행정은 국민전체에 대한 일반적인 생활배려와 개개의 시민에 대한 급부의 보장을 통해 사회국가원리를 실현하는 행정을 말한다. 급부행정에는 ① 도로·수도·학교 및 병원 등의 설치·관리와 같은 현대생활에 반드시 필요한 공적 시설을 설치·유지·관리하는 생존배려행정, ② 사회보험·사회부조 및 사회보장이라는 형식의 급부를 제공하는 사회보장행정, 그리고 ③ 산업기반의 조성이나 농업개선을 위한 자금교부·음악·연극 등에 대한 재정을 지원하는 조성행정 등이 있다.

(2) 성질

급부행정의 실현방법은 주로 비권력적이며 공·사법형식을 모두 취할 수 있다. 즉, 급부 및 보조금 등은 명령이나 강제를 통해 이루어지기 어렵기 때문이다. 그러나 예컨대 연금급부나 생활보호결정의 취소 및 위법한 금전급부의 반환청구 등의 경우에는 명령·강제적 조치를 취할 수도 있다. 오늘날 사회국가·복지국가를 지향하는 현대국가에 있어서 급부행정의 폭은 점차 확대되고 있다.

3. 계획행정

행정은 일정한 목적을 달성하기 위하여 국가와 사회의 제 작용을 미리 계획·형성하기도 한다. 이러한 계획행정은 현대국가에 있어서 행정기능의 중심이 침해행정에서 급부행정으로 변함에 따라, 그 중요성이 강조되고 있다. 계획행정은 생활배려라는 행정의 목적이 승인된 이래 국가활동의 적극성에의 변신을 보여주는 것이기도 하다.

4. 공과행정

공과행정은 국가 등의 행정주체가 필요한 재원을 마련하기 위해 부과하는 조세 및 기타의 공과금을 징수하고 관리하는 행정이다. 공과행정은 침해행정이자 권력행정의 성질을 갖는다.

5. 조달행정

조달행정은 행정목적의 수행에 필요한 인적 및 물적 수단을 취득하고 관리하는 행정이다. 공무원의 임용·토지수용·국유재산의 관리 및 사무용품의 구입 등이 그 예이다. 조달행정의 행위형식은 다양하다.

2 행정활동의 법적 형식에 따른 분류

행정은 그 임무를 실현하기 위하여 다양한 법형식을 이용할 수 있다. 공법에 근거한 행정을 '공법적 행정', 사법에 근거한 행정을 '사법적 행정'이라고 한다.

1. 공법적 행정(권력행정에서 비권력행정으로)

(1) 권력행정

전통적으로 행정은 관료주의적 행정, 즉 권력행정의 형식을 통하여 행정의 목적을 실현하였다. 예컨대, 경찰처분이나 과세처분과 같이 국가가 우월한 지위에서 시민의 권리·의무에 대하여 일방적으로 강제·구속하는 명령 또는 규율의 형식을 취한 것이다. 이러한 '위에서부터 아래로'의 일방적·구속적인 행정의 전형적인 형식을 권력행정이라 한다. 권력행정은 행정작용의 일방적·구속적 규율을 내용으로 하고 그것을 공법형식으로 행하는 특징을 갖는다.

(2) 비권력행정

그러나 행정의 목적을 실현하기 위한 공법상의 법형식은 반드시 일방적이고 강제적일 것을 강요받지 않는다. 오늘날의 행정은 공법에 근거하여 활동하면서도 계약의 형식 등과 같은 합의적인 수단을 통해서도 얼마든지 행정의 목적을 수행할 수 있고, 이것이 오히려 공익실현에 더 효율적이고 민주적인 방식이라는 인식이 확산되고 있기 때문이다. 이를 비권력행정이라고 한다(예 행정지도, 공법상 계약 등).
비권력행정은 예방접종의 권고와 같이 행정주체가 특히 명령·강제 등의 수단을 사용하지 않고 그의 목적을 달성하거나 성질상 명령이나 강제를 사용할 수 없는 급부행정의 영역에서 주로 나타난다. 이러한 행정작용은 행정의 목적달성에 필요한 한도에서만 공법적 규율을 받는 특징을 갖는다. 따라서 권력행정과 비권력행정, 비권력행정과 사법적 행정의 구별은 쉽지 않다.

2. 사법적 행정

(1) 의의

사법적 행정은 행정이 그의 임무를 실현하기 위하여 또는 그것과 관계없이 사인과 마찬가지로 사법형식에 따라 이루어지는 행정을 말한다. 사법적 행정은 국민에 대하여 일방적·직접적인 구속력을 갖지 않는 특징을 지닌다.

(2) 종류

사법적 행정에는 ① 행정의 운영에 필요한 인적·물적 수단을 마련하기 위한 물자조달행정과 ② 수익확보를 위한 행정의 영리경제적 활동, 즉 '공기업활동'과 ③ 행정주체가 주어진 공적 과제를 사법형식으로 직접 그 임무를 수행하는 행정사법이 포함된다.

제3절 행정법의 특수성

1 행정법규의 형식

1. 성문법 원칙

행정법은 성문법을 원칙으로 한다. 성문법을 원칙으로 하면서도 법률의 수권(위임)에 의한 위임명령과 집행명령 등이 중요한 기능을 수행한다.

2. 행정법 형식의 다양성

다른 법에 비해 규정형식이 다양하다. 구체적인 예로는 헌법·법률·명령·자치법규가 존재하며, 법률의 위임에 의한 위임명령과 집행명령 등이 중요한 기능을 수행한다. 또한 고시·공고 등으로 법령의 구체적인 해석에 있어 그 기준을 정하는 경우가 많다. 이는 행정작용의 규율대상과 작용형태가 복잡·다양할 뿐만 아니라 고도의 기술성과 능률성을 요구하기 때문이다.

2 행정법규의 성질

1. 획일성·강제성

행정법은 다수의 사람을 그 규율대상으로 한다. 그러므로 다수에 대한 평등한 규율(집단성·평등성)과 강제적 규율을 특색으로 한다. 이러한 다수인에 대한 획일적이고 평등한 규율은 행정의 목적을 효율적으로 실현하게 한다.

2. 기술성

행정은 공공의 이익을 위해 능률적·효율적으로 일정한 결과의 실현을 도모한다. 이 과정에서 발생하는 국민의 저항과 마찰을 공정한 이해조정을 통해 최소화할 것이 요구된다. 따라서 행정법은 결국 기술적·수단적 성질을 띠게 된다.

3. 행위규범성

행정법은 국가와 국민간의 권리·의무를 설정하고 국가최고기관의 활동에 근거를 제공하기 때문에 재판규범으로서보다는 행위규범으로서의 성격이 강하다.

3 행정법규의 내용

1. 공익우선성

행정법은 공익실현을 최우선으로 하는 법이다. 그러나 여기서의 공익우선성은 사익을 무시하는 것이 아니라 공익과 사익의 조화를 전제로 하면서 공익의 목적을 달성하는 것이다.

2. 행정주체의 우월성

행정법은 효과적으로 공익을 실현하기 위하여 행정주체에 대하여 우월한 법적 지위를 부여한다. 이러한 행정주체의 우월성은 행정주체의 지배권의 승인·행정행위의 공정력 및 행정권(국가최고기관)의 자력강제권 등에서 나타난다.

3. 국민의 권리보호

(1) 공익우선성 및 행정주체의 우월성을 특색으로 하는 행정법은 다른 한편으로는 국민의 권리보호를 그 특색으로 한다. 이를 위해 행정법은 행정작용을 사전적으로 규제하거나 사후적으로 통제하여 권리구제제도를 다양화하고 있다.

(2) 행정법의 이러한 공익우선성 및 행정주체의 우월성과 국민의 권리보호의 특성은 이들이 상호 독자적으로 활동하여 마찰·갈등하는 것이 아니라 양자를 합목적적 관점에서 합리적으로 적절히 조화시키는 데 있다.

제2장 법치행정

1 서설

1. 법치주의의 개념

(1) 법치주의란 특정인의 자의적인 지배가 아닌 법의 지배를 의미하며, 국가권력은 의회가 제정하는 법률에 의하여 발동되고 이에 대한 사법심사가 보장되어야 함을 의미한다.

(2) 전제군주하에서의 국가권력은 군주의 자의에 의하여 행사되었고, 이에 따라 시민의 자유는 희생되었다. 이에 대한 반성으로 국가작용은 의회가 제정한 법에 의해서만 행해질 것이 요구되었다.

2. 법치주의의 기초

법치주의가 확립된 것은 근대 시민혁명 이후의 자유주의사상이 바탕이 되었다. 즉, 법치주의는 국가권력을 통제하여 국민의 자유와 재산을 보장하는 것을 목적으로 한다. 근대 법치주의의 이념적 기초는 자유주의사상이지만, 오늘날의 법치주의는 민주주의와도 밀접한 관련이 있다.

3. 법치주의의 내용

(1) 독일의 법치주의는 입헌군주주의의 산물로서 형식적 법치주의였으므로 법률의 내용에 대해서는 도외시하였으나, 영·미의 법의 지배는 처음부터 법의 내용 자체를 중시하는 입장으로 개인의 자유와 재산을 부당하게 제한하는 법률이 제정된다면 그것은 법의 지배에 위배되는 것으로 보았다.

(2) 대륙법계의 법치행정원리는 실체법에 대한 기속을 중시하는 입장이나, 영미법계의 법치행정원리는 절차법에 대한 기속을 중시하는 입장이다. 최근 다수의 국가들은 행정의 절차법에 대한 기속을 중시하면서 법치행정의 원리는 실체법에 대한 적합뿐만 아니라 절차법에 대한 적합도 요구하게 되었다.

2 형식적 법치주의

1. 의의

(1) 형식적 법치주의는 19세기 후반 독일에서 오토 마이어(O. Mayer)에 의하여 체계화된 것으로, 의회가 법률의 우위를 바탕으로 제정한 형식적인 법률의 지배를 말한다.

행정이 법에 따라 행하여지면 되고 법의 내용이나 이념은 문제되지 아니하며 법률이라는 형식과 절차만 강조하는 개념이다. 따라서 정의에 어긋나는 법일지라도 그것이 법률이 정한 절차와 형식에만 부합하면 정당성을 갖게 되는 문제점이 발생하였고, 국민의 권리와 자유는 형식적인 것에 그치게 되었다.

(2) 형식적 법치주의는 히틀러에 의하여 악용되어 제2차 세계대전 이전까지 독일에서 인정되었다. 제2차 세계대전 패전 이후 이에 대한 반성으로 본(Bonn) 기본법(1949)에 이르러 실질적 법치주의를 취하게 되었다.

2. 특징

(1) 형식적 법치주의는 행정이 의회가 제정한 법률에 의하여 행해질 것을 요구할 뿐, 법률의 목적이나 내용은 문제 삼지 않아 법률과 행정을 형식적으로만 규율하여 국민의 자유와 권리는 형식적인 것에 그치게 되었다.

(2) 행정조직 내부에 행정재판소를 설치하고, 행정소송사항에 열기주의를 취하여 소송의 범위를 축소하였다.

(3) 법률유보의 범위를 국민의 자유와 권리를 침해하는 부분에 한하여 법률유보를 요구하는 침해유보설을 취하여 그만큼 행정의 자유영역이 확대되었다.

3. 문제점

법률우위를 절대시하여 법률에 의한 합법적 독재를 할 수 있게 되었고, 긴급명령 등 행정권에 광범위한 위임입법권을 인정함으로써 입법의 포괄적 수권이 가능하게 되었으며, 행정을 위한 광범위한 자유재량권의 설정을 가능하게 하였다.

3 실질적 법치주의

1. 의의

형식적 법치주의가 한계를 드러내면서 제2차 세계대전 이후 영국의 법의 지배원리의 영향을 받아 등장한 법치주의사상이다. 실질적 법치주의란 형식적 법치주의가 법률의 내용은 불문하고 행정의 합법성만을 강조한 것에 대한 반성으로 법률의 합법성과 정당성을 모두 요구하게 되었고, 이에 국민의 기본권보장과 정의의 실현이라는 이념이 추가된 형태를 말한다. 실질적 법치주의는 의회가 제정한 법률의 행정구속성에 그치지 않고 성문법뿐만 아니라 불문법도 포함하며, 입법부의 헌법에 의한 입법권의 제약을 전제로하여 법률의 내용적으로까지 타당한 법률을 강조하여 의회가 제정한 법률의 내용적 타당성 여부에 대한 사법심사(위헌법률심사)를 인정하게 되었다.

2. 특징

실질적 법치주의는 인권보장을 법의 실질적 내용으로 한다. 나아가 위헌법률심사제도를 그 특징으로 한다.

1 법치행정의 원리

> **행정기본법 제8조 【법치행정의 원칙】** 행정작용은 법률에 위반되어서는 아니 되며, 국민의 권리를 제한하거나 의무를 부과하는 경우와 그 밖에 국민생활에 중요한 영향을 미치는 경우에는 법률에 근거하여야 한다.

1. 의의

법치행정은 실질적 법치국가 구현을 위해 '행정이 법률에 근거하고 법률에 적합하도록 행해져야 한다'는 '법률에 의한 행정의 원리'를 말한다. 법치행정의 원리의 내용은 독일의 법학자 오토 마이어(O. Mayer)가 체계화한 법률의 법규창조력, 법률의 유보, 법률의 우위를 들 수 있다.

법률의 법규창조력	법규를 창조하는 것은 국민의 대표기관인 의회의 전속적 권한에 속하며, 따라서 의회에서 제정한 법률만이 법규로서의 구속력을 갖는다는 것을 의미한다(행정의 법규창조력 부정).
법률의 유보	① 법률의 유보는 행정청의 행정권의 발동에는 법률의 근거를 필요로 한다는 원칙을 말한다. ② 법률유보원칙은 행정에 대한 의회의 적극적 통제로서, 행정의 전 영역에 적용되면 권력분립위반의 소지가 있으므로 그 적용영역에 대하여 견해의 대립이 있다. ③ 법률유보는 법치주의의 적극적 기능에 해당한다. ④ 법률이 없는 경우에 문제된다. ⑤ 법률의 범위를 좁게 본다(관습법 제외).
법률의 우위	① 행정은 헌법과 법률에 위반할 수 없다는 의미로서 행정의 법률종속성을 의미한다. ② 법률의 우위는 행정은 법률에 위배될 수 없으므로 행정의 모든 영역에서 적용된다. ③ 법률우위는 법치주의의 소극적 기능에 해당한다. ④ 법률이 있는 경우에 문제된다. ⑤ 법률의 범위를 넓게 본다(관습법 포함).

2. 법률의 법규창조력원칙의 관철

(1) 국민의 권리·의무에 관한 사항은 의회가 제정한 법규로서만 행하여져야 하며, 예외적인 경우(헌법에 근거한 대통령의 긴급명령, 긴급재정·경제명령)를 제외하고는 행정권 스스로 법규를 정립할 수 없다.

(2) 행정권이 스스로 정립하는 위임명령(행정입법)의 경우에도 법률에서 구체적으로 범위를 정하여 위임한 사항에 대해서만 법규제정을 인정하고 있다(포괄위임입법금지).

핵심 OX

01 법률우위의 원칙이란 국가의 행정은 합헌적 절차에 따라 제정된 법률에 위반되어서는 아니 된다는 것을 말한다.　18. 교행9급 (　)

02 법률우위의 원칙에서 법은 형식적 법률뿐 아니라 법규명령과 관습법 등을 포함하는 넓은 의미의 법이다.　19. 서울7급 (　)

3. 합헌적 법률의 우위

(1) 법률의 우위는 헌법의 이념에 부합되는 법률에 대하여만 우위성을 인정하게 되어 합헌적인 법률우위를 뜻하는 것으로의 전환을 가져왔다. 따라서 법률이 내용도 정당한 법률의 우위를 요구하므로 그 법률에 대한 위헌법률심사제, 행정소송제도가 채택되게 되었다.

(2) 법률우위는 행정이 법률에 위배될 수 없다는 것으로, 여기서의 법률은 의회가 제정한 형식적 의미의 법률뿐만 아니라 관습법·조리 등의 불문법도 포함된다.

(3) 법률우위원칙은 행정의 모든 영역에 적용되므로 침해적 행정에만 적용된다고 볼 수 없고, 수익적 행정에도 적용될 수 있다. 또한 판례는 법률우위원칙은 공법형식의 국가작용 외에 사법형식의 국가작용에도 적용된다고 보고 있다.

(4) 법률의 우위원칙에 위반된 행정작용의 법적 효과는 행위형식에 따라 상이하여 일률적으로 말할 수는 없다. 공법상 계약, 행정입법의 경우 특별한 사정이 없는 한 무효가 될 것이며, 행정행위(행정처분)의 경우 중대명백설에 따라 무효 또는 취소의 대상이 될 것이다.

> **⚖ 관련판례**
>
> **1** 구 지방재정법 및 국가를 당사자로 하는 계약에 관한 법률상의 요건과 절차를 거치지 않고 체결한 지방자치단체와 사인간의 사법상 계약 또는 예약은 무효이다(대판 2009.12.24. 2009다51288).
>
> **2** 구 국가를 당사자로 하는 계약에 관한 법률상의 요건과 절차를 거치지 않고 체결한 국가와 사인간의 사법상 계약은 무효이다(대판 2015.1.15. 2013다215133).

4. 법률유보의 원칙

(1) 의의

핵심 OX

03 법률유보원칙에서 요구되는 법적 근거는 작용법적 근거를 의미하며, 조직법적 근거는 모든 행정권 행사에 있어서 당연히 요구된다.　18. 서울9급 (　)

① 법률유보의 원칙이란 행정청의 행정권의 발동에는 법률의 근거를 필요로 한다는 원칙을 말한다. 모든 행정권 행사에 있어서 조직법적 근거는 당연히 요구되는바, 법률유보원칙에서 요구되는 법적 근거는 작용법적 근거를 의미한다. 또한 법적 근거는 원칙적으로 개별법적 근거를 의미한다고 보아야 하며, 포괄적 수권규정에 의한 행정작용은 예외적으로 가능하다.

② 행정의 설치·조직 및 국민과의 관계에 대한 문제(특히, 행정청의 권한사항)는 법률에 근거해야 한다. 헌법도 "행정 각부의 설치, 조직과 직무범위는 법률로 정한다"고 규정하여 행정조직법정주의를 명문화하고 있다. 따라서 행정권한의 위임·위탁에 관한 사항은 원칙적으로 법률에 근거하여 이루어져야 한다.

> **⚖ 관련판례**
>
> [1] 개인택시운송사업자에게 운전면허 취소사유가 있으나 그에 따른 운전면허취소처분이 이루어지지 않은 경우 관할관청이 개인택시운송사업면허를 취소할 수 없다.

01 ○　**02** ○　**03** ○

> **[2]** 개인택시운송사업자가 음주운전을 하다가 사망한 경우 망인의 운전면허를 취소
> 하는 것은 불가능하고, 음주운전 그 자체는 개인택시운송사업면허의 취소사유
> 가 될 수는 없으므로, 음주운전을 이유로 한 개인택시운송사업면허의 취소처분
> 은 위법하다(대판 2008.5.15. 2007두26001).

(2) 법률의 의미

① 법률의 유보에서 법률은 국회가 입법절차에 따라 법률의 형식으로 정하는 형식
적 의미의 법률을 의미한다. 따라서 국회의 의결을 거치지 않은 행정입법이나
관습법은 법률유보원칙에서 말하는 법률에 포함되지 않는다.

② 예산의 경우 법률유보원칙에서 말하는 법률에 포함되는지 문제되나, 헌법재판
소는 예산은 일종의 법규범이고 법률과 마찬가지로 국회의 의결을 거쳐 제정되
지만 법률과 달리 국가기관만을 구속할 뿐 일반국민을 구속하지 않는다고 판시
하여 부정하고 있다(헌재 2006.4.25. 2006헌마409).

핵심 OX

04 법률유보원칙에서 '법률의 유보'라
고 하는 경우의 '법률'에는 국회에서
법률제정의 절차에 따라 만들어진
형식적 의미의 법률뿐만 아니라 국
회의 의결을 거치지 않은 명령이나
불문법원으로서의 관습법이나 판례
법도 포함된다.   19. 서울7급 (   )

> **⚒ 관련판례**
>
> **1** 법률유보의 원칙은 '법률에 의한' 규율만을 뜻하는 것이 아니라 '법률에 근거한'
> 규율을 요청하는 것이므로 기본권제한의 형식이 반드시 법률의 형식일 필요는
> 없고 법률에 근거를 두면서 헌법 제75조가 요구하는 위임의 구체성과 명확성을
> 구비하는 경우에는 위임입법에 의하여도 기본권을 제한할 수 있다 할 것이다(헌
> 재 2005.2.24. 2003헌마289).
>
> **2** 기본권제한에 관한 법률유보원칙은 '법률에 근거한 규율'을 요청하는 것이므로,
> 그 형식이 반드시 법률일 필요는 없다고 하더라도 법률상의 근거는 있어야 한다
> (헌재 2006.5.25. 2003헌마715·2006헌마368).

2 법률유보 범위의 확대

형식적 법치주의에서의 법률유보는 국민의 자유와 재산을 침해하는 경우에만 법률의
근거를 필요로 하는 침해유보설의 입장이었으나, 현대에는 침해의 경우 외에도 보다 넓
게 법률의 유보범위를 확대하여 해석하려는 견해가 등장하게 되었다(급부행정유보설,
중요사항유보설). 법률유보에서의 법률의 개념은 행정권의 발동을 의미하므로 형식적
의미의 법률과 법률의 위임에 따른 법규명령도 포함되지만, 불문법원으로서 관습법, 조
리 등은 포함되지 않는다.

1. 학설

(1) 침해유보설

① **의의**: 국민의 자유와 재산에 대하여 침해·제한을 가하는 행정의 경우에만 법률
의 근거를 요한다는 설이다. 그 근거는 자유주의적 이념에서 구한다(행정에 대한
자유). 행정의 일부에 대해서만 법률유보를 요구하므로 그만큼 행정의 자유영역
은 확대된다. 독일의 외견적 입헌주의하에서 군주에게 법률로부터 자유로운 영
역을 확보해 주는 데에 이바지하였다(타협의 산물). 오늘날에도 최소한의 의미
와 기능을 갖는다.

04 X

② 비판: 현대행정이 급부행정으로 옮겨가는 데에 대하여 급부행정영역에서도 법률유보가 필요한 점에 대하여 이론상 난점이 있다. 특별권력관계 내부에는 법률유보의 적용이 배제된다는 비판을 받는다.

(2) 급부행정유보설(사회유보설)

① 의의: 침해적 권력행위 외 비권력행위 중 급부행정에도 법률의 근거를 요한다는 설(행정을 통한 자유)이다. 국가로부터 공정한 급부와 배려의 확보를 위해서는 급부행정에서도 법률유보의 적용을 인정하여야 한다는 점을 논거로 한다.

② 비판: 법률의 수권이 없는 경우 행정기관은 급박한 경우에 국민에게 급부를 행할 수 없게 되므로 국민의 지위를 오히려 악화시킨다는 점과 오늘날 국가의 급부제공이 예산의 형식이나 조직법적 근거만으로도 행해지는 것을 간과하고 있다는 점에서 비판을 받는다.

(3) 전부유보설

① 의의: 모든 공행정작용에 법률의 근거를 요한다는 설이다(행정유보 부인). 그 근거는 의회우위사상, 국민주권주의 내지 의회민주주의 이념에서 구한다.

② 비판: 행정의 모든 영역에서 법률유보를 요구하므로 이상적인 것이지만, 행정이 의회에 종속되어 권력분립에 위반된다는 비판을 받는다. 또한 탄력적이고 신속한 현대행정의 양적 범위나 다양성을 고려하면 이상론에 불과하고, 행정의 실제와 부합되지 않는다는 점에서 비판을 받는다.

(4) 중요사항유보설(본질성설, 의회유보설; 통설)

① 의의

㉠ 국가 및 그 구성원인 국민에게 중요하고도 본질적인 사항에 관해서는 법률의 근거를 요한다는 설이다.

ⓐ 1단계(법률유보의 범위, 횡적 범위): 국민의 기본권에 관련된 사항과 국민생활의 장래에 중대한 영향을 미치는 사항은 법률로 정하여야 한다는 것을 의미한다.

ⓑ 2단계(법률유보의 강도, 종적 범위): 본질적이며 중대한 사항은 반드시 법률로 정하여야 한다는 것을 의미한다. 이는 위임입법의 문제로서 개인의 기본권과 공익에 있어 가장 근본적이고 중요한 사항은 반드시 **의회입법으로 규율**해야 하며, 그렇지 않은 사항은 위임입법의 법리에 따라 법규명령으로 규율할 수 있다고 하여 규범구조의 수직적 기준을 정한 것으로 이는 위임입법의 한계로도 작용한다. 이러한 위임금지를 통하여 강화된 법률유보를 의회유보라고도 한다.

㉡ 1978년 독일 연방헌법재판소의 칼카르(Kalkar)판례(원자력발전소사건)에 기초하며, 우리나라의 헌법재판소의 입장(TV수신료사건)이기도 하다.

② 비판: 본질과 비본질, 중요와 비중요의 구별이 모호하다는 비판이 있고, 이에 대해 기본권 관련규정이 중요사항이라는 반론이 있다.

2. 판례

(1) 중요사항유보설(통설)

① 대법원과 헌법재판소는 중요사항유보설을 취하고 있다. 헌법재판소 판례에 의하면 오늘날 법률유보원칙은 단순히 행정작용이 법률에 근거를 두기만 하면 충분한 것이 아니라, 국가공동체와 그 구성원에게 기본적이고도 중요한 의미를 갖는 영역, 특히 **국민의 기본권 실현과 관련된 영역에 있어서는 국민의 대표자인 입법자가 그 본질적 사항에 대해서 스스로 결정하여야 한다(의회유보원칙)**는 요구까지 내포하고 있다(헌재 1995.5.27. 98헌바70).

② 다만, 어떠한 사안이 국회가 형식적 법률로 스스로 규정하여야 하는 본질적 사항에 해당되는지는, 구체적 사례에서 관련된 이익 내지 가치의 중요성, 규제 또는 침해의 정도와 방법 등을 고려하여 개별적으로 결정하여야 하지만, 규율대상이 국민의 기본권 및 기본적 의무와 관련한 중요성을 가질수록 그리고 그에 관한 공개적 토론의 필요성 또는 상충하는 이익 사이의 조정 필요성이 클수록, 그것이 국회의 법률에 의해 직접 규율될 필요성은 더 증대된다(대판 2015.8.20. 2012두23808 전합).

> #### 🔎 관련판례
>
> **1** 헌법 제37조 제2항은 "국민의 모든 자유와 권리는 … 법률로써 제한할 수 있으며"라고 하여 법률유보원칙을 규정하고 있다. 여기서 '법률'이란 국회가 제정한 형식적 의미의 법률을 말한다. 입법자는 행정부로 하여금 규율하도록 입법권을 위임할 수 있으므로, 법률에 근거한 행정입법에 의해서도 기본권 제한이 가능하다. 즉 기본권 제한에 관한 법률유보원칙은 '법률에 의한 규율'을 요청하는 것이 아니라 '법률에 근거한 규율'을 요청하는 것이므로, 기본권 제한에는 법률의 근거가 필요할 뿐이고 기본권 제한의 형식이 반드시 법률의 형식일 필요는 없으므로, 법규명령, 규칙, 조례 등 실질적 의미의 법률을 통해서도 기본권 제한이 가능하다 (헌재 2013.7.25. 2012헌마167).
>
> **2** 위임입법에 있어서 위임의 구체성·명확성의 요구 정도는 규제대상의 종류와 성격에 따라서 달라진다. 즉 급부행정 영역에서는 기본권침해 영역보다는 구체성의 요구가 다소 약화되어도 무방하다고 해석되며 다양한 사실관계를 규율하거나 사실관계가 수시로 변화될 것이 예상될 때에는 위임의 명확성의 요건이 완화된다. 뿐만 아니라 위임조항에서 위임의 구체적 범위를 명확히 규정하고 있지 않다고 하더라도 당해 법률의 전반적 체계와 관련규정에 비추어 위임조항의 내재적인 위임의 범위나 한계를 객관적으로 분명히 확정할 수 있다면 이를 일반적이고 포괄적인 백지위임에 해당하는 것으로 볼 수 없다(헌재 1997.12.24. 95헌마390).

(2) 구체적인 예

① 수신료 징수업무를 한국방송공사가 직접 수행할 것인지 제3자에게 위탁할 것인지, 위탁한다면 누구에게 위탁하도록 할 것인지, 위탁받은 자가 자신의 고유업무와 결합하여 징수업무를 할 수 있는지는 징수업무 처리의 효율성 등을 감안하여 결정할 수 있는 사항으로서 **국민의 기본권제한에 관한 본질적인 사항이 아니라 할 것이다.** 따라서 방송법 제64조 및 제67조 제2항은 법률유보의 원칙에 위반되지 아니한다(헌재 2008.2.28. 2006헌바70).

핵심 OX

01 법률유보의 적용범위는 행정의 복잡화와 다기화, 재량행위의 확대에 따라 과거에 비해 점차 축소되고 있으며 이러한 경향에 따라 헌법재판소는 행정유보의 입장을 확고히 하고 있다. 16. 사복 (   )

02 국민의 기본권 실현과 관련된 영역에 있어서는 입법자가 본질적인 사항에 대해서 스스로 결정해야 한다. 19. 서울9급(2월) (   )

03 기본권 제한에 관한 법률유보의 원칙은 법률에 근거한 규율뿐만 아니라 법률에 의한 규율을 요청하는 것이므로 기본권의 제한에는 법률의 근거가 필요할 뿐만 아니라 기본권 제한의 형식도 법률의 형식일 것을 요한다. 21. 변호사 (   )

04 오늘날 법률유보의 원칙은 단순히 행정작용이 법률에 근거를 두기만 하면 충분한 것이 아니라 국민의 기본권 실현과 관련된 영역에 있어서는 국민의 대표자인 입법자가 그 본질적 사항에 대해서 스스로 결정하여야 한다는 요구까지 내포하고 있다. 17. 변호사 변형 (   )

핵심 OX

05 수신료 징수업무를 한국방송공사가 직접 수행할지 제3자에게 위탁할지 여부는 국민의 기본권 제한에 관한 본질적인 사항이 아니다. 19. 서울9급(2월) (   )

01 X 02 ○ 03 X 04 ○ 05 ○

01 납세의무자에게 조세의 납부의무
뿐만 아니라 스스로 과세표준과 세
액을 계산하여 신고하여야 하는 의
무까지 부과하는 경우에 신고의무
불이행에 따른 납세의무자가 입게
될 불이익은 법률로 정하여야 한다.
17. 국가7급 ( )

② 국민에게 납세의 의무를 부과하기 위해서는 조세의 종목과 세율 등 납세의무에 관한 기본적, 본질적 사항은 국민의 대표기관인 국회가 제정한 법률로 규정하여야 하고, 법률의 위임 없이 명령 또는 규칙 등의 행정입법으로 과세요건 등 납세의무에 관한 기본적, 본질적 사항을 규정하는 것은 헌법이 정한 조세법률주의 원칙에 위배된다. 특히 법인세, 종합소득세와 같이 납세의무자에게 조세의 납부의무뿐만 아니라 스스로 과세표준과 세액을 계산하여 신고하여야 하는 의무까지 부과하는 경우에는 **신고의무 이행에 필요한 기본적인 사항과 신고의무불이행시 납세의무자가 입게 될 불이익 등은 납세의무를 구성하는 기본적·본질적 내용으로서 법률로 정하여야 한다**(대판 2015.8.20. 2012두23808 전합).

③ 산림훼손은 국토 및 자연의 유지와 수질 등 환경의 보전에 직접적으로 영향을 미치는 행위이므로, 법령이 규정하는 산림훼손 금지 또는 제한 지역에 해당하는 경우는 물론 금지 또는 제한 지역에 해당하지 않더라도 허가관청은 산림훼손허가신청 대상토지의 현상과 위치 및 주위상황 등을 고려하여 국토 및 자연의 유지와 **환경보전 등 중대한 공익상 필요가 있다고 인정될 때에는 허가를 거부할 수 있고, 그 경우 법규에 명문의 근거가 없더라도 거부처분을 할 수 있다**(대판 2003.3.28. 2002두12113).

④ 토지등소유자가 도시환경정비사업을 시행하는 경우 … 사업시행인가 신청에 필요한 토지 등 소유자의 동의정족수를 정하는 것은 국민의 권리와 의무의 형성에 관한 기본적이고 본질적인 사항으로 법률유보 내지 의회유보의 원칙이 지켜져야 할 영역이다(헌재 2011.8.30. 2009헌바128).

⚖ 관련판례

1 노동조합법 시행령 제9조 제2항은 법률이 정하고 있지 아니한 사항에 관하여, 법률의 구체적이고 명시적인 위임도 없이 헌법이 보장하는 노동3권에 대한 본질적인 제한을 규정한 것으로서 법률유보원칙에 반한다(대판 2020.9.3. 2016두32992 전합).

2 청원경찰의 징계에 관하여 대통령령으로 정하도록 하고 있는 청원경찰법이 법률유보원칙에 위반되는지(소극)
헌법상 법치주의의 한 내용인 법률유보의 원칙은 국민의 기본권 실현에 관련된 영역에 있어서 국가 행정권의 행사에 관하여 적용되는 것이지, 기본권규범과 관련 없는 경우에까지 준수되도록 요청되는 것은 아니라 할 것인데, 청원경찰은 근무의 공공성 때문에 일정한 경우에 공무원과 유사한 대우를 받고 있는 등으로 일반 근로자와 공무원의 복합적 성질을 가지고 있지만, 그 임면주체는 국가 행정권이 아니라 청원경찰법상의 청원주로서 그 근로관계의 창설과 존속 등이 본질적으로 사법상 고용계약의 성질을 가지는바, 청원경찰의 징계로 인하여 사적 고용계약상의 문제인 근로관계의 존속에 영향을 받을 수 있다 하더라도 이는 국가 행정주체와 관련되고 기본권의 보호가 문제되는 것이 아니어서 여기에 법률유보의 원칙이 적용될 여지가 없으므로, 그 징계에 관한 사항을 법률에 정하지 않았다고 하여 법률유보의 원칙에 위반된다 할 수 없다(헌재 2010.2.25. 2008헌바160).

3 오늘날 법률유보원칙은 단순히 행정작용이 법률에 근거를 두기만 하면 충분한 것이 아니라, 국가공동체와 그 구성원에게 기본적이고도 중요한 의미를 갖는 영역, 특히 국민의 기본권 실현과 관련된 영역에 있어서는 국민의 대표자인 입법자가 그 본질적 사항에 대해서 스스로 결정하여야 한다는 요구까지 내포하고 있다(의회유보원칙). 그런데 텔레비전방송수신료는 대다수 국민의 재산권보장의 측면이나 한국방송공사에게 보장된 방송자유의 측면에서 국민의 기본권 실현에 관련된 영역에 속하고, 수신료금액의 결정은 납부의무자의 범위 등과 함께 수신료에 관한 본질적인 중요한 사항이므로 국회가 스스로 행하여야 하는 사항에 속하는 것임에도 불구하고 한국방송공사법(현재 폐지됨) 제36조 제1항에서 국회의 결정이나 관여를 배제한 채 한국방송공사로 하여금 수신료금액을 결정해서 문화관광부장관의 승인을 얻도록 한 것은 법률유보원칙에 위반된다(헌재 1999.5.27. 98헌바70).

4 병의 복무기간은 국방의무의 본질적 내용에 관한 것이어서 이는 반드시 법률로 정하여야 할 입법사항에 속한다고 풀이할 것인바 육군본부 방위병소집복무해제규정(육군규정 104-1) 제23조가 질병휴가, 청원휴가, 각종사고(군무이탈, 구속, 영창, 징역, 유계결근), 1일 24시간 이상 지각, 조퇴한 날, 전속 및 보직변경에 따른 출발일자부터 일보변경 전일까지의 기간 등을 복무에서 제외한다고 규정하여 병역법 제25조 제3항이 규정하지 아니한 구속 등의 사유를 복무기간에 산입하지 않도록 규정한 것은 병역법에 위반하여 무효라고 할 것이다(대판 1985.2.28. 85초13).

5 법률이 자치적인 사항을 정관에 위임할 경우 원칙적으로 헌법상의 포괄위임입법금지원칙이 적용되지 않는다 하더라도, 그 사항이 국민의 권리·의무에 관련되는 것일 경우에는, 적어도 국민의 권리와 의무의 형성에 관한 사항을 비롯하여 국가의 통치조직과 작용에 관한 기본적이고 본질적인 사항은 반드시 국회가 정하여야 할 것인바, 각 국가유공자 단체의 대의원의 선출에 관한 사항은 각 단체의 구성과 운영에 관한 것으로서, 국민의 권리와 의무의 형성에 관한 사항이나 국가의 통치조직과 작용에 관한 기본적이고 본질적인 사항이라고 볼 수 없으므로, 법률유보 내지 의회유보의 원칙이 지켜져야 할 영역이라고 할 수 없다. 따라서 각 단체의 대의원의 정수 및 선임방법 등은 정관으로 정하도록 규정하고 있는 국가유공자등단체설립에 관한 법률 제11조가 법률유보 혹은 의회유보의 원칙에 위배되어 청구인의 기본권을 침해한다고 할 수 없다(헌재 2006.3.30. 2005헌바31).

6 입주자대표회의의 구성에 필요한 사항을 대통령령에 위임하도록 한 구 주택법 제43조 제7항이 법률유보원칙을 위반하는지 여부(소극)
입주자대표회의는 공법상의 단체가 아닌 사법상의 단체로서, 이러한 특정 단체의 구성원이 될 수 있는 자격을 제한하는 것이 국가적 차원에서 형식적 법률로 규율되어야 할 본질적 사항이라고 보기 어렵다. 또한, 입주자대표회의 구성에 있어서 본질적인 부분은 입주자들이 국가나 사업주체의 관여 없이 자치활동의 일환으로 입주자대표회의를 구성할 수 있다는 것인데, 주택법 제43조 제3항은 입주자가 입주자대표회의를 구성할 수 있다고 규정하고 있어 이미 본질적인 부분이 입법되어 있으므로 입주자대표회의의 구성원인 동별 대표자가 될 수 있는 자격이 반드시 법률로 규율하여야 하는 사항이라고 볼 수 없다. 따라서 심판대상조항은 법률유보원칙을 위반하지 아니한다(헌재 2016.7.28. 2014헌바158).

7 사업시행인가 신청 시의 토지등소유자의 동의요건을 사업시행자의 정관에 위임한 도시 및 주거환경정비법 제28조 제4항이 법률유보의 원칙 등에 위배되는지 여부(소극)

구 도시 및 주거환경정비법(2005.3.18. 법률 제7392호로 개정되기 전의 것)상 사업시행자에게 사업시행계획의 작성권이 있고 행정청은 단지 이에 대한 인가권만을 가지고 있으므로 사업시행인가인 조합의 사업시행계획 작성은 자치법적 요소를 가지고 있는 사항이라 할 것이고, 이와 같이 사업시행계획의 작성이 자치법적 요소를 가지고 있는 이상, 조합의 사업시행인가 신청시의 토지 등 소유자의 동의요건 역시 자치법적 사항이라 할 것이며, 따라서 2005.3.18. 법률 제7392호로 개정된 도시 및 주거환경정비법 제28조 제4항 본문이 사업시행인가 신청시의 동의요건을 조합의 정관에 포괄적으로 위임하고 있다고 하더라도 헌법 제75조가 정하는 포괄위임입법금지의 원칙이 적용되지 아니하므로 이에 위배된다고 할 수 없다. 그리고 <u>조합의 사업시행인가 신청시의 토지등소유자의 동의요건이</u> 비록 토지 등 소유자의 재산상 권리·의무에 영향을 미치는 사업시행계획에 관한 것이라고 하더라도, 그 동의요건은 사업시행인가 신청에 대한 토지등소유자의 사전 통제를 위한 절차적 요건에 불과하고 <u>토지등소유자의 재산상 권리·의무에 관한 기본적이고 본질적인 사항이라고 볼 수 없으므로 법률유보 내지 의회유보의 원칙이 반드시 지켜져야 하는 영역이라고 할 수 없고,</u> 따라서 개정된 도시 및 주거환경정비법 제28조 제4항 본문이 법률유보 내지 의회유보의 원칙에 위배된다고 할 수 없다(대판 2007.10.12. 2006두14476).

8 토지등소유자가 도시환경정비사업을 시행하는 경우 사업시행인가 신청에 필요한 토지등소유자의 동의정족수를 토지등소유자가 자치적으로 정하여 운영하는 규약에 정하도록 한 것이 법률유보원칙에 위반되는지 여부(적극)

토지등소유자가 도시환경정비사업을 시행하는 경우 사업시행인가 신청 시 필요한 토지등소유자의 동의는, <u>개발사업의 주체 및 정비구역 내 토지등소유자를 상대로 수용권을 행사하고 각종 행정처분을 발할 수 있는 행정주체로서의 지위를 가지는 사업시행자를 지정하는 문제로서, 그 동의요건을 정하는 것은 국민의 권리와 의무의 형성에 관한 기본적이고 본질적인 사항이므로 국회가 스스로 행하여야 하는 사항에 속하는 것임에도 불구하고,</u> 사업시행인가 신청에 필요한 동의정족수를 토지등소유자가 자치적으로 정하여 운영하는 규약에 정하도록 한 것은 법률유보원칙에 위반된다(헌재 2012.4.24. 2010헌바1).

9 지방의회의원에 대하여 유급보좌인력을 두는 것은 지방의회의 조례로써 규정할 사항이 아니라 국회의 법률로써 규정하여야 할 입법사항인지 여부(적극)

<u>지방의회에서 위 근로자를 두어 의정활동을 지원하는 것은 실질적으로 유급보좌인력을 두는 것과 마찬가지여서 개별 지방의회에서 정할 사항이 아니라 국회의 법률로 규정하여야 할 입법사항에 해당하는데,</u> 지방자치법이나 다른 법령에 위 근로자를 지방의회에 둘 수 있는 법적 근거가 없으므로, 위 예산안 중 '상임(특별)위원회 운영기간제근로자 등 보수' 부분은 법령 및 조례로 정하는 범위에서 지방자치단체의 경비를 산정하여 예산에 계상하도록 한 지방재정법 제36조 제1항의 규정에 반하고, 이에 관하여 한 재의결은 효력이 없다(대판 2013.1.16. 2012추84).

법률우위와 법률유보의 관계

1. 법률우위와 법률유보의 관계

구분	법률의 우위	법률의 유보
법치주의 관점	소극적 의미	적극적 의미
적용범위	모든 범위	범위에 대한 견해 대립
법률의 개념	성문법+불문법 (관습법, 조리)	성문법에 한정 (불문법 제외)
법률의 존재 여부	법률이 존재시 문제	법률이 부존재시 문제
입법, 행정과의 관계	법의 단계질서의 문제	입법과 행정 사이의 권한의 문제

2. 법률유보

① 법외노조 통보에 관한 사항은 법률로 규정하여야 한다(대판 2020.9.3. 2016두32992 전합).

② 병의 복무기간은 국방의무의 본질적 내용에 관한 것으로 반드시 법률로 정하여야 할 사항이다.

③ 병역법이 규정하지 아니한 구속 등의 사유를 복무기간에 산입하지 않도록 규정한 것은 병역법 위반이다.

④ 수신료금액의 결정은 수신료에 관한 본질적인 중요사항이므로 국회가 스스로 행하여야 하는 사항에 속하는 것임에도 한국방송공사로 하여금 수신료금액을 결정해서 장관의 승인을 얻도록 한 것은 법률유보에 반한다.

⑤ 지방자치단체의 자치사무는 포괄위임이 허용된다.

⑥ 지방자치단체가 주민의 권리제한 또는 의무부과에 관한 사항이나 벌칙에 해당하는 조례를 제정하는 경우 법률의 위임이 필요하다.

⑦ 교육에 관한 사항(기본방침)은 본질적 사항으로 법률로 규정하여야 한다.

⑧ 국가유공자단체의 대의원의 선출에 관한 사항은 본질사항이 아니다.

⑨ 조합의 사업시행인가 신청 시의 토지등소유자의 동의요건이 비록 토지등소유자의 재산상 권리·의무에 영향을 미치는 사업시행계획에 관한 것이라고 하더라도 그 동의요건이 토지등소유자의 재산상 권리·의무에 관한 본질적인 사항이라고 볼 수 없다.

구분	형식적 법치주의	실질적 법치주의
법률의 법규창조력	행정권에 대한 광범위한 위임입법권 인정 ⇨ 법률의 법규창조력 관철 ×	포괄적 위임입법금지 ⇨ 법률의 법규창조력 관철
법률우위의 원칙	형식적으로 법률에 위반되지 않으면 되는 의미의 법률우위	합헌적인 내용을 가진 법률에 위반되지 않아야 하는 합헌적 법률우위(위헌법률심판 등 헌법적 통제)
법률유보의 원칙	법률유보원칙 적용범위를 좁게 인정, 침해유보설(그 당시 통설)	법률유보원칙의 적용범위를 넓게 인정
행정구제측면	행정소송사항의 열기주의, 국가배상책임 부정	행정소송사항의 개괄주의, 국가배상책임 인정, 행정절차 제도 등 사전권리구제 강화
결론	행정권한 확대, 국민권익 보호 소홀	행정권한 통제 강화, 국민권익 보호 강화

제3절 통치행위

1 서설

1. 의의

통치행위란 고도의 정치적 성격을 띤 국가기관의 행위로서 사법심사의 대상에서 제외되는 행위이며, 그에 대한 판결이 있는 경우에도 집행이 곤란한 국가작용이다. 입법도 사법도 행정도 아닌 제4의 국가작용[오토 마이어(O. Mayer)]이라고도 한다. 통치행위의 개념은 실정법상의 개념은 아니고 판례와 이론에 의해 형성된 개념이다. 연혁적으로는 군주의 자의적인 권력행사를 합리화하는 도구로 이용되었고, 오늘날은 주로 정치권의 행위를 일컫지만 사법심사의 확대로 통치행위의 범위는 축소되고 있다.

2. 제도적 전제조건

통치행위의 현실적 논의를 위해서는 법치주의가 확립되어 공권력 행사에 대한 사법심사가 고도로 발달되어 있어야 하며, 행정소송에서 열기주의가 아닌 개괄주의가 채택되어 있어야 한다.

2 인정 여부에 관한 학설

1. 부정설(사법심사 긍정설)

실질적 법치주의와 행정소송에 있어 개괄주의가 인정되는 이상 고도의 정치적 문제라 하더라도 모든 행정작용은 사법심사의 대상이 되어야 한다는 입장으로, 사법권의 포기와 같은 통치행위는 부인되어야 한다고 본다.

2. 긍정설(사법심사 제한설)

통치행위의 현실적 필요성에 입각해 제한된 범위 내에서 통치행위를 긍정하는 입장으로, 오늘날 대부분의 국가에서 인정함이 일반적이다.

3 인정근거

1. 학설

(1) 권력분립설(내재적 한계설)

정치적인 문제의 최종적인 판단은 행정부나 국회 또는 국민의 여론에 맡기는 것이 적절하므로 정치문제에 개입하지 않는 것이 법원의 내재적 한계라고 한다. 권력분립상 통치행위는 입법기관이나 행정기관의 정치적 행위이므로, 사법부는 스스로의 내재적 한계로서 사법심사 대상에서 제외된다고 한다.

(2) 사법자제설

통치행위가 사법심사의 대상에서 제외되는 것은 정치적 행위에 대하여 법정책적으로 자제하기 때문이라고 보는 입장이다. 사법부가 정치문제에 개입하는 것을 자제함으로써 사법의 정치화를 방지한다는 것이다. 그러나 사법자제설은 사법권의 포기로 헌법상 원리에 위배된다는 비판이 있다.

(3) 재량행위설

일정한 행정행위는 재량행위라 하여 사법심사에서 제외되는데, 통치행위가 바로 정치문제로서 재량행위라는 것이다. 그러나 오늘날 재량행위의 문제는 사법심사 대상의 문제가 아닌 범위의 문제로 보는 것이 일반적인데, 통치행위는 사법심사 대상의 문제를 범위의 문제로 오인했다는 비판이 있다. 또한 재량권의 일탈·남용의 경우에는 사법심사의 대상이 된다.

(4) 대권행위설(영국)

통치행위는 영국에서 유래된 보편적인 학설로, 국왕의 대권행위이기 때문에 사법심사의 대상에서 제외된다는 입장이다.

2. 외국의 입법례

대륙법계	프랑스	• 행정재판소인 국참사원(Conseil d'Etat)의 판례를 통하여 정립 • 정치성이 강한 행위들에 대한 사법심사 제한
	독일	• 제2차 세계대전 이전까지는 행정소송의 열기주의를 채택하여 고도의 정치 행위는 미리 제외, 2차 대전 이후 개괄주의 채택하면서 통치행위 논의 • 의회해산, 수상선거, 조약체결 등 통치행위 긍정
	일본	미·일 안보조약체결[사천(砂川) 사건], 중의원의 해산[점미지(苫米地) 사건] 등 통치행위 긍정
영미법계	영국	• '국왕은 제소되지 않는다'라고 하여 대권행위로서 긍정 • 선전포고, 사면행위 등
	미국	• 권력분립원칙을 근거로 정치문제는 비록 법률문제를 포함하고 있는 경우에도 법원은 스스로 심판할 수 없다는 입장에서 긍정 • 루더 대 보덴(Luther v. Borden) 사건❶

3. 판례

(1) 대법원의 입장

고도의 정치성을 띤 국가행위에 대하여는 이른바 통치행위라 하여 법원 스스로 사법심사권의 행사를 억제하여 그 심사대상에서 제외하는 영역이 있다. 그러나 이와 같이 **통치행위의 개념을 인정한다고 하더라도 과도한 사법심사의 자제가 기본권을 보장하고 법치주의 이념을 구현하여야 할 법원의 책무를 태만히 하거나 포기하는 것이 되지 않도록 그 인정을 지극히 신중하게 하여야 하며, 그 판단은 오로지 사법부만에 의하여 이루어져야 한다**(대판 2004.3.26. 2003도7878).

(2) 헌법재판소의 입장

대통령의 긴급재정경제명령은 국가긴급권의 일종으로서 고도의 정치적 결단에 의하여 발동되는 행위이고 그 결단을 존중하여야 할 필요성이 있는 행위라는 의미에서 이른바 통치행위에 속한다고 할 수 있으나, **통치행위를 포함하여 모든 국가작용은 국민의 기본권적 가치를 실현하기 위한 수단이라는 한계를 반드시 지켜야 하는 것이다**(헌재 1996.2.29. 93헌마186)라고 하여 통치행위의 개념을 인정하였으나, 국민의 기본권침해와 직접 관련되는 경우 사법심사의 대상이 된다는 입장을 취하고 있다.

④ 인정범위

1. 헌법상 규정

통치행위에 대한 명문규정은 없지만, 헌법 제64조 규정을 통치행위에 관한 규정으로 인정할 수 있다.

---

❶ 루더 대 보덴(Luther v. Borden) 사건(1849)
· 로드 아일랜드 주(Rhode Island 州)에서 반란으로 수립한 정부와 종래의 정부가 서로 적법정부임을 주장한 사건
· 어느 정부가 적법인가의 판단은 정치적 문제이므로 법원이 판단할 사항이 아니라 연방의회와 연방정부가 결정할 문제에 해당하고 법원이 판단할 대상이 아님
⇨ 통치행위개념 인정

헌법 제64조 【국회의 자율권】 ① 국회는 법률에 저촉되지 아니하는 범위 안에서 의사와 내부규율에 관한 규칙을 제정할 수 있다.

② 국회는 의원의 자격을 심사하며, 의원을 징계할 수 있다.

③ 의원을 제명하려면 국회재적의원 3분의 2 이상의 찬성이 있어야 한다.

④ 제2항과 제3항의 처분에 대하여는 법원에 제소할 수 없다.

2. 통치행위의 주체 및 범위

(1) 행정부(대통령)

긴급재정·경제처분 및 긴급재정경제명령 또는 긴급명령권의 행사, 사면·복권행위, 영전수여, 국무총리·국무위원의 임면, 국민투표부의권, 임시국회의 소집요구, 법률안에 대한 거부권의 행사, 선전포고·강화, 군의 지휘·배치, 비상계엄선포, 국군의 외국파견 등을 들 수 있다.

(2) 입법부(국회)

국무총리 임명동의, 국무위원 등 해임건의, 국회의원 자격심사·징계·제명, 의결정족수, 국회의 의사진행에 관한 사항 등을 들 수 있다.

(3) 사법부(법원, 헌법재판소)

사법부의 재판이 정치성을 띠는 행위라고 볼 수 없으므로, 사법부에 의한 통치행위는 인정하기 곤란하다.

3. 통치행위의 판단주체 – 사법부(법원, 헌법재판소)

통치행위에 대한 판단은 사법부만에 의하여 이루어져야 한다. 통치행위의 개념을 인정한다고 하더라도 과도한 사법심사의 자제가 기본권을 보장하고 법치주의 이념을 구현하여야 할 법원의 책무를 태만히 하거나 포기하는 것이 되지 않도록 그 인정을 지극히 신중하게 하여야 하며, 그 판단은 오로지 사법부만에 의하여 이루어져야 한다(대판 2004.3.26. 2003도7878).

⑤ 통치행위의 한계

1. 헌법적 가치에 구속

통치행위를 인정한다고 하더라도 제한적으로 인정하여야 하며, 법원의 재판으로부터 자유롭다고 하여도 그것이 헌법으로부터 완전히 자유로운 것을 의미하는 것은 아니다. 통치행위는 헌법 형성의 기본결단에 구속되고, 아울러 법치국가의 원리인 정의의 원칙에 합당하여야 한다. 따라서 국민주권원리, 비례원칙 등의 헌법원칙에 위배될 수 없다.

2. 정치적 책임

통치행위는 법원에 의한 사법적 심사의 대상에서는 제외될 수 있지만, 국회나 여론에 의한 정치적 비판의 대상에서까지 제외될 수는 없다. 사법심사의 발달로 통치행위는 축소화되어 가고 있는 것이 현실이다.

1 이 사건 헌법소원심판 계속중에 공포된 공직선거및선거부정방지법에 의하여 선거일은 법정화되고 선거일공고제도가 폐지되었으며, 예외적인 보궐선거 등에서는 관할 선거관리위원회에서 선거일을 공고하도록 되어, 피청구인은 선거에 관한 관리사무에 일체 관여할 수 없게 되었으므로, 비록 이 사건에서 위헌확인이 선고되더라도 청구인들의 주권적 권리구제에 아무런 도움이 되지 않을 뿐만 아니라 동종행위의 반복위험이 없음은 물론 불분명한 헌법문제의 해명이 중대한 의미를 지니고 있는 경우에도 해당하지 아니하여 예외적인 심판청구의 이익이 있는 경우에도 해당하지 않는다(헌재 1994.8.31. 92헌마126).

2 **통치행위와 사법심사**

입헌적 법치주의국가의 기본원칙은 어떠한 국가행위나 국가작용도 헌법과 법률에 근거하여 그 테두리 안에서 합헌적·합법적으로 행하여질 것을 요구하며, 이러한 합헌성과 합법성의 판단은 본질적으로 사법의 권능에 속하는 것이다. 다만, 국가행위 중에는 고도의 정치성을 띤 것이 있고, 그러한 고도의 정치행위에 대하여 정치적 책임을 지지 않는 법원이 정치의 합목적성이나 정당성을 도외시한 채 합법성의 심사를 감행함으로써 정책결정이 좌우되는 일은 결코 바람직한 일이 아니며, 법원이 정치문제에 개입되어 그 중립성과 독립성을 침해당할 위험성도 부인할 수 없으므로, 고도의 정치성을 띤 국가행위에 대하여는 이른바 통치행위라 하여 법원 스스로 사법심사권의 행사를 억제하여 그 심사대상에서 제외하는 영역이 있다. 그러나 이와 같이 통치행위의 개념을 인정한다고 하더라도 과도한 사법심사의 자제가 기본권을 보장하고 법치주의 이념을 구현하여야 할 법원의 책무를 태만히 하거나 포기하는 것이 되지 않도록 그 인정을 지극히 신중하게 하여야 하며, 그 판단은 오로지 사법부만에 의하여 이루어져야 하는 것이다(대판 2004.3.26. 2003도7878).

3 **계엄선포행위**

대통령의 계엄선포행위의 당·부당 판단권한은 국회만이 가지므로 계엄선포의 요건 구비 여부나 당·부당을 심판하는 것은 그 선포가 당연무효가 아닌 한 사법권의 한계를 넘어서는 것이 된다(대결 1979.12.7. 79초70).

4 **비상계엄의 선포나 확대**

대통령의 비상계엄의 선포나 확대 행위는 고도의 정치적·군사적 성격을 지니고 있는 행위라 할 것이므로, 그것이 누구에게도 일견하여 헌법이나 법률에 위반되는 것으로서 명백하게 인정될 수 있는 등 특별한 사정이 있는 경우라면 몰라도, 그러하지 아니한 이상 그 계엄선포의 요건 구비 여부나 선포의 당·부당을 판단할 권한이 사법부에는 없다고 할 것이나, 비상계엄의 선포나 확대가 국헌문란의 목적을 달성하기 위하여 행하여진 경우에는 법원은 그 자체가 범죄행위에 해당하는지의 여부에 관하여 심사할 수 있다(대판 1997.4.17. 96도3376 전합).

5 **긴급재정경제명령 사건**

통치행위란 고도의 정치적 결단에 의한 국가행위로서 사법적 심사의 대상으로 삼기에 적절하지 못한 행위라고 일반적으로 정의되고 있는바, 이 사건 긴급명령이 통치행위로서 헌법재판소의 심사 대상에서 제외되는지에 관하여 살피건대, 고도의 정치적 결단에 의한 행위로서 그 결단을 존중하여야 할 필요성이 있는 행위라는 의미에서 이른바 통치행위의 개념을 인정할 수 있고, 대통령의 긴급재정경제명령은 중대한 재정 경제상의 위기에 처하여 국회의 집회를 기다릴 여유가 없을 때에 국가의 안전보장 또는 공공의 안녕질서를 유지하기 위하여 필요한 경우에 발동되는 일종의 국가긴급권으로서 대통령이 고도의 정치적 결단을 요하고 가급적 그 결단이 존중되어야 할 것임은 법무부장관의 의견과 같다.

그러나 이른바 통치행위를 포함하여 모든 국가작용은 국민의 기본권적 가치를 실현하기 위한 수단이라는 한계를 반드시 지켜야 하는 것이고, 헌법재판소는 헌법의 수호와 국민의 기본권보장을 사명으로 하는 국가기관이므로 비록 고도의 정치적 결단에 의하여 행해지는 국가작용이라고 할지라도 그것이 국민의 기본권 침해와 직접 관련되는 경우에는 당연히 헌법재판소의 심판대상이 될 수 있는 것일 뿐만 아니라, 긴급재정경제명령은 법률의 효력을 갖는 것이므로 마땅히 헌법에 기속되어야 할 것이다. 따라서 이 사건 긴급명령이 통치행위이므로 헌법재판의 대상이 될 수 없다는 법무부장관의 주장은 받아들일 수 없다(헌재 1996.2.29. 93헌마186).

6 이라크 파견결정 사건
이 사건 파견결정은 그 성격상 국방 및 외교에 관련된 고도의 정치적 결단을 요하는 문제로서, 헌법과 법률이 정한 절차를 지켜 이루어진 것임이 명백하므로, 대통령과 국회의 판단은 존중되어야 하고 우리 재판소가 사법적 기준만으로 이를 심판하는 것은 자제되어야 한다. 오랜 민주주의 전통을 가진 외국에서도 외교 및 국방에 관련된 것으로서 고도의 정치적 결단을 요하는 사안에 대하여는 줄곧 사법심사를 자제하고 있는 것도 바로 이러한 취지에서 나온 것이라 할 것이다. 이에 대하여는 설혹 사법적 심사의 회피로 자의적 결정이 방치될 수도 있다는 우려가 있을 수 있으나 그러한 대통령과 국회의 판단은 궁극적으로는 선거를 통해 국민에 의한 평가와 심판을 받게 될 것이다(헌재 2004.4.29. 2003헌마814).

7 대통령의 특별사면행위
사면은 형의 선고의 효력 또는 공소권을 상실시키거나, 형의 집행을 면제시키는 국가원수의 고유한 권한을 의미하며, 사법부의 판단을 변경하는 제도로서 권력분립의 원리에 대한 예외가 된다. 사면제도는 역사적으로 절대군주인 국왕의 은사권(恩赦權)에서 유래하였으며, 대부분의 근대국가에서도 유지되어 왔고, 대통령제국가에서는 미국을 효시로 대통령에게 사면권이 부여되어 있다. 사면권은 전통적으로 국가원수에게 부여된 고유한 은사권이며, 국가원수가 이를 시혜적으로 행사한다. 현대에 이르러서는 법 이념과 다른 이념과의 갈등을 조정하고, 법의 이념인 정의와 합목적성을 조화시키기 위한 제도로도 파악되고 있다(헌재 2000.6.1. 97헌바74).

8 남북정상회담 개최
남북정상회담의 개최는 고도의 정치적 성격을 지니고 있는 행위라 할 것이므로 특별한 사정이 없는 한 그 당부를 심판하는 것은 사법권의 내재적·본질적 한계를 넘어서는 것이 되어 적절하지 못하지만, 남북정상회담의 개최과정에서 재정경제부장관에게 신고하지 아니하거나 통일부장관의 협력사업 승인을 얻지 아니한 채 북한측에 사업권의 대가 명목으로 송금한 행위 자체는 헌법상 법치국가의 원리와 법 앞에 평등원칙 등에 비추어 볼 때 사법심사의 대상이 된다(대판 2004.3.26. 2003도7878).

9 한미연합 군사훈련
한미연합 군사훈련은 1978. 한미연합사령부의 창설 및 1979.2.15. 한미연합연습 양해각서의 체결 이후 연례적으로 실시되어 왔고, 특히 이 사건 연습은 대표적인 한미연합 군사훈련으로서, 피청구인이 2007.3. 경에 한 이 사건 연습결정이 새삼 국방에 관련되는 고도의 정치적 결단에 해당하여 사법심사를 자제하여야 하는 통치행위에 해당된다고 보기 어렵다(헌재 2009.5.28. 2007헌마369).

10 신행정수도 사건
이 사건 법률의 위헌 여부를 판단하기 위한 선결문제로서 신행정수도건설이나 수도이전의 문제를 국민투표에 붙일지 여부에 관한 대통령의 의사결정이 사법심사의 대상이 될 경우 위 의사결정은 고도의 정치적 결단을 요하는 문제여서 사법심사를 자제함이 바람직하다고는 할 수 있고, 이에 따라 그 의사결정에 관련된 흠을 들어 위헌성이 주장되는 법률에 대한 사법심사 또한 자제함이 바람직하다고는 할 수 있다. 그러나 대통령의 위 의사결정이 국민의 기본권침해와 직접 관련되는 경우에는 헌법재판소의 심판대상이 될 수 있고, 이에 따라 위 의사결정과 관련된 법률도 헌법재판소의 심판대상이 될 수 있다(헌재 2004.10.21. 2004헌마554).

11 긴급조치 사건: 대법원

유신헌법 제53조에 근거한 긴급조치 제1호는 국민의 기본권에 대한 제한과 관련된 조치로서 형벌법규와 국가형벌권의 행사에 관한 규정을 포함하고 있다. 그러므로 기본권 보장의 최후 보루인 법원으로서는 마땅히 긴급조치 제1호에 규정된 형벌법규에 대하여 사법심사권을 행사함으로써, 대통령의 긴급조치권 행사로 인하여 국민의 기본권이 침해되고 나아가 우리나라 헌법의 근본이념인 자유민주적 기본질서가 부정되는 사태가 발생하지 않도록 그 책무를 다하여야 할 것이다. … 헌법재판소에 의한 위헌심사의 대상이 되는 '법률'이란 '국회의 의결을 거친 이른바 형식적 의미의 법률'을 의미하고, 위헌심사의 대상이 되는 규범이 형식적 의미의 법률이 아닌 때에는 그와 동일한 효력을 갖는 데에 국회의 승인이나 동의를 요하는 등 국회의 입법권 행사라고 평가할 수 있는 실질을 갖춘 것이어야 한다. 구 대한민국헌법('유신헌법') 제53조 제3항은 대통령이 긴급조치를 한 때에는 지체 없이 국회에 통고하여야 한다고 규정하고 있을 뿐, 사전적으로는 물론이거니와 사후적으로도 긴급조치가 그 효력을 발생 또는 유지하는 데 국회의 동의 내지 승인 등을 얻도록 하는 규정을 두고 있지 아니하고, 실제로 국회에서 긴급조치를 승인하는 등의 조치가 취하여진 바도 없다. 따라서 유신헌법에 근거한 긴급조치는 국회의 입법권 행사라는 실질을 전혀 가지지 못한 것으로서, 헌법재판소의 위헌심판대상이 되는 '법률'에 해당한다고 할 수 없고, 긴급조치의 위헌 여부에 대한 심사권은 최종적으로 대법원에 속한다(대판 2010.12.16. 2010도5986).

12 긴급조치 사건: 헌법재판소 ❶

유신헌법 제53조 제4항은 '긴급조치는 사법적 심사의 대상이 되지 아니한다.'라고 규정하고 있었다. 그러나 비록 고도의 정치적 결단에 의하여 행해지는 국가긴급권의 행사라고 할지라도 그것이 국민의 기본권침해와 직접 관련되는 경우에는 헌법재판소의 심판대상이 될 수 있다는 점, 이러한 사법심사 배제조항은 근대입헌주의에 대한 중대한 예외가 될 뿐 아니라 기본권보장규정이나 위헌법률심판제도에 관한 규정 등 다른 헌법 조항들과 정면으로 모순·충돌되는 점, 현행헌법에서는 그 반성적 견지에서 긴급재정경제명령·긴급명령에 관한 규정(제76조)에서 사법심사 배제규정을 삭제하여 제소금지조항을 승계하지 아니한 점 및 긴급조치의 위헌 여부는 원칙적으로 현행헌법을 기준으로 판단하여야 하는 점에 비추어 보면, 이 사건에서 유신헌법 제53조 제4항 규정의 적용은 배제되고, 모든 국민은 현행헌법에 따라 이 사건 긴급조치들의 위헌성을 다툴 수 있다고 보아야 한다. … 헌법 제107조 제1항·제2항은 법원의 재판에 적용되는 규범의 위헌 여부를 심사할 때, '법률'의 위헌 여부는 헌법재판소가, 법률의 하위 규범인 '명령·규칙 또는 처분' 등의 위헌 또는 위법 여부는 대법원이 그 심사권한을 갖는 것으로 권한을 분배하고 있다. 이 조항에 규정된 '법률'인지 여부는 그 제정 형식이나 명칭이 아니라 규범의 효력을 기준으로 판단하여야 하고, '법률'에는 국회의 의결을 거친 이른바 형식적 의미의 법률은 물론이고 그 밖에 조약 등 '형식적 의미의 법률과 동일한 효력'을 갖는 규범들도 모두 포함된다. 따라서 최소한 법률과 동일한 효력을 가지는 이 사건 긴급조치들의 위헌 여부 심사권한도 헌법재판소에 전속한다(헌재 2013.3.21. 2010헌바132).

❶ 긴급조치
· 대법원의 입장: 긴급조치는 '명령'의 성격 – 위헌판단 대법원에 귀속
· 헌법재판소의 입장: 긴급조치는 '법률'의 성격 – 위헌판단 헌법재판소에 귀속

01 ○

13 **서훈취소가 법원이 사법심사를 자제해야 할 고도의 정치성을 띤 행위인지 여부(소극)**

구 상훈법 제8조는 서훈취소의 요건을 구체적으로 명시하고 있고 절차에 관하여 상세하게 규정하고 있다. 그리고 서훈취소는 서훈수여의 경우와는 달리 이미 발생된 서훈대상자 등의 권리 등에 영향을 미치는 행위로서 관련 당사자에게 미치는 불이익의 내용과 정도 등을 고려하면 사법심사의 필요성이 크다.

따라서 기본권의 보장 및 법치주의의 이념에 비추어 보면, 비록 서훈취소가 대통령이 국가원수로서 행하는 행위라고 하더라도 법원이 사법심사를 자제하여야 할 고도의 정치성을 띤 행위라고 볼 수는 없다(대판 2015.4.23. 2012두26920).

14 **군사시설보호구역의 설정 변경 또는 해제**

군사시설보호구역의 설정 변경 또는 해제와 같은 행위는 통치행위로서 협의의 행정행위와 구별된다(대판 1983.6.14. 83누43).

15 **의원징계의결**

지방자치법 제78조 내지 제81조 규정에 의거한 지방의회의 의원징계의결은 그로 인해 의원의 권리에 직접 법률효과를 미치는 행정처분의 일종으로서 행정소송의 대상이 된다(대판 1993.11.26. 93누7341).

◈ 핵심정리 통치행위

1. **대법원 입장**: 유신헌법에 근거한 긴급조치의 위헌 여부에 대한 심사권은 최종적으로 대법원에 속한다.

2. **헌법재판소 입장**: 최소한 법률과 동일한 효력을 가지는 이 사건 긴급조치들의 위헌 여부 심사권한도 헌법재판소에 전속한다.

3. 긴급조치들의 위헌성을 심사하는 준거규범은 유신헌법이 아니라 현행헌법이라고 봄이 타당하다.

4. 유신헌법하에 근거한 긴급조치는 위헌이며 현행 헌법하에서도 위헌이다.

5. 고도의 정치적 결단에 의하여 행해지는 국가작용이라고 할지라도 그것이 국민의 기본권침해와 직접 관련되는 경우에는 당연히 헌법재판소의 심판대상이 된다.

6. 비상계엄선포나 확대가 국헌문란의 목적을 달성하기 위해 행해진 경우 법원은 그 자체가 범죄행위에 해당하는지의 여부에 관해 심사할 수 있다.

7. 대통령의 위 의사결정(수도이전문제를 국민투표에 부칠지 여부에 대한 의사결정)이 국민의 기본권침해와 직접 관련되는 경우에는 헌법재판소의 심판대상이 될 수 있다.

8. 사면은 국가원수의 고유한 권한으로 사법부의 판단을 변경하는 권력분립의 원리에 대한 예외가 된다.

9. 외국에의 국군의 파견결정은 대통령과 국회의 고도의 정치적 결단을 존중하여야 하며 헌법심사를 자제하는 것이 바람직하다.

10. 남북정상회담개최의 당부는 사법심사가 부정되나 북한측에 사업권의 대가명목으로 송금한 행위 자체는 사법심사가 허용된다.

11. 대통령의 긴급재정경제명령(금융실명제실시)은 국민의 기본권침해와 직접관련되는 것이므로 헌법재판소이 심판대상이 된다.

12. 한미연합군사훈련은 연례적으로 실시하는 것으로 통치행위에 해당하지 않는다.

제1절 행정법의 법원

1 행정법의 법원(法源)의 의의

행정법의 법원(法源)은 행정권의 조직·작용 및 그 구제에 관한 법의 인식근거 내지 존재형식을 말한다.

2 행정법의 성문법주의

1. 의의

일반적으로 대륙법계는 성문법주의를, 영미법계는 불문법주의를 원칙으로 하지만 행정법의 영역에서는 예측가능성과 법적 안정성을 확보하고, 국민의 자유와 권리를 제한하는 권력적 행정을 통제하기 위하여 어느 국가이든 성문법주의를 원칙으로 하고 있다.

2. 성문법주의를 채택하게 된 이론적 근거

(1) 행정법은 획일성·강행성·기술성을 가지며, 행정권한의 소재를 명시함으로써 국민에게 행정조직을 널리 알릴 필요가 있기 때문이다.

(2) 국민의 자유와 권리에 관련된 행정권의 발동에 대하여 예측가능성과 법적 안정성을 확보할 수 있기 때문이다.

(3) 행정구제절차를 명백히 함으로써 국민의 권익을 보장하고 행정사무의 공정을 기할 수 있기 때문이다.

3. 행정법의 법전화(행정기본법의 제정)

> **행정기본법 제1조 【목적】** 이 법은 행정의 원칙과 기본사항을 규정하여 행정의 민주성과 적법성을 확보하고 적정성과 효율성을 향상시킴으로써 국민의 권익 보호에 이바지함을 목적으로 한다.
>
> **제5조 【다른 법률과의 관계】** ① 행정에 관하여 다른 법률에 특별한 규정이 있는 경우를 제외하고는 이 법에서 정하는 바에 따른다.
>
> ② 행정에 관한 다른 법률을 제정하거나 개정하는 경우에는 이 법의 목적과 원칙, 기준 및 취지에 부합되도록 노력하여야 한다.

(1) 성문법간의 충돌 – 상위법우선의 원칙, 특별법우선의 원칙, 신법우선의 원칙

특별법우선의 원칙과 신법우선의 원칙이 충돌할 경우에는 특별법우선의 원칙이 적용된다(대판 1969.7.22. 69누33).

(2) 성문법의 흠결 – 불문법에 의한 보충

광범위하고 다양·유동적인 행정법의 영역에는 성문법이 정비되어 있지 않는 부분이 존재하므로 관습법·조리 등 불문법이 보충적으로 적용된다.

3 행정법의 성문법원

1. 헌법

헌법은 국가의 통치권 전반에 걸친 근본조직과 작용을 규율하는 기본법으로서 행정법관계에 있어서 직접적·간접적으로 중요한 법원이 된다. 특히 행정법상의 일반원칙의 근거로 중요한 기능을 한다.

2. 법률

(1) 법률은 국민의 대표기관인 국회가 헌법상 절차에 따라 제정한 일반적·추상적 법규정의 형식으로서 헌법보다는 하위이며, 명령·규칙보다는 상위의 법규이다. 법치행정의 원리에 따른다면 법률은 가장 중추적인 법원이 된다.

(2) 의회입법주의에 대한 예외로서 국회의 승인을 받은 대통령의 긴급명령, 긴급재정·경제명령은 행정입법이지만 법률과 동일한 효력을 갖는다.

3. 명령(행정입법)

명령이란 행정권에 의하여 제정되는 법형식을 의미하는바, 이러한 명령에는 법규명령과 행정규칙이 있다.

(1) 법규명령

법규의 성질을 가지는 명령으로서 행정의 전문성 등의 이유로 세부적인 사항을 법규명령에 위임함으로써 그 필요성은 더해지고 있으며, 행정법의 법원으로서 그 중요성도 더해가고 있다.

(2) 행정규칙

상급행정기관이 하급행정기관에 대하여 법령의 수권 없이 행정조직 내부사항에 대하여 발하는 명령으로서, 법원성에 대해서는 긍정설과 부정설의 대립이 있다. 다만, 행정규칙이 법규성을 가지는 경우에는 법원성을 인정할 수 있다.

4. 자치법규(조례·규칙, 교육조례·교육규칙)

자치법규란 지방자치단체가 법령의 범위 안에서 제정하는 자치에 관한 규정을 말하는 것으로서 자치법규에는 지방의회가 제정하는 조례와 지방자치단체의 장인 집행기관이 제정하는 규칙이 있다. 또한 교육위원회가 제정하는 교육조례와 집행기관인 교육감이 제정하는 교육규칙이 있다. 판례는 지방자치단체의 사무에 관한 조례와 규칙 중 조례가 더 상위규범이라고 판시하였다.

5. 조약 · 국제법규

(1) 의의

① **조약**: 명칭 여하를 불문하고 국가간 또는 국가와 국제기구간의 법적 효력이 있는 문서에 의한 합의를 말한다.

② **국제법규**: 우리나라가 당사국이 아닌 조약으로서 **국제사회**에서 일반적으로 그 **규범성이 승인**된 것과 국제관습법을 말한다.

(2) 법원성

헌법 제6조 제1항에서 "헌법에 의하여 체결 · 공포된 조약과 일반적으로 승인된 국제법규는 국내법과 같은 효력을 가진다."라고 규정하고 있으므로 그것이 국내 행정에 관한 사항을 포함하고 있는 경우에는 행정법의 법원(法源)이 된다.

(3) 효력

국회의 동의를 얻은 조약과 승인된 국제법규는 법률과 동일한 효력을 갖는다. 특히 일반적으로 승인된 국제법규는 의회에 의한 입법절차를 거치지 않더라도 행정법이 법원이 된다. 다만, 헌법 제60조 제1항에 열거된 조약 이외의 입법사항과 관계가 없는 행정협정(국회동의 불요)과 같은 조약 등은 명령과 같은 효력을 갖는다. 한편 조약이 국내법적 효력을 갖기 위해서 별도의 시행 법률이 필요한가에 대하여는 견해의 대립이 있다.

① **일원론(수용이론)**: 일원론이란 국제법이 국내법으로 수용되기 위해서는 별도의 시행법률이 없어도 국내법으로서의 효력을 갖는다는 견해로서 우리나라의 통설의 입장이다.

② **이원론(변형이론)**: 이원론이란 국제법이 국내법으로 수용되기 위해서는 별도의 시행법률로 변형절차를 거쳐야 한다는 견해이다.

(4) 조약 · 국제법규와 국내법의 관계

헌법에 의하여 체결 공포된 조약과 일반적으로 승인된 국제법규가 동일한 효력을 가진 국내의 법률 · 명령과 충돌하는 경우에는 신법우위의 원칙 및 특별법우위의 원칙이 적용된다.

> **⚖ 관련판례**
>
> **1** 국제항공운송에 관한 법률관계에 대하여는 일반법에 대한 특별법으로서 바르샤바협약이 우선 적용된다(대판 1986.7.22. 82다카1372).
>
> **2** 남북 사이의 화해와 불가침 및 교류협력에 관한 합의서는 남북관계가 '나라와 나라 사이의 관계가 아닌 통일을 지향하는 과정에서 잠정적으로 형성되는 특수관계'임을 전제로, 조국의 평화적 통일을 이룩해야 할 공동의 정치적 책무를 지는 남북한 당국이 특수관계인 남북관계에 관하여 채택한 합의문서로서, 남북한 당국이 각기 정치적인 책임을 지고 상호간에 그 성의 있는 이행을 약속한 것이기는 하나 법적 구속력이 있는 것은 아니어서 이를 국가간의 조약 또는 이에 준하는 것으로 볼 수 없고, 따라서 국내법과 동일한 효력이 인정되는 것도 아니다(대판 1999.7.23. 98두14525).

3 학교급식을 위해 국내 우수농산물을 사용하는 자에게 식재료나 구입비의 일부를 지원하는 것 등을 내용으로 하는 지방자치단체의 조례안이 '1994년 관세 및 무역에 관한 일반협정(General Agreement on Tariffs and Trade 1994)'에 위반되어 그 효력이 없다(대판 2005.9.9. 2004추10).

4 우리나라가 1994.12.16. 국회의 비준동의를 얻어 1995.1.1. 발효된 '1994년 국제무역기구 설립을 위한 마라케쉬협정'(Marrakesh Agreement Establishing the World Trade Organization, WTO 협정)의 일부인 '1994년 관세 및 무역에 관한 일반협정(General Agreement on Tariffs and Trade, GATT 1994) 제6조의 이행에 관한 협정' 중 그 판시 덤핑규제 관련규정을 근거로 이 사건 규칙의 적법 여부를 다투는 주장도 포함되어 있으나, 위 협정은 국가와 국가 사이의 권리·의무관계를 설정하는 국제협정으로, 그 내용 및 성질에 비추어 이와 관련한 법적 분쟁은 위 WTO 분쟁해결기구에서 해결하는 것이 원칙이고, 사인(私人)에 대하여는 위 협정의 직접 효력이 미치지 아니한다고 보아야 할 것이므로, <u>위 협정에 따른 회원국 정부의 반덤핑부과처분이 WTO 협정위반이라는 이유만으로 사인이 직접 국내 법원에 회원국 정부를 상대로 그 처분의 취소를 구하는 소를 제기하거나 위 협정위반을 처분의 독립된 취소사유로 주장할 수는 없다</u>(대판 2009.1.30. 2008두17936).

5 '서비스 무역에 관한 일반협정(General Agreement on Trade in Services, GATS)' 및 '한 – 유럽연합 자유무역협정(Free Trade Agreement, 이하 통틀어 '이 사건 각 협정'이라 한다)'은 국가와 국가 사이의 권리·의무관계를 설정하는 국제협정으로서, 그 내용 및 성질에 비추어 이와 관련한 법적 분쟁은 협정에서 정한 바에 따라 국가 간 분쟁해결기구에서 해결하는 것이 원칙이고, 특별한 사정이 없는 한 사인에 대하여는 협정의 직접 효력이 미치지 아니한다. 따라서 이 사건 각 협정의 개별 조항 위반을 주장하여 <u>사인이 직접 국내 법원에 해당 국가의 정부를 상대로 그 처분의 취소를 구하는 소를 제기하거나 협정 위반을 처분의 독립된 취소사유로 주장하는 것은 허용되지 아니한다</u>(대판 2015.11.19. 2015두295 전합).

4 행정법의 불문법원

행정법은 성문법주의를 원칙으로 하며, 행정의 다양성·유동성의 특성상 성문법이 존재하지 않는 경우에 한해서 성문법의 불비와 흠결을 보완하기 위한 불문법이 보충적 법원으로서의 기능을 수행한다. 이러한 불문법원으로서 행정관습법·조리법 등을 드는 것이 보통이다.

1. 행정관습법

(1) 의의

① 행정관습법이란 행정의 영역에 있어서 ㉠ 오랜 관행(객관적 요건)이 존재하고, 이런 관행이 ㉡ 국민 일반의 법적 확신(주관적 요건)을 얻어 법규범으로 승인된 것을 말한다(법적 확신의 판단기준은 특정인이 아닌 대다수 사람들에게 일반적으로 시인될 정도에 이른 것으로 보는 것이 판례의 입장).

② 행정관습법의 개념적 요소로서 국가의 승인이 필요한가에 대해서 국가승인불요설이 통설·판례의 입장이다.

(2) 법원성 및 효력

① 행정관습법의 법원성을 명시적으로 인정한 민법과 달리 행정관습법의 법원성에 대해서는 법원성 인정설과 부정설의 대립이 있으나, 현대행정이 그 범위가 다양하고 법적 규율측면에서 성문법규가 완비되는 것이 어려운 점을 들어 행정관습법의 법원성을 인정하는 것이 통설·판례의 입장이다. 성문법의 확대로 관습법은 축소화경향에 있으며, 행정관습법의 예가 그리 많지는 않은 것이 현실이다.

② 행정관습법의 효력에 대해서 개폐적 효력설과 보충적 효력설의 대립이 있으나, 행정의 성문법주의 원칙상 성문법이 없는 경우에만 관습법이 보충적으로 적용된다는 보충적 효력설이 통설·판례(대판 1983.6.14. 80다3231)이다.

⚖ 관련판례

가정의례준칙 제13조의 규정과 상치되는 관습법의 효력을 인정할 수 있는지 여부

한편 민법 제1조의 관습법은 법원으로서의 보충적 효력을 인정하는데 반하여 같은 법 제106조는 일반적으로 사법자치가 인정되는 분야에서의 관습의 법률행위의 해석기준이나 의사보충적 효력을 정한 것이라고 풀이할 것이므로 사법자치가 인정되는 분야 즉 그 분야의 제정법이 주로 임의규정일 경우에는 위와 같은 법률행위의 해석기준으로서 또는 의사를 보충하는 기능으로서 이를 재판의 자료로 할 수 있을 것이나 이 이외의 즉 그 분야의 제정법이 주로 강행규정일 경우에는 그 강행규정 자체에 결함이 있거나 강행규정 스스로가 관습에 따르도록 위임한 경우등 이외에는 이 관습에 법적 효력을 부여할 수 없다고 할 것인바, 가정의례에 관한 법률에 따라 제정된 가정의례준칙 제13조는 사망자의 배우자와 직계비속이 상제가 되고 주상은 장자가 되나 장자가 없는 경우에는 장손이 된다고 정하고 있으므로 원심인정의 관습이 관습법이라는 취지라면(원심판시의 취지로 보아 관습법이라고 보여지나 반드시 명확하지는 않다) 관습법의 제정법에 대한 열후적, 보충적 성격에 비추어 그와 같은 관습법의 효력을 인정하는 것은 관습법의 법원으로서의 효력을 정한 위 민법 제1조의 취지에 어긋나는 것이라고 할 것이고 이를 사실인 관습으로 보는 취지라면 우선 그와 같은 관습을 인정할 수 있는 당사자의 주장과 입증이 있어야 할 것일 뿐만 아니라 사실인 관습의 성격과 효력에 비추어 이 관습이 사법자치가 인정되는 임의규정에 관한 것이어야만 비로소 이를 재판의 자료로 할 수 있을 따름이므로 이 점에 관하여도 아울러 심리판단하였어야 할 것이므로, 따라서 원심인정과 같은 관습을 재판의 자료로 하려면 그 관습이 관습법인지 또는 사실인 관습인지를 먼저 가려 그에 따라 그의 적용여부를 밝혔어야 할 것이다(대판 1983.6.14. 80다3231).

③ 사회의 거듭된 관행으로 생성된 사회생활규범이 관습법으로 승인되었다고 하더라도 사회 구성원들이 그러한 관행의 법적 구속력에 대하여 확신을 갖지 않게 되었다면 그러한 관습법은 법적 규범으로서의 효력이 부정될 수밖에 없다.

(3) 종류

① **행정선례법**: 행정청이 취급한 행정선례가 반복되어 행하여짐으로써 국민 일반의 법적 확신을 얻은 것을 말한다. **행정절차법** 제4조 제2항과 **국세기본법** 제18조 제3항은 **행정선례법의 존재를 명시적으로 인정**하고 있다. 나아가 판례도 국세행정상 비과세의 관행을 일종의 행정선례법으로 인정하고 있다.

행정절차법 제4조【신의성실 및 신뢰보호】 ② 행정청은 법령 등의 해석 또는 행정청의 관행이 일반적으로 국민들에게 받아들여졌을 때에는 공익 또는 제3자의 정당한 이익을 현저히 해칠 우려가 있는 경우를 제외하고는 새로운 해석 또는 관행에 따라 소급하여 불리하게 처리하여서는 아니 된다.

국세기본법 제18조【세법 해석의 기준 및 소급과세의 금지】 ③ 세법의 해석이나 국세행정의 관행이 일반적으로 납세자에게 받아들여진 후에는 그 해석이나 관행에 의한 행위 또는 계산은 정당한 것으로 보며, 새로운 해석이나 관행에 의하여 소급하여 과세되지 아니한다.

> **⚖ 관련판례**
>
> 비과세의 사실상태가 장기간에 걸쳐 계속된 경우에 그것이 그 사항에 대하여 과세의 대상으로 삼지 아니한다는 뜻의 과세관청의 묵시적인 의사표시로 볼 수 있는 경우에는 이를 국세행정의 관행이라고 인정할 수 있다(대판 1987.2.24. 86누57).

② **민중관습법**: 공법관계에 관한 일정한 관행이 민중 사이에서 오랫동안 계속됨으로써 국민의 법적 확신을 얻은 것을 말한다. 주로 공물·공수의 이용관계에서 그 예를 찾을 수 있다(예 입어권, 관개용수이용권, 음용용수권, 유수사용권 등). 수산업법은 민중적 관습법인 입어권의 존재를 명문으로 인정하고 있다.

> **⚖ 관련판례**
>
> **1 국가기본도상의 해상경계선을 불문법상의 해상경계선으로 인정할 수 없다는 판례**
> 국가기본도상의 해상경계선은 국토지리정보원이 국가기본도 도서 등의 소속을 명시할 필요가 있는 경우 해당 행정구역과 관련하여 표시한 선으로서, 여러 도서 사이의 적당한 위치에 각 소속이 인지될 수 있도록 실지측량 없이 표시한 것에 불과하므로, 이 해상경계선을 공유수면에 대한 불문법상 행정구역에 경계로 인정해 온 종전의 결정은 이 결정의 견해와 저촉되는 범위 내에서 이를 변경하기로 한다. … 쟁송해역에서는 해상경계에 관한 불문법이 존재한다고 할 수 없으므로, 헌법재판소로서는 그 지리상의 자연적 조건, 관련 법령의 현황, 연혁적인 상황, 행정권한 행사 내용, 사무 처리의 실상, 주민의 사회·경제적 편익 등을 종합하여 형평의 원칙에 따라 합리적이고 공평하게 이 사건 쟁송해역에서의 해상경계선을 획정할 수밖에 없다(헌재 2015.7.30. 2010헌라2).
>
> **2 [최근 판례] 불문법상 해상경계의 성립기준**
> [1] 공유수면에 대한 지방자치단체의 관할 구역 경계획정은 명시적인 법령상의 규정이 존재한다면 그에 따르고, 명시적인 법령상의 규정이 존재하지 않는다면 불문법상 해상경계에 따라야 한다. 불문법상 해상경계마저 존재하지 않는다면, 주민·구역·자치권을 구성요소로 하는 지방자치단체의 본질에 비추어 지방자치단체의 관할구역에 경계가 없는 부분이 있다는 것은 상정할 수 없으므로, 권한쟁의심판권을 가지고 있는 헌법재판소가 형평의 원칙에 따라 합리적이고 공평하게 해상경계선을 획정하여야 한다.
> [2] 지방자치단체 사이의 불문법상 해상경계가 성립하기 위해서는 관계 지방자치단체·주민들 사이에 해상경계에 관한 일정한 관행이 존재하고, 그 해상경계에 관한 관행이 장기간 반복되어야 하며, 그 해상경계에 관한 관행을 법규범이라고 인식하는 관계 지방자치단체·주민들의 법적 확신이 있어야 한다.

[3] 국가기본도에 표시된 해상경계선은 그 자체로 불문법상 해상경계선으로 인정되는 것은 아니나, 관할 행정청이 국가기본도에 표시된 해상경계선을 기준으로 하여 과거부터 현재에 이르기까지 반복적으로 처분을 내리고, 지방자치단체가 허가, 면허 및 단속 등의 업무를 지속적으로 수행하여 왔다면 국가기본도상의 해상경계선은 여전히 지방자치단체 관할 경계에 관하여 불문법으로서 그 기준이 될 수 있다(헌재 2021.2.25. 2015헌라7).

3 종래 매립지 등 관할 결정의 준칙으로 적용되어 온 지형도상 해상경계선 기준이 가지던 관습법적 효력이 2009.4.1. 개정된 지방자치법에 의하여 변경 내지 제한되는지 여부(적극) 및 행정안전부장관이 매립지가 속할 지방자치단체를 정할 때에 가지는 재량권의 한계

지방자치법 제4조 제3항·제5항·제6항·제7항·제8항·제9항 등 관계 법령의 내용, 형식, 취지 및 개정 경과 등에 비추어 보면, 2009.4.1. 법률 제9577호로 지방자치법이 개정되기 전까지 종래 매립지 등 관할 결정의 준칙으로 적용되어 온 지형도상 해상경계선 기준이 가지던 관습법적 효력은 위 지방자치법의 개정에 의하여 변경 내지 제한되었다고 보는 것이 타당하고, 행정안전부장관은 매립지가 속할 지방자치단체를 정할 때에 상당한 형성의 자유를 가지게 되었다. 다만 그 관할 결정은 계획재량적 성격을 지니는 점에 비추어 위와 같은 형성의 자유는 무제한의 재량이 허용되는 것이 아니라 여러 가지 공익과 사익 및 관련 지방자치단체의 이익을 종합적으로 고려하여 비교·교량해야 하는 제한이 있다. 따라서 행정안전부장관이 위와 같은 이익형량을 전혀 행하지 않거나 이익형량의 고려 대상에 마땅히 포함시켜야 할 사항을 누락한 경우 또는 이익형량을 하였으나 정당성·객관성이 결여된 경우에는 그 매립지가 속할 지방자치단체 결정은 재량권을 일탈·남용한 것으로서 위법하다고 보아야 한다(대판 2013.11.14. 2010추73).

2. 판례법

(1) 의의

판례법이란 법원의 판결은 행정사건의 분쟁을 해결함을 목적으로 하는 것이지만, 그 판단과정에서 추상적 행정법규를 구체화하고 명확히 하여 무엇이 법인지를 선언함으로써 장래 동종사건에 대한 재판의 준거가 될 때 법원으로서 효력을 갖게 되는 것을 말한다.

(2) 법원성 인정 여부

① 입법례

㉠ 영미법계: 선례구속의 원칙이 엄격하게 적용되어 유사사건에서 상급심의 판결을 하급심을 구속한다.

㉡ 대륙법계: 성문법주의에 따라 선례구속성의 원칙이 확립되어 있지 않고 판례도 변경가능한 점을 들어, 판례의 사실상 구속력은 있을지언정 법적 구속력은 없다고 볼 수 있으므로 직접적인 판례의 법원성이 인정되기 어렵다.

② 우리나라의 경우

㉠ 법원성 부정설: 법원조직법 제8조는 "상급법원 재판에서의 판단은 해당 사건에 관하여 하급심을 기속한다."라고 규정하여 당해 사건에 한하여만 구속력이 있으므로 직접적인 법원성을 인정하고 있지 않다. 대법원 판례의 법원성을 인정할 수는 없고, 사실상의 구속력만이 인정된다는 견해로서 통설이다.

ⓛ **법원성 인정설**: 대법원의 판례변경은 대법관 전원의 3분의 2 이상의 합의체에서 과반수로 결정하도록 하고 있어 판례변경이 어렵고, 소액사건심판법에서는 대법원 판례에 대한 위반을 상고이유로 규정하고 있기 때문에 법관은 대법원의 판결을 존중할 수밖에 없으므로 보충적인 법원으로 인정할 수 있다는 견해이다.

③ **결어**: 법원조직법 제8조에서는 상급법원 재판에서의 판단은 해당 사건에 관하여 하급심을 기속한다는 명문규정을 두고 있어 해당 사건은 법적 구속력이 인정될 수 있다. 하지만 유사사건(동종사건)의 경우 판례가 사안이 서로 다른 사건을 재판하는 하급심법원을 직접 기속하는 효력이 있는 것은 아니기 때문에 법원성이 인정되지 않는다고 볼 수 있다.

(3) 헌법재판소의 위헌결정의 법원성

법률의 위헌결정은 **법원 그 밖의 국가기관 및 지방자치단체를 기속**하며, 위헌결정된 법률 또는 법률조항은 **일반적으로 효력을 상실**하므로(헌법재판소법 제47조), 헌법재판소의 위헌결정은 법원으로서 효력을 갖는다.

◎ **핵심정리** | **행정법 법원**

1. 관습법

① 비과세관행이 성립하려면, 상당한 기간에 걸쳐 과세하지 아니한 객관적 사실이 존재할 뿐만 아니라, 과세관청 자신이 그 사항에 관하여 과세할 수 있음을 알면서도 어떤 특별한 사정 때문에 과세하지 않는다는 의사가 있어야 한다.

② 비과세의 사실상태가 장기간에 걸쳐 계속된 경우에 그것이 과세관청의 묵시적인 의사표시로 볼 수 있는 경우에는 이를 국세행정의 관행이라고 인정할 수 있다.

③ 비과세관행은 특정납세자가 아닌 불특정 일반의 납세자에게 이의 없이 받아들여지고 납세자가 이를 신뢰하는 것이 무리가 아니라고 인정될 정도에 이른 경우에 적용된다.

④ 착오에 의한 비과세관행은 국세행정의 관행으로 되었다 할 수 없다.

⑤ 개정 수산업법에 따라 어업권부에 등록을 마치지 않았다면 종래의 관행어업권은 소멸한다.

⑥ 대한민국의 수도가 서울이라는 것은 관습헌법이다. 법률로서 변경할 수 없다.

⑦ 관습법은 헌법재판소의 위헌법률심판의 대상이 아니다.❶

2. 조약

① 남북관계 사이의 합의는 조약으로 볼 수 없다(남북기본합의서).

② 헌법에 의해 체결된 조약은 별도의 국내시행법령이 없더라도 국내에 적용된다.

③ 관세 및 무역에 관한 일반협정과 정부조달에 관한 협정은 국내법령과 동일한 효력을 가지므로 이에 위반하는 조례는 무효이다.

④ 관세 및 무역에 관한 일반협정의 이행에 관한 협정은 국가간의 국제협정으로 사인에 대하여는 위 협정의 직접 효력이 미치지 않는다.

⑤ 사인이 관세 및 무역에 관한 입반협정의 위반을 이유로 직접 국내법원에 회원국 정부를 상대로 그 처분의 취소를 구하는 소를 제기할 수 없다(반덤핑부과처분이 WTO 협정에 위반된다고 주장).

3. 판례법

① 판례가 사안이 서로 다른 사건을 재판하는 하급심법원을 직접 기속하는 효력이 있는 것은 아니다.

② 헌법재판소의 위헌결정의 효력은 위헌결정 이후에 위와 같은 이유로 제소된 일반사건에도 미친다.

핵심 OX

01 헌법재판소에 의한 법률의 위헌결정은 국가기관을 기속하지만 지방자치단체를 기속하는 것은 아니다.
03. 국가7급 ( )

❶
헌법재판소 ✕, 대법원 ○

01 ✕

3. 조리

(1) 의의

조리란 일반사회의 정의감에 비추어 반드시 그러하여야 할 것이라고 인정되는 사물의 근본이치, 사물의 본성 또는 법의 일반원칙을 말한다. 조리가 행정법에서 중요시되는 이유는 행정의 다양성으로 인하여 규범 상호간 모순·결함이 많기 때문이다. 이와 같은 조리는 행정법 해석의 기본원리이며, 성문법·관습법이 모두 없는 경우에 적용되는 최후의 보충적 법원으로서 기능을 수행한다.

(2) 내용

조리의 예로는 비례의 원칙, 평등의 원칙, 행정의 자기구속의 법리, 신뢰보호의 원칙, 신의성실의 원칙, 권리남용금지의 원칙, 과잉급부금지의 원칙, 부당결부금지의 원칙 등을 들 수 있다. 그러나 조리의 내용은 시대와 사회에 따라 변화될 수 있는 것이므로, 관습법과 판례법에 속하지 않는 모든 행정법의 불문법원리를 포괄적으로 포함하는 제3의 불문법원으로서 조리를 행정법의 일반원칙이라고 표현하고 있다.

제2절　행정법의 효력

행정법의 효력의 문제는 행정법이 어느 범위에서 어떤 관계자를 구속하는가이며 행정법의 주류를 이루는 성문법규는 효력범위에 따라 시간적·지역적·대인적 효력으로 나뉜다.

1 시간적 효력

법령 등 공포에 관한 법률 제11조【공포 및 공고의 절차】 ① 헌법개정·법률·조약·대통령령·총리령 및 부령의 공포와 헌법개정안·예산 및 예산 외 국고부담계약의 공고는 관보에 게재함으로써 한다.

② 국회법 제98조 제3항 전단에 따라 하는 국회의장의 법률 공포는 서울특별시에서 발행되는 둘 이상의 일간신문에 게재함으로써 한다.

③ 제1항에 따른 관보는 종이로 발행되는 관보(이하 '종이관보'라 한다)와 전자적인 형태로 발행되는 관보(이하 '전자관보'라 한다)로 운영한다.

④ 관보의 내용 해석 및 적용 시기 등에 대하여 종이관보와 전자관보는 동일한 효력을 가진다.

제12조【공포일·공고일】 제11조의 법령 등의 공포일 또는 공고일은 해당 법령 등을 게재한 관보 또는 신문이 발행된 날로 한다.

제13조【시행일】 대통령령, 총리령 및 부령은 특별한 규정이 없으면 공포한 날부터 20일이 경과함으로써 효력을 발생한다.

제13조의2【법령의 시행유예기간】 국민의 권리 제한 또는 의무 부과와 직접 관련되는 법률, 대통령령, 총리령 및 부령은 긴급히 시행하여야 할 특별한 사유가 있는 경우를 제외하고는 공포일부터 적어도 30일이 경과한 날부터 시행되도록 하여야 한다.

1. 효력발생시기

(1) 일반적인 경우 법령과 조례·규칙에 그 시행일에 관하여 특별한 규정이 없으면 공포한 날부터 20일이 경과함으로써 효력을 발생한다(법령 등 공포에 관한 법률 제13조).

(2) 국민의 권리제한 또는 의무부과와 직접 관련되는 법령은 긴급히 시행하여야 할 특별한 사유가 있는 경우를 제외하고는 공포일로부터 적어도 **30일**이 경과한 날로부터 시행되도록 하여야 한다(동법 제13조의2).

　① 여기서 공포라 함은 국가의 법령에 있어서는 관보에 게재하는 행위를 말하고(동법 제11조 제1항), 공포일은 당해 법령이 게재된 관보 또는 신문이 발행된 날이다(동법 제12조).

　② **발행된 날: 최초구독가능시설(다수설·판례)**

공포일과 시행일	해당 조문	기준
일치	법령 등 공포에 관한 법률 제12조 ⇨ '발행된 날'	최초구독가능시설(다수설·판례)
불일치	'관보의 실제인쇄일'을 의미(판례)	-

(3) 전문(全文)개정을 통하여 종전의 부칙상의 경과규정도 실효되었다.

> 🔎 **관련판례**
>
> 개정법률이 전문개정인 경우에는 기존 법률을 폐지하고 새로운 법률을 제정하는 것과 마찬가지이어서 종전의 본칙은 물론 부칙규정도 모두 소멸하는 것으로 보아야 할 것이므로 특별한 사정이 없는 한 종전의 법률 부칙의 경과규정도 모두 실효된다고 보아야 한다(대판 2004.12.9. 2003두13076 등).

2. 소급효금지의 원칙

> **헌법 제13조** ① 모든 국민은 행위시의 법률에 의하여 범죄를 구성하지 아니하는 행위로 소추되지 아니하며, 동일한 범죄에 대하여 거듭 처벌받지 아니한다.
>
> **행정기본법 제14조【법 적용의 기준】** ① 새로운 법령 등은 법령 등에 특별한 규정이 있는 경우를 제외하고는 그 법령 등의 효력 발생 전에 완성되거나 종결된 사실관계 또는 법률관계에 대해서는 적용되지 아니한다.
> ② 당사자의 신청에 따른 처분은 법령 등에 특별한 규정이 있거나 처분 당시의 법령 등을 적용하기 곤란한 특별한 사정이 있는 경우를 제외하고는 처분 당시의 법령 등에 따른다.
> ③ 법령 등을 위반한 행위의 성립과 이에 대한 제재처분은 법령 등에 특별한 규정이 있는 경우를 제외하고는 법령 등을 위반한 행위 당시의 법령 등에 따른다. 다만, 법령 등을 위반한 행위 후 법령 등의 변경에 의하여 그 행위가 법령 등을 위반한 행위에 해당하지 아니하거나 제재처분 기준이 가벼워진 경우로서 해당 법령 등에 특별한 규정이 없는 경우에는 변경된 법령 등을 적용한다.

(1) 의의

소급효금지는 행정법령이 특별한 사유가 없는 한 법령 시행일 이후에만 적용되고 법령 시행 전의 사실에 대해서는 적용하지 못함으로써 법치행정상 요구되는 법적 안정성을 유지하는 것을 말한다.

(2) 진정소급효(원칙적 금지, 예외적 허용)

법령의 효력발생 이전에 이미 종결(완성)된 사항에 대하여 소급적용하는 것은 법적 안정성 또는 신뢰보호를 위하여 원칙적으로 금지된다. 그러나 판례는 법령을 소급적용하더라도 일반국민의 이해에 직접 관계가 없는 경우, 오히려 그 이익을 증진하는 경우 불이익이나 고통을 제거하는 경우 등의 특별한 사정이 있는 경우에 한하여 예외적으로 법령의 소급적용이 허용된다고 한다(대판 2005.5.13. 2004다8630).

(3) 부진정소급효(원칙적 허용, 예외적 금지)

① 법령 시행일 이전부터 현재까지 계속(진행)되고 있는 경우나, 법령 시행일 이후에 발생한 과세요건사실 등에는 소급효가 허용될 수 있다.

② 법령의 효력이 시행일 이전에 소급하지 않는다는 것은 시행일 이전에 이미 종결된 사실에 대하여 법령이 적용되지 않는다는 것을 의미하는 것이지, 시행일 이전부터 계속되는 사실에 대하여도 법령이 적용되지 않는다는 의미가 아니다.

③ 예컨대 소득세법이 개정되어 세율이 인상된 경우, 법 개정 전부터 개정법이 발효된 후에까지 걸쳐 있는 과세기간의 전체 소득에 대하여 인상된 세율을 적용하는 것은 부진정소급으로서 원칙적으로 허용된다. 다만, 부진정소급의 경우에도 개정 전 법령에 대한 국민의 신뢰와 개정된 법령을 적용할 공익을 비교형량하여 전자가 더 큰 경우에는 개정 전의 법령을 적용하여야 할 것이다.

◈ 핵심정리 　진정소급입법과 부진정소급입법

구분	진정소급입법	부진정소급입법
시점	기성, 종료, 완성 후	계속·진행 중
원칙	금지	허용
예외	허용	금지

⚖ 관련판례

1 소급입법은 새로운 입법으로 이미 종료된 사실관계 또는 법률 관계에 작용케 하는 <u>진정소급입법</u>과 현재 진행중인 사실관계 또는 법률관계에 작용케 하는 <u>부진정소급입법</u>으로 나눌 수 있는바, <u>부진정소급입법은 원칙적으로 허용</u>되지만 소급효를 요구하는 공익상의 사유와 신뢰보호의 요청 사이의 교량과정에서 신뢰보호의 관점이 입법자의 형성권에 제한을 가하게 되는데 반하여, 기존의 법에 의하여 형성되어 이미 굳어진 개인의 법적 지위를 사후입법을 통하여 박탈하는 것 등을 내용으로 하는 <u>진정소급입법</u>은 개인의 신뢰보호와 법적 안정성을 내용으로 하는 법치국가원리에 의하여 <u>특단의 사정이 없는 한 헌법적으로 허용되지 아니하는 것</u>이 원칙이고, 다만 일반적으로 국민이 소급입법을 예상할 수 있었거나

법적 상태가 불확실하고 혼란스러워 보호할 만한 신뢰이익이 적은 경우와 소급입법에 의한 당사자의 손실이 없거나 아주 경미한 경우 그리고 신뢰보호의 요청에 우선하는 심히 중대한 공익상의 사유가 소급입법을 정당화하는 경우 등에는 예외적으로 진정소급입법이 허용된다(헌재 1999.7.22. 97헌바76 등).

2 소급입법금지의 원칙은 각종 조세나 부담금 등을 납부할 의무가 이미 성립한 소득, 수익, 재산 행위 또는 거래에 대하여 그 성립 후의 새로운 법령에 의하여 소급하여 부과하지 않는다는 원칙을 의미하는 것이므로 '계속된 사실'이나 '새로운 법령 시행 후에 발생한 부과요건사실'에 대하여 새로운 법령을 적용하는 것은 위 원칙에 저촉되지 않는다(대판 1995.4.25. 93누13728).

3 대학이 성적불량을 이유로 학생에 대하여 징계처분을 하는 경우에 있어서 수강신청이 있은 후 징계요건을 완화하는 학칙개정이 이루어지고 이어 당해 시험이 실시되어 그 개정학칙에 따라 징계처분을 한 경우라면 이는 이른바 부진정소급효에 관한 것으로서 구 학칙의 존속에 관한 학생의 신뢰보호가 대학당국의 학칙개정의 목적달성보다 더 중요하다고 인정되는 특별한 사정이 없는 한 위법이라고 할 수 없다(대판 1989.7.11. 87누1123).

4 친일재산은 취득·증여 등 원인행위시에 국가의 소유로 한다고 규정하고 있는 '친일반민족행위자 재산의 국가귀속에 관한 특별법' 제3조 제1항 본문은 진정소급입법에 해당하지만, 진정소급입법이라 하더라도 예외적으로 국민이 소급입법을 예상할 수 있었거나 신뢰보호 요청에 우선하는 심히 중대한 공익상 사유가 소급입법을 정당화하는 경우 등에는 허용될 수 있는데, 친일재산의 소급적 박탈은 일반적으로 소급입법을 예상할 수 있었던 예외적인 사안이고, 진정소급입법을 통해 침해되는 법적 신뢰는 심각하다고 볼 수 없는 데 반해 이를 통해 달성되는 공익적 중대성은 압도적이라고 할 수 있으므로 진정소급입법이 허용되는 경우에 해당하고, 따라서 위 귀속조항이 진정소급입법이라는 이유만으로 헌법 제13조 제2항에 위배된다고 할 수 없다(대판 2011.5.13. 2009다26831).

5 어떠한 법률조항에 대하여 헌법재판소가 헌법불합치결정을 하여 그 법률조항을 합헌적으로 개정 또는 폐지하는 임무를 입법자의 형성재량에 맡긴 이상, 그 개선입법의 소급적용 여부와 소급적용의 범위는 원칙적으로 입법자의 재량에 달린 것이다(대판 2008.1.17. 2007두21563).

2 지역적 효력

1. 원칙

행정법규는 법제정권자의 권한이 미치는 일정한 지역적 범위 내에서만 효력을 발생한다. 법규명령인 대통령령·부령은 전국에 미치고, 조례는 지방자치단체의 구역 내에서만 효력이 미친다.

2. 예외

(1) 행정법령이 일부지역으로 한정되는 경우가 있다. 이처럼 특정지역만을 규율대상으로 하는 법률도 무효라고 할 수 없다. 예컨대, 제주국제자유도시특별법, 수도권정비계획법 등은 범위가 일부지역으로 한정된다.

(2) 법령의 효력범위가 지역 밖으로 확대되는 경우가 있다. 예컨대, 어느 지방자치단체가 다른 지방자치단체의 구역 내에 공공시설을 설치하는 경우의 그 조례는 당해 지방자치단체 구역 외에서도 효력이 있다. 또한 하나의 지방자치단체의 조례가 다른 지방자치단체의 구역 내에서도 효력을 가지는 경우가 있다.

3 대인적 효력

1. 원칙 – 속지주의, 보충 – 속인주의

(1) 속지주의

행정법규는 원칙적으로 속지주의에 의해 그 영토 또는 구역 내에 있는 자연인·법인·내국인·외국인을 불문하고 모든 사람에게 적용된다.

(2) 속인주의(보충)

속인주의를 보충하여 국외에 있는 내국인에게도 적용된다.

2. 예외

(1) 국제법상 치외법권자인 외국원수·외교관은 국내 행정법령의 적용을 받지 아니한다.

(2) 국내에 주둔하는 미합중국군대의 구성원에 대하여는 한·미방위조약에 의하여 우리 행정법령의 적용이 제한된다.

(3) 국가배상법 등에서는 외국인에 대하여 상호주의를 채택하여 국내 행정법규가 제한된다.

3. 북한주민

판례에 의하면 북한주민도 한국국민이기 때문에 국내 법령의 적용을 받으며, 일본에서 영주권을 취득한 재일동포도 한국국민이라는 입장이다.

속인주의	행정법적용 여부	내용
재일동포	적용	대한민국 국민이 일본국에서 영주권을 취득하였다하여 우리 국적을 상실하지 아니하며, 영주권을 가진 재일동포를 준 외국인으로 보아 외국인토지법을 준용하여야 하는 것도 아니다 (대판 1981.10.13. 80다2435).
북한동포 (북한국적자)	적용	북한국적을 취득한 甲이 중국주재 북한대사관으로부터 북한 해외공민증을 발급받은 자 하더라도 북한지역 역시 대한민국의 영토에 속하는 한반도의 일부를 이루는 것이어서 대한민국의 주권이 미칠 뿐이고, 대한민국의 주권과 부딪치는 어떠한 국가단체나 주권은 법리상 인정할 수 없는 점 등에 비추어 볼 때 甲이 중국여권을 소지하고 입국하였다는 등의 사정은 甲이 대한민국국적을 취득하고 이를 유지함에 있어 아무런 영향을 미칠 수 없다(대판 1996.11.12. 96누1221).

◈ 핵심정리 　행정법의 효력

1. 법령이 변경된 경우 그 변경 전에 발생한 사항에 대해서는 변경 후의 신법령이 아니라 변경 전의 구 법령이 적용되어야 한다.

2. 건설업면허수첩 대여행위가 법령개정으로 취소사유에서 삭제된 경우 구법 적용에 의한 면허취소를 하여야 한다.

3. 법령개정의 동기가 위헌적 요소를 없애려는 반성적 고려에서 이루어진 경우 예외적으로 개정 시행령을 적용하여야 한다.

4. 법령이 전문개정된 경우 전문개정 전 부칙규정은 소멸되는 게 원칙이다.

5. 허가신청 후 법령이 개정된 경우 허가시 법인 신법을 적용한다.

6. 소관 행정청이 허가신청을 수리하고도 정당한 이유 없이 처리를 늦추어 그 사이에 법령 및 허가기준이 변경된 경우에는 신청시의 법이 적용될 수 있다.

7. 신법이 이미 종료된 사실관계에 적용하는 것을 진정소급입법이라 한다.

8. 신법이 현재 진행 중인 사실관계에 작용하는 것을 부진정소급입법이라 한다.

9. 진정소급입법은 원칙적 금지되나 예외적 허용되는 반면, 부진정소급입법은 원칙적 허용되나 예외적으로 금지된다.

10. 기간과세에 있어서 사업연도 진행 중 세법이 개정된 경우 적용할 법률은 개정된 세법이 원칙이다.

제3절　행정법규정의 흠결과 보충

1 서설

우리나라는 대륙법계의 공·사법 2원체계를 따르고 있어 공법과 사법을 구별하고 있다. 공법인 행정법은 사법에 비하여 역사가 짧고 통일적 법전도 없는 결과 구체적인 경우에 적용할 법규가 결여되어 있는 경우가 많은데, 이 경우에 사법규정을 적용하여 그 흠결을 보완할 수 있는가가 문제된다. 이러한 사법규정의 적용문제는 공법과 사법의 구별을 인정하는 법이원론체계의 국가(대륙법계)에서 문제되고, 양자의 구별을 부정하는 법일원론 체계의 국가(영미법계)에서는 문제되지 않는다.

2 인정 여부

1. 학설

(1) 소극설

공법과 사법을 별개의 법체계로 보아 양자의 본질차이를 강조함으로써 공법관계에 사법규정이 적용될 수 없다는 견해이다. 대표적 주장자는 오토 마이어(O. Mayer)인데, 행정법만의 독자성을 강조하는 입장으로서 오늘날 이에 동조하는 입장은 없다.

(2) 적극설

① **직접적용설:** 공법관계와 사법관계에는 본질적인 차이가 없고, 사법규정에는 법의 일반원리에 관한 규정이 많다는 점을 들어 행정법관계에 법의 규정이 결여되어 있는 경우 사법규정을 직접 적용할 수 있다는 견해이다. 그러나 현실적으로 공법관계의 특수성을 인정하지 않을 수 없으므로 직접 적용에는 무리가 있다는 비판이 있다.

② **유추적용설(통설·판례):** 공법관계와 사법관계에는 본질적인 차이가 있음을 전제로 하되, 그 유사성은 인정하여 공법관계에도 사법규정의 적용을 인정하되, 공법관계의 특수성을 무시할 수는 없으므로 **사법규정을 유추**적용하여야 한다는 견해로 오늘날의 통설·판례이다.

2. 판례

대법원은 유추적용설의 입장으로서 사법규정인 실권 또는 실효의 법리를 공법관계 가운데 권력관계에 적용한 바 있다.

3 적용범위

1. 명시적인 규정을 두고 있는 경우

행정법관계에 법규정이 결여된 경우에는 사법규정을 적용할 것을 명문으로 규정하고 있는 경우도 상당수 있는데, 이러한 경우에는 당연히 사법규정이 적용된다.

2. 유추적용할 공법규정이 있는 경우

행정법규정의 흠결시 공법규정에서 유사한 규정이 있는 경우에는 사법규정에 앞서 공법규정이 유추적용되어야 한다.

3. 명시적인 규정을 두고 있지 않은 경우

공법규정이 결여된 경우의 사법규정의 적용에 관하여 명문의 규정을 두지 않은 경우에 사법규정이 적용될 것인가에 관하여는 유추적용설에 의한다.

4 적용한계

1. 사법규정의 성질상 한계

(1) 일반 법원리적 규정

사법규정 가운데 법질서 전체에 걸쳐 적용될 수 있는 일반 법원리적 규정은 행정법관계(권력관계 및 관리관계)에도 적용될 수 있다.

① **모든 법 분야에 타당한 법의 일반원리에 관한 규정:** 신의성실·권리남용의 금지, 법인·자연인, 기한·조건, 물건, 사무관리, 부당이득, 불법행위 등에 관한 규정

② **법기술적인 약속으로서 다른 법 분야에도 적용될 수 있는 규정:** 기간, 시효, 주소에 관한 규정

(2) 사법의 기타 규정

일반 법원리적 규정을 제외한 그 밖의 규정은 공법관계의 성질에 따라 적용된다.

2. 공법관계의 성질상 한계

(1) 권력관계

권력관계는 행정주체의 의사의 우월성을 전제로 하는 관계로서 사법관계와는 전혀 그 성질을 달리하므로 법의 일반원칙적 규정 이외의 사법규정은 원칙적으로 적용되지 않는다(대판 1961.10.5. 4292행상6).

(2) 관리관계

관리관계는 재산이나 사업을 경영·관리하는 관계로서 사법관계와 본질적인 차이가 없고, 다만 그 목적이 공익을 추구하는 점에서 특별한 취급을 받을 뿐이다. 따라서 관리관계에 대해서는 법률에 특별한 규정이 없는 한, 원칙적으로 사법규정이 폭넓게 적용된다.

⊕ 핵심정리 **유추적용설에 의한 해결**

구분		민법규정	
		일반 법원리적 규정 (+법기술적 규정)	이해조정적 규정
행정법 관계	권력관계	○	×
	관리관계	○	○

⊕ 핵심정리 **행정법관계의 사법의 적용 여부**

1. 국유화된 제외지의 소유자에 대한 손실보상의 직접적 규정이 없더라도 손실보상규정의 유추적용을 통해 손실보상하여야 한다.

2. 국세기본법의 환급가산금에 관한 규정을 유추적용하여 과오납관세의 환급금에 대하여도 납부한 다음날부터 환급가산금(이자)을 지급하여야 한다.

3. 조세법규의 해석은 특별한 사정이 없는 한 법문대로 해석할 것이고, 합리적 이유 없이 확장해석하거나 유추해석하는 것은 허용되지 않는다.

4. 사법상 이해조정을 목적으로 하는 조항은 권력관계에 적용되지 않음이 원칙이다.

5. 사법상 일반원리는 공법관계 가운데 관리관계는 물론이고 권력관계에도 적용된다.

제1절　비례의 원칙(과잉금지의 원칙)

1　서설

1. 비례의 원칙

비례의 원칙이란 광의로는 행정작용에 있어서 목적실현을 위한 수단과 당해 목적과의 사이에 **합리적인 비례관계가 유지**되어야 한다는 원칙을 말한다. 협의로는 공익상 필요 (공익)와 개인의 권리·자유침해(사익) 사이에 적정한 비례가 유지되어야 한다는 원칙을 말한다. 이 원칙은 본래 **경찰법 영역에서 논의되던 것**이었으나, 오늘날에는 국가권력행사 일반과 급부행정 영역까지 확대되었다(과잉급부금지의 원칙).

2. 과잉금지의 원칙(광의의 비례원칙)

과잉금지의 원칙은 광의의 비례원칙이라고도 하는데, ① 행정이 추구하는 공익목적의 달성에 법적으로나 사실상으로나 **적합하고 유용한 수단**을 선택하여야 하며(적합성), ② 여러 적합한 수단 중에서도 공익상의 필요에 따른 **최소한의 침해**를 가져오는 수단을 선택하여야 하고(필요성), ③ 그 침해 정도는 공익상의 필요의 정도와 **상당한 비례관계**가 유지되어야 한다는 것이다(상당성).

2　근거

핵심 OX

01 행정기본법은 비례의 원칙을 명문으로 규정하고 있다. 22. 국가7급 (　)

핵심 OX

02 비례의 원칙은 우리 헌법 제37조 제2항에서 근거를 찾을 수 있다.
05. 관세사 (　)

01 ○　**02** ○

> **행정기본법 제10조 【비례의 원칙】** 행정작용은 다음 각 호의 원칙에 따라야 한다.
> 1. 행정목적을 달성하는 데 유효하고 적절할 것
> 2. 행정목적을 달성하는 데 필요한 최소한도에 그칠 것
> 3. 행정작용으로 인한 국민의 이익 침해가 그 행정작용이 의도하는 공익보다 크지 아니할 것
>
> **행정절차법 제48조 【행정지도의 원칙】** ① 행정지도는 그 목적 달성에 필요한 최소한도에 그쳐야 하며, 행정지도의 상대방의 의사에 반하여 부당하게 강요하여서는 아니 된다.
>
> **헌법 제37조** ② 국민의 모든 자유와 권리는 국가안전보장·질서유지 또는 공공복리를 위하여 필요한 경우에 한하여 법률로써 제한할 수 있으며, 제한하는 경우에도 자유와 권리의 본질적인 내용을 침해할 수 없다.

비례의 원칙의 근거는 법치국가원리와 헌법 제37조 제2항에서 찾을 수 있다(다수설, 헌법재판소). 개별법적 근거로는 경찰관 직무집행법(제1조 제2항), 행정소송법(제27조)상의 재량의 일탈·남용의 취소, 행정대집행법(제2조), 식품위생법(제79조 제4항)에서 근거를 찾을 수 있다.

3 내용(요건)

헌법재판소는 비례원칙의 내용에 관해 ① **목적의 정당성**, ② **방법의 적정성**, ③ **침해의 최소성**, ④ **법익의 균형성**을 제시하고 있다.

1. 적합성의 원칙

행정기관이 취한 수단 및 조치는 그것이 달성하고자 하는 **행정목적에 적합**한 것이어야 한다는 원칙이다. 즉, 행정목적과 수단 간에 합리적인 관련성이 존재하여야 한다는 것을 내용으로 한다. 그러나 선택된 수단이 가장 적합할 것까지 요구하는 것이 아니며 목적 달성에 기여할 정도이면 된다.

2. 필요성의 원칙(최소침해의 원칙)

적합한 수단이 여러 가지인 경우에 국민의 권리를 최소한으로 침해하는 수단을 선택하여야 한다는 원칙이다. 즉, 목적달성에 적합한 수단 가운데 국민의 권리나 이익침해가 가장 적은 수단을 선택하여야 한다. 예컨대, **위험한 건물에 대하여 보수명령으로써 목적을 달성할 수 있음에도 불구하고 철거명령을 발하는 경우, 또 부관을 부가하여 영업허가를 할 수 있는 사안에서 허가를 거부하는 경우는 필요성의 원칙에 반한다.**

3. 상당성의 원칙(협의의 비례원칙)

어떤 행정조치가 설정된 행정목적 실현을 위하여 적합하고 필요한 수단이라 할지라도 그 행정조치를 취함에 따른 불이익이 그것에 의해 초래되는 이익보다 큰 경우에는 당해 행정조치를 해서는 안 된다는 원칙이다. 즉, 필요하고 적합한 수단을 통해 달성하려는 공익과 침해되는 사익 사이에 적절한 균형이 이루어져야 하고, 이를 위해서 이익형량이 요구된다. 이와 같은 **협의의 비례원칙인 상당성의 원칙은 재량권행사의 적법성의 기준에 해당한다.**

4. 3원칙의 관계

적합성·필요성·상당성의 원칙은 단계구조를 이루고 있다. 즉, 적합한 수단 중에서도 필요한 수단이, 필요한 수단 중에서도 상당성 있는 수단만이 선택되어야 한다. 따라서 이러한 순차적 단계를 무시한 비례원칙은 허용될 수 없고 또한 적합성과 필요성은 충족하였을지라도 가치가 적은 공익이 가치가 큰 사익을 침해하는 경우에는 비례원칙에 위반되어 위법한 행위가 된다.

4 위반의 효과

비례원칙은 헌법적 효력을 갖는 원칙이므로 이에 위반한 법률은 위헌법률심판의 대상이 되며, 비례원칙에 위반한 재량권의 행사는 재량권의 일탈·남용에 해당한다. 위법성의 정도는 일반적으로 **단순위법·취소사유**에 해당한다. 비례원칙위반의 행위는 항고소송의 대상이 되며 국가배상청구도 가능하다.

5 적용영역

침익적 행정영역(최소침해원칙)에서 시작된 비례의 원칙은 오늘날 그 영역이 확대되어 급부행정영역(과잉급부금지원칙)에도 적용된다. 나아가 행정의 전 영역에 적용된다.

위법(비례원칙에 반한다)	적법(비례원칙에 반하지 않는다)
• 주유소 전 운영자의 위법사유를 들어 사업정지 기간 중 최장기간인 6월의 사업정지에 처한 것은 비례원칙에 반한다(대판 1992.2.25. 91누13106). • 구 독점규제 및 공정거래에 관한 법률상의 불공정거래행위인 사원판매행위에 대하여 부과된 과징금의 액수가 법정 상한비율을 초과하지 않는다고 하더라도 그 사원판매행위로 인하여 취득한 이익의 규모를 크게 초과하여 그 매출액에 육박하게 된 경우 불법적인 경제적 이익의 박탈이라는 과징금 부과의 기본적 성격과 그 사원판매행위의 위법성의 정도에 비추어 볼 때 그 과징금 부과처분은 비례의 원칙에 위배된 재량권의 일탈·남용에 해당한다(대판 2001.2.9. 2000두6206).	• 15년간 공무원으로 재직하면서 다른 징계를 받은 바가 없었고, 2회에 걸쳐 장관급 표창을 받은 점과 가정형편 등을 모두 감안하더라도, 원고가 그 직무와 관련한 부탁을 받거나 때로는 사례를 요구하여 위의 금원을 수수한 이 사건 비위에 대하여 해임의 징계처분을 한 피고의 조치는 징계권의 범위를 일탈한 것이라고 볼 수 없다(대판 1996.5.10. 96누2903). • 승용차를 주차목적으로 자신의 집 앞 약 6m를 운행했다 해도 이는 도로교통법상의 음주운전에 해당하고, 이미 음주운전으로 면허정지 처분을 받은 적이 있는데도 혈중 알코올농도 0.182%의 만취상태에서 운전한 것이라면 교통사고가 발생하지 않았고, 운전승용차로 서적을 판매하여 가족의 생계를 책임져야 한다는 사정을 고려하더라도 이 사건 운전면허취소는 적법하다(대판 1996.9.6. 96누5995).

🔨 관련판례

1 대리운전금지조건 위배로 1회 운행정지처분을 받은 사실을 알지 못한 채 개인택시운송사업면허를 양수한 원고가 지병인 만성신부전증 등으로 몸이 아파 쉬면서 생계유지를 위하여 일시 대리운전을 하게 하고, 또 전날 과음한 탓으로 쉬면서 대리운전을 하게 하여 2회 적발되었는데, 원고는 그의 개인택시영업에 의한 수입만으로 가족의 생계를 유지하고 있는 사정 등을 참작하면 원고에 대한 자동차운송사업면허취소의 처분이 재량권을 일탈한 위법한 처분이다(대판 1991.11.8. 91누4973).

2 지방식품의약품안전청장이 수입 녹용 중 전지 3대를 절단부위로부터 5cm까지의 부분을 절단하여 측정한 회분함량이 기준치를 0.5% 초과하였다는 이유로 수입 녹용 전부에 대하여 전량 폐기 또는 반송처리를 지시한 경우, <u>녹용 수입업자가 입게 될 불이익</u>이 의약품의 안전성과 유효성을 확보함으로써 국민보건의 향상을 기하고 고가의 한 약재인 녹용에 대하여 부적합한 수입품의 무분별한 유통을 방지하려는 <u>공익상 필요보다 크다고는 할 수 없으므로</u> 위 폐기 등 지시처분이 재량권을 일탈·남용한 경우에 해당하지 않는다(대판 2006.4.14. 2004두3854).

3 총기를 사용하는 경찰관으로서는 인체에 대한 위해를 방지하기 위하여 상대방과 근접한 거리에서 상대방의 얼굴을 향하여 이를 발사하지 않는 등 가스총 사용시 요구되는 최소한의 안전수칙을 준수함으로써 장비 사용으로 인한 사고 발생을 미리 막아야 할 주의의무가 있다. 경찰관이 난동을 부리던 범인을 검거하면서 가스총을 근접 발사하여 가스와 함께 발사된 고무마개가 범인의 눈에 맞아 실명한 경우 국가배상책임이 인정된다(대판 2003.3.14. 2002다57218).

4 교도소 수용자에게 반입이 금지된 일용품 등을 전달하여 주고 그 가족 등으로부터 금품 및 향응을 제공받은 교도관에 대한 해임처분이 적법하다(대판 1998.11.10. 98두 12017).

5 도로교통법 제148조의2 제1항 제1호는 도로교통법 제44조 제1항을 2회 이상 위반한 사람으로서 다시 같은 조 제1항을 위반하여 술에 취한 상태에서 자동차 등을 운전한 사람에 대해 1년 이상 3년 이하의 징역이나 500만원 이상 1,000만원 이하의 벌금에 처하도록 규정하고 있는바, 도로교통법 제148조의2 제1항 제1호에서 정하고 있는 '<u>도로교통법 제44조 제1항을 2회 이상 위반한</u>' 것에 개정된 위 도로교통법이 시행된 2011.12.9. <u>이전에 구 도로교통법 제44조 제1항을 위반한 음주운전 전과까지 포함되는 것으로 해석하는 것이 형벌불소급의 원칙이나 일사부재리의 원칙 또는 비례의 원칙에 위배된다고 할 수 없다</u>(대판 2012.11.29. 2012도10269).

6 자동차 등을 범죄를 위한 수단으로 이용하여 교통상의 위험과 장해를 유발하고 국민의 생명과 재산에 심각한 위협을 초래하는 것을 방지하여 안전하고 원활한 교통을 확보함과 동시에 차량을 이용한 범죄의 발생을 막고자 하는 심판대상조항은 그 입법목적이 정당하고, 운전면허를 필요적으로 취소하도록 하는 것은 자동차 등을 이용한 범죄행위의 재발을 일정 기간 방지하는 데 기여할 수 있으므로 이는 입법목적을 달성하기 위한 적정한 수단이다. 그러나 자동차 등을 이용한 범죄를 근절하기 위하여 그에 대한 행정적 제재를 강화할 필요가 있다 하더라도 이를 <u>임의적 운전면허 취소 또는 정지사유로 규정함으로써 불법의 정도에 상응하는 제재수단을 선택할 수 있도록 하여도 충분히 그 목적을 달성하는 것이 가능함에도, 심판대상조항은 이에 그치지 아니하고 필요적으로 운전면허를 취소하도록 하여 구체적 사안의 개별성과 특수성을 고려할 수 있는 여지를 일체 배제하고 있다. 나아가 심판대상조항 중 '자동차 등을 이용하여' 부분은 포섭될 수 있는 행위 태양이 지나치게 넓을 뿐만 아니라, 하위법령에서 규정될 대상범죄에 심판대상조항의 입법목적을 달성하기 위해 반드시 규제할 필요가 있는 범죄행위가 아닌 경우까지 포함될 우려가 있어 침해의 최소성원칙에 위배된다.</u> 심판대상조항은 운전을 생업으로 하는 자에 대하여는 생계에 지장을 초래할 만큼 중대한 직업의 자유의 제약을 초래하고, 운전을 업으로 하지 않는 자에 대하여도 일상생활에 심대한 불편을 초래하여 일반적 행동의 자유를 제약하므로 법익의 균형성원칙에도 위배된다(헌재 2015.5.28. 2013헌가6).

7 형질변경허가의 취소·철회에 상당하는 당해 처분으로써 지방자치단체장이 달성하려는 공익, 즉 당해 토지에 대하여 그 형질변경을 불허하고 이를 우량농지로 보전하려는 공익과 위 형질변경이 가능하리라고 믿은 종교법인이 입게 될 불이익을 상호 비교·교량하여 만약 전자가 후자보다 더 큰 것이 아니라면 당해 처분은 비례의 원칙에 위반되는 것으로 재량권을 남용한 위법한 처분이라고 봄이 상당하다(대판 1997.9.12. 96누18380).

1. 비례원칙 위반 긍정 사례

① 18세 미만자의 당구장 출입 금지(헌재 1997.3.27. 94헌마196)

② 태아성별감지 및 고지 금지(헌재 2008.7.31. 2004헌마1010)

③ 선거운동과정에서 물품, 음식물 등을 제공받은 경우 과태료 50배(헌재 2009.3.26. 2007헌가22)

④ 성년자로 오인할 수 있는 사정이 있는 자의 유흥업소 출입 1회 위반에 대한 영업취소는 비례원칙에 반한다.

⑤ 유죄가 확정되지 아니한 미결수용자에게 재소자용 의류를 입게 하는 것은 비례원칙에 반한다.

⑥ 대중음식점 경영자에게 1차 위반사실에 대해 바로 2개월의 영업정지를 명한 처분은 비례원칙에 반한다.

⑦ 청소년유해매체물로 결정·고시된 만화인 줄 모르고 청소년에게 대여한 도서대여업자에게 금 700만원의 과징금을 부과한 것은 비례의 원칙에 반한다.

⑧ 불공정거래행위인 사원판매행위에 대하여 부과된 과징금의 액수가 사원판매행위로 인하여 취득한 이익의 규모를 크게 초과하여 매출액에 육박하게 된 경우 비례원칙에 반한다.

⑨ 변호사 개업지를 일정한 경우 제한한 것은 비례원칙에 반한다.

⑩ 단지 1회 훈령에 위반하여 요정출입을 하다가 적발된 공무원에 대하여 파면처분을 한 것은 비례원칙에 반한다.

⑪ 양도인이 등유가 섞인 유사휘발유를 판매한 사실을 모르고 이를 양수한 석유판매업자에게 전운영자의 위법사유를 들어 사업정지기간 중 최장기간인 6월의 사업정지에 처한 것은 비례원칙에 반한다.

⑫ 지병인 만성신부전증 등으로 몸이 아파 쉬면서 생계유지를 위하여 일시 대리운전을 하게 하고, 또 전날 과음한 탓으로 쉬면서 대리운전을 하게 하여 2회 적발된 자에 대한 개인택시운송사업면허취소처분은 비례의 원칙에 반한다.

⑬ 당초 음주운전이 아닌 다른 혐의로 파출소로 갔다가 갑자기 경관으로부터 음주측정요구를 받게 되었던 자에 대한 운전면허취소처분은 비례원칙에 반한다.

⑭ 공정한 업무처리에 대한 사의로 업무처리 후 사후에 임의로 두고간 돈 30만원이 든 봉투를 소지하는 피동적 형태로 금품을 수수하고 이를 돌려준 자에 대한 해임처분은 비례원칙에 반한다.

⑮ 석회석 채굴을 위한 산림훼손허가를 받은 임야에 대한 88올림픽 성화봉송을 위한 미관보호를 이유로 한 산림훼손중지처분은 비례원칙에 반한다.

⑯ 시장의 종교법인에 대한 토지형질변경신청 불허가결정은 우량농지로 보전하려는 공익과 종교법인이 입게 될 불이익을 상호 비교·교량하여 전자가 후자보다 더 큰 것이 아니라면 비례원칙에 반한다.

2. 비례원칙 위반 부정 사례

① 사법시험 제2차시험 과락제도(대판 2007.1.11. 2004두10432)

② 직무와 관련한 부탁을 받거나 때로는 스스로 사례를 요구하며 위의 금원을 수수한 비위에 대한 해임징계는 정당하다.

③ 운전생업자의 음주운전에 대하여 가장 무거운 벌칙인 면허취소는 공익상 이유로 정당하다.

④ 다른 차들의 통행을 원활히 하기 위하여 주차목적으로 음주운전한 경우 면허정지처분을 받은 전례가 있고 만취상태에서 운전한 자에 대한 운전면허취소처분은 비례원칙에 반하지 않는다.

⑤ 승객을 강간상해 한 운전자에게 운전면허취소라는 제재는 정당하다.

⑥ 경찰공무원이 받은 돈이 1만원에 해당하더라도 경찰공무원을 해임처분한 것은 정당하다.

⑦ 해당 지역에서 일정기간 거주하여야 한다는 요건 이외에 해당 지역 운수업체에서 일정기간 근무 경력이 있는 경우에만 개인택시운송사업면허신청 자격을 부여한다는 개인택시운송사업면허업무규정은 비례원칙에 반하지 않는다.

⑧ 주택임대사업계획승인신청을 국토 및 자연의 유지와 환경의 보존 등 중대한 공익상의 필요를 이유로 거부한 경우는 정당하다.

⑨ 유해한 수입녹용에 대한 전량폐기 또는 반송처리를 지시한 것은 비례원칙 위반이 아니다.

제2절 신뢰보호원칙

1 서설

1. 의의

신뢰보호원칙이란 행정기관이 결정한 행위(적극적·소극적 행위 불문)의 정당성이나 존재에 대하여 국민이 신뢰한 경우 그 신뢰가 보호받을 가치가 있는 한 그 신뢰를 보호해 주어야 한다는 원칙을 말한다.

2. 연혁

독일에서는 20세기 초에 학설·판례상으로 발전되어 오다가 1976년 행정절차법에 위법한 수익적 행정행위의 직권취소의 제한, 철회의 제한, 확약 등을 규정하면서 제도화하기에 이르렀다. 독일의 경우 신뢰보호의 원칙은 헌법적 지위를 갖는 공법상의 원칙으로 보기도 하고, 민법상의 신의성실의 원칙의 행정법상의 표현으로 보기도 한다. 한편, 신뢰보호는 영미법상 금반언(禁反言, Estoppel)의 법리와 유사한 것이라고 할 수 있다.

3. 적용범위

신뢰보호원칙은 현대 복리국가기능이 확대되면서 급부행정영역에서 인정되었다가 오늘날에는 행정의 모든 영역으로 확대되고 있다.

2 근거

행정기본법 제12조【신뢰보호의 원칙】① 행정청은 공익 또는 제3자의 이익을 현저히 해칠 우려가 있는 경우를 제외하고는 행정에 대한 국민의 정당하고 합리적인 신뢰를 보호하여야 한다.
② 행정청은 권한 행사의 기회가 있음에도 불구하고 장기간 권한을 행사하지 아니하여 국민이 그 권한이 행사되지 아니할 것으로 믿을 만한 정당한 사유가 있는 경우에는 그 권한을 행사해서는 아니 된다. 다만, 공익 또는 제3자의 이익을 현저히 해칠 우려가 있는 경우는 예외로 한다.

1. 이론적 근거

(1) 신의칙설

① 신뢰보호원칙의 근거를 사법상의 신의성실의 원칙에서 찾는 견해이다.

② 신의성실의 원칙은 법의 일반원리이므로 사법뿐만 아니라 공법에도 당연히 적용되고 행정청은 성실하게 적법한 행정작용을 하여야 할 의무를 지며 국민은 이를 신뢰하는데, 이후 행정청이 당해 행정작용의 위법을 이유로 그 효력을 부인하는 것은 국민의 신뢰에 반한다는 것이다.❶

❶
과거 독일의 통설·판례였으며, 독일 연방행정재판소의 '과부보조금청구에 관한 미망인사건'에서 확립

(2) 법적 안정성설(통설)

헌법상의 법치국가원리는 행정의 법률적합성의 원칙과 법적 안정성의 원칙으로 구성되고, 신뢰보호원칙은 **법적 안정성**으로부터 도출된다는 견해이다.

(3) 대법원

종래 신의칙설을 택하였으나, 최근 법적 안정성설을 따르고 있다(예 택시운전면허취소처분사건).

(4) 헌법재판소

국민이 종전의 법률관계나 제도가 장래에도 지속될 것이라는 합리적인 신뢰를 바탕으로 이에 적응하여 법적 지위를 형성하여 온 경우 국가 등은 법치국가의 원칙에 의한 법적 안정성을 위하여 권리의무에 관련된 법규·제도의 개폐에 있어서 국민의 기대와 신뢰를 보호하지 않으면 안된다(헌재 2014.4.24. 2010헌마747).

2. 실정법적 근거

행정기본법(제12조) 외에 **국세기본법**(제18조 제3항) 및 **행정절차법**(제4조 제2항) 등에 규정되어 있다. 이러한 실정법 규정은 행정법의 불문법 원리로 통용되고 있던 원칙을 확인하는 규정이지, 이 규정으로 창설적 효력이 인정되는 것은 아니다.

3 요건

1. 선행조치(공적 견해표명)

(1) 선행조치의 범위

① 행정청의 선행조치에는 법령·행정규칙·확약·행정지도 등이 포함된다. 또한 견해표명은 명시적이거나 묵시적·적극적 또는 소극적 언동도 포함된다. 다만, 판례는 조세법령의 규정내용 및 행정규칙 자체는 과세관청의 공적 견해표명에 해당하지 않는다고 본다(대판 2003.9.5. 2001두403).

② 처분청 자신의 공적인 견해표명이 있어야 하겠지만, 경우에 따라서는 보조기관인 담당공무원의 공적인 견해표명도 신뢰보호의 대상이 될 수 있다.

③ **행정행위의 경우에는 적법행위인가 위법행위인가를 불문한다.** 다만, 판례는 행정기관의 선행조치를 명시적 또는 묵시적 공적 견해의 표명으로 국한시켜 추상적 질의에 대한 일반적 견해표명은 이러한 공적 견해의 표명으로 볼 수 없다고 한다(대판 2000.2.11. 98두2119).

④ 행정청의 처분행위가 아직 존재하지 않는 경우에는 기대이익이나 예상이익을 이유로 신뢰보호를 주장할 수 없다.

⑤ 과세관청의 공적인 견해표명은 원칙적으로 일정한 책임 있는 지위에 있는 세무공무원에 의하여 이루어짐을 요한다(대판 1997.7.11. 97누553).

⑥ 공적인 견해표명은 반드시 특정인에게 대한 것일 필요는 없다. 즉, 법령 또는 행정지도 등에 대한 신뢰도 보호될 수 있다. 또한 공적인 견해표명이 반드시 문서에 의한 형식적 행위일 필요도 없다.

⑦ 행정청 내부의 사무처리준칙에 해당하는 지침의 공표만으로는 신청인은 보호가치 있는 신뢰를 갖게 되었다고 보기 어렵다.

> **관련판례**
>
> 시장이 농림수산식품부에 의하여 공표된 '2008년도 농림사업시행지침서'에 명시되지 않은 '시·군별 건조저장시설 개소당 논 면적' 기준을 충족하지 못하였다는 이유로 신규 건조저장시설 사업자 인정신청을 반려한 사안에서, 위 지침의 공표만으로 신청인이 보호가치 있는 신뢰를 갖게 되었다고 볼 수 없다(대판 2009.12.24. 2009두7967).

(2) 선행조치의 태양

① 비과세관행에 대해서는 '단순한 과세누락은 포함되지 않고 비과세에 대한 권한 있는 행정기관의 과세하지 않겠다는 의사표시가 있을 것'을 요한다(대판 1995.11.14. 95누10181).
② 판례는 조세법령의 규정내용 및 행정규칙 자체는 과세관청의 공적 견해표명에 해당하지 않는다고 본다(대판 2003.9.5. 2001두403).
③ 행정청의 처분행위가 아직 존재하지 않는 경우에는 기대이익이나 예상이익을 이유로 신뢰보호를 주장할 수 없다.
④ 공적인 견해표명은 반드시 특정인에게 대한 것일 필요는 없다.

(3) 권한 있는 기관의 선행조치일 것

① 처분청 자신의 공적인 견해표명이 있어야 하겠지만, 경우에 따라서는 보조기관인 담당공무원의 공적인 견해표명도 신뢰보호의 대상이 될 수 있다.
② 과세관청의 공적인 견해표명은 원칙적으로 일정한 책임 있는 지위에 있는 세무공무원에 의하여 이루어짐을 요한다(대판 1997.7.11. 97누553).
③ **행정조직상의 형식적인 권한분장에 구애될 것은 아니고 담당자의 조직상의 지위와 임무, 당해 언동을 하게 된 구체적인 경위 및 그에 대한 납세자의 신뢰가능성에 비추어 실질에 의하여 판단하여야 한다**(대판 1996.1.23. 95누13746).

> **관련판례**
>
> 신뢰보호원칙의 요건
> 일반적으로 행정상의 법률관계에 있어서 행정청의 행위에 대하여 신뢰보호의 원칙이 적용되기 위하여는, 첫째 행정청이 개인에 대하여 신뢰의 대상이 되는 공적인 견해표명을 하여야 하고, 둘째 행정청의 견해표명이 정당하다고 신뢰한 데에 대하여 그 개인에게 귀책사유가 없어야 하며, 셋째 그 개인이 그 견해표명을 신뢰하고 이에 어떠한 행위를 하였어야 하고, 넷째 행정청이 위 견해표명에 반하는 처분을 함으로써 그 견해표명을 신뢰한 개인의 이익이 침해되는 결과가 초래되어야 하며, 이러한 요건을 충족할 때에는 행정청의 처분은 신뢰보호의 원칙에 반하는 행위로서 위법하게 된다고 할 것이고, 또한 위 요건의 하나인 행정청의 공적 견해표명이 있었는지의 여부를 판단하는 데 있어 반드시 행정조직상의 형식적인 권한분장에 구애될 것은 아니고 담당자의 조직상의 지위와 임무, 당해 언동을 하게 된 구체적인 경위 및 그에 대한 상대방의 신뢰가능성에 비추어 실질에 의하여 판단하여야 한다고 할 것이다(대판 1996.2.23. 95누3787).

관련판례 **공적 견해표명 긍정**

1 **상대방의 구체적 질의에 대한 국세청의 회신**

국세청장이 훈련교육용역의 제공이 사업경영상담업에 해당하는 것으로 본다는 회신을 동종의 인근사업자에게 하였고, 원고는 사업양수시에 이를 상담업으로 본다고 하는 위의 견해를 신뢰하여서 면세사업자로 등록을 마치고 부가가치세를 거래징수하거나 신고 납부하지 아니하였다면 국세청장의 위와 같은 회시는 위 용역의 제공이 상담업에 해당한다고 보는 공적인 견해를 명시적으로 표명한 것이다(대판 1994.3.22. 93누22517).

2 시의 도시계획과장과 도시계획국장이 도시계획사업의 준공과 동시에 사업부지에 편입한 토지에 대한 완충녹지 지정을 해제함과 아울러 당초의 토지소유자들에게 환매하겠다는 약속을 했음에도, 이를 믿고 토지를 협의매매한 토지소유자의 완충녹지지정해제신청을 거부한 것은, 행정상 신뢰보호의 원칙을 위반하거나 재량권을 일탈·남용한 위법한 처분이다(대판 2008.10.9. 2008두6127).

3 종교법인이 도시계획구역 내 생산녹지로 답인 토지에 대하여 종교회관 건립을 이용목적으로 하는 토지거래계약의 허가를 받으면서 담당공무원이 관련 법규상 허용된다 하여 이를 신뢰하고 건축준비를 하였으나 그 후 당해 지방자치단체장이 다른 사유를 들어 토지형질변경허가신청을 불허가 한 것이 신뢰보호원칙에 반한다(대판 1997.9.12. 96누18380).

4 보건사회부장관이 '의료취약지 병원설립운영자 신청공고'를 하면서 국세 및 지방세를 비과세하겠다고 발표하였고, 그 후 내무부장관이나 시·도지사가 도 또는 시·군에 대하여 지방세 감면조례제정을 지시하여 그 조례에 대한 승인의 의사를 미리 표명하였다면, 보건사회부장관에 의하여 이루어진 위 비과세의 견해표명은 당해 과세관청의 그것과 마찬가지로 볼 여지가 충분하다고 할 것이고, 또한 납세자로서는 위와 같은 정부의 일정한 절차를 거친 공고에 대하여서는 보다 고도의 신뢰를 갖는 것이 일반적이다(대판 1996.1.23. 95누13746).

5 보세운송면허세의 부과근거이던 지방세법 시행령이 1973.10.1 제정되어 1977.9.20에 폐지될 때까지 4년 동안 그 면허세를 부과할 수 있는 **정을 알면서도 피고가 수출확대라는 공익상 필요**에서 한 건도 이를 부과한 일이 없었다면 납세자인 원고는 그것을 믿을 수밖에 없고 그로써 비과세의 관행이 이루어졌다고 보아도 무방하다(대판 1980.6.10. 80누6 전합).

6 폐기물처리업에 대하여 사전에 관할 관청으로부터 적정통보를 받고 막대한 비용을 들여 허가요건을 갖춘 다음 허가신청을 하였음에도 다수 청소업자의 난립으로 안정적이고 효율적인 청소업무의 수행에 지장이 있다는 이유로 한 불허가처분은 신뢰보호의 원칙 및 비례의 원칙에 반하는 것으로서 재량권을 남용한 위법한 처분이다(대판 1998.5.8. 98두4061).

관련판례 **공적 견해표명 부정**

1 **교육환경평가승인신청거부 사건**

甲 주식회사가 교육환경보호구역에 해당하는 사업부지에 콘도미니엄을 신축하기 위하여 교육환경평가승인신청을 한 데 대하여, 관할 교육지원청 교육장이 甲 회사에 '관광진흥법 제3조 제1항 제2호 나목에 따른 휴양 콘도미니엄업이 교육환경 보호에 관한 법률에 따른 금지행위 및 시설로 규정되어 있지는 않으나

성매매 등에 대한 우려를 제기하는 민원에 대한 구체적인 예방대책을 제시하시기 바람'이라고 기재된 보완요청서를 보낸 후 교육감으로부터 '콘도미니엄업에 관하여 교육환경보호구역에서 금지되는 행위 및 시설에 관한 교육환경 보호에 관한 법률(이하 '교육환경법'이라 한다) 제9조 제27호를 적용하라'는 취지의 행정지침을 통보받고 甲 회사에 교육환경평가승인신청을 반려하는 처분을 한 사안에서, 교육장이 보완요청서에서 '휴양 콘도미니엄업이 교육환경법 제9조 제27호에 따른 금지행위 및 시설로 규정되어 있지 않다'는 의견을 밝힌 바 있으나, 이는 교육장이 최종적으로 교육환경평가를 승인해 주겠다는 취지의 공적 견해를 표명한 것이라고 볼 수 없다(대판 2020.4.29. 2019두52799).

2 과세누락 착오
토지의 양도로 인한 소득이 사업소득에 해당하는 사실을 알지 못하고 양도소득세 등 부과처분을 한 경우, 그 처분으로써 종합소득세를 부과하지 않겠다는 견해를 공적으로 표명한 것이라고 할 수 없다(대판 2001.4.24. 99두5412).

3 면세사업자용 사업자등록증의 교부
부가가치세법상의 사업자등록은 과세관청이 부가가치세의 납세의무자를 파악하고 그 과세자료를 확보하는 데 입법 취지가 있고, 이는 단순한 사업사실의 신고로서 사업자가 소관 세무서장에게 소정의 사업자등록신청서를 제출함으로써 성립하며, 사업자등록증의 교부는 이와 같은 등록사실을 증명하는 증서의 교부행위에 불과한 것으로 과세관청이 납세의무자에게 부가가치세 면세사업자용 사업자등록증을 교부하였다고 하더라도 그가 영위하는 사업에 관하여 부가가치세를 과세하지 아니함을 시사하는 언동이나 공적인 견해를 표명한 것으로 볼 수 없다(대판 2008.6.12. 2007두23255).

4 용도지역을 자연녹지지역으로 결정
행정청이 용도지역을 자연녹지지역으로 지정결정하였다가 그보다 규제가 엄한 보전녹지지역으로 지정결정하는 내용으로 도시계획을 변경한 경우, 행정청이 용도지역을 자연녹지지역으로 결정한 것만으로는 그 결정 후 그 토지의 소유권을 취득한 자에게 용도지역을 종래와 같이 자연녹지지역으로 유지하거나 보전녹지지역으로 변경하지 않겠다는 취지의 공적인 견해표명을 한 것이라고 볼 수 없고, 토지소유자가 당해 토지 지상에 물류창고를 건축하기 위한 준비행위를 하였더라도 그와 같은 사정만으로는 용도지역을 자연녹지지역에서 보전녹지지역으로 변경하는 내용의 도시계획변경결정이 행정청의 공적인 견해표명에 반하는 처분을 함으로써 그 견해표명을 신뢰한 개인의 이익이 침해되는 결과가 초래된 것이라고도 볼 수 없다(대판 2005.3.10. 2002두5474).

5 입법예고를 통해 법령안의 내용을 국민에게 예고한 것만으로 국가가 이해관계자들에게 법령안에 관련된 사항을 약속하거나 신뢰를 부여하였다고 볼 수 없다(대판 2018.6.15. 2017다249769).

6 상대방의 **추상적 질의**에 대한 행정청의 회신내용이 일반론적인 견해표명인 경우(대판 1993.7.27. 90누10384).

7 병무청 담당부서의 담당공무원에게 공적 견해의 표명을 구하는 정식의 서면질의 등을 하지 아니한 채 총무과 민원팀장에 불과한 공무원이 민원봉사차원에서 상담에 응하여 안내한 것을 신뢰한 경우, 신뢰보호 원칙이 적용되지 아니한다(대판 2003.12.26. 2003두1875).

8 관광 숙박시설 지원 등에 관한 특별법(이하 '특별법'이라고 한다)의 유효기간인 2002.12.31. 이전까지 사업계획승인 신청을 한 경우에는 유효기간이 경과한 이후에도 특별법을 적용할 수 있다는 내용의 2002.11.13. 회신은 문화관광부장관이 피고(저자주: 지방자치단체장)에게 한 것이어서 이를 원고(저자주: 사업신청자인 민원인)에 대한 공적인 견해표명으로 보기 어렵다(대판 2006.4.28. 2005두6539).

9 과세관청의 공적인 견해표명은 원칙적으로 일정한 책임 있는 지위에 있는 세무공무원에 의하여 이루어짐을 요하므로, 국가기관인 **울산지방해운항만청장이 도세인 지역개발세의 과세관청이나 그 상급관청과 아무런 상의 없이 이를 면제한다는 취지의 공적인 견해를 표명하였다고 하더라도** 이로써 지역개발세 면제에 관한 과세관청의 견해표명이 있었다거나, 그와 마찬가지로 볼 수는 없다(대판 1997.11.28. 96누11495).

10 과세관청이 질의회신 등을 통하여 어떤 견해를 표명하였다고 하더라도 그것이 중요한 사실관계와 법적인 쟁점을 제대로 드러내지 아니한 채 질의한 데 따른 것이라면 공적인 견해표명에 의하여 정당한 기대를 가지게 할 만한 신뢰가 부여된 경우라고 볼 수 없다(대판 2013.12.26. 2011두5940).

11 국세기본법 제18조 제3항에서 말하는 비과세관행이 성립하려면 상당한 기간에 걸쳐 과세를 하지 아니한 객관적 사실이 존재할 뿐만 아니라 과세관청 자신이 그 사항에 관하여 과세할 수 있음을 알면서도 어떤 특별한 사정 때문에 과세하지 않는다는 의사가 있어야 하며 위와 같은 공적 견해나 의사는 명시적 또는 묵시적으로 표시되어야 하지만, 묵시적 표시가 있다고 하기 위하여는 단순한 과세 누락과는 달리 과세관청이 상당기간 불과세 상태에 대하여 과세하지 않겠다는 의사표시를 한 것으로 볼 수 있는 사정이 있어야 하고, 이 경우 특히 과세관청의 의사표시가 일반론적인 견해표명에 불과한 경우에는 위 원칙의 적용이 부정된다(대판 2001.4.24. 2000두5203 등).

12 과세관청이 **납세의무자에게 면세사업자등록증을 교부하고 수년간 면세사업자로서 한 부가가치세 예정신고 및 확정신고를 받은 행위만으로는** 과세관청이 납세의무자에게 그가 영위하는 사업에 관하여 부가가치세를 과세하지 아니함을 시사하는 언동이나 공적인 견해를 표명한 것이라 할 수 없다(대판 2002.9.4. 2001두9370).

13 폐기물처리업 사업계획에 대하여 적정통보를 한 것만으로는 그 사업부지 토지에 대한 국토이용계획변경신청을 승인하여 주겠다는 취지의 공적인 견해표명을 한 것으로 볼 수 없다(대판 2005.4.28. 2004두8828).

14 장래 일정한 기간 내에 관계법령이 규정하는 시설 등을 갖추어 일정한 행정처분을 구하는 신청을 할 수 있는 법률상 지위에 있는 자의 국토이용계획변경신청을 거부하는 것이 실질적으로 당해 행정처분 자체를 거부하는 결과가 되는 경우에는 예외적으로 그 신청인에게 국토 이용계획변경을 신청할 권리가 인정된다고 봄이 상당하므로, 이러한 신청에 대한 거부행위는 항고소송의 대상이 되는 행정처분에 해당한다(대판 2003.9.23. 2001두10936).

15 개발이익환수에 관한 법률에 정한 개발사업을 시행하기 전에 행정청이 민원예비심사에 대하여 관련부서 의견으로 **'저촉사항 없음'이라고 기재**하였다고 하더라도, 이후의 개발부담금부과처분에 관하여 신뢰의 대상이 되는 공적인 견해표명을 한 것이라고는 보기 어렵다(대판 2006.6.9. 2004두46).

01 폐기물처리업에 대하여 관할 관청의 사전 적정통보를 받고 막대한 비용을 들여 허가요건을 갖춘 다음 허가신청을 하였음에도 청소업자의 난립으로 효율적인 청소업무의 수행에 지장이 있다는 이유로 한 불허가처분은 적법하다. 07. 국가7급 (   )

02 폐기물처리업 사업계획에 대한 적정통보에는 당해 토지에 대한 형질변경 신청을 허가하는 취지의 공적 견해표명이 있다고 볼 수 있다.
12. 지방7급 (   )

03 개발이익환수에 관한 법률 에 정한 개발사업을 시행하기 전에, 행정청이 민원예비심사에 대하여 관련부서 의견으로 '저촉사항 없음'이라고 기재한 것은 공적인 견해표명에 해당한다. 21. 국가7급 (   )

01 X **02** X **03** X

[법령+계획+헌재] 관련

16 조세법령의 규정내용 및 행정규칙 자체는 과세관청의 공적 견해표명에 해당하지 아니한다(대판 2003.9.5. 2001두403).

17 행정청이 지구단위계획을 수립하면서 그 권장용도를 판매·위락·숙박시설로 결정하여 고시한 행위를 당해 지구 내에서는 공익과 무관하게 언제든지 숙박시설에 대한 건축허가가 가능하리라는 공적 견해를 표명한 것이라고 평가할 수는 없다(대판 2005.11.25. 2004두6822).

18 당초 정구장시설을 설치한다는 도시계획결정을 하였다가 정구장 대신 청소년수련시설을 설치한다는 도시계획변경결정 및 지적승인을 한 경우 당초의 **도시계획결정만으로는 도시계획사업의 시행자 지정을 받게 된다는 공적인 견해를 표명하였다고 할 수 없다**는 이유로 그 후의 도시계획변경결정 및 지적승인이 도시계획사업의 시행자로 지정받을 것을 예상하고 정구장 설계비용 등을 지출한 자의 신뢰이익을 침해한 것으로 볼 수 없다(대판 2000.11.10. 2000두727).

19 헌법재판소의 위헌결정은 행정청이 개인에 대하여 신뢰의 대상이 되는 공적인 견해를 표명한 것이라고 할 수 없으므로 그 결정에 관련한 개인의 행위에 대하여는 신뢰보호의 원칙이 적용되지 아니한다(대판 2003.6.27. 2002두6965).

20 **국회에서 법률안을 심의하거나 의결한 사정만으로 신뢰이익을 인정할 수 있는지 여부(소극)**
국회에서 일정한 법률안을 심의하거나 의결한 적이 있다고 하더라도 그것이 법률로 확정되지 아니한 이상 국가가 이해관계자들에게 위 법률안에 관련된 사항을 약속하였다고 볼 수 없으며, 이러한 사정만으로 어떠한 신뢰를 부여하였다고 볼 수도 없다(대판 2008.5.29. 2004다33469).

🔎 관련판례

1 선행조치❶의 판단기준

[1] 일반적으로 조세 법률관계에서 과세관청의 행위에 대하여 신의성실의 원칙이 적용되기 위하여는 첫째, 과세관청이 납세자에게 신뢰의 대상이 되는 <u>공적인 견해를 표명</u>하여야 하고, 둘째, 납세자가 과세관청의 견해표명이 정당하다고 신뢰한 데 대하여 납세자에게 <u>귀책사유가 없어야</u> 하며, 셋째, 납세자가 그 견해표명을 신뢰하고 이에 따라 <u>무엇인가 행위를 하여야</u> 하고, 넷째, 과세관청이 <u>위 견해표명에 반하는 처분</u>을 함으로써 납세자의 이익이 침해되는 결과가 초래되어야 하고, 과세관청의 공적인 견해표명은 <u>원칙적으로 일정한 책임 있는 지위에 있는 세무공무원에 의하여 이루어짐</u>을 요한다.

[2] 신의성실의 원칙 내지 금반언의 원칙은 합법성을 희생하여서라도 납세자의 신뢰를 보호함이 정의, 형평에 부합하는 것으로 인정되는 특별한 사정이 있는 경우에 적용되는 것으로서 납세자의 신뢰보호라는 점에 그 법리의 핵심적 요소가 있는 것이므로, 위 요건의 하나인 과세관청의 <u>공적 견해표명이 있었는지의 여부를 판단하는</u> 데 있어 반드시 행정조직상 <u>형식적인 권한분장에 구애될 것은 아니고</u> 담당자의 조직상 지위와 임무, 당해 언동을 하게 된 구체적 경위 및 그에 대한 납세자의 신뢰가능성에 비추어 <u>실질에 의하여 판단하여야 한다.</u>

[3] 보건사회부장관이 '의료취약지 병원설립운영자 신청공고'를 하면서 국세 및 지방세를 비과세하겠다고 발표하였고, 그 후 내무부장관이나 시·도지사가

도 또는 시·군에 대하여 지방세 감면조례제정을 지시하여 그 조례에 대한 승인의 의사를 미리 표명하였다면, 보건사회부장관에 의하여 이루어진 위 비과세의 견해표명은 당해 과세관청의 그것과 마찬가지로 볼 여지가 충분하다고 할 것이고, 또한 납세자로서는 위와 같은 정부의 일정한 절차를 거친 공고에 대하여 보다 고도의 신뢰를 갖는 것이 일반적이다(대판 1996.1.23. 95누13746).

2 선행조치의 입증책임

신의성실의 원칙이나 소급과세금지의 원칙이 적용되기 위한 요건의 하나인 "과세관청이 납세자에게 신뢰의 대상이 되는 공적인 견해를 표명하였다."라는 사실은 납세자가 주장·입증하여야 한다고 보는 것이 상당하다(대판 1992.3.31. 91누9824).

2. 보호가치 있는 신뢰

(1) 선행조치의 존속성 또는 정당성에 대하여 개인의 신뢰가 보호가치가 있어야 한다. 보호가치라 함은 상대방이 신뢰를 형성하는 과정에서 귀책사유(고의 또는 과실, 신청서의 허위기재, 뇌물제공, 사기·강박 등)가 없어야 한다. 나아가 신뢰가 보호할 만한 것인가는 정당한 이익형량에 의하여야 한다. 사후에 선행조치가 변경될 것을 사인이 예상하였거나 중대한 과실로 알지 못한 경우 또는 사인의 사위나 사실은폐 등이 있는 경우에는 보호가치가 있는 신뢰라고 보기 어렵다.

(2) 판례에 의하면 처분의 하자가 당사자의 사실은폐나 기타 허위의 방법에 의한 신청행위에 기인한 것이라면 당사자는 처분에 의한 이익이 위법하게 취득되었음을 알아 그 취소가능성도 예상하고 있었다 할 것이므로 그 자신이 위 처분에 관한 신뢰이익을 원용할 수 없다(대판 1988.2.9. 87누939).

(3) 행정청의 처분행위가 아직 존재하지 않는 경우에는 기대이익이나 예상이익을 이유로 신뢰보호를 주장할 수 없다.

관련판례

1 토지의 양도로 인한 소득이 사업소득에 해당하는 사실을 알지 못하고 양도소득세 등 부과처분을 한 경우, 그 후 토지의 양도로 인한 소득을 부동산매매업으로 인한 소득으로 인정하여 과세한 것이 신의칙을 위반한 것이 아니다(대판 2001.4.24. 99두5412).

2 국가에 의하여 유인된 신뢰의 보호가치

개인의 신뢰이익에 대한 보호가치는 ① 법령에 따른 개인의 행위가 국가에 의하여 일정방향으로 유인된 신뢰의 행사인지, ② 아니면 단지 법률이 부여한 기회를 활용한 것으로서 원칙적으로 사적 위험부담의 범위에 속하는 것인지 여부에 따라 달라진다. 만일 법률에 따른 개인의 행위가 단지 법률이 반사적으로 부여하는 기회의 활용을 넘어서 국가에 의하여 일정 방향으로 유인된 것이라면 특별히 보호가치가 있는 신뢰이익이 인정될 수 있고, 원칙적으로 개인의 신뢰보호가 국가의 법률개정이익에 우선된다고 볼 여지가 있다(헌재 2002.11.28. 2002헌바45).

3 귀책사유의 유무는 상대방과 그로부터 신청행위를 위임받은 수임인 등 관계자 모두를 기준으로 판단하여야 한다(대판 2002.11.8. 2001두1512).

4 건축주와 그로부터 건축설계를 위임받은 건축사가 상세계획지침에 의한 건축한계선의 제한이 있다는 사실을 간과한 채 건축설계를 하고 이를 토대로 건축물의 신축 및

증축허가를 받은 경우, 그 신축 및 증축허가가 정당하다고 신뢰한 데에 귀책사유가 있으므로 건축물에 대한 신축 및 증축허가를 하여 주고, 그에 따라 상당한 정도로 공사가 진척된 이 사건 건축물에 대하여 상세계획지침에 규정된 건축한계선을 침범하였다는 이유로 위반부분의 철거를 명하였다 하더라도 위 처분이 신뢰보호원칙에 반한다고 할 수 없다(대판 2002.11.8. 2001두1512).

5 개인의 귀책사유라 함은 행정청의 견해표명의 하자가 상대방 등 관계자의 사실은폐나 기타 사위의 방법에 의한 신청행위 등 부정행위에 기인한 것이거나 <u>그러한 부정행위가 없더라도 하자가 있음을 알았거나 중대한 과실로 알지 못한 경우 등</u>을 의미한다고 해석함이 상당하고, <u>귀책사유의 유무는 상대방과 그로부터 신청행위를 위임받은 수임인 등 관계자 모두를 기준으로 판단하여야 한다</u>(대판 2008.1.17. 2006두10931).

6 충전소 설치 예정지로부터 100m 내에 있는 건물주의 동의를 모두 얻지 못하였음에도 불구하고 이를 갖춘 양 허가신청을 하여 그 허가를 받아낸 경우에는 당사자는 처분에 의한 이익이 위법하게 취득되었음을 알아 그 취소가능성을 능히 예상하고 있었다고 보아야 할 것이므로 수익적 행정행위인 액화석유가스 충전사업허가 취소처분에 위법이 없다(대판 1992.5.8. 91누13274).

7 수익적 처분이 상대방의 허위 기타 부정한 방법으로 인하여 행하여졌다면 상대방은 그 처분이 위와 같은 사유로 인하여 취소될 것임을 예상할 수 없었다고 할 수 없으므로, 이러한 경우에까지 상대방의 신뢰를 보호하여야 하는 것은 아니라고 할 것이다(대판 1995.1.20. 94누6529).

3. 상대방의 조치

상대방의 신뢰에 기초한 자본투자, 건축의 개시, 재산 처분 등 선행조치를 믿고 이에 기초한 특정한 처리행위(적극적 행위에 한하지 않고, 소극적 행위도 포함)를 하였어야 한다. 신뢰보호는 이처럼 선행조치에 대한 신뢰에 의거한 국민의 조치를 보호하는 것이다. 따라서 행정청의 선행조치에 대하여 상대방인 사인의 아무런 처리행위가 없었던 경우라면 정신적 신뢰를 이유로 신뢰보호를 요구할 수는 없다고 할 것이다.

4. 인과관계

행정기관의 선행조치와 이를 신뢰하고 그 신뢰에 의거한 상대방 국민의 조치 사이에 인과관계가 있어야 한다. 즉, 상대방 국민이 행정청의 선행조치에 대하여 그 선행조치의 정당성과 존속성을 신뢰함으로써 일정한 조치를 한 경우이어야 한다. 만일 사인의 행위가 행정청의 선행조치와 무관하게 우연히 행해진 경우라면, 사인의 행위는 신뢰보호의 대상이 될 수 없다.

🔎 관련판례

서울특별시 소속 건설담당직원이 무허가건물이 철거되면 그 소유자에게 시영아파트입주권이 부여될 것이라고 허위의 확인을 하여 주었기 때문에 그 소유자와의 사이에 처음부터 그 이행이 불가능한 아파트입주권 매매계약을 체결하여 매매대금을 지급한 경우 매수인이 입은 손해는 그 아파트입주권 매매계약이 유효한 것으로 믿고서 출연한 매매대금으로서 이는 매수인이 시영아파트입주권을 취득하지 못함으로 인하여 발생한 것이 아니라 공무원의 허위의 확인행위로 인하여 발생된 것으로 보아야 하므로, <u>공무원의 허위 확인행위와 매수인의 손해발생 사이에는 상당인과관계가 있다</u>(대판 1996.11.29. 95다21709).

5. 선행조치에 반하는 후행조치

행정기관이 종래에 행한 선행조치에 반하는 조치(例 사업면허의 취소, 공무원임용취소 등)를 취함으로써 그 선행조치를 믿고서 일정한 처리를 한 관계자에게 불이익이 발생하여야 한다.

6. 공익 또는 제3자의 정당한 이익을 현저히 해할 우려가 없을 것

판례는 신뢰보호원칙이 적용되기 위한 소극적 요건으로 공익 또는 제3자의 정당한 이익을 현저히 해할 우려가 있는 경우가 아니어야 한다고 본다. 행정절차법도 이를 명문화하고 있다. 신뢰보호의 이익과 공익 또는 제3자의 이익이 충돌하는 경우에는 신뢰보호원칙이 무조건 우선되는 것은 아니며, 양자의 이익을 비교·형량하여야 한다.

> **행정절차법 제4조 【신의성실 및 신뢰보호】** ② 행정청은 법령 등의 해석 또는 행정청의 관행이 일반적으로 국민들에게 받아들여졌을 때에는 공익 또는 제3자의 정당한 이익을 현저히 해칠 우려가 있는 경우를 제외하고는 새로운 해석 또는 관행에 따라 소급하여 불리하게 처리하여서는 아니 된다.

4 한계

1. 신뢰보호원칙과 법률적합성의 원칙과의 관계

신뢰보호원칙은 법치국가의 요청인 법적 안정성을 위한 것이지만, 또 하나의 법치국가의 요소인 법률적합성의 원칙과 충돌하게 되는데 이 중 어느 것을 우선시할 것인지가 문제된다.

(1) 법률적합성우위설

행정의 법률적합성의 요청이 법적 안정성으로부터 도출되는 신뢰보호보다 우선하는 것이 법치국가의 원리라고 보는 견해이다.

(2) 양자동위설

법률적합성과 신뢰보호를 동일한 가치로 이해하는 견해이다.

(3) 이익교량설(통설)

기본적으로 동위설에 입각하여 구체적인 경우에 있어서의 이익교량에 의하여 결정하여야 할 문제로 보는 견해로서, 통설의 입장이다.

> **⚖ 관련판례**
>
> 동일한 사유에 관하여 보다 무거운 면허취소처분을 하기 위하여 가벼운 면허정지처분을 취소하는 것은 선행처분에 대한 당사자의 신뢰 및 법적 안정성을 크게 저해하는 것이 되어 허용될 수 없다(대판 2000.2.25. 99두10520).

핵심 OX

01 선행조치의 상대방에 대한 신뢰보호의 이익과 제3자의 이익이 충돌하는 경우에는 신뢰보호원칙이 우선한다. 19. 국회8급 ( )

02 신뢰의 보호로 인하여 공익 또는 제3자의 정당한 이익을 현저히 해할 우려가 있는 경우 그 신뢰는 보호될 수 없다. 09. 국회8급 ( )

01 X 02 ○

2. 사정변경

신뢰형성에 기초가 된 결정적인 사실관계가 추후에 변경되고 관계당사자가 이를 인식하거나 인식할 수 있었던 경우, 그 이후로는 관계자도 변경 전의 상태를 이유로 신뢰보호를 주장할 수 없다고 할 것이다.

> **관련판례**
>
> **1** 국세기본법 제18조 제3항에서 말하는 비과세관행이 성립되었다고 하려면 상당한 기간에 걸쳐 그 사항에 대하여 과세하지 아니하였다는 객관적 사실이 존재하여야 할 뿐 아니라 과세관청이 그 사항에 대하여 과세할 수 있음을 알면서도 어떤 특별한 사정에 의하여 과세하지 않는다는 의사가 있고 이와 같은 의사가 명시적 또는 묵시적으로 표시되어야 하는 것이고, 과세관청이 비과세대상에 해당하는 것으로 잘못 알고 일단 비과세결정을 하였으나 그 후 과세표준과 세액의 탈루 또는 오류가 있는 것을 발견한 때에는, 이를 조사하여 결정할 수 있다(대판 1991.10.22. 90누9360).
>
> **2** 확약 또는 공적인 의사표명이 있은 후에 사실적, 법률적 상태가 변경되었다면, 그와 같은 확약 또는 공적인 의사표명은 행정청의 별다른 의사표시를 기다리지 않고 실효된다(대판 1996.8.20. 95누10877).
>
> **3** 국립공원 관리권한을 가진 행정청이 실제의 공원구역과 다르게 경계측량 및 표지를 설치한 십수 년 후 착오를 발견하여 지형도를 수정한 조치는 신뢰보호의 원칙에 위배되거나 행정의 자기구속의 법리에 반하는 것이라 할 수 없다(대판 1992.10.13. 92누2325).

3. 무효인 처분과 신뢰보호

대법원은 무효인 처분에 대해서는 신뢰보호원칙이 적용되지 않는다고 한다.

> **관련판례**
>
> **1** 국가가 공무원임용결격사유가 있는 자에 대하여 결격사유가 있는 것을 알지 못하고 공무원으로 임용하였다가 사후에 결격사유가 있는 자임을 발견하고 공무원 임용행위를 취소하는 것은 당사자에게 원래의 임용행위가 당초부터 당연무효이었음을 통지하여 확인시켜 주는 행위에 지나지 아니하는 것이므로, 그러한 의미에서 당초의 임용처분을 취소함에 있어서는 신의칙 내지 신뢰의 원칙을 적용할 수 없고 또 그러한 의미의 취소권은 시효로 소멸하는 것도 아니다(대판 1987.4.14. 86누459).
>
> **2** 경찰공무원법에 규정되어 있는 경찰관임용 결격사유는 경찰관으로 임용되기 위한 절대적인 소극적 요건으로서 임용 당시 경찰관임용 결격사유가 있었다면 비록 임용권자의 과실에 의하여 임용결격자임을 밝혀내지 못하였다 하더라도 그 임용행위는 당연무효로 보아야 한다(대판 2005.7.28. 2003두469).

5 위반의 효과

신뢰보호의 원칙은 행정법의 일반법원칙이기 때문에 신뢰보호에 어긋나는 처분은 위법한 처분이 된다. 그 효과로서 원칙적으로는 취소사유(판례)가 될 것이나, 예외적으로 무효가 되는 경우도 존재한다.

1 매년 그 때의 상황에 따라 적절히 면허 숫자를 조절해야 할 필요성이 있는 개인택시 면허제도의 성격상 그 자격요건이나 우선순위의 요건을 일정한 범위 내에서 강화하고 그 요건을 변경함에 있어 유예기간을 두지 아니하였다 하더라도 그러한 점만으로는 행정청의 면허신청 접수거부처분이 신뢰보호의 원칙이나 형평의 원칙, 재량권의 남용에 해당하지 않는다(대판 1996.7.30. 95누12897).

2 한려해상국립공원지구 인근의 자연녹지지역에서의 토석채취허가가 법적으로 가능할 것이라는 행정청의 언동을 신뢰한 개인이 많은 비용과 노력을 투자하였다가 불허가처분으로 상당한 불이익을 입게 된 경우, 위 불허가처분에 의하여 행정청이 달성하려는 주변의 환경·풍치·미관 등의 공익이 그로 인하여 개인이 입게 되는 불이익을 정당화할 만큼 강하다는 이유로 불허가처분이 재량권의 남용 또는 신뢰보호의 원칙에 반하여 위법하다고 할 수 없다(대판 1998.11.13. 98두7343).

1 폐기물처리업에 대하여 사전에 관할 관청으로부터 적정통보를 받고 막대한 비용을 들여 허가요건을 갖춘 다음 허가신청을 하였음에도 다수 청소업자의 난립으로 안정적이고 효율적인 청소업무의 수행에 지장이 있다는 이유로 한 불허가처분이 신뢰보호의 원칙 및 비례의 원칙에 반하는 것으로서 재량권을 남용한 위법한 처분이다(대판 1998.5.8. 98두4061).

2 운전면허취소사유에 해당하는 음주운전을 적발한 경찰관의 소속 경찰서장이 사무착오로 위반자에게 운전면허정지처분을 한 상태에서 위반자의 주소지 관할 지방경찰청장이 위반자에게 운전면허취소처분을 한 것은 선행처분에 대한 당사자의 신뢰 및 법적 안정성을 저해하는 것으로서 허용될 수 없다(대판 2000.2.25. 99두10520).

3 동사무소 직원이 행정상 착오로 국적이탈을 사유로 주민등록을 말소한 것을 신뢰하여 만 18세가 될 때까지 별도로 국적이탈신고를 하지 않았던 사람이, 만 18세가 넘은 후 동사무소의 주민등록 직권 재등록 사실을 알고 국적이탈신고를 하자 '병역을 필하였거나 면제받았다는 증명서가 첨부되지 않았다'는 이유로 이를 반려한 처분은 신뢰보호의 원칙에 반하여 위법한지 여부(적극)

행정청이 대외적으로 공신력 있는 주민등록표상 국적이탈을 이유로 원고의 주민등록을 말소한 행위는 원고에게 간접적으로 국적이탈이 법령에 따라 이미 처리되었다는 견해를 표명한 것이라고 보아야 하고, 나아가 행정청의 주민등록말소는 주민등록표등·초본에 공시되어 대내·외적으로 행정행위의 적법한 존재를 추단하는 중요한 근거가 되는 점에 비추어 원고가 위와 같은 주민등록말소를 통하여 자신의 국적이탈이 적법하게 처리된 것으로 신뢰한 것에 대하여 귀책사유가 있다고 할 수 없는바, 따라서 원고는 위와 같은 신뢰를 바탕으로 만 18세가 되기까지 별도로 국적이탈신고 절차를 취하지 아니하였던 것이므로, 피고가 원고의 이러한 신뢰에 반하여 원고의 국적이탈신고를 반려한 이 사건 처분은 신뢰보호의 원칙에 반하여 원고가 만 18세 이전에 국적이탈신고를 할 수 있었던 기회를 박탈한 것으로서 위법하다고 판단하였다(대판 2008.1.17. 2006두10931).

핵심 OX

01 동일한 사유에 관하여 보다 무거운 면허취소처분을 하기 위하여 이미 행하여진 가벼운 면허정지처분을 취소하는 것은 선행처분에 대한 당사자의 신뢰 및 법적 안정성을 크게 저해하는 것이 되어 허용될 수 없다.
17. 국가7급(10월) ( )

01 ○

4 법령의 개정시 입법자가 구 법령의 존속에 대한 당사자의 신뢰를 침해하여 신뢰보호 원칙을 위배하였는지 여부의 판단 기준 및 변리사 제1차 시험을 절대평가제에서 상대평가제로 환원하는 내용의 변리사법 시행령 개정조항을 즉시 시행하도록 정한 부칙 부분이 헌법에 위반되어 무효인지 여부(적극)

합리적이고 정당한 신뢰에 기하여 절대평가제가 요구하는 합격기준에 맞추어 시험 준비를 한 수험생들은 제1차 시험 실시를 불과 2개월밖에 남겨놓지 않은 시점에서 개정 시행령의 즉시 시행으로 합격기준이 변경됨으로 인하여 시험준비에 막대한 차질을 입게 되어 위 신뢰가 크게 손상되었고, 특히 절대평가제에 의한 합격기준인 매 과목 40점 및 전과목 평균 60점 이상을 득점하고도 불합격처분을 받은 수험생들의 신뢰이익은 그 침해된 정도가 극심하며, 그 반면 개정 시행령에 의하여 상대평가제를 도입함으로써 거둘 수 있는 공익적 목적은 개정 시행령을 즉시 시행하여 바로 임박해 있는 2002년의 변리사 제1차 시험에 적용하면서까지 이를 실현하여야 할 합리적인 이유가 있다고 보기 어려우므로, 결국 개정 시행령의 즉시 시행으로 인한 수험생들의 신뢰이익 침해는 개정 시행령의 즉시 시행에 의하여 달성하려는 공익적 목적을 고려하더라도 정당화될 수 없을 정도로 과도하다. 나아가 개정 시행령에 따른 시험준비 방법과 기간의 조정이 2002년의 변리사 제1차 시험에 응한 수험생들에게 일률적으로 적용되었다는 이유로 위와 같은 수험생들의 신뢰이익의 침해를 정당화할 수 없으며, 또한 수험생들이 개정 시행령의 내용에 따라 공고된 2002년의 제1차 시험에 응하였다고 하더라도 사회통념상 그것만으로는 개정 전 시행령의 존속에 대한 일체의 신뢰이익을 포기한 것이라고 볼 수도 없다. 따라서 변리사 제1차 시험의 상대평가제를 규정한 개정 시행령 제4조 제1항을 2002년의 제1차 시험에 시행하는 것은 헌법상 신뢰보호의 원칙에 비추어 허용될 수 없으므로, 개정 시행령 부칙 중 제4조 제1항을 즉시 2002년의 변리사 제1차 시험에 대하여 시행하도록 그 시행시기를 정한 부분은 헌법에 위반되어 무효이다(대판 2006.11.16. 2003두12899 전합).

5 한약사 국가시험의 응시자격제한 사건

[1] 법령의 개정에서 신뢰보호원칙이 적용되어야 하는 이유는, 어떤 법령이 장래에도 그대로 존속할 것이라는 합리적이고 정당한 신뢰를 바탕으로 국민이 그 법령에 상응하는 구체적 행위로 나아가 일정한 법적 지위나 생활관계를 형성하여 왔음에도 국가가 이를 전혀 보호하지 않는다면 법질서에 대한 국민의 신뢰는 무너지고 현재의 행위에 대한 장래의 법적 효과를 예견할 수 없게 되어 법적 안정성이 크게 저해되기 때문이고, 이러한 신뢰보호는 절대적이거나 어느 생활영역에서나 균일한 것은 아니고 개개의 사안마다 관련된 자유나 권리, 이익 등에 따라 보호의 정도와 방법이 다를 수 있으며, 새로운 법령을 통하여 실현하고자 하는 공익적 목적이 우월한 때에는 이를 고려하여 제한될 수 있으므로, 이 경우 신뢰보호원칙의 위배 여부를 판단하기 위해서는 한편으로는 침해된 이익의 보호가치, 침해의 중한 정도, 신뢰가 손상된 정도, 신뢰침해의 방법 등과 다른 한편으로는 새 법령을 통해 실현하고자 하는 공익적 목적을 종합적으로 비교·형량하여야 한다.

[2] 개정 전 약사법 제3조의2 제2항의 위임에 따라 같은 법 시행령 제3조의2에서 한약사 국가시험의 응시자격을 '필수 한약관련 과목과 학점을 이수하고 대학을 졸업한 자'로 규정하던 것을, 개정 시행령 제3조의2에서 '한약학과를 졸업한 자'로 응시자격을 변경하면서, 개정 시행령 부칙이 한약사 국가시험의 응시자격에 관하여 1996학년도 이전에 대학에 입학하여 개정 시행령 시행 당시 대학에 재학 중인 자에게는 개정 전의 시행령 제3조의2를 적용하게 하면서도 1997학년도에 대학에 입학하여 개정 시행령 시행 당시 대학에 재학중인 자에게는 개정 시행령 제3조의2를 적용하게 하는 것은 헌법상 신뢰보호의 원칙과 평등의 원칙에 위배되어 허용될 수 없다(대판 2007.10.29. 2005두4649 전합).

6 행정청이 공적인 견해를 표명한 후 사정이 변경됨에 따라 그 견해표명에 반하는 처분을 한 경우, 신뢰보호의 원칙에 위반되는지 여부(소극)

신뢰보호의 원칙은 행정청이 공적인 견해를 표명할 당시의 사정이 그대로 유지됨을 전제로 적용되는 것이 원칙이므로, 사후에 그와 같은 사정이 변경된 경우에는 그 공적 견해가 더 이상 개인에게 신뢰의 대상이 된다고 보기 어려운 만큼, 특별한 사정이 없는 한 행정청이 그 견해표명에 반하는 처분을 하더라도 신뢰보호의 원칙에 위반된다고 할 수 없다(대판 2020.6.25. 2018두34732).

6 적용영역

핵심 OX

01 신뢰보호원칙의 적용영역으로는 수익적 행정행위의 철회, 행정법상 확약, 실권 등을 들 수 있다.

04. 국가9급 (　)

1. 수익적 행정행위의 취소·철회제한

개인의 신뢰보호를 위하여 수익적 행정행위의 직권취소나 철회가 제한될 수 있다.

2. 확약

행정청이 확약에 반하는 처분을 한 경우에 상대방은 신뢰보호원칙의 위반을 주장할 수 있다.

> **관련판례**
>
> **삼청교육으로 인한 피해를 보상하겠다는 대통령과 국방부장관의 담화 발표에 따른 후속조치 불이행과 신뢰보호원칙**
>
> 대통령이 담화를 발표하고 이에 따라 국방부장관이 삼청교육 관련 피해자들에게 그 피해를 보상하겠다고 공고하고 피해신고까지 받은 것은, 대통령이 정부의 수반인 지위에서 피해자들인 국민에 대하여 향후 입법조치 등을 통하여 그 피해를 보상해 주겠다고 구체적 사안에 관하여 종국적으로 약속한 것으로서, 거기에 채무의 승인이나 시효이익의 포기와 같은 사법상의 효과는 없더라도, 그 상대방은 약속이 이행될 것에 대한 강한 신뢰를 가지게 되고, 이러한 신뢰는 단순한 사실상의 기대를 넘어 법적으로 보호받아야 할 이익이라고 보아야 하므로, 국가로서는 정당한 이유 없이 이 신뢰를 깨뜨려서는 아니 되는바, 국가가 그 약속을 어기고 후속조치를 취하지 아니함으로써 위 담화 및 피해신고 공고에 따라 피해신고를 마친 피해자의 신뢰를 깨뜨린 경우, 그 신뢰의 상실에 따르는 손해를 배상할 의무가 있고, 이러한 손해에는 정신적 손해도 포함된다(대판 2001.7.10. 98다38364).

3. 행정계획의 변경

행정계획의 존속을 신뢰하였음에도 행정청이 행정계획을 변경 또는 폐지하는 경우에 이를 신뢰한 개인의 사익이 보호되어야 하는지, 즉 계획보장청구권이 인정되는지가 문제된다. 이는 원칙적으로 부정되지만 행정계획변경을 통해 달성하고자 하는 공익보다 제한되는 사익이 큰 경우에는 예외적으로 인정될 수 있다.

4. 개정법령의 적용문제

개정 전 법령에 대한 당사자의 신뢰이익과 개정법령을 통해 달성하고자 하는 공익의 이익형량을 통해 신뢰이익 침해 여부를 판단한다.

01 ○

법령의 개정시 입법자가 구 법령의 존속에 대한 당사자의 신뢰를 침해하여 신뢰보호원칙을 위배하였는지 여부의 판단기준

법령의 개정에 있어서 구 법령의 존속에 대한 당사자의 신뢰가 합리적이고도 정당하며, 법령의 개정으로 야기되는 당사자의 손해가 극심하여 새로운 법령으로 달성하고자 하는 공익적 목적이 그러한 신뢰의 파괴를 정당화할 수 없다면, 입법자는 경과규정을 두는 등 당사자의 신뢰를 보호할 적절한 조치를 하여야 하며, 이와 같은 적절한 조치 없이 새 법령을 그대로 시행하거나 적용하는 것은 허용될 수 없는바, 이는 헌법의 기본원리인 법치주의원리에서 도출되는 신뢰보호의 원칙에 위배되기 때문이다. 이러한 신뢰보호원칙의 위배여부를 판단하기 위하여는 한편으로는 침해받은 이익의 보호가치, 침해의 중한 정도, 신뢰가 손상된 정도, 신뢰침해의 방법 등과 다른 한편으로는 새 법령을 통해 실현하고자 하는 공익적 목적을 종합적으로 비교·형량하여야 한다(대판 2006.11.16. 2003두12899 전합).

5. 실권(실효)의 법리

(1) 의의

실권의 법리란 행정청에 취소권 등 권리행사의 기회가 있음에도 불구하고 장기간 권리를 행사하지 않음으로써 상대방인 국민이 행정청이 그 권리를 행사하지 아니할 것으로 신뢰할 만한 정당한 사유가 있는 경우에는 그 권리 행사가 허용되지 않는다는 원칙을 말한다.

(2) 근거

행정기본법 제12조【신뢰보호의 원칙】 ② 행정청은 권한 행사의 기회가 있음에도 불구하고 장기간 권한을 행사하지 아니하여 국민이 그 권한이 행사되지 아니할 것으로 믿을 만한 정당한 사유가 있는 경우에는 그 권한을 행사해서는 아니 된다. 다만, 공익 또는 제3자의 이익을 현저히 해칠 우려가 있는 경우는 예외로 한다.

실권의 법리는 일반적으로 신뢰보호원칙의 적용영역의 하나로 설명되고 있으나, 판례는 신의성실원칙의 파생원칙으로 보고 있다.

(3) 효과

요건 충족시 행정청의 취소권, 영업정지권 등은 실효된다.

1 실효의 원칙을 적용하기 위한 요건 및 그 충족 여부의 판단기준

일반적으로 권리의 행사는 신의에 좇아 성실히 하여야 하고 권리는 남용하지 못하는 것이므로 권리자가 실제로 권리를 행사할 수 있는 기회가 있었음에도 불구하고 상당한 기간이 경과하도록 권리를 행사하지 아니하여 의무자인 상대방으로서도 이제는 권리자가 권리를 행사하지 아니할 것으로 신뢰할 만한 정당한 기대를 가지게 된 다음에 새삼스럽게 그 권리를 행사하는 것이 법질서 전체를 지배하는 <u>신의성실의 원칙에 위반하는 것으로 인정되는 결과가 될 때에는 이른바 실효의 원칙에 따라 그 권리의 행사가 허용되지 않는다고 보아야 할 것이고</u>, 또한 실효의 원칙이 적용되기 위하여 필요한 요건으로서의 실효기간(권리를 행사하지 아니한 기간)의 길이와 의무자인상대방이 권리가 행사되지 아니하리라고 신뢰할 만한 정당한 사유가 있었는지의 여부는 일률적으로 판단할

핵심 OX

02 대법원은 실권의 법리를 신의성실의 원칙에 바탕을 둔 파생원칙으로 보았다. 10. 지방9급 (　　)

02 ○

수 있는 것이 아니라 구체적인 경우마다 권리를 행사하지 아니한 기간의 장단과 함께 권리자측과 상대방측 쌍방의 사정 및 객관적으로 존재한 사정 등을 모두 고려하여 사회통념에 따라 합리적으로 판단하여야 할 것이다(대판 2005.10.28. 2005다45827).

2 왜정시대에 군청에서 2년 이상 근무한 사람은 행정서사업허가자격의 하나로 정하는 '행정기관에서 2년 이상 근무한 자'로 되지 못한다고 한 사례

실권 또는 실효의 법리는 법의 일반원리인 신의성실의 원칙에 바탕을 둔 파생원칙인 것이므로 공법관계 가운데 관리관계는 물론이고 권력관계에도 적용되어야 함을 배제할 수는 없다 하겠으나 그것은 본래 권리행사의 기회가 있음에도 불구하고 권리자가 장기간에 걸쳐 그의 권리를 행사하지 아니하였기 때문에 의무자인 상대방은 이미 그의 권리를 행사하지 아니할 것으로 믿을만한 정당한 사유가 있게 되거나 행사하지 아니할 것으로 추인케 할 경우에 새삼스럽게 그 권리를 행사하는 것이 신의성실의 원칙에 반하는 결과가 될 때 그 권리행사를 허용하지 않는 것을 의미하는 것이므로 이 사건에 관하여 보면 <u>원고가 허가받은 때로부터 20년이 다되어 피고가 그 허가를 취소한 것이기는 하나 피고가 취소사유를 알고서도 그렇게 장기간 취소권을 행사하지 않은 것이 아니고 1985.9. 중순에 비로소 위에서 본 취소사유를 알고 그에 관한 법적 처리방안에 관하여 다각도로 연구검토가 행해졌고 그러한 사정은 원고도 알고 있었음이 기록상 명백하여 이로써 본다면 상대방인 원고에게 취소권을 행사하지 않을 것이란 신뢰를 심어준 것으로 여겨지지 않으니 피고의 처분이 실권의 법리에 저촉된 것이라고 볼 수 있는 것도 아니다.</u>

그리고 원심이 허가 등과 같이 상대방에게 이익을 주는 행정행위에 있어서는 취소원인이 존재한다는 이유만으로 취소할 수는 없고 취소하여야 할 공익상의 필요와 취소로 인하여 당사자가 입을 불이익을 비교·교량하여 취소 여부를 결정하여야 하나 <u>이 사건에서 행정서사의 허가를 받을 자격이 없는 원고가 행정청의 착오로 그 허가를 받았다가 그후 그것이 드러나 허가 취소됨으로써 입게 되는 불이익보다는 자격없는 자에게 나간 허가를 취소하여 공정한 법 집행을 함으로써 법질서를 유지시켜야 할 공익상의 필요가 더 크다</u> 할 것이라고 판단한 것도 옳고 여기에는 소론과 같은 위법이 있다 할 수 없다(대판 1988.4.27. 87누915).

3 3년 전의 위반행위를 이유로 한 운전면허취소처분의 당부

택시운전사가 1983.4.5. 운전면허정지기간 중의 운전행위를 하다가 적발되어 형사처벌을 받았으나 행정청으로부터 아무런 행정조치가 없어 안심하고 계속 운전업무에 종사하고 있던 중 행정청이 <u>위 위반행위가 있은 이후에 장기간에 걸쳐 아무런 행정조치를 취하지 않은채 방치하고 있다가 3년여가 지난 1986.7.7.에 와서 이를 이유로 행정제재를 하면서 가장 무거운 운전면허를 취소하는 행정처분을 하였다면</u> 이는 행정청이 그간 별다른 행정조치가 없을 것이라고 믿은 <u>신뢰의 이익과 그 법적안정성을 빼앗는 것</u>이 되어 매우 가혹할 뿐만 아니라 비록 그 위반행위가 운전면허취소사유에 해당한다 할지라도 그와 같은 공익상의 목적만으로는 위 운전사가 입게 될 불이익에 견줄 바 못 된다 할 것이다(대판 1987.9.8. 87누373).

> **비교판례**
>
> 자동차운수사업법 제31조 제1항 제5호 소정의 '중대한 교통사고'를 이유로 사고로부터 1년 10개월 후 사고택시에 대하여 한 운송사업면허의 취소가 재량권유탈에 해당하는지 여부(소극)
> <u>교통사고가 일어난지 1년 10개월이 지난 뒤 그 교통사고를 일으킨 택시에 대하여 운송사업면허를 취소</u>하였더라도 처분관할관청이 위반행위를 적발한 날로부터 10일 이내에 처분을 하여야 한다는 교통부령인 '자동차운수사업법 제31조 등의 규정에 의한 사업면허의 취소 등의 처분에 관한 규칙' 제4조 제2항 본문을 강행규정으로 볼 수 없을 뿐만 아니라 택시운송사업자로서는 자동차운수사업법의

내용을 잘 알고 있어 교통사고를 낸 택시에 대하여 운송사업면허가 취소될 가능성을 예상할 수도 있었을 터이니, 자신이 별다른 행정조치가 없을 것으로 믿고 있었다 하여 바로 신뢰의 이익을 주장할 수는 없으므로 그 교통사고가 자동차운수사업법 제31조 제1항 제5호 소정의 '중대한 교통사고로 인하여 많은 사상자를 발생하게 한 때'에 해당한다면 그 운송사업면허의 취소가 행정에 대한 국민의 신뢰를 저버리고 국민의 법생활의 안정을 해치는 것이어서 재량권의 범위를 일탈한 것이라고 보기는 어렵다(대판 1989.6.27. 88누6283).

4 **징계처분의 무효확인을 구하는 소가 신의칙에 반하는 것으로서 허용될 수 없다고 한 사례**
피징계자가 징계처분에 중대하고 명백한 흠이 있음을 알면서도 퇴직시에 지급되는 퇴직금 등 급여를 지급받으면서 그 징계처분에 대하여 위 흠을 들어 항고하였다가 곧 취하하고 그 후 5년 이상이나 그 징계처분의 효력을 일체 다투지 아니하다가 위 비위사실에 대한 공소시효가 완성되어 더 이상 형사소추를 당할 우려가 없게 되자 새삼 위 흠을 들어 그 징계처분의 무효확인을 구하는 소를 제기하기에 이르렀고 한편 징계권자로서도 그 후 오랜 기간동안 피징계자의 퇴직을 전제로 승진·보직 등 인사를 단행하여 신분관계를 설정하였다면 피징계자가 이제와서 위 흠을 내세워 그 징계처분의 무효확인을 구하는 것은 신의칙에 반한다(대판 1989.12.12. 88누8869).

5 허위의 고등학교 졸업증명서를 제출하는 사위의 방법에 의한 하사관 지원의 하자를 이유로 하사관 임용일로부터 33년이 경과한 후에 행정청이 행한 하사관 및 준사관 임용취소처분은 적법하다(대판 2002.2.5. 2001두5286).

6 지방공무원 임용신청 당시 잘못 기재된 호적상 출생연월일을 생년월일로 기재하고, 이에 근거한 공무원인사기록카드의 생년월일 기재에 대하여 처음 임용된 때부터 약 36년 동안 전혀 이의를 제기하지 않다가, 정년을 1년 3개월 앞두고 호적상 출생연월일을 정정한 후 그 출생연월일을 기준으로 정년의 연장을 요구하는 것이 신의성실의 원칙에 반하지 않는다(대판 2009.3.26. 2008두21300).

6. 사실상 공무원이론

임용요건이 결여된 자의 행위는 국가행위로서의 효력을 발생할 수 없으나, 상대방의 신뢰보호와 법적 안정성의 이유에서 유효한 것으로 볼 경우도 있다는 이론을 말한다.

공무원 자신 (결격사유에 해당)	• 효과: 당연무효(⇨ 치유 불가)만약 신뢰보호원칙을 주장하는 경우에는 불가 (∵ 보호가치 없는 신뢰) • 기존에 받은 급여: 인정(부당이득 ×) • 연금·퇴직금: 부정
제3자(국민)	유효(사실상 공무원이론)

⚖ **관련판례**

사실상 공무원

[1] 공무원관계설정시점 및 공무원임용결격사유가 있는지 여부의 판단기준
국가공무원법에 규정되어 있는 공무원임용결격사유는 공무원으로 임용되기 위한 절대적인 소극적 요건으로서 공무원관계는 국가공무원법 제38조, 공무원임용령 제11조의 규정에 의한 채용후보자 명부에 등록한 때가 아니라 국가의 임용이 있는 때에 설정되는 것이므로 공무원임용결격사유가 있는지의 여부는 채용후보자 명부에 등록한 때가 아닌 임용 당시에 시행되던 법률을 기준으로 하여 판단하여야 한다.

임용 당시 공무원임용 결격사유가 있었더라도 국가의 과실로 임용결격자임을 밝혀내지 못하였다면 신뢰보호의 원칙이 적용되고 임용취소권은 시효로 소멸된다.

15. 국가7급 (   )

[2] 국가의 과실에 의한 공무원임용결격자의 임용행위의 효력

임용 당시 공무원임용결격사유가 있었다면 비록 국가의 과실에 의하여 임용결격자임을 밝혀내지 못하였다 하더라도 그 임용행위는 당연무효로 보아야 한다.

[3] 공무원임용결격자에 대한 임용행위의 취소의 법적 성질 및 신의칙의 적용과 취소권의 시효소멸 여부

국가가 공무원임용결격사유가 있는 자에 대하여 결격사유가 있는 것을 알지 못하고 공무원으로 임용하였다가 사후에 결격사유가 있는 자임을 발견하고 공무원 임용행위를 취소하는 것은 당사자에게 원래의 임용행위가 당초부터 당연무효이었음을 통지하여 확인시켜 주는 행위에 지나지 아니하는 것이므로, 그러한 의미에서 당초의 임용처분을 취소함에 있어서는 신의칙 내지 신뢰의 원칙을 적용할 수 없고 또 그러한 의미의 취소권은 시효로 소멸하는 것도 아니다.

[4] 임용결격자가 공무원으로 임명되어 사실상 근무하여 온 경우 공무원연금법이나 근로기준법 소정의 퇴직금청구를 할 수 있는지 여부

공무원연금법이나 근로기준법에 의한 퇴직금은 적법한 공무원으로서의 신분취득 또는 근로고용관계가 성립되어 근무하다가 퇴직하는 경우에 지급되는 것이고, 당연무효인 임용결격자에 대한 임용행위에 의하여서는 공무원의 신분을 취득하거나 근로고용관계가 성립될 수 없는 것이므로 임용결격자가 공무원으로 임용되어 사실상 근무하여 왔다고 하더라도 그러한 피임용자는 위 법률소정의 퇴직금청구를 할 수 없다 (대판 1987.4.14. 86누459).

⚖ **판례정리**   **신뢰보호의 원칙**

1. 공적 견해표명 관련 판례

공적 견해표명을 인정한 판례	공적 견해표명을 부정한 판례
• 묵시적 의사표시 • 종교회관 건립목적의 토지거래계약 허가과정에서 토지형질변경 가능하다는 담당공무원 견해표명 • 장관의 의료취약지 병원운영에 대한 비과세의 견해표명: 지방세 비과세에 대한 공적 견해표명 • 도시계획과장이 사업토지에 대한 완충녹지 지정해제와 환매약속 후 토지소유자의 완충녹지지정해제거부는 신뢰보호위반 • 삼청교육피해자에 대한 피해보상 담화발표	• 헌법재판소 위헌결정 • 당초의 도시계획결정만으로 도시계획사업의 시행자 지정을 받게 된다는 공적 견해표명 부정 • 폐기물처리업 사업계획에 대한 적정통보가 국토이용계획변경신청을 승인하겠다는 공적견해표명 부정 • 면세사업자등록증 교부가 부가가치세 비과세의 공적 견해표명 부정 • 민원봉사차원에서 상담에 응한 안내 • 개발사업시행전 민원예비심사에서 개발이익환수에 관한 '법률상 저촉사항 없음'이라는 기재가 개발부담금부과대상이 아니라는 공적견해표명 아니다. • 단순히 착오로 어떠한 처분을 계속한 경우 (묵시적 견해표명 ×) • 법원의 과태료재판에서는 행정소송에서와 같은 신뢰보호의 원칙 위반 여부가 문제되지 않음(법원의 직권사항) • 법률안을 의결만 한 것으로 공적 견해표명 부정

2. 보호가치 있는 신뢰 관련 판례

① 귀책사유의 유무는 상대방과 그로부터 신청행위를 위임받은 수임인 등 관계자 모두를 기준으로 판단하여야 한다.

② 충전소 설치 예정지로부터 100미터 내에 있는 건물주의 동의를 모두 얻지 아니하였음에도 불구하고 이를 갖춘 양 허가신청을 하여 그 허가를 받은 경우 사업허가취소는 적법하다.

③ 사위의 방법에 의한 하사관 지원의 하자를 이유로 하사관 임용일로부터 33년이 경과한 후에 행정청이 행한 하사관임용취소처분은 적법하다.

④ 동일한 사유에 관해 보다 무거운 면허취소처분을 하기 위하여 이미 행하여진 가벼운 면허정지처분을 취소하는 것은 허용되지 않는다.

⑤ 과세처분이 위법하여 취소판결이 난 경우 납세자에게 불리한 재처분을 할 수 없다는 국세행정관행이 존재한다고 볼 수 없다.

⑥ 공적 견해표명이 있은 후에 사실적·법률적 상태가 변경되었다면 공적 견해표명은 행정청의 별다른 의사표시를 기다리지 않고 실효된다.

제3절 평등의 원칙

1 서설

1. 의의

평등의 원칙은 행정기관은 행정작용을 함에 있어서 합리적인 사유가 없는 한, 상대방인 국민을 차별 없이 대우하여야 한다는 원칙이다. 오늘날의 사회(복지)국가에 있어서의 평등의 원칙은 근대의 자유주의국가에 있어서의 평등의 의미와는 다르게 운영되지 않으면 안 된다. 자유주의국가에서는 국가에 대하여 형식적 평등의 보장을 요구했지만, 현대 사회국가에서는 사회적 약자보호를 통하여 실질적 평등을 보장해야 한다고 본다.

2. 기능

평등의 원칙은 비례의 원칙 등과 함께 행정의 재량권 행사에 있어서 한계를 결정하는 중요한 기능을 하게 되며, 이를 '자의금지의 원칙'이라고도 한다. 이러한 평등의 원칙은 일체의 차별적 대우를 부정하는 절대적 평등을 의미하는 것이 아니라 입법과 법의 적용에 있어서 합리적인 근거가 없는 차별을 하여서는 아니 된다는 상대적 평등을 뜻하고 따라서 합리적인 근거가 있는 차별 또는 불평등은 평등의 원칙에 반하는 것이 아니다. 평등원칙은 행위규범으로서 국가기관에게 객관적으로 같은 것은 같게, 다른 것은 다르게 규범의 대상을 실질적으로 평등하게 규율할 것을 요구한다.

3. 한계

평등의 원칙은 불법적 관행에 대한 평등대우가 허용되지 아니하므로 위법한 행정처분이 반복된 경우에는 행정청에 대하여 자기구속력을 갖지 못한다. 왜냐하면 불법의 평등은 인정되지 않기 때문이다.

2 근거

> **행정기본법 제9조 【평등의 원칙】** 행정청은 합리적 이유 없이 국민을 차별하여서는 아니 된다.

헌법 제11조는 "모든 국민은 법 앞에 평등하다. 누구든지 성별·종교 또는 사회적 신분에 의하여 정치적·경제적·사회적·문화적 생활의 모든 영역에 있어서 차별을 받지 아니한다."라고 규정하고 있으며, 이 평등의 원칙은 행정법 영역에서도 당연히 동일하게 적용된다.

3 효력

평등의 원칙은 헌법적 효력을 갖는 일반원칙이므로 이를 위반한 국가작용은 위헌·위법이 된다.

⚖ 판례정리 평등의 원칙

위법(평등의 원칙에 반한다)	적법(평등의 원칙에 반하지 않는다)
• 선등록한 단체의 등록은 수리하고 사업내용을 같이 하는 후등록단체의 등록신청을 반려했다는 점에서는 헌법이 규정한 평등의 원칙에도 위반된다 할 것이다(대판 1989.12.26. 87누308 전합). • 구 자원의 절약과 재활용촉진에 관한 법률 시행령(2007.3.27. 대통령령 제19971호로 개정되기 전의 것) 제11조 [별표 2] 제7호에서 플라스틱제품의 수입업자가 부담하는 폐기물부담금의 산출기준을 아무런 제한 없이 그 수입가만을 기준으로 한 것은, 합성수지 투입량을 기준으로 한 국내 제조업자(합성수지투입 kg당 7.6원 또는 3.8원)에 비하여 과도하게 차등을 둔 것으로서 합리적 이유 없는 차별에 해당하므로, 위 조항 중 '수입의 경우 수입가의 0.7%' 부분은 헌법상 평등원칙을 위반한 입법으로서 무효이다(대판 2008.11.20. 2007두8287). • 행정안전부의 지방조직 개편지침의 일환으로 청원경찰의 인원감축을 위한 면직처분대상자를 선정함에 있어서 **초등학교졸업 이하 학력소지자집단과 중학교 중퇴 이상 학력소지자집단으로** 나누어 각 집단별로 같은 감원비율 상당의 인원을 선정한 것은 합리성과 공정성을 결여하고, 평등의 원칙에 위배하여 그 하자가 중대하다 할 것이나, 그렇게 한 이유가 시험문제 출제 수준이 중학교 학력 수준이어서 초등학교 졸업 이하 학력	• 정신건강증진 및 정신질환자 복지서비스 지원에 관한 법률 제19조 제1항 및 의료법이 정신병원 등의 개설에 관하여는 허가제로 규정한 것과 달리 정신과의원 개설에 관하여는 신고제로 규정하고 있는 것은 평등원칙에 반하지 않는다(대판 2018.10.25. 2018두44302). • 대부계약 등을 맺지 않고 국유 잡종재산을 무단 점유한 사람에게 통상 대부료의 20%를 할증한 변상금을 부과하도록 정한 국유재산법 제51조 제1항은 평등원칙에 반하지 않는다(대판 2008.5.15. 2005두11463). • 외환위기에 따른 국가위기상황에서 지방행정조직에 대한 구조조정방침의 일환으로 광주광역시 상수도 사업본부에서 검침업무를 수행하던 **기능직 조무원 직제를 폐지**하고 그에 해당하는 정원을 삭제하는 것으로 개정된 광주광역시 조례가 법률의 위임이 없어 무효라거나, 과잉금지의 원칙과 평등의 원칙에 위반된 것이라고 할 수 없다(대판 2006.9.14. 2004두3991). • **전화교환직렬에 대하여 다른 일반직 직원과 비교하여 5년간의 정년차등을 둔 것**이 사회통념상 합리성이 없다고 단정하기는 어렵다 할 것이다(대판 1996.8.23. 94누13589). • 같은 정도의 비위를 저지른 자들 사이에 있어서도 그 직무의 특성 등에 비추어, 개전의

소지자에게 상대적으로 불리할 것이라는 판단 아래 이를 보완하기 위한 것이었으므로 그 하자가 객관적으로 명백하다고 보기는 어렵다(대판 2002.2.8. 2000두4057). ⇨ 취소사유

• 원심은 원고가 원판시와 같이 부산시 영도구청의 당직 근무 대기중 약 25분간 같은 근무조원 3명과 함께 시민 과장실에서 심심풀이로 돈을 걸지 않고 점수따기 화투놀이를 한 사실을 확정한 다음 이것이 국가공무원법 제78조 제1호·제3호 규정의 징계사유에 해당한다 할지라도 당직 근무시간이 아닌 그 대기중에 불과 약 25분간 심심풀이로 한것이고 또 돈을 걸지 아니하고 점수따기를 한데 불과하며 **원고와 함께 화투놀이를 한 3명(지방공무원)은 부산시 소청심사위원회에서 견책에 처하기로 의결된 사실이 인정되는 점** 등 제반 사정을 고려하면 피고가 원고에 대한 **징계처분으로 파면을 택한 것은 당직근무 대기자의 실정이나 공평의 원칙상 그 재량의 범위를 벗어난 위법한 것**이라고 하였는바, 이를 기록에 대조하여 검토하여 보면 정당하고 징계종류의 선택에 관한 법리를 오해한 위법 있다는 논지는 맞지 아니하여 이유없다(대판 1972.12.26. 72누194).

정이 있는지 여부에 따라 징계의 종류의 선택과 양정에 있어서 차별적으로 취급하는 것은, 사안의 성질에 따른 합리적 차별로서 이를 자의적 취급이라고 할 수 없는 것이어서 평등원칙 내지 형평에 반하지 아니한다(대판 1999.8.20. 99두2611).

---

1 조례안이 지방의회의 감사 또는 조사를 위하여 출석요구를 받은 증인이 5급 이상 공무원인지 여부, 기관(법인)의 대표나 임원인지 여부 등 증인의 사회적 신분에 따라 미리부터 과태료의 액수에 차등을 두고 있는 경우, 그와 같은 차별은 증인의 불출석이나 증언거부에 대하여 과태료를 부과하는 목적에 비추어 볼 때 그 합리성을 인정할 수 없고 지위의 높고 낮음만을 기준으로 한 부당한 차별대우라고 할 것이어서 헌법에 규정된 평등의 원칙에 위배되어 무효이다(대판 1997.2.25. 96추213).

2 구 개발제한구역의 지정 및 관리에 관한 특별조치법 시행령 제35조 제1항 제2호 다목에서는 공익시설 중 전기공급시설, 가스공급시설, 유류저장 및 송유설비에 대하여 개발제한구역 훼손부담금의 부과율을 100분의 20으로 정하고 있는 반면, 같은 항 제3호에서는 집단에너지공급시설을 포함한 다른 공익시설들에 대하여 훼손부담금의 부과율을 100분의 100으로 정하고 있는바, … 집단에너지공급시설에 대한 훼손부담금의 부과율을 전기공급시설 등에 대한 훼손부담금의 율인 100분의 20의 다섯 배에 이르는 100분의 100으로 정한 것은 집단에너지공급시설과 전기공급시설 등의 사이에 그 공급받는 수요자가 다소 다를 수 있음을 감안하더라도, 부과율에 과도한 차등을 둔 것으로서 합리적 근거 없는 차별에 해당하므로 헌법상 평등원칙에 위배되어 무효이다(대판 2007.10.29. 2005두14417).

평등원칙 위반 긍정 사례	• 선행단체에게는 사회단체등록신청을 받아들이면서도 후행단체에게는 합리적인 이유 없이 등록신청을 반려한 행정청의 조치 • 지방의회가 조례로써 지방의회에 출석요구를 받고도 정당한 이유 없이 불출석하는 자에게 직급에 따라 차등적으로 과태료를 부과한 것 • 동일한 징계사유에 해당하는 공무원 중 1인에게만 파면처분을 하고 나머지 3명은 견책처분한 경우 • 해외근무자들의 자녀를 대상으로 한 특별전형에서 외교관·공무원의 자녀에 대하여만 획일적으로 과목별 실제취득점수에 20퍼센트의 가산점을 부여하여 합격 사정을 하는 것 • 행정안전부의 지방조직 개편지침의 일환으로 청원경찰의 인원감축을 위한 면직처분대상자를 선정함에 있어서 초등학교 졸업 이하 학력소지자 집단과 중학교 중퇴 이상 학력소지자 집단으로 나누어 각 집단별로 같은 감원비율 상당의 인원을 선정한 것 • 국·공립학교의 채용시험에 국가유공자와 그 가족이 응시하는 경우 만점의 10퍼센트를 가산하는 경우(이 사건 조항의 위헌성은 국가유공자 등과 그 가족에 대한 가산점제도 자체가 입법정책상 전혀 허용될 수 없다는 것이 아니고, 그 차별의 효과가 지나치다는 것에 기인함) • 제대군인에게 가산점을 지급하는 경우 • 다른 직종들에 대해서는 법인을 구성하여 업무를 수행할 수 있도록 하면서 약사에게만 이를 금지하는 것 • 정치자금법이 국회의원과는 달리 지방의원에게 개인후원회를 금지하고 있는 규정한 것
평등원칙 위반 부정 사례	• 일반직 직원의 정년을 58세로 규정하면서 교환직렬에 정년을 53세로 규정한 것❶ • 지역의료보험조합 정관에서 피보험자의 생활수준별로 구분한 등급에 따라 소득금액을 차등 규정한 것 • 유예기간 없이 개인택시운송사업면허기준을 변경하고 그에 기하여 한 행정청의 면허신청접수거부처분 • 같은 정도의 비위를 저지른 자들 사이에서도 그 개전의 정이 있는지 여부에 따라 징계의 종류의 선택과 양정을 달리한 경우 • 대법원장 70세, 대법관 65세, 그 이외의 법관 63세로 법관의 정년을 달리 하는 경우 • 원주혁신도시 및 기업도시 편입지역 주민지원조례안이 원주혁신 및 기업도시 주민들에 대해서만 지원대책을 수립하여 시행하도록 한 것

❶
비슷한 사건에서 교환직렬직종의 정년을 43세로 정하고 있는 경우 평등원칙 위반 (대판 1988.12.27. 85다카657)

제4절 | 자기구속의 원칙

1 서설

1. 의의
행정의 자기구속의 법리란 동일한 행정청이 상대방에 대하여 동종 사안에 있어서 제3자에게 행한 결정의 준칙에 스스로 구속당하는 것을 말한다.

2. 기능
(1) 순기능(행정청의 재량권통제, 국민의 권익보호)
전통적인 견해에 의하면 행정규칙은 법규성이 부정되므로 이를 위반하여도 위법한 행위가 되지 않는다. 그러나 행정청이 재량의 영역에서 재량권 행사의 준칙인 재량준칙을 정립하여 시행하는 경우에 행정청은 평등의 원칙과 행정의 자기구속을 통하여 동종 사안에 대하여 동일한 처분을 하여야 하는 자기구속을 당하게 되고 이러한 경우 재량준칙은 평등의 원칙에 의하여 간접적인 대외적 효력을 갖는 법규명령으로의 전환규범으로 기능을 하게 되어 실질적 법치주의에 기여하게 된다.

> **🔍 관련판례**
>
> 재량권 행사의 준칙인 행정규칙이 그 정한 바에 따라 되풀이 시행되어 행정관행이 이루어지게 되면 평등의 원칙이나 신뢰보호의 원칙에 따라 행정기관은 그 상대방에 대한 관계에서 그 규칙에 따라야 할 자기구속을 받게 되므로, 이러한 경우에는 특별한 사정이 없는 한 그를 위반하는 처분은 평등의 원칙이나 신뢰보호의 원칙에 위배되어 재량권을 일탈·남용한 위법한 처분이 된다(대판 2009.12.24. 2009두7967).

(2) 역기능(입법권 침해소지)
행정의 자기구속의 법리를 인정하게 되면 행정청은 스스로의 구속으로 인하여 탄력적인 행정의 적용에 있어서 경직성을 초래하는 문제와 행정규칙의 법규성을 인정하는 경우 권력분립의 원리를 훼손하는 문제점이 있다.

2 근거

> **행정절차법 제4조 【신의성실 및 신뢰보호】** ② 행정청은 법령등의 해석 또는 행정청의 관행이 일반적으로 국민들에게 받아들여졌을 때에는 공익 또는 제3자의 정당한 이익을 현저히 해칠 우려가 있는 경우를 제외하고는 새로운 해석 또는 관행에 따라 소급하여 불리하게 처리하여서는 아니 된다.

행정의 자기구속의 근거에 대해서는 ① 신의칙에서 구하는 견해, ② 신뢰보호의 원칙에서 구하는 견해, ③ 평등의 원칙에서 구하는 견해가 있으나, 평등의 원칙에서 근거를 구하는 것이 다수설이다. 따라서 상대방은 자기의 행정에 대한 신뢰 유무와 관계없이 제3자에게 적용된 재량준칙에 의한 수익을 주장할 수 있다고 할 것이다. 다만, 헌법재판소는 평등의 원칙과 더불어 신뢰보호원칙도 그 근거로 들고 있다.

핵심 OX

01 행정의 자기구속의 원칙은 법적으로 동일한 사실관계, 즉 동종의 사안에서 적용이 문제되는 것으로 주로 재량의 통제법리와 관련된다.
18. 국가9급 ( )

핵심 OX

02 재량권 행사의 기준인 행정규칙이 반복적으로 시행되어 행정관행이 성립된 경우라도 그 행정규칙은 내부적 기준에 불과하므로, 이를 위반 시 재량권의 일탈·남용에 해당되지 않는다. 15. 경특1차 ( )

03 재량준칙이 정한 바에 따라 되풀이 시행되어 행정관행이 이루어지게 되면 평등의 원칙이나 신뢰보호의 원칙에 따라 행정청은 상대방에 대한 관계에서 그 규칙에 따라야 할 자기구속을 받게 되므로, 이러한 경우에는 특별한 사정이 없는 한 그에 반하는 처분은 평등의 원칙이나 신뢰보호의 원칙에 어긋나 재량권을 일탈·남용한 위법한 처분이 된다.
18. 서울7급 ( )

01 ○ **02** × **03** ○

3 요건

1. 재량행위의 영역일 것

행정의 자기구속은 재량영역에서 존재하는 것이며, 기계적으로 집행하여야 하는 기속영역에서는 적용되지 않는다. 기속행위에서 행정은 이미 법규에 구속되어 있기 때문이다.

2. 동종의 사안일 것

자기구속의 법리에 의한 동일한 법적용은 동일한 상황에서만 가능하므로 전혀 다른 사안에 대해서는 적용되지 않는다.

3. 동일한 행정청일 것

자기구속의 법리는 동일한 행정청(처분청)에 대해서만 적용되고 선례에 관여하지 아니한 제3행정청에 대해서는 적용되지 않는다.

4. 행정선례의 존재문제

(1) 선례불요설(예기관행설)

행정규칙을 처음 적용하는 경우에도 독일 연방행정재판소는 행정규칙을 '선취된 행정관행(예기관행)'으로 평가하면서 행정선례가 없더라도 자기구속을 인정할 수 있다는 입장이다.

(2) 선례필요설(통설)

행정선례가 없이 자기구속의 법리를 인정하게 되면 재량준칙 자체에 법규성을 인정하게 되므로 최소한 1회 이상의 행정선례가 필요하다는 입장으로서, 우리나라 다수설의 입장이다.

4 한계❶

1. 자기구속에서의 이탈

① 동종 사안에 있어서 행한 결정과 다른 결정을 하는 것이 객관적으로 납득할 수 있고, ② 다른 결정을 하는 것이 종래의 동종 사안에서 행한 결정의 계속에 의한 법적 안정성보다 더 중요하고, ③ 신뢰보호에 반하지 않는 경우에는 자기구속을 당하지 않고 다른 결정을 할 수 있다.

2. 불법에서의 평등대우(행정선례의 적법성)

행정규칙의 적용에 따른 종전 행정선례의 내용이 적법한 경우에만 적용된다. 위법한 경우에는 평등원칙의 적용이 인정되지 않으며, 신뢰보호의 문제로 손해배상이 문제된다. 판례도 위법한 행정처분이 수차례에 걸쳐 반복적으로 행하여졌다 하더라도 그러한 처분이 위법한 것인 때에는 행정청에 대하여 자기구속력을 갖게 된다고 할 수 없다고 판시한 바 있다(대판 2009.6.25. 2008두13132).

5 위반의 효과

자기구속의 법리에 위반한 처분은 위법한 처분으로서 행정소송의 대상이 되며, 국가배상책임도 발생한다.

> **관련판례**
>
> **1** 상급행정기관이 하급행정기관에 대하여 업무처리지침이나 법령의 해석적용에 관한 기준을 정하여 발하는 이른바 '행정규칙이나 내부지침'은 일반적으로 행정조직 내부에서만 효력을 가질 뿐 대외적인 구속력을 갖는 것은 아니므로 행정처분이 그에 위반하였다고 하여 그러한 사정만으로 곧바로 위법하게 되는 것은 아니다. 다만, 재량권 행사의 준칙인 행정규칙이 그 정한 바에 따라 되풀이 시행되어 행정관행이 이루어지게 되면 평등의 원칙이나 신뢰보호의 원칙에 따라 행정기관은 그 상대방에 대한 관계에서 그 규칙에 따라야 할 자기구속을 받게 되므로, 이러한 경우에는 특별한 사정이 없는 한 그를 위반하는 처분은 평등의 원칙이나 신뢰보호의 원칙에 위배(재량준칙 위배 X)되어 재량권을 일탈·남용한 위법한 처분이 된다(대판 2009.12.24. 2009두7967).
>
> **2** 행정처분이 법규성이 없는 내부지침 등의 규정에 위배된다고 하더라도 그 이유만으로 처분이 위법하게 되는 것은 아니고, 또 내부지침 등에서 정한 요건에 부합한다고 하여 반드시 그 처분이 적법한 것이라고 할 수도 없다(대판 2018.6.15. 2015두40248).

> **핵심정리** **자기구속의 원칙**
>
> 1. 행정처분이 행정규칙에 위반하였다고 하여 그러한 사정만으로 곧바로 위법한 것은 아니다.
> 2. 행정규칙인 재량준칙이 규칙에 따라야 할 자기구속을 당하는 경우 이를 위반한 처분은 재량권을 일탈·남용한 위법한 처분이다.
> 3. 실제의 공원구역과 다르게 경계측량 및 표지를 설치한 십수 년 후 착오를 발견하여 지형도를 수정한 조치가 신뢰보호의 원칙에 위배되거나 행정의 자기구속의 법리에 반하는 것이라 할 수 없다.
> 4. 위법한 행정처분이 수차례반복 시행되었다고 하더라도 자기구속의 원칙이 적용되지 않는다.

1 서설

1. 의의

부당결부금지의 원칙이란 행정청이 행정작용을 함에 있어 그 행정작용을 실질적인 관련이 없는 반대급부와 부당하게 결부시켜서는 안 된다는 원칙이다. 즉, 행정기관의 공권력조치는 그것과 실질적 관련이 있어야 한다는 원칙이다.

2. 기능

부당결부금지의 원칙은 행정권의 자의적인 권한행사를 통제함으로써 국민의 권리를 보호하는 기능을 수행한다.

2 근거

1. 이론적 근거

부당결부금지원칙의 이론적 근거로는 법치행정의 원칙, 자의금지의 원칙, 행정의 예측가능성에서 찾을 수 있다. 비례의 원칙 중 적합성의 원리로 파악하는 입장도 있다. 부당결부금지의 원칙은 권한법정주의에 따른 법률적 효력을 갖는 법원칙이라고 보는 견해와 법치국가원리와 자의금지의 원칙에서 나오는 헌법적 지위를 갖는다고 보는 견해(다수설)가 대립한다.

2. 실정법상 근거

> 행정기본법 제13조 【부당결부금지의 원칙】 행정청은 행정작용을 할 때 상대방에게 해당 행정작용과 실질적인 관련이 없는 의무를 부과해서는 아니 된다.

부당결부금지의 원칙은 독일의 행정절차법에는 규정되어 있으나, 우리나라의 행정절차법에는 규정되어 있지 않았다. 최근 행정기본법에 명시하게 되었다.

3 요건

1. 행정기관의 권한행사

행정청의 행정작용이 있어야 한다.

2. 행정기관의 권한행사가 상대방의 반대급부와 결부

행정작용과 상대방의 급부가 실체적 관련성이 없어야 한다. 여기서 관련성의 의미에 대해서는 원인적 관련성과 목적적 관련성이 있어야 한다.

3. 공권력의 행사와 반대급부 사이에 실체적 관련성이 없을 것

그 행정작용은 상대방에게 부과되는 반대급부와 결부되어야 한다(예 공법상 계약을 체결함에 있어서 반대급부를 결부시키는 경우, 수익적 행정행위를 하면서 부관에 의해 반대급부를 결부시키는 경우 등).

4 위반의 효과

부당결부금지의 원칙은 헌법상 법치주의와 자의금지의 원칙에서 도출되는 행정법의 일반원칙이기 때문에 이에 대한 위반행위는 위헌·위법이 되고, 상대방은 행정쟁송이나 손해배상을 통해 구제받을 수 있다.

1. 적법한 경우

관련판례

1 부당결부금지의 원칙이란 행정주체가 행정작용을 함에 있어서 상대방에게 이와 실질적인 관련이 없는 의무를 부과하거나 그 이행을 강제하여서는 아니 된다는 원칙을 말한다. 고속국도 관리청이 고속도로 부지와 접도구역에 송유관 매설을 허가하면서 상대방과 체결한 협약에 따라 송유관 시설을 이전하게 될 경우 그 비용을 상대방에게 부담하도록 하였고, 그 후 도로법 시행규칙이 개정되어 접도구역에는 관리청의 허가 없이도 송유관을 매설할 수 있게 된 사안에서, 위 협약이 효력을 상실하지 않을 뿐만 아니라 위 협약에 포함된 부관이 부당결부금지의 원칙에도 반하지 않는다(대판 2009.2.12. 2005다65500).

2 65세대의 공동주택을 건설하려는 사업주체인 지역주택조합에게 주택건설촉진법 제33조에 의한 주택건설사업계획의 승인처분을 함에 있어 그 주택단지의 진입도로 부지의 소유권을 확보하여 진입도로 등 간선시설을 설치하고 그 부지 소유권 등을 기부채납하며 그 주택건설사업 시행에 따라 폐쇄되는 인근 주민들의 기존 통행로를 대체하는 통행로를 설치하고 그 부지 일부를 기부채납하도록 조건을 붙인 경우, 주택건설촉진법과 같은 법 시행령 및 주택건설기준 등에 관한 규정 등 관련법령의 관계 규정에 의하면 그와 같은 조건을 붙였다 하여도 다른 특별한 사정이 없는 한 필요한 범위를 넘어 과중한 부담을 지우는 것으로서 형평의 원칙 등에 위배되는 위법한 부관이라 할 수 없다(대판 1997.3.14. 96누16698).

3 제1종 보통운전면허와 제1종 대형운전면허의 소지자가 제1종 보통운전면허로 운전할 수 있는 승합차를 음주운전하다가 적발되어 두 종류의 운전면허를 모두 취소당한 사안에서, 그 취소처분으로 생업에 막대한 지장을 초래하게 되어 가족의 생계조차도 어려워질 수 있다는 당사자의 불이익보다는 교통법규의 준수 또는 주취운전으로 인한 사고의 예방이라는 공익목적 실현의 필요성이 더욱 크고, 당해 처분 중 제1종 대형운전면허의 취소가 재량권을 일탈한 것으로 본다면 상대방은 그 운전면허로 다시 승용 및 승합자동차를 운전할 수 있게 되어 주취운전에도 불구하고 아무런 불이익을 받지 않게 되어 현저히 형평을 잃은 결과가 초래된다는 이유로, 제1종 대형운전면허 부분에 대한 운전면허취소처분이 재량권의 한계를 넘는 위법한 처분이라고 볼 수 없다(대판 1997.3.11. 96누15176).

2. 위법한 경우

관련판례

1 공무원이 인·허가 등 수익적 행정처분을 하면서 상대방에게 그 처분과 관련하여 이른바 부관으로서 부담을 붙일 수 있다 하더라도, 그러한 부담은 법치주의와 사유재산 존중, 조세법률주의 등 헌법의 기본원리에 비추어 비례의 원칙이나 부당결부금지의 원칙에 위배되지 않아야만 적법한 것인바(대판 1997.3.11. 96다49650 참조), 행정처분과 부관 사이에 실제적 관련성이 있다고 볼 수 없는 경우 공무원이 위와 같은 공법상의 제한을 회피할 목적으로 행정처분의 상대방과 사이에 사법상 계약을 체결하는 형식을 취하였다면 이는 법치행정의 원리에 반하는 것으로서 위법하다고 보지 않을 수 없다(대판 2010.1.28. 2007도9331).

2 건축물의 건축허가와 도로기부채납의무는 별개의 것인바, 도로기부채납의무를 불이행하였음을 이유로 하는 준공거부처분은 건축법에 근거 없이 이루어진 부당결부로써 위법하다(대판 1992.11.27. 92누10364).

3 주택사업계획승인과 토지기부채납의무는 아무런 관련이 없는 것인바, 토지를 기부채납하도록 하는 부관을 주택사업계획승인에 붙인 사실은 부당결부금지의 원칙에 위반되어 위법하다 하겠으나 그 부관의 하자가 중대하고 명백하여 당연무효라고는 볼 수 없다(대판 1997.3.11. 96다49650). ⇨ 취소사유

판례정리 운전면허

취소해도 부당결부 금지원칙에 반하지 않는 경우	취소하면 부당결부 원칙에 반하는 경우
• 배기량125cc 이륜자동차를 음주운전한 경우 제1종 대형, 제1종 보통, 제1종 특수면허 취소(대판 2018.2.28. 2017두67476) • 승용차를 음주운전한 경우 제1종 보통면허뿐만 아니라 제1종 대형면허까지 취소(대판 1997.3.11. 96누15176)	• 12인승 승합차를 운전하다가 운전면허 취소사유가 발생한 경우, 제1종 특수면허로는 12인승 승합차를 운전할 수 없으므로 제1종 특수면허를 취소해서는 안된다. • 제1종 특수면허로만 운전이 가능한 트레일러 유조차를 운전하다가 운전면허 취소사유가 발생한 경우, 제1종 보통면허나 대형면허를 취소해서는 안된다.

5 적용범위

부당결부금지의 원칙의 적용범위는 공법상 계약, 부관, 행정행위의 실효성 확보수단 외에 급부행정에서 주로 문제된다.

제6절 기타 일반원칙

1 적법절차의 원칙

적법절차의 원칙은 헌법상의 원칙으로 개인의 권리를 제한하는 모든 국가작용은 적법절차(due process)에 따라 행하여져야 한다는 원칙이다. 공권력의 행사가 비록 형식적으로는 합법이라 하여도 그 공권력 행사의 절차가 정당하고 적정한 절차를 거치지 않으면 그 공권력 행사는 적법절차의 원칙의 위반으로 위법한 행위가 된다.

2 신의성실의 원칙

1. 의의

신의성실의 원칙이란 모든 사람은 공동체의 일원으로서 상대방에 대한 신의를 지키고 성실하여야 한다는 법의 일반원칙이다. 민법에서 인정되고 있으며, 민법뿐만 아니라 모든 법에 보편타당한 일반원칙이라고 볼 수 있다. 행정절차법도 제4조에서 신뢰보호원칙과 함께 신의성실의 원칙을 규정하고 있다. 이 원칙에 위반하는 행정작용은 위법하다.

> **행정기본법 제11조 【성실의무 및 권한남용금지의 원칙】** ① 행정청은 법령 등에 따른 의무를 성실히 수행하여야 한다.

2. 적용되는 경우

신의성실의 원칙은 당사자간에 계약 등 구체적인 법률관계가 있을 때에만 적용되는 것으로 보는 것이 일반적 견해이다. 따라서 구체적인 관계를 전제로 하지 않는 행정작용, 예컨대 행정규칙 또는 행정계획 등에는 적용되지 않는다.

3. 합법성원칙과의 충돌

신의성실의 원칙에 반하는 처분이 위법한 처분인지의 여부는 구체적인 사안에서의 신의성실원칙의 보호가치와 합법성원칙의 보호가치를 비교·형량하여 결정하여야 한다.

3 권리남용금지의 원칙

> **행정기본법 제11조 【성실의무 및 권한남용금지의 원칙】** ② 행정청은 행정권한을 남용하거나 그 권한의 범위를 넘어서는 아니 된다.

권리남용금지의 원칙이란 행정기관의 권리가 법률상 정해진 공익목적에 반하여 행사되어서는 아니 된다는 원칙이다. 원래 민법에 규정된 원칙이지만 행정법을 비롯한 모든 법에 적용되는 일반원칙이라고 할 수 있으며, 행정기본법에도 명문화 되었다.

제1절 공법관계와 사법관계

1. 공법관계와 사법관계의 구별

(1) 의의
행정상의 공법관계와 사법관계의 구별은 공법과 사법을 전제로 하여 구별하는 것이므로 공법인 행정법의 적용을 받는 행정법관계의 의의를 명백히 하기 위해서는 공법과 사법의 구별을 명확히 할 필요성이 있다.

(2) 대륙법계와 영미법계의 구별
행정재판소의 설치에 의하여 행정법의 탄생을 가져온 대륙법계는 일찍부터 공·사법을 구별하였으나, 영미법계는 보통법의 소산으로 특유의 공법을 알지 못하다가 최근에서야 공법을 인정하게 되었다. 이처럼 공법과 사법의 구별은 본질적·절대적인 것이 아니라 역사적·상대적인 것이라 할 수 있다.

2. 공법관계와 사법관계의 구별 필요성

(1) 재판관할 및 쟁송절차
공법관계에 관한 쟁송은 행정소송 중 **항고소송·당사자소송**에 의하고, 사법관계에 관한 쟁송은 민사소송에 의한다.

(2) 적용법규 및 법원리의 결정기준
구체적인 법률관계에서 사적 자치의 원칙이 적용되는 사법원리와 강제력 등이 동원되는 공법원리를 적용하기 위하여 양자의 구별이 필요하다.

3. 공법관계와 사법관계의 구별기준

(1) 법규상 명문의 규정이 있는 경우
① 행정상의 강제집행
② 행정벌
③ 행정쟁송(행정심판·행정소송)
④ 행정상 손해배상·손실보상
⑤ 사권의 제한
⑥ 형법상 공무원에 관한 죄의 성립 등

(2) 법규상 명문의 규정이 없는 경우

① 지방재정법에 의하여 준용되는 국가계약법에 따라 지방자치단체가 당사자가 되는 이른바 공공계약은 사경제의 주체로서 상대방과 대등한 위치에서 체결하는 사법상의 계약으로서 그 본질적인 내용은 사인간의 계약과 다를 바가 없으므로, 그에 관한 법령에 특별한 정함이 있는 경우를 제외하고는 사적자치와 계약자유의 원칙 등 사법의 원리가 그대로 적용된다 할 것이다(대판 1996.4.26. 95다11436).

② 명문의 규정을 두고 있지 않는 경우에는 다음과 같은 학설이 대립한다.

4. 공법관계와 사법관계의 구별에 관한 학설

구분		내용과 비판
긍정설	이익설	• 법이 규율하는 목적을 기준으로 공익을 실현하는 법이 공법, 사익을 실현하는 법이 사법이라는 견해이다. • 공익개념이 불명확하고, 공익과 사익을 동시에 추구하는 법이 등장하고 있다.
	구주체설	• 행정주체를 일방당사자로 하는 법이 공법, 사인 상호간을 당사자로 하는 법이 사법이라는 견해이다. • 행정작용 중 국고관계는 행정주체의 작용이지만 사법의 적용을 받는다.
	신주체설 (귀속설)	• 권리 · 의무의 귀속주체를 기준으로 공권력주체에게 권리 · 의무를 귀속시키는 법이 공법이고, 일반인에게 권리 · 의무를 귀속시키려는 것이 사법이라고 한다. 공무수탁사인의 행위는 국가에 귀속되는 행위이므로 공법의 적용을 받는다. • 하나의 법률관계 속에 공 · 사법관계가 병존하는 경우나 적용법규가 결여된 경우에는 그 성질의 결정이 불가능하다.
	권력설 (복종설/ 성질설)	• 권력적 지배 · 복종관계는 공법, 비권력적 대등관계에 관한 법은 사법이라는 견해이다. • 사법 중 친자(親子)관계는 부대등관계이므로 공법이 되고, 국제관계에 관한 법은 국제법주체가 대등하므로 사법으로 인식되는 모순이 있다.
	생활 관계설	• 정치적 · 단체적 생활관계를 규율하는 법이 공법, 민사적 · 개인적 생활관계를 규율하는 법이 사법이라는 견해이다. • 양 생활관계가 항상 명확한 것은 아니다.
부정설		• 영미법계는 보통법체계로 인하여 공 · 사법의 구별을 부인한다. • 순수법학파인 켈젠(H. Kelsen), 메르클(A. Merkl) 등은 공 · 사법에는 본질적 차이가 없으므로 구별할 필요가 없다고 한다.
복수기준설 (통설)		• 어느 하나의 학설로 구별하는 것은 곤란하므로 여러 가지 기준으로 공 · 사법을 구별하는 견해이다. • 국가적 · 지배적 · 윤리적 · 타율적 · 공익적 성질을 갖는 법이 공법이고, 개인적 · 평등적 · 경제적 · 자율적 · 사익적 성질을 갖는 법이 사법이라는 견해이다.

5. 공법·사법의 구별에 관한 판례 요약

구분	사법관계	공법관계
국유재산	• 국유 잡종재산(현 일반재산)의 매각·임대 등 ⇨ 폐천부지의 양여 • 기부채납부동산의 사용·허가, 기간연장신청 거부행위	• 귀속재산 불하 • 행정재산의 목적 외 사용·수익에 대한 허가·취소(예 국립의료원부설주차장 위탁관리) • 국유재산 무단점유자 변상금부과
계약·금전	• 입찰계약(국고관계) 　- 물품매매계약, 건설도급계약 　- 입찰보증금 국고귀속조치 • 국고수표발행,지방채모집, 당좌수표지급보증 지자체의 은행으로부터의 차입 • 부당이득반환청구(≠다수설) 　cf. 부가가치세 환급세액 지급결정: 　　공법관계로 판례 변경(대판 2013. 　　3.21. 2011다95564 전합). • 국가배상청구(≠다수설) • 조합직원의 급여청구권	• 공용부담계약 　cf. 협의취득: 사법관계(판례)≠다수설 • 회사의 소득세원천징수 • 공무원연금관리공단의 급여결정
근무관계	• 창덕궁·비원 안내원 • 직원의 근무관계 　- 한국조폐공사 　- 한국방송공사 　- 한국지하철공사 　- 교직원의료보험관리공단 　- 종합유선방송위원회 　- 주한미군한국인직원의료보험조합	• 쌍방적 행정행위(공무원 임명) • 공법상 계약(전문직 공무원) 　- 공중보건의 　- 서울시립무용단원 • 청원경찰 • 특별권력관계 　- 농지개량조합 직원 　- 도시재개발조합 조합원 　- 서울대학교 학생 　- 시립도서관 이용관계 　- 한국주택공사에 대한 감독
서비스	• 전화가입계약·해지 • 이용관계(공기업) 　- 국영철도·지자체 지하철 　- 국공립병원(외래) 　- 시영버스·시영식당	• 전화요금 강제징수 • 수도요금 부과·징수와 납부관계 • 국공립병원 강제입원
경영·관리	• 국유광산의 경영 • 국가가 회사의 주주가 되는 관계	• 광업권 허가 • 영조물 경영, 하천관리 • 공유수면매립면허 • 국가인권위원회 성희롱결정·시정조치 권고

	일반적인 보상금청구	(실질적 당사자소송) 하천구역편입토지보상에 관한 특별조치법상 • 손실보상금지급청구소송 • 손실보상금청구권 확인소송
손실보상		(형식적 당사자소송) 토지수용위원회의 보상금재결에 대한 보상금증감청구소송
	• 환매권행사 • 체비지매각	지자체의 철거건물소유자에 대한 분양권 부여 및 세입자지원대책
입찰참가 자격제한 조치	정부투자기관(현 공공기관)❶의 조치 (한국전력공사, 한국토지개발공사 등)	행정청의 조치(국방부장관, 서울특별시장, 관악구청장, 부산광역시 교육감 등)

❶ 개정된 구 정부투자기관관리기본법(2007. 1.19. 폐지)과 이를 계수한 공공기관의 운영에 관한 법률(2007.1.19. 시행) 제39조에서 정부투자기관의 입찰참가자격제한조치의 법적 근거를 규정하고 있으며, 나아가 입찰참가자격제한조치에 법적 구속력을 부여하고 있으므로 이제는 정부투자기관의 입찰참가자격제한조치도 항고소송의 대상이 되는 처분으로 봄(다수설)

관련판례 공법관계

1 **국유재산 무단점유자에 대한 변상금부과처분이 행정소송의 대상이 되는지 여부 (적극)**

국유재산법 제51조 제1항은 국유재산의 무단점유자에 대하여는 대부 또는 사용, 수익허가 등을 받은 경우에 납부하여야 할 대부료 또는 사용료 상당액 외에도 그 징벌적 의미에서 국가측이 일방적으로 그 2할 상당액을 추가하여 변상금을 징수토록 하고 있으며 동조 제2항은 변상금의 체납시 국세징수법에 의하여 강제징수토록 하고 있는 점 등에 비추어 보면 <u>국유재산의 관리청이 그 무단점유자에 대하여 하는 변상금부과처분은</u> 순전히 사경제 주체로서 행하는 사법상의 법률행위라 할 수 없고 이는 관리청이 공권력을 가진 우월적 지위에서 행한 것으로서 <u>행정소송의 대상이 되는 행정처분이라고 보아야 한다</u>(대판 1988.2.23. 87누1046·1047).

2 **재개발조합에 대하여 조합원 자격 확인을 구하는 소송의 성질은 공법상 당사자소송**

구 도시재개발법에 의한 재개발조합은 조합원에 대한 법률관계에서 적어도 특수한 존립목적을 부여받은 특수한 행정주체로서 국가의 감독하에 그 존립 목적인 특정한 공공사무를 행하고 있다고 볼 수 있는 범위 내에서는 <u>공법상의 권리의무 관계에 서 있다.</u> 따라서 조합을 상대로 한 쟁송에 있어서 강제가입제를 특색으로 한 조합원의 자격 인정 여부에 관하여 다툼이 있는 경우에는 그 단계에서는 아직 조합의 어떠한 처분 등이 개입될 여지는 없으므로 **공법상의 당사자소송에 의하여** 그 조합원 자격의 확인을 구할 수 있다(대판 1996.2.15. 94다31235 전합).

3 **구 공무원연금법상 퇴직급여결정이 행정처분인지 여부(적극)**

구 공무원연금법 제26조 제1항, 제80조 제1항, 공무원연금법 시행령 제19조의2의 각 규정을 종합하면, 같은 법 소정의 급여는 급여를 받을 권리를 가진 자가 당해 공무원이 소속하였던 기관장의 확인을 얻어 신청하는 바에 따라 <u>공무원연금관리공단이 그 지급결정을 함으로써 그 구체적인 권리가 발생하는 것</u>이므로, 공무원연금관리공단의 급여에 관한 결정은 국민의 권리에 직접 영향을 미치는 것이어서 <u>행정처분에 해당하고,</u> 공무원연금관리공단의 급여결정에 불복하는 자는 공무원연금급여재심위원회의 심사결정을 거쳐 공무원연금관리공단의 급여결정을 대상으로 행정소송을 제기하여야 한다(대판 1996.12.6. 96누6417).

핵심 OX

02 국유재산법상 국유재산의 무단점유자에 대한 변상금의 부과는 민법상 부당이득반환청구권의 행사로 볼 수 있으므로 사법상의 법률행위에 해당한다. 19. 변호사, 18. 국가7급 ( )

02 X

4 **국가나 지방자치단체에 근무하는 청원경찰에 대한 징계처분에 대한 불복방법**

국가나 지방자치단체에 근무하는 청원경찰은 국가공무원법이나 지방공무원법상의 공무원은 아니지만, 다른 청원경찰과는 달리 그 임용권자가 행정기관의 장이고, 국가나 지방자치단체로부터 보수를 받으며, 산업재해보상보험법이나 근로기준법이 아닌 공무원연금법에 따른 재해보상과 퇴직급여를 지급받고, 직무상의 불법행위에 대하여도 민법이 아닌 국가배상법이 적용되는 등의 특질이 있으며 그외 임용자격, 직무, 복무의무 내용등을 종합하여 볼때, 그 근무관계를 사법상의 고용계약관계로 보기는 어려우므로 그에 대한 징계처분의 시정을 구하는 소는 행정소송의 대상이지 민사소송의 대상이 아니다(대판 1993.7.13. 92다47564).

5 **서울특별시립무용단원의 해촉에 대하여 공법상 당사자소송으로 무효확인을 청구할 수 있는지 여부(적극)**

서울특별시립무용단원의 공연 등 활동은 지방문화 및 예술을 진흥시키고자 하는 서울특별시의 공공적 업무수행의 일환으로 이루어진다고 해석될 뿐 아니라, 단원으로 위촉되기 위하여는 일정한 능력요건과 자격요건을 요하고, 계속적인 재위촉이 사실상 보장되며, 공무원연금법에 따른 연금을 지급받고, 단원의 복무규율이 정해져 있으며, 정년제가 인정되고, 일정한 해촉사유가 있는 경우에만 해촉되는 등 서울특별시립무용 단원이 가지는 지위가 공무원과 유사한 것이라면, 서울특별시립무용단단원의 위촉은 공법상의 계약이라고 할 것이고, 따라서 그 단원의 해촉에 대하여는 공법상의 당사자소송으로 그 무효확인을 청구할 수 있다(대판 1995.12.22. 95누4636).

6 **농지개량조합 직원의 근무관계의 성질-공법관계**

농지개량조합과 그 직원과의 관계는 사법상의 근로계약관계가 아닌 **공법상의 특별권력관계**이고, 그 조합의 직원에 대한 징계처분의 취소를 구하는 소송은 행정소송 사항에 속한다(대판 1995.6.9. 94누10870).

7 사립중학교에 대한 중학교 의무교육의 위탁관계는 초·중등교육법 제12조 제3항·제4항 등 관련 법령에 의하여 정해지는 **공법적 관계**이다(대판 2015.1.29. 2012두7387).

8 도시 및 주거환경정비법상 행정주체인 재건축조합을 상대로 관리처분계획안에 대한 조합 총회결의의 효력 등을 다투는 소송은 행정처분에 이르는 절차적 요건의 존부나 효력 유무에 관한 소송으로서 그 소송결과에 따라 행정처분의 위법 여부에 직접 영향을 미치는 **공법상 법률관계**에 관한 것이다(대판 2009.9.17. 2007다2428 전합).

9 행정관청이 국유재산을 매각하는 것은 사법상의 매매계약일 수도 있으나 귀속재산 처리법에 의하여 귀속재산을 매각하는 것은 **행정처분**이지 사법상의 매매가 아니다(대판 1991.6.25. 91다10435).

10 **행정재산의 사용·수익에 대한 허가의 성질(특허) 및 행정재산의 사용·수익에 대한 허가신청을 거부한 행위가 항고소송의 대상인 행정처분인지 여부(적극)**

국유재산의 관리청이 행정재산의 사용·수익에 대한 허가는 순전히 사경제주체로서 행하는 사법상의 행위가 아니라 관리청이 공권력을 가진 우월적 지위에서 행하는 행정처분으로서 특정인에게 행정재산을 사용할 수 있는 권리를 설정하여 주는 강학상 특허에 해당한다. 행정재산의 사용·수익허가처분의 성질에 비추어 국민에게는 행정재산의 사용·수익허가를 신청할 법규상 또는 조리상의 권리가 있다고 할 것이므로 공유재산의 관리청이 행정재산의 사용·수익에 대한 허가신청을 거부한 행위 역시 행정처분에 해당한다(대판 1998.2.27. 97누1105).

11 국유재산의 관리청이 행정재산의 사용·수익을 허가한 다음, 그 자에게 한 사용료 부과는 우월적 지위에서 행한 것으로 **행정처분**에 해당한다(대판 1996.2.13. 95누11023).

12 국립의료원 부설 주차장에 관한 위탁관리용역운영계약은 공법관계이며 행정소송의 대상이다.

위 운영계약의 실질은 행정재산인 위 부설주차장에 대한 국유재산법 제24조 제1항에 의한 사용·수익허가로서 이루어진 것임을 알 수 있으므로, 이는 위 국립의료원이 원고의 신청에 의하여 공권력을 가진 우월적 지위에서 행한 행정처분으로서 특정인에게 행정재산을 사용할 수 있는 권리를 설정하여 주는 **강학상 특허**에 해당한다 할 것이고 순전히 사경제주체로서 원고와 대등한 위치에서 행한 사법상의 계약으로 보기 어렵다고 할 것이다(대판 2006.3.9. 2004다31074).

13 수신료 부과행위의 법적 성질(= 공권력 행사) 및 수신료 징수권한 여부를 다투는 소송의 성격(= 공법상 당사자소송)

수신료의 법적 성격, 피고 보조참가인의 수신료 강제징수권의 내용(구 방송법 제66조 제3항) 등에 비추어 보면 <u>수신료 부과행위는 공권력의 행사</u>에 해당하므로, 피고가 피고 보조참가인으로부터 수신료의 징수업무를 위탁받아 자신의 고유업무와 관련된 고지행위와 결합하여 수신료를 징수할 권한이 있는지 여부를 다투는 이 사건 쟁송은 민사소송이 아니라 공법상의 법률관계를 대상으로 하는 것으로서 행정소송법 제3조 제2호에 규정된 **당사자소송**에 의하여야 한다고 봄이 상당하다(대판 2008.7.24. 2007다25261).

14 수도법에 의하여 지방자치단체인 수도사업자가 그 수돗물의 공급을 받은 자에 대하여 하는 <u>수도료의 부과·징수</u>와 이에 따른 <u>수도료의 납부관계는 공법상의 권리·의무관계</u>라 할 것이므로 이에 관한 소송절차에 의하여야 하고, 민사소송절차에 의할 수 없다(대판 1977.2.22. 76다2517). ❶

15 조세채무관계는 공법상의 법률관계이고 그에 관한 쟁송은 원칙적으로 행정사건으로서 행정소송법의 적용을 받는다.

조세채무가 금전채무라는 사실에서 사법상의 채무와 공통점을 갖지만, 조세채무는 법률의 규정에 의하여 정해지는 법정채무로서 당사자가 그 내용 등을 임의로 정할 수 없고, <u>조세채무관계는 공법상의 법률관계이고 그에 관한 쟁송은 원칙적으로 행정사건으로서 행정소송법의 적용</u>을 받으며, 조세는 공익성과 공공성 등의 특성을 갖고 이에 따라 조세채권에는 우선권(국세기본법 제35조, 제36조, 제37조) 및 자력집행권(국세징수법 제3장 이하)이 인정되고 있는 점을 고려하여 볼 때, 민법 제477조 내지 제479조에서 규정하고 있는 법정변제충당의 법리를 조세채권의 충당에서 그대로 적용하는 것이 타당하다고는 할 수 없고, 이러한 점과 함께 국세징수법에 의한 체납처분절차는 세무서장이 그 절차의 주관자이면서 동시에 그 절차에 의하여 만족을 얻고자 하는 채권(국세)의 채권자로서의 지위도 겸유하고 있는 점을 아울러 고려하면, 압류에 관계되는 국세가 여럿 있고 공매대금 중 그 국세들에 배분되는 금액이 그 국세들의 총액에 부족한 경우에 세무서장이 민법상 법정변제충당의 법리에 따르지 아니하고 어느 국세에 먼저 충당하였다고 하더라도, 체납자의 변제이익을 해하는 것과 같은 특별한 사정이 없는 한 그 조치를 위법하다고는 할 수 없다(대판 2007.12.14. 2005다11848).

16 구 지방재정법 제75조의 규정에 따라 기부채납받은 '행정재산'에 대한 공유재산 관리청의 사용·수익허가의 법적 성질(= 행정처분)

공유재산의 관리청이 하는 <u>행정재산의 사용·수익에 대한 허가</u>는 순전히 사경제주체로서 행하는 사법상의 행위가 아니라 관리청이 <u>공권력을 가진 우월적 지위에서 행하는</u> **행정처분**이라고 보아야 할 것인바, 행정재산을 보호하고 그 유지·보존 및 운용 등의 적정을 기하고자 하는 지방재정법 및 그 시행령 등 관련 규정의 입법 취지와 더불어 잡종재산에 대해서는 대부·매각 등의 처분을 할 수 있게 하면서도 행정재산에

01 사인이 공공시설을 건설한 후, 국가 등에 기부채납하여 공물로 지정하고 그 대신 그 자가 일정한 이윤을 회수할 수 있도록 일정 기간 동안 무상으로 사용하도록 허가하는 것은 사법상 계약에 해당한다.

17. 국가7급 (　　)

대해서는 그 용도 또는 목적에 장해가 없는 한도 내에서 사용 또는 수익의 허가를 받은 경우가 아니면 이러한 처분을 하지 못하도록 하고 있는 구 지방재정법 제82조 제1항, 제83조 제2항 등 규정의 내용에 비추어 볼 때 그 행정재산이 구 지방재정법 제75조의 규정에 따라 기부채납받은 재산이라 하여 그에 대한 사용·수익허가의 성질이 달라진다고 할 수는 없다(대판 2001.6.15. 99두509).

▶ 서울대공원 사건: 서울대공원 놀이시설은 공원시설로서 공물에 속하고, 공물의 사용 또는 수익을 허가하는 것은 공법관계이다.

17 서울특별시의 경찰국 산하 서울대공전술연구소 소장 채용계약의 법적성질(= 공법상 계약)

현행 실정법이 지방전문직공무원 채용계약 해지의 의사표시를 일반공무원에 대한 징계처분과는 달리 항고소송의 대상이 되는 처분 등의 성격을 가진 것으로 인정하지 아니하고, 지방전문직공무원규정 제7조 각 호의 1에 해당하는 사유가 있을 때 지방자치단체가 채용계약관계의 한쪽 당사자로서 대등한 지위에서 행하는 의사표시로 취급하고 있는 것으로 이해되므로(= 공법상 계약을 의미), 지방전문직공무원 채용계약 해지의 의사표시에 대하여는 대등한 당사자간의 소송형식인 공법상 당사자소송으로 그 의사표시의 무효확인을 청구할 수 있다(대판 1993.9.14. 92누4611).

🔥 관련판례 ｜ **사법관계**

1 기부채납 '부동산'(일반재산)의 사용허가기간 연장신청 거부행위가 항고소송의 대상이되는 행정처분인지 여부(소극)

지방자치단체가 구 지방재정법 시행령 제71조(현행 지방재정법 시행령 제83조)의 규정에 따라 기부채납받은 공유재산을 무상으로 기부자에게 사용을 허용하는 행위는 사경제주체로서 상대방과 대등한 입장에서 하는 사법상 행위이지 행정청이 공권력의 주체로서 행하는 공법상 행위라고 할 수 없으므로, 기부자가 기부채납한 부동산을 일정기간 무상사용한 후에 한 사용허가기간 연장신청을 거부한 행정청의 행위도 단순한 사법상의 행위일 뿐 행정처분 기타 공법상 법률관계에 있어서의 행위는 아니다(대판 1994.1.25. 93누7365).

▶ 농수산물도매시장 사건: 기부채납된 재산이 일반재산이면 그 사용을 허용하는 행위도 사법관계이다.

2 국유임야 대부료부과 조치가 행정처분인지 여부(소극)

산림청장이나 그로부터 권한을 위임받은 행정청이 산림법 등이 정하는 바에 따라 국유임야를 대부하거나 매각하는 행위는 사경제적 주체로서 상대방과 대등한 입장에서 하는 사법상 계약이지 행정청이 공권력의 주체로서 상대방의 의사 여하에 불구하고 일방적으로 행하는 행정처분이라고 볼 수 없으며 이 대부계약에 의한 대부료부과 조치 역시 사법상 채무이행을 구하는 것으로 보아야지 이를 행정처분이라고 할 수 없다(대판 1993.12.7. 91누11612).

3 국유임야의 무상양여신청을 거부한 행위가 행정소송의 대상인 행정처분인지 여부(소극)

산림청장이 국유임야무상양여신청서를 반려한 거부처분도 단순한 사법상의 행위일 뿐이므로 행정소송의 대상이 되지 못한다(대판 1984.12.11. 83누291).

4 국유잡종재산 대부행위의 법적 성질(= 사법상 계약) 및 그 대부료 납부고지의 법적 성질(= 사법상 이행청구)

국유재산법 제31조, 제32조 제3항, 산림법 제75조 제1항의 규정 등에 의하여 국유잡종재산에 관한 관리 처분의 권한을 위임받은 기관이 국유잡종재산을 대부하는 행위는 국가가 사경제 주체로서 상대방과 대등한 위치에서 행하는 **사법상의 계약**이고, 행정청이 공권력의 주체로서 상대방의 의사 여하에 불구하고 일방적으로 행하는 행정처분이라고 볼 수 없으며, 국유잡종재산에 관한 대부료의 납부고지 역시 사법상의 이행청구에 해당하고, 이를 행정처분이라고 할 수 없다(대판 2000.2.11. 99다61675).

5 예산회계법(현 국가재정법) 또는 지방재정법에 따라 지방자치단체가 당사자가 되어 체결하는 계약이 행정소송의 대상이 될 수 있는지 여부(소극)

예산회계법 또는 지방재정법에 따라 지방자치단체가 당사자가 되어 체결하는 계약은 **사법상의 계약**일 뿐, 공권력을 행사하는 것이거나 공권력 작용과 일체성을 가진 것은 아니라고 할 것이므로 이에 관한 분쟁은 행정소송의 대상이 될 수 없다(대판 1996.12.20. 96누14708).

6 지방자치단체가 당사자가 되어 체결하는 관급공사계약체결은 사법상 계약이다.

지방재정법에 의하여 준용되는 국가계약법에 따라 지방자치단체가 당사자가 되는 이른바 공공계약은 사경제의 주체로서 상대방과 대등한 위치에서 체결하는 **사법상의 계약**으로서 그 본질적인 내용은 사인간의 계약과 다를 바가 없으므로, 그에 관한 법령에 특별한 정함이 있는 경우를 제외하고는 사적자치와 계약자유의 원칙 등 사법의 원리가 그대로 적용된다 할 것이다(대판 2001.12.11. 2001다33604).

7 입찰보증금 국고귀속조치에 관한 분쟁이 행정소송의 대상인지 여부(소극)

예산회계법에 따라 체결되는 계약은 사법상의 계약이라고 할 것이고 동법 제70조의 5의 입찰보증금은 낙찰자의 계약체결의무이행의 확보를 목적으로 하여 그 불이행시에 이를 국고에 귀속시켜 국가의 손해를 전보하는 사법상의 손해배상 예정으로서의 성질을 갖는 것이라고 할 것이므로 <u>입찰보증금의 국고귀속조치는 국가가 사법상의 재산권의 주체로서 행위하는 것</u>이지 공권력을 행사하는 것이거나 공권력작용과 일체성을 가진 것이 아니라 할 것이므로 이에 관한 분쟁은 행정소송이 아닌 **민사소송**의 대상이 될 수밖에 없다고 할 것이다(대판 1983.12.27. 81누366).

8 환매권 행사로 인한 매수의 성질은 사법상의 매매이다.

국가보위에 관한 특별조치법 제5조 제4항에 의한 동원대상지역내의 토지의 수용·사용에 관한 특별조치령 제39조 제1항에 규정된 <u>환매권 행사로 인한 매수의 성질은</u> 사법상의 매매와 같은 것으로서 특별한 사정이 없는 한 그 환매권 행사에 따른 국가의 소유권이전등기의무와 원소유자의 환매대금 지급의무가 서로 동시이행관계에 있고, 환매권자가 환매권을 행사하기 위하여 반드시 국가에게 환매대금을 우선 또는 동시에 지급하여야 하는 것은 아니다(대판 1998.5.26. 96다49018).

9 환매권의 존부에 관한 확인을 구하는 소송 및 환매금액의 증감을 구하는 소송이 민사소송에 해당하는지 여부(적극)

구 공익사업을 위한 토지 등의 취득 및 보상에 관한 법률(2010.4.5. 법률 제10239호로 일부 개정되기 전의 것, 이하 '구 공익사업법'이라 한다) 제91조에 규정된 환매권은 상대방에 대한 의사표시를 요하는 형성권의 일종으로서 재판상이든 재판 외이든 위 규정에 따른 기간 내에 행사하면 매매의 효력이 생기는 바, 이러한 <u>환매권의 존부에 관한 확인을 구하는 소송</u> 및 구 공익사업법 제91조 제4항에 따라 <u>환매금액의 증감을 구하는 소송 역시</u> 민사소송에 해당한다(대판 2013.2.28. 2010두22368).

10 서울특별시 지하철공사 사장의 소속 직원에 대한 징계처분이 행정소송의 대상인지 여부(소극)

서울특별시지하철공사의 임원과 직원의 근무관계의 성질은 지방공기업법의 모든 규정을 살펴보아도 공법상의 특별권력관계라고는 볼 수 없고 <u>사법관계에 속할 뿐만</u> 아니라, 위 지하철공사의 사장이 그 이사회의 결의를 거쳐 제정된 인사규정에 의거하여 소속직원에 대한 징계처분을 한 경우 위 사장은 행정소송법 제13조 제1항 본문과 제2조 제2항 소정의 행정청에 해당되지 않으므로 공권력발동주체로서 위 징계처분을 행한 것으로 볼 수 없고, 따라서 이에 대한 불복절차는 민사소송에 의할 것이지 행정소송에 의할 수는 없다(대판 1989.9.12. 89누2103).

11 한국조폐공사의 임원과 직원의 근무관계가 공법관계인지 여부(소극)

한국조폐공사 직원의 근무관계는 **사법관계**에 속하고 그 직원의 파면행위도 사법상의 행위라고 보아야 한다(대판 1978.4.25. 78다414).

12 전화가입계약의 해지가 항고소송의 대상이 되는 행정처분인지 여부(소극)

전화가입계약은 전화가입희망자의 가입청약과 이에 대한 전화관서의 승락에 의하여 성립하는 영조물 이용의 계약관계로서 비록 그것이 공중통신역무의 제공이라는 이용관계의 특수성 때문에 그 이용조건 및 방법, 이용의 제한, 이용관계의 종료원인 등에 관하여 여러가지 법적 규제가 있기는 하나 그 성질은 **사법상의 계약관계**에 불과하다고 할 것이므로, 피고(서울용산전화국장)가 전기통신법 시행령 제59조에 의하여 전화가입계약을 해지하였다 하여도 이는 사법상의 계약의 해지와 성질상 다른 바가 없다 할 것이고 이를 항고소송의 대상이 되는 행정처분으로 볼 수 없다(대판 1982.12.28. 82누441).

13 국유재산(일반재산) 매각신청을 반려한 거부행위가 행정처분인지 여부(소극)

국유재산법의 규정에 의하여 총괄청 또는 그 권한을 위임받은 기관이 국유재산을 매각하는 행위는 사경제 주체로서 행하는 사법상의 법률행위에 지나지 아니하며 행정청이 공권력의 주체라는 지위에서 행하는 공법상의 행정처분은 아니라 할 것이므로 국유재산매각 신청을 반려한 거부행위도 **단순한 사법상의 행위**일 뿐 공법상의 행정처분으로 볼 수 없다(대판 1986.6.24. 86누171).

14 국가의 철도운행사업(국유철도·시영지하철이용관계)과 관련하여 발생한 사고로 인한 손해배상청구는 민법이 적용된다.

국가 또는 지방자치단체라 할지라도 공권력의 행사가 아니고 단순한 사경제의 주체로 활동하였을 경우에는 그 손해배상책임에 국가배상법이 적용될 수 없고 민법상의 사용자책임 등이 인정되는 것이고 국가의 철도운행사업은 국가가 공권력의 행사로서 하는 것이 아니고 **사경제적 작용**이라 할 것이므로, 이로 인한 사고에 공무원이 간여하였다고 하더라도 국가배상법을 적용할 것이 아니고 일반 민법의 규정에 따라야 하므로, 국가배상법상의 배상전치절차를 거칠 필요가 없으나, 공공의 영조물인 철도시설물의 설치 또는 관리의 하자로 인한 불법행위를 원인으로 하여 국가에 대하여 손해배상청구를 하는 경우에는 국가배상법이 적용되므로 배상전치절차를 거쳐야 한다(대판 1999.6.22. 99다7008).

15 토지수용법상 협의취득은 사법상의 취득이다.

공공사업의 시행자가 토지수용법에 의하여 그 사업에 필요한 토지를 취득하는 경우 그것이 협의에 의한 취득이고 토지수용법 제25조의2의 규정에 의한 협의 성립의 확인이 없는 이상, 그 취득행위는 어디까지나 사경제 주체로서 행하는 **사법상의 취득**으로서 승계취득한 것으로 보아야 할 것이고, 재결에 의한 취득과 같이 원시취득한 것으로 볼 수는 없다(대판 1996.2.13. 95다3510).

16 토지 등의 협의취득에 기한 손실보상금의 환수통보가 행정처분에 해당하는지 여부(소극)

구 공공용지의 취득 및 손실보상에 관한 특례법상의 협의취득에 기한 손실보상금의 환수통보는 **사법상의 이행청구**에 해당하는 것으로 항고소송의 대상이 될 수 없다(대판 2010.11.11. 2010두14367).

17 주한미군 한국인 직원의료보험조합의 직원에 대한 징계면직처분의 법적 성질(사법상 법률행위)

주한미군 한국인 직원의료보험조합직원의 근무관계는 사법관계에 속하는 것이므로 동 조합 직원에 대한 위 조합의 징계면직처분은 항고소송의 대상이 되는 행정처분이 아니고 **사법상의 법률행위**라고 보아야 한다(대판 1987.12.8. 87누884).

18 정부투자기관(한국토지공사)의 출자로 설립된 회사(한국토지신탁) 내부의 근무관계(인사상의 차별 및 해고)에 관한 사항은, 이를 규율하는 특별한 공법적 규정이 존재하지 않는 한, 원칙적으로 사법관계에 속하므로 헌법소원의 대상이 되는 공권력작용이라고 볼 수 없다(헌재 2002.3.28. 2001헌마464).

19 사립학교 교원에 대한 학교법인의 해임처분을 행정소송의 대상이 되는 행정청의 처분으로 볼 수 있는지 여부(소극)

사립학교 교원은 학교법인 또는 사립학교 경영자에 의하여 임면되는 것으로서 사립학교 교원과 학교법인의 관계를 공법상의 권력관계라고는 볼 수 없으므로 사립학교 교원에 대한 학교법인의 해임처분을 취소소송의 대상이 되는 행정청의 처분으로 볼 수 없고, 따라서 학교법인을 상대로 한 불복은 행정소송에 의할 수 없고 민사소송절차에 의할 것이다(대판 1993.2.12. 92누13707).

20 종합유선방송위원회 소속 직원의 근로관계의 성질은 사법관계이다.

구 종합유선방송법상의 종합유선방송위원회는 그 설치의 법적 근거, 법에 의하여 부여된 직무, 위원의 임명절차 등을 종합하여 볼 때 국가기관이고, 그 사무국 직원들의 근로관계는 **사법상의 계약관계**이므로, 사무국 직원들은 국가를 상대로 민사소송으로 그 계약에 따른 임금과 퇴직금의 지급을 청구할 수 있다(대판 2001.12.24. 2001다54038).

21 철도국장이 건물을 임대하는 법률관계는 사법관계이다.

철도국장이 그 관리하는 건물을 임대하는 법률관계는 공권력의 발동에 유래하는 행정법상 소위 지배관계도 아니고 특수한 법규의 규율이나 법원측의 적용을 볼 여지가 없으며 순전한 **사경제적 관계**로 민법 기타 사법의 적용을 볼 것이므로 행정소송의 대상이 될 수 없다(대판 1961.10.5. 4292행상6).

22 공무원 및 사립학교교직원 의료보험관리공단 직원의 근무관계의 성질은 사법관계이다.

공무원및사립학교교직원의료보험법 등 관계법령의 규정내용에 비추어 보면, 공무원 및 사립학교교직원 의료보험관리공단 직원의 근무관계는 공법관계가 아니라 **사법관계**이다(대판 1993.11.23. 93누15212).

23 개발부담금 부과처분이 취소된 경우 부당이득으로서의 과오납금반환을 구하는 소송절차는 민사절차에 따라야 한다.

개발부담금 부과처분이 취소된 이상 그 후의 부당이득으로서의 과오납금반환에 관한 법률관계는 단순한 **민사관계**에 불과한 것이고, 행정소송절차에 따라야 하는 관계로 볼 수 없다(대판 1995.12.22. 94다51253).

24 과세처분의 당연무효를 전제로 한 세금반환청구소송이 민사소송인지 여부(적극)

조세부과처분이 당연무효임을 전제로 하여 이미 납부한 세금의 반환을 청구하는 것은 민사상의 부당이득반환청구로서 민사소송절차에 따라야 한다(대판 1995.4.28. 94다55019).

25 국세환급금결정이나 그 결정을 구하는 신청에 대한 환급거부결정이 항고소송의 대상이 되는 처분인지 여부(소극)

구 국세기본법 제51조의 오납액과 초과납부액은 조세채무가 처음부터 존재하지 않거나 그 후 소멸되었음에도 불구하고 국가가 법률상 원인 없이 수령하거나 보유하고 있는 부당이득에 해당하고, 그 국세환급금결정에 관한 규정은 이미 납세의무자의 환급청구권이 확정된 국세환급금에 대하여 <u>내부적 사무처리절차로서 과세관청의 환급절차를 규정한 것에 지나지 않고</u> 위 규정에 의한 국세환급금결정에 의하여 비로소 환급청구권이 확정되는 것은 아니므로, 위 국세환급금결정이나 이 결정을 구하는 신청에 대한 환급거부결정은 납세의무자가 갖는 환급청구권의 존부나 범위에 구체적이고 직접적인 영향을 미치는 처분이 아니어서 <u>항고소송의 대상이 되는 처분이라고 볼 수 없다</u>(대판 2009.11.26. 2007두4018).

26 공유 일반재산의 대부료의 지급을 민사소송으로 구할 수 있는지 여부(소극)

[1] <u>국·공유 일반재산을 대부하는 행위는 국가나 지방자치단체가 사경제주체로서 상대방과 대등한 위치에서 행하는</u> 사법상의 계약이다. 따라서 국·공유 일반재산의 대부 등 권리관계에 대하여는 원칙적으로 사법의 규정이 적용되지만, 계약당사자의 일방이 국가나 지방자치단체이고 그 목적물이 국·공유재산이라는 공적 특성 때문에 국유재산법, 공유재산 및 물품관리법 등 특별법의 규제를 받게 된다.

[2] 한편 국유재산법 제42조 제1항, 제73조 제2항 제2호에 따르면, 국유 일반재산의 관리·처분에 관한 사무를 위탁받은 자는 국유 일반재산의 대부료 등이 납부기한까지 납부되지 아니한 경우에는 국세징수법 제23조와 같은 법의 체납처분에 관한 규정을 준용하여 대부료 등을 징수할 수 있다. 이와 같이 <u>국유 일반재산의 대부료 등의 징수에 관하여는 국세징수법 규정을 준용한 간이하고 경제적인 특별구제절차가 마련되어 있으므로, 특별한 사정이 없는 한 민사소송의 방법으로 대부료 등의 지급을 구하는 것은 허용되지 아니한다.</u>

[3] 마찬가지로 공유 일반재산의 대부료와 연체료를 납부기한까지 내지 아니한 경우에도 공유재산 및 물품 관리법 제97조 제2항에 의하여 지방세 체납처분의 예에 따라 이를 징수할 수 있다. 이와 같이 공유 일반재산의 대부료의 징수에 관하여도 지방세 체납처분의 예에 따른 간이하고 경제적인 특별한 구제절차가 마련되어 있으므로, 특별한 사정이 없는 한 민사소송으로 공유 일반재산의 대부료의 지급을 구하는 것은 허용되지 아니한다(대판 2017.4.13. 2013다207941).

27 구 공익사업을 위한 토지 등의 취득 및 보상에 관한 법률 제91조에 규정된 환매권의 존부에 관한 확인을 구하는 소송 및 같은 조 제4항에 따라 환매금액의 증감을 구하는 소송이 민사소송에 해당하는지 여부(적극)

환매권은 상대방에 대한 의사표시를 요하는 형성권의 일종으로서 재판상이든 재판외이든 위 규정에 따른 기간 내에 행사하면 매매의 효력이 생기는바, 이러한 <u>환매권의 존부에 관한 확인을 구하는 소송</u> 및 구 공익사업법 제91조 제4항에 따라 <u>환매금액의 증감을 구하는 소송 역시 민사소송</u>에 해당한다(대판 2013.2.28. 2010두22368).

28 사무처리의 긴급성으로 인하여 해양경찰의 직접적인 지휘를 받아 보조로 방제작업을 한 경우, 사인은 그 사무를 처리하며 지출한 필요비 내지 유익비의 상환을 국가에 대하여 민사소송으로 청구할 수 있는지 여부(적극)

甲 주식회사 소유의 유조선에서 원유가 유출되는 사고가 발생하자 해상 방제업 등을 영위하는 乙 주식회사가 피해 방지를 위해 해양경찰의 직접적인 지휘를 받아 방제작업을 보조한 사안에서, 甲 회사의 조치만으로는 원유 유출사고에 따른 해양오염을 방지하기 곤란할 정도로 긴급방제조치가 필요한 상황이었고, 위 방제작업은 乙

회사가 국가를 위해 처리할 수 있는 국가의 의무 영역과 이익 영역에 속하는 사무이며, 乙 회사가 방제작업을 하면서 해양경찰의 지시·통제를 받았던 점 등에 비추어 乙 회사는 국가의 사무를 처리한다는 의사로 방제작업을 한 것으로 볼 수 있으므로, 乙 회사는 사무관리에 근거하여 국가에 방제비용을 청구할 수 있다(대판 2014.12.11. 2012다15602).

29 공설시장 점포에 대한 시장의 사용허가 및 취소행위의 법적성질(＝사법관계)

공설시장 점포에 대한 시장의 사용허가 및 그 취소행위가 행정처분이라 할 수 없고 이것은 사법상의 행위라고 함은 종래 본원의 판례로서 이것을 변경할 필요를 인정하지 아니하는 바 본건에 있어서 피고가 경영하는 본건 시장 점포에 대한 피고의 사용허가 취소의 행위와 재분배 행위는 행정처분이라 할 수 없다(대판 1962.10.18. 62누117).

◈ 핵심정리 공법관계와 사법관계의 구별

공법인 근무관계	**공법관계**	• 농지개량조합과 직원의 근무관계 • 도시재개발조합의 조합원 지위확인 • 토지개량조합과 직원의 복무관계 • 어업협동조합의 임원선출 • 국가나 지방자치단체에 근무하는 청원경찰의 근무관계 • 공립유치원 전임강사의 근무관계 • 재건축조합의 관리처분계획안에 대한 조합총회결의의 효력 다투는 소송
	사법관계	• 한국조폐공사 직원의 근무관계 • 종합유선방송위원회 직원의 근무관계 • 서울특별시지하철공사의 임원과 직원의 근무관계 • 교직원의료보험관리공단직원의 근무관계 • 고궁(창덕궁 비원)안내원들의 근무관계 • 토지개량조합 직원의 퇴직금을 포함한 급여청구권 • 한국마사회의 조교사 및 기수 면허 부여 또는 취소 ⇨ 일반 사법상의 법률관계에서 이루어지는 단체 내부의 징계
행정기관과 계약	**공법관계**	• 서울특별시의 경찰국 산하 서울대공전술연구소 소장 채용계약 • 서울특별시 시립무용단원의 위촉 • 광주시립합창단원에 대한 위촉 • 공중보건의사 채용계약 • 국립의료원 부설 주차장에 관한 위탁관리용역 운영계약은 행정재산의 사용·수익허가로서 특허 • 행정청인 국방부장관·서울특별시장의 입찰참가자격제한
	사법관계	• 시의 물품구입계약 • 사립학교 교원과 학교법인의 관계 • 사업자와 토지소유자의 토지 협의취득 • 예산회계법에 의한 입찰보증금국고귀속조치 • 공설시장 점포에 대한 시장의 사용허가 및 취소행위 • 한국전력공사사장·한국토지개발공사사장·수도권매립지공단의입찰참가자격제한

재산상 법률관계	공법관계	• 국유재산 무단점유자에 대한 변상금부과처분 • 행정재산의 목적 외 사용 • 행정재산의 사용 · 수익허가에 대한 취소 • 행정재산의 사용 · 수익자에 대한 사용료 부과 • 귀속재산불하처분 • 기부채납 받은 행정재산의 사용수익에 대한 허가 • 국방부장관의 징발재산 매수결정 • 조세채무관계
	사법관계	• 국유잡종재산(일반재산) 매각행위 • 국유잡종재산(일반재산) 대부행위 및 대부료 납입고지 • 폐천부지 양여행위 • 국유광업권매각 • 기부채납 받은 공유재산의 기부자에 대한 무상사용허가
공공서비스 영조물 이용관계	공법관계	• 전화요금 강제징수 • 수도료 부과 · 징수와 수도료의 납부관계, 단수처분 • 국립병원 강제입원 • 국 · 공립도서관의 이용
	사법관계	• 전화가입 계약 · 해지 • 국 · 공립병원의 유료입원 • 국영철도 · 지방자치단체 지하철의 이용 • 시영버스 · 시영식당의 이용

각종 권리	공법관계	• 공유수면매립법에 정한 권리를 가진 자가 취득한 손실보상청
		  구권
		• 하천법상 준용하천의 제외지로 편입된 토지소유자가 직접 하
		  천관리청을 상대로 한 손실보상청구권
		• 토지수용위원회의 수용보상금증감청구소송

	사법관계	• 조세과오납반환의 부당이득반환청구권 • 결과제거청구권 • 징발재산에 대한 환매권 • 행정청의 결정에 의한 손실보상청구 • 손해배상청구권

1 서설

법률관계란 법률에 의하여 규율되는 관계를 의미하는데, 그중 행정상의 법률관계란 행정주체를 일방 당사자로 하는 모든 법률관계를 말한다. 광의로는 행정조직법적 관계와 행정작용법적 관계를 포함하나, 협의로는 행정작용법적 관계만을 의미한다.

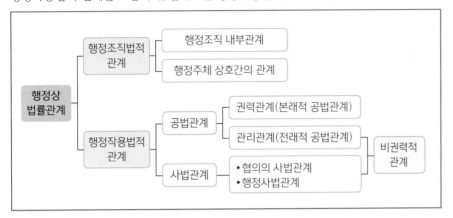

⊕ 행정상 법률관계 개요

2 행정작용법적 관계

행정주체와 국민간에 형성된 권리·의무관계를 말하며, 이는 행정상의 공법관계와 행정상의 사법관계로 구별된다.

1. 행정상의 공법관계

(1) 권력관계(본래적 공법관계)

행정주체가 **우월한 공권력의 주체**로서 행하는 법률관계를 말한다. 행정주체의 우월성으로 인하여 특수한 효력이 인정되며(공정성·자력집행성·확정성), 권력관계는 그 발동에 있어서 법적 기속이 요구된다는 점에서 사법관계와는 구별된다. 공법원리가 적용되고, 그에 관한 법적 분쟁은 민사소송과는 다른 공법상의 행정소송 중 **항고소송**에 의하게 된다.

(2) 관리관계(전래적 공법관계)

공공사업(예 철도, 우편, 통신, 수도 등), 공공시설(예 학교, 병원, 요양원 등) 등을 경영하는 관계로서의 행정주체가 공권력의 주체로서가 아니라 **사업 또는 재산의 관리주체**로서 특정한 공공복리의 실현을 위하여 비권력적인 공적 재산·사업을 관리·경영하는 관계를 말한다. 통설에 의하면 관리관계는 원칙적으로 사법의 적용을 받고, 다만 공법적 원리의 제한을 받는다. 관리관계는 대등한 법률관계로서 공법적 규율을 받는 범위 내에서의 법적 분쟁은 행정소송 중 **당사자소송**의 대상이 된다.

2. 행정상의 사법관계(국고관계)

(1) 협의의 사법관계

행정주체가 사인과 동일한 지위에서 재산권의 주체로서 사법적 효력을 발생시키는 사경제적 활동으로, 공공성과는 무관한 활동을 말한다. 이 경우에 행정주체의 행위는 사법(私法)의 적용을 받으며, 그에 관한 분쟁은 **민사소송의 대상**이 된다. 예컨대, 국가 또는 지방자치단체가 사인과 물품매매계약·공사도급계약, 국·공유 일반재산(구 잡종재산)매각을 하는 등의 행위이다.

(2) 행정사법관계

행정주체가 사법형식을 통하여 행정목적을 수행하는 경우 그에 관하여 일정한 공법규정 내지 공법원리가 적용되는 사법관계를 말한다. 행정의 선택가능성이 있는 급부행정(예 운수사업, 공급사업, 우편·전신·전화사업, 오물·쓰레기처리사업 등), 유도행정(예 보조금의 지급·대부 등)분야에서 행정은 공법적 기속을 받는 엄격함을 피하고 사법의 형식을 활용하게 될 것이므로, 이러한 행정의 사법으로의 도피를 방지하고자 하는 통제의 법리로서 논의되기 시작되었다. 따라서 행정사법영역에서는 원칙적으로 사법이 적용되지만, 사법으로 도피를 방지하기 위해서 공법적 기속을 받아야 하므로 공법원리는 추가로 적용될 수 있다.

제3절 　행정법관계의 당사자(행정주체와 행정객체)

행정법관계 역시 법률관계이므로 권리·의무의 귀속주체로서 당사자가 있어야 한다. 행정법관계에 있어서 행정권의 담당자, 즉 행정권을 행사하고 그의 법적 효과가 궁극적으로 귀속되는 당사자를 행정주체라고 하고, 행정주체의 상대방이 되는 자를 행정객체라고 한다.

1 행정주체

행정소송 중 **당사자소송**은 이러한 **행정주체**를 피고로 하도록 규정하고 있다(행정소송법 제39조). 따라서 당사자소송에서는 행정주체를 피고로 하여야 한다.

1. 의의

행정주체란 행정권의 담당자로서 행정권을 행사하고 그 법적 효과가 계속적·통일적으로 귀속되는 행정법관계의 당사자를 말한다. 이에는 국가, 공공단체 그리고 공무수탁사인이 있다. 행정주체는 공법상 당사자소송의 당사자가 되고, 행정상 손실보상이나 행정상 손해배상의 상대방이 된다.

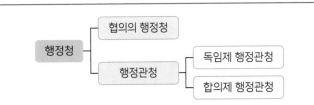

- **합의제 행정관청**: 감사원, 토지수용위원회, 소청심사위원회, 중앙노동위원회, 중앙선거관리위원회, 공정거래위원회, 금융위원회, 국세심판원 등이 있다. 합의제행정관청은 위원회 자체가 피고가 된다.
- 중앙노동위원회의 경우는 **위원장이 피고**가 된다(노동위원회법 제27조).
- 행정소송 중 **항고소송**(취소소송, 무효등확인소송, 부작위위법확인소송)은 이러한 **행정청을 피고**로 하도록 규정하고 있다(행정소송법 제13조 제1항). 따라서 항고소송에는 행정청을 피고로 하여야 한다.

2. 행정청과의 구별

행정주체가 효과의 귀속주체라면 행정 과제를 수행하기 위해서는 행정주체의 의사를 결정하고 그 의사에 따라 행동하는 조직을 필요로 하는데, 이것이 바로 행정청이다. **행정청**은 국가 등 행정주체의 행정에 관한 의사를 결정하고 이를 외부에 표시할 수 있는 권한을 가진 행정기관을 의미한다. 행정청은 권리·의무의 귀속주체가 아니므로 당사자능력이 없으나, 행정소송법은 예외적으로 행정소송의 편의를 위하여 행정기관의 일종인 행정청을 항고소송의 피고적격으로 인정하고 있다.

> **행정기본법 제2조【정의】** 이 법에서 사용하는 용어의 뜻은 다음과 같다.
> 2. '행정청'이란 다음 각 목의 자를 말한다.
> 　가. 행정에 관한 의사를 결정하여 표시하는 국가 또는 지방자치단체의 기관
> 　나. 그 밖에 법령 등에 따라 행정에 관한 의사를 결정하여 표시하는 권한을 가지고 있거나 그 권한을 위임 또는 위탁받은 공공단체 또는 그 기관이나 사인(私人)

3. 종류

(1) 국가

국가는 독립된 법인격을 가지는 시원적인 행정주체이다. 그 권한은 대통령을 정점으로 하는 행정조직에 의하여 행사된다.

(2) 공공단체

① **개념**: 국가로부터 존립목적을 부여받아 행정목적을 수행하는 공법인을 공공단체라 한다.

② **범위**: 공공단체의 행위 중 국가·지방자치단체의 사무를 위임받아 행하는 사무는 공법상의 문제로서 항고소송의 대상이 되나, 공법인 자체의 문제, 즉 공법인과 그 직원과의 내부문제는 항고소송의 대상이 되지 않는다.

③ **종류**

ㄱ. **지방자치단체**: 한 국가 내에서 일정한 지역을 기초로 하여 그 지역 내의 주민을 통치하는 포괄적인 자치권을 가진 단체를 말한다. 보통지방자치단체(광역자치단체: 특별시·광역시·특별자치시·도·특별자치도/기초자치단체: 시·군·자치구)와 특별지방자치단체(지방자치단체조합)로 구분된다.❶

ㄴ. **공법상 사단(공공조합)**: 특정한 국가목적을 위하여 설립된 인적 결합체로서 법률에 의하여 법인격이 부여된 단체를 말한다.

ⓐ 일정한 개발사업을 목적으로 하는 재개발조합, 농지개량조합, 주택재건축정비사업조합 등

ⓑ 동업자들의 이익을 목적으로 하는 변호사회, 약사회 등

ⓒ 일정한 공제사업을 목적으로 하는 의료보험조합 등

> 🔖 **관련판례**
>
> 도시 및 주거환경정비법에 따른 <u>주택재건축정비사업조합</u>은 관할 행정청의 감독 아래 위 법상의 주택재건축사업을 시행하는 공법인(위 법 제18조)으로서, 그 목적범위 내에서 법령이 정하는 바에 따라 일정한 행정작용을 행하는 <u>행정주체의 지위</u>를 갖는다(대판 2009.10.15. 2008다93001).

ㄷ. **공법상 재단(공재단)**: 국가나 지방자치단체가 출연(出捐)한 재산을 관리하기 위하여 설립된 재단법인으로서의 공공단체를 말한다. 공재단에는 직원 및 수혜자는 있으나 구성원은 없다.

ⓐ 한국연구재단

ⓑ 한국학중앙연구원

ㄹ. **영조물법인**: 일정한 행정목적을 달성하기 위해 설립된 인적·물적 종합체로서 공법상 법인격이 부여된 단체를 말한다. 영조물이라도 국립대학(단, 서울대학교, 울산과학기술대학교는 법인이다), 국립도서관 등과 같이 독립된 법인격을 취득하지 못한 것은 행정주체가 될 수 없다.

ⓐ 각종 공사(한국토지주택공사·한국방송공사·한국조폐공사·한국도로공사 등)

ⓑ 국책은행(한국은행·중소기업은행·한국산업은행 등)

ⓒ 국립병원(서울대학교병원, 적십자병원 등)

ⓓ 각종 공단(한국산업안전보건공단, 국립공원관리공단 등)

ⓔ 한국과학기술원

---

❶
지방자치단체는 법인으로서 행정주체가 되며(지방자치법 제3조 제1항) 행정주체가 되는 지방자치단체는 특별시, 광역시, 특별자치시, 도, 특별자치도와 시, 군, 구가 있음(지방자치법 제2조 제1항). 따라서 기초지방자치단체의 일부인 읍·면·동은 행정주체가 될 수 없고 특별시·광역시·특별자치시의 구는 행정주체가 되나, 특별시·광역시의 구가 아닌 인구 50만 이상의 시에는 자치구가 아닌 일반구(예 수원시 팔달구, 전주시 덕진구)를 둘 수 있는데 이는 행정주체가 될 수 없음(지방자치법 제3조 제3항)

(3) 공무수탁사인(수권사인)

① 의의

　㉠ 국가 또는 지방자치단체로부터 법령에 의하여 공권력 행사를 위탁받은 사인으로서 행정주체가 되는 자를 말한다. 이는 사인이 갖는 독창성과 전문지식 등을 활용하여 행정의 효율성을 증대하는 데 기여한다. 위임행정이 증가하면서 공무수탁사인은 증가하고 있다. 공무수탁사인은 자신의 책임 하에 행위를 할 수 있으며, 그 행위의 효과는 자신에게 귀속되므로 행정주체에 해당한다는 것이 다수설의 입장이다.

　㉡ 공무수탁사인은 자연인일 수도 있고, 법인 또는 법인격 없는 단체일 수도 있다.

　㉢ 공무수탁사인은 행정청이기도 하기 때문에 공무수탁사인은 행정주체이면서 동시에 행정청의 지위를 갖는다.

　㉣ 공무수탁사인은 행정임무를 자기책임하에 수행함이 없이 단순한 기술적 집행만을 행하는 사인인 행정보조인이나 행정을 대행하는 것에 불과한 행정대행인과 구별된다.

② **법적 근거:** 공무를 사인에게 위탁하기 위해서 공권의 행사가 사인에게 이전되는 제도이므로 법적 근거를 필요로 한다. 공무수탁사인에 관한 일반적인 법적 근거로는 정부조직법(제6조 제3항)과 지방자치법(제104조 제3항)이 있으며, 개별적인 법적 근거로서는 토지수용을 대행하는 사인을 규정한 공익사업을 위한 토지 등의 취득 및 보상에 관한 법률, 체신업무를 수행하는 별정우체국장을 규정한 별정우체국법 제2조, 경찰사무를 수행하는 사선의 선장, 민간항공기의 기장을 규정한 사법경찰관리의 직무를 행할 자와 그 직무범위에 관한 법률 제7조, 교정업무를 수행하는 민영교도소에 관한 민영교도소 등의 설치운영에 관한 법률 제3조 등이 있다. 그러나 도로교통법상 견인업무를 대행하는 자동차견인업자는 행정대행인 또는 행정보조인일 뿐 공무수탁사인이 아니다.

③ **공무수탁사인과 국가간의 관계:** 공무수탁사인과 국가간의 법률관계는 공법상 위임관계로서 공무수탁사인은 국가에 대하여 공무수행권과 비용청구권을 가지며, 법령준수의무, 주무관청의 감독을 받을 의무 등을 진다. 국가 등이 공무수탁사인을 감독하는 관계는 특별행정법관계의 한 유형으로서 공법상 특별감독관계에 해당한다. 국가가 공무수탁사인의 공무수탁사무수행을 감독하는 경우 수탁사무수행의 합법성뿐만 아니라 합목적성까지도 감독할 수 있다.

④ **공무수탁사인과 국민의 관계:** 공무수탁사인은 위임받은 범위 안에서 행정행위를 발령할 수도 있고, 기타 공법상 행위를 할 수 있다. 국민은 공무수탁사인의 행위에 대하여 항고소송을 제기할 수 있으며, 공무수탁사인은 국가배상법상의 공무원과 더불어 불법행위의 주체에 해당하기 때문에 공무수탁사인의 불법행위에 대하여는 국가배상청구도 가능하다.

⑤ **공무수탁사인의 행위와 권리구제:** 공무수탁사인의 일방적인 행정처분에 대한 항고소송은 공무를 위임한 행정청이 아닌 공무수탁사인을 상대로 제기하여야 한다.

⑥ 공무수탁사인의 의무

- ㉠ 공무수탁사인은 공역무계속성의 원칙에 의하여 일정한 경우를 제외하고는 공무수행을 중단해서는 안 된다. 또한 공무수탁사인은 공무수행에 있어서 평등의 원칙을 준수하여야 한다.
- ㉡ 공무수탁사인이 의무를 위반한 경우에는 일정한 제재수단이 동원될 수 있다. 이러한 제재로는 금전적 제재, 위탁의 취소 등이 있다.

2 행정객체

행정객체란 행정주체에 의한 공권력 행사에 대하여 상대방이 되는 자를 말한다. 사인이 행정객체가 됨이 원칙이나, 지방자치단체 등의 공공단체도 국가에 대한 관계에서는 행정객체가 된다. 다만, 국가는 행정객체가 될 수 없다.

제6장 공권(개인적 공권)

제1절 공권의 의의와 종류

1 국가적 공권

1. 의의

(1) 행정법관계에서의 권리·의무를 공권·공의무라 하고, 그 귀속주체에 따라 국가에 귀속되는 국가적 공권·공의무와 개인에 귀속되는 개인적 공권·공의무로 구분할 수 있다.

(2) 국가적 공권은 국가, 공공단체 또는 국가로부터 공권력을 부여받은 자가 우월한 의사의 주체로서 개인 또는 단체에 대하여 가지는 권리를 말한다. 국가적 공권은 본래 국가만이 갖는 것이나, 공공단체 및 사인도 국가적 공권의 주체가 될 수도 있다. 국가가 일정한 범위에서 국가적 공권을 공공단체나 사인에게 부여 내지 위임하는 경우에는 공공단체나 개인은 위임받은 범위 내에서 국가적 공권의 주체가 될 수 있다.

2. 국가적 공권의 종류 및 특수성

(1) 분류 기준

① 목적에 따라 조직권·형벌권·경찰권·재정권·군정권·공기업특권으로 구분된다.
② 내용에 따라 하명권·강제권·형성권·공법상 물권으로 구분된다.
③ 대상에 따라 대인적 공권·대물적 공권으로 구분된다.

(2) 특수성

국가적 공권은 행정주체가 우월한 의사의 주체로서 상대방에 대해 가지는 지배권의 성질을 갖기 때문에 행정주체의 일방적인 명령·강제·처벌 등을 내용으로 하고, 그의 행위(행정행위)에는 공정력·존속력 및 강제력 등의 특수한 효과가 인정된다.

2 개인적 공권

1. 의의

개인적 공권은 공법관계에서 개인이 자기 이익을 위해 국가 등에 대해 일정한 행위(작위·부작위·급부·수인)를 요구할 수 있는 법적인 힘을 말하는데 반하여, 반사적 이익이란 행정법규가 사익이 아닌 공익만을 위하여 행정주체에 대하여 일정한 의무를 부과한 결과 그에 따른 반사적 효과로서 개인이 얻게 되는 이익을 말한다.

2. 성립요건

(1) 강행법규에 의한 의무부과성(to. 행정주체)

공권이 성립하기 위해서는 기속법규에 의한 행정주체에게 일정한 의무를 과하는 강행법규가 존재하여야 한다. 재량규범인 임의법규에 의해서는 원칙적으로 공권이 성립할 수 없다. 다만, 예외적으로 무하자재량행사청구권이나 재량권의 0으로의 수축에 의하여 공권이 성립될 수 있으며, 성문법령 외에 불문법으로도 성립할 수 있다.

(2) 사익보호성(to. 개인)

공권이 성립하기 위해서는 행정법규가 단순히 공익의 실현이라는 목적 이외에도 (부수적으로라도) 사익을 보호하여야 한다(보호규범론). 만약, 어떤 법규의 규정이 전적으로 공익보호만을 목적으로 하는 경우, 그로 인하여 개인이 이익을 받는다고 하더라도 이는 단순한 반사적 이익에 불과하다. 그러나 법규에 나타난 사익은 법규마다 차이가 있기 때문에 어떤 법규가 공익만을 보호하고 있는지, 사익 또한 보호하고 있는지는 명백하지 않은 경우가 있다. 따라서 그 해석에 있어서는 입법자의 주관적 의사가 아니라 법이 보호하려고 하는 이익의 객관적 평가가 필요하다.

> **⚖ 관련판례**
>
> 행정처분의 직접 상대방이 아닌 제3자라 하더라도 당해 행정처분으로 인하여 법률상 보호되는 이익을 침해당한 경우에는 취소소송을 제기하여 그 당부의 판단을 받을 자격이 있다 할 것이고, 여기에서 말하는 법률상 보호되는 이익이라 함은 당해 처분의 근거 법규 및 관련 법규에 의하여 보호되는 개별적·직접적·구체적 이익이 있는 경우를 말한다(대판 2005.5.12. 2004두14229).

(3) 소구가능성의 존재(의사력)

공권이 성립하기 위해서는 개인의 권리를 궁극적으로 소송을 통하여 관철할 수 있는 법률상의 힘이 부여되어야 한다. 침해된 이익을 소송상 구제받을 길이 없다면 권리라고 할 수 없기 때문이다.

(4) 2요소론의 대두(검토)

헌법상 재판청구권이 일반적으로 보장되어 있고 행정소송사항의 개괄주의를 채택한 오늘날에 있어서는 공권성립의 3요소 중 의사력의 존재는 더 이상 독자적 의의를 갖지 않게 되었다. 즉, 오늘날 공권의 성립요건 가운데 '의사력의 존재'는 더 이상 요구되지 않는 것이 경향이다.

(5) 헌법상 기본권과 개인적 공권 성립의 문제

① 통설에 의하면 처분의 근거법률 및 관계법률로부터 공권이 도출되지 않는 경우라 할지라도 공백 없는 권리구제를 위해 헌법상 기본권으로부터 개인적 공권이 성립될 수 있다. 즉, 기본권의 내용상 법률에 의하여 구체화되지 않아도 되는 자유권적 기본권(예 신체의 자유, 정신적 자유, 알 권리 등)의 경우에는 개인적 공권의 근거규정이 될 수 있다(기본권의 공권화 경향).

② 다만, 근로자가 퇴직급여를 청구할 수 있는 권리와 같은 이른바 사회적 기본권은 헌법 규정에 의하여 바로 도출되는 개인적 공권이라고 할 수 없고 법률에 의한 구체화를 필요로 한다.

> ### 🔍 관련판례
>
> **1** 공무원연금 수급권과 같은 사회보장수급권은 "모든 국민은 인간다운 생활을 할 권리를 가지고, 국가는 사회보장·사회복지의 증진에 노력할 의무를 진다."고 규정한 헌법 제34조 제1항 및 제2항으로부터 도출되는 사회적 기본권 중의 하나로서, 이는 국가에 대하여 적극적으로 급부를 요구하는 것이므로 <u>헌법규정만으로는 이를 실현할 수 없어 법률에 의한 형성이 필요하고,</u> 그 구체적인 내용 즉 수급요건, 수급권자의 범위 및 급여금액 등은 법률에 의하여 비로소 확정된다(헌재 2013.9.26. 2011헌바272).
>
> **2** 헌법 제32조 제1항이 규정하는 <u>근로의 권리는 사회적 기본권으로서</u> 국가에 대하여 직접 일자리를 청구하거나 일자리에 갈음하는 생계비의 지급청구권을 의미하는 것이 아니라 고용증진을 위한 사회적·경제적 정책을 요구할 수 있는 권리에 그치며, <u>근로의 권리로부터 국가에 대한 직접적인 직장존속청구권이 도출되는 것도 아니다. 나아가 근로자가 퇴직급여를 청구할 수 있는 권리도 헌법상 바로 도출되는 것이 아니라 퇴직급여법 등 관련 법률이 구체적으로 정하는 바에 따라 비로소 인정될 수 있는 것이다</u>(헌재 2011.7.28. 2009헌마408).
>
> **3** 헌법상 기본권인 경쟁의 자유로부터 행정청의 지정행위의 취소를 다툴 법률상 이익, 즉 사익보호성이 인정된다(헌재 1998.4.30. 97헌마141).
>
> **4** 환경영향평가 대상지역 밖에 거주하는 주민에게 헌법상의 환경권 또는 환경정책기본법에 근거하여 공유수면매립면허처분과 농지개량사업 시행인가처분의 무효확인을 구할 원고적격이 없다(대판 2006.3.16. 2006두330).
>
> **5** 구속된 피고인 또는 피의자의 타인과의 접견권은 위와 같은 헌법상의 기본권을 확인하는 것일 뿐 형사소송법의 규정에 의하여 비로소 피고인 또는 피의자의 접견권이 창설되는 것으로는 볼 수 없다(대결 1992.5.8. 91부8).
>
> **6** <u>국민의 알 권리, 특히 국가 정보에의 접근의 권리는 우리 헌법상 기본적으로 표현의 자유와 관련하여 인정되는 것으로,</u> 그 권리의 내용에는 자신의 권익보호와 직접 관련이 있는 정보의 공개를 청구할 수 있는 이른바 <u>개별적 정보공개청구권이 포함된다</u>(대판 1999.9.21. 98두3426).

(6) 기타

개인적 공권은 공법상 계약, 법규명령, 관습법에 의해서도 성립할 수 있으나, 행정규칙은 행정청 내부의 업무처리지침에 불과하므로 행정규칙에 의해 개인적 공권이 성립한다고 보기 어렵다.

> ### 🔍 관련판례
>
> 행정지침인 서울특별시의 '철거민에 대한 시영아파트분양개선지침'은 공법상 분양신청권의 근거법이 아니다(대판 1989.12.26. 87누1214).

3 적용영역

1. 행정소송법상 원고적격과 행정심판법상 청구인적격

공권과 반사적 이익을 구별하는 실익은 행정쟁송에 있어서 원고적격의 인정문제와 관련된다. 공권은 법률이 보호하는 이익이어서 쟁송상 구제받을 수 있기 때문에 침해받은 자는 행정소송상 원고적격 또는 행정심판상의 청구인적격이 인정되나, 반사적 이익은 그렇지 못하다는 점에 구별실익이 있다.

2. 행정청의 부작위에 대한 국가배상청구권

행정청의 부작위에 대한 국가배상을 청구하는 경우 법령상·조리상의 신청권이 있는 자에 대해서만 국가배상청구권이 인정된다.

4 공권 또는 법률상 이익의 확대화 경향

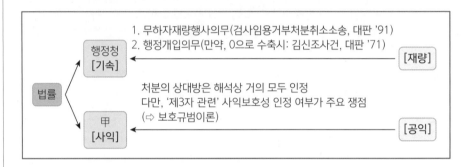

● 공권과 반사적 이익(공권의 확대화)

1. 신종 공권의 등장

무하자재량행사청구권, 행정개입청구권 등이 등장하였다.

2. 관련 법규의 확대해석(사익보호성의 확대)

(1) 해석규칙에 의한 확대

사익보호성의 확대 경향은 관련 법규로부터 사익보호성을 도출해 낼 수 있는 다양한 해석규칙을 발전시키고 있다는 점에서 뚜렷이 드러나고 있다. ① 행정법규의 해석에 있어서 공익보호뿐만 아니라 사익보호목적도 함께 인정하려는 목적론적 해석이 강조되고 있고, ② 단순히 반사적 이익으로 여겨지는 것들도 "국가의 기본권보호의무는 단순히 객관적 성격만을 갖는 것이 아니라, 개인에게 주관적 권리를 부여해 줄 수 있다."라는 헌법합치적 해석을 통해 공권으로 인정하려는 노력 또한 뚜렷이 보이고 있다.

(2) '근거법령'의 범위의 확대

판례는 처분의 근거법령의 범위를 처분의 직접적인 법령에만 한정하지 않고, 법률의 목적과 취지 및 법전체의 체계적 관련성을 고려해 관련된 모든 법규를 고려하여 법률상 이익을 찾아야 한다는 입장을 취하고 있다.

관련판례

1 자연공원법령뿐 아니라 환경영향평가법령도 환경영향평가대상사업에 해당하는 국립공원집단시설지구개발사업에 관한 기본설계변경승인 및 공원사업시행허가처분의 근거 법률이 되는지 여부(적극)

조성면적 10만m² 이상이어서 환경영향평가대상사업에 해당하는 당해 국립공원 집단시설지구개발사업에 관하여 당해 변경승인 및 허가처분을 함에 있어서는 반드시 자연공원법령 및 환경영향평가법령 소정의 환경영향평가를 거쳐서 그 환경영향평가의 협의내용을 사업계획에 반영시키도록 하여야 하는 것이니 만큼 자연공원법령뿐 아니라 환경영향평가법령도 당해 변경승인 및 허가처분에 직접적인 영향을 미치는 근거 법률이 된다(대판 1998.4.24. 97누3286).

2 제3자에게 법률상 이익이 없다고 한 사례와 제3자에게 도시계획결정처분의 취소를 구할 법률상 이익이 있다고 한 사례

[1] 행정처분의 직접 상대방이 아닌 제3자라도 당해 행정처분의 취소를 구할 법률상의 이익이 있는 경우에는 원고적격이 인정되는데, 여기서 말하는 법률상의 이익은 당해 처분의 근거 법률에 의하여 보호되는 직접적이고 구체적인 이익이 있는 경우를 말하고, 다만 공익보호의 결과로 국민 일반이 공통적으로 가지는 추상적, 평균적, 일반적인 이익과 같이 간접적이나 사실적, 경제적, 이해관계를 가지는 데 불과한 경우는 여기에 포함되지 않는다.

[2] 상수원보호구역 설정의 근거가 되는 수도법 제5조 제1항 및 동 시행령 제7조 제1항이 보호하고자 하는 것은 상수원의 확보와 수질보전일 뿐이고, 그 상수원에서 급수를 받고 있는 지역주민들이 가지는 상수원의 오염을 막아 양질의 급수를 받을 이익은 직접적이고 구체적으로는 보호하고 있지 않음이 명백하여 위 지역주민들이 가지는 이익은 상수원의 확보와 수질보호라는 공공의 이익이 달성됨에 따라 반사적으로 얻게 되는 이익에 불과하므로 지역주민들에 불과한 원고들에게는 위 상수원보호구역변경처분의 취소를 구할 법률상의 이익이 없다.

[3] 도시계획법 제12조 제3항의 위임에 따라 제정된 도시계획시설기준에 관한 규칙 제125조 제1항이 화장장의 구조 및 설치에 관하여는 매장 및 묘지 등에 관한 법률이 정하는 바에 의한다고 규정하고 있어, 도시계획의 내용이 화장장의 설치에 관한 것일 때에는 도시계획법 제12조 뿐만 아니라 매장 및 묘지 등에 관한 법률 및 같은 법 시행령 역시 그 근거 법률이 된다고 보아야 할 것이므로, 같은 법 시행령 제4조 제2호가 공설화장장은 20호 이상의 인가가 밀집한 지역, 학교 또는 공중이 수시 집합하는 시설 또는 장소로부터 1,000m 이상 떨어진 곳에 설치하도록 제한을 가하고, 같은 법 시행령 제9조가 국민보건상 위해를 끼칠 우려가 있는 지역, 도시계획법 제17조의 규정에 의한 주거지역, 상업지역, 공업지역 및 녹지지역 안의 풍치지구 등에의 공설화장장 설치를 금지함에 의하여 보호되는 부근 주민들의 이익은 위 도시계획결정처분의 근거 법률에 의하여 보호되는 법률상 이익이다(대판 1995.9.26. 94누14544).

3. 제3자의 권리보호의 확대

(1) 서설

원고적격이란 행정소송에서 원고가 될 수 있는 자격으로, 개인적 공권이 성립한다면 원고적격을 갖게 된다. 원고적격의 유무가 다투어지는 것은 주로 처분의 직접상대방에게 이익을 부여하고 제3자에게는 불이익을 주거나 그 반대의 경우인 제3자효 행정행위에 관한 경우이다.

특히 처분의 직접상대방에 대한 수익적 처분에 의하여 불이익을 받은 제3자가 그 취소를 구하는 소송의 유형으로 인인소송, 경업자소송, 경원자소송이 있는 바, 제3자에 대한 공권의 성립여부(원고적격 인정 여부)가 문제된다.

(2) 인인(隣人)소송

① **문제 소재**: 행정소송법 제12조 제1항상의 '법률상 이익'의 해석에 대한 문제가 있다.

② **학설**

   ㉠ 권리회복설(+권리를 침해당한 자)

   ㉡ 법률상이익구제설(+실체법상 이익 침해된 자) ⇨ 실체법률(근거법률+관련 법률: 보호규범이론)

   ㉢ 보호가치 있는 이익구제설(+소송법상 이익침해된 자)

   ㉣ 적법성보장설(+다툴 적합한 이익상태에 있는 자)

③ **판례(법률상 이익구제설)+스스로 입증한 경우(새만금사건)**

인정	부정

• 문화재보호구역 내에 있는 토지소유자가 보호구역의 지정해제를 요구할 권리: 문화재보호구역 내에 있는 토지소유자 등으로서는 위 보호구역의 지정해제를 요구할 수 있는 법규상 또는 조리상의 신청권이 있다고 할 것이고, 이러한 신청에 대한 거부행위는 항고소송의 대상이 되는 행정처분에 해당한다(대판 2004.4.27. 2003두8821).
• 연탄공장설치허가에 대한 인근주민의 이익
• LPG충전소설치허가에 대한 인근주민의 이익
• 화장장설치허가에 대한 인근주민의 이익
• 환경영향평가대상지역 안의 주민들이 얻는 환경상의 이익
  – 원자로시설부지사전승인
  – 전원개발사업실시계획승인처분(댐양수발전소)
  – 속리산국립공원 내 용화온천 집단시설지구 기반조성사업시행허가처분
• 환경영향평가대상지역 밖의 주민이라 할지라도 수인한도를 넘는 환경피해를 받거나 받을 우려가 있다는 것을 스스로 입증한 경우(새만금사건)
• 일반적으로 도로는 국가나 지방자치단체가 직접 공중의 통행에 제공하는 것으로서 일반국민은 이를 자유로이 이용할 수 있는 것이기는 하나, 그렇다고 하여 그 이용관계로부터 당연히 그 도로에 관하여 특정한 권리나 법령에 의하여 보호되는 이익이 개인에게 부여되는 것이라고까지는 말할 수 없으므로, 일반적인 시민생활에 있어 도로를 이용만 하는 사람은 그 용도폐지를 다툴 법률상의 이익이 있다고 말할 수 없지만, 공공용재산이라고 하여도 당해 공공용재산의 성질상 특정
	• 순수 공익: 행정주체가 행정목적을 달성하기 위한 통제를 가하는 결과 개인이 이익을 얻는 경우
	  – 의사의 진료행위거부금지의무, 약사의 조제행위거부금지의무
	  – 무역거래법상 수입제한이나 금지조치로 국내 생산업체가 받는 이익
	• 횡단보도설치로 인한 지하상가 상인의 이익
	• 상수원보호구역변경처분에대한 인근주민의 이익(양질의 급수를 받을 이익)
	• 문화재의 지정이 있음으로써 국민일반 또는 학술연구자가 이를 활용하고 그로 인하여 얻는 이익
	• 국립대학부교수 임용처분에 대한 같은 학과 교수가 갖는 이익(cf. 전공이 다른 교수를 임용함으로써 학습권을 침해당하였다고 주장하는 대학생들의 이해관계)
	• 환경영향평가대상지역 밖의 주민들이 얻는 환경상의 이익

개인의 생활에 개별성이 강한 직접적이고 구체적인 이익을 부여하고 있어서 그에게 그로 인한 이익을 가지게 하는 것이 법률적인 관점으로도 이유가 있다고 인정되는 특별한 사정이 있는 경우에는 그와 같은 이익은 법률상 보호되어야 할 것이고, 따라서 도로의 용도폐지처분에 관하여 이러한 직접적인 이해관계를 가지는 사람이 그와 같은 이익을 현실적으로 침해당한 경우에는 그 취소를 구할 법률상의 이익이 있다(대판 1992.9.22. 91누13212).

⚖ 관련판례

1 새만금사건 – 환경영향평가대상지역 관련 ❶

[1] 행정처분의 직접 상대방이 아닌 제3자라 하더라도 당해 행정처분으로 인하여 법률상 보호되는 이익을 침해당한 경우에는 그 처분의 무효확인을 구하는 행정소송을 제기하여 그 당부의 판단을 받을 자격이 있다 할 것이며, 여기에서 말하는 법률상 보호되는 이익이라 함은 당해 처분의 근거 법규 및 관련 법규에 의하여 보호되는 개별적·직접적·구체적 이익이 있는 경우를 말하고, 공익보호의 결과로 국민 일반이 공통적으로 가지는 일반적·간접적·추상적 이익이 생기는 경우에는 법률상 보호되는 이익이 있다고 할 수 없다.

[2] 공유수면매립과 농지개량사업시행으로 인하여 직접적이고 중대한 환경피해를 입으리라고 예상되는 환경영향평가대상지역 안의 주민들이 전과 비교하여 수인한도를 넘는 환경침해를 받지 아니하고 쾌적한 환경에서 생활할 수 있는 개별적 이익까지도 이를 보호하려는 데에 있다고 할 것이므로, 위 주민들이 공유수면매립면허처분 등과 관련하여 갖고 있는 위와 같은 환경상의 이익은 주민 개개인에 대하여 개별적으로 보호되는 직접적·구체적 이익으로서 그들에 대하여는 특단의 사정이 없는 한 환경상의 이익에 대한 침해 또는 침해우려가 있는 것으로 사실상 추정되어 공유수면매립면허처분 등의 무효확인을 구할 원고적격이 인정된다.

[3] 한편, 환경영향평가대상지역 밖의 주민이라 할지라도 공유수면매립면허처분 등으로 인하여 그 처분 전과 비교하여 수인한도를 넘는 환경피해를 받거나 받을 우려가 있는 경우에는, 공유수면매립면허처분 등으로 인하여 환경상 이익에 대한 침해 또는 침해우려가 있다는 것을 입증함으로써 그 처분 등의 무효확인을 구할 원고적격을 인정받을 수 있다.

[4] 환경영향평가대상지역 밖에 거주하는 주민에게 헌법상의 환경권 또는 환경정책기본법에 근거하여 공유수면매립면허처분과 농지개량사업 시행인가처분의 무효확인을 구할 원고적격이 없다(대판 2006.3.16. 2006두330).

2 연탄공장건축허가 처분으로 불이익을 받고 있는 제3거주자가 당해 행정처분의 취소를 소구할 법률상 자격이 있는지 여부(적극)

주거지역 내의 도시계획법 제19조 제1항과 개정 전 건축법 제32조 제1항(거주의 안녕과 건전한 생활환경의 보호를 해치는 모든 건축이 금지) 소정 제한면적을 초과한 연탄공장건축허가 처분으로 불이익을 받고 있는 제3거주자는 당해 행정처분의 취소를 소구할 법률상 자격이 인정된다(대판 1975.5.13. 73누96·97).

❶ 새만금
· 환경영향평가대상지역 '안'의 주민: 환경영향평가법령 적용 O, 법률상 보호되는 이익 O ⇨ 별도 입증 없이도 개인적 공권 인정 O
· 환경영향평가대상지역 '밖'의 주민: 법률상 보호되는 이익 X ⇨ 침해되는 환경상 이익을 입증하여야 개인적 공권 인정 O

핵심 OX

01 주거지역 내에서 법령상의 제한면적을 초과하는 연탄공장의 건축허가처분으로 불이익을 받고 있는 인근주민은 당해 처분의 취소를 소구할 법률상 자격이 없다.

18. 지방교행, 14. 경특1차 ( )

01 X

(3) 경업자소송

경업자소송에서 법률상 이익을 인정한 사례	경업자소송에서 법률상 이익을 부정한 사례
• 버스 운송사업자의 이익(대판 1974.4.9. 73누173) • 사업용 화물자동차사업자의 이익, 선박 운송사업자의 이익(대판 1969.12.30. 69누106) • 중계유선방송사업자의 이익(대판 2007. 5.11. 2004다11162) • 담배소매인의 이익(대판 2008.3.27. 2007두23811) • 분뇨 축산폐수 수집운반업자의 이익(대판 2006.7.28. 2004두6716)	• 공중목욕탕업자의 이익(대판 1963.8.31. 63누101) • 석탄가공업자의 이익(대판 1980.7.22. 80누33·34) • 여관업자의 이익(대판 1990.8.14. 89누7900) • 한의사의 이익(대판 1998.3.10. 97누4289) • 장의자동차 운송사업자의 이익(대판 1992.12.8. 91누13700) • 동일시설물 내에 있는 담배소매인의 이익(대판 2008.4.10. 2008두402)

① **의의**: 경업자소송이란 새로운 경쟁자에 대하여 신규허가를 발급함으로써 기존업자가 제기하는 소송을 말한다.

② **판례의 입장**

　㉠ 판례는 수익적 행정처분의 근거가 되는 법률이 해당 업자들 사이의 과다경쟁으로 인한 경영의 불합리를 방지하는 목적도 가지고 있는 경우 기존업자가 경업자에 대한 면허나 인허가 등의 수익적 행정처분의 취소를 구할 원고적격이 있다고 보고 있다.

　㉡ 또한 특허사업에 있어서는 기존업자가 그 특허로 인하여 받은 이익은 법률상 이익이 있다고 하여 원고적격을 인정한다. 하지만 허가의 경우 기존업자가 그 허가로 인하여 받은 이익은 반사적 이익 내지 사실상 이익에 지나지 아니한 경우에는 원고적격을 인정하지 않고, 허가의 근거규정이 공익뿐만 아니라 개인의 이익도 보호하고 있는 경우에는 기존업자에게 원고적격을 인정한다.

⚖ **관련판례**

1 **기존 시내버스업자가 시외버스의 시내버스로의 전환을 허용하는 사업계획변경 인가처분의 취소를 구할 법률상 이익이 있는지 여부(적극)❶**
자동차운수사업법 제6조 제1호의 규정의 목적이 자동차운수사업에 관한 질서를 확립하고 자동차운수의 종합적인 발달을 도모하여 공공의 복리를 증진함과 동시에 업자간의 경쟁으로 인한 경영의 불합리를 미리 방지하자는데 있다 할 것이므로 기존 시내버스 업자로서는, 다른 운송사업자가 운행하고 있는 <u>기존 시외버스를 시내버스로 전환을 허용하는 사업계획변경인가처분에 대하여 그 취소를 구할</u> 법률상의 이익이 있다고 할 것이다(대판 1987.9.22. 85누985).

2 공중목욕장업허가는 그 사업경영의 권리를 인정하는 형성적 행위가 아니고 경찰 금지의 해제(허가)

원고에 대한 공중목욕장업 경영 허가는 경찰금지의 해제로 인한 영업자유의 회복 이라고 볼 것이므로 이 영업의 자유는 법률이 직접 공중목욕장업 피 허가자의 이익을 보호함을 목적으로 한 경우에 해당되는 것이 아니고 법률이 공중위생이 라는 공공의 복리를 보호하는 결과로서 영업의 자유가 제한되므로 인하여 간접 적으로 관계자인 영업자유의 제한이 해제된 피 허가자에게 이익을 부여하게 되 는 경우에 해당되는 것이고 거리의 제한과 같은 위의 시행세칙이나 도지사의 지 시가 모두 무효인 이상 원고가 <u>이 사건 허가처분에 의하여 목욕장업에 의한 이 익이 사실상 감소된다하여도 이 불이익은 본건 허가처분의 단순한 사실상의 반 사적 결과에 불과하고 이로 말미암아 원고의 권리를 침해하는 것이라고는 할 수 없음으로 원고는 피고의 피고 보조참가인에 대한 이 사건 목욕장업허가처분에 대하여 그 취소를 소구할 수 있는 **법률상 이익이 없다**할 것이다(대판 1963.8.31. 63누101).

(4) 경원자소송

🔨 **판례정리** | 경원자소송

경원자소송에서 법률상 이익을 인정한 사례	경원자소송에서 법률상 이익을 인정하지 않은 사례
• 병마개 제조업자로 지정받지 못한 자(헌재 1998.4.30. 97헌마141) • LPG 충전사업 신규허가를 받지 못한 자(대판 1992.5.8. 91누13274) • 법학전문대학원 인가를 받지 못한 대학교(대판 2009.12.10. 2009두8359)	• 검정신청한 교과서의 과목과 전혀 관계 없는 과목의 교과용 도서에 대한 합격결 정처분(대판 1992.4.24. 91누6634) • 기존 교수의 같은 학과 교수 임용(대판 1995.12.12. 95누11856) • 대학생의 대학교수 임명의 취소(대판 1993.7.27. 93누8139)

① **의의**: 경원자소송은 수익적 행정처분을 신청한 수인이 서로 경쟁관계에 있는 경 우(동일대상지역에 대한 도시가스사업허가신청 등), 허가를 받지 못한 자가 타 방이 받은 허가에 대하여 제기하는 소송을 말한다.
② **판례의 입장**: 판례는 인허가 등의 수익적 행정처분을 신청한 수인이 서로 경쟁관 계에 있어서 일방에 대한 허가 등의 처분이 타방에 대한 불허가 등으로 귀결될 수 밖에 없는 때, 허가 등의 처분을 받지 못한 자는 비록 경원자에 대하여 이루어진 허가 등 처분의 상대방이 아니라 하더라도 당해 처분의 취소를 구할 원고적격이 있다고 보고 있다. 즉, 허가·특허 가리지 않고 모두 인정한다(∵ 배타적 성격).

🔨 **관련판례**

경원관계에 있어서 경원자에 대하여 이루어진 허가 등 처분의 상대방이 아닌 자가 그 처분의 취소를 구할 당사자적격이 있는지 여부(적극)
행정소송법 제12조는 취소소송은 처분 등의 취소를 구할 법률상의 이익이 있는 자가 제기할 수 있다고 규정하고 있는바, 인허가 등의 수익적 행정처분을 신청한 수인이 서로 경쟁관계에 있어서 일방에 대한 허가 등의 처분이 타방에 대한 불허가 등으로 귀결될 수밖에 없는 때(이른바 경원관계에 있는 경우로서 동일대상지역에 대한 공유수면매립면허나 도로점용허가 혹은 일정지역에 있어서의 영업허가 등에 관하여 거리제한규정이나 업소개수제한규정 등이 있는 경우를 그 예로 들 수 있다) 허가 등의 처분을 받지 못한 자는 비록 경원자에 대하여 이루어진 허가 등 처분의 상대방이 아니라 하더라도 당해 처분의 취소를 구할 당사자적격이 있다 할 것이고, 다만 구체적인 경우에 있어서 그 처분이 취소된다 하더라도 허가 등의 처분을 받지 못한 불이익이 회복된다고 볼 수 없을 때에는 당해 처분의 취소를 구할 정당한 이익이 없다고 할 것이다(대판 1992.5.8. 91누13274).

제2절 행정개입청구권과 무하자재량행사청구권

1 행정개입청구권

1. 의의

광의의 행정개입청구권은 행정청의 부작위로 인하여 권익을 침해당한 자가 행정청에 대하여 일정한 행정권의 발동을 청구할 수 있는 권리를 말하는데, 이는 '행정행위발급청구권'과 '협의의 행정개입청구권'으로 구분된다.

(1) 행정행위발급청구권

허가 · 인가 등의 수익적 처분을 국민이 자기의 이익을 위하여 자기에게 행정권발동을 청구할 수 있는 권리를 말한다.

(2) 협의의 행정개입청구권

연탄공장 인근주민이 연탄공장에 의한 오염을 방치한 행정청에게 그 단속을 요구하는 권리처럼 국민이 자기의 이익을 위하여 타인에게 행정권의 발동을 청구할 수 있는 권리를 말한다. 일반적으로 행정개입청구권이라 함은 협의의 행정개입청구권을 말한다.

2. 법적 성질

(1) 실체적 권리

행정개입청구권은 재량권이 0으로 수축된 경우 특정한 처분을 요구할 수 있는 권리인 점에서 **실체적 권리**로 볼 수 있다. 따라서 행정청에 대하여 하자 없는 재량행사를 청구할 수 있는 형식적 권리인 무하자재량행사청구권과 구별된다.

(2) 적극적 권리

행정개입청구권은 행정청에 대해 단순히 위법한 권익침해의 배제를 구하는 소극적 · 방어적 공권이라기 보다는 일정한 행정작용을 청구하는 **적극적 공권**의 성질을 가진다.

(3) 사전예방적 · 사후구제적 권리

행정개입청구권은 행정청의 부작위에 대한 사전예방적인 권리와 더불어 사후구제적 성격을 모두 가진다.

(4) 무하자재량행사청구권과의 관계

행정개입청구권은 실체적 특정처분을 할 것을 청구할 수 있는 권리이나, 무하자재량행사청구권은 적법한 재량처분만을 구할 수 있고 실체적 특정처분까지는 청구할 수 없다. 그러나 재량행위에 있어서도 재량권이 0으로 수축되는 예외적인 경우 더욱이 선택재량마저 부인되는 상황 하에서는 무하자재량행사청구권(형식적 · 절차적 권리)도 특정행위청구권(실질적 · 실체적 권리)으로 전환되게 된다. 따라서 행정개입청구권은 결정재량이 문제되는 경우에 논의된다고 볼 수 있다.

3. 인정 여부

(1) 논점

사인간의 분쟁에 행정청의 개입의무와 그에 대응한 사인의 행정개입청구권이 인정될 수 있는지가 문제된다.

(2) 학설

① **부정설**: 행정권발동은 순전히 행정기관의 편의에 따른 재량이다.

② **긍정설(공권의 확대화 경향)**

　㉠ 반사적 이익의 공권화 경향(반사적 이익의 보호이익화이론)

　㉡ 재량권의 0으로의 수축(행정편의주의의 극복)

③ **판례**: 인정

🔧 관련판례

1 무장공비가 출현하여 그 공비와 격투 중에 있는 가족 구성원인 청년이 위협받고 있던 경우에, 다른 가족구성원이 경찰에 세 차례나 출동을 요청하였음에도 불구하고 즉시 출동하지 않아 사살된 사건에서 행정청의 부작위로 인한 손해에 대하여 국가의 손해배상책임을 긍정한 사례(대판 1971.4.6. 71다124)

2 **국민이 행정청에 대하여 제3자에 대한 건축허가와 준공검사의 취소 및 제3자 소유의 건축물에 대한 철거명령을 요구할 수 있는 법규상 또는 조리상 권리가 있는지 여부(소극)**

구 건축법 및 기타 관계 법령에 국민이 행정청에 대하여 제3자에 대한 건축허가의 취소나 준공검사의 취소 또는 제3자 소유의 건축물에 대한 철거 등의 조치를 요구할 수 있다는 취지의 규정이 없고, 같은 법 제69조 제1항 및 제70조 제1항은 각 조항 소정의 사유가 있는 경우에 시장 · 군수 · 구청장에게 건축허가 등을 취소하거나 건축물의 철거 등 필요한 조치를 명할 수 있는 권한 내지 권능을 부여한 것에 불과할 뿐, 시장·군수·구청장에게 그러한 의무가 있음을 규정한 것은 아니므로 위 조항들도 그 근거 규정이 될 수 없으며, 그 밖에 조리상 이러한 권리가 인정된다고 볼 수도 없다(대판 1999.12.7. 97누17568).

3 건축법에 위반한 건축물에 대하여 시정명령을 해야 하는 작위의무가 인정되는지 여부(소극)

건축법 제79조는 시정명령에 대하여 규정하고 있으나, 동법이나 동법 시행령 어디에서도 일반국민에게 그러한 시정명령을 신청할 권리를 부여하고 있지 않을 뿐만 아니라, 피청구인에게 건축법 위반이라고 인정되는 건축물의 건축주 등에 대하여 시정명령을 할 것인지와, 구체적인 시정명령의 내용을 무엇으로 할 것인지에 대하여 결정할 재량권을 주고 있으며, 달리 이 사건에서 시정명령을 해야 할 법적 의무가 인정된다고 볼 수 없다(헌재 2010.4.20. 2010헌마189).

4 주거지역 내의 도시계획법과 건축법의 제한면적을 초과한 연탄공장건축허가처분으로 불이익을 받고 있는 제3거주자는 당해 행정처분의 취소를 소구할 법률상 자격이 있는지 여부(적극)

주거지역 안에서는 도시계획법 제19조 제1항과 개정 전 건축법 제32조 제1항에 의하여 공익상 부득이 하다고 인정될 경우를 제외하고는 거주의 안녕과 건전한 생활환경의 보호를 해치는 모든 건축이 금지되고 있을뿐 아니라 주거지역 내에 거주하는 사람이 받는 위와 같은 보호이익은 법률에 의하여 보호되는 이익이라고 할 것이므로 주거지역 내에 위 법조 소정 제한면적을 초과한 연탄공장 건축허가처분으로 불이익을 받고 있는 제3거주자는 비록 당해 행정처분의 상대자가 아니라 하더라도 그 행정처분으로 말미암아 위와 같은 법률에 의하여 보호되는 이익을 침해받고 있다면 당해 행정처분의 취소를 소구하여 그 당부의 판단을 받을 법률상의 자격이 있다(대판 1975.5.13. 73누96·97).

5 경찰관의 경찰관 직무집행법 제5조에 규정된 권한의 불행사가 직무상의 의무를 위반한 것이 되어 위법한 것으로 되기 위한 요건

경찰관 직무집행법 제5조는 경찰관은 인명 또는 신체에 위해를 미치거나 재산에 중대한 손해를 끼칠 우려가 있는 위험한 사태가 있을 때에는 그 각 호의 조치를 취할 수 있다고 규정하여 형식상 경찰관에게 재량에 의한 직무수행권한을 부여한 것처럼 되어 있으나, 경찰관에게 그러한 권한을 부여한 취지와 목적에 비추어 볼 때 구체적인 사정에 따라 경찰관이 그 권한을 행사하여 필요한 조치를 취하지 아니하는 것이 현저하게 불합리하다고 인정되는 경우에는 그러한 권한의 불행사는 직무상의 의무를 위반한 것이 되어 위법하게 된다. … 농민들의 시위를 진압하고 시위과정에 도로 상에 방치된 트랙터 1대를 도로 밖으로 옮기는 등 도로의 질서 및 교통을 회복하는 조치를 취하던 소외 1 등 경찰관들로서는 도로교통의 안전을 위하여 나머지 트랙터 1대도 도로 밖으로 옮기거나 그것이 어려우면 야간에 다른 차량에 의한 추돌사고를 방지하기 위하여 트랙터 후방에 안전표지판을 설치하는 등 경찰관 직무집행법 제5조가 규정하는 위험발생방지의 조치를 취하여야 할 의무가 있는데도 위 트랙터가 무거워 옮기지 못한다는 등의 이유로 아무런 사고예방조치도 취하지 아니한 채 그대로 방치하고 철수하여 버린 것은 직무상의 의무를 위반한 것으로 위법하다는 취지로 판단하여 이 사건 사고에 대한 피고의 손해배상책임을 인정한 것은 이러한 법리에 따른 것으로 정당하다(대판 1998.8.25. 98다16890).

4. 적용범위

① 주로 경찰행정 분야, ② 기속행위(당연히 인정), ③ 재량행위(재량권이 0으로 수축 시)에 적용된다.

5. 성립요건

행정개입청구권도 개인적 공권의 일종이므로 공권성립의 일반적 요건을 충족하여야 한다.

(1) 강행법규에 의한 의무부과성

법규에 의하여 개입의무가 인정되어야 하는데 기속행위의 경우에는 당연히 인정되며, 재량행위의 경우에도 그 재량권이 0으로 수축되는 경우에는 개입의무가 인정된다. 어떠한 경우에 재량권이 0으로 수축되어 개입의무를 인정할 것인가에 대해서는 '위해성한계론'을 인정하는 것이 보통이다.

이러한 이론에 따르면 공공의 안녕질서에 대한 위험이 개별적·구체적으로 유해하다고 인정되고 수인한도를 초과하는 경우에 재량권이 0으로 수축되었다고 볼 수 있게 된다. 구체적 기준은 위협받는 법익의 가치, 위험성의 정도, 위해제거의 가능성, 개입으로 초래되는 위험 등을 고려하여야 한다고 한다. 이러한 경우 개인의 생명이나 신체에 중대한 법익이 위협 받고 있는 경우에는 행정청의 개입의무가 발생된다고 본다.

① 기속행위(법규상 행정청에게 개입의무)

② 재량행위(재량권이 0으로 수축)

  ㉠ 급박한 위험

  ㉡ 개인의 노력으로 위험방지 불충분

  ㉢ 위험이 행정청의 개입으로 제거 가능

(2) 사익보호성

당해 법규의 취지가 공익보호뿐만 아니라, 개인이익의 보호도 포함하는 제3자 보호규범의 성질을 가지는 것이어야 한다.

6. 권리구제

(1) 행정쟁송

행정개입청구권이 발생한 경우 개인은 행정기관에 대하여 제3자에 대한 규제 내지는 단속을 위하여 개입하여 줄 것을 청구할 수 있다. 이에 대하여 행정청이 부작위로 일관한 경우 개인은 의무이행심판·부작위위법확인소송을 통하여 구제받을 수 있다. 다만, 현행법상 의무이행소송은 인정되지 않으므로 의무이행소송을 제기할 수는 없다.

(2) 국가배상

행정개입의무가 발생했음에도 불구하고 당해 행정기관이 의무를 게을리 하면 재량권이 0으로 수축되고, 그로 인하여 발생한 손해에 대하여는 국가를 상대로 국가배상청구를 할 수 있다.

지방자치단체에 자연암벽 붕괴사고로 인한 배상책임 인정 예

지방자치단체 소유의 임야에 주민들이 무허가로 주택을 지어 살고 있더라도 그에 대하여 관리행정을 실시해 온 이상 그 자치단체로서는 <u>주택가에 돌출하여 위험이 예견되는 자연암벽이 있으면</u> 복지행정의 집행자로서 이를 <u>사전에 제거하여야 할 의무</u>가 있고, 그 의무를 해태한 부작위로 인하여 붕괴사고가 일어나서 주민들이 손해를 입었다면 이를 배상할 책임이 있다(대판 1980.2.26. 79다2341).

2 무하자재량행사청구권

1. 서설

행정주체에게 재량이 인정되는 경우에도 그 재량권에는 재량권이 부여한 목적에 위배될 수 없는 한계가 있다. 따라서 어떤 법규가 행정청에게 재량을 부여하고 있는 경우에 개인은 행정청에 대하여 특정한 행위를 청구할 권리는 갖지는 못하지만 하자 없는 재량권을 행사해 줄 것을 요구할 수 있는 권리가 성립하는데, 이러한 권리를 **무하자재량행사청구권**이라 한다.

2. 법적 성질

(1) 절차적·절차법적 권리성 여부(종래의 견해)

무하자재량행사청구권은 절차적 권리라고 보기 어렵다는 견해가 일반적이다. 절차적 권리는 절차적 참여권을 의미하는 것인데 무하자재량청구권은 행정결정의 내용에 관련된 것이라는 점에서 절차적 권리라고 보는 것이 문제가 있다는 것이다.

(2) 형식적 권리성 여부(다수설)

무하자재량행사청구권은 특정처분을 구하는 권리가 아니라 재량권의 법적 한계를 준수하면서 하자 없는 재량권의 행사를 청구하는 권리이므로 실체법적·**형식적·절차적 권리**이다.

(3) 적극적 권리성

무하자재량행사청구권은 단순히 위법한 처분을 배제하는 소극적·방어적 권리이기보다는 행정청에 대하여 적법한 재량처분을 요구할 수 있는 **적극적 권리**이다.

3. 인정 여부

(1) 학설

① **부정설**: 하자 있는 재량의 경우에는 실체적 권리의 침해가 있는 때에 한하여 인정되는 것이지, 형식적 권리를 별도로 인정할 실익이 없다. 나아가 하자 없는 재량권의 행사를 청구하는 형식적 권리를 인정하게 되면, 원고적격을 부당하게 확대하여 남소와 민중소송화의 우려가 있고, 현행법상의 근거도 없다.

② **긍정설(통설·판례):** 무하자재량행사청구권을 일반적·추상적으로 인정하는 것이 아니라, 공권성립의 일반적 요건을 충족하는 경우에 인정될 수 있다는 견해이다. 재량행위에 있어서도 재량권의 법적 한계는 있는 것이며 법규가 관계인의 사익보호도 함께 규정하고 있는 경우에 인정된다는 것이다.

(2) 판례

판례는 무하자재량행사청구권을 긍정하는 것으로 평석하는 것이 일반적인 견해이다(**예** 검사임용신청 거부처분 취소소송 사건 등).

> **🔎 관련판례**
>
> **다수의 검사 임용신청자 중 일부만을 검사로 임용하는 결정을 함에 있어 그 임용 여부의 응답을 해 줄 의무가 있는지 여부(적극)**
>
> 검사의 임용에 있어서 임용권자가 임용 여부에 관하여 어떠한 내용의 응답을 할 것인지는 임용권자의 자유재량에 속하므로 일단 임용거부라는 응답을 한 이상 설사 그 응답내용이 부당하다고 하여도 사법심사의 대상으로 삼을 수 없는 것이 원칙이나, <u>적어도 재량권의 남용이 없는 위법하지 않은 응답을 할 의무가 임용권자에게 있고 이에 대응하여 임용신청자로서도 재량권의 한계 일탈이나 남용이 없는 적법한 응답을 요구할 권리가 있다</u>고 할 것이며, 이러한 응답신청권에 기하여 재량권남용의 위법한 거부처분에 대하여는 항고소송으로서 그 취소를 구할 수 있다고 보아야 하므로 임용신청자가 임용거부처분이 재량권을 남용한 위법한 처분이라고 주장하면서 그 취소를 구하는 경우에는 법원은 재량권남용 여부를 심리하여 본안에 관한 판단으로서 청구의 인용 여부를 가려야 한다(대판 1991.2.12. 90누5825).

(3) 검토

① 실체적 권리의 침해를 주장하기 어려운 경우 이를 주장할 실익이 있으며, 나아가 ② 공권성립의 요건이 충족된 자에게만 인정되므로 민중소송화의 우려가 없다는 점에서 긍정설이 타당하다.

4. 적용범위 – 모든 영역

(1) 선택재량, 결정재량 여부

① **협의(소수설):** 행정청의 결정재량은 없고 선택재량만을 가지는 경우에 인정되는 권리로 파악하는 견해이다.

② **광의(다수설):** 선택재량과 결정재량 모두 인정된다는 견해이다. 예컨대, 공무원 임용시 행정청은 임용신청자를 임용할 것인가에 대한 재량과 신청자 중에서 누구를 임용할 것인가에 대하여 재량이 인정되며, 신청인은 하자 없는 재량을 행사해 줄 것을 청구할 수 있는 것이다.

(2) 수익적 행정행위, 부담적 행정행위

무하자재량행사청구권은 수익적 행정행위를 대상으로 하는 것이 일반적이지만, 공무원 징계와 같은 부담적 행정행위의 경우에도 적법한 재량처분을 구하여 특정한 침해행위를 금지하는 방어권의 성질을 가진다.

5. 성립요건

무하자재량행사청구권도 개인적 공권의 일종이므로 공권의 성립요건으로서 사익보호성을 충족하는 경우에만 인정될 수 있다(단, 강행법규의 필요성에 대하여는 견해의 대립이 있다). 이러한 사익보호성을 요건으로 한다면 민중소송화될 우려는 없다고 볼 수 있다.

(1) 강행법규에 의한 의무부과성(하자 없는 재량권을 행사하여야 한다는 점)

행정주체에게 재량권이 인정된다고 하더라도 하자 없는 재량권을 행사하여야 하고 이 점에서 재량권의 한계를 준수할 법적 의무가 있다. 다만, 기속행위에 있어서의 법적 의무는 관계 법규상 규정되어 있는 특정처분을 할 의무인 데에 반하여, 재량행위에 있어서의 법적 의무는 그 처분에 있어서의 특정처분을 구할 수는 없지만 재량권의 한계를 준수할 의무에 그친다는 점에서 차이가 있다. 나아가 이에 대하여 강행법규성은 기속행위에서 특정처분을 할 의무라고 파악하고, 무하자재량행사청구권은 특정처분보다는 어떠한 처분을 할 의무만 부과되므로 강행법규성이 요건이 아니라는 견해도 있다.

(2) 사익보호성

당해 재량처분을 규정하고 있는 관계법규의 목적이나 취지가 개인의 이익도 보호하고자 하는 사익보호의사가 인정되는 경우에만 이 청구권이 인정된다.

6. 권리구제

(1) 의무이행심판

관계인의 신청에 대하여 행정청이 위법·부당하게 이를 거부하거나 부작위상태로 방치하는 경우에는 의무이행심판을 제기할 수 있다. 이 경우 그 심판청구의 이유가 있으면 행정심판위원회는 신청에 따른 처분을 하거나 이를 할 것을 명하게 된다.

(2) 취소소송 및 부작위위법확인소송

하자 있는 재량을 행사한 경우에는 그 취소를 구하는 소송을 제기할 수 있으며, 하자 없는 재량권 행사를 방치한 경우에는 부작위위법확인소송을 제기할 수 있다.

7. 행정개입청구권과의 관계

무하자재량행사청구권은 적법한 재량처분만을 구할 수 있을 뿐 실체법상의 특정처분을 청구할 수는 없다는 점에서 실체법상의 특정처분을 해줄 것을 청구할 수 있는 권리인 행정개입청구권과는 구별된다. 다만, 이 경우에도 재량권이 0으로 수축되는 예외적인 경우에는 무하자재량행사청구권이 특정행위청구권인 행정개입청구권으로 전환되게 된다.

핵심정리	무하자재량행사청구권과 행정개입청구권의 비교	

구분	무하자재량행사청구권	행정개입청구권
법적성질	형식적 권리	실질적 권리
성립요건	처분의무(강행법규성), 사익보호성	개입의무(강행법규성), 사익보호성
인정범위	주로 결정재량은 없으나, 선택재량이 인정되는 영역 (최근에는 결정재량도 포함)	주로 결정재량이 존재할 때
내용	법적 한계를 준수하며 어떠한 처분을 할 것을 청구	특정처분발동청구권
쟁송수단	의무이행심판, 취소소송, 부작위위법확인소송	
일치하는 영역	재량권이 0으로 수축된 때 무하자재량행사청구권의 행정개입청구권화 (특정처분청구권, 국가배상청구권 인정)	

8. 개인적 공권의 특수성

개인적 공권은 공익성으로 말미암아 상대적인 성질(권리가 동시에 의무라는 상대성)을 가진다. 공권은 권리자의 이익을 위하여만 존재하는 것이 아니라 동시에 공익에 합치되도록 행사하여야 할 의무를 함께 가지기 때문이다.

(1) 이전성의 제한

공권은 공익적 견지에서 인정되기 때문에 일신전속적 성질을 가진다. 따라서 양도, 상속 등이 제한 또는 금지되는 경우가 많다. 그러나 일신전속적 성질을 갖지 않은 것이나 그 내용이 경제적인 가치를 대상으로 하는 경우에는 이전이 인정될 수 있다.

(2) 포기성의 제한

공권은 보통 공의무로서의 성격을 갖거나 공익적 성질을 가지므로 임의로 포기할 수 없는 것이 원칙이다. 그러나 포기가 공익이나 타인의 이익에 현저한 영향을 미치지 아니한 것일 때에는 예외적으로 포기가 인정되는 공권도 있다.

관련판례

행정소송에 있어서 소권은 개인의 국가에 대한 공권이므로 당사자의 합의로써 이를 포기할 수 없다(대판 1995.9.15. 94누4455).

(3) 비대체성

공권은 일반적으로 일신전속성을 가지므로 타인에게 대행이나 위임이 제한 또는 금지되는 경우가 많다.

(4) 시효제도의 특수성

공권의 소멸시효는 사권에 비하여 단기인 것이 보통이다. 사법상의 금전채권의 소
멸시효는 일반 민법규정에 의해 10년임에 반하여 공권의 소멸시효는 국가재정법과
지방재정법에 의해 5년으로 되어 있다. 이렇듯 공권이라 할지라도 소멸시효 또는
제척기간제도에 의하여 더 이상 행사할 수 없게 되는 경우가 있다.

9. 공권·공의무의 승계

(1) 행정주체의 권리·의무 및 지위의 이전·승계

02 행정주체간에도 권리·의무 및 지
위의 이전·승계가 일어난다.
05. 국회8급 (   )

03 행정절차법은 당사자 등의 지위의
이전승계에 관하여 규정하고 있다.
05. 국회8급 (   )

지방자치법 제8조 제1항은 "지방자치단체의 구역변경이나 폐치·분합이 있는 때에
는 새로 그 지역을 관할하게 된 지방자치단체가 그 사무와 재산을 승계한다."고 규
정하고 있다. 이처럼 행정주체간에도 권리·의무 및 지위의 이전·승계가 일어난다.

(2) 사인의 권리·의무의 승계

① 실정법의 태도: 행정법상 사인의 권리·의무 및 지위의 이전·승계에 관한 일반법
은 존재하지 않으며, 행정절차법, 행정심판법 기타 개별법령에 규정되어 있다.

② 명문규정이 없는 경우: 종래에는 명문규정이 없는 경우 공권 및 공의무의 승계는
인정되지 않았으나, 오늘날에는 명문규정이 없는 경우에도 일정한 경우 이전·
승계를 인정할 수 있다고 본다. 승계가능성은 당해 권리·의무 및 지위의 성질 및
이를 규율하는 법률의 취지 등을 감안하여 개별·구체적으로 판단하여야 할 것이
다.

⚖ 관련판례

1 구 산림법령상 채석허가를 받은 자가 사망한 경우 상속인이 그 지위를 승계할
수 있으며, 산림을 무단형질변경한 자가 사망한 경우 당해 토지의 소유권 또는
점유권을 승계한 상속인은 그 복구의무를 부담한다고 봄이 상당하고, 따라서 관
할 행정청은 그 상속인에 대하여 복구명령을 할 수 있다(대판 2005.8.19. 2003두
9817·9824).

2 회사합병이 있는 경우에는 피합병회사의 권리·의무는 사법상의 관계나 공법상
의 관계를 불문하고 그의 성질상 이전을 허용하지 않는 것을 제외하고는 모두 합병
으로 인하여 존속한 회사에게 승계되는 것으로 보아야 할 것이고, 공인회계사법
에 의하여 설립된 회계법인 간의 흡수합병이라고 하여 이와 달리 볼 것은 아니다
(대판 2004.7.8. 2002두1946).

3 석유판매업이 양도된 경우, 양도인의 귀책사유로 양수인에게 제재를 가할 수 있
는지 여부(적극)
석유판매업(주유소)허가는 소위 대물적 허가의 성질을 갖는 것이어서 그 사업의
양도도 가능하고 이 경우 양수인은 양도인의 지위를 승계하게 됨에 따라 양도인
의 위 허가에 따른 권리의무가 양수인에게 이전되는 것이므로 만약 양도인에게
그 허가를 취소할 위법사유가 있다면 허가관청은 이를 이유로 양수인에게 응분
의 제재조치를 취할 수 있다 할 것이고, 양수인이 그 양수후 허가관청으로부터 석
유판매업허가를 다시 받았다 하더라도 이는 석유판매업의 양수도를 전제로 한
것이어서 이로써 양도인의 지위승계가 부정되는 것은 아니므로 양도인의 귀책
사유는 양수인에게 그 효력이 미친다(대판 1986.7.22. 86누203).

04 판례는 산림을 무단형질변경한 자
가 사망한 경우 당해 토지의 소유권
또는 점유권을 승계한 상속인이 그
복구의무를 부담한다고 보았다.
11. 국회9급 (   )

05 법인합병의 경우 합병 후 존속하는
법인은 합병으로 인하여 소멸하는
법인에게 부과되거나 그 법인이 납
부할 국세의 납세의무를 승계한다.
07. 서울9급 (   )

06 구 석유판매업허가는 혼합적 허가
의 성질을 갖는 것이므로 양도인의
허가 취소사유가 양수인에게 승계
되지 않는다.   11. 국가7급 (   )

4 건축법상 이행강제금을 부과받은 사람이 이행강제금 사건의 계속 중 사망한 경우, 절차의 종료 여부(적극)

구 건축법(2005.11.8. 법률 제7696호로 개정되기 전의 것)상의 이행강제금은 구 건축법의 위반행위에 대하여 시정명령을 받은 후 시정기간 내에 당해 시정명령을 이행하지 아니한 건축주 등에 대하여 부과되는 간접강제의 일종으로서 그 <u>이행강제금 납부의무는 상속인 기타의 사람에게 승계될 수 없는 일신전속적인 성질의 것이므로 이미 사망한 사람에게 이행강제금을 부과하는 내용의 처분이나 결정은 당연무효</u>이고, 이행강제금을 부과받은 사람의 이의에 의하여 비송사건절차법에 의한 재판절차가 개시된 후에 그 이의한 사람이 사망한 때에는 사건 자체가 목적을 잃고 절차가 종료한다(대결 2006.12.8. 2006마470).

◈ **핵심정리**   개인적 공권

1. 소권은 당사자의 합의로 포기할 수 없다.

2. 부제소특약은 무효이다.

3. 석탄산업법상 재해위로금청구권은 미리 포기할 수 없다.

4. 이행강제금 납부의무는 일신전속적 성격의 것으로 이행강제금을 부과받은 사람이 이행강제금사건의 계속 중 사망한 경우 비송사건절차는 종료된다.

5. 과징금 납부의무는 상속의 대상이 된다.

6. 행정규칙인 철거민에 대한 시영아파트 특별분양개선지침에 의해서는 공권성립 불가하다.

7. 당해 처분의 근거법규 또는 관련법규에서 명시적으로 당해 이익을 보호하는 명문의 규정이 없더라도 근거법규 및 관련법규의 합리적 해석상 법률상 이익을 인정할 수 있다.

8. 정보공개를 구할 권리(알 권리)는 법률의 제정이 없더라도 가능하다.

9. 구속된 피고인 또는 피의자의 변호인접견권은 헌법상 기본권으로 형사소송법의 규정에 의해 비로소 접견권이 창설되는 것은 아니다.

10. 기본권인 경쟁의 자유가 바로 행정청의 지정행위의 취소를 구할 법률상 이익이 된다.

11. 헌법에서 정하고 있는 환경권에 관한 규정만으로는 그 권리의 주체·대상·내용·행사방법 등이 구체적으로 정립되어 있다고 볼 수 없다.

12. 의료보험수급권은 헌법만으로 실현할 수 없고 법률에 의한 구체적인 형성을 필요로 한다.

1 서설

행정법관계 중 권력관계는 목적·성립원인 등에 있어서 일반권력관계와 특별권력관계로 구분하는 것이 종래의 입장이다. **일반권력관계**는 국가와 국민이 일반통치권에 의하여 성립되는 법률관계로서 여기에는 법치주의가 적용되며 이에 대하여는 사법심사가 인정되나, **특별권력관계**는 특별한 법적 원인에 의하여 성립되어 그 특별한 목적에 필요한 한도 내에서 특별권력의 주체가 그 구성원을 포괄적으로 지배하고, 상대방은 이에 복종함을 내용으로 하는 법률관계로서 여기에는 법치주의가 배제되고 사법심사가 인정되지 않는 관계를 말한다.

2 전통적 특별권력관계론

1. 의의

전통적 특별권력관계이론은 19세기 후반 독일 입헌군주정의 배경하에 행정조직 내부관계에는 특별권력관계를 인정하여 군주에게 의회가 제정하는 법률로부터 자유로운 영역을 확보하여 군주의 특권적 지위를 유지하기 위한 이론으로 라반트(P. Laband)에 의해 생성되고 오토 마이어(O. Mayer)에 이르러 체계화되었다. 이는 영미법계는 물론, 같은 대륙법계인 프랑스, 오스트리아에서도 볼 수 없는 독일 공법의 특유한 이론이다.

2. 국가법인설, 법인격불침투성이론

특별권력관계는 국가 법인격에 대한 불침투성이론에 기초한 것이다. 법이란 인격주체 상호간의 의사의 범위를 정하여 주는 것이고, 국가 또한 하나의 인격주체이므로 국가와 다른 인격주체간에는 법이 적용되지만 국가 내부에서는 법이 침투할 수 없다고 하여 특별권력관계의 이론적 기초를 제공하였다. 그러나 이러한 고전적 특별권력관계이론은 제2차 세계대전 이후부터 비판을 받아오다가 1972년 수형자판결을 통하여 비판이 더욱 가해지게 되었다.

3. 내용(특징)

(1) 법치주의 배제

특별권력관계는 법치주의가 배제되어 법으로부터 자유로운 영역으로서 국가에 대한 종속은 강화되고, 그만큼 자유는 약화된다. 따라서 법률에 의하지 않고도 구성원에 대하여 특별권력을 발동할 수 있다.

(2) 기본권 제한에 법적 근거 불요

특별권력관계의 설정목적에 필요한 범위 내에서는 구성원의 기본권을 개별적인 법률의 수권 없이도 제한이 가능하다.

(3) 사법심사 배제

일반권력과는 달리 특별권력관계 내부행위는 사법심사의 대상이 되지 않는다.

(4) 행정규칙의 법규성 부인

특별권력관계 내부에서만 발하여지는 일반적·추상적 명령인 행정규칙은 법규의 성질을 갖지 못하고 재판규범이 인정되지 않는다.

4. 전통적 이론의 비판과 동요

고전적 특별권력관계이론은 19세기의 입헌군주정시대를 배경으로 하고 있으므로 현대 민주주의국가에서는 그 타당성의 기반을 상실하였고, 국가 내부사항(국가와 공무원)이라고 하더라도 인격주체상호간의 성질을 갖게 되므로 불침투성이론도 동요하게 되었다.

3 특별권력관계론의 인정 여부에 관한 학설

1. 긍정설

(1) 절대적 구별설

특별권력관계에 관한 전통적인 견해로서 일반권력관계와 특별권력관계는 그 성립 원인이나 지배권의 성질 등에 있어 본질적인 차이가 있으며, 따라서 일반권력관계에서 적용되는 법치주의의 원칙은 특별권력관계에는 적용되지 않는다는 견해이다. 오늘날 이를 지지하는 학자는 없다.

(2) 상대적 구별설(특별행정법관계설)

일반권력관계에 적용되는 기본권 보호나 법률유보가 특별권력관계에도 적용된다는 점에서 양자 사이의 본질적 차이를 부정하면서도, 특별권력관계에서는 특별한 행정목적을 위하여 필요한 범위 내에서 법치주의가 완화되어 적용된다고 보는 견해이다.

2. 수정설

수정설은 전통적인 일률적인 외부관계와 내부관계의 구별을 배제하고 내부관계의 범위를 축소하고 외부관계를 인정하여 법치주의의 적용을 확장하려는 이론이다.

(1) 바호프(O. Bachof)

① 의의: 특별권력관계에 있어서 내부행위라 할지라도 그것이 구성원의 권리와 의무를 규율하는 경우에는 외부적 효과를 갖기 때문에 행정행위의 성격을 가지며 이에 따라 행정소송의 대상이 될 수 있다고 하였다.

② 내용

㉠ 공무원관계를 중심으로 하여 공무원이 행정조직의 일원으로서 행정주체와 관계를 맺고 있는 경우에는 내부관계로 보아 공무원이 행정조직의 한 부분으로서 기관담당자의 지위를 갖는 경우에는 이에 관한 고권적 행위는 법적 성격이 부인되는 직무명령이라 하여 사법심사에서 배제시킬 것을 주장하였다.

ⓛ 고유한 인격성을 가진 주체로서 행정주체와 관계를 맺고 있는 경우에는 외부
관계로 파악하여, 공무원이 고유한 인격성을 가진 주체로서의 지위를 갖는다
면 권리와 의무의 귀속주체가 될 수 있으며 이러한 지위에 관한 행위를 행정
행위로 보아 행정소송의 대상으로 할 것을 주장하였다.

(2) 울레(C. H. Ule)

① **의의:** 특별권력관계에서의 행위를 기본관계와 경영(업무)수행관계로 구분하여
기본관계에 대해서는 사법심사가 가능하나, 경영수행관계는 행정객체의 법적
지위에 변동을 주지 않고 내부적인 사실행위에 해당하기 때문에 사법심사의 대
상이 되지 않는다고 하였다.

② **내용**

ⓛ **기본관계:** 특별권력관계 자체의 성립·변경·소멸에 관련된 관계로서 복종자
의 법적 지위와 직접 관련되므로 사법심사의 대상이 된다고 한다(예 공무원
임명·전직·해임, 군 입대·제대, 형 집행, 국립학교 입학허가·제적·정학·
퇴학처분, 교도소의 입소·퇴소 등).

ⓛ **경영수행관계**

ⓐ 특별권력관계 내부의 직무관계 영조물관계에서의 경영수행질서에 관련
된 관계로서 복종자의 법적 지위와 무관한 관계이므로 종래의 특별권력관
계의 내부관계로 남아 행정소송의 대상이 되지 않는 것이 원칙이다(예 공
무원에 대한 직무명령, 학생에 대한 수업행위·성적평가 등).

ⓑ 다만, 경영수행관계 중 폐쇄적 영조물관계(예 교도소재소관계, 전염병환
자의 강제입원관계 등) 및 방위근무관계(예 군인에 대한 훈련 등)는 사법
심사의 대상이 된다.

ⓒ 결국 사법심사가 배제되는 내부관계로 남는 것은 경영수행관계 중 개방적
영조물관계와 공무원관계이다.

3. 부정설

(1) 일반적·형식적 부정설

실질적 법치주의를 채택하고 있는 오늘날에는 법치주의가 배제 내지 제한되는 특
별권력관계는 존재할 수 없다는 견해로서, 모든 공권력 발동에는 법률의 근거를 요
하며, 특별권력관계를 전면 부인하고 모두 일반권력관계로 환원하려는 견해이다.

(2) 개념적·실질적 부정설

이제까지 특별권력관계로 여겨온 법률관계가 모두 공권력 행사관계라는 데에 의문
을 제기하고 그 법률관계의 내용을 개별적으로 검토하여 관리관계 내지 일반권력
관계로 귀속시키려는 견해이다. 종래 특별권력관계에 속하였던 관계 중에서 비교
적 권력적 색채가 강하고 법률의 대상이 되고 있는 관계(예 공무원의 신분관계·근
무관계, 군복무관계, 교도소·소년원 수용관계, 전염병환자 강제입원관계 등)는 일
반권력관계로 환원시켜 권력관계로 보나, 다만 포괄적인 재량권이 부여되는 관계로
보고 있다. 반면, 권력적 색채가 약하고 상대방의 동의에 의하여 성립하는 관계(예
국·공립학교의 재학관계, 국·공립병원 입원관계, 국·공립도서관 이용관계 등)는
일종의 계약관계 또는 공법상의 관리관계로 보고 있다.

(3) 기능적 재구성설

개별적·실질적 부정설의 입장에서 전통적인 특별권력관계를 부정하고, 일반권력관계와는 다른 특수한 부분사회가 존재한다는 전제 아래 특수한 기능적 법률관계로 재구성하려는 견해이다.

4. 판례

대법원은 ① 구청장과 동장과의 관계, ② 농지개량조합과 그 직원과의 관계에 대하여 "··· 공법상 특별권력관계이고, ··· 행정소송사항에 속한다."라고 하여 특별권력관계를 인정한다.

5. 검토 – 특별행정법관계설(상대적 구별설)

오늘날 특별권력관계는 일반권력관계와는 다른 특성이 있음을 전제로 법치주의가 적용된다는 의미에서 특별행정법관계로 보아야 한다. 법치주의가 적용된다는 점에서는 일반권력관계와 차이가 없으나, ① 공무원 임명행위, 법률의 규정과 같이 특별한 법률원인에 의해서 성립한다는 점, ② 특별행정법관계에서는 특별한 행정목적을 달성하기 위하여 포괄적인 지배권이 행정주체에게 부여되고 특별한 신분을 가진 자는 이에 복종하는 관계가 되어 법치주의가 완화된다는 점에서 다소 특수성이 인정된다고 보아야 한다.

4 특별권력관계의 성립·소멸

1. 성립

(1) 법률의 규정

특별권력관계의 성립원인이 직접 **법률에 규정**되어 성립하는 경우이다. 예컨대 징·소집자의 군 입대, 전염병환자의 강제입원, 수형자의 수감, 공공조합에의 강제가입 등이다.

(2) 상대방의 동의

특별권력관계의 법적 근거가 없는 경우 **상대방의 동의**에 의하여 성립될 수 있다. 상대방의 동의에는 임의적 동의 외에 법률에 의해 강제되어 있는 의무적 동의도 포함된다.

임의적 동의	공무원임명, 국·공립학교의 입학이나 국·공립도서관의 이용 등
의무적 동의	학령아동의 초등학교 취학 등

2. 소멸

목적의 달성	국·공립학교의 졸업, 군인의 제대, 수형자의 형기만료
탈퇴	공무원의 사임, 학생의 자퇴
권력주체에 의한 일방적인 배제	공무원의 파면, 학생의 퇴학, 국·공립도서관의 퇴실

5 특별권력관계의 종류

1. 공법상 근무관계

국가나 지방자치단체 등 행정주체에 대해 포괄적 근무의무를 부담하는 관계(예 공무원
의 근무관계, 군복무관계 등)이다.

2. 공법상 영조물 이용관계

영조물 관리자에 대해 이용규칙을 준수해야 하는 관계(예 국·공립대학의 재학관계,
국·공립병원의 입원관계, 교도소의 재소관계 등)이다.

3. 공법상 특별감독관계

국가 목적을 위해 설립된 공공조합, 특허기업 등이 국가 등으로부터 특별한 감독을 받
는 관계(예 공공단체·특허기업·공무수탁사인에 대한 국가의 감독관계 등)이다.

4. 공법상 사단관계

공공조합과 그 조합원의 관계로 조합원이 공공조합에 대해 규칙은 준수하고 의무를 이
행해야 하는 관계(예 산림조합과 그 조합원의 관계, 농지개량조합과 그 조합원의 관
계 등)이다.

> **관련판례**
>
> **1 공법상 사단(당진농지개량조합)의 그 직원에 대한 징계처분을 다툰 사안**
> 농지개량조합과 그 직원과의 관계는 사법상의 근로계약관계가 아닌 공법상의 특별
> 권력관계이고, 그 조합의 직원에 대한 징계처분의 취소를 구하는 소송은 행정소송사
> 항에 속한다(대판 1995.6.9. 94누10870).
>
> **2** 서울시지하철공사와 그 임직원과의 관계는 특별권력관계가 아닌 사법관계이다(대판
> 1989.9.12. 89누2103).

6 특별권력관계의 내용과 한계

1. 내용

특별권력의 종류는 직무상 권력·영조물권력·감독권력 및 사단권력으로 구분되며, 그
내용으로는 포괄적인 명령권과 징계권을 포함한다.

(1) 명령권

특별권력의 주체는 그 목적달성에 필요한 범위 내에서 명령·강제할 수 있다.
  ① 일반적·추상적인 행정규칙(예 훈령, 국립대학교 학칙, 교도소규칙, 국립도서관
    이용규칙과 같은 영조물 이용규칙 등)을 특히 특별명령이라고 하는데, 이것이
    법규로서의 성격을 갖는가에 대하여는 견해의 대립이 있으나, 행정입법은 법률
    의 근거가 요구되므로 법규성을 부정하는 것이 독일의 지배적인 견해이다.
  ② 개별적·구체적인 명령·처분(예 직무명령·시정명령)

(2) 징계권

특별권력관계 내부질서를 유지하기 위하여 질서 문란자에게 과할 수 있는 벌을 말한다. 징계권은 상대방의 임의적 동의에 의하여 성립한 경우에는 상대방을 특별권력관계로부터 배제하거나 그 이익을 박탈하는 데 그쳐야 한다.

(3) 과세권 및 형벌권(포함 ×)

과세권 및 형벌권은 일반권력관계에서 인정되므로 특별권력관계에는 포함되지 않는다.

2. 한계

특별권력관계에서의 특별권력은 행정목적을 달성하기 위한 필요한 범위 내에서 조리상의 원칙(평등·비례의 원칙)을 준수하면서 행사되어야 한다(법률우위의 원칙 적용).

7 오늘날의 특별권력관계(특별행정법관계)와 법치주의

1. 법률유보의 원칙

고전적 특별권력관계이론에 의하면 법률유보가 적용되지 않는다고 하였으나, 오늘날에는 특별권력관계도 일반권력관계와 다르지 않음을 들어 복종자의 권리·의무에 관한 명령·강제에는 개별적인 법적 근거가 있어야 한다고 본다. 다만, 이들 관계가 목적과 기능이 특수하다는 점에서 당해관계가 제대로 기능을 발휘할 수 있도록 특별권력의 주체에게는 넓은 재량권을 부여하는 경우가 많다.

2. 기본권의 제한

(1) 오늘날의 특별권력관계에서는 구성원의 기본권 제한도 원칙적으로 법률의 근거가 있어야만 가능하다(예 공무원의 노동3권, 정치운동의 제한, 주거이전의 자유의 제한 등). 또한 법률의 근거하에서도 그 제한은 특별권력관계의 목적 실현을 위하여 필요한 최소한도에서만 허용된다.

(2) 이러한 기본권의 제한은 상대적 기본권에 한하여 제한이 가능하고, 절대적인 기본권(예 양심의 자유, 신앙의 자유 등) 등은 법률로써 제한할 수 없다. 또한, 헌법의 규정에 의하여 직접 기본권을 제한하는 경우도 있다(예 군인·군무원·경찰에 대한 이중배상금지 등).

⚖ 관련판례

1 군인이 상관의 지시와 명령에 대하여 헌법소원 등 재판청구권을 행사하는 것이 군인의 복종의무에 위반되는지 여부(원칙적 소극)

군인이 상관의 지시나 명령에 대하여 재판청구권을 행사하는 경우에 그것이 위법·위헌인 지시와 명령을 시정하려는 데 목적이 있을 뿐, 군 내부의 상명하복관계를 파괴하고 명령불복종 수단으로서 재판청구권의 외형만을 빌리거나 그 밖에 다른 불순한 의도가 있지 않다면, 정당한 기본권의 행사이므로 군인의 복종의무를 위반하였다고 볼 수 없다(대판 2018.3.22. 2012두26401).

② 사관생도의 음주가 교육 및 훈련 중에 이루어졌는지 여부나 음주량, 음주 장소, 음주 행위에 이르게 된 경위 등을 묻지 않고 일률적으로 2회 위반 시 원칙으로 퇴학 조치하도록 정한 것은 사관학교가 금주제도를 시행하는 취지에 비추어 보더라도 사관생도의 기본권을 지나치게 침해하는 것이므로, 위 금주조항은 사관생도의 일반적 행동자유권, 사생활의 비밀과 자유 등 기본권을 과도하게 제한하는 것으로서 무효이므로 위 금주조항을 적용하여 내린 퇴학처분은 위법하다(대판 2018.8.30. 2016두60591).

3. 사법심사

특별권력관계에서 특별권력에 의하여 불이익을 받은 자가 사법심사를 통하여 구제를 받을 수 있는가에 관하여는 견해의 대립이 있다.

(1) 전면적 부정설(절대적 구별설)

고전적 입장으로 특별권력과 일반권력은 본질의 차이가 있으므로 사법심사를 통하여 구제받는 것이 불가능하다는 견해이다. 오늘날 이에 대해 지지하는 입장은 없다.

(2) 제한적 긍정설 I (수정설)

특별권력관계에서의 행위를 외부관계와 내부관계로 구분하고, 외부관계에 대해서만 사법심사의 대상이 될 수 있다는 견해이다.

(3) 제한적 긍정설 II (상대적 구별설, 특별행정법관계설; 통설·판례)

전통적 특별권력관계 자체가 비판의 대상이 된 오늘날에는 외부·내부행위에 관계 없이 사법심사의 대상이 된다는 점에서는 차이가 없으나, 다만, 특별권력관계에서 특별권력의 주체에게 비교적 넓은 범위의 재량권이 인정되므로 그 한도 내에서 사법심사가 다소 제한될 수는 있다고 보는 견해이다.

(4) 전면적 긍정설(특별권력관계부정설)

내부·외부행위를 불문하고 특별권력관계에서의 행위도 사법심사의 대상이 된다는 견해이다.

⚖ 관련판례

1 **국립 교육대학 학생에 대한 퇴학처분이 행정처분인지 여부(적극)**

행정소송의 대상이 되는 행정처분이란 행정청이 행하는 구체적 사실에 관한 법집행으로서의 공권력의 행사 또는 그 거부와 그 밖에 이에 준하는 행정작용을 말하는 것인바, 국립 교육대학 학생에 대한 퇴학처분은, 국가가 설립·경영하는 교육기관인 동 대학의 교무를 통할하고 학생을 지도하는 지위에 있는 학장이 교육목적실현과 학교의 내부질서유지를 위해 학칙 위반인 재학생에 대한 구체적 법집행으로서 국가공권력의 하나인 징계권을 발동하여 학생으로서의 신분을 일방적으로 박탈하는 국가의 교육행정에 관한 의사를 외부에 표시한 것이므로, **행정처분임이 명백하다**(대판 1991.11.22. 91누2144).

2 구청장과 동장의 관계는 이른바 **특별권력관계**로서 이러한 특별권력관계의 행위에 의해 권리를 침해당한 자는 행정소송법에 따라 **취소소송**을 제기할 수 있다(대판 1982.7.27. 80누86).

3 수형자의 서신을 교도소장이 검열하는 행위는 이른바 **권력적 사실행위**로서 행정심판이나 행정소송의 대상이 되는 **행정처분**으로 볼 수 있다(헌재 1998.8.27. 96헌마398).

4 농지개량조합과 직원과의 관계는 사법상 근로계약관계가 아니라 특별권력관계이다(대판 1995.6.9. 94누10870).

5 서울특별시지하철공사의 임직원 근무관계는 사법상 계약관계이다(대판 1989.9.12. 89누2103).

⊕ 핵심정리 **특별권력관계**

1. 동장과 구청장의 관계가 해당하며, 위법한 처분에 대해 취소소송이 가능하다.

2. 서울교육대학장의 재학생에 대한 징계권 발동 행정처분으로 항고소송을 제기할 수 있다.

3. 국립교육대학장의 학생에 대한 징계처분이 교육적 재량행위라는 이유만으로 사법심사의 대상에서 당연히 제외되는 것은 아니다.

4. 교도소장의 미결수용자에 대한 다른 수용시설로 이송처분은 항고소송을 제기할 수 있다.

5. 경찰공무원 등 공무원의 근무관계에서 위법한 처분은 항고소송을 제기할 수 있다.

핵심 OX

06 교도소장의 서신검열행위는 이른바 특별권력관계 내부에서의 행위이지만 그에 대한 사법심사는 가능하다.
11. 지방9급 ( )

07 교도소장의 서신검열행위는 법률에 근거함이 없이 행하여졌다면 위법하다.
11. 지방9급 ( )

06 ○ 07 ○

제1절 법률요건과 법률사실의 의의

1 의의

행정법상의 법률요건이란 행정법관계의 발생, 변경, 소멸이라는 법률효과를 발생시키는 원인이 되는 사실을 말한다. 이러한 법률요건을 이루는 개개의 사실을 행정법상의 법률사실이라 한다. 행정법상의 법률요건은 여러 개의 법률사실로써 이루어지는 경우도 있고(예 건축허가에 있어서 신청과 허가처분) 1개의 법률사실로써 성립되는 경우도 있다(예 공법상의 상계).

2 법률사실의 종류

1. 용태

용태란 사람의 정신작용을 요소로 하는 법률사실을 말한다. 용태에는 외부적 용태와 내부적 용태가 있다.

(1) 외부적 용태(행위)

① **사법행위**: 사법행위 중에는 공법적 효과를 발생시키는 경우가 있는바, 이 경우는 역시 사법행위도 공법상 법률사실이 된다(예 사법상의 증여나 매매로 납세의무가 발생하는 것).

② **공법행위**

㉠ **적법행위**

ⓐ **법률행위적 공법행위**: 의사표시를 요소로 하고 그 효과의사의 내용에 따라 법률효과가 발생하는 공법행위를 말한다(예 허가, 면제, 인가, 특허, 신청, 출원 등).

ⓑ **준법률행위적 공법행위**: 효과의사표시 이외의 판단, 인식, 관념 등을 표시하고 그 효과는 법률의 규정에 의하여 발생하는 행위이다(예 확인, 공증, 통지, 수리 등).

㉡ **위법행위**: 법규에 위반된 행위를 말한다(예 채무불이행, 불법행위 등).

㉢ **부당행위**: 자유재량을 그르친 행위, 즉 타당성을 잃은 행위이다. 이는 행정심판의 대상은 되나 행정소송의 대상은 안 된다.

(2) 내부적 용태

외부에 표시되지 않은 의식내용을 말한다(예 고의, 과실, 선의, 악의, 선량한 관리자의 주의의무 등).

2. 사건

사람의 정신작용을 요소로 하지 않는 법률사실을 말한다. 예를 들어, 사람의 생사, 기간, 시효, 제척기간, 연령에의 도달, 목적물 멸실 등 자연적 사실과 사인의 거주행위, 부당이득, 행정기관의 도로공사, 물건의 소유나 점유, 분뇨처리장 설치 등의 사실행위가 있다.

제2절 | 행정법상의 사건

1 기간

1. 의의

기간이란 한 시점에서 다른 시점까지의 시간적 간격을 말한다. 기간계산방법에 관한 민법의 규정은 일종의 법기술적 약속으로, 공법상 특별한 규정이 없는 한 민법의 규정이 적용된다(민법 제155조).

> **행정기본법 제6조 【행정에 관한 기간의 계산】** ① 행정에 관한 기간의 계산에 관하여는 이 법 또는 다른 법령 등에 특별한 규정이 있는 경우를 제외하고는 민법을 준용한다.
> ② 법령 등 또는 처분에서 국민의 권익을 제한하거나 의무를 부과하는 경우 권익이 제한되거나 의무가 지속되는 기간의 계산은 다음 각 호의 기준에 따른다. 다만, 다음 각 호의 기준에 따르는 것이 국민에게 불리한 경우에는 그러하지 아니하다.
> 1. 기간을 일, 주, 월 또는 연으로 정한 경우에는 기간의 첫날을 산입한다.
> 2. 기간의 말일이 토요일 또는 공휴일인 경우에도 기간은 그 날로 만료한다.
>
> **제7조 【법령 등 시행일의 기간 계산】** 법령 등(훈령·예규·고시·지침 등을 포함한다. 이하 이 조에서 같다)의 시행일을 정하거나 계산할 때에는 다음 각 호의 기준에 따른다.
> 1. 법령 등을 공포한 날부터 시행하는 경우에는 공포한 날을 시행일로 한다.
> 2. 법령 등을 공포한 날부터 일정 기간이 경과한 날부터 시행하는 경우 법령 등을 공포한 날을 첫날에 산입하지 아니한다.
> 3. 법령 등을 공포한 날부터 일정 기간이 경과한 날부터 시행하는 경우 그 기간의 말일이 토요일 또는 공휴일인 때에는 그 말일로 기간이 만료한다.
>
> **제7조의2 【행정에 관한 나이의 계산 및 표시】** 행정에 관한 나이는 다른 법령등에 특별한 규정이 있는 경우를 제외하고는 출생일을 산입하여 만(滿) 나이로 계산하고, 연수(年數)로 표시한다. 다만, 1세에 이르지 아니한 경우에는 월수(月數)로 표시할 수 있다.

2. 민법상 기간계산의 방법

(1) 기간을 시, 분, 초로 정한 때에는 즉시로부터 기산한다(민법 제156조).

(2) 기간을 일, 주, 월, 연으로 정한 때에는 기간의 초일은 산입하지 아니한다. 그러나 그 기간이 오전 0시로부터 시작하는 때에는 초일을 산입한다(동법 제157조). 또 연령계산에는 출생일을 산입한다(동법 제158조).

(3) 기간을 일, 주, 월, 연으로 정한 때에는 기간말일의 종료로 만료한다(동법 제159조).

(4) 기간을 주, 월, 연으로 정한때에는 역에 의하여 계산한다(동법 제160조 제1항).

(5) 기간의 말일이 공휴일에 해당한 때에는 기간은 그 익일로 만료한다(동법 제161조).

(6) 기간의 역산❶(예 일주일 전에 회의소집통지를 한다는 경우)에도 앞의 원칙에 따른다.

3. 공법에 특별규정이 있는 경우

행정법령 중에는 초일을 산입하도록 특별규정을 두는 경우가 있다(예 국회법 제165조상의 기간계산, 가족법관계법상의 출생, 사망 등의 신고기간계산, 민원사무처리기간, 구속일수, 형기계산 등).

4. 기간의 특례

(1) 천재지변 기타 당사자 등의 책임 없는 사유로 기간을 지킬 수 없는 경우에는 그 사유가 끝나는 날까지 기간의 진행이 정지된다(행정절차법 제16조 제1항).

(2) 외국에 거주 또는 체류하는 자에 대한 기간은 행정청이 그 우편이나 통신에 소요되는 일수를 감안하여 정하여야 한다(동법 제16조 제2항).

2 시효

1. 의의

일정한 사실상태가 일정기간 계속된 경우에 그 상태가 진실한 법률관계에 합치하는지에 관계없이 그 사실 상태를 그대로 존중하여 법률생활의 안정을 도모하기 위한 제도이다. 시효에는 소멸시효와 취득시효가 있다. 공법상 시효에는 특별한 규정이 없는 한 민법의 시효에 관한 규정이 적용된다.

> **민법 제162조 【채권, 재산권의 소멸시효】** ① 채권은 10년간 행사하지 아니하면 소멸시효가 완성한다.

2. 공법상 금전채권의 소멸시효

(1) 소멸시효기간

　① 금전채권

　　㉠ 다른 법률에 특별한 규정이 없는 한, 5년간 행사하지 않으면 소멸한다(일반법인 국가재정법 제96조 제1항, 지방재정법 제82조). 개별법에서도 5년의 소멸시효를 규정하고 있는 경우도 있다(관세법의 관세과오납금반환청구권 등).

　　㉡ 다른 법률의 특별한 규정이라 함은 국가재정법 외의 모든 법률(민법·상법 등 사법도 포함)에서 5년보다 단기로 규정하고 있는 경우를 말한다.

5년간 행사하지 아니 할 때에는 시효로 인하여 소멸하는 금전채권 소멸시효가 국가의 사법상의 행위에서 발생한 국가에 대한 금전채무도 포함하는지 여부(적극)

구 예산회계법(1989.3.31. 법률 제4102호로 개정 전) 제71조의 금전이 급부를 목적으로 하는 국가의 권리라 함은 금전의 급부를 목적으로 하는 권리인 이상 금전급부의 발생원인에 관하여는 아무런 제한이 없으므로 <u>국가의 공권력의 발동으로 하는 행위는 물론 국가의 사법상의 행위에서 발생한 국가에 대한 금전채무도 포함한다</u>(대판 1967.7.4. 67다751).

② **징계**: 공무원에 대한 **징계시효는 3년**(단, 금품수수·향응, 공금유용·횡령은 5년)이다.

(2) 소멸시효의 기산점

소멸시효의 기산점은 민법의 경우와 같이 권리를 행사할 수 있는 때로부터 진행한다.

> **민법 제166조【소멸시효의 기산점】** ① 소멸시효는 권리를 행사할 수 있는 때로부터 진행한다.
> ② 부작위를 목적으로 하는 채권의 소멸시효는 위반행위를 한 때로부터 진행한다.

(3) 시효의 중단·정지

시효의 중단·정지는 공법에 특별규정이 없는 한 **민법**에 의한다(국가재정법 제96조, 지방재정법 제83조). 공법의 특별규정으로는 납입고지에 시효중단의 효력을 인정하는 규정(국가재정법 제96조 제4항, 지방재정법 제84조)을 들 수 있다.

1 과세처분의 취소 또는 무효확인청구의 소가 조세환급을 구하는 부당이득반환청구권의 소멸시효중단사유인 재판상 청구에 해당하는지 여부(적극)

과세처분의 취소 또는 무효확인청구의 소가 비록 행정소송이라고 할지라도 조세환급을 구하는 부당이득반환청구권의 소멸시효중단사유인 재판상 청구에 해당한다고 볼 수 있다(대판 1992.3.31. 91다32053 전합).

2 납입고지에 의한 부과처분이 취소되면 납입고지에 의한 시효중단의 효력이 상실되는지 여부(소극)

예산회계법 제98조에서 법령의 규정에 의한 납입고지를 시효중단 사유로 규정하고 있는바, 이러한 납입고지에 의한 시효중단의 효력은 그 납입고지에 의한 부과처분이 취소되더라도 상실되지 않는다(대판 2000.9.8. 98두19933).

3 세무공무원이 체납자의 재산을 압류하기 위해 수색을 하였으나 압류할 목적물이 없어 압류를 실행하지 못한 경우에도 시효중단의 효력이 발생하는지 여부(적극)

국세기본법 제28조 제1항은 국세징수권의 소멸시효의 중단사유로서 납세고지, 독촉 또는 납부최고, 교부청구 외에 '압류'를 규정하고 있는바, 여기서의 '압류'란 세무공무원이 국세징수법 제24조 이하의 규정에 따라 납세자의 재산에 대한 압류절차에 착수하는 것을 가리키는 것이므로, 세무공무원이 국세징수법 제26조에 의하여 체납자의 가옥·선박·창고 기타의 장소를 수색하였으나 압류할 목적물을 찾아내지 못하여 압류를 실행하지 못하고 수색조서를 작성하는 데 그친 경우에도 <u>소멸시효 중단의 효력이 있다</u>(대판 2001.8.21. 2000다12419).

4 변상금 부과처분에 대한 취소소송의 진행 중에 그 부과권의 소멸시효가 진행되는지 여부(적극)

소멸시효는 객관적으로 권리가 발생하여 그 권리를 행사할 수 있는 때로부터 진행하고 그 권리를 행사할 수 없는 동안만은 진행하지 아니하는데, 여기서 권리를 행사할 수 없는 경우라 함은 그 권리행사에 법률상의 장애사유가 있는 경우를 말하는데, 변상금 부과처분에 대한 취소소송이 진행중이라도 그 부과권자로서는 위법한 처분을 스스로 취소하고 그 하자를 보완하여 다시 적법한 부과처분을 할 수도 있는 것이어서 그 권리행사에 법률상의 장애사유가 있는 경우에 해당한다고 할 수 없으므로, 그 처분에 대한 <u>취소소송이 진행되는 동안에도 그 부과권의 소멸시효가 진행된다</u>(대판 2006.2.10. 2003두5686).

(4) 시효이익의 포기

소멸시효가 완성된 후에는 시효이익의 포기가 가능하지만 시효가 완성되기 전에는 시효이익을 포기할 수 없다.

(5) 소멸시효완성의 효과

시효가 완성되면 제척기간과 달리 그 권리가 소급적으로 소멸된다. 권리소멸의 효과에 대해서는 ① 당사자의 원용이 없이 당연히 소멸한다는 절대적 소멸설(다수설·판례)과 ② 당사자의 원용이 있어야 한다는 상대적 소멸설이 대립된다. 판례는 절대적 소멸설을 취하면서도 소송에서는 변론주의원칙상 당사자의 시효이익의 원용(주장)이 요구된다고 한다(대판 1991.7.26. 91다5631).

3. 공물(公物)의 취득시효

(1) 의의

사물은 일정기간 타인의 물건을 소유의 의사로 점유한 경우 그 물건의 소유권을 취득하는 취득시효라는 제도를 두고 있다. 이 취득시효가 공물에도 적용될 것인가에 대하여 부정설, 제한적 시효취득설, 완전시효취득설로 대립되고 있는바, 판례는 **공물은 공용폐지가 없는 한 취득시효의 목적이 될 수 없다**는 부정설을 따른다.

(2) 적용범위

공법상의 취득시효는 사인의 국가에 대한 시효취득은 물론 국가 등이 사인 소유 물건을 취득하는 것도 가능하다. 일반적으로 공물이 취득시효의 대상이 되지 않듯이 예정공물도 취득시효의 대상이 되지 않는다. 판례는 취득시효의 대상이 된다는 사실에 대한 입증책임은 시효취득의 이익을 주장하는 자에게 있다(대판 1994.3.22. 93다56220)고 본다.

(3) 국유재산법상 일반재산(구 잡종재산)에 대한 취득시효금지규정에 대한 헌법재판소의 위헌결정

① 국유재산법상 국유재산은 용도에 따라 행정재산(공용재산, 공공용재산, 기업용재산, 보존용재산)과 일반재산(행정재산 외의 모든 국유재산)으로 구분된다.

② 종래 국유재산법 제5조는 모든 국유재산에 대하여 취득시효를 금지하고 있었다. 이에 대하여 헌법재판소는 사물(私物)과 같은 잡종재산에 대하여 취득시효를 배제하는 것은 국가와 사인을 차별하는 것으로서 평등의 원칙에 위반된다는 이유로 위헌결정을 하였다(헌재 1991.5.13. 89헌가97 ; 헌재 1992.10.1. 92헌가6 · 7). 이에 따라 국유재산법의 개정으로 행정재산만 취득시효의 대상에서 제외되었다(국유재산법 제7조 제2항).

⚖ 관련판례

1 잡종재산에 대한 취득시효가 완성된 후 그 잡종재산이 행정재산으로 된 경우, 취득시효 완성을 원인으로 소유권이전등기를 청구할 수 있는지 여부(소극)

원래 잡종재산이던 것이 행정재산으로 된 경우 잡종재산일 당시에 취득시효가 완성되었다고 하더라도 행정재산으로 된 이상 이를 원인으로 하는 소유권이전등기를 청구할 수 없다(대판 1997.11.14. 96다10782).

2 예정공물도 시효취득의 대상이 되지 않는다(대판 1994.5.10. 93다23422).

3 행정재산이 본래의 용도에 사용되지 않고 있으면 용도폐지의 의사표시가 있는 것으로 볼 수 있는지 여부(소극)

공용폐지의 의사표시가 없는 한 공물의 시효취득은 부정되며, 이때의 공용폐지의 의사표시는 명시적이든 묵시적이든 상관이 없으나 적법한 의사표시가 있어야 하고, 행정재산이 사실상 본래의 용도에 사용되지 않고 있다는 사실만으로 용도폐지의 의사표시가 있었다고 볼 수는 없으며, 원래의 행정재산이 공용폐지되어 취득시효의 대상이 된다는 사실에 대한 입증책임은 시효취득을 주장하는 자에게 있다(대판 1994.3.22. 93다56220).

4 공물의 공용폐지에 관하여 국가의 묵시적인 의사표시가 있다고 인정되려면 공물이 사실상 본래의 용도에 사용되고 있지 않다거나 행정주체가 점유를 상실하였다는 정도의 사정만으로는 부족하고, 주위의 사정을 종합하여 객관적으로 공용폐지 의사의 존재가 추단될 수 있어야 한다(대판 2009.12.10. 2006다87538).

5 원래 공공용에 제공된 행정재산인 공유수면이 그 이후 매립에 의하여 사실상 공유수면으로서의 성질을 상실하였더라도 당시 시행되던 국유재산법령에 의한 용도폐지를 하지 않은 이상 당연히 잡종재산으로 된다고는 할 수 없다(대판 1995.11.14. 94다50922).

6 국유 하천부지는 자연의 상태 그대로 공공용에 제공될 수 있는 실체를 갖추고 있는 이른바 자연공물로서 별도의 공용개시행위가 없더라도 행정재산이 되고 그 후 본래의 용도에 공여되지 않는 상태에 놓여 있더라도 국유재산법령에 의한 용도폐지를 하지 않은 이상 당연히 잡종재산으로 된다고는 할 수 없으며, 농로나 구거와 같은 이른바 인공적 공공용 재산은 법령에 의하여 지정되거나 행정처분으로 공공용으로 사용하기로 결정한 경우, 또는 행정재산으로 실제 사용하는 경우의 어느 하나에 해당하면 행정재산이 된다(대판 2007.6.1. 2005도7523).

핵심 OX

07 공물의 공용폐지에 관하여 국가의 묵시적인 의사표시가 있다고 인정되려면 공물이 사실상 본래의 용도에 사용되고 있지 않다거나 행정주체가 점유를 상실하였다는 정도면 족하다.　18. 국회8급 (　)

08 원래 공공용에 제공된 행정재산인 공유수면이 그 이후 매립에 의하여 사실상 공유수면으로서의 성질을 상실하였다면 국유재산법령에 의한 용도폐지를 하지 않더라도 공물로서의 성질이 소멸된다.　19. 서울7급 (　)

09 국유 하천부지는 자연공물로서 공용개시행위 이후에 행정재산이 되고 그 후 본래의 용도에 공여되지 않는 상태에 놓이기 되면 국유재산법령에 의한 용도폐지 없이도 일반재산이 된다.　18. 국회8급 (　)

10 자연의 상태 그대로 공공용에 제공될 수 있는 실체를 갖추고 있는 자연공물은 자연력 등에 의한 현상변경으로 공공용에 제공될 수 없게 되고 그 회복이 사회통념상 불가능하게 되지 아니한 이상 공물로서의 성질이 상실되지 아니하며 시효취득의 대상도 되지 아니한다.　19. 국회8급 (　)

1 공법상의 사무관리

1. 의의

사무관리란 법률상 의무 없이 타인을 위하여 사무를 관리하는 행위를 말한다. 사무관리는 의무 없이 임의로 한 행위일지라도 그것이 타인에게 이익이 되는 행위라면 이익을 얻은 사람과 그 사무를 관리한 사람의 상호간의 이해를 조절하는 것(예 비용의 상환청구 등)이 필요하기 때문에 인정되는 것이다. 본래 민법상의 개념이지만 공법관계에서도 사무관리를 인정할 수 있다는 것이 통설적 견해이다.

> **관련판례**
>
> 몰수할 수 있는 압수물에 대한 수사기관의 환가처분은 그 경제적 가치를 보존하기 위한 형사소송법상의 처분이라고 할지라도 해당 압수물이 그 후의 형사절차에 의하여 몰수되지 아니하는 경우 그 환가처분은 그 물건 소유자를 위한 사무관리에 준하는 행위라 할 것이다(대판 2000.1.21. 97다58507).

2. 공법상 사무관리의 인정 여부

(1) 부정설

공법상 사무관리가 인정되는 대부분의 경우는 공법상 의무가 있기 때문에 성립되므로(예 수난구호법상의 수난구호, 시군에서 행하는 행려병자와 사자의 관리, 경찰관직무집행법상의 경찰관의 보호조치 등) 공법영역에서는 사무관리가 성립될 여지가 없다는 견해이다.

(2) 긍정설(다수설·판례)

일반적인 견해는 그 의무는 국가에 대한 것이지 피관리자에 대한 것은 아니기 때문에, 피관리자에 대한 관계에서는 공법상 사무관리가 성립한다고 본다.

3. 종류

(1) 강제관리

국가의 특별감독하에 있는 사업에 대하여 감독권의 작용으로서 당해 사업을 강제적으로 관리하는 경우를 말한다(예 공기업에 대한 강제관리 등).

(2) 보호관리

재해 시에 행하는 구호, 행려병자 및 사자의 보호관리 등이 있다.

(3) 역무제공

비상재해 기타의 경우에 사인이 행정사무의 일부를 관리하는 경우를 말한다.

4. 적용법규

법령에 특별한 규정(예 항로표지법 제5조 제2항 등)이 없으면 민법의 사무관리에 관한 규정(제734조~740조)을 준용하여야 할 것이다. 따라서 사무관리의 통지의무, 비용상환청구권, 과실 없이 받은 손해에 대한 배상규정 등이 유추적용될 수 있다.

2 공법상 부당이득

1. 의의

공법상 부당이득이란 법률상 원인 없이 타인의 재산 또는 노무로 인하여 이익을 얻고, 이로 인하여 타인에게 손해를 끼치는 것을 의미한다. 부당이득 역시 민법상의 규정으로서 특별규정이 존재하지 않으면 민법규정이 적용된다.

2. 유형

(1) 행정주체의 부당이득

① 행정행위로 인한 경우

    ㉠ 행정행위가 당연무효인 경우이거나 사후에 실효된 경우에는 부당이득이 성립한다.

    ㉡ 행정행위에 하자가 있어도 단순 취소사유에 그치는 것인 때에는 행정행위의 공정력으로 인하여 권한 있는 기관이 취소하기 전까지는 부당이득의 문제는 생기지 아니한다(대판 1994.11.11. 94다28000).

② 행정행위 이외의 행정작용으로 인한 경우: 행정주체가 정당한 권원 없이 타인의 토지를 도로에 편입하는 것과 같이 행정행위에 의하지 않고 부당이득이 성립하는 경우이다. 예컨대 행정주체 상호간에도 부당이득이 성립하므로 지방자치단체가 관할하는 공립학교가 국가 소유의 땅을 무단으로 사용한 때에는 해당 지방자치단체가 국가에 부당이득을 반환하여야 한다.

(2) 행정객체(사인)의 부당이득

공무원의 봉급 과다수령, 무자격자의 연금수령 등과 같은 경우에 부당이득이 성립한다. 즉, 처분이 무효 또는 소급 취소된 경우의 무자격자의 기초생활보장금의 수령 등과 같은 경우, 행정주체도 공법상 부당이득반환청구권을 행사할 수 있다.

3. 부당이득반환청구권의 성질

(1) 공권설(다수설)

부당이득반환청구의 원인이 공법상의 이유이므로 행정소송(공법상 당사자소송)으로 해결하자는 견해이다.

(2) 사권설(판례)

종전 판례

1 조세부과처분이 당연무효임을 전제로 하여 이미 납부한 세금의 반환을 청구하는 부당이득반환청구로서 민사소송절차에 따라야 한다(대판 1993.4.28. 94다55019).

2 개발부담금부과처분이 취소된 이상 그 후의 부당이득으로서의 과오납금 반환에 관한 법률관계는 단순한 민사관계에 불과한 것이고, 행정소송절차에 따라야 하는 관계로 볼 수 없다(대판 1995.12.22. 94다51253).

3 도로점용료가 아닌 하천점용료를 부과함으로써 그 처분이 당연무효로 된다고 하더라도 위 처분에 의하여 납부된 점용료는 하천의 관리청이 속한 지방자치단체의 수입이 될 것이므로, 이를 부당이득으로 반환하여야 할 경우에도 그 반환의무의 주체는 하천의 관리청이 속한 지방자치단체가 되어야지 도로의 관리청이 속한 지방자치단체가 될 수는 없다(대판 2004.10.15. 2002다68485).

최근 판례

1 납세의무자에 대한 국가의 부가가치세 환급세액 지급의무는 부가가치세법령의 규정에 의하여 직접 발생하는 것으로서, 그 법적 성질은 정의와 공평의 관념에서 수익자와 손실자 사이의 재산상태 조정을 위해 인정되는 부당이득 반환의무가 아니라, 부가가치세법령에 의하여 그 존부나 범위가 구체적으로 확정되고 조세 정책적 관점에서 특별히 인정되는 공법상 의무라고 봄이 타당하다.
그렇다면 납세의무자에 대한 국가의 부가가치세 환급세액 지급의무에 대응하는 국가에 대한 납세의무자의 부가가치세 환급세액 지급청구는 민사소송이 아니라 행정소송법 제3조 제2호에 규정된 당사자소송의 절차에 따라야 한다.
그럼에도 이와 달리 부가가치세 환급세액의 지급청구가 행정소송이 아닌 민사소송의 대상이라고 한 대판 1996.4.12. 94다34005 ; 대판 1996.9.6. 95다4063 ; 대판 1997.10.10. 97다26432 ; 대판 2001.10.26. 2000두7520 등과 국세환급금의 환급에 관한 국세기본법 제51조 제1항의 해석과 관련하여 개별 세법에서 정한 환급세액의 반환도 일률적으로 부당이득반환이라고 함으로써 결과적으로 부가가치세 환급세액의 반환도 부당이득반환이라고 본 대판 1987.9.8. 85누565 ; 대판 1988.11.8. 87누479 등을 비롯한 같은 취지의 판결들은 이 판결의 견해에 배치되는 범위 내에서 이를 모두 변경하기로 한다(대판 2013.3.21. 2011다95564 전합).

2 국립대학의 기성회가 기성회비를 납부받은 것이 '법률상 원인 없이' 타인의 재산으로 이익을 얻은 경우에 해당한다고 볼 수 없다(대판 2015.6.25. 2014다5531).

3 농지개량사업 시행지역 내의 토지 등 소유자가 토지사용에 관한 승낙을 하였더라도 그에 대한 정당한 보상을 받은 바가 없다면 농지개량사업 시행자는 토지 소유자 및 승계인에 대하여 보상할 의무가 있고, 그러한 보상 없이 타인의 토지를 점유·사용하는 것은 법률상 원인 없이 이득을 얻은 때에 해당한다(대판 2016.6.23. 2016다206369).

4 구 국유재산법 제51조 제1항·제4항·제5항에 의한 변상금 부과·징수권은 민사상 부당이득반환청구권과 법적 성질을 달리하므로, 국가는 무단점유자를 상대로 변상금 부과·징수권의 행사와 별도로 국유재산의 소유자로서 민사상 부당이득반환청구의 소를 제기할 수 있다(대판 2014.7.16. 2011다76402).

핵심 OX

01 국가에 대한 납세의무자의 부가가치세 환급세액 지급청구는 당사자소송이 아니라 민사소송의 절차에 따라야 한다. 21. 국가7급 (　)

02 납세의무자에 대한 국가의 부가가치세 환급세액 지급의무는 그 납세의무자로부터 어느 과세기간에 과다하게 거래징수된 세액 상당을 국가가 실제로 납부받았는지와 관계없이 부가가치세 법령 규정에 의하여 직접 발생하는 것으로서, 그 법적 성질은 부당이득 반환의무가 아니다. 22. 국가7급 (　)

핵심 OX

03 국유재산법에 의한 변상금 부과·징수권은 민사상 부당이득반환청구권과 법적 성질을 달리하므로, 국가는 무단점유자를 상대로 변상금 부과·징수권의 행사와 별도로 국유재산의 소유자로서 민사상 부당이득반환청구의 소를 제기할 수 있다. 19. 서울7급 (　)

01 X 02 O 03 O

4. 효과와 반환범위

(1) 법률에 특별규정이 없으면 행정주체의 부당이득과 사인의 부당이득 모두 **소멸시효 기간은 5년**이다(공권설).

(2) 부당이득의 반환범위는 민법에서는 선의·악의에 따라 반환범위를 달리하나, 행정법에서는 선의·악의를 불문하고 전액 반환하여야 한다. 또한 국세기본법(제52조)은 조세과오납금에 이자를 붙이도록 하고 있다.

(3) 공법상의 부당이득에는 민법상의 비채변제(제742조)의 법리가 적용되지 않는다. 따라서 채무 없음을 알고 채무를 이행한 경우에도 그 반환을 청구할 수 있다.

5. 부당이득 등의 환수처분

(1) 취소사유 있는 급부처분으로 인해 상대방이 받은 부당이득의 환수를 위해서는 원칙적으로 해당 급부처분을 취소하고 민사상 부당이득의 반환을 청구할 수 있다.

(2) 다만, 오지급된 보상금 등 급부의 환수를 위해 별도의 환수처분을 요구하는 법률도 있다. 이 경우, 판례는 잘못 지급된 보상금 등에 해당하는 금액을 징수하는 처분을 해야 할 공익상 필요와 그로 인하여 당사자가 입게 될 기득권과 신뢰의 보호 및 법률생활 안정의 침해 등의 불이익을 비교·교량한 후, 공익상 필요가 당사자가 입게 될 불이익을 정당화할 만큼 강한 경우에 한하여 보상금 등을 받은 당사자로부터 잘못 지급된 보상금 등에 해당하는 금액을 환수하는 처분을 하여야 한다고 판시한 바 있다(대판 2014.10.27. 2012두17186).

◈ 핵심정리 　시효

1. 국가나 지방자치단체에 대한 금전채권의 소멸시효는 다른 법률의 특별한 규정이 없는 한 5년간 행사하지 않으면 시효로 소멸한다. 여기서 다른 법률의 특별한 규정이란 5년보다 단기로 규정한 경우를 뜻한다.

2. 위 1.에서 금전채권은 공법상 금전채권뿐만 아니라 사법상의 금전채권에도 적용된다.

3. 소멸시효기간이 경과하면 권리는 당연히 소멸하나(절대적 소멸설), 당사자의 원용이 있어야 법원은 판단한다(결과적 상대적 소멸설).

4. 납입고지에 의한 부과처분이 취소되더라도 납입고지에 의한 시효중단의 효력이 상실되지 않는다.

5. 세무공무원이 체납자의 재산을 압류하기 위해 수색을 하였으나 압류할 목적물이 없어 압류를 실행하지 못한 경우에도 시효중단의 효력이 발생한다.

6. 변상금부과처분에 대한 취소소송이 진행되는 동안에도 그 부과권의 소멸시효가 진행된다.

7. 국가배상청구에 있어서 채권자가 동일한 목적을 달성하기 위하여 복수의 채권을 갖고 있는 경우 어느 하나의 청구권을 행사하는 것이 다른 채권에 대한 소멸시효 중단의 효력이 있다고 할 수 없다.

8. 행정재산은 명시적이든 묵시적이든 공용폐지가 되지 않는 한 취득시효의 대상이 될 수 없다.

9. 행정재산이 사실상 본래의 용도에 사용되지 않고 있다는 사실만으로 용도폐지의 의사표시가 있었다고 볼 수 없다.

제1절 공법행위

1 의의

1. 개념

공법행위란 공법관계의 행위로서 공법적 효과를 발생·변경·소멸시키는 행위를 말한다. 공법행위는 행정주체의 공법행위(권력행위, 관리행위)와 사인의 공법행위로 나눌 수 있다. 이 가운데 사인의 공법행위는 행정법관계에서 사인의 행위로서 공법적 효과를 발생하게 하는 행위를 말한다. 현재 사인의 공법행위에 관한 전반적인 사항을 규율하는 일반법은 없고, 행정절차법·민원처리에 관한 법률 등에 일부 규정을 두고 있다(예 행정절차법 제17조 제2항 등).

> **행정절차법 제17조 【처분의 신청】** ① 행정청에 처분을 구하는 신청은 문서로 하여야 한다. 다만, 다른 법령 등에 특별한 규정이 있는 경우와 행정청이 미리 다른 방법을 정하여 공시한 경우에는 그러하지 아니하다.
> ② 제1항에 따라 처분을 신청할 때 전자문서로 하는 경우에는 행정청의 컴퓨터 등에 입력된 때에 신청한 것으로 본다.

2. 종류

사인의 지위에 의한 분류	• 행정주체(기관)의 지위에서 행하는 행위: 국민투표, 선거 등 • 행정객체의 지위에서 행하는 행위: 각종 신고나 신청, 소송제기, 동의·승낙 등
행위의 성질에 의한 분류	• 단독행위: 허가신청, 쟁송제기 등 • 쌍방행위: 공법상 계약, 공법상 합동행위 등
의사표시의 수에 의한 분류	• 단순행위: 출생신고·사망신고 등과 같이 하나의 의사표시로 구성되는 행위이다. • 합성행위: 투표·선거 등과 같이 다수인의 의사표시가 모여서 하나의 의사표시로 구성되는 행위이다.
효과에 의한 분류	• 자체완성적(자기완결적·자족적) 사인의 공법행위: 사인의 공법행위가 있으면 행정기관의 행위를 기다릴 것 없이 그 행위 자체로서 일정한 법률효과가 완성되는 행위이다(선거, 신고, 합동행위, 통지행위 등). • 행정요건적(행위요건적) 사인의 공법행위: 사인의 공법행위 그 자체로서는 법적 효과가 완성되지 않고, 행정기관의 행위와 결합하여 그 효과가 완성되는 행위이다(신청, 동의, 승낙, 협의, 청원, 청약, 행정심판·소송 등).

2 사인의 공법행위의 특징

1. 행정행위에 대한 특징

공법적 효과발생을 목적으로 하는 점에서 행정행위와 동일하나, 행정주체가 우월적 지위에서 행하는 행위가 아니라 개인의 행위이므로 사인의 공법행위에는 공정력·확정력·강제력 등의 효력은 인정되지 않는다.

2. 사법행위에 대한 특징

사인의 공법행위는 사인의 행위이지만 공법적 효과발생을 목적으로 하므로 그 공공성으로 인해 사적 자치의 원리는 제한되고, 행위의 객관성·명확성, 내용·형식의 정형성·획일성이 요구된다.

3 사인의 공법행위의 효과

1. 법규에 정한 효과발생

사인의 공법행위가 적법한 행위인 경우 발생하는 법률효과는 개별법규가 정하는 바에 따라 그 효과가 발생한다.

2. 행정청의 수리·처리의무

(1) 자체완성적(자기완결적) 신고는 당해 신고가 ① 신고서의 기재사항에 흠이 없고, ② 필요한 구비서류가 첨부되어 있으며, ③ 그 밖에 법령 등에 규정된 형식상의 요건에 적합한 경우에는 신고서가 접수기관에 도달한 때에 신고 의무가 이행된 것으로 본다(행정절차법 제40조 제2항).

> **⚖ 관련판례**
>
> **자체완성적 신고도 적법한 형식과 요건을 갖춘 신고여야 하는지 여부(적극)**
> 체육시설의 설치·이용에 관한 법률(이하 '법'이라 한다) 제10조, 제11조, 제22조, 법 시행규칙 제8조 및 제25조의 각 규정에 의하면, 체육시설업은 등록체육시설업과 신고체육시설업으로 나누어지고, 당구장업과 같은 신고체육시설업을 하고자 하는 자는 체육시설업의 종류별로 법 시행규칙이 정하는 해당 시설을 갖추어 소정의 양식에 따라 신고서를 제출하는 방식으로 시·도지사에 신고하도록 규정하고 있으므로, 소정의 시설을 갖추지 못한 체육시설업의 신고는 부적법한 것으로 그 수리가 거부될 수밖에 없고 그러한 상태에서 신고체육시설업의 영업행위를 계속하는 것은 무신고 영업행위에 해당할 것이지만, 이에 반하여 적법한 요건을 갖춘 신고의 경우에는 행정청의 수리처분 등 별단의 조처를 기다릴 필요 없이 그 접수시에 신고로서의 효력이 발생하는 것이므로 그 수리가 거부되었다고 하여 무신고 영업이 되는 것은 아니다(대판 1998.4.24. 97도3121).

(2) 행정청의 처리의무

  ① **사인에게 청구권이 있는 경우:** 행정청은 기속행위인 경우에는 특정처분을 하여야 하고, 재량행위인 경우에는 재량권의 한계를 준수하면서 어떠한 처분을 하여야 한다(무하자재량행사청구권).

② 사인에게 청구권이 없는 경우: 법적인 처리의무는 없지만, 개별법상 처리결과의 통지의무를 규정한 경우는 있다.

3. 사인의 공법행위의 하자의 효과

사인의 공법행위에 하자가 있는 경우에는 즉시 불수리(각하)하기보다는 그 보완이 가능한 경우 기회를 주어 보정하게 하는 것이 타당하다.

4. 수정인가의 가능성

수정인가의 가능성에 대한 견해의 대립이 있으나, 인가는 사인의 법률행위의 효력을 완성시켜 주는 보충적 행위라는 점에서 특별규정이 없는 한 수정인가는 허용되지 않는다.

5. 재신청 가능

한 번 신청하였다가 거부된 경우 행정행위는 일사부재리의 효력이 없기 때문에 사정변경을 이유로 재신청할 수 있다.

4 사인의 공법행위에 대한 적용법리

사인의 공법행위에 관하여 실정법상 일반적인 총칙규정은 존재하지 않으므로 일반법이 없다고 할 수 있다. 따라서 민법의 법률행위에 관한 규정이 적용될 것인지 아니면 특별한 취급을 할 것인가가 문제된다.

1. 의사능력과 행위능력

특별한 규정이 없는 한 의사능력과 행위능력은 민법의 규정이 적용되는 것으로 보며, 의사능력 없는 자의 행위는 민법과 마찬가지로 절대무효로 보고 있다. 그러나 행위능력에 관하여는 공법상 특별규정을 두어 민법상의 행위무능력자에 관한 취소사유의 적용이 배제되어 유효하게 되는 경우가 있으며, 그 외 재산상 행위에 관하여는 민법규정이 유추적용된다고 하는 것이 일반적인 견해이다.

> **우편법 제10조 【제한능력자의 행위에 관한 의제】** 우편물의 발송·수취나 그 밖에 우편이용에 관하여 제한능력자가 우편관서에 대하여 행한 행위는 능력자가 행한 것으로 본다.

2. 대리

(1) 대리가 허용되는 경우

개인적 자격과 직접 관계가 없는 행위로 일반적으로 민법규정이 적용된다(예 변호사의 소송대리, 등기신청의 대리 등).

(2) 대리가 허용되지 않은 경우

법규정 또는 일신전속적 행위(예 선거, 귀화신청, 수험 등)에는 대리가 허용되지 않는다.

3. 요식행위

사인의 공법행위는 반드시 요식행위일 것을 요하지는 않으나, 행위의 존재나 내용을 명확히 하기 위하여 일정한 서식에 의하도록 규정하고 있는 경우가 많다(예 행정심판청구서, 인허가신청서 등).

4. 효력발생시기

특별한 규정이 없는 한(예 국세기본법 제5조의2상 발신주의 등), 민법에서와 같이 도달주의에 의하여야 할 것이며, 도달에 관한 입증책임은 발신인이 부담한다.

> **▲ 관련판례**
>
> 주민등록은 단순히 주민의 거주관계를 파악하고 인구의 동태를 명확히 하는 것 외에도 주민등록에 따라 공법관계상의 여러 가지 법률상 효과가 나타나게 되는 것으로서, 주민등록의 신고는 행정청에 도달하기만 하면 신고로서의 효력이 발생하는 것이 아니라 행정청이 수리한 경우에 비로소 신고의 효력이 발생한다 할 것이고, 따라서 주민등록 신고서를 행정청에 제출하였다가 행정청이 이를 수리하기 전에 신고서의 내용을 수정하여 위와 같이 수정된 전입신고서가 수리되었다면 수정된 사항에 따라서 주민등록 신고가 이루어진 것으로 보는 것이 타당하다(대판 2009.1.30. 2006다17850).

5. 부관

사인의 공법행위는 명확성과 신속한 확정이 요구되므로 특별한 규정이 없는 한 부관을 붙일 수 없음이 원칙이다.

6. 철회 · 보정

(1) 원칙

사인의 공법행위는 그에 의하여 행정행위가 행하여질 때까지는 자유로이 철회하거나 보정할 수 있다(예 사직원의 철회, 행정심판청구서의 취하 등).

(2) 예외

성질상 또는 법률상 그 자유가 제한되는 경우가 있다(예 투표 · 시험에의 응시, 국세기본법 제45조의 과세표준수정 신고기한의 제한 등).

> **▲ 관련판례**
>
> 공무원이 한 사직 의사표시의 철회나 취소는 그에 터 잡은 의원면직처분이 있을 때까지 할 수 있는 것이고, 일단 면직처분이 있고 난 이후에는 철회나 취소할 여지가 없다(대판 2001.8.24. 99두9971).

7. 의사의 흠결 · 하자 있는 의사표시

(1) 민법에서는 의사표시에 하자(착오 · 사기 · 강박)가 있는 경우에는 이를 무효 또는 취소할 수 있다. 사인의 공법행위에서도 공법에 특별한 규정이 없는 한 민법의 의사표시의 하자에 관한 규정이 유추 적용될 수 있으나, 투표행위와 같은 합성행위는 집단성 · 형식성이 중시되므로 착오를 이유로 취소할 수 없다.

(2) 비진의 의사표시에 관한 민법 제107조 제1항 단서의 무효규정은 사인의 공법행위에 적용되지 않는다는 것이 판례의 입장이다.

> **민법 제107조 【진의 아닌 의사표시】** ① 의사표시는 표의자가 진의 아님을 알고 한 것이라도 그 효력이 있다. 그러나 상대방이 표의자의 진의 아님을 알았거나 이를 알 수 있었을 경우에는 무효로 한다.

⚖ 관련판례

1 여군하사관 전역지원 사건

군인사정책상 필요에 의하여 복무연장지원서와 전역(여군의 경우 면역임)지원서를 동시에 제출하게 한 피고측의 방침에 따라 위 양 지원서를 함께 제출한 이상, 그 취지는 복무연장지원의 의사표시를 우선으로 하되, 그것이 받아들여지지 아니하는 경우에 대비하여 원에 의하여 전역하겠다는 조건부 의사표시를 한 것이므로 그 전역지원의 의사표시도 유효한 것으로 보아야 하고, 가사 전역지원의 의사표시가 진의 아닌 의사표시라고 하더라도 그 무효에 관한 법리를 선언한 <u>민법 제107조 제1항 단서의 규정은 그 성질상 사인의 공법행위에는 적용되지 않는다</u> 할 것이므로 그 표시된 대로 유효한 것으로 보아야 할 것이다(대판 1994.1.11. 93누10057).

2 공무원이 감사기관이나 상급관청 등의 강박에 의하여 사직서를 제출한 경우, 그 강박의 정도와 당해 사직서에 터 잡은 면직처분의 효력

[1] 공무원이 사직의 의사표시를 하여 의원면직처분을 하는 경우 그 사직의 의사표시는 그 법률관계의 특수성에 비추어 외부적·객관적으로 표시된 바를 존중하여야 할 것이므로, 비록 사직원제출자의 내심의 의사가 사직할 뜻이 아니었다고 하더라도 진의 아닌 의사표시에 관한 민법 제107조는 그 성질상 사직의 의사표시와 같은 사인의 공법행위에는 준용되지 아니하므로 그 의사가 외부에 표시된 이상 그 의사는 표시된 대로 효력을 발한다.

[2] 사직서의 제출이 감사기관이나 상급관청 등의 강박에 의한 경우에는 그 정도가 의사결정의 자유를 박탈할 정도에 이른 것이라면 그 의사표시가 무효로 될 것이고 그렇지 않고 의사결정의 자유를 제한하는 정도에 그친 경우라면 그 성질에 반하지 아니하는 한 의사표시에 관한 민법 제110조의 규정을 준용하여 그 효력을 따져보아야 할 것이나, 감사담당 직원이 당해 공무원에 대한 비리를 조사하는 과정에서 사직하지 아니하면 징계파면이 될 것이고 또한 그렇게 되면 퇴직금 지급상의 불이익을 당하게 될 것이라는 등의 강경한 태도를 취하였다고 할지라도 그 취지가 단지 비리에 따른 객관적 상황을 고지하면서 사직을 권고·종용한 것에 지나지 않고 위 공무원이 그 비리로 인하여 징계파면이 될 경우 퇴직금 지급상의 불이익을 당하게 될 것 등 여러 사정을 고려하여 사직서를 제출한 경우라면 그 <u>의사결정이 의원면직처분의 효력에 영향을 미칠 하자가 있었다고는 볼 수 없다</u>(대판 1997.12.12. 97누13962).

3 처분청인 피고가 당초의 하천공사시행허가와 골재채취 허가의 복합허가 중 골재채취허가부분을 취소한 것이 오로지 피고 자신이 골재의 채취와 반출에 대한 감독을 할 수 없다는 내부적 사정에 따른 것이라면 그와 같은 사정만으로는 골재채취허가를 취소 또는 철회할만한 정당한 사유가 될 수 없고, 상대방인 원고가 이 사건 변경처분에 대하여 한 동의가 피고측의 기망과 강박에 의한 의사표시라는 이유로 이 사건 소장의 송달에 의하여 적법하게 취소되었다면 위 동의는 처음부터 무효인 것으로 되므로 이 사건 변경처분은 위법한 것이다(대판 1990.2.23. 89누7061).

핵심 OX

01 권고사직의 형식을 취하고 있더라도 사직의 권고가 공무원의 의사결정의 자유를 박탈할 정도의 강박에 해당하는 경우에는 당해 권고사직은 무효이다. 14. 국가7급 ( )

01 ○

5 사인의 공법행위 하자의 효과

사인의 공법행위에 하자가 있는 경우, 그에 따른 행정행위에 어떤 영향을 미치는가의 문제는 사인의 공법행위가 행정행위의 전제조건이 되는가의 여부에 따라 달라진다.

1. 사인의 공법행위가 행정행위의 단순한 동기에 불과한 경우(전제요건이 아닌 경우)

사인의 공법행위가 행정행위의 전제요건이 아닌 단순한 동기에 불과한 경우에는 사인의 공법행위의 하자는 그 정도와 관계없이 행정행위의 효력에는 아무런 영향을 미치지 못하며 유효하다.

2. 사인의 공법행위가 행정행위의 전제요건인 경우

(1) 사인의 공법행위가 **무효·부존재**인 경우에는 그에 대한 행정청의 행정행위도 또한 그 전제요건을 결하게 되어 **무효**이다.

(2) 사인의 공법행위가 취소할 수 있는 **단순위법**인 경우에는 그에 관한 행정청의 행정행위는 원칙적으로 **유효**한 것이라 할 것이다. 그러나 사인의 공법행위에 하자가 있는 경우 그에 근거하여 행정처분이 내려지더라도 그 하자가 치유되는 것은 아니다.

제2절 신청과 신고

1 신청

1. 의의

신청이란 사인이 행정청에 대하여 일정한 조치를 하여 달라는 것을 요구하는 의사표시를 말한다. 행정절차법 제17조는 처분의 신청절차에 대해서 규정하고 있으며, 민원 처리에 관한 법률 제8조는 민원의 신청에 대해서 규정하고 있다.

2. 요건

신청이 인정되기 위해서는 신청인에게 신청권이 있어야 하며, 법령상 요구되는 요건을 갖추어야 한다. 이러한 신청권은 법령상 또는 조리상으로 인정될 수 있다. 행정절차법에서는 원칙적으로 문서로 하도록 하고 있으며, 처분의 신청을 전자문서로 하는 경우에는 행정청의 컴퓨터 등에 입력된 때에 신청한 것으로 본다.

3. 성질

신청권은 신청한 대로의 처분을 구하는 실체적 권리가 아니라 행정청의 응답을 구하는 절차적 권리이다.

4. 신청의 효과

(1) 행정청은 신청을 받았을 때에는 다른 법령 등에 특별한 규정이 있는 경우를 제외하고는 그 접수를 보류 또는 거부하거나 부당하게 되돌려 보내서는 아니 되며, 신청을 접수한 경우에는 신청인에게 접수증을 주어야 한다(행정절차법 제17조 제4항 본문).

(2) 행정기관의 장은 민원의 신청을 받았을 때에는 다른 법령에 특별한 규정이 있는 경우를 제외하고는 그 접수를 보류하거나 거부할 수 없으며, 접수된 민원문서를 부당하게 되돌려 보내서는 아니 된다(민원처리에 관한 법률 제9조).

(3) 신청이 적법한 형식적 요건이 갖춘 경우에는 이를 접수하여야 하며 실체적 사유를 들어 접수를 거부한 경우에는 위법하게 된다.

5. 보완조치의무

(1) **행정청은 신청에 구비서류의 미비 등 흠이 있는 경우에는 곧바로 접수를 거부할 것이 아니라 보완에 필요한 상당한 기간을 정하여 지체 없이 신청인에게 보완을 요구하여야 한다**(행정절차법 제17조 제5항).

(2) 보완의 대상이 되는 하자는 보완이 가능한 형식적·절차적 하자에 해당하며, 실질적 하자는 원칙적으로 보완 대상이 아니다. 한편 **판례는 실질적인 요건에 흠이 있는 경우라도 그것이 민원인의 단순한 착오나 일시적인 사정에 기한 것이라면 보완의 대상이 된다고 보고 있다.**

> **⚖ 관련판례**
>
> 보완의 대상이 되는 흠은 보완이 가능한 경우이어야 함은 물론이고, 그 내용 또한 형식적·절차적인 요건이거나, 실질적인 요건에 관한 흠이 있는 경우라도 그것이 민원인의 단순한 착오나 일시적인 사정 등에 기한 경우 등이라야 한다. 건축불허가처분을 하면서 그 사유의 하나로 소방시설과 관련된 소방서장의 건축부동의 의견을 들고 있으나 그 보완이 가능한 경우, 보완을 요구하지 아니한 채 곧바로 건축허가신청을 거부한 것은 재량권의 범위를 벗어난 것이다(대판 2004.10.15. 2003두6573).

6. 응답의무

적법한 신청이 있는 경우 행정청은 상대방이 신청한 대로는 아니지만 응답을 하여야 할 의무가 발생한다. 이러한 응답은 기속행위와 재량행위 모두 하여야 한다. 상당한 기간 내에 응답을 하지 않게 되면 부작위가 된다. 한편 적법한 신청이라도 재량행위라면 신청한 내용대로 처분할 의무까지 부담하는 것은 아니다.

7. 권리구제

신청에 대한 거부와 부작위에 대해서는 **행정심판**과 **행정소송**을 제기할 수 있으며, 적법한 신청에 대한 거부처분이 손해를 발생하게 한 경우에는 **국가배상**을 청구할 수 있다.

2 신고

1. 의의

신고란 사인이 행정청에 대하여 일정한 의사를 표시하거나 일정한 사실을 통고하는 행위로서, 사인의 공법행위로서의 신고에는 자체완성적 공법행위로서의 신고(자기완결적 신고)와 행정요건적 신고(등록)가 있다. 이러한 신고는 행정규제 완화의 일환으로 오늘날 증가하고 있는 것이 현실이다. 그러나 단순한 사실로서의 신고는 법적 행위로서의 신고에 해당하지 않는다.

2. 사실파악형 신고와 규제적 신고

(1) 사실파악형 신고(정보제공적 신고)

행정청에게 정보를 제공하는 기능을 갖는 신고를 말한다. 사실파악형 신고 없이 행위를 한 경우에는 과태료의 제재는 받지만 그 행위 자체는 위법하지 않는다. 이러한 사실파악형 신고는 언제나 자체완성적 신고가 된다.

(2) 규제적 신고(금지해제적 신고)

건축법상의 신고로서 정보제공적 기능 이외에 영업활동 또는 건축활동 등 사적활동을 규제하는 기능을 갖는 신고이다. 규제적 신고 없이 한 행위는 위법한 행위가 되며 따라서 행정벌의 대상과 시정조치의 대상이 된다. 금지해제적 신고는 자체완성적 신고인 경우와 행위요건적 신고인 경우가 있을 수 있다.

3. 자체완성적(자족적) 행위로서의 신고(수리를 요하지 않는 신고 – 본래 의미의 신고)

(1) 의의

① 자체완성적 행위로서의 신고란 행정청에 대하여 일정한 사항을 통지함으로써 의무가 끝나는 신고를 말한다. 신고 자체가 행정청에 제출되어 도달된 때에 관계법이 정하는 법적 효과가 발생한다. 즉, 수리를 요하지 않는 신고로서, 본래적 의미의 신고라고 할 수 있다.

② 대표적 예로는 **건축법상 건축신고**, 체육시설의 설치·이용에 관한 법률상 신고 체육시설업에 대한 변경신고, 구 체육시설의 설치·이용에 관한 법률에 의한 골프장이용료 변경신고 등이 있고, 행정절차법 제40조의 신고가 이에 해당한다.

> **행정절차법 제40조 【신고】** ① 법령 등에서 행정청에 일정한 사항을 통지함으로써 의무가 끝나는 신고를 규정하고 있는 경우 신고를 관장하는 행정청은 신고에 필요한 구비서류, 접수기관, 그 밖에 법령 등에 따른 신고에 필요한 사항을 게시(인터넷 등을 통한 게시를 포함한다)하거나 이에 대한 편람을 갖추어 두고 누구나 열람할 수 있도록 하여야 한다.
> ② 제1항에 따른 신고가 다음 각 호의 요건을 갖춘 경우에는 신고서가 접수기관에 도달된 때에 신고 의무가 이행된 것으로 본다.
> 1. 신고서의 기재사항에 흠이 없을 것
> 2. 필요한 구비서류가 첨부되어 있을 것
> 3. 그 밖에 법령 등에 규정된 형식상의 요건에 적합할 것

핵심 OX

04 법령 등에서 행정청에 대하여 일정한 사항을 통지함으로써 의무가 끝나는 신고는 그 기재사항에 흠이 없고, 필요한 구비서류가 첨부되어 있으며, 기타 법령 등에 규정된 형식상의 요건에 적합할 때에는 신고서가 접수기관에 도달된 때에 신고의 의무가 이행된 것으로 본다.

15. 국회8급, 10. 지방7급 ( )

04 ○

(2) 요건

자체완성적 신고는 행정절차법 제40조 소정의 요건을 갖추어야 하는바, 행정절차법상 신고요건으로는 신고서의 기재사항에 흠이 없고 필요한 구비서류가 첨부되어 있으면 족하다. 즉, 원칙적으로 형식적 요건만 요구되며, 실질적 요건으로 신고의 기재사항에 대한 진실함이 입증될 필요까지는 없다.

(3) 수리 여부

자체완성적 신고의 경우 신고서가 행정기관에 도달하면 효과가 발생하기 때문에 행정청의 별도의 수리행위가 필요 없다. 즉, 자체완성적 신고에 있어서 행정청의 수리 내지 신고필증의 교부는 사인이 일정한 사실을 행정기관에 알렸다는 사실을 확인해 주는 의미만을 가질 뿐이다.

> **⚖ 관련판례**
>
> 의료법 제30조 제3항에 의하면 의원, 치과의원, 한의원 또는 조산소의 개설은 단순한 신고사항으로만 규정하고 있고 또 그 신고의 수리여부를 심사, 결정할 수 있게 하는 별다른 규정도 두고 있지 아니하므로 의원의 개설신고를 받은 행정관청으로서는 별다른 심사, 결정없이 그 신고를 당연히 수리하여야 한다. 의료법 시행규칙 제22조 제3항에 의하면 의원개설 신고서를 수리한 행정관청이 소정의 신고필증을 교부하도록 되어있다 하여도 이는 신고사실의 확인행위로서 신고필증을 교부하도록 규정한 것에 불과하고 그와 같은 신고필증의 교부가 없다 하여 개설신고의 효력을 부정할 수 없다(대판 1985.4.23. 84도2953).

(4) 효과

① **적법한 신고의 경우**: 자체완성적 신고가 행정절차법상 요건을 갖춘 경우에는 신고서가 접수기관에 도달된 때에 신고의무가 이행된 것으로 본다. 즉, 행정청의 수리 여부와 무관하게 신고에 따른 효과가 발생한다.

② **부적법한 신고의 경우**

　㉠ 행정청은 자체완성적 신고가 형식적 요건을 갖추지 못한 경우에는 지체 없이 상당한 기간을 정하여 신고인에게 보완을 요구하여야 한다(행정절차법 제40조 제3항). 행정청은 신고인이 제3항에 따른 기간 내에 보완을 하지 아니하였을 때에는 그 이유를 구체적으로 밝혀 해당 신고서를 되돌려 보내야 한다(동법 제4항).

　㉡ 자체완성적 신고의 경우 적법한 신고임을 전제로 하여 행정청에 도달한 때에 신고의 효과가 발생하는 것이므로, 부적법한 신고를 하고 행정청이 이를 수리하였다고 하더라도 그 후의 영업행위는 무신고영업행위에 해당한다.

　㉢ 담당 공무원이 관계 법령에 규정되지 아니한 서류를 요구하여 신고서를 제출하지 못하였다는 사정만으로는 신고가 있었던 것으로 볼 수 없다.

⚖ 관련판례

1 축산물위생관리법상 축산물판매업에 대한 부적법한 신고(자체완성적 신고)가 있었다면, 관할행정청이 이를 수리한 경우에도 신고의 효과가 발생하지 않는다 (대판 2010.4.29. 2009다97925).

2 당구장업과 같은 신고체육시설업을 하고자 하는 자는 체육시설업의 종류별로 같은 법 시행규칙이 정하는 해당 시설을 갖추어 소정의 양식에 따라 신고서를 제출하는 방식으로 시·도지사에 신고하도록 규정하고 있으므로, 소정의 시설을 갖추지 못한 체육시설업의 신고는 부적법한 것으로 그 수리가 거부될 수밖에 없고 그러한 상태에서 신고체육시설업의 영업행위를 계속하는 것은 무신고 영업행위에 해당할 것이지만, 이에 반하여 적법한 요건을 갖춘 신고의 경우에는 행정청의 수리처분 등 별단의 조처를 기다릴 필요 없이 그 접수시에 신고로서의 효력이 발생하는 것이므로 그 수리가 거부되었다고 하여 무신고 영업이 되는 것은 아니다 (대판 1998.4.24. 97도3121).

3 수산제조업을 하고자 하는 사람이 형식적 요건을 모두 갖춘 수산제조업 신고서를 제출한 경우에는 담당 공무원이 관계 법령에 규정되지 아니한 사유를 들어 그 신고를 수리하지 아니하고 반려하였다고 하더라도 그 신고서가 제출된 때에 신고가 있었다고 볼 것이나, 담당 공무원이 관계 법령에 규정되지 아니한 서류를 요구하여 신고서를 제출하지 못하였다는 사정만으로는 신고가 있었던 것으로 볼 수 없다(대판 2002.3.12. 2000다73612).

(5) 수리 및 수리거부의 처분성

① **원칙**: 자체완성적 신고에 있어서 행정청의 수리는 아무런 법적 의미를 갖지 않으므로 처분성이 인정되지 않고, 같은 맥락에서 행정청의 수리거부 역시 권리·의무에 아무런 영향이 없으므로 처분성이 인정되지 않고 항고소송의 대상이 될 수 없다.

② **예외**: 예외적으로 권리·의무에 영향을 준다고 평가되는 경우에는 항고소송의 대상이 될 수 있다는 견해가 유력하며, 판례는 건축신고 반려행위, 건축물착공신고 반려행위 및 원격평생교육신고 반려행위에 대해 예외적으로 항고소송의 대상이 될 수 있음을 인정하고 있다(대판 2010.11.18. 2008두167).

(6) 자체완성적 신고의 경우에 이를 수리하고 말소하는 행위는 사실로서의 행위일 뿐이므로 소송의 대상이 되지 않는다는 것이 원칙이다.

(7) 수리를 요하지 않는 신고의 경우에는 법령이 정하지 않는 사유를 들어 신고 수리를 거부할 수 없다.

(8) 수리를 요하지 않는 신고의 경우 신고를 규정한 법률상의 요건 외에 다른 법률상의 요건도 충족하여야 하는 경우, 다른 법률상의 요건을 충족하지 못한 경우에는 신고를 할 수 없다.

관련판례

1 식품위생법에 따른 식품접객업의 영업신고요건을 갖추었으나, 그 영업신고를 한 당해 건축물이 무허가 건물일 경우 영업신고가 적법한지 여부(소극)

식품위생법과 건축법은 그 입법목적, 규정사항, 적용범위 등을 서로 달리하고 있어 식품접객업에 관하여 식품위생법이 건축법에 우선하여 배타적으로 적용되는 관계에 있다고는 해석되지 않는다. 그러므로 식품위생법에 따른 식품접객업(일반음식점영업)의 영업신고의 요건을 갖춘 자라고 하더라도, 그 영업신고를 한 당해 건축물이 건축법 소정의 허가를 받지 아니한 무허가 건물이라면 적법한 신고를 할 수 없다(대판 2009.4.23. 2008도6829).

2 체육시설의 설치·이용에 관한 법률에 따른 당구장업의 신고요건을 갖춘 자는 학교보건법 제5조 소정의 학교환경위생정화구역 내에서 같은 법 제6조에 의한 별도요건을 충족하지 아니하고도 적법한 신고를 할 수 있는지 여부(소극)

학교보건법과 체육시설의 설치·이용에 관한 법률은 그 입법목적, 규정사항, 적용범위 등을 서로 달리 하고 있어서 당구장의 설치에 관하여 체육시설의 설치·이용에 관한 법률이 학교보건법에 우선하여 배타적으로 적용되는 관계에 있다고는 해석되지 아니하므로 체육시설의 설치·이용에 관한 법률에 따른 당구장업의 신고요건을 갖춘 자라 할지라도 학교보건법 제5조 소정의 학교환경 위생정화구역 내에서는 같은 법 제6조에 의한 별도요건을 충족하지 아니하는 한 적법한 신고를 할 수 없다고 보아야 한다(대판 1991.7.12. 90누8350).

(9) 행정청에 신고를 마친 후 담장설치공사를 진행 중이었는데, 행정청이 그 신고수리처분을 철회하고서 한 공사중지명령은 위법하다는 것이 판례의 입장이다(대판 1990.6.12. 90누2468).

관련판례

1 건축법상 일정한 건축을 하고자 하는 자는 적법한 요건을 갖춘 신고만 하면 건축을 할 수 있고, 행정청의 수리처분 등 별도의 조치를 기다릴 필요가 없는 것이고, 더욱이 이 사건에서와 같이 높이 2미터 미만의 담장설치공사는 건축법 등 관계 법령의 규정상 어떠한 허가나 신고 없이 가능한 행위인데, 원고가 이와 같은 사정을 알지 못한 채 담장설치신고를 하였고 동장이 이를 반려하였다 하여 그러한 반려조치를 원고의 구체적인 권리 의무에 직접적인 변동을 초래하는 행정처분이라고 볼 수 없다(대판 1990.6.12. 90누2468).

2 행정청이 구 건축법 제9조 제1항에 의하여 신고함으로써 건축허가를 받은 것으로 간주되는 사항에 대한 적법한 신고를 수리한 행위가 행정처분인지 여부(소극)

구 건축법 제9조 제1항에 의하여 신고를 함으로써 건축허가를 받은 것으로 간주되는 경우에는 건축을 하고자 하는 자가 적법한 요건을 갖춘 신고만 하면 행정청의 수리행위 등 별다른 조치를 기다릴 필요 없이 건축을 할 수 있는 것이므로, 행정청이 위 신고를 수리한 행위가 건축주는 물론이고 제3자인 인근 토지 소유자나 주민들의 구체적인 권리 의무에 직접 변동을 초래하는 행정처분이라 할 수 없다(대판 1999.10.22. 98두18435).

3 건축신고 반려행위가 항고소송의 대상이 되는지 여부(적극)

구 건축법 관련규정의 내용 및 취지에 의하면, 건축주 등은 신고제 하에서도 건축신고가 반려될 경우 당해 건축물의 건축을 개시하면 시정명령, 이행강제금, 벌금의 대상이 되거나 당해 건축물을 사용하여 행할 행위의 허가가 거부될 우려가 있어 불안정한 지위에 놓이게 된다. 따라서 건축신고 반려행위가 이루어진 단계에서 당사자로 하여금 반려행위의 적법성을 다투어 그 법적 불안을 해소한 다음 건축행위에 나아가도록 함으로써 장차 있을지도 모르는 위험에서 미리 벗어날 수 있도록 길을 열어 주고, 위법한 건축물의 양산과 그 철거를 둘러싼 분쟁을 조기에 근본적으로 해결할 수 있게 하는 것이 법치행정의 원리에 부합한다. 그러므로 <u>건축신고 반려행위는 항고소송의 대상이 된다</u>. 이와 달리, 건축신고의 반려행위 또는 수리거부행위가 항고소송의 대상이 아니어서 그 취소를 구하는 소는 부적법하다는 취지로 판시한 대판 1967.9.19. 67누71 ; 대판 1995.3.14. 94누9962 ; 대판 1997.4.25. 97누3187 ; 대판 1998.9.22. 98두10189 ; 대판 1999.10.22. 98두18435 ; 대판 2000.9.5. 99두8800 등을 비롯한 같은 취지의 판결들은 이 판결의 견해와 저촉되는 범위에서 이를 모두 변경하기로 한다(대판 2010.11.18. 2008두167).

4 행정청의 착공신고 반려행위가 항고소송의 대상이 되는지 여부(적극)❶

구 건축법의 관련규정에 따르면, 행정청은 착공신고의 경우에도 신고 없이 착공이 개시될 경우 건축주 등에 대하여 공사중지 · 철거 · 사용금지 등의 시정명령을 할 수 있고(제69조 제1항), 시정명령을 받고 이행하지 아니한 건축물에 대하여는 당해 건축물을 사용하여 행할 다른 법령에 의한 영업 기타 행위의 허가를 하지 않도록 요청할 수 있으며(제69조 제2항), 요청을 받은 자는 특별한 이유가 없는 한 이에 응하여야 하고(제69조 제3항), 나아가 행정청은 시정명령의 이행을 하지 아니한 건축주 등에 대하여는 이행강제금을 부과할 수 있으며(제69조의2 제1항 제1호), 또한 착공신고를 하지 아니한 자는 200만원 이하의 벌금에 처해질 수 있다(제80조 제1호, 제9조). 이와 같이 건축주 등으로서는 착공신고가 반려될 경우, 당해 건축물의 착공을 개시하면 시정명령, 이행강제금, 벌금의 대상이 되거나 당해 건축물을 사용하여 행할 행위의 허가가 거부될 우려가 있어 불안정한 지위에 놓이게 된다. 따라서 착공신고 반려행위가 이루어진 단계에서 당사자로 하여금 반려행위의 적법성을 다투어 법적 불안을 해소한 다음 건축행위에 나아가도록 함으로써 장차 있을지도 모르는 위험에서 미리 벗어날 수 있도록 길을 열어 주고, 위법한 건축물의 양산과 철거를 둘러싼 분쟁을 조기에 근본적으로 해결할 수 있게 하는 것이 법치행정의 원리에 부합한다. 그러므로 행정청의 <u>착공신고 반려행위는 항고소송의 대상이 된다고 보는 것이 옳다</u>(대판 2011.6.10. 2010두7321).

5 골프장이용료 변경신고가 행정청의 수리를 요하는 신고인지 여부(소극)

행정청에 대한 신고는 일정한 법률사실 또는 법률관계에 관하여 관계행정청에 일방적으로 통고를 하는 것을 뜻하는 것으로서 법에 별도의 규정이 있거나 다른 특별한 사정이 없는 한 행정청에 대한 통고로서 그치는 것이고 그에 대한 행정청의 반사적 결정을 기다릴 필요가 없는 것이므로, 회사가 한 체육시설의 설치 · 이용에 관한 법률 제18조에 의한 이 사건 변경신고서는 그 신고 자체가 위법하거나 그 신고에 무효사유가 없는 한 이것이 경기도지사에게 <u>제출하여 '접수된 때'에 신고가 있었다고 볼 것이고</u>, 경기도지사의 수리행위가 있어야만 신고가 있었다고 볼 것은 아니며, 위 시행령 제11조 제3항이 시 · 도지사는 이 신고를 받은 때에 그 이용료 또는 관람료가 심히 부당하다고 판단될 때에는 이를 조정하여야 한다고 규정하였다고 하여도 이는 신고 후의 조치를 규정한 것이라고 볼 것이고, 위 시행규칙 소정의 서식에 접수-검토 · 조정-수리-통보로 되어 있는 것도 신고서의 접수 후의 처리절차를 규정한 것에 지나지 않는다고 볼 것이고, <u>시 · 도지사가 신고서를 접수, 검토, 조정의 절차를 거쳐 수리하는 때에 비로소 신고가 있었다고 해석할 것은 아니다</u>(대결 1993.7.6. 93마635).

핵심 OX

01 수산제조업 신고에 있어서 담당공무원이 관계법령에 규정되지 아니한 서류를 요구하여 신고서를 제출하지 못하였다는 사정만으로는 신고가 있었던 것으로 볼 수 없다.

15. 국회8급 ( )

6 수산제조업의 신고를 하는 자가 형식적 요건의 하자 없이 그 신고서를 구비서류까지 첨부하여 제출한 경우, 관할 관청의 수리의무의 존부(적극) 및 담당공무원이 법령에 규정되지 아니한 다른 사유를 들어 그 신고를 반려한 경우, 신고의 효력발생 시기 (= 신고서 제출 시)

행정관청에 대한 신고는 일정한 법률사실 또는 법률관계에 관하여 관계 행정관청에 일방적인 통고를 하는 것을 뜻하는 것으로 법령에 별도의 규정이 있거나 다른 특별한 사정이 없는 한 행정관청에 대한 통고로써 그치는 것이고, 그에 대한 행정관청의 반사적 결정을 기다릴 필요가 없는 것인바, 구 수산업법, 구 수산업법 시행령, 구 수산제조업의 허가 등에 관한 규칙의 각 규정에도 수산제조업의 신고를 하고자 하는 자는 그 규칙에서 정한 양식에 따른 수산제조업 신고서에 주요 기기의 명칭·수량 및 능력에 관한 서류, 제조공정에 관한 서류를 첨부하여 시장·군수·구청장에게 제출하면 되고, 시장·군수·구청장에게 수산제조업 신고에 대한 실질적인 검토를 허용하고 있다고 볼 만한 규정을 두고 있지 아니하고 있으므로, 수산제조업의 신고를 하고자 하는 자가 그 신고서를 구비서류까지 첨부하여 제출한 경우 시장·군수·구청장으로서는 <u>형식적 요건에 하자가 없는 한 수리하여야 할 것</u>이고, 나아가 관할 관청에 신고업의 신고서가 제출되었다면 담당공무원이 법령에 규정되지 아니한 다른 사유를 들어 <u>그 신고를 수리하지 아니하고 반려하였다고 하더라도, 그 신고서가 제출된 때에 신고가 있었다고 볼 것이다</u>(대판 1999.12.24. 98다57419).

> **비교판례**
>
> **수산업법 제44조 어업신고의 법적 성질은 행위요건적 신고라는 판례**
> 수산업법 제44조 소정의 어업의 신고는 행정청의 수리에 의하여 비로소 그효과가 발생하는 이른바 '수리를 요하는 신고'라고 할 것이고 .... 관할관청의 적법한 수리가 없었던 것이 분명한 이상 그 구역에 관하여는 같은 법 제44조 소정의 적법한 어업신고가 있는 것으로 볼 수 없다(대판 2000.5.26. 99다37382).

핵심 OX

02 불특정다수인을 대상으로 학습비를 받고 정보통신매체를 이용하여 원격평생교육을 실시하고자 하는 경우에는 누구든지 관계 법령에 따라 이를 신고하여야 하나 신고서의 기재사항에 흠결이 없고 소정의 서류가 구비된 때에는 이를 수리하여야 한다. 19. 국회8급, 16. 지방9급 ( )

7 불특정 다수인을 대상으로 학습비를 받고 정보통신매체를 이용하여 원격평생교육을 실시하기 위해 구 평생교육법 제22조 제2항에 따라 형식적 요건을 모두 갖추어 신고한 경우, 실체적 사유를 들어 신고 수리를 거부할 수 있는지 여부(소극)

[1] 불특정 다수인을 대상으로 학습비를 받고 정보통신매체를 이용하여 원격평생교육을 실시하고자 하는 경우에는 누구든지 구 평생교육법 제22조 제2항에 따라 이를 신고하여야 하나, 신고서의 기재사항에 흠결이 없고 소정의 서류가 구비된 때에는 이를 수리하여야 하고, 이러한 <u>형식적 요건을 모두 갖추었음에도 그 신고 대상이 된 교육이나 학습이 공익적 기준에 적합하지 않다는 등의 실체적 사유를 들어 신고의 수리를 거부할 수는 없다고 할 것이다.</u>

[2] 이 사건 신고가 수리된 후 그 실제 교육과정에서 무면허 의료행위나 미등록 학원 설립·운영행위 등의 금지된 행위가 이루어진다면 그러한 행위에 대하여 형사상 처벌이나 별도의 행정적 규제를 하는 것은 모르되 행정청이 단지 그러한 금지된 행위가 있을지 모른다는 막연한 우려만으로 침·뜸에 대한 교육과 학습의 기회 제공을 일률적·전면적으로 차단하는 것은 후견주의적 공권력의 과도한 행사일 뿐 아니라 그와 같이 하지 않으면 안 될 공익상 필요가 있다고 볼 수도 없다. 따라서 설령 이 사건 신고가 행정청의 실질적 심사를 거쳐 수리 여부가 결정된다고 하더라도, 이 사건 신고에 공익적 기준에 적합하지 않다는 등의 실체적 사유가 있다고도 단정하기 어렵다 할 것이므로, 이를 전제로 한 이 사건 반려처분은 위법하다고 할 것이다(대판 2016.7.22. 2014두42179).

01 ○ 02 ○

8 구 축산물가공처리법령에서 규정하는 시설기준을 갖추어 축산물판매업 신고를 한 경우, 행정관청은 당연히 그 신고를 수리하여야 하는지 여부(적극) 및 담당공무원이 위 법령상의 시설기준이 아닌 사유로 그 신고 수리를 할 수 없다는 통보를 하고 미신고 영업으로 고발할 수 있다는 통지를 한 것이 위법한 직무집행인지 여부(적극)

구 축산물가공처리법(2005.3.31. 법률 제7428호로 개정되기 전의 것) 제22조에 의하면 도축업·집유업 또는 축산물가공업을 하고자 하는 자는 시·도지사의 허가를 받아야 하고 식육포장처리업 또는 축산물보관업을 하고자 하는 자는 시장·군수·구청장의 허가를 받아야 하며, 시·도지사 또는 시장·군수·구청장은 일정한 경우 허가를 할 수 없도록 규정하는 반면, 같은 법 제21조 제1항 제6호, 제24조 제1항에 의하면, 축산물판매업을 하고자 하는 자는 농림부령이 정하는 기준에 적합한 시설을 갖추고 시장·군수·구청장에게 신고하여야 한다고만 규정하고 있는바, 이러한 법령에 비추어 볼 때 <u>행정관청으로서는 위 법령에서 규정하는 시설기준을 갖추어 축산물판매업 신고를 하는 경우 당연히 그 신고를 수리하여야 하고, 적법한 요건을 갖춘 신고의 경우에는 행정관청의 수리처분 등 별단의 조처를 기다릴 필요 없이 그 접수시에 신고로서의 효력이 발생하는 것이므로 그 수리가 거부되었다고 하여 미신고 영업이 되는 것은 아니라고 할 것이다.</u> 따라서 피고시 담당공무원이 위 법령상의 시설기준이 아닌 사유로 축산물판매업 신고 수리를 할 수 없다는 통보를 하고 미신고 영업으로 고발할 수 있다는 통지를 한 것은 위법한 직무집행이라고 할 것이다(대판 2010.4.29. 2009다97925).

4. 행위요건적 행위로서의 신고(수리를 요하는 신고; 완화된 허가제로서의 신고)

(1) 의의

① 법령 등에서 행정청에 대하여 일정한 사항을 통지하고 행정청이 이를 수리함으로써 법적 효과가 발생하는 신고를 말하며 실정법상 등록으로 표현되는 경우가 있다. 신고가 요건을 충족하지 않은 경우에 이를 거부할 수 있으므로 완화된 허가제로서 의미를 갖는다.

② 행정기본법 제34조의 신고가 이러한 신고에 관한 규정이다.

③ 행위요건적 신고의 대표적 예로는 각종 지위승계신고, 수산업법상 어업신고; 인허가의제를 수반하는 건축신고 등이 있다.

> **행정기본법 제34조 【수리 여부에 따른 신고의 효력】** 법령 등으로 정하는 바에 따라 행정청에 일정한 사항을 통지하여야 하는 신고로서 법률에 신고의 수리가 필요하다고 명시되어 있는 경우(행정기관의 내부 업무 처리 절차로서 수리를 규정한 경우는 제외한다)에는 행정청이 수리하여야 효력이 발생한다.

(2) 요건

행위요건적 신고의 경우 행정청은 형식적 요건 외에 실질적 요건까지 고려하여 수리여부를 결정하여야 한다. 나아가 신고를 규정한 법률상의 요건 외에 다른 법률상의 요건도 충족하여야 하는 경우, 다른 법률상의 요건을 충족하지 못한 경우에는 적법한 신고를 할 수 없다.

⚖ 관련판례

1 구 노인복지법에 의한 유료노인복지주택의 설치신고를 받은 행정관청이 그 수리 여부를 결정하기 위하여 심사할 대상의 범위

구 노인복지법 제33조 제2항에 의한 유료노인복지주택의 설치신고를 받은 행정관청으로서는 그 유료노인복지주택의 시설 및 운영기준이 위 법령에 부합하는지와 아울러 그 유료노인복지주택이 적법한 입소대상자에게 분양되었는지와 설치신고 당시 부적격자들이 입소하고 있지는 않은지 여부까지 심사하여 그 신고의 수리 여부를 결정할 수 있다(대판 2007.1.11. 2006두14537).

2 행정관청이 노동조합으로 설립신고를 한 단체가 노동조합 및 노동관계조정법 제2조 제4호 각 목에 해당하는지 여부를 실질적으로 심사할 수 있는지 여부(적극) 및 실질적 심사의 기준

노동조합 및 노동관계조정법(이하 '노동조합법'이라 한다)이 행정관청으로 하여금 설립신고를 한 단체에 대하여 같은 법 제2조 제4호 각 목에 해당하는지를 심사하도록 한 취지가 노동조합으로서의 실질적 요건을 갖추지 못한 노동조합의 난립을 방지함으로써 근로자의 자주적이고 민주적인 단결권 행사를 보장하려는 데 있는 점을 고려하면, 행정관청은 해당 단체가 노동조합법 제2조 제4호 각 목에 해당하는지 여부를 실질적으로 심사할 수 있다. 다만 행정관청에 광범위한 심사권한을 인정할 경우 행정관청의 심사가 자의적으로 이루어져 신고제가 사실상 허가제로 변질될 우려가 있는 점, 노동조합법은 설립신고 당시 제출하여야 할 서류로 설립신고서와 규약만을 정하고 있고(제10조 제1항), 행정관청으로 하여금 보완사유나 반려사유가 있는 경우를 제외하고는 설립신고서를 접수받은 때로부터 3일 이내에 신고증을 교부하도록 정한 점(제12조 제1항) 등을 고려하면, 행정관청은 일단 제출된 설립신고서와 규약의 내용을 기준으로 노동조합법 제2조 제4호 각 목의 해당 여부를 심사하되, 설립신고서를 접수할 당시 그 해당 여부가 문제된다고 볼 만한 객관적인 사정이 있는 경우에 한하여 설립신고서와 규약 내용 외의 사항에 대하여 실질적인 심사를 거쳐 반려 여부를 결정할 수 있다(대판 2014.4.10. 2011두6998).

(3) 수리 여부

행위요건적 신고의 경우, 신고가 행정청에게 도달하는 것 외에 행정청의 수리행위가 있어야 비로소 법적 효과가 발생한다. 다만, 수리행위에 수리가 이루어졌음을 증명하는 신고필증 교부 등 행위가 꼭 필요한 것은 아니다.

(4) 효과

① 적법한 신고의 경우

ㄱ 행위요건적 신고의 경우에는 신고의 요건을 갖춘 신고서가 접수기관에 도달하기만 하면 신고로서의 효력이 발생하는 것이 아니라 행정청이 수리한 경우에 비로소 신고의 효력이 발생한다.

ㄴ 다만, 행위요건적 신고의 수리는 원칙적으로 기속행위에 해당한다고 할 것이므로, 행정청이 법령이 정한 요건 이외의 사유를 들어 수리를 거부하는 것은 법령의 목적에 비추어 이를 거부해야 할 중대한 공익상의 필요가 있다는 등 특별한 사정이 있는 경우에 한한다.

관련판례

1 주민등록은 단순히 주민의 거주관계를 파악하고 인구의 동태를 명확히 하는 것 외에도 주민등록에 따라 공법관계상의 여러 가지 법률상 효과가 나타나게 되는 것으로서, 주민등록의 신고는 행정청에 도달하기만 하면 신고로서의 효력이 발생하는 것이 아니라 행정청이 수리한 경우에 비로소 신고의 효력이 발생한다 할 것이다(대판 2009.1.30. 2006다17850).

2 숙박업을 하고자 하는 자가 법령이 정하는 시설과 설비를 갖추고 행정청에 신고를 하면, 행정청은 공중위생관리법령의 위 규정에 따라 원칙적으로 이를 수리하여야 한다. 행정청이 법령이 정한 요건 이외의 사유를 들어 수리를 거부하는 것은 위 법령의 목적에 비추어 이를 거부해야 할 중대한 공익상의 필요가 있다는 등 특별한 사정이 있는 경우에 한한다. 이러한 법리는 이미 다른 사람 명의로 숙박업 신고가 되어 있는 시설 등의 전부 또는 일부에서 새로 숙박업을 하고자 하는 자가 신고를 한 경우에도 마찬가지이다. 기존에 다른 사람이 숙박업 신고를 한 적이 있더라도 새로 숙박업을 하려는 자가 그 시설 등의 소유권 등 정당한 사용권한을 취득하여 법령에서 정한 요건을 갖추어 신고하였다면, 행정청으로서는 특별한 사정이 없는 한 이를 수리하여야 하고, 단지 해당 시설 등에 관한 기존의 숙박업 신고가 외관상 남아있다는 이유만으로 이를 거부할 수 없다(대판 2017.5.30. 2017두34087).

② **부적법한 신고의 경우:** 행위요건적 신고가 법령상의 신고요건을 충족하지 못하는 경우에는 행정청은 당해 신고의 수리를 거부할 수 있다. 만일 부적법한 신고를 수리한 경우, 그 수리행위는 하자있는 행정행위로서 중대명백설에 의하여 무효 또는 취소할 수 있는 행위가 된다.

관련판례

장기요양기관의 폐업신고와 노인의료복지시설의 폐지신고는, 행정청이 관계 법령이 규정한 요건에 맞는지를 심사한 후 수리하는 이른바 '수리를 필요로 하는 신고'에 해당한다. 그러나 행정청이 그 신고를 수리하였다고 하더라도, 신고서 위조 등의 사유가 있어 신고행위 자체가 효력이 없다면, 그 수리행위는 유효한 대상이 없는 것으로서, 수리행위 자체에 중대·명백한 하자가 있는지를 따질 것도 없이 당연히 무효이다(대판 2005.12.23. 2005두3554).

(5) 수리 및 수리거부의 처분성

행정청의 수리 및 수리거부는 신청인의 권리·의무에 영향을 주므로 수리의 거부처분은 행정처분으로서 항고소송의 대상이 된다.

관련판례

체육시설의 회원을 모집하고자 하는 자의 시·도지사 등에 대한 회원모집계획서 제출은 수리를 요하는 신고에서의 신고에 해당하며, 시·도지사 등의 검토결과 통보는 수리행위로서 행정처분에 해당한다(대판 2009.2.26. 2006두16243).❶

> **비교판례**
>
> **'골프장이용료 변경신고'는 자기완결적 신고라는 판례**
> 이 사건 변경신고서는 ... 경기도지사에 제출하여 '접수된 때'에 신고가 있었다고 볼 것이고 ... 시·도지사가 신고서를 접수, 검토, 조정의 절차를 거쳐 수리하는 때에 비로소 신고가 있었다고 해석할 것은 아니다.

(6) 판례

수리를 요하는 신고의 경우에는 기본적인 사업의 양도행위의 무효를 주장함이 없이 행정청의 수리처분의 무효확인을 구할 수 있다는 것이 판례의 입장이다(인가와 구별).

관련판례

1 사업양도·양수에 따른 허가관청의 지위승계신고의 수리는 적법한 사업의 양도·양수가 있었음을 전제로 하는 것이므로 그 수리대상인 사업양도·양수가 존재하지 아니하거나 무효인 때에는 수리를 하였다 하더라도 그 수리는 유효한 대상이 없는 것으로서 당연히 무효라 할 것이고, 사업의 양도행위가 무효라고 주장하는 양도자는 민사쟁송으로 양도·양수행위의 무효를 구함이 없이 막바로 허가관청을 상대로 하여 행정소송으로 위 신고수리처분의 무효확인을 구할 법률상 이익이 있다(대판 2005.12.23. 2005두3554).

2 산림법 제90조의2 제1항, 제118조 제1항, 같은 법 시행규칙 제95조의2 등 산림법령이 수허가자의 명의변경제도를 두고 있는 취지는, 채석허가가 일반적·상대적 금지를 해제하여 줌으로써 채석행위를 자유롭게 할 수 있는 자유를 회복시켜 주는 것일 뿐 권리를 설정하는 것이 아니어서 관할 행정청과의 관계에서 수허가자의 지위의 승계를 직접 주장할 수는 없다 하더라도, 채석허가가 대물적 허가의 성질을 아울러 가지고 있고 수허가자의 지위가 사실상 양도·양수되는 점을 고려하여 수허가자의 지위를 사실상 양수한 양수인의 이익을 보호하고자 하는 데 있는 것으로 해석되므로, 수허가자의 지위를 양수 받아 명의변경신고를 할 수 있는 양수인의 지위는 단순한 반사적 이익이나 사실상의 이익이 아니라 산림법령에 의하여 보호되는 직접적이고 구체적인 이익으로서 법률상 이익이라고 할 것이고, 채석허가가 유효하게 존속하고 있다는 것이 양수인의 명의변경신고의 전제가 된다는 의미에서 관할 행정청이 양도인에 대하여 채석허가를 취소하는 처분을 하였다면 이는 양수인의 지위에 대한 직접적 침해가 된다고 할 것이므로 양수인은 채석허가를 취소하는 처분의 취소를 구할 법률상 이익을 가진다(대판 2003.7.11. 2001두6289).

---

❶
· 골프장 회원모집계획서: 행위요건적 신고
· 골프장 이용료변경신고: 자기완결적 신고

핵심 OX

01 사업의 양도행위가 무효라고 주장하는 자가 민사쟁송으로 양도·양수행위의 무효를 구함이 없이 사업양도·양수에 따른 허가관청의 지위승계 신고수리처분의 무효확인을 구할 경우, 그 법률상 이익이 있다.
17. 국가7급(10월), 13. 국가7급 ( )

02 채석허가를 받은 자로부터 영업양수 후 명의변경신고 이전에 양도인의 법위반사유를 이유로 채석허가가 취소된 경우, 양수인은 수허가자의 지위를 사실상 양수받았다고 하더라도 그 처분의 취소를 구할 법률상 이익을 가지지 않는다.
17. 국가7급(10월) ( )

01 ○ 02 X

관련판례

1 대규모점포의 개설 등록

대규모점포의 개설 등록은 이른바 '수리를 요하는 신고'로서 행정처분에 해당한다(대판 2015.11.19. 2015두295 전합).

2 혼인신고

혼인은 호적법에 따라 호적공무원이 그 신고를 수리함으로써 유효하게 성립되는 것이며 호적부에의 기재는 그 유효요건이 아니어서 호적에 적법하게 기재되는 여부는 혼인성립의 효과에 영향을 미치는 것은 아니므로 부부가 일단 혼인신고를 하였다면 그 혼인관계는 성립된 것이고 그 호적의 기재가 무효한 이중호적에 의하였다 하여 그 효력이 좌우되는 것은 아니다(대판 1991.12.10. 91므344 전합).

관련판례

1 액화석유가스의 안전 및 사업관리법 제7조 제2항에 의한 액화석유가스충전사업 지위승계신고 수리행위가 행정처분에 해당하는지 여부(적극)

액화석유가스의 안전 및 사업관리법 제7조 제2항에 의한 사업양수에 의한 지위승계신고를 수리하는 허가관청의 행위는 단순히 양도, 양수자 사이에 발생한 사법상의 사업양도의 법률효과에 의하여 양수자가 사업을 승계하였다는 사실의 신고를 접수하는 행위에 그치는 것이 아니라 실질에 있어서 양도자의 사업허가를 취소함과 아울러 양수자에게 적법히 사업을 할 수 있는 법규상 권리를 설정하여 주는 행위로서 사업허가자의 변경이라는 법률효과를 발생시키는 행위이므로 허가관청이 법 제7조 제2항에 의한 사업양수에 의한 지위승계신고를 수리하는 행위는 행정처분에 해당한다(대판 1993.6.8. 91누11544).

2 식품위생법 제25조 제3항에 의한 영업양도에 따른 지위승계신고를 수리하는 행위의 성질

식품위생법 제25조 제3항에 의한 영업양도에 따른 지위승계신고를 수리하는 허가관청의 행위는 단순히 양도·양수인 사이에 이미 발생한 사법상의 사업양도의 법률효과에 의하여 양수인이 그 영업을 승계하였다는 사실의 신고를 접수하는 행위에 그치는 것이 아니라, 영업허가자의 변경이라는 법률효과를 발생시키는 행위라고 할 것이다(대판 1995.2.24. 94누9146).

3 구 관광진흥법 제8조 제4항에 의한 지위승계신고를 수리하는 허가관청의 행위 및 구 체육시설의 설치·이용에 관한 법률 제20조, 제27조에 의한 영업양수신고나 문화체육관광부령으로 정하는 체육시설업의 시설 기준에 따른 필수시설인수신고를 수리하는 관계 행정청의 행위가 항고소송의 대상인지 여부(적극)

구 관광진흥법 제8조 제4항에 의한 지위승계신고를 수리하는 허가관청의 행위는 단순히 양도·양수인 사이에 이미 발생한 사법상 사업양도의 법률효과에 의하여 양수인이 그 영업을 승계하였다는 사실의 신고를 접수하는 행위에 그치는 것이 아니라, 영업허가자의 변경이라는 법률효과를 발생시키는 행위이다. 그리고 구 체육시설의 설치·이용에 관한 법률 제20조, 제27조의 각 규정 등에 의하면 체육시설업자로부터 영업을 양수하거나 문화체육관광부령으로 정하는 체육시설업의 시설 기준에 따른 필수시설을 인수한 자가 관계 행정청에 이를 신고하여 행정청이 수리하는 경우에는 종전 체육시설업자는 적법한 신고를 마친 체육시설업자의 지위를 부인당할 불안정한 상태에 놓이게 되므로, 그로 하여금 이러한 수리행위의 적법성을 다투어 법적 불안을 해소할 수 있도록 하는 것이 법치행정의 원리에 맞는다(대판 2012.12.13. 2011두29144).

핵심 OX

01 위 건축허가에 대해 건축주를 乙로 변경하는 건축주명의변경신고가 관련 법령의 요건을 모두 갖추어 행해졌더라도 관할 행정청이 신고의 수리를 거부한 경우, 그 수리거부행위는 乙의 권리의무에 직접 영향을 미치는 것으로서 취소소송의 대상이 되는 처분이다.
19. 지방9급 · 국가9급, 15. 경특1차, 13. 국회8급 · 9급 ( )

02 수산업법상의 어업의 신고는 행정청의 수리에 의하여 비로소 그 효과가 발생하는 이른바 '수리를 요하는 신고'에 해당한다.
19. 서울9급(2월) ( )

핵심 OX

03 납골당설치 신고가 구 장사법 관련 규정의 모든 요건에 맞는 신고라 하더라도 신고인은 곧바로 납골당을 설치할 수는 없고, 이에 대한 행정청의 수리처분이 있어야만 신고한 대로 납골당을 설치할 수 있다.
19. 서울9급(2월) · 국회8급, 15. 경특1차, 13. 국가7급 ( )

04 수리를 요하는 신고의 경우, 수리행위에 신고필증의 교부가 필수적이므로 신고필증교부의 거부는 행정소송법상 처분으로 볼 수 있다.
17. 국가9급(10월) ( )

05 부동산투기나 이주대책 요구 등을 방지할 목적으로 주민등록전입신고를 거부하는 것은 주민등록법의 입법 목적과 취지 등에 비추어 허용될 수 없다. 19. 지방9급, 16. 국가9급 ( )

01 ○ **02** ○ **03** ○ **04** X **05** ○

4 건축주명의변경신고에 대한 수리거부행위가 취소소송의 대상이 되는 처분인지 여부 (적극)

건축주명의변경신고수리거부행위는 행정청이 허가대상건축물 양수인의 건축주명의변경신고라는 구체적인 사실에 관한 법집행으로서 그 신고를 수리하여야 할 법령상의 의무를 지고 있음에도 불구하고 그 신고의 수리를 거부함으로써, 양수인이 건축공사를 계속하기 위하여 또는 건축공사를 완료한 후 자신의 명의로 소유권보존등기를 하기 위하여 가지는 구체적인 법적 이익을 침해하는 결과가 되었다고 할 것이므로, 비록 건축허가가 대물적 허가로서 그 허가의 효과가 허가대상건축물에 대한 권리변동에 수반하여 이전된다고 하더라도, 양수인의 권리의무에 직접 영향을 미치는 것으로서 취소소송의 대상이 되는 처분이라고 하지 않을 수 없다(대판 1992.3.31. 91누4911).

5 수산업법 제44조 소정의 어업신고의 법적 성질(= 수리를 요하는 신고) 및 어업신고를 수리하면서 공유수면매립구역을 조업구역에서 제외한 것이 위법한 경우, 적법한 신고가 있는 것으로 볼 수 있는지 여부(소극)

어업의 신고에 관하여 유효기간을 설정하면서 그 기산점을 '수리한 날'로 규정하고, 나아가 필요한 경우에는 그 유효기간을 단축할 수 있도록까지 하고 있는 수산업법 제44조 제2항의 규정 취지 및 어업의 신고를 한 자가 공익상 필요에 의하여 한 행정청의 조치에 위반한 경우에 어업의 신고를 수리한 때에 교부한 어업신고필증을 회수하도록 하고 있는 구 수산업법 시행령 제33조 제1항의 규정 취지에 비추어 보면, 수산업법 제44조 소정의 어업의 신고는 행정청의 수리에 의하여 비로소 그 효과가 발생하는 이른바 '수리를 요하는 신고'라고 할 것이고, 따라서 설사 관할관청이 어업신고를 수리하면서 공유수면매립구역을 조업구역에서 제외한 것이 위법하다고 하더라도, 그 제외된 구역에 관하여 관할관청의 적법한 수리가 없었던 것이 분명한 이상 그 구역에 관하여는 같은 법 제44조 소정의 적법한 어업신고가 있는 것으로 볼 수 없다(대판 2000.5.26. 99다37382).

6 납골당설치 신고가 '수리를 요하는 신고'인지 여부(적극) 및 수리행위에 신고필증 교부 등 행위가 필요한지 여부(소극)

구 장사 등에 관한 법률 제14조 제1항, 구 장사 등에 관한 법률 시행규칙 제7조 제1항 [별지 제7호 서식]을 종합하면, 납골당설치 신고는 이른바 '수리를 요하는 신고'라 할 것이므로, 납골당설치 신고가 구 장사법 관련규정의 모든 요건에 맞는 신고라 하더라도 신고인은 곧바로 납골당을 설치할 수는 없고, 이에 대한 행정청의 수리처분이 있어야만 신고한 대로 납골당을 설치할 수 있다. 한편 수리란 신고를 유효한 것으로 판단하고 법령에 의하여 처리할 의사로 이를 수령하는 수동적 행위이므로 수리행위에 신고필증 교부 등 행위가 꼭 필요한 것은 아니다(대판 2011.9.8. 2009두6766).

7 주민등록전입신고와 관련하여 주민등록법의 입법 목적과 주민등록의 법률상 효과 이외에 지방자치법 및 지방자치의 이념까지도 고려하여 수리를 거부할 수 있는지 여부(소극)

비록 주민들의 거주지 이동에 따른 주민등록전입신고에 대하여 행정청이 이를 심사하여 그 수리를 거부할 수는 있다고 하더라도, 그러한 행위는 자칫 헌법상 보장된 국민의 거주·이전의 자유를 침해하는 결과를 초래할 수도 있으므로, 시장 등의 주민등록전입신고 수리 여부에 대한 심사는 주민등록법의 입법 목적의 범위 내에서 제한적으로 이루어져야 할 것이다. 한편 주민등록법은 시(특별시·광역시는 제외한다)·군 또는 구(자치구를 말한다)의 주민을 등록하게 함으로써 주민의 거주관계 등 인구의 동태를 상시로 명확히 파악하여 주민생활의 편익을 증진시키고 행정사무의 적정한 처리를 도모하는 데에 그 목적이 있고(제1조), 시장 등은 30일 이상 거주할 목적으로 그 관할 구역에 주소나 거소(이하 '거주지'라 한다)를 가진 자를 등록하여야 한다(제6조)고 규정하고 있다.

이러한 점들을 고려해 보면, 전입신고를 받은 시장 등의 심사 대상은 전입신고자가 30일 이상 생활의 근거로서 거주할 목적으로 거주지를 옮기는지 여부만으로 제한된다고 보아야 할 것이다.

따라서 <u>전입신고자가 거주의 목적 이외에 다른 이해관계에 관한 의도를 가지고 있는지 여부, 무허가건축물의 관리, 전입신고를 수리함으로써 당해 지방자치단체에 미치는 영향 등과 같은 사유는</u> 주민등록법이 아닌 다른 법률에 의하여 규율되어야 할 것이고, 주민등록전입신고의 수리 여부를 심사하는 단계에서는 고려 대상이 될 수 없다. 그러므로 주민등록의 대상이 되는 실질적 의미에서의 거주지인지 여부를 심사하기 위하여 주민등록법의 입법 목적과 주민등록의 법률상 효과 이외에 지방자치법 및 지방자치의 이념까지도 고려하여야 한다고 판시하였던 대판 2002.7.9. 2002두1748 판결은 이 판결의 견해에 배치되는 범위 내에서 변경하기로 한다(대판 2009.6.18. 2008두10997 전합).

8 **건축법 제14조 제2항에 의한 인허가의제 효과를 수반하는 건축신고가, 행정청이 그 실체적 요건에 관한 심사를 한 후 수리하여야 하는 이른바 '수리를 요하는 신고'인지 여부(적극)**

건축법에서 인허가의제 제도를 둔 취지는, 인허가의제 사항과 관련하여 건축허가 또는 건축신고의 관할 행정청으로 그 창구를 단일화하고 절차를 간소화하며 비용과 시간을 절감함으로써 국민의 권익을 보호하려는 것이지, 인허가의제 사항 관련 법률에 따른 각각의 인허가 요건에 관한 일체의 심사를 배제하려는 것으로 보기는 어렵다. 왜냐하면, 건축법과 인허가의제 사항 관련 법률은 각기 고유한 목적이 있고, 건축신고와 인허가의제 사항도 각각 별개의 제도적 취지가 있으며 그 요건 또한 달리하기 때문이다. 나아가 인허가의제 사항 관련 법률에 규정된 요건 중 상당수는 공익에 관한 것으로서 행정청의 전문적이고 종합적인 심사가 요구되는데, 만약 건축신고만으로 인허가의제 사항에 관한 일체의 요건 심사가 배제된다고 한다면, 중대한 공익상의 침해나 이해관계인의 피해를 야기하고 관련 법률에서 인허가 제도를 통하여 사인의 행위를 사전에 감독하고자 하는 규율체계 전반을 무너뜨릴 우려가 있다. 또한 무엇보다도 건축신고를 하려는 자는 인허가의제 사항 관련 법령에서 제출하도록 의무화하고 있는 신청서와 구비서류를 제출하여야 하는데, 이는 건축신고를 수리하는 행정청으로 하여금 인허가의제 사항 관련 법률에 규정된 요건에 관하여도 심사를 하도록 하기 위한 것으로 볼 수밖에 없다. 따라서 <u>인허가의제 효과를 수반하는 건축신고는 일반적인 건축신고와는 달리, 특별한 사정이 없는 한 행정청이 그 실체적 요건에 관한 심사를 한 후 수리하여야 하는 이른바 '수리를 요하는 신고'로 보는 것이 옳다</u>(대판 2011.1.20. 2010두14954 전합).

01 허가에 타법상의 인허가가 의제되는 경우, 의제된 인허가는 통상적인 인허가와 동일한 효력을 가질 수 없으므로 '부분 인허가의제'가 허용되는 경우라도 그에 대한 쟁송취소는 허용될 수 없다. 19. 지방7급 (　)

02 주택건설사업계획 승인처분에 따라 의제된 지구단위계획결정에 하자가 있음을 다투고자 하는 경우, 의제된 지구단위계획결정이 아니라 주택건설사업계획 승인처분을 항고소송의 대상으로 삼아야 한다. 19. 서울7급(10월) (　)

03 인허가의제는 행정청의 소관사항과 관련하여 권한행사의 변경을 가져오므로 법령의 근거를 필요로 한다. 18. 국가7급·지방교행 (　)

04 주된 인허가에 관한 사항을 규정하고 있는 법률에서 주된 인허가가 있으면 다른 법률에 의한 인허가를 받은 것으로 의제한다는 규정을 둔 경우, 주된 인허가가 있으면 다른 법률에 의하여 인허가를 받았음을 전제로 하는 그 다른 법률의 모든 규정들까지 적용되는 것은 아니다. 18. 국가7급 (　)

05 A허가에 대해 B허가가 의제되는 것으로 규정된 경우, A불허가처분을 하면서 B불허가사유를 들고 있으면 A불허가처분과 별개로 B불허가처분도 존재한다. 18. 국가7급 (　)

[인허가의제 관련 판례]

8-1 인허가의제 대상이 되는 처분에 어떤 하자가 있더라도, 그로써 해당 인허가의제의 효과가 발생하지 않을 여지가 있게 될 뿐이고, 그러한 사정이 주택건설사업계획 승인처분 자체의 위법사유가 될 수는 없다. 또한 의제된 인허가는 통상적인 인허가와 동일한 효력을 가지므로, 적어도 '부분 인허가의제'가 허용되는 경우에는 그 효력을 제거하기 위한 법적 수단으로 의제된 인허가의 취소나 철회가 허용될 수 있고, 이러한 직권 취소·철회가 가능한 이상 그 의제된 인허가에 대한 쟁송취소 역시 허용된다. 따라서 주택건설사업계획 승인처분에 따라 의제된 인허가가 위법함을 다투고자 하는 이해관계인은, 주택건설사업계획승인처분의 취소를 구할 것이 아니라 의제된 인허가의 취소를 구하여야 하며, 의제된 인허가는 주택건설사업계획승인처분과 별도로 항고소송의 대상이 되는 처분에 해당한다(대판 2018.11.29. 2016두38792).

8-2 [1] 의제 인허가행정청의 권한이 주된 인허가행정청으로 이동함에 따라 인허가의제는 행정청의 소관사항과 관련하여 권한행사의 변경을 가져오므로 법령의 근거를 필요로 한다.
[2] 주된 인허가에 관한 사항을 규정하고 있는 甲 법률에서 주된 인허가가 있으면 乙 법률에 의한 인허가를 받은 것으로 의제한다는 규정을 둔 경우, 주된 인허가가 있으면 乙 법률에 의하여 인허가를 받았음을 전제로 한 乙 법률의 모든 규정들까지 적용되는 것은 아니다(대판 2004.7.22. 2004다19715).

8-3 **8-1과 구별하여야 하는 판례**
건축불허가처분을 하면서 그 처분사유로 건축불허가 사유뿐만 아니라 형질변경불허가 사유나 농지전용불허가 사유를 들고 있다고 하여 그 건축불허가처분 외에 별개로 형질변경불허가처분이나 농지전용불허가처분이 존재하는 것이 아니므로, 그 건축불허가처분을 받은 사람은 그 건축불허가처분에 관한 쟁송에서 건축법상의 건축불허가 사유뿐만 아니라 같은 도시계획법상의 형질변경불허가 사유나 농지법상의 농지전용불허가 사유에 관하여도 다툴 수 있는 것이지, 그 건축불허가처분에 관한 쟁송과는 별개로 형질변경불허가처분이나 농지전용불허가처분에 관한 쟁송을 제기하여 이를 다투어야 하는 것은 아니며, 그러한 쟁송을 제기하지 아니하였어도 형질변경불허가 사유나 농지전용불허가 사유에 관하여 불가쟁력이 생기지 아니한다(대판 2001.1.16. 99두10988).

9 의료법에 따라 정신과의원을 개설하려는 자가 법령에 규정되어 있는 요건을 갖추어 개설신고를 한 경우 행정청은 원칙적으로 이를 수리하여 신고필증을 교부하여야 하고, 법령에서 정한 요건 이외의 사유를 들어 의원급 의료기관 개설신고의 수리를 거부할 수는 없는지 여부(적극)
의료법은 의료기관의 개설 주체가 의원·치과의원·한의원 또는 조산원을 개설하려고 하는 경우에는 시장·군수·구청장에게 신고하도록 규정하고 있지만(제33조 제3항), 종합병원·병원·치과병원·한방병원 또는 요양병원을 개설하려고 하는 경우에는 시·도지사의 허가를 받도록 규정하고 있다(제33조 제4항). 이와 같이 의료법이 의료기관의 종류에 따라 허가제와 신고제를 구분하여 규정하고 있는 취지는, 신고 대상인 의원급 의료기관 개설의 경우 행정청이 법령에서 정하고 있는 요건 이외의 사유를 들어 신고 수리를 반려하는 것을 원칙적으로 배제함으로써 개설 주체가 신속하게 해당 의료기관을 개설할 수 있도록 하기 위함이다(대판 2018.10.25. 2018두44302).

10 가설건축물 존치기간을 연장하려는 건축주 등이 법령에 규정되어 있는 제반 서류와 요건을 갖추어 행정청에 연장신고를 한 때에는 행정청은 원칙적으로 이를 수리하여 신고필증을 교부하여야 하고, 법령에서 정한 요건 이외의 사유를 들어 수리를 거부할 수는 없는지 여부(적극)

가설건축물은 건축법상 '건축물'이 아니므로 건축허가나 건축신고 없이 설치할 수 있는 것이 원칙이지만 일정한 가설건축물에 대하여는 건축물에 준하여 위험을 통제하여야 할 필요가 있으므로 신고대상으로 규율하고 있다. 이러한 신고제도의 취지에 비추어 보면, 가설건축물 존치기간을 연장하려는 건축주 등이 법령에 규정되어 있는 제반 서류와 요건을 갖추어 행정청에 연장신고를 한 때에는 행정청은 원칙적으로 이를 수리하여 신고필증을 교부하여야 하고, 법령에서 정한 요건 이외의 사유를 들어 수리를 거부할 수는 없다(대판 2018.1.25. 2015두35116).

11 허가권자가 양수인에게 '건축할 대지의 소유 또는 사용에 관한 권리를 증명하는 서류'의 제출을 요구하거나, 양수인에게 이러한 권리가 없다는 실체적인 이유를 들어 신고 수리를 거부할 수 있는지 여부(소극)

건축에 관한 허가·신고 및 변경에 관한 구 건축법 각 규정의 문언 내용 및 체계 등과 아울러 관련 법리들을 종합하면, 건축허가를 받은 건축물의 양수인이 건축주 명의변경을 위하여 건축관계자 변경신고서에 첨부하여야 하는 구 건축법 시행규칙 제11조 제1항에서 정한 '권리관계의 변경사실을 증명할 수 있는 서류'란 건축할 대지가 아니라 허가대상 건축물에 관한 권리관계의 변경사실을 증명할 수 있는 서류를 의미하고, 그 서류를 첨부하였다면 이로써 구 건축법 시행규칙에 규정된 건축주 명의변경신고의 형식적 요건을 갖추었으며, 허가권자는 양수인에 대하여 구 건축법 시행규칙 제11조 제1항에서 정한 서류에 포함되지 아니하는 '건축할 대지의 소유 또는 사용에 관한 권리를 증명하는 서류'의 제출을 요구하거나, 양수인에게 이러한 권리가 없다는 실체적 이유를 들어 신고의 수리를 거부하여서는 아니 된다(대판 2015.10.29. 2013두11475).

12 대규모점포의 개설 등록은 이른바 '수리를 요하는 신고'로서 행정처분에 해당하는지 여부(적극)

유통산업발전법상 대규모점포의 개설 등록은 이른바 '수리를 요하는 신고'로서 행정처분에 해당한다(대판 2015.11.19. 2015두295 전합).

13 정신과의원을 개설하려는 자가 법령에 규정되어 있는 요건을 갖추어 개설신고를 한 경우, 행정청이 법령에서 정한 요건 이외의 사유를 들어 의원급 의료기관 개설신고의 수리를 거부할 수 있는지 여부(소극)

정신과의원을 개설하려는 자가 법령에 규정되어 있는 요건을 갖추어 개설신고를 한 때에, 행정청은 원칙적으로 이를 수리하여 신고필증을 교부하여야 하고, 법령에서 정한 요건 이외의 사유를 들어 의원급 의료기관 개설신고의 수리를 거부할 수는 없다(대판 2018.10.25. 2018두44302).

핵심 OX

06 유통산업발전법상 대규모점포의 개설 등록은 이른바 '수리를 요하는 신고'로서 행정처분에 해당한다.
19·18. 지방7급 ( )

07 의료법에 따라 정신과의원을 개설하려는 자가 법령에 규정되어 있는 요건을 갖추어 개설신고를 한 경우라도 관할 시장·군수·구청장은 법령에서 정한 요건 이외의 사유를 들어 의원급 의료기관 개설신고의 수리를 거부할 수 있다.
19. 지방7급 ( )

06 ○ **07** X

1. 요약

┌ 행정(행위)요건적 공법행위(예 신청)
└ 자족적(자기완결적, 자체완성적) 공법행위(예 신고)

→ 신고 ┌ 수리를 요하는 신고=행정(행위)요건적 공법행위로서의 신고
       └ 수리를 요하지 않는 신고=자체완성적 공법행위로서의 신고

2. 정리

① 전역지원의 의사표시가 진의 아닌 의사표시라 하더라도 무효의 법리를 선언한 민법상 비진의의사표시는 적용되지 않고 그 표시된 대로 유효한 것으로 보아야 한다.

② 사인의 공법행위인 영업재개신고에 민법 제107조(비진의의사표시)는 적용될 수 없다.

③ 공무원의 사직서제출이 강박에 의한 경우 그 정도가 의사결정의 자유를 박탈할 정도에 이른 것이라면 그 의사표시는 무효로 될 것이고 그렇지 않으면 취소사유이다.

④ 공무원이 한 사직의 의사표시의 취소는 그에 터잡은 의원면직처분이 있을 때까지 할 수 있는 것이고, 일단 면직처분이 있고 난 이후에는 철회나 취소할 여지가 없다.

⑤ 영업양도에 따른 지위승계신고수리는 양도자의 사업허가를 취소함과 아울러 양수자에게 적법히 사업을 할 수 있는 권리를 설정하여 주는 행위로서 사업허가자의 변경이라는 법률효과를 발생시키는 행위이다.

⑥ 신고를 받은 행정청은 관계법령에서 정하지 않은 사유를 들어 수리를 거부할 수 없다.

⑦ 채석허가자의 지위를 양수받아 명의변경신고를 할 수 있는 양수인의 지위는 단순한 반사적 이익이나 사실상의 이익이 아니라 산림법령에 의하여 보호되는 직접적이고 구체적인 이익으로서 법률상 이익이라고 할 것이다.

⑧ 사업의 양도행위가 무효라고 주장하는 양도자는 민사쟁송으로 양도·양수행위의 무효를 구함이 없이 막바로 허가관청을 상대로 하여 행정소송으로 위 신고수리처분의 무효확인을 구할 법률상 이익이 있다.

구분	자기완결적 신고 (수리를 요하지 않는 신고)	행정요건적 신고 (수리를 요하는 신고)
의의	신고서가 행정청에 '도달'함으로써 법적 효과가 발생하는 통상적 의미의 신고	'도달' 이외에 이를 '수리'함으로써 법적 효과가 발생하는 신고
요건	**형식적 요건** • 신고서 기재사항에 하자가 없을 것 • 구비서류가 첨부되어 있을 것 • 그 밖의 형식적 요건에 적합할 것	형식적 요건+실질적 요건
효과	제출기관에 도달된 때에 법적 효과가 발생	도달 + 수리함으로써 법적 효과가 발생
수리	법적 의미 없음	법적 요건
신고필증	신고 사실의 단순 확인	수리가 이루어졌음을 증명하는 행위로서 법적 효과가 발생
수리거부	항고소송의 대상이 아님 [단, 건축신고는 예외(대판 2010.11.18. 2008두167 전합)]	항고소송의 대상이 됨

판례	• 건축법상 건축신고
	  – 차고의 증축신고
	  – 담장축조·담장설치공사신고
	• 의료법상·식품위생법상 신고
	• 집시법상 옥외집회 및 시위의 신고
	• 기타
	  – 출생신고
	  – 사망신고
	  – 국적이탈신고
	  – 납세신고
		지위승계
		• 식품위생법상 영업허가명의변경신고
		• 액화석유가스의 안전관리 및 사업법상 사업양수에 의한 지위승계신고
		• 채석허가수허가자명의변경신고
		• 건축물 양수인의 건축대장상의 수리 또는 건축주명의변경신고

	체육법상 신고 – 당구장업신고 – 골프장 이용료 변경신고 간	학교보건법상 신고 – 당구장업신고 간
	수산업법상 신고 – 수산제조업신고 간	수산업법상 신고 – 어업신고 간

01 법률유보의 원칙에 대한 내용으로 옳지 않은 것은? (다툼이 있는 경우 판례에 의함)

① 법률유보의 원칙에서 요구되는 법적 근거는 작용법적 근거를 의미한다.

② 개인택시운송사업자의 운전면허가 아직 취소되지 않았더라도 운전면허 취소사유가 있다면 행정청은 명문 규정이 없더라도 개인택시운송사업면허를 취소할 수 있다.

③ 법률유보의 원칙은 국민의 기본권실현과 관련된 영역에 있어서는 입법자가 그 본질적 사항에 대해서 스스로 결정하여야 한다는 요구까지 내포하고 있다.

④ 국회가 형식적 법률로 직접 규율하여야 하는 필요성은 규율대상이 기본권 및 기본적 의무와 관련된 중요성을 가질수록, 그에 관한 공개적 토론의 필요성 또는 상충하는 이익 사이의 조정 필요성이 클수록 더 증대된다.

02 법률유보원칙에 대한 판례의 입장으로 가장 옳지 않은 것은?

① 법령의 규정보다 더 침익적인 조례는 법률유보원칙에 위반되어 위법하며 무효이다.

② 법률유보원칙에서 요구되는 법적 근거는 작용법적 근거를 의미하며, 조직법적 근거는 모든 행정권 행사에 있어서 당연히 요구된다.

③ 지방의회의원에 대하여 유급보좌인력을 두는 것은 개별 지방의회의 조례로써 규정할 사항이 아니라 국회의 법률로써 규정하여야 할 입법사항이다.

④ 토지등소유자가 도시환경정비사업을 시행하는 경우 사업시행인가 신청에 필요한 토지등소유자의 동의정족수를 토지등소유자가 자치적으로 정하여 운영하는 규약에 정하도록 한 것은 법률유보원칙에 위반된다.

03 행정법의 법원(法源)에 대한 내용으로 가장 옳은 것은? (다툼이 있는 경우 판례에 의함)

① 인간다운 생활을 할 권리와 같은 헌법상의 추상적인 기본권에 관한 규정은 행정법의 법원이 되지 못한다.

② 국제법규도 행정법의 법원이므로, 사인이 제기한 취소소송에서 WTO협정과 같은 국제협정을 독립된 취소사유로 주장할 수 있다.

③ 위법한 행정관행에 대해서도 신뢰보호의 원칙이 적용될 수 있다.

④ 행정의 자기구속의 원칙은 처분청이 아닌 제3자 행정청에 대해서도 적용된다.

04 행정법의 일반원칙에 대한 판례의 입장으로 옳지 않은 것은?

① 행정청이 폐기물처리업 사업계획에 대하여 적정통보를 한 것만으로 그 사업부지 토지에 대한 국토이용계획변경신청을 승인하여 주겠다는 취지의 공적인 견해표명을 한 것으로 볼 수 없다.

② 헌법재판소의 위헌결정은 행정청이 개인에 대하여 신뢰의 대상이 되는 공적인 견해를 표명한 것이라고 할 수 있으므로 그 결정에 관련한 개인의 행위에 대하여는 신뢰보호의 원칙이 적용된다.

③ 지방자치단체장이 사업자에게 주택사업계획승인을 하면서 그 주택사업과는 아무런 관련이 없는 토지를 기부채납하도록 하는 부관을 붙인 경우, 그 부관은 부당결부금지의 원칙에 위반되어 위법하다.

④ 법령 개폐에 있어서 신뢰보호원칙의 위반 여부는 한편으로는 침해받은 신뢰이익의 보호가치, 침해의 중한 정도, 신뢰침해의 방법 등과 다른 한편으로는 새 입법을 통해 실현코자 하는 공익목적을 종합적으로 비교형량하여 판단하여야 한다.

정답 및 해설

01 개인택시운송사업자에게 운전면허 취소사유가 있으나 그에 따른 운전면허 취소처분이 이루어지지는 않은 경우, 관할관청이 개인택시운송사업면허를 취소할 수 없다. 구 여객자동차운수사업법에는 관할관청은 개인택시운송사업자의 운전면허가 취소된 때에 그의 개인택시운송사업면허를 취소할 수 있도록 규정되어 있을 뿐 그에게 운전면허 취소사유가 있다는 사유만으로 개인택시운송사업 면허를 취소할 수 있도록 하는 규정은 없으므로, 관할관청으로서는 비록 개인택시운송사업자에게 운전면허 취소사유가 있다 하더라도 그로 인하여 운전면허취소처분이 이루어지지 않은 이상 개인택시운송사업면허를 취소할 수는 없다(대판 2008.5.15. 2007두26001).

02 법률유보의 원칙은 행정작용이 법률이나 법률의 위임에 의한 법규명령의 수권에 의해서 행하여져야 한다는 원칙이다. 법률우위의 원칙은 이미 존재하는 법률의 침해를 금지하는 것이지만, 법률유보의 원칙은 행정작용을 할 수 있게 하는 법적 근거의 문제이다. 법률우위의 원칙은 법률이 있는 경우에 문제되며, 법률유보의 원칙은 법률이 없는 경우에 문제된다. 위 지문은 법률유보의 원칙이 아니라 법률우위의 원칙에 위반되어 위법하며 무효이다.

03 평등의 원칙은 적법한 행정행위에서 적용된다. 그러나 신뢰보호원칙은 적법행위뿐만 아니라 위법행위에서도 적용될 수 있다.

| 선지분석 |

① 헌법은 국가의 최고법으로서 행정작용·행정구제·행정조직 등 행정에 관한 기본적 사항을 규율하고 있으므로 행정법의 법원이 될 수 있다.

② WTO 협정은 국가와 국가 사이의 권리·의무관계를 설정하는 국제협정으로, 그 내용 및 성질에 비추어 이와 관련한 법적 분쟁은 위 WTO 분쟁해결기구에서 해결하는 것이 원칙이고, 사인(私人)에 대하여는 위 협정의 직접 효력이 미치지 아니한다고 보아야 할 것이므로, 위 협정에 따른 회원국정부의 반덤핑부과처분이 WTO 협정위반이라는 이유만으로 사인이 직접 국내 법원에 회원국 정부를 상대로 그 처분의 취소를 구하는 소를 제기하거나 위 협정위반을 처분의 독립된 취소사유로 주장할 수는 없다(대판 2009.1.30. 2008두17936).

④ 행정의 자기구속법리는 행정청의 재량행위를 통제하기 위한 것이므로 동종의 사안과 동일한 행정청을 전제로 한다. 따라서 처분청에 적용되는 원칙이다.

04 헌법재판소의 위헌결정은 행정청이 개인에 대하여 신뢰의 대상이 되는 공적인 견해를 표명한 것이라고 할 수 없으므로, 그 결정에 관련한 개인의 행위에 대하여는 신뢰보호의 원칙이 적용되지 아니한다(대판 2003.6.27. 2002두6965).

정답 01 ② 02 ① 03 ③ 04 ②

05 행정법의 법원(法源)에 대한 내용으로 옳은 것은? (다툼이 있는 경우 판례에 의함)

① 회원국 정부의 반덤핑부과처분이 WTO협정 위반이라는 이유만으로 사인이 직접 국내 법원에 회원국 정부를 상대로 그 처분의 취소를 구하는 소를 제기할 수 있다.

② 재량준칙이 공표된 것만으로도 자기구속의 원칙이 적용될 수 있으며, 재량준칙이 되풀이 시행되어 행정관행이 성립될 필요는 없다.

③ 사회의 거듭된 관행으로 생성된 사회생활규범이 관습법으로 승인되었다고 하더라도 사회 구성원들이 그러한 관행의 법적 구속력에 대하여 확신을 갖지 않게 되었다면 그러한 관습법은 법적 규범으로서의 효력이 부정될 수밖에 없다.

④ 신뢰보호의 원칙이 적용되기 위한 요건의 하나인 행정청의 공적 견해표명이 있었는지의 여부를 판단함에 있어서는 반드시 행정조직상의 형식적인 권한분장에 따라야 한다.

06 신뢰보호원칙에 대한 내용으로 옳지 않은 것은? (다툼이 있는 경우 판례에 의함)

① 건축허가 신청 후 건축허가기준에 관한 관계 법령 및 조례의 규정이 신청인에게 불리하게 개정된 경우, 당사자의 신뢰를 보호하기 위해 처분 시가 아닌 신청 시 법령에서 정한 기준에 의하여 건축허가 여부를 결정하는 것이 원칙이다.

② 행정절차법과 국세기본법에서는 법령 등의 해석 또는 행정청의 관행이 일반적으로 국민에게 받아들여졌을 때와 관련하여 신뢰보호의 원칙을 규정하고 있다.

③ 신뢰보호원칙에서 행정청의 견해표명이 정당하다고 신뢰한 데에 대한 개인의 귀책사유의 유무는 상대방뿐만 아니라 그로부터 신청행위를 위임받은 수임인 등 관계자 모두를 기준으로 판단하여야 한다.

④ 서울지방병무청 총무과 민원팀장이 국외영주권을 취득한 사람의 상담에 응하여 법령의 내용을 숙지하지 못한 채 민원봉사차원에서 현역입영대상자가 아니라고 답변하였다면 그것이 서울지방병무청장의 공적인 견해표명이라 할 수 없다.

07 개인적 공권에 대한 내용으로 옳지 않은 것은? (다툼이 있는 경우 판례에 의함)

① 환경영향평가에 관한 자연공원법령 및 환경영향평가법령들의 취지는 환경공익을 보호하려는 데 있으므로 환경영향평가 대상지역 안의 주민들이 수인한도를 넘는 환경침해를 받지 아니하고 쾌적한 환경에서 생활할 수 있는 개별적 이익까지 보호하는 데 있다고 볼 수는 없다.

② 행정처분에 있어서 불이익처분의 상대방은 직접 개인적 이익의 침해를 받은 자로서 취소소송의 원고적격이 인정되지만 수익처분의 상대방은 그의 권리나 법률상 보호되는 이익이 침해되었다고 볼 수 없으므로 달리 특별한 사정이 없는 한 취소를 구할 이익이 없다.

③ 상수원보호구역 설정의 근거가 되는 규정은 상수원의 확보와 수질보전일 뿐이고, 그 상수원에서 급수를 받고 있는 지역주민들이 가지는 이익은 상수원의 확보와 수질보호라는 공공의 이익이 달성됨에 따라 반사적으로 얻게 되는 이익에 불과하다.

④ 개인적 공권이 성립하려면 공법상 강행법규가 국가 기타 행정주체에게 행위의무를 부과해야 한다. 과거에는 그 의무가 기속행위의 경우에만 인정되었으나, 오늘날에는 재량행위에도 인정된다고 보는 것이 일반적이다.

정답 및 해설

05 사회의 거듭된 관행으로 생성된 사회생활규범이 관습법으로 승인되었다고 하더라도 사회 구성원들이 그러한 관행의 법적 구속력에 대하여 확신을 갖지 않게 되었다거나, 사회를 지배하는 기본적 이념이나 사회질서의 변화로 인하여 그러한 관습법을 적용하여야 할 시점에 있어서의 전체 법질서에 부합하지 않게 되었다면 그러한 관습법은 법적 규범으로서의 효력이 부정될 수밖에 없다(대판 2005.7.21. 2002다1178 전합).

| 선지분석 |

① 우리나라가 1994.12.16. 국회의 비준동의를 얻어 1995.1.1. 발효된 '1994년 국제무역기구 설립을 위한 마라케쉬협정'의 일부인 '1994년 관세 및 무역에 관한 일반협정 제6조의 이행에 관한 협정'은 국가와 국가 사이의 권리·의무관계를 설정하는 국제협정으로, 그 내용 및 성질에 비추어 이와 관련한 법적 분쟁은 위 WTO 분쟁해결기구에서 해결하는 것이 원칙이고, 사인에 대하여는 위 협정의 직접 효력이 미치지 아니한다고 보아야 할 것이므로, 위 협정에 따른 회원국 정부의 반덤핑부과처분이 WTO 협정위반이라는 이유만으로 사인이 직접 국내 법원에 회원국 정부를 상대로 그 처분의 취소를 구하는 소를 제기하거나 위 협정 위반을 처분의 독립된 취소사유로 주장할 수는 없다 할 것이다(대판 2009.1.30. 2008두17936).

② 상급행정기관이 하급행정기관에 대하여 업무처리지침이나 법령의 해석적용에 관한 기준을 정하여 발하는 이른바 '행정규칙이나 내부지침'은 일반적으로 행정조직 내부에서만 효력을 가질 뿐 대외적인 구속력을 갖는 것은 아니므로 행정처분이 그에 위반하였다고 하여 그러한 사정만으로 곧바로 위법하게 되는 것은 아니다. 다만, 재량권 행사의 준칙인 행정규칙이 그 정한 바에 따라 되풀이 시행되어 행정관행이 이루어지게 되면 평등의 원칙이나 신뢰보호의 원칙에 따라 행정기관은 그 상대방에 대한 관계에서 그 규칙에 따라야 할 자기구속을 받게 되므로, 이러한 경우에는 특별한 사정이 없는 한 그를 위반하는 처분은 평등의 원칙이나 신뢰보호의 원칙에 위배되어 재량권을 일탈·남용한 위법한 처분이 된다(대판 2009.12.24. 2009두7967).

④ 행정청의 공적 견해표명이 있었는지의 여부를 판단하는 데 있어 반드시 행정조직상의 형식적인 권한분장에 구애될 것은 아니고 담당자의 조직상의 지위와 임무, 당해 언동을 하게 된 구체적인 경위 및 그에 대한 상대방의 신뢰가능성에 비추어 실질에 의하여 판단하여야 한다(대판 1997.9.12. 96누18380).

06 건축허가기준에 관한 관계 법령의 규정이 개정된 경우, 새로이 개정된 법령의 경과규정에서 달리 정함이 없는 한 처분 당시에 시행되는 개정 법령에서 정한 기준에 의하여 건축허가 여부를 결정하는 것이 원칙이고, 그러한 개정 법령의 적용과 관련하여서는 개정 전 법령의 존속에 대한 국민의 신뢰가 개정 법령의 적용에 관한 공익상의 요구보다 더 보호가치가 있다고 인정되는 경우에 그러한 국민의 신뢰를 보호하기 위하여 그 적용이 제한될 수 있는 여지가 있을 따름이다(대판 2007.11.16. 2005두8092).

07 환경영향평가에 관한 자연공원법령 및 환경영향평가법령의 규정들의 취지는 집단시설지구개발사업이 환경을 해치지 아니하는 방법으로 시행되도록 함으로써 집단시설 지구개발사업과 관련된 환경공익을 보호하려는 데에 그치는 것이 아니라 그 사업으로 인하여 직접적이고 중대한 환경피해를 입으리라고 예상되는 환경영향평가대상지역 안의 주민들이 개발 전과 비교하여 수인한도를 넘는 환경침해를 받지 아니하고 쾌적한 환경에서 생활할 수 있는 개별적 이익까지도 이를 보호하려는 데에 있다 할 것이므로, 위 주민들이 당해 변경승인 및 허가처분과 관련하여 갖고 있는 위와 같은 환경상의 이익은 단순히 환경공익 보호의 결과로 국민일반이 공통적으로 가지게 되는 추상적·평균적·일반적인 이익에 그치지 아니하고 주민 개개인에 대하여 개별적으로 보호되는 직접적·구체적인 이익이라고 보아야 한다(대판 1998.4.24. 97누3286).

정답 05 ③ 06 ① 07 ①

08 행정법상 시효제도에 대한 내용으로 옳은 것은? (다툼이 있는 경우 판례에 의함)

① 국유재산법상 일반재산은 취득시효의 대상이 될 수 없다.

② 국가재정법상 5년의 소멸시효가 적용되는 '금전의 급부를 목적으로 하는 국가의 권리'에는 국가의 사법(私法)상 행위에서 발생한 국가에 대한 금전채무도 포함된다.

③ 조세에 관한 소멸시효가 완성된 후에 부과된 조세부과처분은 위법한 처분이지만 당연무효라고 볼 수는 없다.

④ 납입고지에 의한 소멸시효의 중단은 그 납입고지에 의한 부과처분이 추후 취소되면 효력이 상실된다.

09 공법상 부당이득에 대한 내용으로 옳지 않은 것은? (다툼이 있는 경우 판례에 의함)

① 공법상 부당이득에 관한 일반법은 없으므로 특별한 규정이 없는 경우, 민법상 부당이득반환의 법리가 준용된다.

② 부가가치세법령에 따른 환급세액 지급의무 등의 규정과 그 입법취지에 비추어 볼 때 부가가치세 환급세액 반환은 공법상 부당이득반환으로서 민사소송의 대상이다.

③ 잘못 지급된 보상금에 해당하는 금액의 징수처분을 해야 할 공익상 필요가 당사자가 입게 될 불이익을 정당화할 만큼 강한 경우, 보상금을 받은 당사자로부터 오지급 금액의 환수처분이 가능하다.

④ 공법상 부당이득반환에 대한 청구권의 행사는 개별적인 사안에 따라 행정주체도 주장할 수 있다.

10 사인의 공법행위에 대한 내용으로 옳지 않은 것은? (다툼이 있는 경우 판례에 의함)

① 사인의 공법행위에는 행정행위에 인정되는 공정력, 존속력, 집행력 등이 인정되지 않는다.

② 민법의 비진의의사표시의 무효에 관한 규정은 그 성질상 영업재개신고나 사직의 의사표시와 같은 사인의 공법행위에는 적용되지 않는다.

③ 주민등록의 신고는 행정청이 수리한 경우에 효력이 발생하는 것이 아니라, 행정청에 도달하기만 하면 신고로서의 효력이 발생한다.

④ 의료법에 따른 의원개설신고에 대하여 신고필증의 교부가 없더라도 의원개설신고의 효력을 부정할 수는 없다.

11 사인의 공법행위에 대한 내용으로 옳지 않은 것은? (다툼이 있는 경우 판례에 의함)

① 부동산 투기나 이주대책 요구 등을 방지할 목적으로 주민등록전입신고를 거부하는 것은 주민등록법의 입법 목적과 취지 등에 비추어 허용될 수 없다.

② 구 의료법 시행규칙 제22조 제3항에 의하면 의원개설 신고서를 수리한 행정관청이 소정의 신고필증을 교부하도록 되어있기 때문에 이와 같은 신고필증의 교부가 없으면 개설신고의 효력이 없다.

③ 건축법상 건축신고 반려행위는 항고소송의 대상이 되는 행정처분에 해당한다.

④ 식품위생법에 의한 영업양도에 따른 지위승계신고를 수리하는 허가관청의 행위는 단순히 양도·양수인 사이에 이미 발생한 사법상의 사업양도의 법률효과에 의하여 양수인이 그 영업을 승계하였다는 사실의 신고를 접수하는 행위에 그치는 것이 아니라, 영업허가자의 변경이라는 법률효과를 발생시키는 행위이다.

정답 및 해설

08 금전의 급부를 목적으로 하는 국가의 권리라 함은 금전의 급부를 목적으로 하는 국가의 권리인 이상, 금전급부의 발생원인에 관하여는 아무런 제한이 없으므로 국가의 공권력의 발동으로 하는 행위는 물론 국가의 사법상 행위에서 발생한 국가에 대한 금전채무도 포함한다(대판 1967.7.4. 67다751).

| 선지분석 |

① 국유재산법상 일반재산은 취득시효의 대상이 될 수 있다.

③ 조세에 관한 소멸시효가 완성되면 국가의 조세부과권과 납세의무자의 납세의무는 당연히 소멸한다 할 것이므로 소멸시효완성후에 부과된 부과처분은 납세의무 없는 자에 대하여 부과처분을 한 것으로서 그와 같은 하자는 중대하고 명백하여 그 처분의 효력은 당연무효이다(대판 1985.5.14. 83누655).

④ 소멸시효의 중단은 소멸시효의 기초가 되는 권리의 불행사라는 사실상태와 맞지 아니하는 사실이 생긴 것을 이유로 소멸시효의 진행을 차단하게 하는 제도인 만큼, 납입고지에 의한 변상금 징수권자의 권리행사에 의하여 이미 발생한 소멸시효 중단의 효력은 그 부과처분이 취소(쟁송취소에 의한 것이든 직권취소에 의한 것이든 불문한다)되었다 하여 사라지지 아니한다(대판 2014.4.10. 2012두16787).

09 납세의무자에 대한 국가의 부가가치세 환급세액 지급의무는 그 납세의무자로부터 어느 과세기간에 과다하게 거래징수된 세액 상당을 국가가 실제로 납부 받았는지 여부와 관계없이 부가가치세법령의 규정에 의하여 직접 발생하는 것으로서, 그 법적 성질은 정의와 공평의 관념에서 수익자와 손실자 사이의 재산상태 조정을 위해 인정되는 부당이득 반환의무가 아니라 부가가치세법령에 의하여 그 존부나 범위가 구체적으로 확정되고 조세 정책적 관점에서 특별히 인정되는 공법상 의무라고 봄이 타당하다. 그렇다면 납세의무자에 대한 국가의 부가가치세환급세액 지급의무에 대응하는 국가에 대한 납세의무자의 부가가치세 환급세액 지급청구는 민사소송이 아니라 행정소송법 제3조 제2호에 규정된 당사자소송의 절차에 따라야 한다(대판 2013.3.21. 2011다95564 전합).

10 주민등록은 단순히 주민의 거주관계를 파악하고 인구의 동태를 명확히 하는 것 외에도 주민등록에 따라 공법관계상의 여러 가지 법률상 효과가 나타나게 되는 것으로서, 주민등록의 신고는 행정청에 도달하기만 하면 신고로서의 효력이 발생하는 것이 아니라 행정청이 수리한 경우에 비로소 신고의 효력이 발생한다. 따라서 주민등록 신고서를 행정청에 제출하였다가 행정청이 이를 수리하기 전에 신고서의 내용을 수정하여 위와 같이 수정된 전입신고서가 수리되었다면 수정된 사항에 따라서 주민등록 신고가 이루어진 것으로 보는 것이 타당하다(대판 2009.1.30. 2006다17850).

11 의료법 시행규칙 제22조 제3항에 의하면 의원개설 신고서를 수리한 행정관청이 소정의 신고필증을 교부하도록 되어있다 하여도 이는 신고사실의 확인행위로서 신고필증을 교부하도록 규정한 것에 불과하고 그와 같은 신고필증의 교부가 없다하여 개설신고의 효력을 부정할 수 없다 할 것이다(대판 1985.4.23. 84도2953).

정답 08 ② 09 ② 10 ③ 11 ②

12 공법관계와 사법관계의 구별에 대한 판례의 입장으로 옳지 않은 것은?

① 국가나 지방자치단체에 근무하는 청원경찰에 대한 징계처분의 시정을 구하는 소송은 행정소송에 해당한다.

② 일반재산(구 잡종재산)인 국유림을 대부하는 행위는 법률이 대부계약의 취소사유나 대부료의 산정방법 등을 정하고 있고, 대부료의 징수에 관하여 국세징수법 중 체납처분에 관한 규정을 준용하도록 정하고 있더라도 사법관계로 파악된다.

③ 구 공익사업을 위한 토지 등의 취득 및 보상에 관한 법률상 환매권의 존부에 관한 확인을 구하는 소송 및 환매금액의 증감을 구하는 소송은 민사소송이다.

④ 국세환급금결정이나 이 결정을 구하는 신청에 대한 환급거부결정은 행정청의 공행정작용으로서 항고소송의 대상이 된다.

13 행정재산의 목적 외 사용에 대한 내용으로 옳지 않은 것은? (다툼이 있는 경우 판례에 의함)

① 국립의료원 부설 주차장에 관한 위탁관리용역운영계약은 강학상 특허에 해당하는 행정처분이다.

② 국유재산의 무단점유자에 대하여 국가가 변상금 부과·징수권을 행사한 경우에는 민사상 부당이득반환청구권의 소멸시효가 중단된다.

③ 행정재산의 사용허가기간은 원칙상 5년 이내로 하며, 갱신할 경우에 갱신기간은 5년을 초과할 수 없다.

④ 도로관리청은 도로부지에 대한 소유권을 취득하지 아니하였어도 도로를 무단점용하는 자에 대하여 변상금을 부과할 수 있다.

14 공법관계와 사법관계의 구별 및 그에 따른 쟁송방식에 대한 내용으로 옳지 않은 것은? (다툼이 있는 경우 판례에 의함)

① 국가를 당사자로 하는 계약에 관한 법률에 의하여 국가와 사인 간에 체결된 계약은 특별한 사정이 없는 한 사법상의 계약으로서 그 본질적인 내용은 사인 간의 계약과 다를 바가 없다.

② 국·공유 일반재산의 대부·매각·교환·양여행위는 사법상의 행위로서 그에 대해서는 민사소송으로 다투어야 한다.

③ 행정재산을 원래의 목적 외로 사용할 경우 그에 대한 사용·수익허가는 행정처분으로서 항고소송의 대상이 된다. 그러나 사용허가를 받은 행정재산을 전대하는 경우 그 전대행위는 사법상의 임대차에 해당한다.

④ 국가를 당사자로 하는 계약에 관한 법률에 의하여 국가기관이 특정기업의 입찰참가자격을 제한하는 경우 이것은 사법관계이므로 이에 대해 다투기 위하여서는 민사소송을 제기하여야 한다.

15 개인적 공권에 대한 내용으로 가장 옳지 않은 것은? (다툼이 있는 경우 판례에 의함)

① 헌법 제32조 제1항이 규정하는 근로의 권리는 사회적 기본권으로서 국가에 대하여 직접 일자리를 청구하거나 일자리에 갈음하는 생계비의 지급청구권을 의미하는 것이 아니라 고용증진을 위한 사회적·경제적 정책을 요구할 수 있는 권리에 그치며, 근로의 권리로부터 국가에 대한 직접적인 직장존속 청구권이 도출되는 것도 아니다.

② 환경영향평가 대상지역 밖의 주민이라 할지라도 공유수면매립면허처분 등으로 인하여 그 처분 전과 비교하여 수인한도를 넘는 환경피해를 받거나 받을 우려가 있는 경우에는, 공유수면매립면허처분으로 인하여 환경상 이익에 대한 침해 또는 침해우려가 있다는 것을 입증함으로써 그 처분 등의 무효확인을 구할 원고적격을 인정받을 수 있다.

③ 검사의 임용여부는 임용권자의 자유재량에 속하는 사항이므로, 임용권자가 동일한 검사신규임용의 기회에 원고를 비롯한 다수의 검사 임용신청자 중 일부만을 검사로 임용하는 결정을 함에 있어, 임용 신청자들에게 전형의 결과인 임용 여부의 응답을 할 것인지 여부는 임용권자의 편의재량사항이다.

④ 행정소송에 있어서의 소권은 개인의 국가에 대한 공권이므로 당사자의 합의로써 이를 포기할 수 없다.

정답 및 해설

12 구 국세기본법 제51조의 오납액과 초과납부액은 조세채무가 처음부터 존재하지 않거나 그 후 소멸되었음에도 불구하고 국가가 법률상 원인 없이 수령하거나 보유하고 있는 부당이득에 해당하고, 그 국세환급금결정에 관한 규정은 이미 납세의무자의 환급청구권이 확정된 국세환급금에 대하여 내부적 사무처리절차로서 과세관청의 환급절차를 규정한 것에 지나지 않고 위 규정에 의한 국세환급금결정에 의하여 비로소 환급청구권이 확정되는 것은 아니므로, 위 국세환급금결정이나 이 결정을 구하는 신청에 대한 환급거부결정은 납세의무자가 갖는 환급청구권의 존부나 범위에 구체적이고 직접적인 영향을 미치는 처분이 아니어서 항고소송의 대상이 되는 처분이라고 볼 수 없다(대판 2009.11.26. 2007두4018).

13 국유재산법 제72조 제1항, 제73조 제2항에 의한 변상금 부과·징수권이 민사상 부당이득반환청구권과 법적 성질을 달리하는 별개의 권리인 이상 한국자산관리공사가 변상금 부과·징수권을 행사하였다 하더라도 이로써 민사상 부당이득반환청구권의 소멸시효가 중단된다고 할 수 없다(대판 2014.9.4. 2013다3576).

14 판례는 국가를 당사자로 하는 계약에 관한 법률 또는 지방자치단체를 당사자로 하는 계약에 관한 법률에 의하여 국가의 각 중앙관서의 장 또는 지방자치단체의 장이 한 부정당업자의 입찰참가자격제한조치는 제재적 성격의 권력적 행위로서 행정처분이라는 입장이다(대판 1999.3.9. 98두18565).

15 검사의 임용여부는 임용권자의 자유재량에 속하는 사항이나, 법령상 검사임용신청 및 그 처리의 제도에 관한 명문규정이 없다고 하여도 조리상 임용권자는 임용신청자들에게 전형의 결과인 임용 여부의 응답을 해 줄 의무가 있다고 보아야 하고, 원고로서는 그 임용신청에 대하여 임용 여부의 응답을 받을 권리가 있다고 할 것이며, 응답할 것인지 여부조차도 임용권자의 편의재량사항이라고는 할 수 없다(대판 1991.2.12. 90누5825).

정답 12 ④ 13 ② 14 ④ 15 ③

제2편

행정작용법

1 의의

1. 개념

(1) 행정입법이란 행정권이 법규의 형식으로 일반적·추상적인 규율을 제정하는 작용 또는 그에 따라 정립된 법규범을 의미한다. 행정입법은 실정법상의 용어가 아니고 학문상의 용어이다.

(2) '일반적'이라 함은 불특정 다수인을 대상으로 하는 것을 의미하고, '추상적'이라 함은 불특정 다수사건에 적용됨을 의미한다. 행정입법은 일반적·추상적 규율이라는 점에서 개별적·구체적인 행정처분과 구별된다.

2. 유형

행정입법에는 국가의 행정권에 의한 입법과 지방자치단체에 의한 입법이 있다.

(1) 국가의 행정권에 의한 입법

그 규범이 법규성을 갖는가에 따라 법규명령과 행정규칙으로 구분된다.

(2) 지방자치단체에 의한 입법

제정주체에 따라 지방의회가 제정하는 조례, 지방자치단체의 장이 제정하는 규칙, 교육감이 제정하는 교육규칙으로 구분된다.

> **행정기본법 제2조 【정의】** 이 법에서 사용하는 용어의 뜻은 다음과 같다.
> 1. '법령 등'이란 다음 각 목의 것을 말한다.
>   가. 법령: 다음의 어느 하나에 해당하는 것
>   1) 법률 및 대통령령·총리령·부령
>   2) 국회규칙·대법원규칙·헌법재판소규칙·중앙선거관리위원회규칙 및 감사원규칙
>   3) 1) 또는 2)의 위임을 받아 중앙행정기관(정부조직법 및 그 밖의 법률에 따라 설치된 중앙행정기관을 말한다. 이하 같다)의 장이 정한 훈령·예규 및 고시 등 행정규칙
>   나. 자치법규: 지방자치단체의 조례 및 규칙

2 필요성

1. 발달 배경

권력분립원칙과 법치행정을 기본원칙으로 하는 법치국가에서 법규를 정립하는 권한은 일반적으로 입법부에 속한다. 그러나 20세기 후반부터 행정기능이 확대되고 전문화·다양화됨에 따라 행정부의 역할이 증대되면서 행정입법의 필요성도 매우 커지고 있으며, 이는 현대사회국가의 특징 중 하나라고 할 수 있다.

2. 기능

행정입법의 대표적인 순기능으로 다음과 같은 것들이 있다.

(1) 전문적·기술적인 입법사항의 증대

(2) 다양한 행정현상의 급격한 변화에 대응할 입법의 필요

(3) 행정부 구성원의 전문지식과 경험의 활용

(4) 국회의 입법부담 경감

(5) 지방자치단체의 개별성과 특수한 사정에 대한 고려(자치법규) 가능

제2절 법규명령

1 의의

1. 개념

법규명령은 행정기관이 정립하는 일반적·추상적 규범 중에서 법규의 성질을 갖는 것을 말한다. 법규의 개념에 대하여는 국가와 국민 사이를 규율하는 성문의 일반적·추상적 규정으로서, 국민과 행정권을 구속하고 재판규범이 되는 법규범(대외적 구속력)이라고 할 수 있다.

2. 성질

(1) 법규명령은 법규의 성질을 갖는다는 점에서 법규의 성질을 갖지 않는 행정규칙과 구별되며, 일반적·추상적 규율이라는 점에서 개별적·구체적 규율인 행정행위와 구별된다. 법규명령의 제정행위는 형식적으로는 행정작용이나, 실질적으로는 입법작용이다.

(2) 법규명령은 법규의 성질을 갖는 일반적·추상적 규율로서 양면적 구속력이 있어 발령자와 수명자를 구속하고, 재판에서의 재판의 기준이 되는 재판규범성이 있다. 따라서 법규명령에 위반한 행정청의 행위는 위법행위로서 무효 또는 취소사유가 되고, 이로 인해 자신의 권익이 침해된 국민은 행정쟁송을 통하여 그 무효확인이나 취소를 청구하여 권리구제를 받을 수 있다.

2 종류

1. 효력에 의한 분류

(1) 비상명령(헌법대위명령)

비상사태의 수습을 위하여 행정권이 발하는 헌법적 효력을 갖는 명령으로서, 현행 헌법에서는 인정되지 않고 있다. 학자들 중에는 제4공화국 헌법의 긴급조치를 헌법적 효력을 갖는 명령이라는 견해도 있다. 하지만 헌법재판소는 법률과 동일한 효력을 갖는 규범이라고 하였고, 대법원 판례는 법률적 효력조차도 인정하지 않았다.

(2) 법률대위명령(독립명령)

헌법에 근거하여 법률과 동일한 효력을 가지는 명령(예 헌법 제76조의 긴급명령, 긴급재정 · 경제명령 등)으로서, 행정권이 법률로부터 독자적으로 발한다는 점에서 독립명령에 해당한다.

(3) 법률종속명령

① **위임명령**: 법률 또는 상위법령에 의하여 **개별적 · 구체적**으로 위임된 사항에 대하여 발령하는 명령이다. 위임된 범위 내에서 새로운 법규사항(국민의 권리 · 의무에 관한 사항)을 정할 수 있다. 위임명령은 헌법상의 일반적 근거만으로는 제정할 수 없고, 법률이나 상위명령에서 구체적으로 범위를 정한 개별적인 위임이 있어야 제정할 수 있다.

② **집행명령(직권명령)**: 법률 또는 상위법령의 규정의 범위 내에서 그 시행에 관한 세부적 사항(절차, 형식)을 정하는 명령이다. 집행명령은 상위법령의 명시적 근거가 없는 경우에도 발할 수 있지만, 새로운 법규사항(국민의 권리 · 의무에 관한 사항)은 규율할 수 없다.

구분	위임명령	집행명령
위임 필요성	법률의 구체적 위임 필요	법률의 구체적 위임 불필요
헌법근거	헌법 제75조 및 제95조	
목적	법률의 내용을 보충	법률의 집행에 필요한 사항
규율범위	위임의 범위 내에서 새로운 국민의 권리 · 의무 사항을 규정할 수 있음	국민의 권리 · 의무에 관한 사항을 규정할 수 없음
공통	법률종속명령	

2. 법형식에 의한 분류

(1) 긴급명령, 긴급재정 · 경제명령

대통령은 국가비상시에는 법률의 효력을 가지는 긴급재정 · 경제명령이나 긴급명령을 발할 수 있다(헌법 제76조).

(2) 대통령령(시행령)

① 대통령이 법률에서 구체적으로 범위를 정하여 위임받은 사항(위임명령)이나 법률을 집행하기 위하여 필요한 사항에 관하여 발하는 명령(집행명령)이다.

② 대통령령은 총리령 및 부령보다 우월한 효력을 가진다.

(3) 총리령·부령(시행규칙)

국무총리·행정각부장관이 소관 사무에 관하여 법률이나 대통령령의 위임에 의하거나 직권으로 발하는 법규명령이며, 이에는 상위법령의 위임에 의하여 발하는 위임명령과 직권에 의하여 발하는 집행명령이 있다. 입법자는 법률에서 구체적으로 범위를 정하기만 한다면 대통령령뿐만 아니라 부령 또는 총리령에 입법사항을 위임할 수 있다. 총리령과 부령의 효력상 우열관계에 관하여 견해의 대립이 있으나, 부령이 총리령의 위임범위 내에서 제정되어야 한다고 볼 수는 없다.

> ⚖️ **관련판례**
>
> 법령상 대통령령으로 규정하도록 되어 있는 사항을 부령으로 정하는 경우 그 부령은 무효이다(대판 2006.6.22. 2003두1684 전합).

① **총리직속기관의 부령제정권:** 부령은 '행정각부의 장'이 발하는 것이다. 따라서 총리직속기관(법제처, 인사혁신처)은 헌법 제95조의 행정각부에 해당하지 아니하므로 부령을 발할 수 없고, 소관 사무에 관하여 행정입법이 필요한 경우에는 총리령으로 발하여야 한다.

② **총리령과 부령과의 우열문제:** 총리령우위설(다수설)은 국무총리는 행정에 관하여 대통령의 명을 받아 행정각부를 통할하는 지위를 가지므로 총리령이 부령보다 우위의 효력을 갖는다고 보나, 동위설(소수설)은 양자간에 효력상의 차이가 없으며 국무총리와 행정각부의 장이 동일한 지위에서 소관 사무에 관하여 발한다는 것이다.

(4) 중앙선거관리위원회규칙

중앙선거관리위원회는 법령의 범위 안에서 선거관리 및 정당사무에 관한 규칙을 제정할 수 있다(헌법 제114조 제6항). 이 규칙은 법규명령의 성질을 가지므로 행정법의 법원이 된다.

(5) 감사원규칙

감사원은 감사에 관한 절차, 감사원의 내부규율과 감사사무처리에 관한 규칙을 제정할 수 있는데, 이는 헌법에 근거를 둔 것이 아니라 감사원법 제52조에 규정을 두고 있어 그 성질이 법규명령인가에 대하여 견해의 대립이 있다. 헌법은 일정한 행정입법형식(예 대통령령, 총리령, 부령 등)을 인정하고 있으나, 이는 예시적인 것으로 보아 감사원규칙을 법규명령으로 본다(다수설 및 판례).

(6) 자치입법(조례·규칙, 교육조례·교육규칙)

① **조례**: 지방의회가 법령의 범위 안에서 제정하는 규범이다.

② **규칙**: 지방자치단체의 장이 지방의회의 의결 없이 법령 또는 조례가 위임한 사항에 대하여 제정하는 규범이다.

③ **교육규칙**: 교육감이 법령 또는 조례의 범위 안에서 교육, 학예 등의 사무에 관하여 제정하는 규범이다.

> **⚖ 관련판례**
>
> **1** 헌법이 인정하고 있는 위임입법의 형식은 예시적인 것으로 보아야 할 것이고, 그것은 법률이 행정규칙에 위임하더라도 그 행정규칙은 위임된 사항만을 규율할 수 있으므로, 국회입법의 원칙과 상치되지도 않는다(헌재 2004.10.28. 99헌바91).
>
> **2** 예산은 일종의 법규범이고 법률과 마찬가지로 국회의 의결을 거쳐 제정되지만 법률과 달리 국가기관만을 구속할 뿐 일반국민을 구속하지 않는다. 국회가 의결한 예산 또는 국회의 예산안 의결은 헌법재판소법 제68조 제1항 소정의 '공권력의 행사'에 해당하지 않고 따라서 헌법소원의 대상이 되지 아니한다(헌재 2006.4.25. 2006헌마409).

핵심 OX ────────

01 헌법재판소는 국회의 의결을 거쳐 확정되는 예산도 일종의 법규범이므로 법률과 마찬가지로 국가기관뿐만 아니라 국민도 구속한다고 본다.

19. 서울9급(6월) (　)

3. 근거에 의한 분류

(1) 헌법에 근거한 법규명령

① 대통령의 긴급명령, 긴급재정·경제명령(헌법 제76조)과 대통령령(헌법 제75조)

② 국무총리가 발하는 총리령과 행정각부의 장이 발하는 부령(헌법 제95조)

③ 중앙선거관리위원회규칙(헌법 제114조 제6항), 국회규칙(헌법 제64조 제1항), 대법원규칙(헌법 제108조), 헌법재판소규칙(헌법 제113조 제2항) 등

핵심 OX ────────

02 국회규칙은 법규명령이다.

19. 국회8급 (　)

> **헌법 제75조** 대통령은 법률에서 구체적으로 범위를 정하여 위임받은 사항과 법률을 집행하기 위하여 필요한 사항에 관하여 대통령령을 발할 수 있다.
>
> **제95조** 국무총리 또는 행정각부의 장은 소관 사무에 관하여 법률이나 대통령령의 위임 또는 직권으로 총리령 또는 부령을 발할 수 있다.
>
> **제114조** ⑥ 중앙선거관리위원회는 법령의 범위 안에서 선거관리·국민투표관리 또는 정당사무에 관한 규칙을 제정할 수 있으며, 법률에 저촉되지 아니하는 범위 안에서 내부규율에 관한 규칙을 제정할 수 있다.
>
> **제64조** ① 국회는 법률에 저촉되지 아니하는 범위 안에서 의사와 내부규율에 관한 규칙을 제정할 수 있다.
>
> **제108조** 대법원은 법률에 저촉되지 아니하는 범위 안에서 소송에 관한 절차, 법원의 내부규율과 사무처리에 관한 규칙을 제정할 수 있다.
>
> **제113조** ② 헌법재판소는 법률에 저촉되지 아니하는 범위 안에서 심판에 관한 절차, 내부규율과 사무처리에 관한 규칙을 제정할 수 있다.

(2) 법률에 기초한 법규명령

감사원규칙의 제정근거는 헌법이 아닌 감사원법 제52조에 규정되어 있다.

01 X **02** O

3 근거

법규명령은 의회입법에 대한 예외로서, 그 제정에 있어 헌법·법률 또는 상위법령에 근거가 있어야 한다.

1. 긴급명령, 긴급재정·경제명령

헌법 제76조를 근거로 하여 발하여 진다.

2. 위임명령

헌법상의 일반적 근거만으로는 제정할 수 없고 반드시 개별적·구체적 위임이 있어야 한다(헌법 제75조, 제95조). 즉, 법률 또는 상위법령의 근거가 없는 위임명령은 무효이다.

> **⚖ 관련판례**
>
> **1** 근거법률의 사후보완의 경우 ⇨ 법률상 근거가 마련된 시점부터는 유효
> 일반적으로 법률의 위임에 의하여 효력을 갖는 법규명령의 경우 구법에 위임의 근거가 없어 무효였더라도 사후에 법 개정으로 위임의 근거가 부여되면 그때부터는 유효한 법규명령이 된다고 할 것이나(대판 1994.5.24. 93누5666), 반대로 구법의 위임에 의하여 유효한 법규명령이 법 개정으로 위임의 근거가 없어지게 되면 그때부터 무효인 법규명령이 되는 것은 당연하다. 따라서 어떤 법령의 위임근거 유무에 따른 유효 여부를 심사하려면 법 개정의 전·후에 걸쳐 모두 심사하여야만 그 법규명령의 시기에 따른 유효·무효를 판단할 수 있을 것이다(대판 1995.6.30. 93추83).
>
> **2** 일반적으로 법률의 위임에 따라 효력을 갖는 법규명령의 경우에 위임의 근거가 없어 무효였더라도 나중에 법 개정으로 위임의 근거가 부여되면 그때부터는 유효한 법규명령으로 볼 수 있다. 그러나 법규명령이 개정된 법률에 규정된 내용을 함부로 유추·확장하는 내용의 해석규정이어서 위임의 한계를 벗어난 것으로 인정될 경우에는 법규명령은 여전히 무효이다(대판 2017.4.20. 2015두45700).
>
> **3** 위임관계 구체적 명시의 필요성
> 법령의 위임관계는 반드시 하위법령의 개별조항에서 위임의 근거가 되는 상위법령의 해당 조항을 구체적으로 명시하고 있어야 하는 것은 아니다(대판 1999.12.24. 99두5658).

3. 집행명령(직권명령)

상위법령의 시행에 관하여 필요한 절차 및 형식에 관한 사항을 규정하는 집행명령은 법률 또는 상위법령에 명시적인 위임규정이 없더라도 직권으로 발할 수 있다. 다만, 새로운 법규사항을 규정할 수 없음은 물론이다.

> **⚖ 관련판례**
>
> 상위법령의 시행에 필요한 세부적 사항을 정한 이른바 집행명령은 근거법령인 상위법령이 폐지되면 특별한 규정이 없는 한 실효된다. 그러나 상위법령이 개정됨에 그친 경우에는 성질상 이와 모순·저촉되지 아니하는 한 개정된 상위법령의 시행을 위한 집행명령이 새로이 제정·발효될 때까지는 여전히 그 효력을 유지한다(대판 1989.9.12. 88누6962).❶

제2편 행정작용법 해커스공무원 신동욱 행정법총론 기본서

❶
· 집행명령의 근거법령인 상위법령이 '폐지'되는 경우: 집행명령 실효
· 집행명령의 근거법령인 상위법령이 '개정'되는 경우: 모순·저촉되지 않는 한 새로이 제정 될 때까지 효력 유지

4 한계

1. 대통령의 긴급명령 및 긴급재정·경제명령의 한계

대통령의 긴급재정·경제명령은 법률적 효력을 가지므로 헌법 제76조의 규정에 그 요건과 한계, 국회의 통제에 관하여 규정하고 있다.

> **헌법 제76조** ① 대통령은 내우·외환·천재·지변 또는 중대한 재정·경제상의 위기에 있어서 국가의 안전보장 또는 공공의 안녕질서를 유지하기 위하여 긴급한 조치가 필요하고 국회의 집회를 기다릴 여유가 없을 때에 한하여 최소한으로 필요한 재정·경제상의 처분을 하거나 이에 관하여 법률의 효력을 가지는 명령을 발할 수 있다.
> ② 대통령은 국가의 안위에 관계되는 중대한 교전상태에 있어서 국가를 보위하기 위하여 긴급한 조치가 필요하고 국회의 집회가 불가능한 때에 한하여 법률의 효력을 가지는 명령을 발할 수 있다.
> ③ 대통령은 제1항과 제2항의 처분 또는 명령을 한 때에는 지체 없이 국회에 보고하여 그 승인을 얻어야 한다.
> ④ 제3항의 승인을 얻지 못한 때에는 그 처분 또는 명령은 그때부터 효력을 상실한다. 이 경우 그 명령에 의하여 개정 또는 폐지되었던 법률은 그 명령이 승인을 얻지 못한 때부터 당연히 효력을 회복한다.
> ⑤ 대통령은 제3항과 제4항의 사유를 지체 없이 공포하여야 한다.

2. 위임명령의 한계

(1) 포괄위임금지

위임명령에서 포괄적 위임은 금지된다. 즉, 구체적 위임이어야 한다. 다만, 그 구체성의 정도는 그 규율대상의 종류와 성격에 따라 달라질 수 있다. 처벌법규나 조세법규 등 국민의 기본권을 직접적으로 제한하거나 침해할 소지가 있는 법규에서는 구체성과 명확성의 요구가 강화되어 그 위임의 요건과 범위가 일반적인 급부행정법규의 경우보다 더 엄격하게 제한적으로 규정되어야 하는 반면에, 규율대상이 지극히 다양하거나 수시로 변화하는 성질의 것일 때에는 위임의 구체성 및 명확성의 요건이 완화될 수 있다(헌재 1997.9.25. 96헌바18).

⚖ **관련판례**

위임입법의 한계 및 그 판단기준
위임명령은 법률이나 상위명령에서 구체적으로 범위를 정한 개별적인 위임이 있을 때에 가능하고, 여기에서 구체적인 위임의 범위는 규제하고자 하는 대상의 종류와 성격에 따라 달라지는 것이어서 일률적 기준을 정할 수는 없지만, 적어도 위임명령에 규정될 내용 및 범위의 기본사항이 구체적으로 규정되어 있어서 누구라도 당해 법률이나 상위명령으로부터 위임명령에 규정될 내용의 대강을 예측할 수 있어야 하나, 이 경우 그 예측가능성의 유무는 당해 위임조항 하나만을 가지고 판단할 것이 아니라 그 위임조항이 속한 법률이나 상위명령의 전반적인 체계와 취지·목적, 당해 위임조항의 규정형식과 내용 및 관련 법규를 유기적·체계적으로 종합 판단하여야 하고, 나아가 각 규제 대상의 성질에 따라 구체적·개별적으로 검토함을 요한다(대판 2002.8.23. 2001두5651).

침해행정 영역(엄격)	급부행정 영역(완화)
• 국민의 **기본권을 제한**하거나 **침해할 소지**가 있는 사항에 관한 위임에 있어서는 위와 같은 **구체성 내지 명확성**이 보다 엄격하게 요구된다(대판 2000.10.19. 98두6265). • 구 공무원연금법 제47조 제3호에서 퇴직연금 지급정지대상기관을 총리령으로 정하도록 위임하고 있는 것은 포괄위임금지의 원칙에 위반된다. 나아가 동법 제47조 제2호·제3호에서 퇴직연금 지급정지의 요건 및 내용을 대통령령으로 정하도록 위임하고 있는 것도 포괄위임금지의 원칙에 위반된다(헌재 2005.10.27. 2004헌가20).	헌법 제75조는 "대통령은 법률에서 구체적으로 범위를 정하여 위임받은 사항에 관하여 대통령령을 발할 수 있다."라고 규정하고 있으므로 법률의 위임은 반드시 구체적·개별적으로 한정된 사항에 관하여 행해져야 할 것이고, 여기서 '구체적'이라는 것은 일반적·추상적이어서는 안 된다는 것을, '범위를 정한다는 것'은 포괄적·전면적이어서는 아니 된다는 것을 각각 의미하고, 이러한 구체성의 정도는 규제대상의 종류와 성격에 따라 달라진다고 할 것이므로 보건위생 등 **급부행정영역에서 기본권침해영역보다 구체성의 요구가 다소 약화되어도 무방하다**(대판 1995.12.8. 95카기16).

(2) 조례·정관에 대한 위임(포괄위임 가능)

① 지방자치법 제22조는 "지방자치단체는 **법령의 범위 안**에서 그 사무에 관하여 **조례**를 제정할 수 있다."라고 규정하고 있다. 이러한 조례는 지방자치단체의 자주법(自主法)이므로 법령에 위반되지 않는 한도 내에서는 법률의 개별적인 위임(수권)이 없어도 제정될 수 있다.

② 다만, 주민의 권리제한 또는 의무부과에 관한 사항이나 벌칙을 정할 때에는 법률의 위임이 있어야 한다고 규정하고 있다. 이 경우 위임의 범위에 대하여 판례는 조례가 주민의 대표기관인 지방의회의 의결로 제정되는 지방자치단체의 자주법인 만큼 **포괄위임**이 가능하다는 입장이다(대판 1991.8.27. 90누6613).

③ 법률이 자치적인 사항을 **공법적 단체의 정관**으로 정하도록 위임한 경우에는 **포괄위임입법금지원칙**이 적용되지 않는다는 것이 판례의 입장이다(대판 2007. 10.12. 2006두14476).

> ### 🔍 관련판례
>
> **1 조례에 대한 법률의 위임의 정도**
>
> 조례의 제정권자인 지방의회는 선거를 통해서 그 지역적인 민주적 정당성을 지니고 있는 주민의 대표기관이고 헌법이 지방자치단체에 포괄적인 자치권을 보장하고 있는 취지로 볼 때, 조례에 대한 법률의 위임은 법규명령에 대한 법률의 위임과 같이 반드시 구체적으로 범위를 정하여 할 필요가 없으며 포괄적인 것으로 족하다(헌재 1995.4.20. 92헌마264·279).
>
> **2 법률이 정관에 자치법적 사항을 위임한 경우, 포괄위임법금지원칙의 적용 여부 (소극)**
>
> 법률이 공법적 단체 등의 정관에 자치법적 사항을 위임한 경우에는 헌법 제75조가 정하는 포괄적인 위임입법의 금지는 원칙적으로 적용되지 않는다고 봄이 상당하고, 그렇다 하더라도 그 사항이 국민의 권리·의무에 관련되는 것일 경우에는 적어도 국민의 권리·의무에 관한 기본적이고 본질적인 사항은 국회가 정하여야 한다(대판 2007.10.12. 2006두14476).

01 국회 전속적 입법사항은 반드시 법률에 의하여 규정되어야 하며, 입법자가 법률에서 구체적으로 범위를 정하여도 법규명령에 위임될 수는 없다. 14. 지방9급, 09. 국가9급 (　　)

02 헌법재판소는 국회입법에 의한 수권이 입법기관이 아닌 행정기관에게 법률 등으로 구체적인 범위를 정하여 위임한 사항에 관하여는 당해 행정기관에게 법정립의 권한이 부여된다고 보고 있다. 13. 국회8급 (　　)

03 처벌규정의 위임은 죄형법정주의로 인하여 어떠한 경우에도 허용되지 않는다. 14. 서울9급, 13·11. 지방7급 (　　)

04 특히 긴급한 필요가 있거나 미리 법률로 자세히 정할 수 없는 부득이한 사정이 있어 법률에 형벌의 종류·상한·폭을 명확히 규정하더라도, 행정형벌에 대한 위임입법은 허용되지 않는다. 19. 국가9급, 14. 지방9급 (　　)

(3) 국회 전속적 입법사항 위임금지

죄형법정주의(제12조), 조세법률주의(제59조)와 같이 헌법 자체에서 법률로 정하도록 한 사항에 대해서는 명령에 위임할 수 없음이 원칙이다. 다만, 이러한 국회 전속적 입법사항이라도 전적으로 법률로 규율되어야 하는 것은 아니고, 그 세부적 사항에 관하여 구체적으로 범위를 정하여 행정입법에 위임하는 것은 가능하다는 것이 통설·판례이다(헌재 1991.7.8. 91헌가4).

> **⚖ 관련판례**
>
> 법률의 시행령은 <u>모법인 법률의 위임 없이</u> 법률이 규정한 개인의 권리·의무에 관한 내용을 변경·보충하거나 법률에서 규정하지 아니한 새로운 내용을 규정할 수 없고, 특히 법률의 시행령이 형사처벌에 관한 사항을 규정하면서 법률의 명시적인 위임 범위를 벗어나 <u>처벌의 대상을 확장하는 것</u>은 죄형법정주의의 원칙에도 어긋나는 것이므로, 그러한 시행령은 <u>위임입법의 한계를 벗어난 것으로서 무효</u>이다(대판 2017.2.16. 2015도16014).

원칙(위임 불가)	예외(위임 가능)
병(兵)의 복무기간은 국방의무의 본질적 사항에 관한 것이어서, 이는 반드시 법률로 정하여야 할 입법사항에 속한다(대판 1985.2.28. 85초13).	위임입법에 관한 헌법 제75조는 처벌법규에도 적용되는 것이지만 ① 처벌법규의 위임은 특히 긴급한 필요가 있거나 미리 법률로써 자세히 정할 수 없는 부득이한 사정이 있는 경우에 한정되어야 하고, 이 경우에도 법률에서 ② 범죄의 구성요건은 처벌대상인 행위가 어떠한 것일 것이라고 예측할 수 있을 정도로 구체적으로 정하고, ③ 형벌의 종류 및 그 상한과 폭을 명백히 규정하여야 한다(헌재 1991.7.8. 91헌가4).

(4) 위임입법사항의 재위임

① 상위법령에 의하여 위임된 사항을 다시 하위명령에 전면재위임하는 것은 실질적으로 수권법의 내용을 개정하는 결과가 되기 때문에 허용되지 않으나, 위임받은 사항에 관하여 일반적인 사항을 규정하고 그 세부적 사항의 보충을 하위명령에 재위임하는 것은 가능하다(헌재 1996.2.29. 94헌마213).

② 재위임에 의한 부령의 경우에도 위임에 의한 대통령령이 가해지는 헌법상의 제한이 당연히 적용되므로 법률에서 위임받은 사항을 전혀 규정하지 아니하고 그대로 재위임하는 것(전면재위임)은 허용되지 않으며, 위임받은 사항에 관하여 대강을 정하고 그중의 특정사항을 범위를 정하여 하위법령에 다시 위임하는 경우에만 재위임이 허용된다(헌재 1996.2.29. 94헌마213).

③ 조례가 지방자치법 제22조 단서에 따라 주민의 권리제한 또는 의무부과에 관한 사항을 법률로부터 위임받은 후, 이를 다시 지방자치단체장이 정하는 '규칙'이나 '고시' 등에 재위임하는 경우에도 마찬가지이다(대판 2015.1.15. 2013두14238).

④ 관리처분계획의 인가 등에 관한 사무는 국가사무로서 지방자치단체의 장에게 위임된 이른바 **기관위임사무**에 해당하므로, 시·도지사가 지방자치단체의 **조례에 의하여 이를 구청장등에게 재위임할 수는 없고**, 행정권한의 위임 및 위탁에 관한 규정 제4조에 의하여 위임기관의 장의 승인을 얻은 후 **지방자치단체의 장이 제정한 규칙이 정하는 바에 따라 재위임하는 것만이 가능하다**(대판 1995.8.22. 94누5694 전합).

⑤ 정부조직법 제5조 제1항의 규정은 법문상 행정권한의 위임 및 재위임의 근거규정임이 명백하고 정부조직법이 국가행정기관의 설치, 조직과 직무범위의 대강을 정하는 데 목적이 있다고 하여 그 이유만으로 같은 법의 권한위임 및 재위임에 관한 규정마저 권한 위임 및 재위임 등에 관한 대강을 정한 것에 불과할 뿐 권한위임 및 재위임의 근거규정이 아니라고 할 수 없다고 할 것이므로, 도지사 등은 **정부조직법 제5조 제1항에 기하여 제정된 행정권한의 위임 및 위탁에 관한 규정에 정한 바에 의하여 위임기관의 장의 승인이 있으면 그 규칙이 정하는 바에 의하여 그 수임된 권한을 시장, 군수 등 소속기관의 장에게 다시 위임할 수 있다**(대판 1990.6.26. 88누12158).

🔎 관련판례

1 대통령령으로 정할 사항을 부령으로 정한 경우 그 효력

행정각부 장관이 부령으로 제정할 수 있는 범위는 법률 또는 대통령령이 위임한 사항이나 또는 법률 또는 대통령령을 실시하기 위하여 필요한 사항에 한정되므로 법률 또는 대통령령으로 규정할 사항은 부령으로 규정하였다고 하면 그 부령은 무효임을 면치 못한다(대판 1962.1.25. 61다9).

2 법령의 위임이 없음에도 법령에 규정된 처분 요건에 해당하는 사항을 부령에서 변경하여 규정한 경우, 부령규정의 법적 성격 및 처분의 적법 여부를 판단하는 기준

법령에서 행정처분의 요건 중 일부 사항을 부령으로 정할 것을 위임한 데 따라 시행규칙 등 부령에서 이를 정한 경우에 그 부령의 규정은 국민에 대해서도 구속력이 있는 법규명령에 해당한다고 할 것이지만, 법령의 위임이 없음에도 법령에 규정된 처분 요건에 해당하는 사항을 부령에서 변경하여 규정한 경우에는 그 부령의 규정은 행정청 내부의 사무처리 기준 등을 정한 것으로서 행정조직 내에서 적용되는 행정명령의 성격을 지닐 뿐 국민에 대한 대외적 구속력은 없다고 보아야 한다. 따라서 어떤 행정처분이 그와 같이 법규성이 없는 시행규칙 등의 규정에 위배된다고 하더라도 그 이유만으로 처분이 위법하게 되는 것은 아니라 할 것이고, 또 그 규칙 등에서 정한 요건에 부합한다고 하여 반드시 그 처분이 적법한 것이라고 할 수도 없다. 이 경우 처분의 적법 여부는 그러한 규칙 등에서 정한 요건에 합치하는지 여부가 아니라 일반 국민에 대하여 구속력을 가지는 법률 등 법규성이 있는 관계 법령의 규정을 기준으로 판단하여야 한다(대판 2013.9.12. 2011두10584).

3 모법상 명시적 위임규정 없이 행정입법에서 개인의 권리·의무에 관해 규정할 수 있는지 여부(규범구체화 위임명령)

법률의 시행령이나 시행규칙은 법률에 의한 위임이 없으면 개인의 권리·의무에 관한 내용을 변경·보충하거나 법률이 규정하지 아니한 새로운 내용을 정할 수는 없지만, 법률의 시행령이나 시행규칙의 내용이 모법의 입법 취지와 관련 조항 전체를 유기적·체계적으로 살펴보아 모법의 해석상 가능한 것을 명시한 것에 지나지 아니하거나 모법 조항의 취지에 근거하여 이를 구체화하기 위한 것인 때에는 모법의 규율 범위를 벗어난 것으로 볼 수 없으므로, 모법에 이에 관하여 직접 위임하는 규정을 두지 아니하였다고 하더라도 이를 무효라고 볼 수는 없다. 이러한 법리는 지방자치단체의 교육감이 제정하는 교육규칙과 모법인 상위 법령의 관계에서도 마찬가지이다(대판 2014.8.20. 2012두19526).

4 시행규칙이 시행령의 위임에 의한 것임을 명시하고 있지 않은 경우에도 위임관계 인정 여부

법령의 위임관계는 반드시 하위법령의 개별조항에서 위임의 근거가 되는 상위법령의 해당 조항을 구체적으로 명시하고 있어야만 하는 것은 아니다(대판 1999.12.24. 99두5658).

5 명확성의 원칙의 의미

법치국가원리의 한 표현인 명확성의 원칙은 기본적으로 모든 기본권제한입법에 대하여 요구된다. 규범의 의미내용으로부터 무엇이 금지되는 행위이고 무엇이 허용되는 행위인지를 수범자가 알 수 없다면 법적 안정성과 예측가능성은 확보될 수 없게 될 것이고, 또한 법집행 당국에 의한 자의적 집행을 가능하게 할 것이기 때문이다. 다만, 기본권제한입법이라 하더라도 규율대상이 지극히 다양하거나 수시로 변화하는 성질의 것이어서 입법기술상 일의적으로 규정할 수 없는 경우에는 명확성의 요건이 완화되어야 할 것이다. 또 당해 규정이 명확한지 여부는 그 규정의 문언만으로 판단할 것이 아니라 관련 조항을 유기적·체계적으로 종합하여 판단하여야 할 것이다(대판 2010.5.27. 2009두1983).

6 위임의 구체성·명확성의 정도

명확성원칙은 모든 법률에 같은 수준으로 요구되는 것은 아니고 개개의 법률이나 법조항의 성격에 따라 요구되는 정도에 차이가 있을 수 있으며 각각의 구성요건의 특수성과 법률이 제정된 배경이나 상황에 따라 달라질 수 있다. 명확성원칙을 어느 경우에나 일률적으로 엄격히 관철하도록 요구하는 것은 입법기술상 불가능하거나 현저히 곤란하다. 따라서 법률에 어느 정도 보편적이거나 일반적 개념의 용어를 사용하는 것은 불가피하고, 당해 법률이 제정된 목적과 다른 규범과의 연관성을 고려하여 합리적인 해석이 가능한지 여부에 따라 명확성을 갖추었는지 여부가 가려져야 한다. 한편, 법률 규정에 그 뜻이 분명하지 아니하고 여러 가지 해석이 가능한 표현이 포함되어 있다 하더라도, 법관의 보충적인 가치판단을 통해서 그 뜻을 확인할 수 있고 그러한 보충적 해석이 해석자의 개인적인 취향에 따라 좌우될 가능성이 없다면 명확성원칙에 반한다고 할 수 없다(헌재 2014.3.27. 2012헌바55).

7 위임규정에서 사용하고 있는 용어의 의미를 넘어 입법하는 경우

법률의 위임규정 자체가 그 의미 내용을 정확하게 알 수 있는 용어를 사용하여 위임의 한계를 분명히 하고 있는데도 시행령이 그 문언적 의미의 한계를 벗어 났다든지, 위임 규정에서 사용하고 있는 용어의 의미를 넘어 그 범위를 확장하 거나 축소함으로써 위임 내용을 구체화하는 단계를 벗어나 새로운 입법을 한 것으로 평가할 수 있다면, 이는 위임의 한계를 일탈한 것으로서 허용되지 아니 한다(대판 2012.12.20. 2011두30878 전합).

8 입법사항을 총리령이나 부령에 위임할 수 있는지 여부

헌법 제75조는 대통령에 대한 입법권한의 위임에 관한 규정이지만, 국무총리나 행정각부의 장으로 하여금 법률의 위임에 따라 총리령 또는 부령을 발할 수 있 도록 하고 있는 헌법 제95조의 취지에 비추어 볼 때, 입법자는 법률에서 구체적 으로 범위를 정하기만 한다면 대통령령뿐만 아니라 부령에 입법사항을 위임할 수도 있다(헌재 1998.2.27. 97헌마64).

9 위임입법과 재위임의 한계

법률에서 위임받은 사항을 전혀 규정하지 않고 모두 재위임하는 것은 "위임받 은 권한을 그대로 다시 위임할 수 없다."는 복위임금지의 법리에 반할 뿐 아니라 수권법의 내용변경을 초래하는 것이 되고, 대통령령 이외의 법규명령의 제정·개정절차가 대통령령에 비하여 보다 용이한 점을 고려할 때 하위의 법규명령 에 대한 재위임의 경우에도 대통령령에의 위임에 가하여지는 헌법상의 제한이 마땅히 적용되어야 할 것이다. 따라서 법률에서 위임받은 사항을 전혀 규정하 지 아니하고 그대로 하위의 법규명령에 재위임하는 것은 허용되지 않으며 위임 받은 사항에 관하여 대강(大綱)을 정하고 그중의 특정사항을 범위를 정하여 하 위의 법규명령에 다시 위임하는 경우에만 재위임이 허용된다(헌재 2002.10.31. 2001헌라1).

10 처벌법규에 있어서 위임의 한계

법률에 의한 처벌법규의 위임은 죄형법정주의와 적법절차, 기본권보장 우위 사 상에 비추어 바람직하지 못한 일이므로, 처벌법규의 위임은 첫째, 특히 긴급한 필요가 있거나 미리 법률로써 자세히 정할 수 없는 부득이한 사정이 있는 경우 에 한정되어야 하고, 둘째, 이러한 경우일지라도 법률에서 범죄의 구성요건은 처벌 대상인 행위가 어떠한 것일 거라고 이를 예측할 수 있을 정도로 구체적으 로 정하고, 셋째, 형벌의 종류 및 그 상한과 폭을 명백히 규정하여야 한다(헌재 2014.3.27. 2011헌바42).

11 수권법률이 위헌결정되면 위임된 법규명령이 실효되는지 여부(적극)

법규명령의 위임근거가 되는 법률에 대하여 위헌결정이 선고되면 그 위임에 근 거하여 제정된 법규명령도 원칙적으로 효력을 상실한다(대판 2001.6.12. 2000 다18547 ; 대판 1998.4.10. 96다52359).

◎ **핵심정리** **위임의 구체성의 정도**

1. **급부행정**: 완화 ⇨ **조례**: 포괄적 위임도 허용
2. **침해행정**: 강화 ⇨ **국회 전속적 입법사항**: 금지(원칙)/허용(예외)[긴급 또는 부득이한 경 우(예 죄형법정주의)]

01 대통령령에 대한 법률의 위임은 반드시 구체적으로 범위를 정하여 할 필요가 없으며 포괄적인 것으로 족하다. 　　　　　15. 교행 ( )

02 헌법재판소는 죄형법정주의 원칙상 처벌규정에 대해서는 형벌의 종류뿐 아니라 범죄의 구성요건도 법규명령에 위임할 수 없다고 본다. 　　　　　06. 국가7급 ( )

03 집행명령은 상위법령의 집행을 위하여 필요한 사항을 법률 또는 상위명령의 위임에 의해 직권으로 발하는 명령이다. 　　13. 국회8급, 07. 관세사 ( )

04 집행명령이 없어도 법령이 시행될 수 있는 경우에는 특별한 규정이 없는 한 행정권에게 집행명령을 제정할 의무가 있다. 　　06. 서울9급 ( )

05 성질상 위임이 불가피한 전문적·기술적 사항에 관하여 구체적으로 범위를 정하여 법령에서 위임하더라도 고시 등으로는 규제의 세부적인 내용을 정할 수 없다. 　　　　　18. 지방교행 ( )

06 교육에 관한 조례에 대한 항고소송을 제기함에 있어서는 그 의결기관인 시·도 지방의회를 피고로 하여야 한다. 　　　　　16. 국가7급 ( )

07 어떤 법률의 말미에 "이 법의 시행에 필요한 사항은 대통령령으로 정한다."라고 하여 일반적 시행령 위임조항을 두었다면 이것은 위임명령의 일반적 발령 근거로 작용한다. 　　　　　17. 서울7급 ( )

핵심정리 　위임명령

1. 구법에 위임의 근거가 없어 무효였더라도 사후에 법개정으로 위임의 근거가 부여되면 그 때부터는 유효한 법규명령이 되나, 반대로 구법의 위임에 의한 유효한 법규명령이 법개정으로 위임의 근거가 없어지게 되면 그 때부터 무효인 법규명령이 된다.

2. 어떤 법령의 위임 근거 유무에 따른 유효 여부를 심사하려면 법개정의 전·후에 걸쳐 모두 심사하여야만 그 법규명령의 시기에 따른 유효·무효를 판단할 수 있다.

3. 모법에서 규정된 내용을 국민에게 불리한 방향으로 변경한 규정은 모법의 위임이 있어야만 유효하며 모법에 위임 근거가 없는 경우 무효이다.

4. 직권면직절차에 관하여 위임에 관한 아무런 규정을 두지 아니하였다고 하더라도 대통령령은 직권면직에 관한 같은 법의 규정을 집행하기 위하여 필요한 사항에 관하여 규정할 수 있다.

5. 고시형태의 위임은 전문적·기술적 사항이나 경미한 사항으로서 업무의 성질상 위임이 불가피한 사항에 한정된다.

6. 어떠한 고시가 일반적·추상적 성격을 가질 때에는 법규명령 또는 행정규칙에 해당할 것이지만, 다른 집행행위의 매개 없이 그 자체로서 직접 국민의 구체적인 권리의무나 법률관계를 규율하는 성격을 가질 때에는 행정처분에 해당한다.

핵심정리 　위임명령의 한계

1. 외형상으로는 일반적·포괄적으로 위임한 것처럼 보이더라도, 해석을 통하여 그 내재적인 위임의 범위나 한계가 객관적으로 분명히 확정될 수 있는 것이라면 이를 일반적·포괄적인 위임에 해당하는 것으로 볼 수 없다.

2. 일반적·추상적·개괄적인 규정이라 할지라도 법관의 법보충작용으로서의 해석을 통하여 그 의미가 구체화·명확화될 수 있다면 그 규정이 명확성을 결여하여 과세요건명확주의에 반하는 것으로 볼 수는 없다.

3. 규율대상이 지극히 다양하거나 수시로 변화하는 성질의 것일 때에는 위임의 구체성·명확성의 요건이 완화되어야 할 것이다.

4. 조례에 대한 법률의 위임은 법규명령에 대한 법률의 위임과 같이 반드시 구체적으로 범위를 정하여 할 필요가 없으며 포괄적인 것으로 족하다.

5. 법률에서 위임받은 사항을 전혀 규정하지 아니하고 그대로 재위임하는 것은 허용되지 않는다.

6. 위임받은 사항에 관하여 대강을 정하고 그 중의 특정사항을 범위를 정하여 하위법령에 다시 위임하는 경우에만 재위임이 허용된다.

7. 어느 시행령의 규정이 모법에 저촉되는지 여부가 명백하지 아니하는 경우 모법과 시행령의 다른 규정들과 그 입법 취지, 연혁 등을 종합적으로 살펴 모법에 합치된다는 해석도 가능한 경우라면 그 규정을 모법위반으로 무효라고 선언하여서는 안 된다.

3. 집행명령의 한계

집행명령은 위임명령과는 달리 상위법령의 집행에 필요한 구체적인 절차·형식 등을 규정할 수 있을 뿐이고, 상위법령에 없는 국민의 권리·의무에 관한 새로운 법규사항을 정할 수는 없다.

---

01 X　**02** X　**03** X　**04** X　**05** X　**06** X
07 X

1 사법시험령의 법적 성질(= 집행명령)

구 사법시험령(2001.3.31. 대통령령 제17181호로 폐지되기 전의 것, 이하 '사법시험령'이라 한다)은 위 법원조직법, 검찰청법, 변호사법 등에서 정한 바에 따라 판사, 검사로 임용되거나 변호사 자격을 부여하기 위한 전제로써 사법연수원에 입소할 자를 선발하기 위한 사법시험의 시행에 대한 구체적인 방법과 절차에 대하여 규정하고 있을 뿐이다. 결국, 변호사의 자격과 판사, 검사 등의 임용의 전제가 되는 '사법시험의 합격'이라는 직업선택의 자유와 공무담임권의 기본적인 제한요건은 국회에서 제정한 법률인 변호사법, 법원조직법, 검찰청법 등에서 규정되어 있는 것이고, <u>사법시험령은 단지 위 법률들이 규정한 사법시험의 시행과 절차 등에 관한 세부사항을 구체화하고 국가공무원법상 사법연수생이라는 별정직 공무원의 임용절차를 집행하기 위한 집행명령의 일종이라고 할 것이다.</u> 또한, 사법시험령 제15조 제2항은 사법시험의 제2차시험의 합격결정에 있어서는 매과목 4할 이상 득점한 자 중에서 합격자를 결정한다는 취지의 과락제도를 규정하고 있는바, 이는 그 규정내용에서 알 수 있다시피 사법시험 제2차시험의 합격자를 결정하는 방법을 규정하고 있을 뿐이어서 사법시험의 실시를 집행하기 위한 시행과 절차에 관한 것이지, 새로운 법률사항을 정한 것이라고 보기 어렵다(대판 2007.1.11. 2004두10432).

2 상위법령이 개정된 경우 종전 집행명령의 효력 유무(소극)

상위법령의 시행에 필요한 세부적 사항을 정하기 위하여 행정관청이 일반적 직권에 의하여 제정하는 이른바 집행명령은 근거법령인 상위법령이 폐지되면 특별한 규정이 없는 이상 실효되는 것이나, <u>상위법령이 개정됨에 그친 경우에는 개정법령과 성질상 모순, 저촉되지 아니하고 개정된 상위법령의 시행에 필요한 사항을 규정하고 있는 이상 그 집행명령은 상위법령의 개정에도 불구하고 당연히 실효되지 아니하고 개정법령의 시행을 위한 집행명령이 제정, 발효될 때까지는 여전히 그 효력을 유지한다</u>(대판 1989.9.12. 88누6962).

08 근거법령인 상위법령이 개정됨에 그친 경우 개정법령의 시행을 위한 집행명령이 제정·발효될 때까지 여전히 그 효력을 유지하는 것은 아니다.
19. 지방9급, 15. 경특1차, 13. 서울7급, 09. 국가9급, 08. 국가7급 ( )

5 성립요건·효력요건 및 하자

1. 성립요건

(1) 주체상의 요건

법규명령은 대통령, 국무총리, 행정각부장관 등 정당한 권한 있는 기관이 그 권한의 범위 내에서 제정하여야 한다.

(2) 내용상의 요건

① 상위법령에 근거가 있어야 한다(위임명령의 경우: 법률유보의 원칙).
② 상위법령에 저촉되지 않아야 한다(법률우위의 원칙).
③ 실현 가능하고 명백하여야 한다.

09 위임명령의 경우에는 법률유보원칙이 적용된다. 15. 서울9급 ( )

(3) 절차상의 요건

① 법령 등을 제정·개정 또는 폐지하고자 할 때에는 당해 입법안을 마련한 행정청은 이를 예고하여야 한다. **예고**의 방법은 전문을 관보·공보나 인터넷·신문·방송 등의 방법으로 할 수 있으며, 기간은 특별한 사정이 없는 한 **40일(자치법규는 20일) 이상**으로 한다(행정절차법 제41조~제43조).

핵심 OX

01 대통령령을 제정하려면 국무회의의 심의와 법제처의 심사를 거쳐야 한다. 17. 국가9급(10월), 05. 관세사 ( )

02 국무회의에 상정될 총리령안과 부령안은 법제처의 심사를 받아야 한다. 18. 지방7급 ( )

03 총리령·부령의 제정절차는 대통령령의 경우와는 달리 국무회의의 심의는 거치지 않아도 된다. 23. 국가9급 ( )

② 대통령령은 법제처의 심사와 국무회의의 심의를 거쳐야 한다.

③ 총리령 및 부령은 법제처의 심사를 거쳐야 하며, 국무회의의 심의는 거칠 필요가 없다.

구분	대통령령	총리령·부령
국무회의 심의	O	X
제·개정, 폐지 시 국회 제출	O	O
입법예고	O	O
입법예고 시 국회 상임위 제출	O	X
법제처 심사	O	O

(4) 형식상의 요건

조문형식을 갖춘 문서에 의하여야 하며, 대통령령·총리령 및 부령은 각각 그 서명·날인·일자 및 번호를 붙여 공포하여야 한다.

(5) 공포

법규명령은 법규로서의 효력이 있으므로 대외적 표시절차인 공포를 통하여 유효하게 성립하며, 공포는 관보의 게재를 통하여 행하여진다.

2. 효력요건

대통령령·총리령 및 부령은 특별한 규정이 없는 한 공포한 날로부터 20일을 경과함으로써 효력을 발생한다(법령 등 공포에 관한 법률 제13조). 다만, 국민의 권리제한 또는 의무부과와 직접 관련되는 대통령령·총리령 및 부령은 긴급히 시행하여야 할 특별한 사유가 있는 경우를 제외하고는 공포일로부터 적어도 30일이 경과한 날로부터 시행되도록 하여야 한다(동법 제13조의2).

3. 하자

법규명령이 위와 같은 성립·효력요건을 갖추지 못한 때에는 하자 있는 법규명령이 된다.

(1) 하자 있는 법규명령의 효력

① **중대·명백설:** 행정행위의 하자와 동일하게 법규명령의 하자가 중대하고 명백하면 무효이고, 단순 위법한 경우에는 취소사유로 보는 견해이다.

② **무효설(다수설·판례):** 하자 있는 법규명령은 행정행위와는 달리 공정력이 인정되지 않으므로 그 하자를 이유로 한 취소란 있을 수 없고, 정도에 관계없이 무효라는 것이 통설·판례이다. 다만, 법규명령이 처분성을 갖는 처분적 법규인 경우에는 취소사유에 해당하는 경우가 있을 수 있으며, 그 결과 취소소송의 대상이 된다.

핵심 OX

04 대통령령, 총리령 및 부령은 특별한 규정이 없으면 공포한 날부터 20일이 경과함으로써 효력을 발생한다. 14. 국가9급, 05. 관세사 ( )

05 법규명령이 그 성립·발효요건을 갖추지 못한 때에는 하자 있는 것으로 된다. 09. 국가7급 ( )

01 O **02** O **03** O **04** O **05** O

관련판례

1 어느 시행령의 규정이 모법에 저촉되는지의 여부가 명백하지 아니하는 경우에는 모법과 시행령의 다른 규정들과 그 입법 취지, 연혁 등을 종합적으로 살펴 모법에 합치된다는 해석도 가능한 경우라면 그 규정을 모법위반으로 무효라고 선언하여서는 안 된다(대판 2001.8.24. 2000두2716).

2 하위법령은 그 규정이 상위법령의 규정에 명백히 저촉되어 무효인 경우를 제외하고는 관련 법령의 내용과 입법 취지 및 연혁 등을 종합적으로 살펴서 그 의미를 상위법령에 합치되는 것으로 해석하여야 한다(대판 2013.11.28. 2012두16565).

(2) 위법한 법규명령에 근거한 처분의 효력

위헌 또는 위법한 법규명령에 근거한 행정처분은 하자 있는 행정처분이 된다. 하자 유무는 중대·명백설에 따라 법규명령이 위헌·위법으로 선언되기 전에는 명백하지 않아 취소사유에 해당한다는 것이 판례의 입장이다.

관련판례

1 하자 있는 행정처분이 당연무효로 되려면 그 하자가 법규의 중요한 부분을 위반한 중대한 것이어야 할 뿐 아니라 객관적으로 명백한 것이어야 하고, 행정청이 위헌이거나 위법하여 무효인 시행령을 적용하여 한 행정처분이 당연무효로 되려면 그 규정이 행정처분의 중요한 부분에 관한 것이어서 결과적으로 그에 따른 행정처분의 중요한 부분에 하자가 있는 것으로 귀착되고, 또한 그 규정의 위헌성 또는 위법성이 객관적으로 명백하여 그에 따른 행정처분의 하자가 객관적으로 명백한 것으로 귀착되어야 하는바, 일반적으로 시행령이 헌법이나 법률에 위반된다는 사정은 그 시행령의 규정을 위헌 또는 위법하여 무효라고 선언한 대법원의 판결이 선고되지 아니한 상태에서는 그 시행령 규정의 위헌 내지 위법 여부가 해석상 다툼의 여지가 없을 정도로 명백하였다고 인정되지 아니하는 이상 객관적으로 명백한 것이라 할 수 없으므로, 이러한 시행령에 근거한 행정처분의 하자는 취소사유에 해당할 뿐 무효사유가 되지 아니한다(대판 2007.6.14. 2004두619).❶

2 일반적으로 조례가 법률 등 상위법령에 위배된다는 사정은 그 조례의 규정을 위법하여 무효라고 선언한 대법원의 판결이 선고되지 아니한 상태에서는 그 조례 규정의 위법 여부가 해석상 다툼의 여지가 없을 정도로 명백하였다고 인정되지 아니하는 이상 객관적으로 명백한 것이라 할 수 없으므로, 이러한 조례에 근거한 행정처분의 하자는 취소사유에 해당할 뿐 무효사유가 된다고 볼 수는 없다(대판 2009.10.29. 2007두26285).

3 하자 있는 법규명령은 취소사유가 아니라 무효사유라고 봄이 통설 및 판례이다(대판 2009.10.22. 2007두3480 등).

4 하위법령의 규정이 상위법령의 규정에 저촉되는지 명백하지 않지만 하위법령의 의미를 상위법령에 합치되는 것으로 해석하는 것이 가능한 경우, 하위법령이 상위법령에 위반된다는 이유로 무효를 선언할 수 있는지 여부(소극)

하위법령의 규정이 상위법령의 규정에 저촉되는지가 명백하지 아니한 경우에, 관련 법령의 내용과 입법 취지 및 연혁 등을 종합적으로 살펴 하위법령의 의미를 상위법령에 합치되는 것으로 해석하는 것도 가능한 경우라면, 하위법령이 상위법령에 위반된다는 이유로 쉽게 무효를 선언할 것은 아니다(대판 2016.12.15. 2014두44502).

❶
· 처분이 무효가 되기 위해서는 '중대·명백'하여야 함
· 처분의 위법성 여부 판단시점은 '처분시'
· 처분 당시에는 당해 시행령 등이 '위헌 또는 위법하여 무효'라는 것이 명백하지 않았기에 명백성 인정 X
⇨ 위헌·위법한 시행령에 근거한 행정처분의 하자는 취소사유에 해당할 뿐 무효사유에 해당하지 않음

6 소멸

1. 폐지

법규명령은 폐지에 의하여 소멸된다. 폐지라 함은 법규명령의 효력을 장래에 향하여 소멸시키는 행정권의 의사표시를 말한다. 법규명령의 폐지는 명시적으로 행해질 수 있으며, 당해 법규명령과 내용상 저촉되는 상위법령의 범위 내에서 폐지되는 묵시적인 폐지로 행하여질 수 있다.

2. 실효

(1) 종기의 도래, 해제조건의 성취

종기가 도래하거나, 해제조건이 성취된 법규명령은 당연히 효력이 소멸한다.

(2) 근거법령의 소멸

02 위임명령은 상위법령의 폐지에 의해 소멸된다.   07. 국회8급 (   )

03 판례는 법규명령의 위임근거가 되는 법률에 대하여 위헌결정이 선고되면 그 위임에 근거하여 제정된 법규명령도 원칙적으로 효력을 상실한다고 보았다.
14·08. 지방7급, 13. 서울7급 (   )

04 상위법령의 시행을 위하여 제정한 집행명령은 그 상위법령이 개정되더라도 개정법령과 성질상 모순·저촉되지 않는 이상 여전히 그 효력을 가진다.   17. 국회8급 (   )

05 긴급명령이나 긴급재정·경제명령은 지체 없이 국회의 승인을 받아야 하며 승인을 얻지 못한 때에는 그 명령은 소급하여 효력을 상실한다.
13. 국회8급 변형 (   )

법규명령은 근거법인 헌법 또는 상위법령이 소멸하면 법적 근거가 없는 것으로 되어 효력이 소멸한다. 다만, 상위법령의 시행을 위하여 제정한 집행명령은 그 상위법령이 개정되더라도 개정법령과 성질상 모순·저촉되지 않는 이상 여전히 그 효력을 가진다.

> #### ⚖ 관련판례
>
> **1** 법규명령의 위임근거가 되는 법률에 대하여 위헌결정이 선고되면 그 위임에 근거하여 제정된 법규명령도 원칙적으로 효력을 상실한다(대판 2001.6.12. 2000다18547).
>
> **2** 상위법령의 시행에 필요한 세부적 사항을 정하기 위하여 행정관청이 일반적 직권에 의하여 제정하는 이른바 집행명령은 근거법령인 상위법령이 폐지되면 특별한 규정이 없는 이상 실효되는 것이나, 상위법령이 개정됨에 그친 경우에는 개정법령과 성질상 모순, 저촉되지 아니하고 개정된 상위법령의 시행에 필요한 사항을 규정하고 있는 이상 그 집행명령은 상위법령의 개정에도 불구하고 당연히 실효되지 아니하고 개정법령의 시행을 위한 집행명령이 제정, 발효될 때까지는 여전히 그 효력을 유지한다(대판 1989.9.12. 88누6962).

(3) 국회의 불승인

대통령이 긴급명령 또는 긴급재정·경제명령을 발한 경우 지체 없이 국회에 보고하여 승인을 얻어야 하는데, 승인을 얻지 못한 때에는 그때부터 효력이 상실된다(헌법 제76조). 법률대위명령인 긴급명령, 긴급재정·경제명령의 경우에는 국회에 보고하여 승인을 얻어야 하나, 법률종속명령(대통령령, 총리령, 부령)은 국회에 보고 또는 승인을 얻을 필요가 없다.

7 법규명령에 대한 통제

1. 입법적 통제

(1) 직접적 통제

① 법규명령의 성립이나 효력발생에 대한 동의권(승인권)을 의회에 유보하거나 일단 유효하게 성립된 법규명령을 소멸시키는 권한을 의회에 유보하는 방법을 말한다. 그 대표적 예로는 다음과 같다.

ㄱ **독일의 동의권 유보**: 법규명령의 효력발생 전에 의회의 동의 또는 승인을 받도록 하는 제도 또는 유효하게 성립되어 효력을 갖고 있는 법규명령을 사후에 소멸시킬 수 있는 권한을 의회에게 부여하는 제도이다.

ㄴ **영국의 의회에의 제출절차**: 행정입법을 시행하기 전이나 시행 후 일정한 기간 내에 의회에 제출하게 하여 의회의 소극적·적극적 결의에 의하여 최종적인 확인권을 유보하는 것을 말한다.

ㄷ **미국의 입법적 거부**: 일정기간 내에 국회의 동의를 얻지 못하면 효력을 상실하게 하는 제도이다(1983년 연방대법원에 의해 위헌결정).

② 우리나라의 경우는 일반적으로 법규명령에 대한 직접적 통제는 인정되지 않고 있다. 다만, 법률대위명령인 대통령의 긴급명령과 긴급재정·경제명령에 대해서는 국회가 사후승인을 통해서 직접 통제할 수 있다.

③ 현행 국회법 제98조의2에서는 대통령령 등에 대한 입법적 통제를 할 수 있도록 규정하고 있다.

> **국회법 제98조의2 【대통령령 등의 제출 등】** ① 중앙행정기관의 장은 법률에서 위임한 사항이나 법률을 집행하기 위하여 필요한 사항을 규정한 대통령령·총리령·부령·훈령·예규·고시 등이 제정·개정 또는 폐지된 때에는 10일 이내에 이를 국회 소관상임위원회에 제출하여야 한다. 다만, 대통령령의 경우에는 입법예고를 할 때(입법예고를 생략하는 경우에는 법제처장에게 심사를 요청할 때를 말한다)에도 그 입법예고안을 10일 이내에 제출하여야 한다.

(2) 간접적 통제

국회가 탄핵소추의결권, 해임건의권, 국정감사·조사 등 일반적인 감사·비판권을 발동하여 간접적으로 행정입법을 통제하는 것으로서, 정치적 통제가 주를 이룬다.

2. 사법적 통제

> **헌법 제107조** ① 법률이 헌법에 위반되는 여부가 재판의 전제가 된 경우에는 법원은 헌법재판소에 제청하여 그 심판에 의하여 재판한다.
> ② 명령·규칙 또는 처분이 헌법이나 법률에 위반되는 여부가 재판의 전제가 된 경우에는 대법원은 이를 최종적으로 심사할 권한을 가진다.

> **행정소송법 제6조 【명령·규칙의 위헌판결 등 공고】** ① 행정소송에 대한 대법원판결에 의하여 명령·규칙이 헌법 또는 법률에 위반된다는 것이 확정된 경우에는 대법원은 지체 없이 그 사유를 행정안전부장관에게 통보하여야 한다.
> ② 제1항의 규정에 의한 통보를 받은 행정안전부장관은 지체 없이 이를 관보에 게재하여야 한다.

핵심 OX

01 법규명령에 대한 사법적 통제로 우리나라는 구체적 규범통제를 원칙으로 한다. 12. 지방9급 ( )

02 법규명령에 대하여는 특정 법규명령의 위헌, 위법 여부가 구체적 사건에 대한 재판의 전제가 된 경우에 법원이 이를 심리·판단하는 선결문제 심리방식에 의한 간접적 통제가 인정되고 있다. 09. 국가9급 ( )

03 명령, 규칙 또는 처분이 헌법이나 법률에 위반되는 여부가 재판의 전제가 된 경우에는 대법원은 이를 최종적으로 심사할 권한을 가진다. 14. 경특2차, 09. 국가7급 ( )

04 헌법 제107조 제2항에 규정된 '명령·규칙'은 지방자치단체의 조례와 규칙을 모두 포함한다. 19. 변호사 ( )

05 법규명령에 대한 법원의 위헌·위법결정은 원칙적으로 당해 사건에 한하여 그 적용이 거부된다. 08. 지방7급, 05. 국가9급 ( )

(1) 법원에 의한 통제

① 법원의 명령·규칙심사권(구체적 규범통제)

ⓐ 법규명령에 대한 사법적 통제는 구체적 사건에 대한 재판의 전제가 된 경우에 통제하는 '구체적 규범통제'와 구체적인 사건이 법원에 계속 중이 아니더라도 통제할 수 있는 '추상적 규범통제'로 구분되는데, 법규명령에 대한 통제에 대하여 우리 헌법은 명령·규칙 또는 처분이 헌법이나 법률에 위반되는지의 여부가 재판의 전제가 된 경우에는(모든 심급의 법원이 심사권을 갖지만) 대법원은 이를 최종적으로 심사할 권한을 가진다고 규정함으로써 구체적 규범통제제도를 채택하고 있다. 즉, 특정 법규명령의 위헌·위법 여부가 구체적 사건에 대한 재판의 전제가 되는 경우에만 법원이 심리·판단하는 선결문제 심리방식에 의한 간접적 통제만이 인정되고 있다.

ⓑ 여기서의 '명령'이란 법규명령을 말하며, 위임명령과 집행명령 모두 통제의 대상이 된다. 명령·규칙 중 '규칙'이란 중앙선거관리위원회규칙, 대법원규칙, 국회규칙과 같은 법규명령인 규칙을 의미한다. 다만, 판례는 헌법 제107조 제2항의 명령·규칙에는 자치법규인 조례와 규칙도 포함된다고 한다(대판 1995.8.22. 94누5694 전합).

ⓒ 나아가 '법규적 성질을 갖는 행정규칙'은 대상이 될 수 있으나, 법규적 효력이 없는 일반적인 행정규칙은 제외된다는 것이 판례의 입장이다(대판 1990.2.27. 88재누55).

② 위헌·위법결정의 효력(개별적 효력): 법원에 의하여 위헌·위법으로 판단된 법규명령은 당해 사건에서만 적용 거부될 뿐 일반적으로 소멸되는 것은 아니어서, 공식절차에 의하여 폐지되지 않는 한 이 규정은 형식적으로는 여전히 유효한 것으로 남아 있게 된다. 다만, 행정소송법 제6조는 행정소송에 대한 대법원 판결에 의하여 명령·규칙이 헌법 또는 법률에 위반된다는 것이 확정된 경우에는 대법원은 지체 없이 그 사유를 행정안전부장관에게 통보하도록 하고, 이 경우 행정안전부장관은 지체 없이 이를 관보에 게재하도록 규정하고 있다.

③ 법규명령 자체의 항고소송의 대상 여부: 일반적·추상적 규율인 법규명령은 처분성이 결여되어 있으므로 비록 그에 하자가 있어도 법규명령 자체를 항고소송의 대상으로 할 수는 없으나, 예외적으로 법규명령이 구체적 집행행위의 개입 없이도 그 자체로서 직접 국민의 구체적인 권리·의무나 법적 이익에 영향을 미치는 등의 법률상 효과를 발생하는 경우에는 법규명령에 처분성이 인정되어 취소소송의 대상이 될 수 있다(대판 1953.8.19. 4286행상37.; 대판 1996.9.20. 95누8003 - 두밀분교 폐지조례 사건).

> **⚖ 관련판례**
>
> **1 일반적·추상적인 법령이나 규칙이 취소소송의 대상이 될 수 있는지 여부**
> 행정청의 위법한 처분 등의 취소 또는 변경을 구하는 취소소송의 대상이 될 수 있는 것은 구체적인 권리의무에 관한 분쟁이어야 하고 일반적·추상적인 법령이나 규칙 등은 그 자체로서 국민의 구체적인 권리의무에 직접적 변동을 초래케 하는 것이 아니므로 그 대상이 될 수 없다(대판 1992.3.10. 91누12639).

핵심 OX

06 일반적·추상적인 법령 그 자체로서 국민의 구체적인 권리·의무에 직접적인 변동을 초래하는 것이 아닌 것은 취소소송의 대상이 될 수 없다. 15. 지방9급 ( )

01 ○ 02 ○ 03 ○ 04 ○ 05 ○ 06 ○

2 처분적 조례의 처분성(상색초등학교 두밀분교의 폐지 조례사건)

조례가 집행행위의 개입 없이도 그 자체로서 직접 국민의 구체적인 권리의무나 법적 이익에 영향을 미치는 등의 법률상 효과를 발생하는 경우 그 조례는 항고소송의 대상이 되는 행정처분에 해당한다(대판 1996.9.20. 95누8003).

3 보건복지부 고시인 약제급여·비급여목록 및 급여상한금액표의 처분성

어떠한 고시가 일반적·추상적 성격을 가질 때에는 법규명령 또는 행정규칙에 해당할 것이지만, 다른 집행행위의 매개 없이 그 자체로서 직접 국민의 구체적인 권리의무나 법률관계를 규율하는 성격을 가질 때에는 행정처분에 해당한다고 할 것이다. … ① 약제급여·비급여목록 및 급여상한금액표(보건복지부 고시 제2002-46호로 개정된 것, 이하 '이 사건 고시'라 한다)는 특정 제약회사의 특정 약제에 대하여 국민건강보험가입자 또는 국민건강보험공단이 지급하여야 하거나 요양기관이 상환받을 수 있는 약제비용의 구체적 한도액을 특정하여 설정하고 있는 점, ② 약제의 지급과 비용의 청구행위가 있기만 하면 달리 행정청의 특별한 집행행위의 개입 없이 이 사건 고시가 적용되는 점, ③ 특정 약제의 상한금액의 변동은 곧바로 국민건강보험가입자 또는 국민건강보험공단이 지급하여야 하거나 요양기관이 상환받을 수 있는 약제비용을 변동시킬 수 있다는 점 등에 비추어 보면, 이 사건 고시는 다른 집행행위의 매개 없이 그 자체로서 국민건강보험가입자, 국민건강보험공단, 요양기관 등의 법률관계를 직접 규율하는 성격을 가진다고 할 것이므로, 항고소송의 대상이 되는 행정처분에 해당한다(대판 2006.9.22. 2005두2506).

4 대통령령과 행정소송법상 처분

법령의 효력을 가진 명령이라도 그 효력이 다른 행정행위를 기다릴 것 없이 직접적으로 또 현실히 그 자체로서 국민의 권리훼손 기타 이익침해의 효과를 발생케 하는 성질의 것이라면 행정소송법상 처분이라 보아야 할 것이오 따라서 그에 관한 이해관계자는 그 구체적 관계사실과 이유를 주장하여 그 명령의 취소를 법원에 구할 수 있을 것이다(대판 1953.8.19. 53누37).

(2) 헌법재판소의 명령·규칙심사권

① 헌법 제107조 제2항에 의하여 법규명령이 재판의 전제가 된 경우에는 일반법원이 심사하게 되어 있으나, 헌법재판소가 법규명령에 대하여 헌법소원의 형태로 통제할 수 있는가에 대하여는 헌법 제107조 제2항과 관련하여 적극설(다수설)과 소극설(대법원)의 견해대립이 있다.

② 헌법재판소는 대법원규칙인 법무사법 시행규칙에 대하여 헌법소원의 대상이 됨을 인정하여, 재판의 전제가 되지 않고 직접 기본권 침해가 존재하는 경우 헌법소원의 형태로 법규명령을 심사할 수 있다고 하여 적극적인 입장을 취하고 있다.

⚖️ **관련판례**

사법부에서 제정한 규칙의 헌법소원의 대상 여부

헌법 제107조 제2항이 규정한 명령·규칙에 대한 대법원의 최종심사권이란 구체적인 소송사건에서 명령·규칙의 위헌여부가 재판의 전제가 되었을 경우 법률의 경우와는 달리 헌법재판소에 제청할 것 없이 대법원이 최종적으로 심사할 수 있다는 의미이며, 명령·규칙 그 자체에 의하여 직접 기본권이 침해되었음을 이유로 하여 헌법소원심판을 청구하는 것은 위 헌법규정과는 아무런 상관이 없는 문제이다.

따라서 입법부·행정부·사법부에서 제정한 규칙이 별도의 집행행위를 기다리지 않고 직접 기본권을 침해하는 것일 때에는 모두 헌법소원심판의 대상이 될 수 있는 것이다. … 법령자체에 의한 직접적인 기본권침해 여부가 문제되었을 경우 그 법령의 효력을 직접 다투는 것을 소송물로 하여 일반 법원에 구제를 구할 수 있는 절차는 존재하지 아니하므로 이 사건에서는 다른 구제절차를 거칠 것 없이 바로 헌법소원심판을 청구할 수 있는 것이다(헌재 1990.10.15. 89헌마178).

③ 그러나 모든 법규명령이 헌법소원의 대상이 되는 것이 아니고, 그 법규명령이 별도의 구체적 집행행위를 기다리지 않고 직접적으로 그리고 현재적으로 헌법상 보장된 기본권을 침해하고 있는 경우에 한정된다(헌재 1993.5.13. 92헌마80).

④ **보충성의 예외:** 헌법재판소에 헌법소원을 청구하기 위해서는 '보충성'의 요건을 갖추어야 한다. 즉, 헌법재판소법 제68조 제1항에 의하여 다른 법률에 의한 구제절차를 모두 거친 후에만 헌법소원을 제기할 수 있다. 그러나 법규명령에 대한 다른 **구제절차**가 존재하지 않으므로 보충성의 예외에 해당한다는 것이 헌법재판소의 입장이다(헌재 1990.10.15. 89헌마178).

⑤ 헌법재판소는 이후에 같은 취지로 18세 미만 출입금지를 규정한 체육시설의 설치·이용에 관한 법률 및 동법 시행령에 대하여 헌법소원의 대상이 됨을 인정하였고 (헌재 1993.5.13. 92헌마80), 이른바 행정규칙의 형식을 취하고 있는 법규명령(법령보충규칙)에 대해서도 헌법소원 대상성을 인정하고 있다(헌재 1992.6.26. 91헌마25).

(3) 행정입법부작위의 항고소송 대상 여부

① 행정기관이 행정입법을 제정할 법적 의무가 있음에도 불구하고 합리적인 이유 없이 이를 지체하고 있는 경우 이러한 행정입법부작위가 항고소송(부작위위법확인소송)의 대상이 될 수 있는지가 문제된다. 이에 대해 대법원은 "추상적인 법령에 관하여 제정의 여부 등은 그 자체로서 국민의 구체적인 권리의무에 직접적 변동을 초래하는 것이 아니어서 그 소송의 대상이 될 수 없다(대판 1992.5.8. 91누11261)."라며 부정하는 입장이다. 헌법재판소는 "입법부가 법률로써 행정부에게 특정한 사항을 위임했음에도 불구하고 행정부가 이러한 법적 의무를 이행하지 않는다면 이는 위법한 것인 동시에 위헌적인 것이 된다."고 하여 헌법소원의 대상이 된다는 입장이다(헌재 2004.2.26. 2001헌마718).

> ⚖ **관련판례**
>
> **행정입법부작위가 헌법소원의 대상이 되기 위한 요건**
> 행정권력의 부작위에 대한 헌법소원은 공권력의 주체에게 헌법에서 유래하는 작위의무가 특별히 구체적으로 규정되어 이에 의거하여 기본권의 주체가 행정행위를 청구할 수 있음에도 공권력의 주체가 그 의무를 해태하는 경우에 허용되고, 특히 행정명령의 제정 또는 개정의 지체가 위법으로 되어 그에 대한 법적 통제가 가능하기 위하여는 첫째, 행정청에게 시행명령을 제정(개정)할 법적 의무가 있어야 하고 둘째, 상당한 기간이 지났음에도 불구하고 셋째, 명령제정(개정)권이 행사되지 않아야 한다 (헌재 2004.2.26. 2001헌마718).

② 입법부작위의 종류

  ⊙ **진정입법부작위**: 입법자가 헌법상 입법의무가 있는데도 전혀 아무런 입법을 하지 않음으로써 '입법의 흠결'이 있는 입법권의 불행사를 의미한다.

  ⓒ **부진정입법부작위**: 입법자가 입법은 하였으나 내용·범위·절차 등이 불완전·불충분하게 규율되어 '입법의 결함'이 있는 것이다.

③ 헌법재판소의 입장

  ⊙ 입법부작위가 행정소송의 대상에서 제외된다면 다른 구제절차가 없는 경우에 해당하여 보충성의 원칙에 대한 예외에 해당한다.

  ⓒ 진정입법부작위는 입법부작위 헌법소원을 제기할 수 있으나, **부진정입법부작위는 불완전한 법규 그 자체를 대상으로 하여 그것이 헌법위반이라는 '적극적인 헌법소원'을 제기하여야 하지 부작위형태의 헌법소원을 청구할 수는 없다**는 것이 헌법재판소의 입장이다(헌재 1996.6.13. 94헌마118·95헌바39).

④ **손해배상청구**: 행정입법부작위로 인하여 손해가 발생한 때에 과실이 인정되는 경우에는 국가배상청구가 가능하다.

🔨 관련판례

1 추상적인 법령의 제정 여부 등이 부작위위법확인소송의 대상이 될 수 있는지 여부(소극)

행정소송은 구체적 사건에 대한 법률상 분쟁을 법에 의하여 해결함으로써 법적 안정을 기하자는 것이므로 부작위위법확인소송의 대상이 될 수 있는 것은 구체적 권리의무에 관한 분쟁이어야 하고 추상적인 법령에 관하여 제정의 여부 등은 그 자체로서 국민의 구체적인 권리의무에 직접적 변동을 초래하는 것이 아니어서 그 소송의 대상이 될 수 없다(대판 1992.5.8. 91누11261).

2 보건복지부장관이 의료법과 대통령령의 위임에 따라 치과전문의자격시험제도를 실시할 수 있도록 시행규칙을 개정하거나 필요한 조항을 신설하는 등 제도적 조치를 마련하지 아니하는 부작위가 청구인들의 기본권을 침해한 것으로서 헌법에 위반되는지 여부(적극)

삼권분립의 원칙, 법치행정의 원칙을 당연한 전제로 하고 있는 우리 헌법하에서 행정권의 행정입법 등 법집행의무는 헌법적 의무라고 보아야 한다. 왜냐하면 행정입법이나 처분의 개입 없이도 법률이 집행될 수 있거나 법률의 시행여부나 시행시기까지 행정권에 위임된 경우는 별론으로 하고, 이 사건과 같이 치과전문의 제도의 실시를 법률 및 대통령령이 규정하고 있고 그 실시를 위하여 시행규칙의 개정 등이 행해져야 함에도 불구하고 행정권이 법률의 시행에 필요한 행정입법을 하지 아니하는 경우에는 행정권에 의하여 입법권이 침해되는 결과가 되기 때문이다. 따라서 보건복지부장관에게는 헌법에서 유래하는 행정입법의 작위의무가 있다(헌재 1998.7.16. 96헌마246).

3 구 군법무관임용법 제5조 제3항 및 군법무관임용 등에 관한 법률 제6조가 군법무관의 봉급과 그 밖의 보수를 법관 및 검사의 예에 준하여 지급하도록 하는 대통령령을 제정할 것을 규정하였는데, 대통령이 지금까지 해당 대통령령을 제정하지 않는 것이 청구인들(군법무관들)의 기본권을 침해하는지 여부(적극)

한편 법률이 군법무관의 보수를 판사·검사의 예에 의하도록 규정하면서 그 구체적 내용을 시행령에 위임하고 있다면, 이는 군법무관의 보수의 내용을 법률로써 일차적으로 형성한 것이고, 따라서 상당한 수준의 보수청구권이 인정되는 것이라 해석함이 상당하다. 그러므로 이 사건에서 대통령이 <u>법률의 명시적 위임에도 불구하고 지금까지 해당 시행령을 제정하지 않아</u> 그러한 보수청구권이 보장되지 않고 있다면 그러한 <u>입법부작위는 정당한 이유 없이 청구인들의 재산권을 침해하는 것으로써 헌법에 위반된다</u>(헌재 2004.2.26. 2001헌마718).

4 구 군법무관임용법 제5조 제3항과 군법무관임용 등에 관한 법률 제6조가 군법무관의 보수의 구체적 내용을 시행령에 위임했음에도 불구하고 행정부가 정당한 이유 없이 시행령을 제정하지 않은 것이 불법행위에 해당하는지 여부(적극)

입법부가 법률로써 행정부에게 특정한 사항을 위임함에도 불구하고 행정부가 정당한 이유 없이 이를 이행하지 않는다면 권력분립의 원칙과 법치국가 내지 법치행정의 원칙에 위배되는 것으로서 위법함과 동시에 위헌적인 것이 되는바, 구 군법무관임용법 제5조 제3항과 군법무관임용 등에 관한 법률 제6조가 군법무관의 보수를 법관 및 검사의 예에 준하도록 규정하면서 그 구체적 내용을 시행령에 위임하고 있는 이상, 위 법률의 규정들은 군법무관의 보수의 내용을 법률로써 일차적으로 형성한 것이고, 위 법률들에 의해 상당한 수준의 보수청구권이 인정되는 것이므로, 위 보수청구권은 단순한 기대이익을 넘어서는 것으로서 법률의 규정에 의해 인정된 재산권의 한 내용이 되는 것으로 봄이 상당하고, 따라서 <u>행정부가 정당한 이유 없이 시행령을 제정하지 않은 것은 위 보수청구권을 침해하는 불법행위에 해당한다</u>(대판 2007.11.29. 2006다3561).

5 국가가 일정한 사항에 관하여 헌법에 의하여 부과되는 구체적인 입법의무를 부담하고 있음에도 불구하고 그 입법에 필요한 상당한 기간이 경과하도록 고의 또는 과실로 이러한 입법의무를 이행하지 아니하는 등 극히 예외적인 사정이 인정되는 사안에 한정하여 국가배상법 소정의 배상책임이 인정될 수 있으며, 위와 같은 <u>구체적인 입법의무 자체가 인정되지 않는 경우에는 애당초 부작위로 인한 불법행위가 성립할 여지가 없다</u>. 거창양민학살사건 희생자들의 신원 등을 위하여 원고들이 주장하는 바와 같은 내용의 특별법을 제정할 것인지 여부는 입법정책적인 판단문제로서 이에 관하여 피고 국가가 구체적인 입법의무를 부담한다고 보기 어렵기 때문에, 피고 국가가 현재까지 이러한 특별법을 제정하지 아니하였다는 사정만으로는 거창사건 이후 유족들에 대한 관계에서 부작위에 의한 불법행위가 성립한다고 볼 수 없다(대판 2008.5.29. 2004다33469).

⊕ **핵심정리** **법규명령의 사법적 통제**

1. 법령 그 자체는 항고소송의 대상이 되지 않으나 집행행위의 개입 없이 그 자체로서 직접 권리의무에 영향을 미치는 처분법령은 항고소송의 대상이 된다.

2. 조례가 집행행위의 개입 없이도 그 자체로서 직접 국민의 구체적인 권리의무나 법적 이익에 영향을 미치는 등의 법률상 효과를 발생하는 경우 그 조례는 항고소송의 대상이 되는 행정처분에 해당한다.

3. 부작위위법확인소송의 대상이 될 수 있는 것은 구체적 권리·의무에 관한 분쟁이어야 하고 추상적인 법령에 관하여 제정의 여부 등은 그 자체로서 국민의 구체적인 권리·의무에 직접적 변동을 초래하는 것이 아니어서 행정소송의 대상이 될 수 없다.

4. **진정입법부작위**: 법령이 명시적으로 행정입법을 위임하고 있음에도 행정부가 행정입법을 부작위하는 경우, 그 부작위가 기본권을 중대하게 침해하는 것이라면 행정입법부작위위법을 심판할 수 있다.

5. 입법부작위의 형태 중 기본권보장을 위한 법규정을 두고 있지만 불완전하게 규정하여 그 보충을 요하는 경우 입법부작위로서 헌법소원의 대상으로 삼을 수는 없다.

6. 상위법령과 결합하여 대외적인 구속력을 갖는 법규명으로서 기능하는 행정규칙인 청구인이 법령과 예규의 관계규정으로 말미암아 직접 기본권 침해를 받았다면 이에 대하여 바로 헌법소원심판을 청구할 수 있다.

3. 행정적 통제

(1) 행정감독에 의한 통제

① 상급행정청은 지휘·감독권의 행사에 의하여 훈령으로 그 기준과 범위를 정하거나 위법한 법규명령의 폐지를 명하는 등의 통제를 할 수 있다. 그러나 상급행정청이라고 하더라도 하급행정청의 법규명령을 스스로 개정 또는 폐지할 수는 없다. 상위명령에 의해 하위명령을 배제할 수는 있다.

② 국민권익위원회는 법규명령의 부패유발요인을 분석·검토하여 당해 법규명령의 소관기관의 장에게 그 개선을 위한 필요한 권고를 할 수 있다(부패방지 및 국민권익위원회의 설치와 운영에 관한 법률 제47조).

핵심 OX

03 상급행정청의 감독권의 대상에는 하급행정청의 행정입법권 행사도 포함되지만 상급행정청은 하급행정청의 법규명령을 스스로 폐지할 수는 없다. 12. 국회8급 (　)

04 국민권익위원회는 법규명령의 부패유발요인을 분석·검토하여 당해 법규명령의 소관기관의 장에게 그 개선을 위한 필요한 권고를 할 수 있다. 09. 관세사 (　)

(2) 절차적 통제

① 법규명령의 제정에 있어 상대방 기타 이해관계인에 대한 행정입법안의 통지·의견제출·청문 등 일정한 절차를 거치게 할 수 있다. 우리나라의 경우 행정입법예고제가 대표적이다.

② 국무회의에 상정될 법규명령은 법규명령의 문언, 법령 상호간의 모순, 상위법령에의 위반 여부에 대해 법제처의 심사를 받는다.

(3) 행정심판에 의한 통제(행정심판위원회의 불합리한 법령의 개선규정)

중앙행정심판위원회는 심판청구를 심리·재결할 때에 처분 또는 부작위의 근거가 되는 명령 등이 법령에 근거가 없거나 상위 법령에 위배되거나 국민에게 과도한 부담을 주는 등 크게 불합리하면 관계 행정기관에 그 명령 등의 개정·폐지 등 적절한 시정조치를 요청할 수 있으며, 이러한 요청을 받은 관계 행정기관은 정당한 사유가 없으면 이에 따라야 한다(행정심판법 제59조).

핵심 OX

05 국무회의에 상정될 법규명령은 법규명령의 문언, 법령 상호간의 모순, 상위법령에의 위반 여부에 대해 법제처의 심사를 받는다. 09. 관세사 (　)

4. 국민에 의한 통제

법규명령의 제정 시 공청회·청문 등에 의해 국민의 의사를 반영하고, 각종 압력단체나 여론에 의한 통제를 통하여 행정입법의 적법성을 확보하는 방법이다.

03 ○　**04** ○　**05** ○

제1절 행정규칙

1 서설

1. 의의

(1) 행정규칙이란 행정기관이 법령의 수권 없이 정립하는 **일반적·추상적 규율**로서 특별권력관계의 내부조직과 활동을 규율하기 위한 것으로서 법규의 성질을 갖지 않는 것을 말한다.

(2) 행정규칙은 행정조직 내부사항을 규율함을 목적으로 하고 국민의 권리·의무에 관한 사항을 규율하지 않으므로 법규로서 평가되지 않고 재판의 기준도 될 수 없다고 보는 것이 일반적이었으나, 오늘날은 이 행정규칙을 법규범으로 인정할 것인가에 대하여 견해가 다양하다.

2. 필요성

현대 행정작용이 전문적·기술적 성격을 갖게 됨으로써 행정법규의 해석과 집행에 있어서 행정기관에게는 재량이 넓게 인정되게 되었다. 이러한 재량을 통일적으로 행사하게 하고 행정작용이 적정하게 이루어지도록 하기 위하여 상급관청에 의한 행정규칙의 제정이 필요하게 되었다.

2 법규명령과의 구별

법규명령과 행정규칙은 행정청이 발하는 일반적·추상적 규율인 점은 동일하나, 그 규율대상이 국민이 아니라 특별권력관계 내부자인 점에서 법규명령과는 다르다.

1. 규율 대상

법규명령은 직접 국민의 권리·의무에 관한 사항을 규율대상으로 하는 데 대하여, 행정규칙은 행정조직 내부의 수범자를 대상으로 함이 원칙이다. 그러나 조직내부 수범자가 행정규칙에 따라 일정한 집행을 한 결과 그 효과가 일반국민에게 미치는 경우가 있다.

2. 법률의 근거 여부

법규명령은 국민의 권리·의무에 관한 사항을 규율하므로 반드시 법률의 위임이 있을 때에만 발할 수 있으나, 행정규칙은 행정조직 내부사항과 내부자만을 규율하므로 법률의 위임이 필요하지 않다. 행정규칙은 하급기관의 권한행사를 지휘하는 것이므로 상급기관이 갖는 포괄적인 감독권에 근거하여 발할 수 있다.

3. 제정절차와 형식

법규명령은 국민 일반을 규율하므로 그 제정에 있어서 엄격한 절차와 형식이 요구되어 조문의 형식에 의하여 문서화되어야 하고 공포절차를 거쳐야 하지만, 행정규칙은 내부 자만을 규율하므로 법규명령과 같은 절차와 형식이 필요 없으며 공포될 필요도 없다.

4. 재판규범성

법규명령은 법률의 위임에 의하여 제정되고 행정사건에 있어서 재판의 기준이 되는 재판규범성이 인정되나, 행정규칙은 법률의 위임 없이 행정조직 내부사항을 정한 것이므로 재판규범성이 인정되지 않는다. 즉, 행정규칙은 원칙적으로 대외적 구속력이 없다.

🔨 관련판례

1 상급행정기관이 하급행정기관에 대하여 업무처리지침이나 법령의 해석적용에 관한 기준을 정하여 발하는 이른바 행정규칙은 일반적으로 행정조직 내부에서만 효력을 가질 뿐 대외적인 구속력을 갖는 것은 아니다(대판 1998.6.9. 97누19915).

2 설사 행정관청 내부의 사무처리규정에 불과한 전결규정에 위반하여 원래의 전결권자 아닌 보조기관 등이 처분권자인 행정관청의 이름으로 행정처분을 하였다고 하더라도 그 처분이 권한 없는 자에 의하여 행하여진 무효의 처분이라고는 할 수 없다(대판 1998.2.27. 97누1105).

3 식품위생법이 청소년을 고용한 행위에 대하여 영업허가를 취소하거나 6개월 이내의 기간을 정하여 그 영업의 전부 또는 일부를 정지하거나 영업소 폐쇄를 명할 수 있다고 하면서 행정처분의 세부기준은 총리령으로 위임한다고 정하고 있는 경우에, 총리령에서 정하고 있는 행정처분의 기준이 재판규범이 되는지 여부(소극)

식품위생법 시행규칙(총리령) 제89조가 법 제74조에 따른 행정처분의 기준으로 마련한 [별표 23]에서 위반사항을 '유흥주점 외의 영업장에 무도장을 설치한 경우'로 한 행정처분 기준을 규정하고 있을 뿐이다. 그러나 이러한 행정처분 기준은 행정청 내부의 재량준칙에 불과하므로, 재량준칙에서 위반사항의 하나로 '유흥주점 외의 영업장에 무도장을 설치한 경우'를 들고 있다고 하여 이를 위반의 대상이 된 금지의무의 근거 규정이라고 해석할 수는 없다(대판 2015.7.9. 2014두47853).

---

5. 위반의 효과

법규명령을 위반한 행정작용은 위법한 처분으로서 그 작용에 대한 사법심사가 가능하나, 행정규칙은 수명자가 이에 위반하여도 위법이 되지 않는다. 따라서 위반행위의 효력에는 영향이 없고 단지 **징계사유**가 될 뿐이며, 행정규칙 위반행위의 취소를 구하는 행정소송을 제기할 수도 없다.

6. 구속력

법규명령은 양면적 구속력이 있어 법규명령이 발령되면 발령기관과 수명자 모두가 이에 구속되는 데 반하여, 행정규칙 발령기관은 이에 구속되지 않고 수명기관만 구속을 받는다. 이를 일면적 또는 편면적 구속력이라 한다.

구분	법규명령	행정규칙
법형식	• 대통령령, 총리령, 부령, 중앙선거관리위원회규칙 • 단, 감사원규칙은 학설 대립	훈령, 지시, 예규, 일일명령, 고시
권력의 기초	일반권력	특별권력
법적 근거	• 위임명령: 필요 • 집행명령: 불요	불요(행정권의 고유한 권능)
성격	타율적	자율적
법규성 (재판규범성)	○	×
효력	양면적 구속력, 대외적 구속력	일면적(편면적) 구속력, 대내적 구속력
규율대상 (법규사항 규율)	• 위임명령: 새로운 법규사항 규율 가능 • 집행명령: 새로운 법규사항 규율 불가	새로운 법규사항 규율 불가 (특별권력관계내부사항만 가능)
제정절차	• 법제처 사전심사(모든 법규명령) • 국무회의 심의(대통령령만)	특별한 절차규정 없음
형식	조문형식의 문서	이론상 구두로도 가능 (행정실무에서는 조문의 형식)
공포	○ (효력발생요건)	× (하급행정청에 적당한 방법으로 도달되면 효력발생)

③ 법적 성질

1. 비법규설(종래의 통설·판례)

(1) 실질적 법규개념론

(2) 특별권력관계의 긍정설

(3) 의회주의, 권력분립, 법치주의를 강조

2. 법규설(현대적 입장)

(1) 형식적 법규개념론(법규개념의 확대)

(2) 특별권력관계 부인론

　　행정규칙에 법규성이 없다는 것은 특별권력관계론을 전제로 하는 것이므로, 특별권력관계론이 부정되거나 해체된다면 행정규칙에 법규성이 인정될 수 있다.

(3) 행정규칙의 실질적 기능론

행정규칙은 국민을 직접 규율하지 않지만 하급행정기관이 행정규칙에 근거하여 처분을 하는 경우 일반국민에 대하여 사실상 그 효력이 미치게 된다.

(4) 특별명령설

특별명령설은 행정규칙을 특별명령과 협의의 행정규칙으로 구분한다. 특별명령이란 특별권력관계 내부에서 공무원의 임용·승진·복무에 관한 규정, 학생의 입학·진급·졸업에 관한 규정, 영조물규칙 등 특별권력관계 복종자의 권리·의무에 관한 것으로서 협의의 행정규칙과는 달리 법규성이 인정되는 독자적인 법형식을 말한다. 그러나 오늘날 특별명령은 법률의 수권 없이 실질적 의미의 법규를 제정할 권한을 행정권에게 부여함은 법치국가의 원리와 권력분립의 원리에 위배된다는 점에서 독일의 학설·판례상 일반적으로 인정되고 있지는 못하고, 우리나라에서도 특별행정법관계에서 독자적인 법형식인 특별명령개념을 인정할 수 없다는 것이 다수설이다.

(5) 준법규설(평등의 원칙, 행정의 자기구속의 법리)

행정규칙(특히, 재량준칙)은 평등원칙 또는 행정의 자기구속의 법리를 매개로 하여 법규에 준하는 간접적·외부적 효력을 가지는 것으로 보아야 한다는 견해이다.

3. 유형설

행정규칙의 법규성 여부에 대하여 포괄적으로 논의할 것이 아니라 개별화·유형화하여 논하여야 한다는 것이다. 예컨대, 법률대위규칙이나 법률보충규칙에 대하여는 국민에 대한 직접적인 외부적 구속력이 인정될 수 있다는 견해이다.

4. 대법원 판례의 입장

(1) 원칙

행정규칙의 법규성을 부정한다.

(2) 예외

'대통령령형식의 행정규칙' 및 '법령보충규칙'의 경우에는 법규성을 인정한다.

> #### ⚖ 관련판례
>
> **행정규칙의 법규성**
>
> 상급행정기관이 하급행정기관에 대하여 업무처리지침이나 법령의 해석적용에 관한 기준을 정하여 발하는 이른바 <u>행정규칙은 일반적으로 행정조직 내부에서만 효력을 가질 뿐 대외적인 구속력을 갖는 것은 아니지만</u>, 법령의 규정이 특정행정기관에게 그 법령내용의 구체적 사항을 정할 수 있는 권한을 부여하면서 그 권한행사의 절차나 방법을 특정하고 있지 아니한 관계로 <u>수임행정기관이 행정규칙의 형식으로 그 법령의 내용이 될 사항을 구체적으로 정하고 있는 경우</u>, 그러한 행정규칙, 규정은 행정조직 내부에서만 효력을 가질 뿐 대외적인 구속력을 갖지 않는 행정규칙의 일반적 효력으로서가 아니라, 행정기관에 법령의 구체적 내용을 보충할 권한을 부여한 법령규정의 효력에 의하여 그 내용을 보충하는 기능을 갖게 되고, 따라서 당해 법령의 위임한계를 벗어나지 아니하는 한 그것들과 결합하여 <u>대외적인 구속력이 있는 법규명령으로서의 효력을 갖게 된다</u>(대판 1998.6.9. 97누19915).

4 종류

1. 내용에 의한 분류

(1) 조직규칙

행정조직 내부에서의 행정기관의 구성, 권한배분 및 업무처리절차 등을 규정하는 행정규칙을 말한다(예 사무분장규정, 직제, 위임전결규정 등).

(2) 근무규칙

상급기관이 하급기관 및 그 구성원의 근무에 관하여 규율하는 행정규칙을 말한다(예 행정절차운영지침 등).

(3) 영조물규칙

영조물의 관리주체가 영조물의 조직·관리·사용 등을 규율하기 위하여 발하는 규칙을 말한다(예 국립대학교학칙, 국립도서관규칙, 교도소규칙, 국·공립병원규정 등). 영조물규칙은 영조물의 내부관계를 규율하는 경우도 있지만, 영조물사용에 관한 부분은 대외적 관계에 영향을 미친다.

2. 기능에 의한 분류

(1) 규범해석규칙(법령해석규칙)

법령에 규정된 다의적 규정과 불확정개념의 통일적인 해석·적용을 위한 행정규칙이다.

(2) 재량준칙

① **의의**: 법규에서 행정권에 재량권을 부여한 경우에 상급기관이 하급기관에게 통일적이고 균등한 재량행사를 확보하고, 재량행사의 일반적 기준을 정해 주기 위해 발하는 행정규칙이다. 행정의 자기구속의 법리를 통하여 준법규로서의 효력이 인정된다는 것이 다수설이다.

② **근거**: 재량준칙의 제정에는 별도의 법적 근거를 요하지 않는다. 재량준칙은 상급행정기관이 감독권에 의하여 하급행정기관을 지휘·감독하기 위해서 발하여지기 때문이다. 따라서 재량준칙은 행정청에게 재량권이 인정되는 경우에만 발할 수 있으며, 기속적인 경우에는 발할 수 없다.

(3) 간소화지령(간소화규칙)

대량적 행정행위를 발하는 경우에 획일적 처분기준을 설정하는 행정규칙이다.

(4) 법률대위규칙

법률유보의 원칙이 적용되지 않는 영역에서 법률이 전혀 없거나 또는 불충분한 경우에 관련 법률이 정해지기까지 하급행정기관의 행위통제적 기능을 하는 규칙이다.

3. 형식에 의한 분류

(1) 훈령

상급관청이 장기간에 걸쳐 하급관청에 대하여 그 권한의 행사를 지휘·감독하기 위하여 발하는 명령으로서 일반적·추상적 성질을 가진다.

(2) 지시

상급기관이 직권 또는 하급기관의 문의나 신청에 대하여 개별적·구체적으로 발하는 명령이다. 오늘날 지시의 성질은 일반적·추상적 규율이 아니므로 행정규칙이 아닌 직무명령에 해당한다고 보는 견해가 유력하다.

(3) 예규

법규문서 이외의 문서로서 반복적 행정사무의 기준을 제시하는 명령이다.

(4) 일일명령

당직, 출장, 특근, 휴가 등 일일업무에 관한 명령이다. 일일명령의 내용이 일반성·추상성을 가지지 않을 때에는 행정규칙이 아니라 단순한 직무명령으로 보아야 한다는 견해가 유력하다.

(5) 고시

행정기관이 법령이 정하는 바에 의하여 일정한 사항을 불특정 다수의 국민에게 알리는 행위형식이다. 오늘날 고시의 성질은 그 담겨진 내용에 따라 결정된다고 보는 견해가 유력하다.

> **관련판례**
>
> **국세청장이 지정한 자가 제조한 납세병마개만을 사용하도록 규정하고 있는 특별소비세법 시행령 및 주세법 시행령에 따라 납세병마개 제조업자를 지정한 국세청고시의 법적 성격**
>
> 고시 또는 공고의 법적 성질은 일률적으로 판단될 것이 아니라 고시에 담겨진 내용에 따라 구체적인 경우마다 달리 결정된다고 보아야 한다. 즉, 고시가 일반·추상적 성격을 가질 때에는 법규명령 또는 행정규칙에 해당하지만, 고시가 구체적인 규율의 성격을 갖는다면 행정처분에 해당한다(헌재 1998.4.30. 97헌마141).

5 근거와 한계

1. 근거

행정규칙은 법령상의 직무권한의 범위 내에서 발하는 것이기 때문에 법령의 구체적·개별적 수권을 요하지 않는다.

2. 한계

(1) 법령과 상급기관의 행정규칙에 위반되지 않는 한도 내에서 제정되어야 한다.

(2) 특정의 행정목적을 달성하기 위하여 필요한 범위 내에서만 제정할 수 있다.

(3) 국민의 권리·의무에 관한 사항을 새로이 규정할 수 없다.

6 성립요건과 효력요건

1. 성립요건

(1) 주체

당해 행정규칙을 발할 수 있는 정당한 권한이 있는 발령기관이 수명기관에게 발한다.

(2) 내용

법규 또는 상위행정규칙에 위반하지 않고, 실현 가능·명확해야 한다.

(3) 형식

구술의 형식으로도 무방하나, 조문의 형식에 의한 문서로 함이 보통이다.

(4) 절차

행정규칙의 제정에 있어서 따라야 할 일반적인 절차는 없으나, 법규상 절차가 규정되어 있으면 그에 따라야 한다.

2. 효력요건

관보 게재·통첩·게시, 인쇄물 배부, 문서 등 어떤 방법으로든지 상대방에게 알리면 된다. 법규명령과 달리 공포는 필요없으며 상대방에게 도달된 때부터 효력을 발생한다.

7 효력

1. 내부적 효력

행정규칙의 성질을 어떻게 이해하더라도 행정규칙은 행정조직 또는 특별권력관계 내의 사항을 규율하는 것이므로 내부 법적 구속력이 있으며, 그 구성원에 대하여 법적 구속력을 갖는 것은 당연하다. 따라서 행정조직 내부 또는 특별권력관계의 구성원이 행정규칙에 위반하면 징계책임을 지게 된다.

2. 외부적 효력

행정규칙은 원칙적으로 일반국민에게는 효력이 없으므로, 행정규칙의 외부적 효력은 사실상의 효력에 불과하다. 문제되는 경우는 다음과 같다.

(1) 재량준칙(간접적·외부적 효력)

재량준칙 자체로서는 대외적 효력을 인정할 수 없지만, 평등의 원칙과 신뢰보호원칙을 매개로 자기구속의 법리에 의하여 법규로 전환되는 경우에는 간접적인 외부효를 인정할 수 있다(준법규).

(2) 법령보충적 행정규칙

행정규칙 중 평등원칙 등을 매개로 하지 않고도 법령의 구체적 내용을 보충할 권한을 부여받아 법령을 보충하는 기능을 하는 경우에는 직접적인 외부효가 인정된다.

(3) 규범구체화 행정규칙

규범구체화 행정규칙은 행정규칙의 형식을 취하지만 법규명령의 효력을 갖는 점에서는 법령보충적 행정규칙과 동일하다. 그러나 규범구체화 행정규칙이 법령의 명시적인 위임이 없어도 제정될 수 있고 법률을 구체화하는 것에 그친다면, 법령보충규칙은 명문의 위임에 근거하여 법령을 보충하는 새로운 사항을 정하는 행정규칙이라는 점에서 규범구체화 행정규칙과 법령보충적 행정규칙을 구별하는 것이 우리나라의 다수설이다.

3. 행정규칙에 위반한 행정처분의 효력

행정규칙은 원칙적으로 법규성이 없기 때문에 이를 위반하여도 위법한 행위가 아니며, 행정규칙에 따른 처분을 하여도 언제나 적법하다고 할 수는 없다. 그러나 판례는 예외적으로 행정규칙에 의한 처분이 상대방의 권리·의무에 영향을 미치는 경우에는 처분성을 인정하고 있다.

8 하자와 소멸

1. 하자

행정규칙 자체는 공정력이 인정되지 않고 취소소송의 대상도 되지 않으므로, 행정규칙에 하자가 있으면 **무효**가 된다.

2. 소멸

(1) 행정규칙은 상위 또는 동위의 법령에 의한 명시적·묵시적 폐지, 종기의 도래, 해제조건의 성취 등의 사유로 소멸하며, 법규성이 없으므로 법규명령에 비하여 비교적 자유로이 폐지·변경된다.

(2) 행정규칙은 그 제정에 있어 법령의 근거를 요하지 않으므로 행정규칙의 제정근거가 되었던 법령이 소멸하더라도 행정규칙이 당연히 소멸하지 않는다는 점에서 법규명령과 다르다.

제2절 행정규칙의 법규성 인정 여부

행정규칙은 원칙적으로 법규성이 없으나, 예외적으로 그 법규성 인정 여부에 대해 논의되는 경우가 있다.

1 법규명령 형식의 행정규칙

1. 의의

법규명령의 형식으로 정립된 행정규칙, 즉 대통령령·총리령·부령 등 법규명령의 형식을 취하고 있으나 그 실질적 내용은 행정조직 내부의 사무처리준칙인 경우에 법규성이 인정되는가와 관련하여 적극설과 소극설의 대립이 있다. 이는 특히 제재적 처분기준을 대통령령(시행령) 또는 부령(시행규칙) 형식으로 규정한 경우 문제된다.

2. 논의의 실익

(1) 재량행위와 기속행위의 구별

법규명령의 형식을 취하는 행정규칙을 행정규칙으로 보면 그에 의거한 행정행위는 당연히 재량행위가 되나, 법규명령으로 보면 기속행위가 될 수도 있다.

(2) 사법통제의 방식

법규명령의 형식을 취하는 행정규칙을 행정규칙으로 보면 그에 의거한 행정행위는 재량행위가 되어 행정법상의 일반원칙에 의한 통제가 가능한데 반하여, 법규명령으로 보면 기속행위가 되어 결국 규범통제의 형태로 통제하게 된다.

3. 학설

(1) 법규명령설(형식설, 다수설)

법규명령설은 실질이 행정규칙에 불과한 것이라도 법규명령의 형식으로 정립한 이상 그 형식을 중시하여 당해 행정규칙은 법규로 인정하여 국민이나 법원을 구속한다고 본다.

(2) 행정규칙설(실질설)

행정규칙설은 실질이 행정규칙인 것이 명백할 때에는 법규의 형식으로 제정되어도 행정규칙으로서의 성질이 변하는 것은 아니어서, 그것은 일반국민이나 법원을 구속할 수는 없다고 본다.

(3) 수권여부기준설(절충설)

수권여부기준설은 상위법에서 법규명령의 형식에 의한 기준설정의 근거를 부여하고 있는 경우에는 이에 근거한 기준설정은 위임입법에 해당하므로 법규명령으로 볼 수 있으나, 법령의 수권 없이 제정된 처분의 기준은 법령의 위임 없이 법규사항을 정할 수 없으므로 법규명령으로 볼 수 없고 행정규칙으로 보아야 한다는 견해이다.

4. 판례

판례는 법규명령 형식의 행정규칙의 법적 성질과 관련하여, 특히나 대통령령·부령 형식의 제재적 처분기준의 법적 성질을 달리 보고 있다.

(1) 대통령령으로 규정된 경우 – 형식설(법규명령설)

판례는 대통령령으로 정한 제재적 행정처분의 기준을 법규명령으로 보고 있다. 즉, 제재적 처분기준의 대외적 구속력을 인정하고 있다. 다만, 판례는 청소년보호법의 위임에 따른 시행령이 정한 과징금부과기준의 법규성을 인정하면서도 그 금액을 최고한도액으로 본 바 있다.

1 당해 처분의 기준이 된 주택건설촉진법 시행령 제10조의3 제1항 [별표 1]은 주택건설촉진법 제7조 제2항의 위임규정에 터잡은 규정형식상 대통령령이므로 그 성질이 부령인 시행규칙이나 또는 지방자치단체의 규칙과 같이 통상적으로 행정조직 내부에 있어서의 행정명령에 지나지 않는 것이 아니라 대외적으로 국민이나 법원을 구속하는 힘이 있는 법규명령에 해당한다(대판 1997.12.26. 97누15418).

2 행정청에 국토의 계획 및 이용에 관한 법률 시행령 제124조의3 제3항에서 정한 토지이용의무를 위반한 자에게 부과할 이행강제금 부과기준과 다른 이행강제금액을 결정할 재량권이 있는지 여부(소극)

국토의 계획 및 이용에 관한 법률 시행령 제124조의3 제3항은 토지이용의무를 위반한 유형을 토지거래계약 허가를 받아 토지를 취득한 자가 '당초의 목적대로 이용하지 아니하고 방치한 경우', '직접 이용하지 아니하고 임대한 경우', '행정청의 승인을 얻지 아니하고 당초의 이용목적을 변경하여 이용하는 경우' 및 '그 이외의 경우' 등 4가지 유형으로 구분하여 각 유형별로 이행강제금액을 '토지 취득가액의 100분의 10, 100분의 7, 100분의 5에 상당하는 금액'으로 차별하여 규정하고 있다. ⋯ 국토계획법 및 같은 법 시행령이 정한 이행강제금의 부과기준은 단지 상한을 정한 것에 불과한 것이 아니라, 위반행위 유형별로 계산된 특정 금액을 규정한 것이므로 행정청에 이와 다른 이행강제금액을 결정할 재량권이 없다고 보아야 한다(대판 2014.11.27. 2013두8653).

3 청소년보호법 시행령 제40조 [별표 6]의 위반행위의 종별에 따른 과징금 처분기준의 법적 성격(＝법규명령) 및 그 과징금 수액의 의미(＝최고한도액)

구 청소년보호법(1999.2.5. 법률 제5817호로 개정되기 전의 것) 제49조 제1항·제2항에 따른 같은 법 시행령(1999.6.30. 대통령령 제16461호로 개정되기 전의 것) 제40조 [별표 6]의 위반행위의 종별에 따른 과징금처분기준은 법규명령이기는 하나 모법의 위임규정의 내용과 취지 및 헌법상의 과잉금지의 원칙과 평등의 원칙 등에 비추어 같은 유형의 위반행위라 하더라도 그 규모나 기간·사회적 비난 정도·위반행위로 인하여 다른 법률에 의하여 처벌받은 다른 사정·행위자의 개인적 사정 및 위반행위로 얻은 불법이익의 규모 등 여러 요소를 종합적으로 고려하여 사안에 따라 적정한 과징금의 액수를 정하여야 할 것이므로 그 수액은 정액이 아니라 최고한도액이다(대판 2001.3.9. 99두5207).

(2) 부령으로 규정된 경우

판례는 부령의 형식으로 정해진 제재적 처분기준을 행정규칙으로 보고 있다. 다만, 판례는 특허의 인가기준을 부령 형식으로 정한 경우 이를 법규명령으로 보고 있다.

관련판례

1 제재적 행정처분의 기준이 부령의 형식으로 규정되어 있는 경우, 그 기준에 따른 처분의 적법성에 관한 판단 방법

제재적 행정처분의 기준이 부령의 형식으로 규정되어 있더라도 그것은 행정청 내부의 사무처리준칙을 정한 것에 지나지 아니하여 대외적으로 국민이나 법원을 기속하는 효력이 없고, 당해 처분의 적법 여부는 위 처분기준만이 아니라 관계 법령의 규정 내용과 취지에 따라 판단되어야 하므로, 위 처분기준에 적합하다 하여 곧바로 당해 처분이 적법한 것이라고 할 수는 없지만, 위 처분기준이 그 자체로 헌법 또는 법률에 합치되지 아니하거나 위 처분기준에 따른 제재적 행정처분이 그 처분사유가 된 위반행

위의 내용 및 관계 법령의 규정 내용과 취지에 비추어 현저히 부당하다고 인정할 만한 합리적인 이유가 없는 한 섣불리 그 처분이 재량권의 범위를 일탈하였거나 재량권을 남용한 것이라고 판단해서는 안 된다(대판 2007.9.20. 2007두6946).

2 **행정처분이 식품위생법 시행규칙 제53조에 위반되었다 하여 바로 위법한 것으로 되는지 여부(소극)**
구 식품위생법 시행규칙(1993.7.3. 보건사회부령 제910호로 개정되기 전의 것) 제53조에서 [별표 15]로 식품위생법 제58조에 따른 행정처분의 기준을 정하였다고 하더라도 이는 형식만 부령으로 되어 있을 뿐, 그 성질은 행정기관 내부의 사무처리준칙을 정한 것으로서 행정명령의 성질을 가지는 것이고, 대외적으로 국민이나 법원을 기속하는 힘이 있는 것은 아니므로 같은 법 제58조 제1항에 의한 처분의 적법 여부는 같은 법 시행규칙에 적합한 것인가의 여부에 따라 판단할 것이 아니라 같은 법의 규정 및 그 취지에 적합한 것인가의 여부에 따라 판단하여야 한다(대판 1995.3.28. 94누6925).

3 **도로교통법 시행규칙 소정의 운전면허행정처분기준의 대외적 기속력 유무(소극) 및 운전면허취소처분의 적법 여부에 대한 판단기준(도로교통법)**
도로교통법 시행규칙 제53조 제1항이 정한 [별표 16]의 운전면허행정처분기준은 부령의 형식으로 되어 있으나, 그 규정의 성질과 내용이 운전면허의 취소처분 등에 관한 사무처리기준과 처분절차 등 행정청 내부의 사무처리준칙을 규정한 것에 지나지 아니하므로 대외적으로 국민이나 법원을 기속하는 효력이 없으므로, 자동차운전면허취소처분의 적법 여부는 그 운전면허행정처분기준만에 의하여 판단할 것이 아니라 도로교통법의 규정 내용과 취지에 따라 판단되어야 한다(대판 1997.5.30. 96누5773).

4 **구 식품위생법 시행규칙 제53조 [별표 15] 행정처분기준을 준수한 처분에 재량권을 일탈하거나 남용한 위법이 없다고 한 사례**
구 법 시행규칙 제53조 [별표 15] 행정처분기준이 비록 행정청 내부의 사무처리 준칙을 정한 것에 지나지 아니하여 대외적으로 법원이나 국민을 기속하는 효력은 없지만, 위 행정처분기준이 수입업자들 및 행정청 사이에 처분의 수위를 가늠할 수 있는 유력한 잣대로 인식되고 있는 현실에 수입식품으로 인하여 생기는 위생상의 위해를 방지하기 위한 단속의 필요성과 그 일관성 제고라는 측면까지 아울러 참작하면, 위 행정처분기준에서 정하고 있는 범위를 벗어나는 처분을 하기 위해서는 그 기준을 준수한 행정처분을 할 경우 공익상 필요와 상대방이 받게 되는 불이익 등과 사이에 현저한 불균형이 발생한다는 등의 특별한 사정이 있어야 한다(대판 2010.4.8. 2009두22997).

5 **공기업·준정부기관이 행하는 입찰참가자격 제한처분이 적법한지 판단하는 방법**
공공기관의 운영에 관한 법률 제39조 제2항·제3항에 따라 입찰참가자격 제한기준을 정하고 있는 구 공기업·준정부기관 계약사무규칙(2013.11.18. 기획재정부령 제375호로 개정되기 전의 것) 제15조 제2항, 국가를 당사자로 하는 계약에 관한 법률 시행규칙 제76조 제1항 [별표 2], 제3항 등은 비록 부령의 형식으로 되어 있으나 규정의 성질과 내용이 공기업·준정부기관(이하 '행정청'이라 한다)이 행하는 입찰참가자격 제한처분에 관한 행정청 내부의 재량준칙을 정한 것에 지나지 아니하여 대외적으로 국민이나 법원을 기속하는 효력이 없으므로, 입찰참가자격 제한처분이 적법한지 여부는 이러한 규칙에서 정한 기준에 적합한지 여부만에 따라 판단할 것이 아니라 공공기관의 운영에 관한 법률상 입찰참가자격 제한처분에 관한 규정과 그 취지에 적합한지 여부에 따라 판단하여야 한다(대판 2014.11.27. 2013두18964).

6 시외버스운송사업의 사업계획변경 기준 등에 관한 구 여객자동차 운수사업법 시행규칙 제31조 제2항 제1호·제2호·제6호의 법적 성질(= 법규명령)

구 여객자동차 운수사업법 시행규칙(2000.8.23. 건설교통부령 제259호로 개정되기 전의 것) 제31조 제2항 제1호·제2호·제6호는 구 여객자동차 운수사업법(2000.1.28. 법률 제6240호로 개정되기 전의 것) 제11조 제4항의 위임에 따라 시외버스운송사업의 사업계획변경에 관한 절차, 인가기준 등을 구체적으로 규정한 것으로서, 대외적인 구속력이 있는 법규명령이라고 할 것이고, 그것을 행정청 내부의 사무처리준칙을 규정한 행정규칙에 불과하다고 할 수는 없다(대판 2006.6.27. 2003두4355).

5. 기타 법적 성질에 관한 판례❶

📖 관련판례

1 구 법인세법(1996.12.30. 법률 제5192호로 개정되기 전의 것) 제26조 제1항·제2항, 같은 법 시행령(1996.12.31. 대통령령 제15192호로 개정되기 전의 것) 제82조 제1항·제2항·제3항 제5호, 같은 법 시행규칙(1996.12.31. 총리령 제609호로 개정되기 전의 것) 제45조 제3항 제6호·제37호에 의하면, 법인은 법인세 신고 시 세무조정사항을 기입한 소득금액조정합계표와 유보소득 계산서류인 적정유보초과소득조정명세서(을) 등을 신고서에 첨부하여 제출하여야 하는데, 위 소득금액조정합계표 작성요령 제4호 단서는 잉여금 증감에 따른 익금산입 및 손금산입 사항의 처분인 경우 익금산입은 기타 사외유출로, 손금산입은 기타로 구분하여 기입한다고 규정하고 있고, 위 적정유보초과소득조정명세서(을) 작성요령 제6호는 각 사업연도 소득금액계산상 배당·상여·기타소득 및 기타 사외유출란은 소득금액조정합계표의 배당·상여·기타소득 및 기타 사외유출 처분액을 기입한다고 규정하고 있는바, 위와 같은 작성요령은 법률의 위임을 받은 것이기는 하나 법인세의 부과징수라는 행정적 편의를 도모하기 위한 절차적 규정으로서 단순히 행정규칙의 성질을 가지는 데 불과하여 과세관청이나 일반 국민을 기속하는 것이 아니므로, 비록 납세의무자가 소득금액조정합계표 작성요령 제4호 단서에 의하여 잉여금 증감에 따라 익금산입된 금원을 기타 사외유출로 처분하였다고 하더라도 그 금원이 사외에 유출된 것이 분명하지 아니한 경우에는 이를 기타 사외유출로 보아 유보소득을 계산함에 있어 공제할 수 없다(대판 2003.9.5. 2001두403).

2 법령에서 행정처분의 요건 중 일부 사항을 부령으로 정할 것을 위임한 데 따라 시행규칙 등 부령에서 이를 정한 경우에 그 부령의 규정은 국민에 대해서도 구속력이 있는 법규명령에 해당한다고 할 것이지만, 법령의 위임이 없음에도 법령에 규정된 처분 요건에 해당하는 사항을 부령에서 변경하여 규정한 경우에는 그 부령의 규정은 행정청 내부의 사무처리 기준 등을 정한 것으로서 행정조직 내에서 적용되는 행정명령의 성격을 지닐 뿐 국민에 대한 대외적 구속력은 없다고 보아야 한다(대판 2013.9.12. 2011두10584).

3 경기도교육청의 1999.6.2. 학교장·교사 초빙제 실시는 학교장·교사 초빙제의 실시에 따른 구체적 시행을 위해 제정한 사무처리지침으로서 행정조직 내부에서만 효력을 가지는 행정상의 운영지침을 정한 것이어서, 국민이나 법원을 구속하는 효력이 없는 행정규칙에 해당하므로 헌법소원의 대상이 되지 않는다(헌재 2001.5.31. 99헌마413).

4 일반적으로 행정각부의 장이 정하는 고시라도 그것이 특히 법령의 규정에서 특정 행정기관에 법령 내용의 구체적 사항을 정할 수 있는 권한을 부여함으로써 법령 내용을 보충하는 기능을 가질 경우에는 형식과 상관없이 근거 법령 규정과 결합하여 대외적으로 구속력이 있는 법규명령으로서의 효력을 가지나 이는 어디까지나 법령의 위임에 따라 법령 규정을 보충하는 기능을 가지는 점에 근거하여 예외적으로 인정되는 효력이므로 특정 고시가 비록 법령에 근거를 둔 것이더라도 규정 내용이 법령의 위임 범위를 벗어난 것일 경우에는 법규명령으로서의 대외적 구속력을 인정할 여지는 없다 (대판 2016.8.17. 2015두51132).

5 건강보험심사평가원이 요양급여비용 심사·지급업무 처리기준(보건복지가족부 고시 제2000-41호로 제정된 것) 제4조 제1항 제4호에 근거하여 2008.11.27. 제정한 심사지침인 '방광내압 및 요누출압 측정 시 검사방법'은 "방광내압 또는 요누출압 측정검사는 방광을 비웠을 때부터 시작하여 방광의 충만과 배뇨 시 압력을 측정하는 방법으로 검사 시작 및 도중에 방광내압(Pves), 복강내압력(Pabd)이 음압이 나타날 때는 즉시 '0(Zero)' 이상으로 보정하여야 한다. 또한 요누출압 측정검사는 생리식염수 주입 용량이 300ml 이하에서 시작하는 것을 원칙으로 한다. 2009.1.1. 진료분부터 적용."이라고 규정하고 있다. 이는 보건복지부 고시 구 요양급여의 적용기준 및 방법에 관한 세부사항의 '제9장 처치 및 수술료 등' 중 '자356 요실금수술' 항목에 따라 요구되는 요류역학검사가 표준화된 방법으로 실시되지 않아 부정확한 검사결과가 발생하고 이로 인하여 불필요한 수술 등을 하게 되는 경우가 있어 이를 방지하고 적정 진료를 하도록 유도할 목적으로, 법령에서 정한 요양급여의 인정기준을 구체적 진료행위에 적용하도록 마련한 건강보험심사평가원의 내부적 업무처리 기준으로서 행정규칙에 불과하다(대판 2017.7.11. 2015두2864).

6 공사낙찰적격심사세부기준이 대외적 구속력이 있는지 여부(소극)
이 사건 세부기준은 공공기관의 운영에 관한 법률 제39조 제1항·제3항, 구 공기업·준정부기관 계약사무규칙 제12조에 근거하고 있으나, 이러한 규정은 공공기관이 사인과 사이의 계약관계를 공정하고 합리적·효율적으로 처리할 수 있도록 관계 공무원이 지켜야 할 계약사무처리에 관한 필요한 사항을 규정한 것으로서 공공기관의 내부규정에 불과하여 대외적 구속력이 없는 것임을 알 수 있다(대판 2014.12.24. 2010두6700).

7 가중적 처분기준이 부령 형식으로 규정되어 행정규칙에 불과하더라도, 선행처분의 취소를 구하는 소송은 소의 이익이 있다는 판례
제재적 행정처분이 그 처분에서 정한 제재기간의 경과로 인하여 그 효과가 소멸되었으나, 부령인 시행규칙 또는 지방자치단체의 규칙(이하 이들을 '규칙'이라고 한다)의 형식으로 정한 처분기준에서 제재적 행정처분(이하 '선행처분'이라고 한다)을 받은 것을 가중사유나 전제요건으로 삼아 장래의 제재적 행정처분(이하 '후행처분'이라고 한다)을 하도록 정하고 있는 경우, 제재적 행정처분의 가중사유나 전제요건에 관한 규정이 법령이 아니라 규칙의 형식으로 되어 있다고 하더라도, 그러한 규칙이 법령에 근거를 두고 있는 이상 그 법적 성질이 대외적·일반적 구속력을 갖는 법규명령인지 여부와는 상관없이, 관할 행정청이나 담당공무원은 이를 준수할 의무가 있으므로 이들이 그 규칙에 정해진 바에 따라 행정작용을 할 것이 당연히 예견되고, 그 결과 행정작용의 상대방인 국민으로서는 그 규칙의 영향을 받을 수밖에 없다. 따라서 그러한 규칙이 정한 바에 따라 선행처분을 받은 상대방이 그 처분의 존재로 인하여 장래에 받을 불이익, 즉 후행처분의 위험은 구체적이고 현실적인 것이므로, 상대방에게는 선행처분의 취소소송을 통하여 그 불이익을 제거할 필요가 있다.

또한, 나중에 후행처분에 대한 취소소송에서 선행처분의 사실관계나 위법 등을 다툴 수 있는 여지가 남아 있다고 하더라도, 이러한 사정은 후행처분이 이루어지기 전에 이를 방지하기 위하여 직접 선행처분의 위법을 다투는 취소소송을 제기할 필요성을 부정할 이유가 되지 못한다. 그러한 쟁송방법을 막는 것은 여러 가지 불합리한 결과를 초래하여 권리구제의 실효성을 저해할 수 있기 때문이다. 오히려 앞서 본 바와 같이 행정청으로서는 선행처분이 적법함을 전제로 후행처분을 할 것이 당연히 예견되므로, 이러한 선행처분으로 인한 불이익을 선행처분 자체에 대한 소송에서 사전에 제거할 수 있도록 해 주는 것이 상대방의 법률상 지위에 대한 불안을 해소하는 데 가장 유효적절한 수단이 된다고 할 것이고, 또한 그 소송을 통하여 선행처분의 사실관계 및 위법 여부가 조속히 확정됨으로써 이와 관련된 장래의 행정작용의 적법성을 보장함과 동시에 국민생활의 안정을 도모할 수 있다.

이상의 여러 사정과 아울러, 국민의 재판청구권을 보장한 헌법 제27조 제1항의 취지와 행정처분으로 인한 권익침해를 효과적으로 구제하려는 행정소송법의 목적 등에 비추어 행정처분의 존재로 인하여 국민의 권익이 실제로 침해되고 있는 경우는 물론이고 권익침해의 구체적·현실적 위험이 있는 경우에도 이를 구제하는 소송이 허용되어야 한다는 요청을 고려하면, 규칙이 정한 바에 따라 선행처분을 가중사유 또는 전제요건으로 하는 후행처분을 받을 우려가 현실적으로 존재하는 경우에는, <u>선행처분을 받은 상대방은 비록 그 처분에서 정한 제재기간이 경과하였다 하더라도 그 처분의 취소소송을 통하여 그러한 불이익을 제거할 권리보호의 필요성이 충분히 인정된다고 할 것이므로, 선행처분의 취소를 구할 법률상 이익이 있다고 보아야 한다</u>(대판 2006.6.22. 2003두1684 전합).

2 행정규칙 형식의 법규명령(법규적 내용을 가진 행정규칙)

1. 개념

형식적으로는 행정규칙(훈령 또는 고시)으로 제정되었으나, 실질적으로는 법령의 보충적 성질을 갖는 법규명령의 내용을 갖는 경우에 이러한 행정규칙의 성질에 대하여 견해의 대립이 있다. 이는 행정기관에게 법령내용의 구체적인 사항을 정할 수 있는 권한을 부여하면서도 그 권한행사의 절차나 방법을 특정하지 아니한 관계로 수임행정기관이 행정규칙의 형식으로 그 법령의 내용을 보충하여 규정한 경우에 문제된다.

> **행정규제기본법 제4조 [규제법정주의]** ② 규제는 법률에 직접 규정하되, 규제의 세부적인 내용은 법률 또는 상위법령이 구체적으로 범위를 정하여 위임한 바에 따라 대통령령·총리령·부령 또는 조례·규칙으로 정할 수 있다. 다만, 법령이 전문적·기술적 사항이나 경미한 사항으로서 업무의 성질상 위임이 불가피한 사항에 관하여 구체적으로 범위를 정하여 위임한 경우에는 고시 등으로 정할 수 있다.

2. 법규성 인정 여부

(1) 학설

① **법규명령설(실질설):** 형식적으로는 고시·훈령 등 행정규칙 형식으로 제정되었으나, 내용적으로는 법률의 보충적 성질을 가지면서 법률 또는 상위명령의 구체적인 위임에 기하여 제정되는 것이므로 그 내용에 따라 법규명령으로 보아야 한다는 것이다.

② **행정규칙설(형식설):** 법치주의의 원칙상 법규명령제정권자는 헌법 또는 최소한 법률에서 정해지지 않는 한 인정될 수 없고, 법규명령의 형식을 취하지 않고 법규명령의 제정절차를 거치지 않은 규범을 법규명령으로 볼 수는 없다는 견해이다.

③ **규범구체화 행정규칙설:** 대외적인 법적 구속력이 인정되지만, 행정규칙의 형식을 취하고 있으므로 법적 성질이 규범구체화 행정규칙이라고 하는 견해이다.

④ **위헌무효설:** 실질적 의미의 법규명령을 행정규칙으로 발하는 것은 위헌·무효가 된다는 견해이다.

(2) 판례

국세청장의 훈령인 재산제세사무처리규정의 법적 성질에 대해 이는 상위의 법령과 결합하여 법규성을 갖는다고 판시한 이래 법규명령으로 보는 태도로 일관하고 있다.

🔨 관련판례

1 행정규칙이 법규성을 가지는 경우

법령의 규정이 특정행정기관에게 그 법령내용의 구체적 사항을 정할 수 있는 권한을 부여하면서 그 권한행사의 절차나 방법을 특정하고 있지 아니한 관계로 수임행정기관이 행정규칙의 형식으로 그 법령의 내용이 될 사항을 구체적으로 정하고 있는 경우, 그러한 행정규칙·규정은 행정조직 내부에서만 효력을 가질 뿐 대외적인 구속력을 갖지 않는 행정규칙의 일반적 효력으로서가 아니라, 행정기관에 법령의 구체적 내용을 보충할 권한을 부여한 법령규정의 효력에 의하여 그 내용을 보충하는 기능을 갖게 되고, 따라서 당해 법령의 위임한계를 벗어나지 아니하는 한 그것들과 결합하여 대외적인 구속력이 있는 법규명령으로서의 효력을 갖게 된다(대판 1998.6.9. 97누19915).

2 전라남도주유소등록요건에 관한 고시의 법적 성질(= 법규명령)

석유사업법 제9조 제1항·제3항, 석유사업법 시행령 제15조 [별표 2]의 각 규정에 따라 전라남도지사는 전라남도주유소등록요건에 관한 고시(전라남도 1997-32) 제2조 제2항 [별표 1]에서 주유소의 진출입로는 도로상의 횡단보도로부터 10m 이상 이격되게 설치하여야 한다고 규정하였는바, 위 고시는 석유사업법 및 그 시행령의 위의 규정이 도지사에게 그 법령내용의 구체적인 사항을 정할 수 있는 권한을 부여하면서 그 권한행사의 절차나 방법을 정하지 아니하고 있는 관계로 도지사가 규칙의 형식으로 그 법령의 내용이 될 사항을 구체적으로 규정한 것으로서, 이는 당해 석유사업법 및 그 시행령의 위임한계를 벗어나지 아니하는 한 그 법령의 규정과 결합하여 대외적인 구속력이 있는 법규명령으로서의 효력을 갖게 된다고 할 것이고, 따라서 위 전라남도 고시에 정하여진 등록요건에 맞지 아니하는 석유판매업등록신청에 대하여 그 등록을 거부한 행정처분은 적법하다(대판 1998.9.25. 98두7503).

---

3 '청소년유해매체물의 표시방법'에 관한 정보통신부고시의 성질(= 법규명령)

청소년유해매체물의 표시방법에 관한 정보통신부 고시는 상위법령과 결합하여 대외적 구속력을 갖는 법규명령으로 기능한다(헌재 2004.1.29. 2001헌마894).

4 재산제세사무처리규정 제72조 제3항이 양도소득세의 실지거래가액에 의한 과세의 법령상 근거가 될 수 있는지 여부(적극)

국세청장으로 하여금 양도소득세의 실지거래가액이 적용될 부동산투기억제를 위하여 필요하다고 인정되는 거래를 지정하게 하면서 그 지정의 절차나 방법에 관하여 아무런 제한을 두고 있지 아니하고 있어 이에 따라 국세청장이 재산제세사무처리규정 제72조 제3항에서 양도소득세의 실지거래가액이 적용될 부동산투기억제를 위하여 필요하다고 인정되는 거래의 유형을 열거하고 있으므로, 이는 비록 위 재산제세사무처리규정이 국세청장의 훈령형식으로 되어 있다 하더라도 이에 의한 거래지정은 소득세법 시행령의 위임에 따라 그 규정의 내용을 보충하는 기능을 가지면서 그와 결합하여 대외적 효력을 발생하게 된다 할 것이므로 그 보충규정의 내용이 위 법령의 위임한계를 벗어났다는 등 특별한 사정이 없는 한 양도소득세의 실지거래가액에 의한 과세의 법령상의 근거가 된다(대판 1987.9.29. 86누484).

5 행정규칙에서 사용하는 개념이 달리 해석할 여지가 있다 하여 법령의 위임 한계를 벗어났다고 할 수 있는지 여부(소극)

법령의 규정이 특정 행정기관에 그 법령 내용의 구체적 사항을 정할 수 있는 권한을 부여하면서 그 권한 행사의 절차나 방법을 특정하고 있지 않아 수임행정기관이 행정규칙인 고시의 형식으로 그 법령의 내용이 될 사항을 구체적으로 정하고 있는 경우, 그 고시가 당해 법령의 위임 한계를 벗어나지 않는 한, 그와 결합하여 대외적으로 구속력이 있는 법규명령으로서 효력을 가진다. 법령상의 어떤 용어가 별도의 법률상의 의미를 가지지 않으면서 일반적으로 통용되는 의미를 가지고 있다면, 상위규범에 그 용어의 의미에 관한 별도의 정의규정을 두고 있지 않고 권한을 위임받은 하위규범에서 그 용어의 사용기준을 정하고 있다 하더라도 하위규범이 상위규범에서 위임한 한계를 벗어났다고 볼 수 없으며, 행정규칙에서 사용하는 개념이 달리 해석할 여지가 있다 하더라도 행정청이 수권의 범위 내에서 법령이 위임한 취지 및 형평과 비례의 원칙에 기초하여 합목적적으로 기준을 설정하여 그 개념을 해석·적용하고 있다면, 개념이 달리 해석할 여지가 있다는 것만으로 이를 사용한 행정규칙이 법령의 위임 한계를 벗어났다고는 할 수 없다(대판 2008.4.10. 2007두4841).

6 협의취득의 보상액 산정에 관한 구체적 기준을 정하고 있는 공익사업을 위한 토지 등의 취득 및 보상에 관한 법률 시행규칙 제22조가 대외적인 구속력을 가지는지 여부(적극)

공익사업을 위한 토지 등의 취득 및 보상에 관한 법률(이하 '공익사업법'이라 한다) 제68조 제3항은 협의취득의 보상액 산정에 관한 구체적 기준을 시행규칙에 위임하고 있고, 위임 범위 내에서 공익사업을 위한 토지 등의 취득 및 보상에 관한 법률 시행규칙 제22조는 토지에 건축물 등이 있는 경우에는 건축물 등이 없는 상태를 상정하여 토지를 평가하도록 규정하고 있는데, 이는 비록 행정규칙의 형식이나 공익사업법의 내용이 될 사항을 구체적으로 정하여 내용을 보충하는 기능을 갖는 것이므로, 공익사업법 규정과 결합하여 대외적인 구속력을 가진다(대판 2012.3.29. 2011다104253).

7 행정안전부장관이 정한 '2014년도 건물 및 기타물건 시가표준액 조정기준'이 법규명령으로서의 효력을 가지는지 여부(적극)

건축법 제80조 제1항 제2호, 지방세법 제4조 제2항, 지방세법 시행령 제4조 제1항 제1호의 내용, 형식 및 취지 등을 종합하면, '2014년도 건물 및 기타물건 시가표준액 조정기준'의 각 규정들은 일정한 유형의 위반 건축물에 대한 이행강제금의 산정기준이 되는 시가표준액에 관하여 행정안전부장관으로 하여금 정하도록 한 위 건축법 및 지방세법령의 위임에 따른 것으로서 그 법령 규정의 내용을 보충하고 있으므로, 그 법령 규정과 결합하여 대외적인 구속력이 있는 법규명령으로서의 효력을 가지고, 그중 증·개축 건물과 대수선 건물에 관한 특례를 정한 '증·개축 건물 등에 대한 시가표준액 산출요령'의 규정들도 마찬가지라고 보아야 한다(대판 2017.5.31. 2017두30764).

8 상위법령에서 세부사항 등을 시행규칙으로 정하도록 위임하였음에도 이를 고시로 정한 경우, 대외적 구속력을 가지는 법규명령으로서의 효력을 인정할 수 있는지 여부(소극)

그 행정규칙이나 규정이 상위법령의 위임범위를 벗어난 경우에는 법규명령으로서 대외적 구속력을 인정할 여지는 없다. 이는 행정규칙이나 규정 '내용'이 위임범위를 벗어난 경우뿐 아니라 상위법령의 위임규정에서 특정하여 정한 권한행사의 '절차'나 '방식'에 위배되는 경우도 마찬가지이므로, 상위법령에서 세부사항 등을 시행규칙으로 정하도록 위임하였음에도 이를 고시 등 행정규칙으로 정하였다면 그 역시 대외적 구속력을 가지는 법규명령으로서 효력이 인정될 수 없다(대판 2012.7.5. 2010다72076).

9 항정신병 치료제의 요양급여 인정기준에 관한 보건복지부 고시가 다른 집행행위의 매개 없이 그 자체로서 직접 국민의 구체적인 권리의무와 법률관계를 규율하는 성격을 가질 때에 항고소송의 대상이 되는 행정처분에 해당하는지 여부(적극)

항정신병 치료제의 요양급여 인정기준에 관한 보건복지부 고시가 다른 집행행위의 매개 없이 그 자체로서 제약 회사, 요양기관, 환자 및 국민건강보험공단 사이의 법률관계를 직접 규율한다는 이유로 항고소송의 대상이 되는 행정처분에 해당한다(대결 2003.10.9. 2003무23).

3. 법령보충규칙의 한계

법령보충규칙을 폭넓게 인정하면 의회입법의 원칙에 반하게 되므로 제한적으로 인정되어야 한다.

(1) 위임입법의 한계 준수

법령보충적 행정규칙을 법규명령으로 본다면 법규명령에 관한 법리가 적용되어야 하므로 상위법의 개별적·구체적 위임이 요구되며, 포괄위임은 금지된다.

(2) 법령보충적 행정규칙의 공포 여부

법령보충규칙은 법규명령의 효력을 갖는다는 점에서 관보 게재와 같은 공포(公布)는 요하지 않는다고 하더라도 어떠한 수단으로든 공표(公表)되어야 한다는 것이 학설의 일반적인 입장이다. 판례도 형식적으로는 행정규칙이므로 공포를 요하지 않는다고 보고 있다.

법령보충적 행정규칙의 공포 여부

서울특별시가 정한 개인택시운송사업면허지침은 재량권 행사의 기준으로 설정된 행정청의 내부의 사무처리준칙에 불과하므로, 대외적으로 국민을 기속하는 법규명령의 경우와는 달리 외부에 고지되어야만 효력이 발생하는 것은 아니다(대판 1997.1.21. 95누12941).

법령보충규칙의 한계

1 **상위법령에서 세부사항 등을 시행규칙으로 정하도록 위임하였음에도 이를 고시 등 행정규칙으로 정한 경우, 대외적 구속력을 가지는 법규명령으로서 효력을 인정할 수 있는지 여부(소극)**

법령의 규정이 특정 행정기관에게 법령 내용의 구체적 사항을 정할 수 있는 권한을 부여하면서 권한행사의 절차나 방법을 특정하지 아니한 경우에는 수임 행정기관은 행정규칙이나 규정 형식으로 법령 내용이 될 사항을 구체적으로 정할 수 있다. 이 경우 행정규칙 등은 당해 법령의 위임한계를 벗어나지 않는 한 대외적 구속력이 있는 법규명령으로서 효력을 가지게 되지만, 이는 행정규칙이 갖는 일반적 효력이 아니라 행정기관에 법령의 구체적 내용을 보충할 권한을 부여한 법령 규정의 효력에 근거하여 예외적으로 인정되는 것이다. 따라서 그 행정규칙이나 규정이 상위법령의 위임범위를 벗어난 경우에는 법규명령으로서 대외적 구속력을 인정할 여지는 없다. 이는 행정규칙이나 규정 '내용'이 위임범위를 벗어난 경우뿐 아니라 상위법령의 위임규정에서 특정하여 정한 권한행사의 '절차'나 '방식'에 위배되는 경우도 마찬가지이므로, 상위법령에서 세부사항 등을 시행규칙으로 정하도록 위임하였음에도 이를 고시 등 행정규칙으로 정하였다면 그 역시 대외적 구속력을 가지는 법규명령으로서 효력이 인정될 수 없다(대판 2012.7.5. 2010다72076).

2 **구 지방공무원보수업무 등 처리지침이 법규명령으로서의 효력을 갖는지 여부(적극)**

구 지방공무원보수업무 등 처리지침 '직종별 경력환산율표 해설'이 정한 민간근무경력의 호봉 산정에 관한 부분은 상위법령과 결합하여 대외적인 구속력이 있는 법규명령으로서의 효력을 갖게 된다(대판 2016.1.28. 2015두53121).

3 **지식경제부 고시인 '신·재생에너지이용 발전전력의 기준가격 지침' 제13조 제4항이 구 신에너지 및 재생에너지 개발·이용·보급 촉진법의 위임범위를 벗어났는지 여부(소극) 및 법규명령으로서 효력을 가지는지 여부(적극)**

지식경제부 고시인 '신·재생에너지이용 발전전력의 기준가격 지침'은 신재생에너지법과 결합하여 대외적으로 구속력이 있는 법규명령으로서 효력을 가진다고 할 것이다(대판 2016.2.18. 2014두6135).

4 **고시가 법령에 근거를 두었으나 규정 내용이 법령의 위임 범위를 벗어난 경우, 법규명령으로서의 대외적 구속력을 인정할 수 있는지 여부(소극)**

특정 고시가 위임의 한계를 준수하고 있는지를 판단할 때에는, 법률 규정의 입법 목적과 규정 내용, 규정의 체계, 다른 규정과의 관계 등을 종합적으로 살펴야 하고, 법률의 위임 규정 자체가 의미 내용을 정확하게 알 수 있는 용어를 사용하여 위임의 한계를 분명히 하고 있는데도 고시에서 문언적 의미의 한계를 벗어났다든지, 위임 규정에서 사용하고 있는 용어의 의미를 넘어 범위를 확장하거나 축소함으로써 위임 내용을 구체화하는 단계를 벗어나 새로운 입법을 한 것으로 평가할 수 있다면, 이는 위임의 한계를 일탈한 것으로서 허용되지 아니한다(대판 2016.8.17. 2015두51132).

핵심 OX

06 서울특별시가 정한 개인택시운송사업면허지침은 재량권행사의 기준으로 설정된 행정청의 법규명령에 해당한다.
15. 경특1차, 12. 국가9급 ( )

07 상위법령에서 세부사항 등을 시행규칙으로 정하도록 위임하였음에도 이를 고시 등 행정규칙으로 정하였다면 이때 고시 등 행정규칙은 대외적 구속력을 갖는 법규명령으로서 효력이 인정될 수 없다.
17. 서울7급, 15. 국회8급, 12. 국가9급 ( )

08 법령상 대통령령으로 규정하도록 되어 있는 사항을 부령으로 정하더라도 그 부령은 유효하다.
18. 지방교행·서울7급 ( )

09 상위법령에서 세부사항 등을 시행규칙으로 정하도록 위임하였으나, 이를 고시 등 행정규칙으로 정하였더라도 이는 대외적 구속력을 가지는 법규명령으로서 효력이 인정된다.
19. 지방9급·서울7급, 18. 국가9급·서울9급, 15. 지방7급 ( )

10 구 지방공무원보수업무 등 처리지침은 상위법령과 결합하여 법규명령의 성질을 가진다.
18. 서울9급 변형 ( )

핵심 OX

11 행정각부의 장이 정하는 고시가 법령에 근거를 둔 것이라면 그 규정내용이 법령의 위임범위를 벗어난 것이라도 법규명령으로서의 대외적 구속력이 인정된다. 23. 지방7급 ( )

06 X **07** O **08** X **09** X **10** O **11** X

5 화물자동차 운수사업법 시행령 제6조 제1항 [별표 1] 제12호 가목에 규정된 '2인 이하가 중상을 입은 때' 중 '1인이 중상을 입은 때' 부분이 모법인 구 화물자동차 운수사업법 제19조 제1항 및 제2항의 위임범위를 벗어나 무효인지 여부(적극)

[1] 법률이 특정 사안과 관련하여 시행령에 위임을 한 경우 시행령이 위임의 한계를 준수하고 있는지를 판단할 때는 당해 법률 규정의 입법 목적과 규정 내용, 규정의 체계, 다른 규정과의 관계 등을 종합적으로 살펴야 한다. 법률의 위임 규정 자체가 그 의미 내용을 정확하게 알 수 있는 용어를 사용하여 위임의 한계를 분명히 하고 있는데도 시행령이 그 문언적 의미의 한계를 벗어났다든지, 위임 규정에서 사용하고 있는 용어의 의미를 넘어 그 범위를 확장하거나 축소함으로써 위임 내용을 구체화하는 단계를 벗어나 새로운 입법을 한 것으로 평가할 수 있다면, 이는 위임의 한계를 일탈한 것으로서 허용되지 않는다.

[2] 구 화물자동차 운수사업법과 구 화물자동차 운수사업법 시행령의 규정 형식과 내용 등에 의하면 구 화물자동차법 제19조 제1항 제11호에 규정된 '중대한 교통사고 또는 빈번한 교통사고로 많은 사상자를 발생하게 한 경우'는 빈번한 교통사고뿐 아니라 중대한 교통사고에도 '많은 사상자'의 발생을 요건으로 하고 있다고 보아야 한다. 그리고 여기에 규정된 '많은'은 문언상 복수(複數), 즉 적어도 2인 이상을 의미하므로 1인은 포함되지 않는다고 해석하는 것이 타당하다. 나아가 위와 같이 1인의 중상자가 발생한 경우를 구 화물자동차법상 제재 대상에서 제외하더라도 화물자동차의 교통사고로 인한 인명의 사상(死傷)을 억제함으로써 화물자동차 운수사업을 효율적으로 관리하고 건전하게 육성하여 공공복리의 증진에 기여하려는 구 화물자동차법의 목적에 반한다고 보기는 어렵다. 그럼에도 구 화물자동차법 시행령 제6조 제1항 [별표 1] 제12호 가목은 '1건의 교통사고로 인하여 2인 이하가 중상을 입은 때'를 위반차량 운행정지처분의 대상으로 규정함으로써 결과적으로 1인의 중상자가 발생한 경우도 구 화물자동차법상 제재 대상으로 삼고 있다. 앞서 본 '많은'의 문언적 의미를 비롯하여 구 화물자동차법의 입법 목적, 규정 내용, 규정 체계 등을 종합하면, 구 화물자동차법 시행령 제6조 제1항 [별표 1] 제12호 가목에 규정된 '2인 이하가 중상을 입은 때' 중 '1인이 중상을 입은 때' 부분은 모법인 구 화물자동차법 제19조 제1항 및 제2항의 위임범위를 벗어난 것으로서 무효이다(대판 2012.12.20. 2011두30878 전합).

6 농림부고시인 농산물원산지 표시요령 제4조 제2항의 규정 내용이 근거 법령인 구 농수산물품질관리법 시행규칙에 의해 고시로써 정하도록 위임된 사항에 해당한다고 할 수 없어 법규명령으로서 대외적 구속력을 가질 수 없다고 한 사례

구 농수산물품질관리법령의 관련 규정에 따라 국내 가공품의 원산지표시에 관한 세부적인 사항을 정하고 있는 구 농수산물품질관리법 시행규칙(2001.6.30. 농림부령 제1389호로 개정되기 전의 것) 제24조 제6항은 "가공품의 원산지표시에 있어서 그 표시의 위치, 글자의 크기·색도 등 표시방법에 관하여 필요한 사항은 농림부장관 또는 해양수산부장관이 정하여 고시한다."고 정하고 있는바, 이는 원산지표시의 위치, 글자의 크기·색도 등과 같은 표시방법에 관한 기술적이고 세부적인 사항만을 정하도록 위임한 것일 뿐, 원산지표시 방법에 관한 기술적인 사항이 아닌 원산지표시를 하여야 할 대상을 정하도록 위임한 것은 아니라고 해석되고, 그렇다면 농산물원산지 표시요령(1999.12.9. 농림부고시 제1999-82호) 제4조 제2항이 "가공품의 원료로 가공품이 사용될 경우 원산지표시는 원료로 사용된 가공품의 원료 농산물의 원산지를 표시하여야 한다."고 규정하고 있더라도 이는 원산지표시 방법에 관한 기술적인 사항이 아닌 원산지표시를 하여야 할 대상에 관한 것이어서 구 농수산물품질관리법

시행규칙에 의해 고시로써 정하도록 <u>위임된 사항에 해당한다고 할 수 없어 법규명령으로서의 대외적 구속력을 가질 수 없고</u>, 따라서 법원이 구 농산물품질관리법 시행령(2001.9.1. 대통령령 제17352호로 개정되기 전의 것)을 해석함에 있어서 농산물원산지 표시요령 제4조 제2항을 따라야 하는 것은 아니다(대결 2006.4.28. 2003마715).

7 조세감면 또는 중과의 대상이 되는 업종의 분류를 통계청장이 고시하는 한국표준산업분류에 위임할 필요성이 인정되는지 여부(적극)

조세의 감면 또는 중과 등 특례에 관한 사항은 국민의 권리의무에 직접적으로 영향을 미치는 입법사항이므로, 업종의 분류에 관한 사항은 대통령령이나 총리령, 부령 등 법규명령에 위임하는 것이 바람직하다. 그러나 한 국가 내의 모든 업종을 분류하는 작업에는 고도의 전문적·기술적 지식이 요구되고, 막대한 인력과 시간이 소요되며, 분류되는 업종의 범위 역시 방대하다. 한편, 한국표준산업분류는 우리나라의 산업구조를 가장 잘 반영하고 있고, 업종의 분류에 관하여 가장 공신력 있는 자료로 평가받고 있는 점 등을 고려하면, 업종의 분류에 관하여 판단자료와 전문성의 한계가 있는 대통령이나 행정각부의 장에게 위임하기보다는 통계청장이 고시하는 <u>한국표준산업분류에 위임할 필요성이 인정된다</u>(헌재 2014.7.24. 2013헌바183·202).

8 공기업·준정부기관이 행하는 입찰참가자격 제한처분이 적법한지 판단하는 방법 및 입찰참가자격 제한처분에 관한 공기업·준정부기관 내부의 재량준칙에 반하는 행정처분이 위법하게 되는 경우

공공기관의 운영에 관한 법률 제39조 제2항·제3항에 따라 입찰참가자격 제한기준을 정하고 있는 구 공기업·준 정부기관 계약사무규칙(2013.11.18. 기획재정부령 제375호로 개정되기 전의 것) 제15조 제2항, 국가를 당사자로 하는 계약에 관한 법률 시행규칙 제76조 제1항 [별표 2], 제3항 등은 비록 부령의 형식으로 되어 있으나 규정의 성질과 내용이 공기업·준정부기관(이하 '행정청'이라 한다)이 행하는 입찰참가자격 제한처분에 관한 행정청 내부의 재량준칙을 정한 것에 지나지 아니하여 대외적으로 <u>국민이나 법원을 기속하는 효력이 없으므로</u>, 입찰참가자격 제한처분이 적법한지 여부는 이러한 규칙에서 정한 기준에 적합한지 여부만에 따라 판단할 것이 아니라 공공기관의 운영에 관한 <u>법률상 입찰참가자격 제한처분에 관한 규정과 그 취지에 적합한지 여부에 따라 판단하여야 한다.</u> 다만, 그 재량준칙이 정한 바에 따라 되풀이 시행되어 행정관행이 이루어지게 되면 평등의 원칙이나 신뢰보호의 원칙에 따라 행정청은 상대방에 대한 관계에서 그 규칙에 따라야 할 자기구속을 받게 되므로, 이러한 경우에는 특별한 사정이 없는 한 그에 반하는 처분은 평등의 원칙이나 신뢰보호의 원칙에 어긋나 재량권을 일탈·남용한 위법한 처분이 된다(대판 2014.11.27. 2013두18964).

9 부령 중 법률상 위임의 근거가 없는 조항의 성질

검찰보존사무규칙이 검찰청법 제11조에 기하여 제정된 법무부령이기는 하지만, 그 사실만으로 같은 규칙 내의 모든 규정이 법규적 효력을 가지는 것은 아니다. 기록의 열람·등사의 제한을 정하고 있는 같은 규칙 제22조는 법률상의 위임근거가 없어 행정기관 내부의 사무처리준칙으로서 행정규칙에 불과하다(대판 2006.5.25. 2006두3049).

10 법령에 근거 없는 2006년 교육공무원 보수업무 등 편람의 법적 성질

초임호봉 획정과 관련하여 교육인적자원부(현 교육부)장관에게 법령내용의 구체적 사항을 정할 수 있는 권한을 부여하는 규정을 두고 있지 않다. 그렇다면 2006년 교육공무원 보수업무 등 편람(이하 '보수업무편람'이라 한다)은 교육인적자원부에서 관련 행정기관 및 그 직원을 위한 업무처리지침 내지 참고사항을 정리해 둔 것에 불과하고 법규명령의 성질을 가진 것이라고는 볼 수 없다(대판 2010.12.9. 2010두16349).

01 재량권 행사의 준칙인 행정규칙이 있으면 그에 따른 관행이 없더라도 평등의 원칙에 따라 행정기관은 상대방에 대한 관계에서 그 규칙에 따라야 할 자기구속을 받게 된다.
19. 서울7급 (　)

02 재량준칙은 그 자체로서는 구속력이 인정되지는 않으나 재량준칙이 되풀이 시행되어 행정관행이 성립된 경우에는 당해 재량준칙에 자기구속력이 인정된다. 따라서 당해 재량준칙에 반하는 처분은 법규범인 당해 재량준칙을 직접 위반한 것으로서 위법한 처분이 된다.
18. 국가9급 변형 (　)

01 X 02 X

11 한국수력원자력 주식회사가 조달하는 기자재, 용역 및 정비공사, 기기수리의 공급자에 대한 관리업무 절차를 규정함을 목적으로 제정·운용하고 있는 '공급자관리지침' 중 등록취소 및 그에 따른 일정 기간의 거래제한조치에 관한 규정들은 대외적 구속력이 없는 행정규칙인지 여부(적극)

> 한국수력원자력 주식회사가 조달하는 기자재, 용역 및 정비공사, 기기수리의 공급자에 대한 관리업무 절차를 규정함을 목적으로 제정·운용하고 있는 '공급자관리지침' 중 등록취소 및 그에 따른 일정 기간의 거래제한조치에 관한 규정들은 공공기관으로서 행정청에 해당하는 한국수력원자력 주식회사가 상위법령의 구체적 위임 없이 정한 것이어서 대외적 구속력이 없는 행정규칙이다(대판 2020.5.28. 2017두66541).

4. 규범구체화 행정규칙

(1) 개념

원자력이나 환경 등과 같이 고도의 전문적·기술적인 내용을 규율하는 법률이 그 내용을 구체화하지 못하고 그것을 사실상 행정기관에 일임한 경우에 행정기관이 당해 규범을 구체화하는 내용으로 발령하는 행정규칙을 말한다.

(2) 연혁

독일 연방행정법원의 '빌(Wyhl)판결(1985.12.19.)에서 방사선방호령 제45조에 대한 연방내무부장관의 행정규칙인 방사선노출에 관한 일반적 산정기준(발전용 원자로 설치허가물질 등에 의한 인체·물건·공공의 재해방지에 지장이 없을 경우를 구체화한 행정규칙)에 대하여 법원도 구속되는 직접적인 외부적 효력을 인정함으로써 규범구체화 행정규칙이 학설과 판례상 논의되기 시작하였다.

(3) 인정근거

규범구체화 행정규칙은 명문의 수권에 의해 제정되기도 하지만, 명문의 수권이 없는 경우에도 제정될 수 있다. 규범구체화 행정규칙을 제정하는 것은 법률의 구체화이며 법률을 집행하기 위한 것이므로, 행정기관에 집행권을 부여한 법률에 그 구체화의 권한이 아울러 내재되어 있다고 볼 수 있기 때문이라고 한다. 그러므로 규범구체화 행정규칙은 고도의 전문적이고 기술적인 불확정개념의 해석에 판단여지가 인정되는 것과 마찬가지로 법률이 행정기관에게 '기준화 수권'을 한 것으로 인정되는 경우에는 '기준화 여지'가 인정된다고 한다.

(4) 인정영역

규범구체화 행정규칙은 원자력이나 환경 분야와 같이 법률에서 규정하기가 곤란한 전문적·기술적 영역에서 법률이 행정기관에게 위임할 수 있는 예외적인 경우에 인정된다.

(5) 사법적 통제

① 규범구체화 행정규칙이 전문·기술상의 문제와 관련된 것이라고 하여도 그것이 행정권의 자의적인 평가나 절차상의 하자를 갖는다면 사법통제의 대상이 될 것이다.

② 규범구체화 행정규칙의 내용이나 효과와 관련하여 볼 때, 동규칙에 대한 권리보호는 직접적으로 이루어져야 한다.

(6) 우리나라에서의 논의

국세청장훈령인 '재산제세조사사무처리규정'에 대해 법규성을 인정한 대법원 판례에 대하여 긍정설과 부정설이 대립한다.

① **긍정설(소수설)**: 독일식의 규범구체화행정규칙의 행위형식을 인정하면서 위의 판례들을 규범구체화 행정규칙의 한 예로 보는 견해이다.

② **부정설(다수설)**: 전문적·기술적 분야에 대한 행정규칙을 다룬 판례가 아니며, 행정규칙이 갖는 효력으로서가 아니라 법령보충규칙이론에 입각하여 법규성을 인정한 것이므로 독일식의 규범구체화 행정규칙을 채택한 것으로는 볼 수 없다는 견해이다.

5. 행정규칙에 대한 통제

(1) 법원에 의한 통제

전술한 바와 같이 행정규칙은 법규성이 인정되지 않으므로 사법심사의 대상이 되지 않는다. 다만, 법령보충규칙의 경우 대외적 구속력이 인정되므로 사법심사의 대상이 될 수 있다. 나아가 행정규칙 자체는 원칙적으로 행정소송법상 처분에 해당되지 않으므로 항고소송의 대상적격이 인정되지 않는다. 다만, 행정규칙이 직접적으로 국민의 권익을 침해하는 경우에는 처분성이 인정되어 항고소송에 의한 사법적 통제를 받게 된다.

(2) 헌법재판소에 의한 통제

행정규칙은 행정청 내부의 사무처리지침으로 국민의 기본권을 직접적으로 침해할 여지가 없으므로 헌법소원의 대상이 될 수 없다. 다만, 헌법재판소 판례에 의하면, 법규성이 인정되는 법령보충규칙은 헌법소원의 대상이 될 수 있다. 또한 재량준칙인 행정규칙도 행정의 자기구속의 법리에 의거하여 헌법소원심판의 대상이 될 수 있다.

> **관련판례**
>
> **1** 청소년유해매체물의 표시방법에 관한 정보통신부고시는 청소년유해매체물을 제공하려는 자가 하여야 할 전자적 표시의 내용을 정하고 있는데, 이는 정보통신망이용촉진 및 정보보호 등에 관한 법률 제42조 및 동법 시행령 제21조 제2항·제3항의 위임규정에 의하여 제정된 것으로서 국민의 기본권을 제한하는 것인바 <u>상위법령과 결합하여 대외적 구속력을 갖는 법규명령으로 기능하고 있는 것이므로 헌법소원의 대상이 된다</u>(헌재 2004.1.29. 2001헌마894).
>
> **2** 행정규칙은 일반적으로 행정조직 내부에서만 효력을 가지는 것이나, 행정규칙이 법령의 규정에 의하여 행정관청에 법령의 구체적 내용을 보충할 권한을 부여한 경우나 재량권행사의 준칙인 규칙이 그 정한 바에 따라 되풀이 시행되어 행정관행이 이룩되게 되면, 평등의 원칙이나 신뢰보호의 원칙에 따라 행정기관은 그 상대방에 대한 관계에서 그 규칙에 따라야 할 자기구속을 당하게 되는 경우에는 **대외적인 구속력**을 가지게 되는바, 이러한 경우에는 헌법소원의 대상이 될 수도 있다. <u>경기도교육청의 1999.6.2. 학교장·교사 초빙제 실시</u>는 학교장·교사 초빙제의 실시에 따른 구체적 시행을 위해 제정한 사무처리지침으로서 행정조직 내부에서만 효력을 가지는 행정상의 운영지침을 정한 것이어서, <u>국민이나 법원을 구속하는 효력이 없는 행정규칙에 해당하므로 헌법소원의 대상이 되지 않는다</u>(헌재 2001.5.31. 99헌마413).

1. 식품위생법 시행규칙 제53조에서 [별표 15]로 식품위생법 제58조에 따른 행정처분의 기준을 정하였다고 하더라도, 이는 형식은 부령으로 되어 있으나 그 성질은 행정기관 내부의 사무처리 준칙을 정한 것에 불과한 것이다.

2. 구 여객자동차 운수사업법 제11조 제4항의 위임에 따라 시외버스운송사업의 사업계획변경에 관한 절차, 인가기준 등을 구체적으로 규정한 경우 법규명령이다.

3. 주택건설촉진법 시행령 제10조의3 제1항 [별표 1]의 행정처분기준은 법규명령에 해당한다.

4. 청소년보호법 시행령 제40조 [별표 6]의 위반행위의 종별에 따른 과징금 처분기준은 법규명령이기는 하나 그 수액은 정액이 아니라 최고한도액이다.

5. **법령보충적 행정규칙 사례**
   ① 국세청장 훈령인 '재산제세사무처리규정'
   ② 건설부 훈령인 '건축사사무소의 등록취소 및 폐쇄처분에 관한 규정'
   ③ 국무총리 훈령인 '개별토지가격합동조사지침'
   ④ 국세청장 훈령인 '주류도매면허제도개선업무처리지침'
   ⑤ 보건복지부장관의 고시인 식품제조 '영업허가기준'
   ⑥ 노령수당에 관한 보건복지부장관의 1994년도 '노인복지사업지침'
   ⑦ 산업자원부장관이 정한 '공장입지기준고시'
   ⑧ 수입선다변화품목의 지정에 관한 상공부고시

01 구 노인복지법 및 같은 법 시행령은 65세 이상인 자에게 노령수당의 지급을 규정하고 있는데, 같은 법 시행령의 위임에 따라 보건사회부(현 보건복지부)장관이 정한 70세 이상의 보호대상자에게만 노령수당을 지급하는 1994년도 노인복지사업지침은 법규명령의 성질을 가진다.
12. 국가9급 ( )

02 행정각부의 장관이 정한 고시가 상위 법령의 수권에 의한 것으로 법령 내용을 보충하는 기능을 하는 경우에도 그 규정이 법령의 위임 범위를 벗어난 것이라면 법규명령으로서의 대외적 구속력이 인정되지 않는다.
17. 국회8급 변형 ( )

🔎 **관련판례**

노인복지사업지침 사건

[1] 보건사회부장관이 정한 1994년도 노인복지사업지침의 법적 성질

보건사회부장관이 정한 1994년도 노인복지사업지침은 노령수당의 지급대상자의 선정기준 및 지급수준 등에 관한 권한을 부여한 노인복지법 제13조 제2항, 같은 법 시행령 제17조, 제20조 제1항에 따라 보건사회부장관이 발한 것으로서 실질적으로 법령의 규정내용을 보충하는 기능을 지니면서 그것과 결합하여 대외적으로 구속력이 있는 법규명령의 성질을 가지는 것으로 보인다.

[2] 노령수당의 지급대상자를 '70세 이상'으로 규정한 제1항의 지침이 노인복지법 제13조, 같은 법 시행령 제17조의 위임한계를 벗어나 효력이 없다고 한 사례

법령보충적인 행정규칙, 규정은 당해 법령의 위임한계를 벗어나지 아니하는 범위 내에서만 그것들과 결합하여 법규적 효력을 가지고, 노인복지법 제13조 제2항의 규정에 따른 노인복지법 시행령 제17조, 제20조 제1항은 노령수당의 지급대상자의 연령범위에 관하여 위 법조항과 동일하게 '65세 이상의 자'로 반복하여 규정한 다음 소득수준 등을 참작한 일정소득 이하의 자라고 하는 지급대상자의 선정기준과 그 지급대상자에 대한 구체적인 지급수준(지급액) 등의 결정을 보건사회부장관에게 위임하고 있으므로, 보건사회부장관이 노령수당의 지급대상자에 관하여 정할 수 있는 것은 65세 이상의 노령자 중에서 그 선정기준이 될 소득수준 등을 참작한 일정소득 이하의 자인 지급대상자의 범위와 그 지급대상자에 대하여 매년 예산확보상황 등을 고려한 구체적인 지급수준과 지급시기, 지급방법 등일 뿐이지, 나아가 지급대상자의 최저연령을 법령상의 규정보다 높게 정하는 등 노령수당의 지급대상자의 범위를 법령의 규정보다 축소·조정하여 정할 수는 없다고 할 것임에도, 보건사회부장관이 정한 1994년도 노인복지사업지침은 노령수당의 지급대상자를 '70세 이상'의 생활보호대상자로 규정함으로써 당초 법령이 예정한 노령수당의 지급대상자를 부당하게 축소·조정하였고, 따라서 위 지침 가운데 노령수당의 지급대상자를 '70세 이상'으로 규정한 부분은 법령의 위임한계를 벗어난 것이어서 그 효력이 없다(대판 1996.4.12. 95누7727).

제1절 행정행위의 의의 및 종류

1 행정행위의 의의

1. 서설

행정행위는 학문상의 개념으로서 실정법상으로는 행정처분·인가·허가·특허 등과 같은 용어로 표현된다. 행정행위는 다양한 행정작용 중 다른 작용과 구별되는 일정한 특징을 지님으로 인하여 특유한 법적 규율을 받는 행위형식을 지칭하는 경험적·목적적 개념이다.

2. 행정행위의 개념 정립의 필요성

우리나라는 대륙법계와 달리 영·미식 사법국가에 따른 소송제도를 취하고 있어 독립한 행정재판소가 설치되어 있지 않으나, 행정행위에 대해서는 관할법원, 제소기간, 제소절차 등 특례가 인정되는 행정소송을 제기하도록 하고 있다. 또한 다른 행정작용에서는 볼 수 없는 공정력·확정력·집행력 등의 특질이 인정되기 때문에 행정행위 개념 정립의 실익이 있다.

3. 행정행위의 개념(최협의)

행정행위에 대한 개념에 관한 학설 중 통설인 최협의설에 의하면 행정행위는 '행정청이 법 아래서 구체적 사실에 관한 법집행으로서 행하는 권력적·단독적 공법행위'로 정의된다.

⊕ **핵심정리** 행정행위의 개념에 관한 학설

최광의설 (행정행위=행정작용)	• 행정행위를 '행정청이 행하는 일체의 행위'로 파악하는 견해이다. • 사실행위, 행정처분, 행정입법작용, 통치행위 모두가 포함된다.
광의설	• 행정행위를 '행정청에 의한 공법행위'로 파악하는 견해이다. • 최광의의 행정행위에서 사실행위와 사법행위가 제외된 나머지 행정작용이 포함된다.
협의설	• 행정행위를 '행정청이 법 아래에서 구체적 사실에 관한 법집행으로서 행하는 공법행위'로 파악하는 견해이다. • 권력적 단독행위인 행정처분과 비권력적인 공법상 계약 및 공법상 합동행위도 포함된다.
최협의설	• 행정행위를 '행정청이 법 아래에서 구체적 사실에 대한 법집행으로서 행하는 권력적 단독행위인 공법행위'로 정의하는 견해이다. • 권력적 단독행위인 행정처분만이 포함되며, 우리나라의 통설적 견해이다.

핵심 OX

03 행정소송법상 처분의 개념과 강학상 행정행위의 개념이 다르다고 보는 견해는 처분의 개념을 강학상 행정행위의 개념보다 넓게 본다.

17. 국가9급 (　　)

04 행정행위를 '행정청이 법아래서 구체적 사실에 대한 법집행으로서 행하는 공법행위'로 정의하면, 공법상 계약과 공법상 합동행위는 행정행위의 개념에서 제외된다.

17. 국가9급 (　　)

03 ○ **04** X

4. 개념정립의 실익

(1) 특수한 효력

① 법률적합성

② **공정력**: 행정행위는 그 성립에 비록 하자가 있더라도 그것이 중대·명백하여 당연 무효인 경우를 제외하고는 잠정적인 효력이 인정되어 권한 있는 기관이 취소하기 전까지는 유효한 행위로 그 상대방은 물론이고 다른 국가기관이나 제3자를 구속하는 절차상의 효력을 가진다. 이러한 공정력은 선험적으로 또는 본질적으로 인정되는 것이 아니라 실정법의 간접적 규정에 의하여 인정되는 것이다.

③ **존속성(확정성)**: 일정한 행정행위는 쟁송기간이 경과했거나 심급을 모두 거친 경우에는 더 이상 다툴 수 없게 되고(불가쟁력), 처분청일지라도 일단 행한 행정행위를 임의로 취소·변경하지 못하는(불가변력) 효력이 발생한다.

④ **실효성(자력강제성)**: 행정행위에 의해 부과된 의무를 이행하지 않는 경우 실효성을 담보하기 위하여 행정주체가 법원의 힘을 빌리지 않고 자력으로 그 이행을 강제시키거나 제재를 가하는 경우를 말한다.

⑤ **권리구제의 특수성**: 위법·부당한 행정행위로 인해 권리·이익을 침해받은 자는 민사소송과는 다른 특수한 절차로서 행정쟁송에 의하여 구제를 받는다. 또한, 적법한 공권력의 행사를 통해 재산권을 침해받은 자에게는 손실보상제도가, 위법한 행정활동을 통해 손해를 받은 자에게는 국가배상제도가 인정되고 있다.

(2) 행정쟁송이나 손해전보

행정행위에 대해서는 항고소송 제기가 가능하다.

5. 행정행위의 개념징표❶

(1) 행정청이

행정행위의 주체는 **행정청**이다. 여기서 행정청은 국가·지방자치단체뿐만 아니라 공공단체와 공무수탁사인 등과 같이 행정주체의 의사를 외부에 표시할 수 있는 권한을 가진 행정기관을 의미한다. 따라서 순수한 사인의 공법행위는 행정행위가 될 수 없으나, 국가로부터 공권력을 부여받은 공무수탁사인의 행위는 그 위임받은 한도 내에서는 행정청이 될 수 있다. 국회의 입법행위, 사법부의 재판행위는 원칙적으로 행정행위에 해당하지 않으나, 판례는 지방의회의 경우 대의기관성과 행정기관성을 모두 가지고 있다고 보아 지방의회의 의결 등을 행정행위에 포함시키고 있다.

(2) 법 아래서

행정행위는 법치주의의 지배를 받는다. 따라서 통치행위는 행정행위가 아니다.

❶ 행정행위의 개념징표
· 행정청이(사인의 공법행위 ×)
· 법 아래서(통치행위 ×)
· 구체적 사실에 관한(행정입법 ×)
  ⇨ 일반처분
· 법집행으로서 행하는(입법·사법 ×)
· 권력적(비권력적 ×) ⇨ 행정지도 ×
· 단독적(공법상 계약·공법상 합동행위 ×)
· 공법행위(사법행위 ×)

(3) 구체적 사실에 관한

행정행위는 구체적 사실에 대한 **규율행위**이다. 따라서 일반적 · 추상적인 법규 제정 행위(국회에서의 입법, 행정입법)는 행정행위에 해당하지 않는다.

① **개별적 · 구체적 규율**: 특정인에게만 효력을 발생하는 것을 개별적이라고 하고, 특정 사안에 대하여 1회적으로만 효력을 발생하는 것을 구체적이라고 한다. 행정행위로서의 개념은 이러한 개별적 · 구체적인 규율이다.

② **일반적 · 추상적 규율**: 불특정 다수인에게 효력을 발생하는 것을 '일반적'이라고 하고, 장래에 향하여 계속적으로 효력을 발생하는 것을 '추상적'이라고 한다. 법률은 모든 불특정 다수에게 계속적으로 적용되므로 행정행위와는 구별된다. 이러한 일반적 · 추상적 규율로서의 법률은 행정행위(처분)성이 결여되어 행정소송의 대상으로 할 수 없음이 원칙이다.

③ **일반적 · 구체적 규율(일반처분)**: 일반처분이란 구체적 사실과 관련하여 불특정 다수에게 행해지는 행정청의 규율행위를 뜻한다. 일반처분은 불특정 다수인을 대상으로 하는 것이나 구체적인 법적 효과를 발생시킨 다는 점에서 일반적 · 추상적 규율인 법령제정작용과 구별된다. 이러한 일반처분은 행정행위의 한 유형으로 보는 것이 판례이다.

> **🔥 관련판례**
>
> 지방경찰청장이 횡단보도를 설치하여 보행자의 통행방법 등을 규제하는 것은 행정청이 특정사항에 대하여 의무의 부담을 명하는 행위이고 이는 국민의 권리 · 의무에 직접 관계가 있는 행위로서 행정처분이라고 보아야 할 것이다(대판 2000.10.27. 98두8964).

④ **개별적 · 추상적 규율(특정인 · 불특정 사건의 규율)**

구분	개별적	일반적
구체적	행정행위	일반처분
추상적	추상적 처분	행정입법

(4) 법집행으로서 행하는

국회의 입법행위(법 정립), 사법부의 재판행위(법 판단 · 선언)는 행정행위에 해당하지 않는다.

(5) 권력적

행정행위는 국민에 대하여 직접적인 법적 효과를 발생하게 하는 행위이므로 행정조직 내부의 행위는 행정행위가 아니다. 한편 행정주체와 국민 간의 일반권력관계의 행위는 행정행위에 해당함은 당연하나, 특별권력관계 내부 구성원의 권리 · 의무에 관한 행위도 행정행위로 인정하는 것이 오늘날의 통설 · 판례의 입장이다.

핵심 OX

01 행정행위는 법적 행위이므로, 행정청이 도로를 보수하는 행위는 행정행위가 아니다. 15. 교행 ( )

02 권한 있는 장관이 행한 국립공원지정처분에 따라 공원관리청이 행한 경계 측량 및 표지의 설치는 행정처분이다. 14. 국가9급 ( )

03 부하 공무원에 대한 상관의 개별적인 직무명령은 행정행위가 아니다. 15. 서울9급 ( )

04 다른 행정청의 동의를 얻어야 하는 행정행위에서 다른 행정청의 동의가 행정행위의 성립에 중요한 요소인 경우에는 그 자체도 행정행위로 보아야 한다. 07. 국회8급 ( )

05 행정행위는 행정청이 우월적인 지위에서 행하는 것이지만, 상대방의 동의나 신청 등의 협력이 필요한 경우에도 역시 행정행위에 포함될 수 있다. 07. 국회8급 ( )

06 행정행위가 공법상의 행위라는 것은 그 행위의 근거가 공법적이라는 것이지, 행위의 효과까지 공법적이라는 것을 의미하는 것은 아니다. 14. 국회8급 ( )

(6) 단독적

행정행위는 행정주체의 우월성을 전제로 하는 단독행위이므로 대등한 주체로서 행하여지는 공법상 계약과 합동행위와도 구별된다.

(7) 공법행위

① 행정행위는 공법행위이므로 사법(私法)행위(사법상 단독행위, 사법상 계약, 사법상 합동행위)는 행정행위가 될 수 없다. 공법행위로서의 법적 행위란 외부적으로 직접적인 법적 효과를 발생시키는 것을 의미하는 것으로, 사실행위(예 도로를 보수하는 행위 등)는 포함되지 않는다.

② 행정행위는 행정청이 국민 등 행정의 상대방에게 하는 행위인바, 부하 공무원에 대한 상관의 개별적인 직무명령과 같은 행정청의 내부 행위는 행정행위가 아니다. 나아가, 다른 행정청의 동의를 얻어야 하는 행정행위에서 다른 행정청의 동의가 행정행위의 성립에 중요한 요소인 경우라도 그 자체를 행정행위로 볼 수는 없다.

③ 행정행위가 공법상의 행위라는 것은 그 행위의 근거가 공법적이라는 것이지, 행위의 효과까지 공법적이라는 것을 의미하는 것은 아니다.

⚖ 관련판례

건설부장관이 행한 국립공원지정처분은 그 결정 및 첨부된 도면의 공고로써 그 경계가 확정되는 것이고, 시장이 행한 경계측량 및 표지의 설치 등은 공원관리청이 공원구역의 효율적인 보호, 관리를 위하여 이미 확정된 경계를 인식, 파악하는 사실상의 행위로 봄이 상당하며, 위와 같은 사실상의 행위를 가리켜 공권력행사로서의 행정처분의 일부라고 볼 수 없고, 이로 인하여 건설부장관이 행한 공원지정처분이나 그 경계에 변동을 가져온다고 할 수 없다(대판 1992.10.13. 92누2325).

---

6. 실체법상 행정행위개념과 행정쟁송법상 처분개념과의 관계

(1) 논점

행정쟁송법상 처분이란 위와 같으나, 학문상의 행정행위와 행정쟁송법상의 처분이 같은 개념인지에 대하여 견해의 대립이 있다. 이는 행정소송법 제2조 제1항 제1호의 '그 밖에 이에 준하는 행정작용'이 무엇을 의미하는가의 문제와 관련된다.

(2) 학설

① **이원설(쟁송법적 개념설):** 행정행위개념은 실체법적 개념이지만, 처분개념은 행정행위와 달리 쟁송법상 인정되는 개념으로서 행정행위보다 범위가 넓다. 이 견해는 공권력 행사로서의 실체는 갖지 않지만 국민에게 계속적으로 영향을 미치는 일정한 행위(예 행정지도, 사실행위 등)를 항고소송의 대상으로 하려는 견해이다.

② **일원설(실체법적 개념설):** 처분개념은 학문상의 행정행위개념과 동일하게 실체법상의 개념이라는 견해이다.

2 행정행위의 종류

행정행위는 법률효과에 따라 수익적 행정행위, 부담적 행정행위, 복효적 행정행위로 나뉜다.

1. 수익적 행정행위

수익적 행정행위는 국민에게 권리·이익 또는 행위능력을 부여하거나 권리제한을 없애는 행정행위를 말한다(예 특허, 허가, 인가, 면제 등). 수익적 행정행위는 원칙적으로 재량행위로서 부관을 붙일 수 있으며, 그 취소나 철회가 제한된다.

2. 부담적 행정행위

부담적 행정행위란 국민에게 의무를 부과하거나 권리를 제한하는 불이익처분을 말한다(예 각종 하명, 수익적 행정행위의 취소·철회 등). 부담적 행정행위는 법률유보가 엄격하게 적용되어 기속행위의 성질을 갖고, 그 취소나 철회는 제한받지 않는다.

제2절 복효적 행정행위(제3자효적 행정행위)

1 의의

1. 개념

복효적 행정행위란 하나의 행정행위가 일방의 당사자에게는 수익적 효과가 발생하고, 타방의 당사자에게는 침익적 효과가 발생하는 행위를 말한다(예 연탄공장의 허가는 허가받은 자에게는 이익이나, 인근 주민에게는 불이익이 되는 행정행위 등).

2. 종류
(1) 혼합효 행정행위(광의의 복효적 행정행위)
수익적 효과와 부담적 효과가 동일인에게 발생하는 행위를 말한다(부관부 행정행위).

(2) 제3자효 행정행위(협의의 복효적 행정행위)
1인에게는 이익을, 또 다른 1인에게는 불이익이 되는 행위를 말한다. 행정법상 문제가 되는 것은 이러한 제3자효 행정행위인 경우이다.

3. 구체적인 예
위험시설·환경오염시설 설치(주거지역 내에서의 연탄공장허가, 원자력발전소의 설치허가), 합격자·당선자결정, 공매처분, 수용재결, 경원자허가, 경업자면허, 불량식품제조업에 대한 규제조치 등이 있다.

핵심 OX

07 제3자효적 행정행위가 소송상 문제가 되는 영역은 주로 경업자소송이나 지역주민간의 소송 등이다.
08. 서울7급 ( )

07 ○

2 제3자효 행정행위의 관련문제(제3자의 보호문제)

1. 실체법적 문제

(1) 행정개입청구권

수익적 효과를 누리는 일방 당사자가 다른 사람에게는 침해적 효과가 생기는 행정행위를 행정청에 대해서 신청할 수 있는 행정개입청구권을 인정할 것인가에 대하여 법령에 명문의 규정이 있는 경우에는 당연히 인정될 수 있다. 그러나 명시적인 규정이 없는 경우에도 재량권이 0으로 수축된 경우에는 사익보호성이 인정되는 한 행정개입청구권이 인정된다.

(2) 부관

복효적 행정행위의 경우 수익적 처분의 당사자와 부담적 처분의 당사자의 이해조절을 위해 부관을 붙일 수 있다(예 유흥주점허가 시 인근주민을 위하여 방음시설의 설치의무를 부관으로 붙인 경우 등).

(3) 제3자효 행정행위의 취소·철회

행정행위의 존속이 제3자에게 불이익이 되는 경우에는 이익형량을 거쳐 취소·철회가 허용될 수 있으나, 행정행위의 존속이 제3자에게 이익이 되는 경우에는 취소·철회는 제한되며 그 대신 (변형된) 과징금제도가 활용되고 있다(예 여객자동차운수사업법, 해운법, 항만운송사업법 등).

(4) 직권취소

위법한 복효적 행정행위의 직권취소의 경우 불가쟁력 발생 전에는 부담적 효과를 받는 자의 권익보호를 위하여 취소가 자유로이 인정되어야 하지만, 불가쟁력 발생 후에는 수익적 효과를 누리는 자의 신뢰보호를 위하여 직권취소가 제한되어야 할 것이다.

2. 절차법적 문제

(1) 제3자에 대한 통지

일반적으로 행정행위는 상대방에게 통지가 되어야 효력이 발생한다. 그러나 우리나라 행정절차법은 제3자에 대한 통지에 대하여 직접적으로 규정하고 있지 않다. 행정절차법 제21조 제1항은 "당사자의 권익을 제한하거나 의무를 과하는 처분을 하는 경우에는 당사자 등에게 통지하여야 한다."고 규정하고 있다. 이 규정의 당사자에 복효적 행정행위의 제3자가 포함될 것인가에 대하여는 견해가 대립한다.

(2) 제3자의 행정절차 참가

현행 행정절차법에는 제3자의 행정절차에 대한 참가에 대해서는 직접적으로 규정하고 있지 않다.

3. 쟁송법적 문제

(1) 원고적격(청구인적격)

오늘날 소의 이익의 확대화에 따라 처분의 직접 상대방이 아닌 제3자도 그 처분으로 인하여 법률상 이익을 침해받은 경우에는 취소소송의 원고적격을 인정하고 있다.

(2) 참가인적격

행정심판이나 행정소송의 결과에 이해관계가 있는 제3자는 행정심판 또는 행정소송에 참가할 수 있다. 제3자효 행정행위에 대해 제3자가 제기한 취소소송에 있어서의 소송참가인은 처분의 상대방이 되는 것이 보통이다.

(3) 행정심판전치주의와 쟁송제기기간

개별법에서 행정심판전치주의를 규정한 경우에는 복효적 행정행위의 제3자에게도 적용된다. 또한, 행정심판청구는 처분 있음을 안 날로부터 90일, 처분 있은 날로부터 180일 이내에 제기할 수 있으나 특별한 사정이 없는 한 처분 있음을 알 수 없기에 180일 이내에 제기할 수 있으며, 이 기간이 경과할 경우에도 정당한 사유에 해당되면 심판제기가 가능하다(대판 1989.5.9. 88누5150).

(4) 제3자의 재심청구

처분의 취소판결에 의하여 권리 또는 이익을 침해받은 제3자는 자기에게 책임없는 사유로 소송에 참가하지 못함으로써 재판의 결과에 영향을 미칠 공격 또는 방어방법을 제출하지 못한 경우, 이를 이유로 확정된 종국판결에 대하여 확정판결을 안 날부터 30일 이내, 판결이 확정된 날로부터 1년 이내에 재심을 청구할 수 있다(행정소송법 제31조).

(5) 가구제

제3자효 행정행위로 인하여 권리 또는 이익을 침해받은 자는 소송당사자로서 그 행위의 집행정지를 신청할 수 있다(행정소송법 제23조 제2항). 그러나 원고가 아닌 소송에 참가한 경우에는 집행정지를 신청할 수 없다. 따라서 집행정지신청은 당사자에게만 허용되며, 참가인에게는 허용되지 않는다.

(6) 제3자에 대한 판결의 효력

행정소송의 판결이 제3자에게 미치는 경우 대세효를 갖는 경우에는 제3자에게도 판결의 효력이 미친다.

(7) 제3자에 대한 고지

행정청은 이해관계인으로부터 당해 처분에 대하여 일정한 사항을 알려 줄 것을 요구받은 때에는 지체 없이 이를 알려주어야 한다(행정심판법 제58조 제2항). 이 경우 이해관계인에는 복효적 행정행위의 제3자도 포함될 수 있다.

1 서설

행정법규는 보통 행위의 요건을 정하는 '요건부분'과 요건에 해당하는 경우에 행위를 할 것인지의 여부 및 행위를 하는 경우의 행위의 종류를 정하는 '효과부분'으로 이루어진다. 법률해석적용의 과정은 ① 사안을 조사·확정하고, ② 법률상의 행위요건을 해석하며, ③ 구체적 사안과 법률상의 요건이 일치하는가에 대하여 판단[포섭(包攝)]하고, ④ 법적 효과를 확정하게 된다. 이러한 행정행위의 과정에서 행정청은 어느 정도 법규에 기속되는가에 따라 기속행위와 재량행위로 구분된다.

> **도로교통법 제93조 【운전면허의 취소·정지】** ① 시·도경찰청장은 운전면허를 받은 사람이 다음 각 호의 어느 하나에 해당하면 행정안전부령으로 정하는 기준에 따라 운전면허(운전자가 받은 모든 범위의 운전면허를 포함한다. 이하 이 조에서 같다)를 취소하거나 1년 이내의 범위에서 운전면허의 효력을 정지시킬 수 있다. 다만, 제2호·제3호 … 의 규정에 해당하는 경우에는 운전면허를 취소하여야 하고, … 제18호의 규정에 해당하는 경우에는 정당한 사유가 없으면 관계 행정기관의 장의 요청에 따라 운전면허를 취소하거나 1년 이내의 범위에서 정지하여야 한다.
> 1. 제44조 제1항을 위반하여 술에 취한 상태에서 자동차등을 운전한 경우
> 2. 제44조 제1항 또는 제2항 후단을 2회 이상 위반(자동차등을 운전한 경우로 한정한다. 이하 이 호 및 제3호에서 같다)한 사람이 다시 같은 조 제1항을 위반하여 운전면허 정지 사유에 해당된 경우
> 3. 제44조 제2항 후단을 위반하여 술에 취한 상태에 있다고 인정할 만한 상당한 이유가 있음에도 불구하고 경찰공무원의 측정에 응하지 아니한 경우
> (이하 생략)

1. 기속행위

행정법규가 어떤 요건이나 효과를 일의적·확정적으로 규정하여 행정청이 법규가 정한 바에 따라 기계적으로 집행하는 데 그치는 경우 당해 행정행위를 기속행위라 한다. 기속행위를 위반한 행정청의 행위는 위법한 행위가 되어 사법심사의 대상이 된다.

2. 재량행위

(1) 의의

행정법규가 행정청에 대하여 그 '요건의 판단' 또는 '효과의 결정'에 있어서 많은 가능성 중에서 선택의 여지를 부여하고 있는 경우의 행정행위를 말한다. 재량행위는 '결정재량'과 '선택재량'으로 구분된다.

① **결정재량**: 행정청에게 행정행위를 할 것인지에 대한 재량이 부여된 행위이다.

② **선택재량**: 행정행위를 할 것인지에 대한 자유는 없으나 행정행위의 종류 선택, 행정행위의 상대방 선택의 자유가 인정되는 재량을 의미한다.

(2) 종류(전통적 견해)

① **기속재량행위**: 무엇이 법인가의 재량, 즉 법의 해석판단에 관한 것이며, 그 재량을 그르친 행위는 위법이 되어 법원의 심사대상이 된다.

② **자유재량행위**: 무엇이 공익에 적합한가 또는 보다 합목적적인가의 재량, 즉 의무에 합당한 재량이며, 그 재량을 그르친 경우에는 단지 판단의 당·부당만이 문제로 되어 법원의 심사대상이 되지 않는 것이 원칙이다. 다만, 재량권의 남용이나 일탈의 경우에는 위법이 되어 법원의 심사대상이 된다.

(3) 2분법의 지양(통설)

재량행위를 기속재량과 자유재량으로 구분하는 것은 기속재량행위를 기속행위와 마찬가지로 재판통제의 대상으로 하려는 목적에서 주장되었다. 그러나 오늘날에는 재량행위도 일탈·남용의 경우에는 사법심사의 대상이 되고 있으므로 재량행위 중 재판통제를 하기 위한 기속재량의 개념을 인정할 실익은 없다.

(4) 판례

판례는 용어상 기속재량행위와 자유재량행위를 구별하지만, 사법통제 측면에서는 구별하고 있지 않다. 즉, 재량권의 남용이나 재량권의 일탈의 경우에는 그 재량권이 기속재량이거나 자유재량이거나를 막론하고 사법심사의 대상으로 삼고 있다(대판 1984.1.31. 83누451).

3. 불가피성 및 구별의 상대성

(1) 법치주의 관점에서 행정법규는 일의적·확정적으로 규정하여야 하지만, 현대 행정이 질적·양적으로 확대·다양화되어 모든 행정법규를 일의적으로 규정하는 것은 불가능하게 되고 재량의 인정은 불가피하게 되었다.

(2) 다만, 행정주체에게 재량을 인정한다고 하더라도 행정의 자의를 인정하는 것은 아니며, 재량은 의무에 합당하며 법에 기속되는 재량인 것으로 볼 수 있다. 한편 기속행위도 전적으로 재량을 배제하는 것이 아닌 것으로 본다면 기속행위와 재량행위의 구별은 양적·상대적 구별에 불과하다고 할 것이다.

2 구별실익

1. 행정소송의 대상 여부 – 사법통제의 범위

(1) 종래에는 행정소송법상 행정소송의 대상은 위법한 처분만을 대상으로 하고 있고, 자유재량행위는 일탈·남용이 있는 경우에만 소송의 대상으로 하고 있으므로 양자의 구별실익이 있다고 보았다.

(2) 그러나 오늘날에는 재량의 일탈·남용 여부가 심리를 통하여 비로소 밝혀질 사항이므로 재량행위에 대하여 소송이 제기된 경우에 법원은 이를 각하할 것이 아니라, 행정행위의 성질을 실질적으로 심사한 후 재량의 일탈·남용에 해당하지 않을 때에는 기각하여야 한다고 하여 재량행위도 기속행위와 같이 사법심사의 대상이 된다는 점에서는 차이가 없다. 다만 본안에서의 사법심사방식, 처분의 위법성을 인정할 수 있는 범위와 입증책임에서 차이가 있다고 보는 것이 통설·판례이다.

(3) 사법심사의 방식

재량행위를 심사함에 있어서는 행정청의 공익판단의 여지를 감안하여 법원이 독자적 결론을 도출함이 없이 행정청의 행위에 재량권의 일탈·남용이 있는지를 심사하는 방식을 취하며, 기속행위를 심사함에 있어서는 법원이 사실관계를 확정하고 법규를 적용하여 독자적인 결론을 도출한 후 행정청의 판단과 법원의 판단이 같은지 여부를 심사하는 방식을 취한다.

> **관련판례**
>
> **1 기속행위와 재량행위에 대한 사법심사 방식**
>
> 행정행위가 그 재량성의 유무 및 범위와 관련하여 이른바 **기속행위** 내지 기속재량행위와 **재량행위** 내지 자유재량행위로 구분된다고 할 때, 그 구분은 당해 행위의 근거가 된 법규의 체재·형식과 그 문언, 당해 행위가 속하는 행정 분야의 주된 목적과 특성, 당해 행위 자체의 개별적 성질과 유형 등을 모두 고려하여 판단하여야 하고, 이렇게 구분되는 양자에 대한 사법심사는, 전자의 경우 그 법규에 대한 원칙적인 기속성으로 인하여 법원이 사실인정과 관련 법규의 해석·적용을 통하여 일정한 결론을 도출한 후 그 결론에 비추어 행정청이 한 판단의 적법 여부를 독자의 입장에서 판정하는 방식에 의하게 되나, 후자의 경우 행정청의 재량에 기한 공익판단의 여지를 감안하여 법원은 독자의 결론을 도출함이 없이 당해 행위에 재량권의 일탈·남용이 있는지 여부만을 심사하게 되고, 이러한 재량권의 일탈·남용 여부에 대한 심사는 사실오인, 비례·평등의 원칙 위배, 당해 행위의 목적 위반이나 동기의 부정 유무 등을 그 판단 대상으로 한다(대판 2001.2.9. 98두17593).
>
> **2 중고등학교 교과서 검정에 있어서의 심사범위와 위법여부 판단기준**
>
> 문교부장관이 시행하는 검정은 그 책을 교과용 도서로 쓰게 할 것인가 아닌가를 정하는 것일 뿐 그 책을 출판하는 것을 막는 것은 아니나 현행 교육제도하에서의 중·고등학교 교과용 도서를 검정함에 있어서 심사는 원칙적으로 오기, 오식 기타 객관적으로 명백한 잘못, 제본 기타 기술적 사항에만 그쳐야 하는 것은 아니고, 그 저술한 내용이 교육에 적합한 여부까지를 심사할 수 있다고 하여야 한다. 법원이 위 검정에 관한 처분의 위법여부를 심사함에 있어서는 문교부장관과 동일한 입장에 서서 어떠한 처분을 하여야 할 것인가를 판단하고 그것과 동 처분과를 비교하여 당부를 논하는 것은 불가하고, 문교부장관이 관계법령과 심사기준에 따라서 처분을 한 것이라면 그 처분은 유효한 것이고 그 처분이 현저히 부당하다거나 또는 재량권의 남용에 해당된다고 볼 수밖에 없는 특별한 사정이 있는 때가 아니면 동 처분을 취소할 수 없다(대판 1988.11.8. 86누618).

2. 공권의 성립 여부

기속행위는 행정청에 대하여 그 행위를 하여야 할 의무를 지게 하므로 상대방은 당해 행위를 해 줄 것을 요구할 수 있는 공권을 갖지만, 재량행위는 행정청에 재량권이 인정되므로 상대방인 행정객체에게 청구권이 생기지 않는다. 다만, 재량행위라 하더라도 형식적 공권인 무하자재량행사청구권이 인정될 수 있고, 재량이 0으로 수축된 경우에는 실체적 공권인 **행정개입청구권**이 발생하게 된다.

3. 부관가능성 여부

(1) **기속행위**의 경우는 특별한 규정이 없는 한 부관을 붙일 수 없고, **재량행위**의 경우는 특별한 규정이 없는 한 부관을 붙일 수 있다고 볼 수 있다.

(2) 그러나 이러한 종래의 견해에 대하여 '법률효과 제한적 부관'에 대하여는 타당하나, 법령이 부관 부가의 가능성을 부여한 경우나 '법률요건 충족적 부관'의 경우에는 기속행위에도 부관을 붙일 수 있다고 본다면 상대적인 구별에 불과하다고 보는 견해가 유력하다.

4. 입증책임

기속행위의 경우에는 법 위반사실에 대한 적법성의 입증은 피고인 행정청이 져야 하는데 반하여, 재량행위의 경우에는 재량권의 일탈·남용을 원고가 입증하여야 한다.

3 구별기준

1. 학설

(1) 요건재량설

① 내용

    ⊙ 행정법규가 요건규정과 효과규정으로 구분되는 것을 전제로 재량은 행정행위의 효과인정에 있는 것이 아니라 행정행위의 요건에 대한 사실인정과 인정사항의 해당여부에 관한 판단에 있는 것으로 본다.

    ⊙ 어떤 사실이 법규의 요건에 해당하는지의 여부(포섭)에 대하여 재량이 인정되고, 효과면에서는 재량이 인정되지 않는다는 견해이다(예 법규가 요건부분에 불확정개념으로 규정된 경우 이를 재량으로 보고, 이에 대해서는 사법심사의 대상에서 제외된다는 것).

    ⊙ 행정법규가 행정행위의 요건에 대하여 아무런 규정을 두지 아니한 경우(공백규정)나 종국목적만을 규정한 경우 또는 불확정개념 내지 다의적 개념으로 규정한 경우에는 재량행위에 속하고, 법규가 종국목적 외에 중간목적까지 규정하고 있으므로 행정활동의 기준이 일의적으로 확정되어 행정청이 그에 구속되는 경우에는 기속행위라고 한다.

② 비판

    ⊙ 종국목적과 중간목적의 구별이 명확하지 않다.

    ⊙ 어떤 사실이 요건에 해당하는지의 여부(포섭의 문제)는 법률문제이나, 이를 사실문제인 재량문제로 인정하고 있다.

    ⊙ 요건판단에만 재량을 인정하고, 효과결정에는 재량을 인정하지 않는다.

    ⊙ 법 규정(제정법)에 지나치게 편중함으로써 조리법에 의한 기속을 부정함으로써 자유재량의 범위를 확대하고 있다.

(2) 효과재량설

① 내용

○ 효과재량설은 법규의 표현방식보다는 행정행위의 성질을 표준으로 하여 행정청의 재량은 요건인정에는 있을 수 없고, 효과규정이 정하는 바에 따라 행위를 할 것인가의 여부(결정재량) 또는 한다면 어떤 행위를 할 것인가의 여부(선택재량)에 대한 선택에 재량이 인정된다는 견해이다.

○ 행정행위의 성질을 기준으로 하여 특별한 규정이 없는 한 상대방의 권리를 침해하거나 의무를 부과하는 부담적 행정행위의 경우에는 기속행위에 속하고, 상대방에게 이익을 부여하는 수익적 행정행위의 경우에는 재량행위에 속한다고 본다.

○ 법규가 요건부분에 불확정개념을 규정한 경우 이는 기속행위로서 법 개념으로 평가하여 그만큼 재량을 축소한 것으로 볼 수 있다(종래의 통설·판례).

② 비판

○ 행정행위의 성질에만 중점을 둔 나머지 법규(제정법)를 무시하였다.

○ 침해행정영역에도 법률의 규정방식과 관련하여 당해 행위가 재량행위가 되는 경우가 있다.

○ 불확정개념은 모두 기속행위로 보았다.

(3) 법문언기준설(종합설; 통설·판례)

오늘날에는 재량의 본질에 관하여는 법률요건이 아니라, 법률효과의 선택에 재량이 있다고 보는 효과재량설이 타당하다.

① 법규에 따른 행정행위를 함에 있어 기속행위와 재량행위의 구별은 원칙적으로 **법문언의 표현**에서 찾아야 하고(제1차적 기준), 이런 법규의 규정형식에 의하는 것이 곤란한 경우에는 당해 입법목적이나 입법취지 및 당해 행위의 성질 등을 합리적으로 고려하여 판단하여야 한다(제2차적 기준). 예컨대, 허가의 경우 자연적 자유를 회복시키는 행위로서 기본권관련성이 공익에 비하여 크다는 점에서 원칙적으로 기속행위의 성질을 갖는 반면, 특허의 경우 특정인에게 기존에 없던 법적 힘을 설정해주는 행위로서 공익판단의 여지가 크다는 점에서 재량행위의 성질을 갖는다.

② 법규가 '… **하여야 한다**', '… **할 수 없다**' 등으로 규정하고 있는 경우에는 일반적으로 기속행위이며, '… **할 수 있다**', '… **하지 않을 수 있다**' 등으로 규정하고 있는 경우에는 재량행위라고 한다. 다만, 이러한 기준이 절대적 기준은 아니라는 것이 판례의 입장인데, 정부공문서규정(현 행정업무의 효율적 운영에 관한 규정) 제33조 제2항의 행정청에게 문서의 열람 또는 복사를 요청시 이를 허가할 수 있다는 규정에 대하여는 재량이 아니라 기속행위로 보아야 한다고 판시하였다(대판 1989.10.24. 88누9312).

2. 판례

(1) 판례는 기본적으로 **법문언기준설(종합설)**의 입장에서 "당해 처분의 근거가 된 규정의 형식이나 체제 또는 문언과 당해 행위에 속하는 행정분야의 주된 목적과 특성, 당해 행위의 성질과 유형 등을 모두 고려하여 판단해야 한다."라고 하였다.

관련판례

1 기속행위와 재량행위의 구별기준

어느 행정행위가 기속행위인지 재량행위인지, 나아가 재량행위라고 할지라도 기속재량행위인지 또는 자유재량에 속하는 것인지의 여부는 이를 일률적으로 규정지을 수 없는 것이고, 당해 처분의 근거가 된 규정의 형식이나 체제 또는 문언에 따라 개별적으로 판단하여야 한다(대판 1997.12.26. 97누15418).

2 기속행위 내지 기속재량행위와 재량행위 내지 자유재량행위의 구분기준 및 그 각각에 대한 사법심사 방식

행정행위가 그 재량성의 유무 및 범위와 관련하여 이른바 기속행위 내지 기속재량행위와 재량행위 내지 자유재량행위로 구분된다고 할 때, 그 구분은 당해 행위의 근거가 된 법규의 체재·형식과 그 문언, 당해 행위가 속하는 행정 분야의 주된 목적과 특성, 당해 행위 자체의 개별적 성질과 유형 등을 모두 고려하여 판단하여야 하고, 이렇게 구분되는 양자에 대한 사법심사는, 전자의 경우 그 법규에 대한 원칙적인 기속성으로 인하여 법원이 사실인정과 관련 법규의 해석·적용을 통하여 일정한 결론을 도출한 후 그 결론에 비추어 행정청이 한 판단의 적법 여부를 독자의 입장에서 판정하는 방식에 의하게 되나, 후자의 경우 행정청의 재량에 기한 공익판단의 여지를 감안하여 법원은 독자의 결론을 도출함이 없이 당해 행위에 재량권의 일탈·남용이 있는지 여부만을 심사하게 되고, 이러한 재량권의 일탈·남용 여부에 대한 심사는 사실오인, 비례·평등의 원칙 위배, 당해 행위의 목적 위반이나 동기의 부정 유무 등을 그 판단 대상으로 한다(대판 2001.2.9. 98두17593).

(2) 구체적인 예(판례)

기속행위	재량행위
• 도로교통법에 의하면, 술에 취한 상태에 있다고 인정할 만한 상당한 이유가 있음에도 불구하고 경찰공무원의 측정에 응하지 아니한 때에는 필요적으로 운전면허를 취소하도록 되어 있어 처분청이 그 취소 여부를 선택할 수 있는 재량의 여지가 없음이 그 법문상 명백하므로, 위 법조의 요건에 해당하였음을 이유로 한 운전면허취소처분에 있어서 재량권의 일탈 또는 남용의 문제는 생길 수 없다(대판 2004.11.12. 2003두12042). • 구 총포·도검·화약류 등 단속법의 규정에 의하면, 면허관청은 화약류관리보안책임자 면허를 받은 사람이 같은 법의 규정을 위반하여 벌금 이상의 형의 선고를 받음으로써 화약류관리보안책임자의 결격사유에 해당하게 된 경우에는 그 면허를 취소하여야 한다고 되어 있는바, 이러한 경우에는 면허관청이 그 취소 여부를 선택할 수 있는 재량의 여지가 없음이 그 법문상 명백하므로 위 법조에 위반하였음을 이유로 한 화약류관리보안책임자면허 취소처분이 재량권의 범위를 일탈한 것이라고 할 여지가 없다(대판 1996.8.23. 96누1665).	• 국토의 계획 및 이용에 관한 법률에서 정한 도시지역 안에서 토지의 형질변경행위를 수반하는 건축허가는 … 각 규정을 종합하면 그 금지요건이 불확정개념으로 규정되어 있어 그 금지요건에 해당하는지 여부를 판단함에 있어서 행정청에게 재량권이 부여되어 있다고 할 것이므로 재량행위에 속한다(대판 2005.7.14. 2004두6181). • 청원경찰법의 규정을 종합하면, 청원주는 청원경찰이 인원의 감축으로 과원이 되었을 때에는 직권으로 면직시킬 수 있는바, 지방자치단체의 장이 청원주인 경우 그 면직처분은 재량행위라 할 것이다(대판 2002.2.8. 2000두4057). • 유기장영업허가는 유기장영업권을 설정하는 설권행위가 아니고 일반적 금지를 해제하는 영업자유의 회복이라 할 것이므로 그 영업상의 이익은 반사적 이익에 불과하고, 행정행위의 본질상 금지의 해제나 그 해제를 다시 철회하는 것은 공익성과 합목적성에 따른 당해 행정청의 재량행위라 할 것이다(대판 1985.2.8. 84누369).

(3) 행정행위별 기속행위와 재량행위의 구분

구분	기속행위	재량행위
판례	• 국유재산의 무단점유 등에 대한 변상금 징수(대판 2000.1.28. 97누4098) • 국토의 계획 및 이용에 관한 법률에서 토지이용의무를 위반한 자에게 부과할 이행강제금 부과기준과 다른 이행강제금액결정(대판 2014.11.27. 2013두8653) • 마을버스 운수업자가 유류사용량을 실제보다 부풀려 유가보조금을 과다지급받은 데 대한 환수처분(대판 2013.12.12. 2011두3388) • 경찰공무원시험 부정행위자 응시자격제한(대판 2008.5.29. 2007두18321) • 보충역 대상자의 공익근무요원 소집(대판 2002.8.23. 2002두820) • 법정요건을 갖추지 못한 경우 귀화불허처분(대판 2018.12.13. 2016두31616) • 육아휴직 중 복직요건인 '휴직사유가 없어진 때'에 해당하여 행하는 복직명령(대판 2014.6.12. 2012두4852) • 부동산 실권리자명의 등기에 관한 법률상 과징금 부과 여부(대판 2007.7.12. 2005두17287)는 기속행위, 과징금 액수결정은 재량행위	• 입목굴채허가(대판 2001.11.30. 2001두5866) • 총포 등 소지허가(대판 1993.5.14. 92도2179) • 형질변경 허가기준의 설정(대판 2001.1.16. 99두8886) • 택지개발예정지구 지정처분(대판 1997.9.26. 96누10096) • 자동차등록의 직권말소처분(대판 2013.5.9. 2010두28748) • 공정거래위원회의 과징금 액수결정과 이에 따른 부과처분(대판 2018.4.24. 2016두40207) • 재외동포에 대한 사증발급(대판 2019.7.11. 2017두38874) • 법정요건을 갖춘 경우 귀화허가(대판 2010.10.28. 2010두6496)
하명	• 국유재산무단점유자에 대한 변상금부과처분 및 징수 • 공중보건의 편입취소 · 현역병입영명령 공익근무요원소집처분	• 독점규제법 위반자에 대한 과징금부과처분 • 청원경찰면직처분
허가	• 건축법상 건축허가 • 공중위생관리법상 영업허가(공중위생영업: 숙박업 · 목욕장업 · 이용업 · 미용업 · 세탁업 · 위생관리용역업) • 식품위생법상 영업허가 • 석유판매업(주유소)허가 • 총포화약류판매업허가 • 광천음료수제조업허가 • 의약품제조업허가사항 변경허가 • 기부금품모집허가	• 토지형질변경을 수반하는 건축허가 • 기존허가의 철회 [예외적 허가] • 개발제한구역 내의 건축허가 • 학교환경위생정화구역 내의 터키탕허가
특허	–	• 개인택시운송사업면허 • 마을버스운송사업면허 • 공유수면매립면허 • 도로점용허가, 하천점용허가 • 토지수용관련 공익사업인정 • 대학교원임용

	학교법인이사취임승인처분❶	[비영리법인] • 비영리법인설립인가 • 주택조합설립인가 • 재단법인 정관변경허가
인가		[행정계획] • 주택건설사업계획승인 • 자동차운송사업계획변경인가 • 대지조성사업계획승인 • 택시운송사업계획변경인가 • 공원시설변경승인
기타	자동차운송사업등록처분(수리를 요하는 신고)	–

❶
이사취임승인취소처분은 재량행위

제2편
행정작용법 해커스공무원 신동욱 행정법총론 기본서

⚖️ 관련판례

1 구 주택건설촉진법 제33조에 의한 주택건설사업계획 승인의 법적 성질(=재량행위) 및 법규에 명문의 근거가 없어도 국토 및 자연의 유지와 환경보전 등 공익상 필요를 이유로 그 승인신청을 불허가할 수 있는지 여부(적극)

구 주택건설촉진법 제33조에 의한 주택건설사업계획의 승인은 상대방에게 권리나 이익을 부여하는 효과를 수반하는 이른바 수익적 행정처분으로서 법령에 행정처분의 요건에 관하여 일의적으로 규정되어 있지 아니한 이상 행정청의 재량행위에 속하므로, 이러한 승인을 받으려는 주택건설사업계획이 관계 법령이 정하는 제한에 배치되는 경우는 물론이고 그러한 제한사유가 없는 경우에도 공익상 필요가 있으면 처분권자는 그 승인신청에 대하여 불허가 결정을 할 수 있으며, 여기에서 말하는 '공익상 필요'에는 자연환경보전의 필요도 포함된다. 특히 산림의 훼손은 국토 및 자연의 유지와 수질 등 환경의 보전에 직접적으로 영향을 미치는 행위이므로, 법령이 규정하는 산림훼손 금지 또는 제한 지역에 해당하는 경우는 물론이고 금지 또는 제한 지역에 해당하지 않더라도 허가관청은 산림훼손허가신청 대상토지의 현상과 위치 및 주위의 상황 등을 고려하여 국토 및 자연의 유지와 환경의 보전 등 중대한 공익상 필요가 있다고 인정될 때에는 허가를 거부할 수 있고, 그 경우 법규에 명문의 근거가 없더라도 거부처분을 할 수 있다(대판 2007.5.10. 2005두13315).

2 주택재건축사업시행 인가의 법적 성질(=재량행위) 및 이에 대하여 법령상의 제한에 근거하지 않은 조건(부담)을 부과할 수 있는지 여부(적극)

주택재건축사업시행의 인가는 상대방에게 권리나 이익을 부여하는 효과를 가진 이른바 수익적 행정처분으로서 법령에 행정처분의 요건에 관하여 일의적으로 규정되어 있지 아니한 이상 행정청의 재량행위에 속하므로, 처분청으로서는 법령상의 제한에 근거한 것이 아니라 하더라도 공익상 필요 등에 의하여 필요한 범위 내에서 여러 조건(부담)을 부과할 수 있다(대판 2007.7.12. 2007두6663).

3 마을버스운송사업면허의 법적 성질(=재량행위) 및 마을버스 한정면허시 확정되는 마을버스 노선을 정함에 있어서 기존 일반노선버스의 노선과의 중복 허용 정도에 대한 판단의 법적 성질(=재량행위)

마을버스운송사업면허의 허용 여부는 사업구역의 교통수요, 노선결정, 운송업체의 수송능력, 공급능력 등에 관하여 기술적·전문적인 판단을 요하는 분야로서 이에 관한 행정처분은 운수행정을 통한 공익실현과 아울러 합목적성을 추구하기 위하여 보다 구체적 타당성에 적합한 기준에 의하여야 할 것이므로 그 범위 내에서는 법령이

핵심 OX

01 구 주택건설촉진법 제3조에 의한 주택건설사업계획의 승인은 인간이 본래 가지고 있는 자연적 자유의 회복을 내용으로 하는 행정청의 기속행위에 속한다. 23. 국가7급 ( )

01 X

특별히 규정한 바가 없으면 행정청의 재량에 속하는 것이라고 보아야 할 것이고, 마을버스 한정면허 시 확정되는 마을버스 노선을 정함에 있어서도 기존 일반노선버스의 노선과의 중복 허용 정도에 대한 판단도 행정청의 재량에 속한다고 할 것이며, 노선의 중복 정도는 마을버스 노선과 각 일반버스노선을 개별적으로 대비하여 판단하여야 한다(대판 2002.6.28. 2001두10028).

4 비관리청 항만공사 시행허가의 법적 성질(= 행정청의 재량행위)
<u>비관리청 항만공사 시행허가는 특정인에게 권리를 설정하는 행위로서 구 항만법과 그 시행령에 허가 기준에 관한 규정이 없으므로 허가 여부는 행정청의 재량행위에 속하고, 그 허가를 위한 심사 기준을 정하여 놓은 업무처리요령은 재량권행사의 기준인 행정청 내부의 사무처리준칙에 불과하여 허가처분의 적법 여부는 결국 재량권의 남용 여부의 판단에 달려 있다</u>(대판 2011.1.27. 2010두20508).

5 폐기물처리업 허가와 관련된 사업계획 적정 여부에 관한 기준설정이 행정청의 재량에 속하는지 여부(적극) 및 구체적이고 합리적인 이유의 제시 없이 사업계획의 부적정 통보를 하거나 사업계획서를 반려하는 경우가 재량권의 일탈·남용에 해당하여 위법한지 여부(적극)
폐기물처리업 허가와 관련된 법령들의 체제 또는 문언을 살펴보면 이들 규정들은 폐기물처리업 허가를 받기 위한 최소한도의 요건을 규정해 두고는 있으나, 사업계획 적정 여부에 대하여는 일률적으로 확정하여 규정하는 형식을 취하지 아니하여 그 사업의 적정 여부에 대하여 재량의 여지를 남겨 두고 있다 할 것이고, 이러한 경우 사업계획 적정 여부 통보를 위하여 필요한 기준을 정하는 것도 역시 **행정청의 재량에 속하는 것이므로**, 그 설정된 기준이 객관적으로 합리적이 아니라거나 타당하지 않다고 볼 만한 다른 특별한 사정이 없는 이상 행정청의 의사는 가능한 한 존중되어야 할 것이나, 그 설정된 기준이 객관적으로 합리적이 아니라거나 타당하지 않다고 보이는 경우 또는 그러한 기준을 설정하지 않은 채 구체적이고 합리적인 이유의 제시 없이 사업계획의 부적정 통보를 하거나 사업계획서를 반려하는 경우에까지 단지 행정청의 재량에 속하는 사항이라는 이유만으로 그 행정청의 의사를 존중하여야 하는 것은 아니고, 이러한 경우의 처분은 재량권을 남용하거나 그 범위를 일탈한 조치로서 위법하다(대판 2004.5.28. 2004두961).

6 야생동·식물보호법 제16조 제3항에 의한 용도변경승인 행위 및 용도변경의 불가피성 판단에 필요한 기준을 정하는 행위의 법적 성질(= 재량행위)
야생동·식물보호법 제16조 제3항과 같은 법 시행규칙 제22조 제1항의 체제 또는 문언을 살펴보면 원칙적으로 국제적 멸종위기종 및 그 가공품의 수입 또는 반입 목적 외의 용도로의 사용을 금지하면서 용도변경이 불가피한 경우로서 환경부장관의 용도변경승인을 받은 경우에 한하여 용도변경을 허용하도록 하고 있으므로, 위 법 제16조 제3항에 의한 용도변경승인은 특정인에게만 용도 외의 사용을 허용해주는 권리나 이익을 부여하는 이른바 수익적 행정행위로서 법령에 특별한 규정이 없는 한 재량행위이고, 위 법 제16조 제3항이 용도변경이 불가피한 경우에만 용도변경을 할 수 있도록 제한하는 규정을 두면서도 시행규칙 제22조에서 용도변경 신청을 할 수 있는 경우에 대하여만 확정적 규정을 두고 있을 뿐 용도변경이 불가피한 경우에 대하여는 아무런 규정을 두지 아니하여 용도변경승인을 할 수 있는 용도변경의 불가피성에 대한 판단에 있어 재량의 여지를 남겨 두고 있는 이상, 용도변경을 승인하기 위한 요건으로서의 용도변경의 불가피성에 관한 판단에 필요한 기준을 정하는 것도 역시 행정청의 재량에 속하는 것이므로, 그 설정된 기준이 객관적으로 합리적이 아니라거나 타당하지 않다고 볼 만한 다른 특별한 사정이 없는 이상 행정청의 의사는 가능한 한 존중되어야 한다(대판 2011.1.27. 2010두23033).

7 폐기물처리업 허가에 관한 폐기물처리사업계획서가 적합한지를 심사하면서 구 폐기물관리법 제25조 제2항 각 호에서 열거한 사항 외의 사유로 부적합통보를 할 수 있는지 여부(적극)

구 폐기물관리법의 입법목적과 규정사항, 폐기물처리업 허가의 성격, 사업계획서 적합통보제도의 취지와 함께 폐기물의 원활하고 적정한 처리라는 공익을 책임지고 실현하기 위한 행정의 합목적성 등을 종합하여 볼 때, 폐기물처리사업계획서의 적합 여부를 심사함에 있어서 법 제25조 제2항 각 호에서 열거된 사항을 검토한 결과 이에 저촉되거나 문제되는 사항이 없다고 하더라도 폐기물의 수집·운반·처리에 관한 안정적이고 효율적인 책임행정의 이행 등 공익을 해칠 우려가 있다고 인정되는 경우에는 이를 이유로 사업계획서의 부적합통보를 할 수 있다고 볼 것이다(대판 2011.11.10. 2011두12283).

8 대기배출시설 설치불허가처분 등 취소❶

[1] 구 수도권 대기환경개선에 관한 특별법 제14조 제1항에서 정한 대기오염물질 총량관리사업장 설치의 허가 또는 변경허가처분의 여부 및 내용의 결정이 행정청의 재량에 속하는지 여부(적극)

구 수도권 대기환경개선에 관한 특별법 제2조 제2호, 제8조 제2항 제8호, 제14조 제1항, 제15조, 제16조, 제19조 제1항, 같은 법 시행령 제2조, 제17조, [별표 1], [별표 2], 같은 법 시행규칙 제8조 등 대기오염물질 총량관리사업장 설치의 허가 또는 변경허가에 관한 규정들의 문언 및 그 체제·형식과 함께 구 수도권대기환경특별법의 입법 목적, 규율 대상, 허가의 방법, 허가 후 조치권한 등을 종합적으로 고려할 때, 구 수도권대기환경특별법 제14조 제1항에서 정한 대기오염물질 총량관리사업장 설치의 허가 또는 변경허가는 특정인에게 인구가 밀집되고 대기오염이 심각하다고 인정되는 수도권 대기관리권역에서 총량관리대상 오염물질을 일정량을 초과하여 배출할 수 있는 특정한 권리를 설정하여 주는 행위로서 그 처분의 여부 및 내용의 결정은 행정청의 재량에 속한다.

[2] 배출시설 설치허가신청이 구 대기환경보전법 제23조 제5항에서 정한 허가기준에 부합하고 구 대기환경보전법 제23조 제6항, 같은 법 시행령 제12조에서 정한 허가제한 사유에 해당하지 않는 경우, 환경부장관은 이를 허가하여야 하는지 여부(원칙적 적극) 및 환경부장관이 허가를 거부할 수 있는 경우

구 대기환경보전법 제2조 제9호, 제23조 제1항·제5항·제6항, 같은 법 시행령 제11조 제1항 제1호, 제12조, 같은 법 시행규칙 제4조, [별표 2]와 같은 배출시설 설치허가와 설치제한에 관한 규정들의 문언과 그 체제·형식에 따르면 환경부장관은 배출시설 설치허가 신청이 구 대기환경보전법 제23조 제5항에서 징한 허가 기준에 부합하고 구 대기환경보전법 제23조 제6항, 같은 법 시행령 제12조에서 정한 허가제한사유에 해당하지 아니하는 한 원칙적으로 허가를 하여야 한다. 다만, 배출시설의 설치는 국민건강이나 환경의 보전에 직접적으로 영향을 미치는 행위라는 점과 대기오염으로 인한 국민건강이나 환경에 관한 위해를 예방하고 대기환경을 적정하고 지속가능하게 관리·보전하여 모든 국민이 건강하고 쾌적한 환경에서 생활할 수 있게 하려는 구 대기환경보전법의 목적(제1조) 등을 고려하면, 환경부장관은 같은 법 시행령 제12조 각 호에서 정한 사유에 준하는 사유로서 환경 기준의 유지가 곤란하거나 주민의 건강·재산, 동식물의 생육에 심각한 위해를 끼칠 우려가 있다고 인정되는 등 중대한 공익상의 필요가 있을 때에는 허가를 거부할 수 있다고 보는 것이 타당하다(대판 2013.5.9. 2012두22799).

9 체류자격 변경허가는 신청인에게 당초의 체류자격과 다른 체류자격에 해당하는 활동을 할 수 있는 권한을 부여하는 일종의 설권적 처분의 성격을 가지므로, 허가권자

❶
· 대기오염물질 총량관리사업장: 재량행위, 강학상 특허
· 배출시설 설치허가: 기속행위, 강학상 허가

핵심 OX

02 배출시설 설치허가의 신청이 구 대기환경보전법에서 정한 허가기준에 부합하고 동 법령상 허가제한사유에 해당하지 아니하는 한 환경부장관은 원칙적으로 허가를 하여야 한다. 　　19. 서울7급(10월) (　)

03 수도권 대기환경개선에 관한 특별법상 대기오염물질 총량관리사업장 설치의 허가는 강학상 허가이다. 　　19. 서울9급 변형 (　)

02 ○ **03** X

는 신청인이 관계 법령에서 정한 요건을 충족하였더라도, 신청인의 적격성, 체류 목적, 공익상의 영향 등을 참작하여 허가 여부를 결정할 수 있는 **재량**을 가진다(대판 2016.7.14. 2015두48846).

10 **법무부장관이 난민인정결정의 취소 여부를 결정할 재량이 있는지 여부(적극)**
구 출입국관리법(2012.2.10. 법률 제11298호로 개정되기 전의 것) 제76조의3 제1항 제3호의 문언·내용 등에 비추어 보면, 비록 그 규정에서 정한 사유가 있더라도, 법무부장관은 난민인정결정을 취소할 공익상의 필요와 취소로 당사자가 입을 불이익 등 여러 사정을 참작하여 취소 여부를 결정할 수 있는 재량이 있다(대판 2017.3.15. 2013두16333).

11 여객자동차 운수사업법에 의한 개인택시운송사업의 면허는 특정인에게 권리나 이익을 부여하는 행정청의 재량행위이고, 위 법과 그 시행규칙의 범위 내에서 면허를 위하여 필요한 기준을 정하는 것 역시 행정청의 재량에 속하는 것이므로, 그 설정된 기준이 객관적으로 합리적이 아니라거나 타당하지 않다고 볼 만한 다른 특별한 사정이 없는 이상 행정청의 의사는 가능한 한 존중되어야 하는바, 행정청이 개인택시 운송사업의 면허를 하면서, 택시 운전경력이 버스 등 다른 차종의 운전경력보다 개인택시의 운전업무에 더 유용할 수 있다는 점 등을 고려하여 택시의 운전경력을 다소 우대하는 것이 객관적으로 합리적이 아니라거나 타당하지 않다고 볼 수 없다(대판 2009.11.26. 2008두16087).

12 **국유재산의 무단점유 등에 대한 변상금의 징수가 기속행위인지 여부(적극)**
국유재산의 무단점유 등에 대한 변상금 징수의 요건은 국유재산법 제51조 제1항에 명백히 규정되어 있으므로 변상금을 징수할 것인가는 처분청의 재량을 허용하지 않는 기속행위이고, 여기에 재량권 일탈·남용의 문제는 생길 여지가 없다(대판 1998.9.22. 98두7602).

13 **육아휴직 중 국가공무원법 제73조 제2항에서 정한 복직 요건인 '휴직사유가 없어진 때'에 해당하는지를 판단하는 기준 및 위 조항에 따른 복직명령의 법적 성질(= 기속행위)**
구 교육공무원법 제44조 제1항 제7호는 '만 6세 이하의 초등학교 취학 전 자녀'를 양육대상으로 하여 '교육공무원이 그 자녀를 양육하기 위하여 필요한 경우'를 육아휴직의 사유로 규정하고 있으므로, 육아휴직 중 그 사유가 소멸하였는지는 해당 자녀가 사망하거나 초등학교에 취학하는 등으로 양육대상에 관한 요건이 소멸한 경우뿐만 아니라 육아휴직 중인 교육공무원에게 해당 자녀를 더 이상 양육할 수 없거나, 양육을 위하여 휴직할 필요가 없는 사유가 발생하였는지 여부도 함께 고려하여야 하고, 국가공무원법 제73조 제2항의 문언에 비추어 복직명령은 기속행위이므로 휴직사유가 소멸하였음을 이유로 신청하는 경우 임용권자는 지체 없이 복직명령을 하여야 한다(대판 2014.6.12. 2012두4852).

14 **재외동포에 대한 사증발급이 행정청의 재량행위에 속하는지 여부(적극)**
재외동포에 대한 사증발급은 행정청의 재량행위에 속하는 것으로서 재외동포가 사증발급을 신청한 경우에 출입국관리법 시행령 [별표 1의2]에서 정한 재외동포체류자격의 요건을 갖추었다고 해서 무조건 사증을 발급해야 하는 것은 아니다. 재외동포에게 출입국관리법 제11조 제1항 각 호에서 정한 입국금지사유 또는 재외동포법 제5조 제2항에서 정한 재외동포체류자격 부여 제외사유(예컨대 '대한민국 남자가 병역을 기피할 목적으로 외국 국적을 취득하고 대한민국 국적을 상실하여 외국인이 된 경우')가 있어 그의 국내체류를 허용하지 않음으로써 달성하고자 하는 공익이 그로 말미암아 발생하는 불이익보다 큰 경우에는 행정청이 재외동포체류자격의 사증을 발급하지 않을 재량을 가진다(대판 2019.7.11. 2017두38874).

핵심 OX

01 육아휴직 중 국가공무원법 제73조 제2항에서 정한 복직요건인 '휴직사유가 없어진 때'에 하는 복직명령은 기속행위이므로 휴직사유가 소멸하였음을 이유로 복직을 신청하는 경우 임용권자는 지체 없이 복직명령을 하여야 한다. 23. 국가7급 (   )

핵심 OX

02 재외동포에 대한 사증발급은 행정청의 기속행위에 속하는 것으로서 재외동포가 사증발급을 신청한 경우에 구 출입국관리법 시행령 [별표1의2]에서 정한 재외동포체류자격의 요건을 갖추었다면 사증을 발급해야 한다. 23. 국가7급 (   )

01 ○ 02 X

244 해커스공무원 학원·인강 gosi.Hackers.com

4 재량의 한계

1. 행정기본법상의 규정

> **행정기본법 제21조 【재량행사의 기준】** 행정청은 재량이 있는 처분을 할 때에는 관련 이익을 정당하게 형량하여야 하며, 그 재량권의 범위를 넘어서는 아니 된다.

2. 행정소송법상의 규정

행정청이 재량권을 행사하면서 그 재량행위가 외적·내적 한계 안에서 행사된다면 당·부당의 문제가 될 수 있지만, 위법의 문제는 생기지 않는다.

> **행정소송법 제27조 【재량처분의 취소】** 행정청의 재량에 속하는 처분이라도 재량권의 한계를 넘거나 그 남용이 있는 때에는 법원은 이를 취소할 수 있다.

3. 재량행위가 위법이 되는 경우

(1) 재량권의 일탈 또는 유월(외적 한계 또는 법규상 한계)

행정청이 법이 정한 재량의 외적 한계를 넘어서 재량권을 행사한 경우를 말한다. 이는 결국 무권한의 재량인 것이며, 위법한 행위가 된다(예 6월 이내의 영업정지처분을 할 권한을 부여하고 있는데, 행정청이 1년의 영업정지처분을 내린 경우 등).

(2) 재량권의 남용(내적 한계 또는 조리상 한계)

법이 허용한 범위 내에서 재량권을 행사하는 경우에 행정청에 대하여 재량권을 인정하고 있는 범위, 즉 재량권의 한계 안에서 법규가 수권한 목적이나 조리상의 원칙에 위반된 경우를 말한다(예 평등원칙, 비례원칙, 부당결부금지원칙, 동기의 부정, 목적의 부정 내지 목적위반, 사실오인 중에서 요건사실은 존재하지만 그 요건의 포섭 과정에서 재량권의 행사를 그르친 경우 등). 재량권의 일탈·남용은 이론상으로는 구별이 가능하지만, 실제상으로는 구분하기 곤란하다.

(3) 재량권의 불행사(흠결·해태)

행정청이 부주의로 또는 재량행위를 기속행위로 오인하여 복수행위 간의 형량을 전혀 고려하지 않은 경우를 재량의 흠결 또는 해태라고 한다(예 법규가 행정청에게 A, B, C 중 어느 하나를 선택할 수 있는 재량을 부여하여 형량하도록 하였으나, 행정청은 이를 기속행위로 오해하여 형량하지 않고 A만을 선택한 경우 등).

⚖ 관련판례

1 문교부장관의 교과서 검정

[1] 중·고등학교 교과서 검정에 있어서의 심사범위

문교부장관이 시행하는 검정은 그 책을 교과용 도서로 쓰게 할 것인가 아닌가를 정하는 것일 뿐 그 책을 출판하는 것을 막는 것은 아니나 현행 교육제도하에서의 중·고등학교 교과용 도서를 검정함에 있어서 심사는 원칙적으로 오기, 오식 기타 객관적으로 명백한 잘못, 제본 기타 기술적 사항에만 그쳐야 하는 것은 아니고, 그 저술한 내용이 교육에 적합한 여부까지를 심사할 수 있다고 하여야 한다.

[2] 위 검정에 관한 부적판정처분의 위법 여부 판단기준

법원이 위 검정에 관한 처분의 위법 여부를 심사함에 있어서는 문교부장관과 동일한 입장에 서서 어떠한 처분을 하여야 할 것인가를 판단하고 그것과 동 처분과를 비교하여 당부를 논하는 것은 불가하고, 문교부장관이 관계법령과 심사기준에 따라서 처분을 한 것이라면 그 처분은 유효한 것이고 그 처분이 현저히 부당하다거나 또는 재량권의 남용에 해당된다고 볼 수 밖에 없는 특별한 사정이 있는 때가 아니면 동 처분을 취소할 수 없다(대판 1988.11.8. 86누618).

2 음주측정거부를 이유로 운전면허취소를 함에 있어서 행정청이 그 취소 여부를 선택할 수 있는 재량의 여지가 있는지 여부(소극)

도로교통법 제78조 제1항 단서 제8호의 규정에 의하면, 술에 취한 상태에 있다고 인정할 만한 상당한 이유가 있음에도 불구하고 경찰공무원의 측정에 응하지 아니한 때에는 필요적으로 운전면허를 취소하도록 되어 있어 처분청이 그 취소 여부를 선택할 수 있는 재량의 여지가 없음이 그 법문상 명백하므로, 위 법조의 요건에 해당하였음을 이유로 한 운전면허취소처분에 있어서 재량권의 일탈 또는 남용의 문제는 생길 수 없다(대판 2004.11.12. 2003두12042).

3 제재적 행정처분이 재량권의 범위를 유탈한 것인지 여부의 판단기준

일반적으로 제재적 행정처분이 사회통념상 재량권의 범위를 일탈한 것인가의 여부는 처분사유인 위반행위의 내용과 당해 처분에 의하여 달성하려는 공익목적 및 이에 따르는 제반사정 등을 객관적으로 심리하여 공익침해의 정도와 그 처분으로 인하여 개인이 입을 불이익을 비교교량하여 판단하여야 한다(대판 1989.4.25. 88누3079).

4 학생에 대한 징계처분

[1] 학생에 대한 징계처분이 교육적 재량행위라는 이유로 사법심사의 대상에서 제외되는지 여부(소극)

학생에 대한 징계권의 발동이나 징계의 양정이 징계권자의 교육적 재량에 맡겨져 있다 할지라도 법원이 심리한 결과 그 징계처분에 위법사유가 있다고 판단되는 경우에는 이를 취소할 수 있는 것이고, 징계처분이 교육적 재량행위라는 이유만으로 사법심사의 대상에서 당연히 제외되는 것은 아니다.

[2] 국립 교육대학 교수회의 학생에 대한 무기정학처분의 징계의결에 대하여 학장이 징계의 재심을 요청하여 다시 개최된 교수회에서 표결을 거치지 아니한 채 학장이 직권으로 징계의결내용을 변경하여 퇴학처분을 한 것이 학칙에 규정된 교수회의 심의·의결을 거치지 아니한 것이어서 위법하다고 본 사례

국립 교육대학의 학칙에 학장이 학생에 대한 징계처분을 하고자 할 때에는 교수회의 심의·의결을 먼저 거쳐야 하도록 규정되어 있는 경우, 교수회의 학생에 대한 무기정학처분의 징계의결에 대하여 학장이 징계의 재심을 요청하여 다시 개최된 교수회에서 학장이 교수회의 징계의결내용에 대한 직권 조정권한을 위임하여 줄 것을 요청한 후 일부 교수들의 찬반토론은 거쳤으나 표결은 거치지 아니한 채 자신의 책임 아래 직권으로 위 교수회의 징계의결내용을 변경하여 퇴학처분을 하였다면, 위 퇴학처분은 교수회의 심의·의결을 거침이 없이 학장이 독자적으로 행한 것에 지나지 아니하여 위법하다(대판 1991.11.22. 91누2144).

5 '부동산 실권리자명의 등기에 관한 법률 시행령' 제3조의2 단서의 과징금 임의적 감경사유가 있음에도 이를 전혀 고려하지 않거나 감경사유에 해당하지 않는다고 오인하여 과징금을 감경하지 않은 경우, 그 과징금 부과처분이 재량권을 일탈·남용한 위법한 것인지 여부(적극)

실권리자명의 등기의무를 위반한 명의신탁자에 대하여 부과하는 과징금의 감경에 관한 '부동산 실권리자명의 등기에 관한 법률 시행령' 제3조의2 단서는 임의적 감경 규정임이 명백하므로, 그 감경사유가 존재하더라도 과징금 부과관청이 감경사유까지 고려하고도 과징금을 감경하지 않은 채 과징금 전액을 부과하는 처분을 한 경우에는 이를 위법하다고 단정할 수는 없으나, 위 <u>감경사유가 있음에도 이를 전혀 고려하지 않았거나 감경사유에 해당하지 않는다고 오인한 나머지 과징금을 감경하지 않았다면 그 과징금 부과처분은 재량권을 일탈·남용한 위법한 처분</u>이라고 할 수밖에 없다(대판 2010.7.15. 2010두7031).❶

❶ 고려했다면 위법 X

6 **당해 공무원의 동의 없는 지방공무원법 제29조의3의 규정에 의한 전출명령은 위법하여 취소되어야 하므로, 그 전출명령이 적법함을 전제로 내린 징계처분이 징계양정에 있어 재량권을 일탈하였는지 여부(적극)**

당해 공무원의 동의 없는 지방공무원법 제29조의3의 규정에 의한 전출명령은 위법하여 취소되어야 하므로, 그 전출명령이 적법함을 전제로 내린 징계처분은 그 전출명령이 공정력에 의하여 취소되기 전까지는 유효하다고 하더라도 징계양정에 있어 <u>재량권을 일탈하여 위법하다</u>(대판 2001.12.11. 99두1823).

7 **학교법인의 교비회계자금을 법인회계로 부당전출한 행위의 위법성 정도와 임원들의 이에 대한 가공의 정도, 학교법인이 사실상 행정청의 시정 요구 대부분을 이행하지 아니하였던 사정 등을 참작하여, 임원취임승인취소처분이 재량권을 일탈·남용하였다고 볼 수 없다고 한 사례**

학교법인의 임원취임승인취소처분에 대한 취소소송에서 교비회계자금을 법인회계로 부당전출한 위법성의 정도와 임원들의 이에 대한 가공의 정도가 가볍지 아니하고, 학교법인이 행정청의 시정 요구에 대하여 이를 시정하기 위한 노력을 하였다고는 하나 결과적으로 대부분의 시정 요구 사항이 이행되지 아니하였던 사정 등을 참작하여, 위 취소처분이 <u>재량권을 일탈·남용하였다고 볼 수 없다</u>(대판 2007.7.19. 2006두19297 전합).

8 **교통법규 위반 운전자로부터 1만원을 받은 경찰공무원을 해임처분한 것이 징계재량권의 일탈·남용이 아니라고 한 사례**

경찰공무원이 그 단속의 대상이 되는 신호위반자에게 먼저 적극적으로 돈을 요구하고 다른 사람이 볼 수 없도록 돈을 접어 건네주도록 전달방법을 구체적으로 알려주었으며 동승자에게 신고시 범칙금 처분을 받게 된다는 등 비위신고를 막기 위한 말까지 하고 금품을 수수한 경우 비록 그 받은 돈이 1만 원에 불과하더라도 위 금품수수행위를 징계사유로 하여 당해 경찰공무원을 해임처분한 것은 <u>징계재량권의 일탈·남용이 아니다</u>(대판 2006.12.21. 2006두16274)

9 **개인택시운송사업자의 자동차운전면허가 취소된 경우, 필요적으로 개인택시운송사업면허가 취소되는지 여부(소극)**

개인택시운송사업면허와 같은 수익적 행정처분을 취소하는 경우에는 그 면허를 받은 상대방에게 이미 부여된 기득권을 침해하는 것이 되므로, 비록 법령상의 취소사유가 있다고 하더라도 그 <u>취소권의 행사는 기득권의 침해를 정당화할 만한 중대한 공익상의 필요가 있는 때에 한하여 상대방이 받게 될 불이익과 비교·교량하여 결정하여야 하고</u>, 그 처분으로 인하여 공익상의 필요보다 상대방이 받게 되는 불이익 등이 막대한 경우에는 재량권의 한계를 일탈한 것으로 위법하다고 할 것이다(대판 2016.7.22. 2014두36297).

10 혈중알코올농도 0.140%의 주취상태로 125cc 이륜자동차를 운전하였다는 이유로 자동차운전면허(제1종 대형, 제1종 보통, 제1종 특수, 제2종 소형)를 모두 취소하는 처분이 재량권 일탈남용인지 여부(소극)

甲이 혈중알코올농도 0.140%의 주취상태로 배기량 125cc 이륜자동차를 운전하였다는 이유로 관할 지방경찰청장이 甲의 자동차운전면허[제1종 대형, 제1종 보통, 제1종 특수(대형견인·구난), 제2종 소형]를 취소하는 처분을 한 사안에서, 甲에 대하여 제1종 대형, 제1종 보통, 제1종 특수(대형견인·구난) 운전면허를 취소하지 않는다면, 甲이 각 운전면허로 배기량 125cc 이하 이륜자동차를 계속 운전할 수 있어 실질적으로는 아무런 불이익을 받지 않게 되는 점, 甲의 혈중알코올농도는 0.140%로서 도로 교통법령에서 정하고 있는 운전면허 취소처분 기준인 0.100%를 훨씬 초과하고 있고 甲에 대하여 특별히 감경해야 할 만한 사정을 찾아볼 수 없는 점, 甲이 음주상태에서 운전을 하지 않으면 안 되는 부득이한 사정이 있었다고 보이지 않는 점, 처분에 의하여 달성하려는 행정목적 등에 비추어 볼 때, 처분이 사회통념상 현저하게 타당성을 잃어 재량권을 남용하거나 한계를 일탈한 것이라고 단정하기에 충분하지 않음에도, 이와 달리 위 처분 중 제1종 대형, 제1종 보통, 제1종 특수(대형견인·구난) 운전면허를 취소한 부분에 재량권을 일탈·남용한 위법이 있다고 본 원심판단에 재량권 일탈·남용에 관한 법리 등을 오해한 위법이 있다(대판 2018.2.28. 2017두67476).

11 징계위원회의 심의과정에 반드시 제출되어야 하는 공적사항이 제시되지 않은 상태에서 결정한 징계처분이 위법한지 여부(적극)

경찰공무원인 甲이 관내 단란주점내에서 술에 취해 소란을 피우는 등 유흥업소 등 출입을 자제하라는 지시명령을 위반하고 경찰공무원으로서 품위유지의무를 위반하였다는 이유로 경찰서장이 징계위원회 징계 의결에 따라 甲에 대하여 견책처분을 한 사안에서, 위 징계처분은 징계위원회 심의과정에서 반드시 제출되어야 하는 공적(功績) 사항인 경찰총장 표창을 받은 공적이 기재된 확인서가 제시되지 않은 상태에서 결정한 것이므로, 징계양정이 결과적으로 적정한지와 상관없이 법령이 정한 절차를 지키지 않은 것으로서 위법하다(대판 2012.6.28. 2011두20505).

12 '제주특별자치도 설치 및 국제자유도시 조성을 위한 특별법'상 도지사의 절대보전지역 지정 및 변경행위의 법적 성격(=재량행위) 및 도지사가 절대보전지역의 면적을 축소하는 경우 주민의견 청취절차를 거쳐야 하는지 여부(소극)

제주특별자치도 설치 및 국제자유도시 조성을 위한 특별법(이하 '제주특별법'이라 한다) 제292조 제1항의 형식 및 문언에 의하면 도지사의 절대보전지역 지정 및 변경행위는 재량행위로 보는 것이 타당하다. 한편 제주특별자치도 보전지역 관리에 관한 조례 제3조 제1항에 의하면 도지사가 제주특별법 제292조부터 제294조까지의 규정에 따라 보전지역·지구 등을 지정(변경을 포함한다)하고자 하는 때에는 주민의 견을 들어야 하나, 보전지역·지구 등의 면적 축소(제1호), 보전지역·지구 등의 면적 100분의 10 이내의 확대(제2호) 등 경미한 사항을 변경하는 경우에는 그렇지 않으므로, 도지사가 절대보전지역의 면적을 축소하는 경우에는 주민의견 청취절차를 거칠 필요가 없다(대판 2012.7.5. 2011두19239 전합).

13 민원 1회방문 처리제를 시행하는 절차의 일환으로 민원사항의 심의·조정 등을 위한 민원조정위원회를 개최하면서 민원인에게 회의일정 등을 사전에 통지하지 않은 경우, 민원사항에 대한 행정기관의 장의 거부처분에 취소사유에 이를 정도의 흠이 존재하는지 여부(소극)

민원사무를 처리하는 행정기관이 민원 1회방문 처리제를 시행하는 절차의 일환으로 민원사항의 심의·조정 등을 위한 민원조정위원회를 개최하면서 민원인에게 회의 일정 등을 사전에 통지하지 아니하였다 하더라도, 이러한 사정만으로 곧바로 민원

사항에 대한 행정기관의 장의 거부처분에 취소사유에 이를 정도의 흠이 존재한다고 보기는 어렵다. 다만 행정기관의 장의 거부처분이 재량행위인 경우에, 위와 같은 사전통지의 흠결로 민원인에게 의견진술의 기회를 주지 아니한 결과 민원조정위원회의 심의과정에서 고려대상에 마땅히 포함시켜야 할 사항을 누락하는 등 재량권의 불행사 또는 해태로 볼 수 있는 구체적 사정이 있다면, 거부처분은 재량권을 일탈·남용한 것으로서 위법하다(대판 2015.8.27. 2013두1560).

14 **생물학적 동등성 시험 자료 일부에 조작이 있음을 이유로 해당 의약품의 회수 및 폐기를 명한 행정처분이 재량권을 일탈·남용하여 위법하다고 볼 수 없다고 한 사례**
생물학적 동등성 시험 자료 일부가 조작되었음을 이유로 해당 의약품의 회수 및 폐기를 명한 사안에서, 그 행정처분으로 제약회사가 입게 될 경제적 손실이라는 불이익과 생물학적 동등성이 사전에 제대로 확인되지 않은 의약품이 유통되어 국민건강이 침해될 수 있는 위험을 예방하기 위한 공익상의 필요를 단순 비교하기 어려운 점 등에 비추어, 위 처분이 재량권을 일탈·남용하여 위법하다고 볼 수 없다(대판 2008.11.13. 2008두8628).

15 지방공무원 복무조례개정안에 대한 의견을 표명하기 위하여 전국공무원노동조합 간부 10여 명과 함께 시장의 사택을 방문한 위 노동조합 시지부 사무국장에게 지방공무원법 제58조에 정한 집단행위금지의무를 위반하였다는 등의 이유로 징계권자가 파면처분을 한 사안에서, 그 징계처분이 사회통념상 현저하게 타당성을 잃거나 객관적으로 명백하게 부당하여 징계권의 한계를 일탈하거나 재량권을 남용하였다고 볼 수 없다(대판 2009.6.23. 2006두16786).

16 **소속 공무원의 구체적인 행위가 징계사유에 해당하는 것이 명백한 경우에 소속 지방자치단체장이 관할 인사위원회에 징계를 요구할 의무를 지는지 여부(적극)**
징계권자이자 임용권자인 지방자치단체장은 소속공무원의 구체적인 행위가 징계사유에 해당하는지 여부에 관하여 판단할 재량은 있지만, 징계사유에 해당하는 것이 명백한 경우에는 관할 인사위원회에 징계를 요구할 의무가 있다(대판 2007.7.12. 2006도1390).

17 **여객자동차 운송사업자의 휴업허가를 위하여 필요한 기준을 정하는 것이 행정청의 재량에 속하는지 여부(적극) 및 이때 행정청의 의사를 존중하여야 하는지(적극)**
여객자동차법령은 운송사업자의 휴업을 허용하면서도 구체적으로 휴업허가에 관한 기준을 정하지 않음으로써 행정청이 휴업하는 사업의 종류와 운행형태, 휴업예정기간, 휴업사유 등을 살펴 휴업의 필요성과 휴업을 허가하여서는 안 될 공익상 필요가 있는지 등을 종합적으로 고려하여 휴업허가 여부를 결정할 수 있도록 재량의 여지를 남겨 두고 있다. 그리고 여객자동차법이 운송사업자의 휴업을 허용하는 한편 휴업 기간을 제한하고 있는 것은 여객자동차운송사업의 공공성을 고려하여 수송력이 지속적·안정적으로 공급될 수 있도록 함과 아울러 수송 수요에 탄력적으로 대응할 수 있도록 하기 위한 것이다.
이러한 경우 여객자동차운송사업이 적정하게 이루어질 수 있도록 해당 지역에서의 현재 및 장래의 수송 수요와 공급상황 등을 고려하여 휴업허가를 위하여 필요한 기준을 정하는 것도 역시 행정청의 재량에 속하는 것이므로 그에 관하여 내부적으로 설정한 기준이 객관적으로 합리적이 아니라거나 타당하지 않다고 볼 만한 다른 특별한 사정이 없는 이상 행정청의 의사는 가능한 한 존중하여야 한다. 그러나 설정된 기준이 그 자체로 객관적으로 합리적이지 않거나 타당하지 않음에도 행정청이 만연히 그에 따라 처분한 경우 또는 기준을 설정하였던 때와 처분 당시를 비교하여 수송 수요와 공급상황이 달라졌는지 등을 전혀 고려하지 않은 채 설정된 기준만을 기계

핵심 OX

02 전국공무원노동조합 시지부 사무국장이 지방공무원 복무조례 개정안에 대한 의견을 표명하기 위하여 전국공무원노동조합간부들과 함께 시장의 사택을 방문하였고, 이에 징계권자가 시장 개인의 명예와 시청의 위신을 실추시키고 지방공무원법에서 정한 집단행위 금지 의무를 위반하였다는 등의 이유로 사무국장을 파면처분한 것은 재량권의 일탈·남용에 해당되지 않는다.
15. 사복 ( )

03 징계권자이자 임용권자인 지방자치단체장은 소속 공무원의 구체적인 행위가 과연 지방공무원법에 규정된 징계사유에 해당하는지 여부에 관하여 판단할 재량은 있지만, 징계사유에 해당하는 것이 명백한 경우에는 관할 인사위원회에 징계를 요구할 의무가 있다.
18. 서울7급 ( )

02 ○ 03 ○

적으로 적용함으로써 휴업을 허가할 것인지를 결정하기 위하여 마땅히 고려하여야 할 사항을 제대로 살피지 아니한 경우 등에까지 단지 행정청의 재량에 속하는 사항이라는 이유만으로 그 행정청의 의사를 존중하여야 하는 것은 아니며, 이러한 경우의 처분은 재량권을 남용하거나 그 범위를 일탈한 조치로서 위법하다고 보아야 한다(대판 2018.2.28. 2017두51501).

18 법무부장관이 법률에 정한 귀화요건을 갖춘 귀화신청인에게 귀화를 허가할 것인지 여부에 관하여 재량권을 가지는지 여부(적극)❶

귀화허가는 외국인에게 대한민국 국적을 부여함으로써 국민으로서의 법적 지위를 포괄적으로 설정하는 행위에 해당한다. ⋯ 법무부장관은 귀화신청인이 법률이 정하는 귀화요건을 갖추었다고 하더라도 귀화를 허가할 것인지 여부에 관하여 재량권을 가진다(대판 2010.7.15. 2009두19069).

19 개인택시운송사업면허의 법적 성질(＝재량행위)

여객자동차 운수사업법에 의한 개인택시운송사업면허는 특정인에게 권리나 이익을 부여하는 행정행위로서 법령에 특별한 규정이 없는 한 재량행위이고, 그 면허를 위하여 정하여진 순위 내에서의 운전경력인정방법의 기준설정 역시 행정청의 재량에 속한다(대판 2010.1.28. 2009두19137).

20 처분상대방의 의무위반을 이유로 한 제재처분이 의무위반의 내용에 비하여 과중하여 사회통념상 현저하게 타당성을 잃은 경우, 재량권 일탈·남용에 해당하여 위법한지 여부(적극)

처분상대방의 의무위반을 이유로 한 제재처분의 경우 의무위반 내용과 제재처분의 양정 사이에 엄밀하게는 아니더라도 어느 정도는 비례 관계가 있어야 한다. 제재처분이 의무위반의 내용에 비하여 과중하여 사회통념상 현저하게 타당성을 잃은 경우에는 재량권 일탈·남용에 해당하여 위법하다고 보아야 한다. 병무청장이 법무부장관에게 '가수 甲이 공연을 위하여 국외여행허가를 받고 출국한 후 미국 시민권을 취득함으로써 사실상 병역의무를 면탈하였다'는 이유로 입국 금지를 요청함에 따라 법무부장관이 甲의 입국금지결정을 하였는데, 甲이 재외공관의 장에게 재외동포 (F-4) 체류자격의 사증발급을 신청하자 재외공관장이 처분이유를 기재한 사증발급 거부처분서를 작성해 주지 않은 채 甲의 아버지에게 전화로 사증발급이 불허되었다고 통보한 사안에서, 甲의 재외동포(F-4) 체류자격 사증발급 신청에 대하여 재외공관장이 6일 만에 한 사증발급 거부처분이 문서에 의한 처분 방식의 예외로 행정절차법 제24조 제1항 단서에서 정한 '신속히 처리할 필요가 있거나 사안이 경미한 경우'에 해당한다고 볼 수도 없으므로 사증발급 거부처분에는 행정절차법 제24조 제1항을 위반한 하자가 있음에도, 외국인의 사증발급 신청에 대한 거부처분이 성질상 행정절차를 거치기 곤란하거나 불필요하다고 인정되는 처분에 해당하여 행정절차법의 적용이 배제된다고 판단하고, 재외공관장이 자신에게 주어진 재량권을 전혀 행사하지 않고 오로지 13년 7개월 전에 입국금지결정이 있었다는 이유만으로 그에 구속되어 사증발급 거부처분을 한 것이 비례의 원칙에 반하는 것인지 판단했어야 함에도, 입국금지결정에 따라 사증발급 거부처분을 한 것이 적법하다고 본 원심판단에 법리를 오해한 잘못이 있다(대판 2019.7.11. 2017두38874).

❶
· 난민인정 – 재량행위: 난민거부사유 해당 사항이 없다고 하더라도 난민인정을 하지 않을 수 있음
· 난민거부 – 기속행위: 난민거부사유가 있는 경우, 난민인정거부결정을 하여야 함

핵심 OX

01 귀화허가는 외국인에게 대한민국 국적을 부여함으로써 국민으로서의 법적 지위를 포괄적으로 설정하는 행위에 해당하므로 법무부장관은 귀화신청인이 국적법소정의 귀화요건을 모두 갖춘 경우에는 관계 법령에서 정하는 제한사유 외에 공익상의 이유로 귀화허가를 거부할 수 없다.   17. 국가9급(10월) ( )

02 여객자동차 운수사업법에 의한 개인택시운송사업면허는 특정인에게 특정한 권리나 이익을 부여하는 행위로서 법령에 특별한 규정이 없는 한 재량행위이지만, 그 면허를 위하여 필요한 기준을 정하는 것은 행정청의 재량이 아니다.
            15. 국회8급, 08. 국가9급 ( )

03 자동차운수사업법에 의한 개인택시운송사업 면허는 법령에 특별한 규정이 없는 한 재량행위이고, 그 면허를 위하여 필요한 기준을 정하는 것도 행정청의 재량에 속한다.
            19. 서울7급 ( )

04 재량행위에 있어서도 비례원칙을 위반하는 경우에는 위법한 행위가 된다.   15. 서울7급 ( )

01 ✕ **02** ✕ **03** ○ **04** ○

21 제재적 행정처분이 재량권의 범위를 일탈하였거나 남용하였는지 판단하는 방법 및 제재적 행정처분의 기준이 부령의 형식으로 되어 있는 경우, 그 기준에 따른 처분이 적법한지 판단하는 방법

제재적 행정처분이 재량권의 범위를 일탈하였거나 남용하였는지는, 처분사유인 위반행위의 내용과 위반의 정도, 처분에 의하여 달성하려는 공익상의 필요와 개인이 입게 될 불이익 및 이에 따르는 여러 사정 등을 객관적으로 심리하여 공익침해의 정도와 처분으로 개인이 입게 될 불이익을 비교·교량하여 판단하여야 한다. 이러한 제재적 행정처분의 기준이 부령 형식으로 규정되어 있더라도 그것은 행정청 내부의 사무처리준칙을 규정한 것에 지나지 않아 대외적으로 국민이나 법원을 기속하는 효력이 없다. 따라서 그 처분의 적법 여부는 처분기준만이 아니라 관계 법령의 규정 내용과 취지에 따라 판단하여야 한다. 그러므로 처분기준에 부합한다 하여 곧바로 처분이 적법한 것이라고 할 수는 없지만, 처분기준이 그 자체로 헌법 또는 법률에 합치되지 않거나 그 기준을 적용한 결과가 처분사유인 위반행위의 내용 및 관계 법령의 규정과 취지에 비추어 현저히 부당하다고 인정할 만한 합리적인 이유가 없는 한, 섣불리 그 기준에 따른 처분이 재량권의 범위를 일탈하였다거나 재량권을 남용한 것으로 판단해서는 안 된다(대판 2022.4.14. 2021두60960).

5 재량행위에 대한 통제

1. 입법적 통제

(1) 법규적 통제(직접적 통제)

국회는 근거법률을 정립하여 재량권을 부여하므로 법규의 규정에 대하여 구체적·확정적·일의적으로 규정함으로써 재량을 규제할 수 있다.

(2) 정치적 통제(간접적 통제)

정치적 통제의 방법으로 헌법은 국회의 권한인 국정감사, 출석요구 및 질문, 해임건의 및 탄핵소추를 인정하고 있다.

2. 행정적 통제

(1) 직무감독에 의한 통제

상·하의 계층적 구조에 따라 상급행정청은 하급행정청의 재량권의 행사에 대하여도 지휘·감독을 할 수 있다(예 감시권, 훈령권, 승인권, 취소권, 정지권, 주관쟁의결정권 등).

(2) 행정절차에 의한 통제

오늘날에는 행정절차법에 의한 행정의 사전적 통제가 강조되고 있는바, 행정절차법에서는 처리기간 공고, 행정처분기준 공표, 의견제출, 청문, 공청회, 이유부기 등을 규정하여 절차적 통제를 하고 있다.

(3) 행정심판에 의한 통제

행정심판법은 위법·부당한 처분에 대하여서 행정심판의 제기를 인정함으로써 권익침해의 구제뿐만 아니라 행정청에 자발적 시정기회를 부여하여 행정심판의 방법에 의한 재량행위에 대한 통제를 인정하고 있다.

01 행정청의 재량에 속하는 처분이라
도 재량권의 한계를 넘거나 그 남용
이 있는 때에는 법원은 이를 취소할
수 있다. 15. 국회8급, 13. 지방7급 (   )

02 재량행위가 위법하다는 이유로 소
송이 제기된 경우에 법원은 각하할
것이 아니라 그 일탈·남용 여부를
심사하여 그에 해당하지 않으면 청
구를 기각하여야 한다.
14. 서울9급 (   )

3. 사법적 통제

(1) 법원에 의한 통제

> **행정소송법 제27조【재량처분의 취소】** 행정청의 재량에 속하는 처분이라도 재량권의 한계를 넘거나 그 남용이 있는 때에는 법원은 이를 취소할 수 있다.

① **심사가부:** 재량(부당)에 대하여 행정소송이 제기된 경우에는 각하할 것이 아니라 **기각**하여야 한다는 것이 다수설·판례의 입장이므로 사실상 행정소송의 대상이 된다.

② **심사기준**

⚖ 관련판례

1 기속행위와 재량행위에 대한 사법심사 방식

[1] 기속행위의 경우에는 그 법규에 대한 원칙적인 기속성으로 인하여 법원이 사실인정과 관련 법규의 해석·적용을 통하여 일정한 결론을 도출한 후 그 결론에 비추어 행정청이 한 판단의 적법 여부를 독자의 입장에서 판정하는 방식에 의하게 되나,

[2] 재량행위의 경우에는 행정청의 재량에 기한 공익판단의 여지를 감안하여 법원은 독자의 결론을 도출함이 없이 당해 행위에 재량권의 일탈·남용이 있는지 여부만을 심사하게 되고 이러한 재량권의 일탈·남용 여부에 대한 심사는 사실오인, 비례·평등의 원칙 위배 등을 그 판단 대상으로 한다(대판 2007.5.31. 2005두1329).

2 법령에 근거한 구체적인 집행행위가 재량행위인 경우에는 법령은 집행관청에게 기본권침해의 가능성만을 부여할 뿐 법령 스스로가 기본권의 침해행위를 규정하고 행정청이 이에 따르도록 구속하는 것이 아니고, 이 때의 기본권의 침해는 집행기관의 의사에 따른 집행행위, 즉 재량권의 행사에 의하여 비로소 이루어지고 현실화되므로 이러한 경우에는 법령에 의한 기본권침해의 직접성이 인정될 여지가 없다(헌재 1998.4.30. 97헌마141).

---

(2) 헌법재판소에 의한 통제

공권력의 행사 또는 불행사로 인하여 헌법상 보장된 기본권을 침해 받은 경우에는 헌법소원심판청구권을 인정하고 있으므로 행정청의 위법한 재량권 행사에 의하여 기본권을 침해받은 자는 헌법소원에 의한 통제가 가능하다.

1. 재량이 인정되는 과징금 납부명령에 대하여 그 명령이 재량권을 일탈하였을 경우, 법원으로서는 그 전부를 취소할 수밖에 없고, 법원이 적정하다고 인정하는 부분을 초과한 부분만 취소할 수는 없다.

2. 개인택시운송사업면허는 법령에 특별한 규정이 없는 한 재량행위이고, 그 면허를 위하여 정하여진 순위 내에서 운전경력 인정방법에 관한 기준을 설정하거나 변경하는 것 역시 행정청의 재량에 속하는 것이다.

3. 행정청이 매장문화재의 원형보존이라는 목표를 추구하기 위하여 문화재보호법 등 관계 법령이 정하는 바에 따라 내린 전문적·기술적 판단은 특별히 다른 사정이 없는 한 이를 최대한 존중하여야 한다.

4. 시험에 있어서 평가방법 및 채점기준의 설정은 국립보건원장이 시험실시기관으로서 시험의 목적 및 내용 등을 고려하여 관계 법령이 정하는 범위 내에서 자유로이 정할 수 있는 재량행위라 할 수 있다.

5. 재량권을 남용한 위법한 처분이라고 주장하면서 그 취소를 구하는 경우에는 법원은 재량권남용 여부를 심리하여 본안에 관한 판단으로서 청구의 인용 여부를 가려야 한다.

6. 기속행위에 대한 사법심사는 그 법규에 대한 원칙적인 기속성으로 인하여 법원이 사실인정과 관련 법규의 해석·적용을 통하여 일정한 결론을 도출한 후 그 결론에 비추어 행정청이 한 판단의 적법 여부를 독자의 입장에서 판정하는 방식에 의한다.

7. 재량권의 일탈·남용 여부에 대한 심사는 사실오인, 비례·평등의 원칙 위배, 당해 행위의 목적 위반이나 동기의 부정 유무 등을 그 판단 대상으로 한다.

8. 단원에게 지급될 급량비를 바로 지급하지 않고 모아두었다가 지급한 시립무용단원에 대한 해촉처분은 재량권 일탈·남용이다.

9. 냉동새우에 유해화학물질인 말라카이트그린이 들어 있음에도 수입신고서에 그 사실을 기재하지 않았음을 이유로 영업정지 1개월 처분은 재량권의 일탈·남용이 아니다.

10. 대학의 신규 교원채용에 서류심사위원으로 관여하면서 소지하게 된 인사서류를 학교운영과 관련한 진정서의 자료로 활용한 사립학교의 교원에 대한 해임처분은 재량권 일탈·남용으로 볼 수 없다.

1 서설

1. 의의

판단여지론은 행정기관이 불확정개념의 해석·적용을 함에 있어서 판단여지가 인정되는 영역이 있으며, 이러한 행정청의 판단에 대하여 법원은 이를 존중하고 사법심사를 배제해야 한다는 이론을 말한다.

2. 불확정개념과 판단여지

불확정개념은 법원의 논리법칙 또는 경험법칙에 의하여 해석될 수 있는 법 개념이다. 원칙적으로는 행정청에게 재량이 주어지는 것이 아니므로 사법심사의 대상이 인정되는 것이지만 행정의 고유·전문 분야와 같은 일정한 영역에서는 행정청의 판단을 법원이 수용하여야 한다는 이론이 판단여지설이다. 이러한 판단여지론에 의하면 법원은 행정청이 판단여지의 한계를 준수하였는가에 대해서만 사법심사를 할 수 있게 된다.

2 재량과 판단여지의 구별

1. 학설

(1) 구별긍정설

법률요건에 불확정개념을 규정한 경우에도 불확정개념 자체는 법 개념으로서 행정청에게 선택의 자유를 부여한 것이 아닌 점에서 이는 구별되어야 한다는 견해이다. 즉, 판단여지를 긍정하는 학설은 판단여지는 법률요건에 대한 인식의 문제이고 재량은 법률효과 선택의 문제라는 점, 양자는 그 인정근거와 내용 등을 달리하는 점에서 구별하는 것이 타당하다고 한다.

(2) 구별부정설

행정청에 판단여지가 부여된 경우에 행정청의 판단에 대해서는 법원의 심사가 제약된다는 점에서 이를 구별할 필요가 없다는 견해이다.

2. 판례

감정평가사시험의 합격기준, 공무원의 임용을 위한 면접전형에서 면접위원의 판단, 사법시험에서 출제위원의 출제 등의 판결에서 대법원과 헌법재판소는 모두 판단여지 대신 재량의 문제로 보아 **판단여지와 재량을 구별하지 않고 있다.**

3. 구별긍정설에 의할 경우 구별

구분	재량	판단여지
법률규정	법률효과	법률요건
성질	(2 이상의 선택의 문제) ⇩ 사실문제(어느 것을 선택할 것인가의 문제)	(역사적 하나의 사실) ⇩ 법률문제(법해석론)
사법심사	(원래) 사법심사대상 × ⇨ 오늘날 사법심사대상 ○ (재량통제법리)	사법심사대상 ○
부여	국회 ⇨ 행정부	법원 ⇨ 행정부

3 인정근거 및 범위

1. 인정근거

(1) 불확정개념은 상이한 평가가 가능하다.

(2) 규범논리적 근거에서 하나의 정당한 해결책만이 있는 것은 아니다.

(3) 행정청은 많은 전문지식 및 경험을 보유하며 구체적인 행정문제에 보다 접근되어 있다.

(4) 어떠한 결정은 대체할 수도 반복할 수도 없다.

(5) 고유한 국가권력으로서 행정권에도 사법에 대응하여 고유한 책임영역이 주어져야 한다.

2. 인정범위

판단여지는 고도의 전문적·기술적 판단이나, 정책적인 판단에 속하는 불확정개념에 한하여 인정된다.

고도의 전문적· 비대체적 결정	시험결정, 유급결정과 같은 교육적인 판단(학생의 성적평가), 공무원의 근무평정, 국가시험 답안채점 등
구속적 가치평가	예술·문화분야 등에 있어서의 독립된 합의제기관의 판단(예 미술품의 작품평가, 신문윤리위원회의 결정, 공정거래위원회의 불공정거래행위 결정, 영화의 공연적합성 판정, 문화재보호법에 따른 문화재의 판정 등)
미래예측적 결정	환경이나 경제분야에 있어 미래예측적 결정
형성적 결정	도시계획 등 행정계획의 수립

4 효과 및 한계

판단여지가 인정되는 범위 내에서는 법원의 사법심사가 제한된다고 하더라도, ① 판단기관인 합의제 행정기관이 적법하게 구성되지 않은 경우, ② 법에서 규정된 절차규정이 준수되지 않은 경우, ③ 행정청의 결정이 정확한 사실관계에 기초하지 않은 경우, ④ 일반적으로 인정된 평가기준이 준수되지 않은 경우, ⑤ 사안과 무관한 자의(恣意)가 개입된 경우에는 사법심사가 가능하다.

5 대학수학능력시험과 각 대학별 입학전형에 있어서 출제 및 배점, 채점이나 면접의 방식, 점수의 구체적인 산정 방법 및 기준, 합격자의 선정 등이 시험 시행자 또는 전형절차 주관자의 재량 사항인지 여부(적극) 및 그 위법성 판단 기준

법령에 의하여 국가가 그 시행 및 관리를 담당하는 대학수학능력시험은 물론 각 대학별 입학전형에 있어서, 출제 및 배점, 정답의 결정, 채점이나 면접의 방식, 점수의 구체적인 산정 방법 및 기준, 합격자의 선정 등은 원칙적으로 시험 시행자의 고유한 정책 판단 또는 전형절차 주관자의 자율적 판단에 맡겨진 것으로서 폭넓은 재량에 속하는 사항이며, 다만 그 방법이나 기준이 헌법이나 법률을 위반하거나 지나치게 합리성이 결여되고 객관적 정당성을 상실한 경우 또는 시험이나 입학전형의 목적, 관계 법령 등의 취지에 비추어 현저하게 불합리하거나 부당하여 재량권을 일탈 내지 남용하였다고 판단되는 경우에 한하여 이를 위법하다고 볼 것이다(대판 2007.12.13. 2005다66770).

6 국립묘지 안장 대상자의 부적격 사유인 국립묘지의 영예성 훼손 여부에 대한 심의 권한이 재량사항인지 여부 및 그 심의결과를 존중해야 하는지 여부(적극)

구 국립묘지의 설치 및 운영에 관한 법률 제5조 제3항 제5호는 안장대상심의위원회(이하 '심의위원회')에 국립묘지 안장 대상자의 부적격 사유인 국립묘지의 영예성 훼손 여부에 대한 심의 권한을 부여하면서도 심의 대상자의 범위나 심의 기준에 관해서는 따로 규정하고 있지 않다. 이는 국립묘지법이 국가나 사회를 위하여 희생·공헌한 사람이 사망한 때에는 국립묘지에 안장하여 그 충의와 위훈의 정신을 기리며 선양하는 것을 목적으로 하고 있음에 비추어 볼 때, 비록 그 희생과 공헌만으로 보면 안장 대상자의 자격요건을 갖추고 있더라도 다른 사유가 있어 그 망인을 국립묘지에 안장하면 국립묘지의 영예성을 훼손한다고 인정될 경우에는 안장 대상에서 제외함으로써 국립묘지 자체의 존엄을 유지하고 영예성을 보존하기 위하여 심의위원회에 다양한 사유에 대한 광범위한 심의 권한을 부여한 것이라고 할 수 있다. 따라서 영예성 훼손 여부에 대한 심의위원회의 결정이 현저히 객관성을 결여하였다는 등의 특별한 사정이 없는 한 그 심의 결과는 존중함이 옳고, 영예성 훼손 여부의 판단에 이와 같이 재량의 여지가 인정되는 이상 그에 관한 기준을 정하는 것도 행정청의 재량에 속하는 것으로서 마찬가지로 존중되어야 한다(대판 2013.12.26. 2012두19571).

7 구 전염병예방법 제54조의2 제2항에 따른 예방접종으로 인한 질병, 장애 또는 사망의 인정 여부 결정이 보건복지가족부장관의 재량에 속하는지 여부(적극) 및 재량권의 한계

특정인에게 권리나 이익을 부여하는 이른바 수익적 행정처분은 법령에 특별한 규정이 없는 한 재량행위이고, 구 전염병예방법(이하 '구 전염병예방법'이라 한다) 제54조의2 제2항에 의하여 보건복지가족부장관에게 예방접종으로 인한 질병, 장애 또는 사망(이하 '장애 등'이라 한다)의 인정 권한을 부여한 것은, 예방접종과 장애 등 사이에 인과관계가 있는지를 판단하는 것은 고도의 전문적 의학 지식이나 기술이 필요한 점과 전국적으로 일관되고 통일적인 해석이 필요한 점을 감안한 것으로 역시 보건복지가족부장관의 재량에 속하는 것이므로, 인정에 관한 보건복지가족부장관의 결정은 가능한 한 존중되어야 한다. 다만, 인정 여부의 결정이 재량권의 행사에 해당하더라도 재량권을 일탈하거나 남용해서는 안 되고, 특히 구 전염병예방법에 의한 피해보상제도가 수익적 행정처분의 형식을 취하고는 있지만, 구 전염병예방법의 취지와 입법 경위 등을 고려하면 실질은 피해자의 특별한 희생에 대한 보상에 가까우므로, 보건복지가족부장관은 위와 같은 사정 등을 두루 고려하여 객관적으로 합리적인 재량권의 범위 내에서 타당한 결정을 해야 하고, 그렇지 않을 경우 인정 여부의 결정은 주어진 재량권을 남용한 것으로서 위법하게 된다(대판 2014.5.16. 2014두274).

핵심 OX

04 구 전염병예방법 제54조의2 제2항에 따른 예방접종으로 인한 질병, 장애 또는 사망의 인정 여부 결정은 보건복지가족부(현 보건복지부)장관의 재량에 속한다. 15. 국회8급 ( )

04 ○

8 행정청이 의료법 등 관계 법령이 정하는 바에 따라 신의료기술의 안전성·유효성 평가나 신의료기술의 시술로 국민보건에 중대한 위해가 발생하거나 발생할 우려가 있는지에 대하여 한 전문적인 판단은 존중되어야 하는지 여부(적극)

신의료기술의 안전성·유효성 평가나 신의료기술의 시술로 국민보건에 중대한 위해가 발생하거나 발생할 우려가 있는지에 관한 판단은 고도의 의료·보건상의 전문성을 요하므로, 행정청이 국민의 건강을 보호하고 증진하려는 목적에서 의료법 등 관계 법령이 정하는 바에 따라 이에 대하여 전문적인 판단을 하였다면, 판단의 기초가 된 사실인정에 중대한 오류가 있거나 판단이 객관적으로 불합리하거나 부당하다는 등의 특별한 사정이 없는 한 존중되어야 한다. 또한 <u>행정청이 전문적인 판단에 기초하여 재량권의 행사로서 한 처분은 비례의 원칙을 위반하거나 사회통념상 현저하게 타당성을 잃는 등 재량권을 일탈하거나 남용한 것이 아닌 이상 위법하다고 볼 수 없다</u>(대판 2016.1.28. 2013두21120).

9 개발제한구역에서의 자동차용 액화석유가스충전사업허가 여부를 판단할 때 행정청에 재량권이 부여되어 있는지 여부(적극)

개발제한구역법 및 액화석유가스법 등의 관련 법규에 의하면, <u>개발제한구역에서의 자동차용 액화석유가스충전사업허가는 그 기준 내지 요건이 불확정개념으로 규정되어 있으므로 그 허가 여부를 판단함에 있어서 행정청에 재량권이 부여되어 있다고 보아야 한다</u>(대판 2016.1.28. 2015두52432).

⊚ **핵심정리** 기속행위와 재량행위(+판단여지)

기속행위	재량행위	재량행위(판단여지)
• 건축법상 허가 • 주유소허가 • 식품위생법상 일반음식점허가 • 광천음료수제조허가 • 기부금품모집규제법상 기부금품모집 • 학교법인이사취임승인처분 • 토지거래허가 • 국유재산의 무단점유 등에 대한 변상금 수 여부	• 귀화허가 • 개인택시운송사업면허 • 자동차운송사업면허 • 공익사업 사업인정 • 어업면허 • 공무원임용 • 공유수면 매립면허 • 공유수면 점용허가 • 산림형질변경허가 • 임목의 벌채·굴채허가 • 개발제한구역 내 건축허가 • 학교환경위생정화구역 안 유흥음식점영업 허가 • 자연공원법상 공원사업시행허가 • 총포·도검·화약류소지허가 • 주택조합설립인가 • 행정재산 사용허가취소 • 공무원에 대한 징계처분 • 국립대학 학생에 대한 퇴학처분 • 구 도시계획법상 도시계획결정	• 공정거래위원회의 과징금부과 • 감정평가사시험 합격기준선택 • 사법시험문제 출제행위 • 건설공사를 계속하기 위한 고분발굴 여부 • 한약조제시험 실시기관인 국립보건원장의 평가방법 및 채점기준 설정 • 공인중개사시험 출제 • 교과서검정

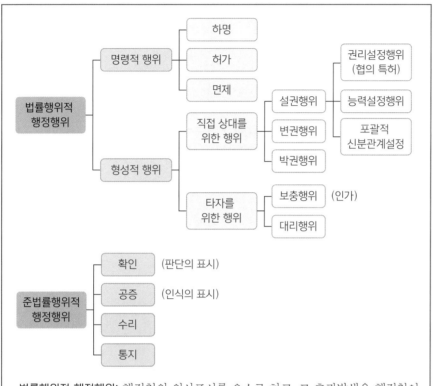

- **법률행위적 행정행위:** 행정청의 의사표시를 요소로 하고, 그 효과발생은 행정청이 의욕한대로 효과가 발생하는 행위
- **준법률행위적 행정행위:** 행정청의 의사표시 이외의 판단·인식표시를 요소로 하고, 그 효과발생은 법률의 규정에 의하여 발생하는 행위

법률행위적 행정행위는 **행정주체의 의사표시**를 요소로 하고 의사표시의 내용대로 효력이 발생하는 행정행위를 말한다. 법률행위적 행정행위는 법률효과의 내용에 따라 명령적 행위와 형성적 행위로 구분된다.❶

1 명령적 행위(하명·허가·면제)

행정행위의 상대방에 대하여 작위·부작위·급부·수인의무를 명하거나 또는 이러한 의무를 해제하는 행위이다. 명령적 행위는 개인의 자연적 자유를 제한하거나 회복시키는 행정행위라는 점에서, 법률상의 권리를 발생·변경·소멸시키는 형성적 행위와 구별된다. 명령적 행위는 적법요건이지 효력요건이 아니므로 명령적 행위에 위반된 행위는 행정상 강제집행이나 제재의 대상은 되지만, 그 행위의 사법(私法)상의 효력은 유효함이 원칙이다.

핵심 OX

01 신고의 수리는 타인의 행위를 유효한 행위로 받아들이는 행정행위를 말하며, 이는 강학상 법률행위적 행정행위에 해당한다. 18. 국가9급 ( )

02 행정행위는 법률효과의 발생원인을 기준으로 하여 법률행위적 행정행위와 준법률행위적 행정행위로 나눌 수 있다. 02. 5급 ( )

제2편 행정작용법 해커스공무원 **신동욱 행정법총론** 기본서

❶

	법률	준법률
하, 허, 면	특, 대, 인	공, 통, 수, 확
명령	형성	

01 X **02** ○

1. 하명

(1) 의의

행정행위의 상대방에게 작위·부작위·급부·수인 등의 의무를 명하는 행위로서 개인의 자유를 제한하고 의무를 부과하는 것을 내용으로 하는 행정행위를 말한다. 이 중 부작위의무를 명하는 것을 '금지(예 통행금지 등)'라고 한다.

(2) 성질

하명은 개인의 자유를 제한하거나 새로운 의무를 부과하는 행위이므로 부담적 행정행위이며, 명문의 규정이 없는 한 원칙적으로 기속행위이다. 하명은 부담적 행정행위인 바, 법률유보의 원칙이 적용되어 하명은 법령의 근거를 요한다.

(3) 형식

① **하명처분**: 일반적으로 행정행위에 의한 구체적 처분에 의함이 보통이다.
② **법규하명**: 예외적으로 법령 자체에서 직접 작위·부작위 등의 의무를 명하는 경우(예 건축법상 건축금지 등)가 있다.

(4) 종류

① **의무의 내용에 따른 구분**: 작위하명, 부작위하명, 급부하명, 수인하명
② **목적에 따른 구분**: 조직하명, 경찰하명, 재정하명, 규제하명, 군정하명, 특별권력관계에서의 하명

(5) 하명의 대상

주로 사실행위(예 청소, 교통장애물제거 등)나, 법률행위(예 무기매매금지 등)인 경우도 있다.

(6) 하명의 상대방

원칙적으로 특정인을 대상으로 하나, 불특정 다수인(예 통행금지, 입산금지 등)을 대상으로 하는 경우도 있다. 후자의 경우 일반처분의 형식에 의하게 된다.

(7) 하명의 효과

하명의 내용에 따라 일정한 행위를 하거나 하지 않아야 할 공법상 의무가 발생한다. 하명효과는 원칙적으로 수명자에게 발생하지만, 대물적 하명은 그 대상인 물건을 승계한 자에게도 효과가 승계된다.

(8) 위반의 효과

하명에 위반된 행위는 행정상의 강제집행이나 행정벌이 가해진다. 하명에 위반하여 이로 인한 처벌이 있더라도 사법상의 법률행위는 원칙적으로 유효하다. 그러나 처벌만으로 목적을 달성할 수 없는 때에는 처벌과 동시에 행위 자체가 무효로 되게 하는 예외적인 경우도 있다(예 적정가격을 넘은 임대료계약은 무효 등).

(9) 하명에 대한 구제

위법·부당한 하명에 의하여 권리·이익이 침해당한 자는 행정쟁송이나 손해배상·손실보상을 청구할 수 있다.

2. 허가

(1) 의의

법규에 의한 일반적·상대적 금지를 특정한 경우에 이를 해제하여 적법하게 일정한 사실행위 또는 법률행위를 할 수 있게 자연적 자유를 회복시켜 주는 행정행위이로서, 즉 **부작위의무의 해제**라고 할 수 있다. 실정법상으로는 허가 외에도 인가(예 은행업, 신용금고업 등)·면허(예 자동차운전, 의사, 약사 등)·등록(예 사설학원 등)·지정(예 담배소매인 등)·승인 등의 용어로 사용되고 있다. 허가는 상대적 금지에 대해서만 가능하며, 절대적 금지인 경우에는 인정되지 않는다(예 미성년자에 대한 흡연허가 등).

(2) 성질

① **명령적 행위**: 허가는 상대방에게 금지를 해제하여 자연적 자유를 특정한 경우에 회복시켜 주는 **명령적 행위**이다(다수설). 이에 대해서 허가는 단순히 자연적 자유의 회복에 그치는 것이 아니라 금지를 해제하여 적법한 권리행사를 가능하게 한다는 점에서 형성적 행위의 성질을 갖는다는 견해가 있다(허가와 특허의 상대화). 판례는 "한의사면허는 경찰금지를 해제하는 명령적 행위에 해당한다(대판 1998.3.19. 97누4289)."라고 하여 허가의 성질을 명령적 행위로 보고 있다.

② **기속행위**: 허가는 상대적 금지를 해제하여 자유를 회복시켜 주는 행위이므로, 허가요건에 해당하면 반드시 허가를 부여해야 할 기속을 받는 점에서 허가는 일반적으로 기속행위의 성질을 갖는다. 따라서 관계법규에서 정하는 제한사유 이외의 사유를 들어 허가신청을 거부할 수 없다.

> #### 🔎 관련판례
>
> **1** **식품위생법상 일반음식점영업허가신청에 대하여 관계 법령에서 정하는 제한사유 외에 공공복리 등의 사유를 들어 거부할 수 있는지 여부(소극) 및 위 법리는 일반음식점 허가사항의 변경허가의 경우에도 적용되는지 여부(적극)**
> 식품위생법상 일반음식점영업허가는 성질상 일반적 금지의 해제에 불과하므로 허가권자는 허가신청이 법에서 정한 요건을 구비한 때에는 허가하여야 하고 관계 법령에서 정하는 제한사유 외에 공공복리 등의 사유를 들어 허가신청을 거부할 수는 없고, 이러한 법리는 일반음식점 허가사항의 변경허가에 관하여도 마찬가지이나(대판 2000.3.24. 97누12532).
>
> **2** **식품위생법상 대중음식점영업허가의 법적 성질**
> 식품위생법상 대중음식점영업허가는 성질상 일반적 금지에 대한 해제에 불과하므로 허가권자는 허가신청이 법에서 정한 요건을 구비한 때에는 허가하여야 하고 관계법규에서 정하는 제한사유 이외의 사유를 들어 허가신청을 거부할 수 없다(대판 1993.5.27. 93누2216).
>
> **3** **기부금품모집규제법상 기부금품모집허가의 법적 성질**
> 기부금품모집규제법상의 기부금품모집허가는 공익목적을 위하여 일반적·상대적으로 제한된 기본권적 자유를 다시 회복시켜주는 강학상의 허가에 해당하는 만큼 그에 대한 허가절차는 기부금품을 자유로이 모집할 수 있는 권리(이는 헌법상의 행복추구권에서 파생되는 일반적 행동자유권에 속한다) 자체를 제거해서는 아니 되고, 허가절차에 규정된 법률요건을 충족하는 경우에는 국민에게 기본권 행사의 형식적 제한을 다시 해제할 것을 요구할 수 있는 법적 권리를 부여

핵심 OX

01 허가가 자유를 회복시켜 주는 행위라고 해서 법률이 허가를 반드시 기속행위로 규정하고 있는 것은 아니다.
09. 국회9급 ( )

02 '북한어린이살리기 의약품지원본부'에 대한 기부금품모집허가는 기속행위이다.
05. 부산9급 ( )

03 판례에 의할 때 식품위생법상 일반음식점영업허가는 재량행위로 보고 있지 않다.
15. 서울7급, 14. 국회8급, 12. 국회9급 ( )

01 ○ **02** ○ **03** ○

하여야 하므로, 같은 법이 비록 기부금품의 모집허가 대상사업을 같은 법 제4조 제2항 각 호에 규정된 사업에 국한시킴으로써 위 규정에 열거한 사항에 해당하지 아니한 경우에는 허가할 수 없다는 것을 소극적으로 규정하고 있다 하더라도 기부금품모집허가의 법적 성질이 강학상의 허가라는 점을 고려하면, 기부금품모집행위가 같은 법 제4조 제2항의 각 호의 사업에 해당하는 경우에는 특별한 사정이 없는 한 그 모집행위를 허가하여야 하는 것으로 풀이하여야 한다(대판 1999.7.23. 99두3690).

4 주류판매업 면허가 강학상의 허가인지 여부

주류판매업 면허는 설권적 행위가 아니라 주류판매의 질서유지, 주세 보전의 행정목적 등을 달성하기 위하여 개인의 자연적 자유에 속하는 영업행위를 일반적으로 제한하였다가 특정한 경우에 이를 회복하도록 그 제한을 해제하는 **강학상의 허가**로 해석되므로 주세법 제10조 제1호 내지 제11호에 열거된 면허제한사유에 해당하지 아니하는 한 면허관청으로서는 임의로 그 면허를 거부할 수 없다(대판 1995.11.10. 95누5714).

5 건축허가의 법적 성격 및 건축 중인 건물의 소유자와 건축허가 명의자가 일치하여야 하는지 여부(소극)

건축허가는 시장·군수 등의 행정관청이 건축행정상 목적을 수행하기 위하여 수허가자에게 일반적으로 행정관청의 허가 없이는 건축행위를 하여서는 안 된다는 상대적 금지를 관계 법규에 적합한 일정한 경우에 해제함으로써 일정한 건축행위를 하도록 회복시켜 주는 행정처분일 뿐, 허가받은 자에게 새로운 권리나 능력을 부여하는 것이 아니다. 그리고 건축허가서는 허가된 건물에 관한 실체적 권리의 득실변경의 공시방법이 아니며 그 추정력도 없으므로 건축허가서에 건축주로 기재된 자가 그 소유권을 취득하는 것은 아니며, 건축 중인 건물의 소유자와 건축허가의 건축주가 반드시 일치하여야 하는 것도 아니다(대판 2009.3.12. 2006다28454).

6 사설법인묘지의 설치에 대한 행정청의 허가의 법적성질(= 강학상 허가)

사설묘지 설치허가 신청 대상지가 관련 법령에 명시적으로 설치제한지역으로 규정되어 있지 않더라도 관할 관청이 그 신청지의 현상과 위치 및 주위의 상황 등 제반 사정을 고려하여 사설묘지의 설치를 억제함으로써 환경오염 내지 지역주민들의 보건위생상의 위해 등을 예방하거나 묘지의 증가로 인한 국토의 훼손을 방지하고 국토의 효율적 이용 및 공공복리의 증진을 도모하는 등 중대한 공익상 필요가 있다고 인정할 때에는 그 허가를 거부할 수 있다고 봄이 상당하다(대판 2008.4.10. 2007두6106).

③ **예외적 재량행위**: 허가의 요건이 불확정개념으로 규정된 경우나 공익적 요구에 의한 이익형량이 요구되는 경우, 예외적 승인(허가)의 경우에는 재량이 인정될 수 있다.

ㄱ **원칙**: 관계 법규에서 정하는 사유로만 거부할 수 있다(⑩ 건축허가, 유기장영업허가 등).

ㄴ **예외**: 관계 법규에서 정하는 제한사유(⑩ 중대한 공익상 필요 등) 이외의 사유를 들어 거부할 수 있다.

자연환경보전	• 입목굴채허가 • 자연공원사업의 시행허가	• 농지전용허가 • 산림훼손허가
교육·주거환경	러브호텔건축허가	
기타	주유소설치허가	

🔨 관련판례

1 건축허가권자가 관계 법령에서 정하는 제한사유 이외의 사유를 들어 건축허가를 거부할 수 있는지 여부(원칙적 소극)

건축허가권자는 건축물이 건축법, 도시계획법 등의 관계 법규에서 정하는 어떠한 제한에 배치되지 않는 이상 당연히 같은 법조 소정의 건축허가를 하여야 하고, 위 관계 법규에서 정하는 제한사유 이외의 사유를 들어 그 허가신청을 거부할 수는 없고, 여기서 관계 법규란 건축물에 대한 건축허가의 제한에 관하여 직접 규정하고 있는 법규만을 말하고, 건축허가에 따라 건축된 건축물 내의 시설의 운영이나 용도에 따른 건축물의 사용에 대하여 제한을 가하는 법규를 말하는 것은 아니라 할 것이다(대판 1992.6.9. 91누11766).

2 유기장영업허가의 법적 성질

유기장영업허가는 유기장영업권을 설정하는 설권행위가 아니고 <u>일반적 금지를 해제하는 영업자유의 회복이라 할 것이므로</u> 그 영업상의 이익은 반사적 이익에 불과하고 행정행위의 본질상 금지의 해제나 그 해제를 다시 철회하는 것은 공익성과 합목적성에 따른 당해 <u>행정청의 재량행위라 할 것이다</u>(대판 1985.2.8. 84누369).

3 국토의 계획 및 이용에 관한 법률에 의하여 지정된 도시지역 안에서 토지의 형질변경행위를 수반하는 건축허가의 법적 성질(= 재량행위)

국토의 계획 및 이용에 관한 법률에서 정한 도시지역 안에서 토지의 형질변경행위를 수반하는 건축허가는 건축법 제8조 제1항의 규정에 의한 건축허가와 국토의 계획 및 이용에 관한 법률 제56조 제1항 제2호의 규정에 의한 토지의 형질변경허가의 성질을 아울러 갖는 것으로 보아야 할 것이고, 같은 법 제58조 제1항 제4호, 제3항, 같은 법 시행령 제56조 제1항 [별표 1] 제1호 가목 (3), 라목 (1), 마목 (1)의 각 규정을 종합하면, 같은 법 제56조 제1항 제2호의 규정에 의한 토지의 형질변경허가는 그 금지요건이 불확정개념으로 규정되어 있어 그 금지요건에 해당하는지 여부를 판단함에 있어서 행정청에게 재량권이 부여되어 있다고 할 것이므로, 같은 법에 의하여 지정된 도시지역 안에서 <u>토지의 형질변경행위를 수반하는 건축허가는 결국 재량행위에 속한다</u>(대판 2005.7.14. 2004두6181).

4 산림훼손 금지 또는 제한지역에 해당하지 않더라도 산림훼손허가를 거부할 수 있는 경우 및 그 거부처분에 법규상 명문의 근거가 필요한지 여부(소극)

산림훼손행위는 국토의 유지와 환경의 보전에 직접적으로 영향을 미치는 행위이므로 법령이 규정하는 산림훼손 금지 또는 제한지역에 해당하는 경우는 물론 금지 또는 제한지역에 해당하지 않더라도 허가관청은 산림훼손허가신청 대상토지의 현상과 위치 및 주위의 상황 등을 고려하여 국토 및 자연의 유지와 환경의 보전 등 중대한 공익상 필요가 있다고 인정될 때에는 허가를 거부할 수 있고, 그 경우 법규에 명문의 근거가 없더라도 거부처분을 할 수 있으며, 산림훼손허가를 함에 있어서 고려하여야 할 공익침해의 정도 예컨대 자연경관훼손정도, 소음·분진의 정도, 수질오염의 정도 등에 관하여 반드시 수치에 근거한 일정한 기준을 정하여 놓고 허가·불허가 여부를 결정하여야 하는 것은 아니고, 산림훼손을 필요로 하는 사업계획에 나타난 사업의 내용, 규모, 방법과 그것이 환경에 미치는 영향 등 제반 사정을 종합하여 <u>사회관념상 공익침해의 우려가 현저하다고 인정되는 경우에 불허가할 수 있다</u>(대판 1997.9.12. 97누1228).

5 **법령상 토사채취가 제한되지 않는 산림 내에서의 토사채취에 대하여 국토와 자연의 유지, 환경보전 등 중대한 공익상 필요를 이유로 그 허가를 거부할 수 있는지 여부(적극)**

산림 내에서의 토사채취는 국토 및 자연의 유지와 환경의 보전에 직접적으로 영향을 미치는 행위이므로 법령이 규정하는 토사채취의 제한지역에 해당하는 경우는 물론이거니와 그러한 제한지역에 해당하지 않더라도 허가관청은 토사채취 허가신청 대상 토지의 형상과 위치 및 그 주위의 상황 등을 고려하여 국토 및 자연의 유지와 환경보전 등 <u>중대한 공익상 필요가 있다고 인정될 때에는 그 허가를 거부할 수 있다</u>(대판 2007.6.15. 2005두9736).

6 **국토 및 자연의 유지와 환경의 보전 등 중대한 공익상 필요가 있는 경우, 입목굴채 허가를 거부할 수 있는지 여부(적극)**

산림자원의 증식과 임업에 관한 기본적 사항을 정하여 산림의 보호·육성, 임업생산력의 향상 및 산림의 공익기능의 증진을 도모함으로써 국토의 보전과 국민경제의 건전한 발전에 기여하고자 하는 산림법의 입법목적, 시장·군수가 입목의 벌채나 굴채허가신청을 받은 때에는 벌채 대상목이나 잔존시킬 입목 선정의 적정 여부 등을 조사하거나 굴취 또는 채취 대상의 적정 여부를 조사·확인하여 허가함이 타당하다고 인정될 때에는 허가증을 교부하여야 한다고 규정하고 있는 산림법 제90조 제1항, 같은 법 시행규칙 제85조 제2항, 제93조 제2항의 각 규정 내용, 산림 내에서의 입목벌채는 국토 및 자연의 유지와 환경의 보전에 직접적으로 영향을 미치는 행위가 된다는 점 등을 종합하여 보면, 허가관청은 입목굴채 허가신청 대상 토지의 현상과 위치 및 주위의 상황 등을 고려하여 국토 및 자연의 유지와 환경의 보전 등 <u>중대한 공익상 필요가 있다고 인정될 때에는 허가를 거부할 수 있다</u>(대판 2001.11.30. 2001두5866).

7 **산림형질변경허가와 그 허가기간의 연장신청 대상 지역이 법령상의 금지 또는 제한지역에 해당하지 않더라도 국토 및 자연의 유지와 상수원 수질과 같은 환경의 보전 등을 위한 중대한 공익상의 필요가 있을 경우, 그 허가를 거부할 수 있는지 여부(적극)**

산림형질변경허가는 법령상의 금지 또는 제한지역에 해당하지 않더라도 신청 대상 토지의 현상과 위치 및 주위의 상황 등을 고려하여 국토 및 자연의 유지와 상수원 수질과 같은 환경의 보전 등을 위한 <u>중대한 공익상의 필요가 있을 경우 그 허가를 거부할 수 있으며</u>, 이는 산림형질변경 허가기간을 연장하는 경우에도 마찬가지이다(대판 2000.7.7. 99두66).

8 **주유소설치허가**

주유소설치허가권자는 주유소설치허가신청이 관계법령에서 정하는 제한에 배치되지 않는 경우에는 특별한 사정이 없는 한 이를 허가하여야 하고, 관계법규에서 정하는 제한사유 이외의 사유를 들어 허가를 거부할 수는 없으나, 심사결과 관계법규상의 제한 이외의 중대한 <u>공익상의 필요가 있는 경우에는 그 허가를 거부할 수 있다</u>(대판 1999.4.23. 97누14378).

(3) 형식

법규허가는 있을 수 없고 언제나 허가처분의 형식으로 행하여진다. 불특정 다수인을 대상으로 하는 일반처분(예 통행금지해제, 보도관제해제 등)과 특정인을 대상으로 하는 개별처분(예 음식점영업허가 등)이 있으며, 불요식이 원칙이다.

(4) 허가와 출원

허가는 출원(신청)을 요하는 쌍방적 행정행위이나, 출원 없이 이루어지는 허가(일반처분)도 있다(예 통행금지해제, 입산금지해제 등). 일정한 경우에는 출원과 다른 내용의 수정허가도 가능하다.

(5) 행정권에 의한 허가요건의 추가

허가의 구체적인 요건이 법률에 규정된 경우 법률의 근거 없이 행정부가 독자적으로 허가요건을 추가할 수 있는가가 문제되며, 판례는 부정적이다.

(6) 종류

① **대인적 허가(양도성 부인):** 자동차운전면허, 한의사면허, 건축사면허, 인간문화재 지정, 어업허가, 이용사면허, 총포·수렵허가, 도로사용허가, 연초소매인지정, 기부금품모집규제법(현 기부금품의 모집 및 사용에 관한 법률)상의 기부금품모집허가(단, 예외적 승인으로 보는 견해도 있음) 등

② **대물적 허가(양도성 인정):** 공중목욕장업허가, 식품위생법상 일반음식점영업허가, 양곡가공업허가, 유기장영업허가, 석탄가공업허가, 석유판매업허가, 식품위생법상의 광천음료수제조업허가, 공중위생법상의 위생접객업허가, 채석허가 등

③ **혼합적 허가:** 전당포영업허가, 총포·도검·화약류제조허가·판매업허가, 담배제조업허가 등

④ **기타:** 조직법상 허가, 경찰허가, 재정허가, 군정허가, 규제허가 등

> 🔨 **관련판례**
>
> **석유판매업이 양도된 경우, 양도인의 귀책사유로 양수인에게 제재를 가할 수 있는지 여부(적극)**
> 석유판매업(주유소)허가는 소위 대물적 허가의 성질을 갖는 것이어서 그 사업의 양도도 가능하고 이 경우 양수인은 양도인의 지위를 승계하게 됨에 따라 양도인의 위허가에 따른 권리의무가 양수인에게 이전되는 것이므로 만약 양도인에게 그 허가를 취소할 위법사유가 있다면 허가관청은 이를 이유로 양수인에게 응분의 제재조치를 취할 수 있다 할 것이고, 양수인이 그 양수후 허가관청으로부터 석유판매업허가를 다시 받았다 하더라도 이는 석유판매업의 양수도를 전제로 한 것이어서 이로써 양도인의 지위승계가 부정되는 것은 아니므로 양도인의 귀책사유는 양수인에게 그 효력이 미친다(대판 1986.7.22. 86누203).

(7) 대상

사실행위(예 건축허가 등)가 대부분이나, 법률행위(예 무기매매허가 등)일 때도 있다. 나아가 허가는 신청을 전제로 하나, 신청을 전제하지 않는 허가도 있다. 한편, 판례는 신청에 대해 행정청이 착오로 행한 허가도 무효가 아니라는 입장이다.

(8) 효과

① 이익의 성질

⊙ 허가는 상대방에게 새로운 권리를 설정시켜 주는 행위가 아니라 제한되었던 자유를 회복시켜 주는 효과를 갖는 데 불과하므로 상대방이 허가에 의하여 어떤 이익을 얻는다 해도 그것은 **반사적 이익**에 불과하다.

ⓒ 그러나 관계 법령의 목적·취지가 공익뿐만 아니라 사익도 보호하는 것으로 해석될 경우에는 단순한 반사적 이익이 아니라, **법률상 이익**이 된다.

원칙(반사적 이익)	예외(법률상 이익)
• 기존 목욕장영업장 부근에 신설영업장을 허가함으로 인하여 기존 영업장의 수입이 사실상 감소되었을지라도 그 수입의 감소는 단순한 반사적 이익의 침해에 불과하므로 시설허가처분의 취소를 청구할 만한 소의 이익이 없다(대판 1963.8.22. 63누97). • 유기장영업허가는 유기장경영권을 설정하는 설권행위가 아니고 일반적 금지를 해제하는 영업자유의 회복이므로 그 영업상의 이익은 반사적 이익에 불과하다(대판 1985.2.8. 84누369).	• 주류제조면허는 재정허가의 일종으로서 일반적 금지의 해제로 자유의 회복일 뿐 새로운 권리의 설정은 아니지만 일단 이 주류제조업의 면허를 얻은 자의 이익은 단순한 사실상의 반사적 이익에만 그치는 것이 아니고, 주세법의 규정에 따라 보호되는 이익이고, 주세법상 주류제조면허의 양도가 인정되지 않고 있으나 국세청장 훈령으로 보충면허제도를 두어 기존면허를 자진 취소함과 아울러 동시에 그에 대체하여 동일 제조장에 동일 면허종목을 신청하는 경우에는 그 면허를 부여함으로써 당사자간의 면허의 양도를 간접적으로 허용하고 있으며, 주류제조의 신규면허는 주세당국의 억제책으로 사실상 그 취득이 거의 불가능하여 위와 같은 보충면허를 받는 방법으로 면허권의 양도가 이루어지고 있는 이상, 위 면허권이 가지는 재산적 가치는 현실적으로 부인할 수 없다(대판 1989.12.22. 89누46). • 담배 일반소매인의 영업소간에 일정한 거리제한을 두고 있는 것은 담배유통구조의 확립을 통하여 국민의 건강과 관련되고 국가 등의 주요 세원이 되는 담배산업 전반의 건전한 발전 도모 및 국민경제에의 이바지라는 공익목적을 달성하고자 함과 동시에 일반소매인 간의 과당경쟁으로 인한 불합리한 경영을 방지함으로써 일반소매인의 경영상 이익을 보호하는 데에도 그 목적이 있다고 보이므로, 일반소매인으로 지정되어 영업을 하고 있는 기존업자의 신규 일반소매인에 대한 이익은 단순한 사실상의 반사적 이익이 아니라 법률상 보호되는 이익이라고 해석함이 상당하다(대판 2008.3.27. 2007두23811).

⚖ **관련판례**

1 **담배 일반소매인으로 지정되어 영업을 하고 있는 기존업자의 신규업자에 대한 이익이 '법률상 보호되는 이익'에 해당하는지 여부(적극)**

담배 일반소매인의 지정기준으로서 일반소매인의 영업소간에 일정한 거리제한을 두고 있는 것은 담배유통구조의 확립을 통하여 국민의 건강과 관련되고 국가 등의 주요 세원이 되는 담배산업 전반의 건전한 발전 도모 및 국민경제에의 이바지라는 공익목적을 달성하고자 함과 동시에 일반소매인 간의 과당경쟁으로 인한 불합리한 경영을 방지함으로써 일반소매인의 경영상 이익을 보호하는 데에도 그 목적이 있다고 보이므로, 일반소매인으로 지정되어 영업을 하고 있는 기존업자의 신규 일반소매인에 대한 이익은 단순한 사실상의 반사적 이익이 아니라 법률상 보호되는 이익이라고 해석함이 상당하다(대판 2008.3.27. 2007두23811).

2 담배 일반소매인으로 지정되어 영업을 하고 있는 기존업자의 신규 구내소매인에 대한 이익이 법률상 보호되는 이익으로서 기존업자가 신규 구내소매인 지정처분의 취소를 구할 원고 적격이 있는지 여부(소극)

구내소매인과 일반소매인 사이에서는 구내소매인의 영업소와 일반소매인의 영업소 간에 거리제한을 두지 아니할 뿐 아니라 건축물 또는 시설물의 구조·상주인원 및 이용인원 등을 고려하여 동일 시설물 내 2개소 이상의 장소에 구내소매인을 지정할 수 있으며, 이 경우 일반소매인이 지정된 장소가 구내소매인 지정대상이 된 때에는 동일 건축물 또는 시설물 안에 지정된 일반소매인은 구내소매인으로 보고, 구내소매인이 지정된 건축물 등에는 일반소매인을 지정할 수 없으며, 구내소매인은 담배진열장 및 담배소매점 표시판을 건물 또는 시설물의 외부에 설치하여서는 아니 된다고 규정하는 등 일반소매인의 입장에서 구내소매인과의 과당경쟁으로 인한 경영의 불합리를 방지하는 것을 그 목적으로 할 수 있다고 보기 어려우므로, 일반소매인으로 지정되어 영업을 하고 있는 기존업자의 신규 구내소매인에 대한 이익은 법률상 보호되는 이익이 아니라 단순한 사실상의 반사적 이익이라고 해석함이 상당하므로, 기존 일반소매인은 신규 구내소매인 지정처분의 취소를 구할 원고적격이 없다(대판 2008.4.10. 2008두402).

3 분뇨와 축산폐수 수집·운반업 및 정화조청소업으로 하여 분뇨 등 관련 영업허가를 받아 영업을 하고 있는 기존 업자의 이익이 법률상 보호되는 이익인지 여부(적극)

당해 지방자치단체 내의 분뇨 등의 발생량에 비하여 기존 업체의 시설이 과다한 경우 일정한 범위 내에서 분뇨 등 수집·운반업 및 정화조청소업에 대한 허가를 제한할 수 있도록 하고 있는 것은 분뇨 등을 적정하게 처리하여 자연환경과 생활환경을 청결히 하고 수질오염을 감소시킴으로써 국민보건의 향상과 환경보전에 이바지한다는 공익목적을 달성하고자 함과 동시에 업자 간의 과당경쟁으로 인한 경영의 불합리를 미리 방지하자는 데 그 목적이 있는 점 등 제반 사정에 비추어 보면, 업종을 분뇨 등 수집·운반업 및 정화조청소업으로 하여 분뇨 등 관련 영업허가를 받아 영업을 하고 있는 기존업자의 이익은 단순한 사실상의 반사적 이익이 아니고 법률상 보호되는 이익이라고 해석된다(대판 2006.7.28. 2004두6716).

② **범위**: 당해 관할 지역 내에서 미치는 것이 원칙이나, 운전면허와 같이 관할 구역 밖에서 미치는 경우도 있다.

③ **사법상 효력**: 허가는 원칙적으로 행위의 적법요건이지 유효요건은 아니므로 무허가행위로 한 행위는 특별한 규정이 없는 한 강제집행이나 행정벌의 대상이 될 뿐, 사법상 효력에는 영향이 없어 유효하다.

④ **허가 효과의 상대성**: 허가는 특별한 규정이 없는 한 관계법상의 금지가 해제될 뿐이고 다른 법률상의 제한까지 해제되는 것은 아니다(예 공무원이 영업허가를 받았다 하더라도 식품위생법상의 금지를 해제할 뿐이지, 공무원법상 영리행위금지의무까지 해제되는 것은 아님). 다만, 국민의 편의를 도모하기 위하여 특정 법률에 의한 허가를 받게 되면 유사한 다른 법령상의 허가·특허·인가 등을 받은 것으로 간주하는 집중효(集中效)제도(인허가의제 제도)를 두는 경우가 있다(예 건축법 제11조 제5항, 주택법 제19조 등).

1 도로법 제50조 제1항에 의하여 접도구역으로 지정된 지역 안에 있는 건물에 관하여 같은 법 제4항·제5항에 의하여 도로관리청으로부터 개축허가를 받은 경우 건축법 제5조 제1항에 의한 건축허가를 다시 받아야 하는지 여부(적극)

도로법과 건축법에서 각 규정하고 있는 건축허가는 그 허가권자의 허가를 받도록 한 목적, 허가의 기준, 허가 후의 감독에 있어서 같지 아니하므로 도로법 제50조 제1항에 의하여 접도구역으로 지정된 지역 안에 있는 건물에 관하여 같은 법조 제4항·제5항에 의하여 <u>도로관리청인 도지사로부터 개축허가를 받았다고 하더라도 건축법 제5조 제1항에 의하여 시장 또는 군수의 허가를 다시 받아야 한다</u>(대판 1991.4.12. 91도218).

2 자연공원구역에서의 건축행위가 건축법상 허가를 요하지 아니하는 건축행위인 경우에도 같은 법 제23조 제1항 제1호에 정한 공원관리청의 허가를 받아야 하는지 여부(적극)

구 자연공원법(1999.2.8. 법률 제5874호로 개정되기 전의 것) 제23조 제1항 각 호의 행위에 대한 허가는 특별한 사정이 없는 한 각 행위에 대하여 별도의 허가를 받아야 하고, 건축법상 허가를 요하지 아니하는 <u>건축행위라 하더라도 자연공원구역에서의 건축행위는 자연공원의 특수성을 살려 자연생태계와 자연 및 문화경관 등을 보존하고 지속가능한 이용을 도모하고자 하는 자연공원법의 입법목적에 비추어 같은 법 제23조 제1항 단서에서 규정하는 경미한 사항에 해당하지 아니하는 한 같은조 제1항 제1호 소정의 공원관리청의 허가를 받아야 하는 사항이라고 보아야 한다</u>(대판 2005.3.10. 2004도8311).

⑤ **허가에 대한 국가의 감독:** 허가는 위험방지와 질서유지를 목적으로 하므로 소극적 감독에 그친다.

(9) 인허가의제 제도

① **의의:** 인허가의제 제도는 하나의 인허가를 받으면 다른 허가, 인가, 특허 등을 받은 것으로 보는 제도를 말한다. 인허가의제 제도는 복합민원의 일종으로 민원인에게 편의를 제공하는 원스톱 서비스의 기능을 수행하게 된다.

② **법적 근거:** 행정기관의 권한에 변경을 가져오는 것이므로 법률의 **명시적인 근거**가 있어야 한다. 의제되는 인허가의 범위도 법령에 명시되어야 한다.

③ **절차:** 인허가신청은 주된 허가담당관청에만 신청하면 된다. 인허가의제 제도를 규정한 법령에서 주된 허가를 담당하는 행정청으로 하여금 의제되는 처분의 관할행정청과 사전협의를 하도록 규정을 두는 경우가 일반적이다.

④ **절차의 집중 여부:** 학설상으로는 절차집중긍정설과 부정설의 대립이 있으나, 통설 및 판례는 인허가의제 제도의 취지상 의제되는 인허가에서 요구되는 절차는 거칠 필요가 없고 주된 인허가에서 요구하는 절차만 거치면 된다고 한다.

행정기본법 제24조 【인허가의제의 기준】 ① 이 절에서 "인허가의제"란 하나의 인허가(이하 "주된 인허가"라 한다)를 받으면 법률로 정하는 바에 따라 그와 관련된 여러 인허가(이하 "관련 인허가"라 한다)를 받은 것으로 보는 것을 말한다.

② 인허가의제를 받으려면 주된 인허가를 신청할 때 관련 인허가에 필요한 서류를 함께 제출하여야 한다. 다만, 불가피한 사유로 함께 제출할 수 없는 경우에는 주된 인허가 행정청이 별도로 정하는 기한까지 제출할 수 있다.

③ 주된 인허가 행정청은 주된 인허가를 하기 전에 관련 인허가에 관하여 미리 관련 인허가 행정청과 협의하여야 한다.

④ 관련 인허가 행정청은 제3항에 따른 협의를 요청받으면 그 요청을 받은 날부터 20일 이내(제5항 단서에 따른 절차에 걸리는 기간은 제외한다)에 의견을 제출하여야 한다. 이 경우 전단에서 정한 기간(민원 처리 관련 법령에 따라 의견을 제출하여야 하는 기간을 연장한 경우에는 그 연장한 기간을 말한다) 내에 협의 여부에 관하여 의견을 제출하지 아니하면 협의가 된 것으로 본다.

⑤ 제3항에 따라 협의를 요청받은 관련 인허가 행정청은 해당 법령을 위반하여 협의에 응해서는 아니 된다. 다만, 관련 인허가에 필요한 심의, 의견 청취 등 절차에 관하여는 법률에 인허가의제 시에도 해당 절차를 거친다는 명시적인 규정이 있는 경우에만 이를 거친다.

제25조 【인허가의제의 효과】 ① 제24조 제3항·제4항에 따라 협의가 된 사항에 대해서는 주된 인허가를 받았을 때 관련 인허가를 받은 것으로 본다.

② 인허가의제의 효과는 주된 인허가의 해당 법률에 규정된 관련 인허가에 한정된다.

제26조 【인허가의제의 사후관리 등】 ① 인허가의제의 경우 관련 인허가 행정청은 관련 인허가를 직접 한 것으로 보아 관계 법령에 따른 관리·감독 등 필요한 조치를 하여야 한다.

② 주된 인허가가 있은 후 이를 변경하는 경우에는 제24조·제25조 및 이 조 제1항을 준용한다.

③ 이 절에서 규정한 사항 외에 인허가의제의 방법, 그 밖에 필요한 세부 사항은 대통령령으로 정한다.

⚖ **관련판례**

1 건설부장관이 관계기관의 장과의 협의를 거쳐 주택건설사업계획 승인을 한 경우 별도로 도시계획법 소정의 중앙도시계획위원회의 의결이나 주민의 의견청취 등 절차가 필요한지 여부(소극)

건설부장관이 구 주택건설촉진법 제33조에 따라 관계기관의 장과의 협의를 거쳐 사업계획승인을 한 이상 같은 조 제4항의 허가·인가·결정·승인 등이 있는 것으로 볼 것이고, 그 절차와 별도로 도시계획법 제12조 등 소정의 중앙도시계획위원회의 의결이나 주민의 의견청취 등 절차를 거칠 필요는 없다(대판 1992.11.10. 92누1162).

2 국토의 계획 및 이용에 관한 법률상의 개발행위허가가 의제되는 건축허가신청이 동 법령이 정한 개발행위허가기준에 부합하지 아니하면, 행정청은 건축허가를 거부할 수 있는지 여부(적극)

건축물의 건축이 국토계획법상 개발행위에 해당할 경우 그에 대한 건축허가를 하는 허가권자는 건축허가에 배치·저촉되는 관계 법령상 제한 사유의 하나로 국토계획법령의 개발행위허가기준을 확인하여야 하므로, 국토계획법상 건축물의 건축에 관한 개발행위허가가 <u>의제되는 건축허가신청이 국토계획법령이 정한 개발행위허가기준에 부합하지 아니하면 허가권자로서는 이를 거부할 수 있고</u>, 이는 건축법 제16조 제3항에 의하여 개발행위허가의 변경이 의제되는 건축허가사항의 변경허가에서도 마찬가지이다(대판 2016.8.24. 2016두35762).

3 주한미군 공여구역주변지역 등 지원 특별법 제11조에 의한 사업시행승인을 하는 경우, 같은 법 제29조 제1항에서 정한 사업 관련 모든 인허가의제 사항에 관하여 관계 행정기관의 장과 일괄하여 사전협의를 거칠 것을 요건으로 하는지 여부(소극)

인허가의제 조항은 목적사업의 원활한 수행을 위해 행정절차를 간소화하고자 하는 데 그 입법 취지가 있다 할 것인데, 만일 사업시행승인 전에 반드시 사업 관련 모든 인허가의제 사항에 관하여 관계 행정기관의 장과 협의를 거쳐야 한다고 해석하게 되면 일부의 인허가의제 효력만을 먼저 얻고자 하는 사업시행승인신청인의 의사와 부합하지 않을 뿐만 아니라 사업시행승인신청을 하기까지 상당한 시간이 소요되어 그 취지에 반한다(대판 2012.2.9. 2009두16305).

⑤ **인허가의제 요건의 판단:** 주된 허가 요건뿐만 아니라 의제되는 인허가 요건까지 모두 구비한 경우에 주된 신청에 대한 허가를 할 수 있다고 본다.

🔍 관련판례

채광계획인가로 공유수면 점용허가가 의제될 경우, 공유수면 점용불허사유로써 채광계획을 인가하지 아니할 수 있는지 여부(적극)

채광계획이 중대한 공익에 배치된다고 할 때에는 인가를 거부할 수 있고, 채광계획을 불인가하는 경우에는 정당한 사유가 제시되어야 하며 자의적으로 불인가를 하여서는 아니 될 것이므로 채광계획인가는 기속재량행위에 속하는 것으로 보아야 할 것이나, 구 광업법 제47조의2 제5호에 의하여 채광계획인가를 받으면 공유수면 점용허가를 받은 것으로 의제되고, 이 공유수면 점용허가는 공유수면 관리청이 공공 위해의 예방 경감과 공공 복리의 증진에 기여함에 적당하다고 인정하는 경우에 그 자유재량에 의하여 허가의 여부를 결정하여야 할 것이므로, <u>공유수면 점용허가를 필요로 하는 채광계획 인가신청에 대하여도 공유수면 관리청이 재량적 판단에 의하여 공유수면 점용을 허가 여부를 결정할 수 있고</u>, 그 결과 공유수면 점용을 허용하지 않기로 결정하였다면, 채광계획 인가관청은 이를 사유로 하여 채광계획을 인가하지 아니할 수 있는 것이다(대판 2002.10.11. 2001두151).

핵심 OX

01 식품접객업 영업신고에 대해서는 식품위생법이 건축법에 우선 적용되므로, 영업신고가 식품위생법 상의 신고요건을 갖춘 경우라면 그 영업신고를 한 해당 건축물이 건축법 상 무허가건축물이라도 적법한 신고에 해당된다. ( )

02 공유수면 점용허가를 필요로 하는 채광계획 인가신청에 대하여, 공유수면 관리청이 공유수면 점용을 허용하지 않기로 결정한 경우, 채광계획 인가관청은 이를 사유로 채광계획 인가신청을 반려할 수 없다.

16 · 14. 국회8급 ( )

01 X **02** X

⑥ **효과:** 주된 허가가 있으면 의제되는 인허가 등을 받은 것으로 본다.

> ⚖ **관련판례**
>
> **택지개발사업 실시계획승인에 의하여 의제되는 도로공사시행허가 및 도로점용허가의 범위**
> 구 택지개발촉진법(2002.2.4. 법률 제6655호로 개정되기 전의 것) 제11조 제1항 제9호에서는 사업시행자가 택지개발사업 실시계획승인을 받은 때 도로법에 의한 도로공사시행허가 및 도로점용허가를 받은 것으로 본다고 규정하고 있는바, 이러한 <u>인허가의제 제도는 목적사업의 원활한 수행을 위해 행정절차를 간소화하고자 하는 데 그 취지가 있는 것이므로 위와 같은 실시계획승인에 의해 의제되는 도로공사시행허가 및 도로점용허가는 원칙적으로 당해 택지개발사업을 시행하는 데 필요한 범위 내에서만 그 효력이 유지된다고 보아야 한다.</u> 따라서 원고가 이 사건 택지개발사업과 관련하여 그 사업시행의 일환으로 이 사건 도로예정지 또는 도로에 전력관을 매설하였다고 하더라도 사업시행완료 후 이를 계속 유지·관리하기 위해 도로를 점용하는 것에 대한 도로점용허가까지 그 실시계획 승인에 의해 의제된다고 볼 수는 없다(대판 2010.4.29. 2009두18547).

⑦ **불복방법:** 주된 허가신청에 대한 거부처분을 하면서 의제되는 인허가와 관련된 사유를 그 이유로 한 경우에도 의제되는 인허가가 아닌 주된 허가거부처분을 대상으로 소송을 제기해야 한다.

> ⚖ **관련판례**
>
> **1** **건축불허가처분을 하면서 건축불허가사유 외에 형질변경불허가사유나 농지전용불허가사유를 들고 있는 경우, 그 건축불허가처분에 관한 쟁송에서 형질변경불허가사유나 농지전용불허가사유에 관하여도 다툴 수 있는지 여부(적극)**❶
> 구 건축법 제8조 제1항·제3항·제5항에 의하면, 건축허가를 받은 경우에는 구 도시계획법 제4조에 의한 토지의 형질변경허가나 농지법 제36조에 의한 농지전용허가 등을 받은 것으로 보며, 한편 건축허가권자가 건축허가를 하고자 하는 경우 당해 용도·규모 또는 형태의 건축물을 그 건축하고자 하는 대지에 건축하는 것이 건축법 관련 규정이나 같은 도시계획법 제4조, 농지법 제36조 등 관계 법령의 규정에 적합한지의 여부를 검토하여야 하는 것일 뿐, 건축불허가처분을 하면서 그 처분사유로 건축불허가 사유뿐만 아니라 형질변경불허가 사유나 농지전용불허가 사유를 들고 있다고 하여 그 건축불허가처분 외에 별개로 형질변경불허가처분이나 농지전용불허가처분이 존재하는 것이 아니므로, 그 <u>건축불허가처분을 받은 사람은 그 건축불허가처분에 관한 쟁송에서 건축법상의 건축불허가사유뿐만 아니라 같은 도시계획법상의 형질변경불허가사유나 농지법상의 농지전용불허가사유에 관하여도 다툴 수 있는 것</u>이지, 그 건축불허가처분에 관한 쟁송과는 별개로 형질변경불허가처분이나 농지전용불허가처분에 관한 쟁송을 제기하여 이를 다투어야 하는 것은 아니며, 그러한 쟁송을 제기하지 아니하였어도 형질변경불허가사유나 농지전용불허가사유에 관하여 불가쟁력이 생기지 아니한다(대판 2001.1.16. 99두10988).

2 주된 인허가에 관한 사항을 규정하고 있는 법률에서 주된 인허가가 있으면 다른 법률에 의한 인허가를 받은 것으로 의제한다는 규정을 둔 경우, 주된 인허가가 있으면 다른 법률에 의하여 인허가를 받았음을 전제로 하는 그 다른 법률의 모든 규정들이 적용되는지 여부(소극)

주된 인허가에 관한 사항을 규정하고 있는 법률에서 주된 인허가가 있으면 다른 법률에 의한 인허가를 받은 것으로 의제한다는 규정을 둔 경우, 주된 인허가가 있으면 다른 법률에 의한 인허가가 있는 것으로 보는 데 그치고, 거기에서 더 나아가 다른 법률에 의하여 인허가를 받았음을 전제로 하는 그 다른 법률의 모든 규정들까지 적용되는 것은 아니다(대판 2016.11.24. 2014두47686).

3 주택건설사업계획 승인처분에 따라 의제된 인허가에 하자가 있어 이해관계인이 위법함을 다투고자 하는 경우, 취소를 구할 대상(= 의제된 인허가) 및 의제된 인허가가 주택건설사업계획 승인처분과 별도로 항고소송의 대상이 되는 처분에 해당하는지 여부(적극)

주택건설사업계획 승인권자가 관계 행정청의 장과 미리 협의한 사항에 한하여 승인처분을 할 때에 인허가 등이 의제될 뿐이고, 각 호에 열거된 모든 인허가 등에 관하여 일괄하여 사전협의를 거칠 것을 주택건설사업계획 승인처분의 요건으로 규정하고 있지 않다. 따라서 <u>인허가의제 대상이 되는 처분에 어떤 하자가 있더라도, 그로써 해당 인허가의제의 효과가 발생하지 않을 여지가 있게 될 뿐이고, 그러한 사정이 주택건설사업계획승인처분 자체의 위법사유가 될 수는 없다.</u> 또한 의제된 인허가는 통상적인 인허가와 동일한 효력을 가지므로, 적어도 '부분 인허가의제'가 허용되는 경우에는 그 효력을 제거하기 위한 법적 수단으로 의제된 인허가의 취소나 철회가 허용될 수 있고, 이러한 직권 취소·철회가 가능한 이상 그 의제된 인허가에 대한 쟁송취소 역시 허용된다. 따라서 <u>주택건설사업계획 승인처분에 따라 의제된 인허가가 위법함을 다투고자 하는 이해관계인은 주택건설사업계획승인처분의 취소를 구할 것이 아니라 의제된 인허가의 취소를 구하여야 하며, 의제된 인허가는 주택건설사업계획승인처분과 별도로 항고소송의 대상이 되는 처분에 해당한다</u>(대판 2018.11.29. 2016두38792).

(10) 갱신

① 갱신허가는 형식적으로 새로운 허가처럼 보이나, 실질적으로는 기존 허가의 효력의 동일성을 유지하면서 장래에 향하여 종전의 지위를 계속 유지시키는 효과를 갖는다. 따라서 특별규정이 없는 경우 원허가의 요건은 갱신허가의 요건이 된다.

② 갱신허가는 기존 허가의 효력의 동일성을 유지하는 것이므로 갱신허가를 한 후에도 갱신 전의 법령위반사실을 근거로 갱신허가를 취소할 수 있다. 즉, 허가의 갱신으로 인하여 갱신 전의 위법사유가 치유되는 것은 아니다.

🔍 관련판례

1 건설업면허 갱신이 있으면 갱신전 건설업자의 위법 사유가 치유되는지 여부(소극)

<u>건설업면허의 갱신이 있으면 기존 면허의 효력은 동일성을 유지하면서 장래에 향하여 지속한다</u> 할 것이고 갱신에 의하여 갱신 전의 면허는 실효되고 새로운 면허가 부여된 것이라고 볼 수는 없으므로 <u>면허갱신에 의하여 갱신 전의 건설업자의 모든 위법사유가 치유된다거나 일정한 시일의 경과로서 그 위법사유가 치유된다고 볼 수 없다</u>(대판 1984.9.11. 83누658).

핵심 OX

03 주택건설사업계획 승인처분에 따라 의제된 인허가에 하자가 있어 이해관계인이 위법함을 다투고자 하는 경우, 취소를 구할 대상(= 의제된 인허가) 및 의제된 인허가는 주택건설사업계획 승인처분과 별도로 항고소송의 대상이 되는 처분에 해당한다. 19. 서울7급 (   )

04 허가에 타법상의 인허가가 의제되는 경우, 의제된 인허가는 통상적인 인허가와 동일한 효력을 가질 수 없으므로 '부분 인허가의제'가 허용되는 경우라도 그에 대한 쟁송취소는 허용될 수 없다. 19. 지방7급 (   )

05 주택건설사업계획 승인처분에 따라 의제된 인허가가 위법함을 다투고자 하는 이해관계인은, 주택건설사업계획승인처분의 취소를 구해야지 의제된 인허가의 취소를 구해서는 아니되며, 의제된 인허가는 주택건설사업계획승인처분과 별도로 항고소송의 대상이 되는 처분에 해당하지 않는다. 21. 국가9급 (   )

06 허가조건의 존속기간 내에 적법한 갱신신청이 있었음에도 갱신 가부의 결정이 없으면 주된 행정행위는 효력이 상실된다. 11. 지방9급 (   )

03 ○ **04** X **05** X **06** X

2 유료직업소개사업의 허가갱신 후에 갱신 전의 법 위반을 이유로 한 허가취소 가부(적극)

유료직업소개사업의 허가갱신은 허가취득자에게 종전의 지위를 계속 유지시키는 효과를 갖는 것에 불과하고 갱신 후에는 갱신 전의 법 위반사항을 불문에 붙이는 효과를 발생하는 것이 아니므로 일단 <u>갱신이 있은 후에도 갱신 전의 법 위반사실을 근거로 허가를 취소할 수 있다</u>(대판 1982.7.27. 81누174).

③ 그러나 허가의 신청이 갱신이 아닌 경우에는 새로운 행위로 보아야 한다.

> ⚖ **관련판례**
>
> **종전의 영업을 자진폐업하고 새로운 영업허가 신청을 한 경우, 소멸한 종전의 영업허가권이 당연히 되살아나는지 여부(소극)**
> <u>종전의 결혼예식장영업을 자진폐업한 이상 예식장영업허가는 자동적으로 소멸하고</u> 동일한 건물 중 일부에 대하여 다시 예식장영업허가신청을 하였다 하더라도 이는 전혀 <u>새로운 영업허가의 신청임이 명백하므로 일단 소멸한 종전의 영업허가권이 당연히 되살아난다고 할 수는 없다</u>(대판 1985.7.9. 83누412).

④ 허가의 유효기간이 만료된 경우에는 종전의 허가는 당연히 효력을 잃게 되므로 기간연장신청에 대한 거부가 가능하다.

> ⚖ **관련판례**
>
> **1** 종전 허가의 유효기간이 지난 후에 한 기간연장신청의 성격
> 종전의 허가가 기한의 도래로 실효한 이상 원고가 종전 허가의 유효기간이 지나서 신청한 이 사건 기간연장신청은 그에 대한 종전의 허가처분을 전제로 하여 단순히 그 유효기간을 연장하여 주는 행정처분을 구하는 것이라기 보다는 <u>종전의 허가처분과는 별도의 새로운 허가를 내용으로 하는 행정처분을 구하는 것이라</u>고 보아야 할 것이어서, 이러한 경우 허가권자는 이를 새로운 허가신청으로 보아 법의 관계 규정에 의하여 허가요건의 적합 여부를 새로이 판단하여 그 허가 여부를 결정하여야 할 것이다(대판 1995.11.10. 94누11866).
>
> **2** 허가에 붙은 기한이 그 허가된 사업의 성질상 부당하게 짧아 그 기한을 허가조건의 존속기간으로 볼 수 있는 경우에 허가기간이 연장되기 위하여는 그 종기 도래 이전에 연장에 관한 신청이 있어야 하는지 여부(적극)
> 일반적으로 행정처분에 효력기간이 정하여져 있는 경우에는 그 기간의 경과로 그 행정처분의 효력은 상실되고, 다만 <u>허가에 붙은 기한이 그 허가된 사업의 성질상 부당하게 짧은 경우에는 이를 그 허가 자체의 존속기간이 아니라 그 허가조건의 존속기간으로 보아</u> 그 기한이 도래함으로써 그 조건의 개정을 고려한다는 뜻으로 해석할 수는 있지만, 그와 같은 경우라 하더라도 그 허가기간이 연장되기 위하여는 그 종기가 도래하기 전에 그 허가기간의 연장에 관한 신청이 있어야 하며, 만일 그러한 연장신청이 없는 상태에서 허가기간이 만료하였다면 그 허가의 효력은 상실된다(대판 2007.10.11. 2005두12404).

3 허가에 붙은 당초의 기한이 상당 기간 연장되어 허가된 사업의 성질상 부당하게 짧은 경우에 해당하지 아니하게 된 경우 관계 법령의 규정에 따라 허가 여부의 재량권을 가진 행정청이 기간연장을 불허가하는 것이 가능한지 여부(적극)

일반적으로 행정처분에 효력기간이 정하여져 있는 경우에는 그 기간의 경과로 그 행정처분의 효력은 상실되며, 다만 허가에 붙은 기한이 그 허가된 사업의 성질상 부당하게 짧은 경우에는 이를 그 허가 자체의 존속기간이 아니라 그 허가조건의 존속기간으로 보아 그 기한이 도래함으로써 그 조건의 개정을 고려한다는 뜻으로 해석할 수 있지만, 이와 같이 당초에 붙은 기한을 허가 자체의 존속기간이 아니라 허가조건의 존속기간으로 보더라도 그 후 <u>당초의 기한이 상당 기간 연장되어 연장된 기간을 포함한 존속기간 전체를 기준으로 볼 경우 더 이상 허가된 사업의 성질상 부당하게 짧은 경우에 해당하지 않게 된 때</u>에는 관계 법령의 규정에 따라 허가 여부의 재량권을 가진 행정청으로서는 그 때에도 허가조건의 개정만을 고려하여야 하는 것은 아니고 <u>재량권의 행사로서 더 이상의 기간연장을 불허가할 수도 있는 것</u>이며, 이로써 허가의 효력은 상실된다(대판 2004.3.25. 2003두12837).

4 어업에 관한 허가 또는 신고의 경우 유효기간이 지나면 당연히 효력이 소멸하는지 여부(적극) 및 이 경우 다시 어업허가를 받거나 신고를 하더라도 종전 허가나 신고의 효력 등이 계속되는지 여부(소극)

어업에 관한 허가 또는 신고의 경우에는 어업면허와 달리 유효기간연장제도가 마련되어 있지 아니하므로 그 <u>유효기간이 경과하면 그 허가나 신고의 효력이 당연히 소멸</u>하며, 재차 허가를 받거나 신고를 하더라도 허가나 신고의 기간만 갱신되어 종전의 어업허가나 신고의 효력 또는 성질이 계속된다고 볼 수 없고 <u>새로운 허가 내지 신고로서의 효력이 발생</u>한다고 할 것이다(대판 2011.7.28. 2011두5728).

5 사도개설허가에서 정해진 공사기간 내에 사도로 준공검사를 받지 못한 경우, 이 공사기간을 사도개설허가 자체의 존속기간(유효기간)으로 볼 수 없다는 이유로 사도개설허가가 당연히 실효되는 것은 아니라고 한 사례

[1] 일반적으로 행정처분에 효력기간이 정하여져 있는 경우에는 그 기간의 경과로 그 행정처분의 효력은 상실되며, 다만 허가에 붙은 기한이 그 허가된 사업의 성질상 부당하게 짧은 경우에는 이를 그 허가 자체의 존속기간이 아니라 그 허가조건의 존속기간으로 보아 그 기한이 도래함으로써 그 조건의 개정을 고려한다는 뜻으로 해석할 수 있을 것이다.

[2] 사도개설허가에는 본질적으로 사도를 개설하기 위한 토목공사 등 현실적인 도로개설공사가 따르기 마련이므로 허가를 하면서 공사기간을 특정하기도 하지만 사도개설허가는 사도를 개설할 수 있는 권한의 부여 자체에 주안점이 있는 것이지 공사기간의 제한에 주안점이 있는 것이 아닌 점 등에 비추어 보면 이 사건 제1처분에 명시된 공사기간은 변경된 허가권자인 보조참가인에 대하여 공사기간을 준수하여 공사를 마치도록 하는 의무를 부과하는 일종의 부담에 불과한 것이지, <u>사도개설허가 자체의 존속기간(즉, 유효기간)을 정한 것이라 볼 수 없고</u>, 사도개설허가에서 정해진 공사기간 내에 사도로 준공검사를 받지 못하였다 하더라도, 이를 이유로 행정관청이 새로운 행정처분을 하는 것은 별론으로 하고, <u>사도개설허가가 당연히 실효되는 것은 아니다</u>(대판 2004.11.25. 2004두7023).

핵심 OX

05 허가에 붙은 기한이 그 허가된 사업의 성질상 부당하게 짧아 이 기한을 그 허가 조건의 존속기간으로 해석할 수 있더라도, 그 후 당초의 기한이 상당 기간 연장되어 연장된 기간을 포함한 존속기간 전체를 기준으로 보면 더 이상 허가된 사업의 성질상 부당하게 짧은 경우에 해당하지 않게 된 때에는, 관계법령상 허가여부의 재량권을 가진 행정청은 허가조건의 개정만을 고려하여야 하는 것은 아니고, 재량권의 행사로서 더 이상의 기간 연장을 불허가하여 허가의 효력을 상실시킬 수 있다.
16. 지방7급 ( )

06 어업에 관한 허가 또는 신고의 경우에는 어업면허와 달리 유효기간 연장제도가 마련되어 있지 아니하므로 그 유효기간이 경과하면 그 허가나 신고의 효력이 당연히 소멸하며, 재차 허가를 받거나 신고를 하더라도 허가나 신고의 기간만 갱신되어 종전의 어업허가나 신고의 효력 또는 성질이 계속된다고 볼 수 없고 새로운 허가 내지 신고로서의 효력이 발생한다.
12. 사복 ( )

05 ○ **06** ○

핵심 OX

01 허가신청에 대한 결정이 있기 전에 허가기준을 정한 법령이 개정된 경우에는 특별한 사정이 없으면 개정된 허가기준이 적용된다.

11. 국가7급 ( )

핵심 OX

02 허가신청 후 허가기준이 변경되었다 하더라도 허가관청이 허가신청을 수리하고도 정당한 이유 없이 그 처리를 늦추어 그 사이에 허가기준이 변경된 것이 아닌 이상, 허가관청은 변경된 허가기준에 따라서 처분을 하여야 한다.

18. 지방7급, 12. 국회9급 ( )

핵심 OX

03 대물적 영업양도의 경우, 명시적인 규정이 없는 경우에도 양도 전에 존재하는 영업정지사유를 이유로 양수인에 대해서도 영업정지처분을 할 수 있다. 13. 국가7급 ( )

04 구 석유판매업허가는 혼합적 허가의 성질을 갖는 것이므로 양도인의 허가취소 사유가 양수인에게 승계되지 않는다. 11. 국가7급 ( )

05 주유소허가의 양수인은 양도인의 지위를 승계하므로 양도인에게 그 허가를 취소할 법적 사유가 있는 경우 이를 이유로 양수인에게 응분의 제재조치를 할 수 있다.

19. 서울7급, 09. 국회9급 ( )

(11) 허가신청 후 법령에 개정이 있는 경우 – 개정법령(처분 당시) 적용

허가신청 후 처분 전에 관계 법령이 개정된 경우에는 개정된 법률에 따라 처분을 하여야 한다는 것이 판례의 입장이다. 나아가 허가의 요건은 법령으로 규정되어야 하며, 법령의 근거 없이 행정권이 독자적으로 허가요건을 추가하는 것은 허용되지 아니한다.

⚖️ **관련판례**

1 **허가신청 후 허가기준이 변경된 경우 새로운 허가기준으로 처분을 하여야 하는지 여부 (적극)**

허가 등의 행정처분은 원칙적으로 처분시의 법령과 허가기준에 의하여 처리되어야 하고 허가신청 당시의 기준에 따라야 하는 것은 아니며, 비록 허가신청 후 허가기준이 변경되었다 하더라도 그 허가관청이 허가신청을 수리하고도 정당한 이유 없이 그 처리를 늦추어 그 사이에 허가기준이 변경된 것이 아닌 이상 변경된 허가기준에 따라서 처분을 하여야 한다(대판 1996.8.20. 95누10877).

2 **인허가신청 후 처분 전에 관계 법령이 개정 시행된 경우 새로운 법령 및 허가기준에 따라서 한 처분의 적부(한정적극)**

행정행위는 처분 당시에 시행 중인 법령 및 허가기준에 의하여 하는 것이 원칙이고, 인허가신청 후 처분 전에 관계 법령이 개정 시행된 경우 신법령 부칙에서 신법령 시행 전에 이미 허가신청이 있는 때에는 종전의 규정에 의한다는 취지의 경과규정을 두지 아니한 이상 당연히 허가신청 당시의 법령에 의하여 허가 여부를 판단하여야 하는 것은 아니며, 소관 행정청이 허가신청을 수리하고도 정당한 이유 없이 처리를 늦추어 그 사이에 법령 및 허가기준이 변경된 것이 아닌 한 새로운 법령 및 허가기준에 따라서 한 불허가처분이 위법하다고 할 수 없다(대판 1992.12.8. 92누13813).

(12) 대물적 허가 관련 양도인의 위법사유가 양수인에게 승계되는지 여부

대인적 허가의 경우에는 특별한 규정이 없는 한 원칙적으로 허가의 승계가 인정되지 아니하나, 대물적 허가의 경우에는 영업허가의 효과가 승계되므로 양도인의 귀책사유는 양수인에게도 그 효력이 미치게 된다는 것이 판례의 입장이다. 따라서 허가효과의 승계와 허가취소사유의 승계는 엄격히 구별되고 있지 않다.

⚖️ **관련판례**

1 **석유판매업이 양도된 경우, 양도인의 귀책사유로 양수인에게 제재를 가할 수 있는지 여부(적극)**

석유판매업(주유소)허가는 소위 대물적 허가의 성질을 갖는 것이어서 그 사업의 양도도 가능하고 이 경우 양수인은 양도인의 지위를 승계하게 됨에 따라 양도인의 위 허가에 따른 권리의무가 양수인에게 이전되는 것이므로 만약 양도인에게 그 허가를 취소할 위법사유가 있다면 허가관청은 이를 이유로 양수인에게 응분의 제재조치를 취할 수 있다 할 것이고, 양수인이 그 양수 후 허가관청으로부터 석유판매업허가를 다시 받았다 하더라도 이는 석유판매업의 양수도를 전제로 한 것이어서 이로써 양도인의 지위승계가 부정되는 것은 아니므로 양도인의 귀책사유는 양수인에게 그 효력이 미친다(대판 1986.7.22. 86누203).

01 ○ 02 ○ 03 ○ 04 ✕ 05 ○

2 개인택시운송사업의 양도·양수가 있고 그에 대한 인가가 있은 후 그 양도·양수 이전에 있었던 양도인에 대한 운송사업면허취소사유를 들어 양수인의 사업면허를 취소할 수 있는지 여부(적극)

개인택시운송사업의 양도·양수가 있고 그에 대한 인가가 있은 후 그 양도·양수 이전에 있었던 양도인에 대한 운송사업면허취소사유(음주운전 등으로 인한 자동차운전면허의 취소)를 들어 양수인의 운송사업면허를 취소한 것은 정당하다(대판 1998.6.26. 96누18960).❶

3 건축허가서의 사법상 효력 및 건축허가가 타인의 명의로 된 경우 건물 소유권의 취득 관계

건축허가는 행정관청이 건축행정상 목적을 수행하기 위하여 수허가자에게 일반적으로 행정관청의 허가 없이는 건축행위를 하여서는 안된다는 상대적 금지를 관계 법규에 적합한 일정한 경우에 해제하여 줌으로써 일정한 건축행위를 하여도 좋다는 자유를 회복시켜 주는 행정처분일 뿐 수허가자에게 어떤 새로운 권리나 능력을 부여하는 것이 아니고, 건축허가서는 허가된 건물에 관한 실체적 권리의 득실변경의 공시방법이 아니며 추정력도 없으므로 건축허가서에 건축주로 기재된 자가 건물의 소유권을 취득하는 것은 아니므로, 자기 비용과 노력으로 건물을 신축한 자는 그 건축허가가 타인의 명의로 된 여부에 관계없이 그 소유권을 원시취득한다(대판 2002.4.26. 2000다16350).

4 건축허가의 법적 성격 및 건축 중인 건물의 소유자와 건축허가 명의자가 일치하여야 하는지 여부(소극)

건축허가는 시장·군수 등의 행정관청이 건축행정상 목적을 수행하기 위하여 수허가자에게 일반적으로 행정관청의 허가 없이는 건축행위를 하여서는 안 된다는 상대적 금지를 관계 법규에 적합한 일정한 경우에 해제함으로써 일정한 건축행위를 하도록 회복시켜 주는 행정처분일 뿐, 허가받은 자에게 새로운 권리나 능력을 부여하는 것이 아니다. 그리고 건축허가서는 허가된 건물에 관한 실체적 권리의 득실변경의 공시방법이 아니며 그 추정력도 없으므로 건축허가서에 건축주로 기재된 자가 그 소유권을 취득하는 것은 아니며, 건축 중인 건물의 소유자와 건축허가의 건축주가 반드시 일치하여야 하는 것도 아니다(대판 2009.3.12. 2006다28454).

5 회사가 분할된 경우, 신설회사에 대하여 분할하는 회사의 분할전 법 위반행위를 이유로 과징금을 부과할 수 있는지 여부(원칙적 소극)

회사분할시 신설회사 또는 존속회사가 승계하는 것은 분할하는 회사의 권리와 의무이고, 분할하는 회사의 분할전 법 위반행위를 이유로 과징금이 부과되기 전까지는 단순한 사실행위만 존재할 뿐 과징금과 관련하여 분할하는 회사에 승계 대상이 되는 어떠한 의무가 있다고 할 수 없으므로, 특별한 규정이 없는 한 신설회사에 대하여 분할하는 회사의 분할전 법 위반행위를 이유로 과징금을 부과하는 것은 허용되지 않는다(대판 2011.5.26. 2008두18335).

(13) 소멸

허가에 철회사유가 발생한 경우 허가는 철회될 수 있으며, 허가를 철회하는 경우에는 철회의 법적 근거·사유 등을 명확히 하여야 한다. 허가의 철회는 부담적 행정행위로서 철회 자체에 하자가 있는 경우 이를 쟁송으로 다툴 수 있다.

❶
강학상 특허에 관한 것이지만 논리는 허가와 동일

(14) 예외적 승인(예외적 허가)

① **의의**: 일정한 행위가 사회적으로 바람직하지 않은 것으로서 법령상 금지되고 있으나, 예외적인 경우에 이러한 금지를 해제하여 당해 행위를 적법하게 할 수 있게 하는 행위를 말한다(예 치료목적 아편사용의 허가 등).

② **허가와의 구별**

  ㉠ **허가**: 위험방지라고 하는 통제목적을 위해 잠정적으로 금지된 행위를 적법하게 할 수 있게 해주는 예방적 금지해제, 허가유보부 잠정적 금지의 성질을 가지며, **기속행위**이다(예 주거지역 내에서의 건축허가 등).

  ㉡ **예외적 승인(예외적 허가)**: 사회적으로 유해(有害)하여 일반적으로 금지된 행위를 일정한 경우에 예외적으로 적법하게 할 수 있게 해주는 억제적 금지의 해제, 해제유보부 제재적 금지의 성질을 가지며, **재량행위**이다(예 개발제한구역 내의 건축허가, 학교위생정화구역에서의 유흥음식점허가 등).

③ **성질**: 허가와 예외적 승인은 모두 금지의 해제인 점에서는 차이가 없으므로 예외적 승인은 허가의 한 유형으로 볼 수 있으며, 수익적 행정행위의 성질을 갖는다. 또한 예외적 승인은 특허의 성질을 갖는다는 견해도 있다.

④ **예외적 승인을 인정한 경우**

  ㉠ 개발제한구역 내에서의 건축허가(대판 2001.2.9. 98두17593)

  ㉡ 구 도시계획법의 도시계획구역 안에서의 건축허가(대판 1998.2.13. 97누8182)

  ㉢ 학교환경위생정화구역 안에서의 유흥주점영업허가(대판 1996.10.29. 96누8253)

  ㉣ 구 문화재보호법 제44조 제1항 단서 제3호의 규정에 의한 건설공사를 계속하기 위한 고분발굴허가(대판 2000.10.27. 99두264)

  ㉤ 프로판가스 충전업허가(대판 1987.11.10. 87누462).

  ㉥ 공익사업을 위한 토지 등의 취득 및 보상에 관한 법률 제9조상 타인의 토지에의 출입허가

핵심 OX

03 개발제한구역 내에서는 구역지정의 목적상 건축물의 건축 및 공작물의 설치 등 개발행위가 원칙적으로 금지되고 예외적으로 허가에 의하여 그러한 행위를 할 수 있게 되어 있으므로 그 허가는 재량행위에 속한다.

19. 서울9급(2월), 18 · 14 · 10. 국가7급 ( )

> **관련판례**
>
> **1** 구 도시계획법상의 개발제한구역 내의 건축물의 용도변경허가의 법적 성질(= 재량행위 내지 자유재량행위) 및 그 위법 여부에 대한 사법심사 대상(= 재량권 일탈 · 남용의 유무)
>
> 구 도시계획법 제21조와 같은 법 시행령 제20조 제1항 · 제2항 및 같은 법 시행규칙 제7조 제1항 제6호 다목 등의 규정을 살펴보면, 도시의 무질서한 확산을 방지하고 도시주변의 자연환경을 보전하여 도시민의 건전한 생활환경을 확보하기 위하여 지정되는 개발제한구역 내에서는 구역 지정의 목적상 건축물의 건축이나 그 용도변경은 원칙적으로 금지되고, 다만 구체적인 경우에 위와 같은 구역 지정의 목적에 위배되지 아니할 경우 예외적으로 허가에 의하여 그러한 행위를 할 수 있게 되어 있음이 위와 같은 관련 규정의 체재와 문언상 분명한 한편, 이러한 건축물의 용도변경에 대한 예외적인 허가는 그 상대방에게 수익적인 것에 틀림이 없으므로, 이는 그 법률적 성질이 재량행위 내지 자유재량행위에 속하는 것이라고 할 것이고, 따라서 그 위법 여부에 대한 심사는 재량권 일탈 · 남용의 유무를 그 대상으로 한다(대판 2001.2.9. 98두17593).

2 구 도시계획법상 개발제한구역 내에서의 건축허가의 법적 성질(= 재량행위 내지 자유재량행위)

구 도시계획법 제21조와 같은 법 시행령 제20조 제1항·제2항 및 같은 법 시행규칙 제7조 제1항 제1호 가목 등의 규정을 종합하여 보면, 개발제한구역 안에서는 구역 지정의 목적상 건축물의 건축 등의 개발행위는 원칙적으로 금지되고, 다만 구체적인 경우에 이와 같은 구역 지정의 목적에 위배되지 아니할 경우 예외적으로 허가에 의하여 그러한 행위를 할 수 있게 되어 있음이 그 규정의 체제와 문언상 분명하고, 이러한 예외적인 건축허가는 그 상대방에게 수익적인 것에 틀림이 없으므로 그 법률적 성질은 재량행위 내지 자유재량행위에 속하는 것이다(대판 2003.3.28. 2002두11905).

3 학교보건법 제6조 제1항 단서의 규정에 의한 금지행위 해제 거부조치의 성질과 그것이 재량권 일탈·남용이 되기 위한 요건

학교보건법 제6조 제1항 단서의 규정에 의하여 시·도교육위원회교육감 또는 교육감이 지정하는 자가 학교환경위생정화구역 안에서의 금지행위 및 시설의 해제신청에 대하여 그 행위 및 시설이 학습과 학교보건에 나쁜 영향을 주지 않는 것인지의 여부를 결정하여 그 금지행위 및 시설을 해제하거나 계속하여 금지(해제거부)하는 조치는 시·도교육위원회교육감 또는 교육감이 지정하는 자의 재량행위에 속하는 것으로서, 그것이 재량권을 일탈·남용하여 위법하다고 하기 위하여는 그 행위 및 시설의 종류나 규모, 학교에서의 거리와 위치는 물론이고, 학교의 종류와 학생수, 학교주변의 환경, 그리고 위 행위 및 시설이 주변의 다른 행위나 시설 등과 합하여 학습과 학교보건위생 등에 미칠 영향 등의 사정과 그 행위나 시설이 금지됨으로 인하여 상대방이 입게 될 재산권 침해를 비롯한 불이익 등의 사정 등 여러 가지 사항들을 합리적으로 비교·교량하여 신중하게 판단하여야 한다(대판 1996.10.29. 96누8253).

◈ 핵심정리 **갱신허가와 강학상 허가**

갱신허가	• 허가의 갱신은 종전허가의 효력을 지속시키는 것이다. • 허가의 갱신은 기한의 도래 전에 이루어져야 한다. 기한의 도래 전에 갱신이 이루어지면 갱신 전후의 행위는 하나의 행위가 된다. • 기한 도래 전에 갱신신청을 하였으나 도래 후에 갱신이 이루어진 경우, 특별한 사정이 없는 한 기한의 도래 전에 이루어진 것과 동일하게 본다. • 기한 도래 후에 갱신신청을 하였고 갱신이 이루어지면, 갱신 전후의 행위는 별개의 행위로 볼 것이다. • 허가에 붙은 기한이 그 허가된 사업의 성질상 부당하게 짧은 경우에는 이를 그 허가 자체의 존속기간이 아니라 그 허가조건의 존속기간으로 보아 그 기한이 도래함으로써 그 조건의 개정을 고려한다는 뜻으로 해석할 수 있다. • 다만, 그 허가기간이 연장되기 위해서는 그 종기가 도래하기 전에 그 허가기간의 연장에 관한 신청이 있어야 하며, 만일 그러한 연장신청이 없는 상태에서 허가기간이 만료하였다면 그 허가의 효력은 상실된다.

강학상 허가	• 석유판매업허가는 대물적 허가로서 양도인에게 그 허가를 취소할 위법사유가 있다면 허가관청은 이를 이유로 양수인에게 응분의 제재조치를 취할 수 있다. • 입법목적을 달리하는 법률들이 일정한 행위를 관할관청의 허가사항으로 각 규정하고 있는 경우 원칙적 하나의 법률상의 허가를 받은 경우 타 법상의 허가를 받을 필요가 없다. • 개발제한구역에 속하는 하천구역에 관하여 내수면어업개발법에 의한 어업면허를 얻은 경우 그 구역 내의 토석 등의 채취를 위하여 도시계획법에 의한 허가도 받아야 한다. • 허가의 신청과 허가처분 사이에 법령의 변경으로 인하여 허가기준의 변경이 있다면 허가는 <u>신청시가 아닌 처분시의 법률</u>에 따라야 함이 원칙이다. • 목욕탕허가시 거리제한으로 얻는 기존업자의 이익은 반사적 이익에 불과하다. • 주류제조면허는 강학상 허가이나 그로 인한 이익은 법률상 이익이다. • 채광계획인가로 공유수면 점용허가가 의제될 경우 공유수면 점용불허사유로써 채광계획을 인가하지 아니할 수 있다. • 건축불허가처분을 받은 사람은 그 건축불허가처분에 관한 쟁송에서 건축법상의 건축불허가 사유뿐만 아니라 같은 도시계획법상의 형질변경불허가 사유나 농지법상의 농지전용불허가 사유에 관하여도 다툴 수 있다.

3. 면제

(1) 의의

행정행위에 의하여 과하여진 **작위·급부·수인의무를 해제**하는 행정행위를 말한다 (**예** 예방접종면제, 조세면제, 군정면제 등).

(2) 성질

① 의무를 해제하는 행위인 점에서 허가와 그 성질은 같으나 허가는 부작위의무를 해제하는 행위이고, 면제는 작위·급부·수인의무를 해제하는 행위라는 점에서 차이가 있다.

② 명령적 행위로서 의무의 해제라는 점에서 허가와 같으므로 허가의 내용은 면제에도 그대로 적용된다.

③ 작위·급부의무의 이행의 연기 또는 유예는 면제라는 견해와 하명내용의 변경에 해당한다는 견해가 대립한다.

2 형성적 행위

형성적 행정행위란 특정한 상대방에게 일정한 권리·능력·포괄적 법률관계 기타 법률상의 힘이나 지위를 발생·변경·소멸시키는 행정행위를 말한다. 형성적 행위는 직접 상대방을 위한 행위인 설권행위·변권행위·박권행위와 제3자를 위한 행위인 인가행위·대리행위가 있다.

1. 직접상대방을 위한 행위

(1) 설권행위(광의의 특허)

설권행위는 특정인을 위해 새로운 법률상의 힘을 설정하는 행정행위, 즉 **광의의 특허**를 말한다. 이에는 특정 상대방을 위하여 새로이 권리를 설정하는 행위(예 협의의 특허, 공기업특허, 공물사용권의 특허, 광업허가, 어업면허 등), 능력을 설정하는 행위(예 공법인의 설립행위 등), 포괄적 법률관계를 설정하는 행위(예 공무원임명, 귀화허가 등)가 있다.

① 특허의 성질

㉠ 특허는 상대방에게 권리 등을 설정하여 주는 행위로 형성적 행위인 점에서 금지를 해제하여 자유를 회복시켜 주는 허가와 구별된다. 특허라는 명칭이 모두 특허인 것은 아니다(예 발명특허는 확인행위).

㉡ 원칙적으로 특허를 할 것인지 여부는 행정청의 재량에 맡겨지므로 재량행위이다. 특허는 공권성을 가지나(예 공기업특허), 사권의 성질을 가지는 것도 있다(예 광업권, 어업권 등).

㉢ 특허는 허가와 달리 반드시 상대방의 신청을 전제로 한다. 즉, 상대방의 신청 등을 요건으로 하는 협력을 요하는 행정행위의 성질을 갖는다.

> **🔎 관련판례**
>
> **1** **행정청이 도시 및 주거환경정비법 등 관련 법령에 의하여 행하는 조합설립인가처분의 법적 성격(특허)**
>
> 행정청이 도시 및 주거환경정비법 등 관련 법령에 근거하여 행하는 조합설립인가처분은 단순히 사인들의 조합설립행위에 대한 보충행위로서의 성질을 갖는 것에 그치는 것이 아니라 법령상 요건을 갖출 경우 도시 및 주거환경정비법상 주택재건축사업을 시행할 수 있는 권한을 갖는 <u>행정주체(공법인)로서의 지위를 부여하는 일종의 설권적 처분</u>의 성격을 갖는다고 보아야 한다. 그리고 그와 같이 보는 이상 조합설립결의는 조합설립인가처분이라는 행정처분을 하는 데 필요한 요건 중 하나에 불과한 것이어서, 조합설립결의에 하자가 있다면 그 하자를 이유로 직접 항고소송의 방법으로 조합설립인가처분의 취소 또는 무효확인을 구하여야 하고, 이와는 별도로 조합설립결의 부분만을 따로 떼어내어 그 효력 유무를 다투는 확인의 소를 제기하는 것은 원고의 권리 또는 법률상의 지위에 현존하는 불안·위험을 제거하는 데 가장 유효·적절한 수단이라 할 수 없어 특별한 사정이 없는 한 확인의 이익은 인정되지 아니한다(대판 2009.9.24. 2008다60568).

핵심 OX

01 행정행위는 국민에 대하여 법적 효과를 발생시키는 행위이므로, 행정청이 귀화신청인에게 귀화를 허가하는 행위는 행정행위가 아니다.

15. 교행, 14. 경특1차, 12. 지방9급 ( )

핵심 OX

02 공유수면매립법에 따른 공유수면매립면허는 강학상 허가의 성질을 가진다.

19. 국회8급, 14. 사복, 13. 지방7급 ( )

핵심 OX

03 철도, 버스 등의 운송사업에 대한 허가는 강학상 특허로 보는 것이 일반적이다.   13. 지방7급 ( )

핵심 OX

04 도로법상 도로점용허가는 특정인에게 일정한 내용의 공물사용권을 설정하는 설권행위로서 공물관리자가 신청인의 적격성, 사용목적 및 공익상의 영향 등을 참작하여 허가를 할 것인지의 여부를 결정하는 재량행위이다.   14. 국가7급 ( )

핵심 OX

05 관세법 소정의 보세구역 설영특허는 공기업의 특허로서 그 특허의 부여 여부는 행정청의 자유재량에 속하고, 설영 특허에 특허기간이 부가된 경우 그 기간의 갱신 여부도 행정청의 자유재량에 속한다.

15. 사복 ( )

01 X **02** X **03** ○ **04** ○ **05** ○

2 법무부장관이 법률에 정한 귀화요건을 갖춘 귀화신청인에게 귀화를 허가할 것인지 여부에 관하여 재량권을 가지는지 여부(적극)

국적은 국민의 자격을 결정짓는 것이고, 이를 취득한 사람은 국가의 주권자가 되는 동시에 국가의 속인적 통치권의 대상이 되므로, 귀화허가는 외국인에게 대한민국 국적을 부여함으로써 국민으로서의 법적 지위를 포괄적으로 설정하는 행위에 해당한다. 한편 국적법 등 관계 법령 어디에도 외국인에게 대한민국의 국적을 취득할 권리를 부여하였다고 볼 만한 규정이 없다. 이와 같은 귀화허가의 근거 규정의 형식과 문언, 귀화허가의 내용과 특성 등을 고려하여 보면, 법무부장관은 귀화신청인이 법률이 정하는 귀화요건을 갖추었다고 하더라도 <u>귀화를 허가할 것인지 여부에 관하여 재량권을 가진다</u>(대판 2010.7.15. 2009두19069).

3 공유수면매립면허가 설권행위인 특허인지 여부(적극)

공유수면매립면허는 설권행위인 특허의 성질을 갖는 것이므로 원칙적으로 행정청의 자유재량에 속하며, 일단 실효된 공유수면매립면허의 효력을 회복시키는 행위도 특단의 사정이 없는 한 새로운 면허부여와 같이 면허관청의 자유재량에 속한다고 할 것이므로 공유수면매립법 부칙 제4항의 규정에 의하여 위 법 시행 전에 같은 법 제25조 제1항의 규정에 의하여 효력이 상실된 매립면허의 효력을 회복시키는 처분도 특단의 사정이 없는 한 면허관청의 자유재량에 속하는 행위라고 봄이 타당하다(대판 1989.9.12. 88누9206).

4 개인택시운송사업 면허가 재량행위인지 여부(적극) 및 그 면허기준의 해석·적용 방법

자동차운수사업법에 의한 개인택시운송사업면허는 특정인에게 권리나 이익을 부여하는 행정행위로서 법령에 특별한 규정이 없는 한 재량행위이고, 그 면허를 위하여 필요한 기준을 정하는 것도 역시 행정청의 재량에 속하는 것이므로, 그 설정된 기준이 객관적으로 합리적이 아니라거나 타당하지 않다고 볼 만한 다른 특별한 사정이 없는 이상 행정청의 의사는 가능한 한 존중되어야 한다(대판 1996.10.11. 96누6172).

5 도로법 제40조에 규정된 도로점용의 의미(= 특별사용) 및 도로점용허가의 법적 성질(= 재량행위)

도로법 제40조 제1항에 의한 도로점용은 일반공중의 교통에 사용되는 도로에 대하여 이러한 일반사용과는 별도로 도로의 특정부분을 유형적·고정적으로 특정한 목적을 위하여 사용하는 이른바 <u>특별사용</u>을 뜻하는 것이고, 이러한 도로점용의 허가는 특정인에게 일정한 내용의 <u>공물사용권을 설정</u>하는 설권행위로서, 공물관리자가 신청인의 적격성, 사용목적 및 공익상의 영향 등을 참작하여 허가를 할 것인지의 여부를 결정하는 재량행위이다(대판 2002.10.25. 2002두5795).

6 보세구역 설영특허의 법적 성질과 그 특허부여 및 특허기간갱신에 관한 행정청의 자유재량 여부(적극)

관세법 제78조 소정의 보세구역의 설영특허는 보세구역의 설치, 경영에 관한 권리를 설정하는 이른바 공기업의 특허로서 그 특허의 부여여부는 행정청의 자유재량에 속하며, 특허기간이 만료된 때에 특허는 당연히 실효되는 것이어서 특허기간의 갱신은 실질적으로 권리의 설정과 같으므로 그 <u>갱신 여부도 특허관청의 자유재량에 속한다</u>(대판 1989.5.9. 88누4188).

7 수도권 대기환경개선에 관한 특별법 제14조 제1항에서 정한 대기오염물질 총량관리사업장 설치의 허가 또는 변경허가 처분의 여부 및 내용의 결정이 행정청의 재량에 속하는지 여부(적극)

구 수도권 대기환경개선에 관한 특별법 제2조 제2호, 제8조 제2항 제8호, 제14조 제1항, 제15조, 제16조, 제19조 제1항, 같은 법 시행령 제2조, 제17조, [별표 1], [별표 2], 같은 법 시행규칙 제8조 등 대기오염물질 총량관리사업장 설치의 허가 또는 변경허가에 관한 규정들의 문언 및 그 체제·형식과 함께 구 수도권대기환경특별법의 입법 목적, 규율 대상, 허가의 방법, 허가 후 조치 권한 등을 종합적으로 고려할 때, 구 수도권대기환경특별법 제14조 제1항에서 정한 대기오염물질 총량관리사업장 설치의 허가 또는 변경허가는 특정인에게 인구가 밀집되고 대기오염이 심각하다고 인정되는 수도권 대기관리권역에서 총량관리대상 오염물질을 일정량을 초과하여 배출할 수 있는 특정한 권리를 설정하여 주는 행위로서 그 처분의 여부 및 내용의 결정은 행정청의 재량에 속한다(대판 2013.5.9. 2012두22799).

8 비관리청 항만공사 시행허가의 법적 성질(＝행정청의 재량행위) 및 위 허가 처분의 적법성 판단 기준(＝재량권 남용 여부)

비관리청 항만공사 시행허가는 특정인에게 권리를 설정하는 행위로서 구 항만법과 그 시행령에 허가 기준에 관한 규정이 없으므로 허가 여부는 행정청의 재량행위에 속하고, 그 허가를 위한 심사 기준을 정하여 놓은 업무처리요령은 재량권행사의 기준인 행정청 내부의 사무처리준칙에 불과하여 허가처분의 적법 여부는 결국 재량권의 남용 여부의 판단에 달려 있다(대판 2011.1.27. 2010두20508).

9 공유수면관리법상 공유수면의 점·사용허가의 법적 성질(＝재량행위)

구 공유수면관리법(2002.2.4. 법률 제6656호로 개정되기 전의 것)에 따른 공유수면의 점·사용허가는 특정인에게 공유수면 이용권이라는 독점적 권리를 설정하여 주는 처분으로서 그 처분의 여부 및 내용의 결정은 원칙적으로 행정청의 재량에 속한다고 할 것이고, 이와 같은 재량처분에 있어서는 그 재량권 행사의 기초가 되는 사실 인정에 오류가 있거나 그에 대한 법령적용에 잘못이 없는 한 그 처분이 위법하다고 할 수 없다(대판 2004.5.28. 2002두5016).

10 도시 및 주거환경정비법상 토지 등 소유자들이 조합을 따로 설립하지 않고 직접 시행하는 도시환경정비사업 시행인가의 성질(특허)

토지 등 소유자들이 그 사업을 위한 조합을 따로 설립하지 아니하고 직접 도시환경정비사업을 시행하고자 하는 경우에는 사업시행계획서에 정관 등과 그 밖에 국토해양부령이 정하는 서류를 첨부하여 시장·군수에게 제출하고 사업시행인가를 받아야 하고, 이러한 절차를 거쳐 사업시행인가를 받은 토지 등 소유자들은 관할 행정청의 감독 아래 정비구역 안에서 구 도시정비법상의 도시환경정비사업을 시행하는 목적 범위 내에서 법령이 정하는 바에 따라 일정한 행정작용을 행하는 행정주체로서의 지위를 가진다. 그렇다면 토지 등 소유자들이 직접 시행하는 도시환경정비사업에서 토지 등 소유자에 대한 사업시행인가처분은 단순히 사업시행계획에 대한 보충행위로서의 성질을 가지는 것이 아니라 구 도시정비법상 정비사업을 시행할 수 있는 권한을 가지는 행정주체로서의 지위를 부여하는 일종의 설권적 처분의 성격을 가진다(대판 2013.6.13. 2011두19994).

11 출입국관리법상 체류자격 변경허가(특허)

체류자격 변경허가는 신청인에게 당초의 체류자격과 다른 체류자격에 해당하는 활동을 할 수 있는 권한을 부여하는 일종의 설권적 처분의 성격을 가지므로, 허가권자는 신청인이 관계 법령에서 정한 요건을 충족하였더라도 신청인의 적격성, 체류 목적, 공익상의 영향 등을 참작하여 허가 여부를 결정할 수 있는 재량을 가진다(대판 2016.7.14. 2015두48846).

12 하천 또는 공유수면의 점용허가의 성질(특허)

하천점용허가는 법규상의 요건이 충족되면 행해지는 상대적 금지행위의 해제처분(허가)이 아니라 새로운 법률상의 권리·능력·법률관계를 설정하는 형성적 행정행위인 강학상 특허에 해당하고 재량행위에 해당한다(대판 2004.10.15. 2002다68485).

13 개발촉진지구 안에서 시행되는 지역개발사업에서 지정권자의 실시계획승인처분이 설권적 처분의 성격을 가진 독립된 행정처분인지 여부(적극)

구 지역균형개발 및 지방중소기업 육성에 관한 법률의 내용 및 취지 등에 비추어 보면, 개발촉진지구 안에서 시행되는 지역개발사업에서 지정권자의 실시계획승인처분은 단순히 시행자가 작성한 실시계획에 대한 보충행위로서의 성질을 가지는 것이 아니라 시행자에게 구 지역균형개발법상 지구개발사업을 시행할 수 있는 지위를 부여하는 일종의 설권적 처분의 성격을 가진 독립된 행정처분으로 보아야 한다(대판 2014.9.26. 2012두5619).

② **형식**

ㄱ 특허의 형식은 특허처분이 대부분이나, 예외적으로 법률에 의하여 직접 행하여지는 법규특허(예 한국도로공사법에 의한 도로공사의 설립 등)도 있다.

ㄴ 특허처분은 특정인에 대해서만 행하여지며, 불특정 다수인에게 행하여지는 특허는 없다. 허가와 마찬가지로 불요식행위가 보통이다.

③ **특허와 출원:** 특허는 허가와 달리 출원을 **필요요건**으로 하며, 출원이 없거나 그 취지에 반하는 특허는 완전한 효력을 발생할 수 없고, 법률의 규정이 없는 한 수정특허는 인정되지 않는다. 그러나 **법규에 의한 특허**의 경우에는 성질상 출원이 있을 수 없다.

④ **선원주의 배제:** 허가는 기속행위의 원칙상 먼저 제출된 순서대로 허가 여부를 심사하나, 특허는 재량의 원칙상 순서에 의하지 않고 공익상의 사유와 비교하여 판단하므로 선원주의가 적용되지 않는다. 그러나 개별법에서 선원주의를 규정한 경우가 있다(예 광업법 제21조의 광업허가, 수산업법 제18조의 어업면허 등).

⑤ **특허의 효과**

㉠ 특허는 상대방에게 권리·능력 등 법률상의 힘을 발생시킨다. 권리는 공권인 것이 보통이나, 사권(예 어업권, 광업권 등)인 경우도 있다. 이와 같은 권리는 독점적·배타적 권리로서, 그에 의해 보호되는 이익은 법률상 이익이 된다. 특허의 배타성에 기인하여 중복된 특허가 있는 경우 이는 특허는 무효가 된다.

> **⚖ 관련판례**
>
> **광업권의 존속 중 그 광업권이 설정된 광물과 동일광상에 부존하는 다른 광물에 대한 광업권설정 가부(소극)**
>
> 광업법상 이미 광업권이 설정된 동일한 구역에 대하여 동일한 광물에 대한 광업권을 중복설정할 수 없고, 이종광물이라고 할지라도 광업권이 설정된 광물과 동일광상중에 부존하는 이종광물은 광업권설정에 있어서 동일광물로 보게 되므로 이러한 이종광물에 대하여는 기존광업권이 적법히 취소되거나 그 존속기간이 만료되지 않는 한 별도로 광업권을 설정할 수 없다(대판 1986.2.25. 85누712).

㉡ 대인적·일신전속적인 특허는 이전될 수 없으나, 대물적 특허는 일정한 제한하에서 이전될 수 있다.

㉢ 허가와 달리 특허는 유효요건이므로 특허 없이 행한 행위의 효력은 사법적 효력이 부인된다.

⑥ **특허에 대한 감독**: 특허는 허가와 달리 공익사업으로서의 성격으로 인하여 국가의 적극적인 감독을 받는다.

⑦ **허가와 특허의 상대화**: 허가가 단순한 자유의 회복이 아니라 영업 등의 자유를 자유롭게 행사할 수 있는 행위인 점에서 형성적 행위와 그 구별이 상대화되어 가고 있다.

(2) 변권행위

기존의 권리 또는 법률관계에 변경을 가하는 행위로 설권행위와 박권행위의 결합이라는 성질을 갖는다(예 허가처분의 변경, 공무원의 전직, 국가공무원법상의 공무원에 대한 징계종류의 변경, 도시재개발법상 환지처분 등).

(3) 박권행위

기존의 권리·법률관계를 소멸시키는 행위이다(예 공무원파면, 공기업특허·어업면허의 취소 등).

2. 타자를 위한 행위(제3자를 위한 행위)

(1) 인가행위

① **의의**: 행정주체가 제3자의 법률행위를 보충하여 그 법률상 효력을 완성시켜 주는 행정행위를 말하며, 인가를 보충행위라고도 한다. 인가는 형성적 행정행위이다.

② **구체적인 예**: 영리법인설립인가, 외국인토지취득의 허가, 토지거래허가, 공공조합의 설립인가, 정관승인, 법인설립인가, 사업양도인가, 지방채기채승인, 공기업양도인가, 사립대학에서 공립대학으로의 설립자변경인가(대판 1997.10.10. 96누4046)

1 구 도시 및 주거환경정비법 제20조 제3항은 조합이 정관을 변경하고자 하는 경우에는 총회를 개최하여 조합원 과반수 또는 3분의 2 이상의 동의를 얻어 시장·군수의 인가를 받도록 규정하고 있다. 여기서 시장 등의 인가는 그 대상이 되는 기본행위를 보충하여 법률상 효력을 완성시키는 행위로서 이러한 인가를 받지 못한 경우 변경된 정관은 효력이 없고, 시장 등이 변경된 정관을 인가하더라도 정관변경의 효력이 총회의 의결이 있었던 때로 소급하여 발생한다고 할 수 없다(대판 2014.7.10. 2013도11532).

2 재단법인의 정관변경허가의 성질(인가)
민법 제45조는 제1항에서 재단법인의 정관은 그 변경방법을 정관에 정한 때에 한하여 변경할 수 있다. 제2항에서 재단법인의 목적달성 또는 그 재산의 보전을 위하여 적당한 때에는 전 항의 규정에 불구하고 명칭 또는 사무소의 소재지를 변경할 수 있다. 제3항에서 제42조 제2항(정관의 변경은 주무관청의 허가를 얻지 아니하면 그 효력이 없다)의 규정은 전 2항의 경우에 준용한다고 규정하고, 같은 법 제46조는 재단법인의 목적을 달성할 수 없는 때에는 설립자나 이사는 주무관청의 허가를 얻어 설립의 취지를 참작하여 그 목적 기타 정관의 규정을 변경할 수 있다고 규정하고 있는바, 여기서 말하는 재단법인의 정관변경 '허가'는 법률상의 표현이 허가로 되어 있기는 하나, 그 성질에 있어 법률행위의 효력을 보충해 주는 것이지 일반적 금지를 해제하는 것이 아니므로, 그 법적 성격은 인가라고 보아야 할 것이다(대판 1996.5.16. 95누4810 전합).

3 토지거래 '허가'의 법적 성질(인가)
국토이용관리법 제21조의3 제1항 소정의 허가가 규제지역 내의 모든 국민에게 전반적으로 토지거래의 자유를 금지하고 일정한 요건을 갖춘 경우에만 금지를 해제하여 계약체결의 자유를 회복시켜 주는 성질의 것이라고 보는 것은 위 법의 입법취지를 넘어선 지나친 해석이라고 할 것이고, 규제지역 내에서도 토지거래의 자유가 인정되나 다만 위 허가를 허가 전의 유동적 무효 상태에 있는 법률행위의 효력을 완성시켜 주는 인가적 성질을 띤 것이라고 보는 것이 타당하다(대판 1991.12.24. 90다12243 전합).

4 사립대학에서 공립대학으로의 설립자변경 인가처분의 법적 성질
구 교육법 제85조 제3항·제1항 소정의 교육부장관의 사립대학에서 공립대학으로의 설립자변경 인가처분은 당사자간의 설립자 변경행위를 보충하여 그 법률효과를 완성시키는 의미에서의 인가처분일 뿐만 아니라, 사실상 사립대학을 폐지하고 새로운 공립대학을 설립하는 내용을 포함하고 있다(대판 1997.10.10. 96누4046).

5 학교법인의 이사장 등에 대한 관할청의 임원취임승인행위의 법적 성격(인가)
구 사립학교법 제20조 제1항·제2항은 학교법인의 이사장·이사·감사 등의 임원은 이사회의 선임을 거쳐 관할청의 승인을 받아 취임하도록 규정하고 있는바, 관할청의 임원취임승인행위는 학교법인의 임원선임행위의 법률상 효력을 완성케 하는 보충적 법률행위이다(대판 2007.12.27. 2005두9651).

6 공익법인의 기본재산에 대한 감독관청의 처분허가의 성질(인가)
공익법인의 기본재산에 대한 감독관청의 처분허가는 그 성질상 특정 상대에 대한 처분행위의 허가가 아니고 처분의 상대가 누구이든 이에 대한 처분행위를 보충하여 유효하게 하는 행위라 할 것이므로 그 처분행위에 따른 권리의 양도가 있는 경우에도 처분이 완전히 끝날 때까지는 허가의 효력이 유효하게 존속한다(대판 2005.9.28. 2004다50044).

핵심 OX

01 재단법인의 정관변경에 대한 행정청의 허가는 인가에 해당한다.
19. 국가9급 ( )

핵심 OX

02 토지거래계약허가는 규제지역 내 토지거래의 자유를 일반적으로 금지하고 일정한 요건을 갖춘 경우에만 그 금지를 해제하여 계약체결의 자유를 회복시켜 주는 성질의 것이다.
18. 지방교행, 13. 국가7급 ( )

03 토지거래허가구역 내의 토지거래계약에 대한 행정청의 허가는 인가에 해당한다. 19. 국가9급, 13. 경특 ( )

핵심 OX

04 관할청의 구 사립학교법에 따른 학교법인의 이사장 등 임원취임승인행위는 특허에 해당한다.
19. 국회8급·서울9급(6월), 14. 서울9급 ( )

01 ○ **02** X **03** ○ **04** X

7 **자동차관리법상 사업자단체조합의 설립인가의 성질(인가)**

자동차관리법상 자동차관리사업자로 구성하는 사업자단체인 조합 또는 협회의 설립인가처분은 국토해양부장관 또는 시·도지사가 자동차관리사업자들의 <u>단체결성행위를</u> 보충하여 효력을 완성시키는 처분에 해당한다(대판 2015.5.29. 2013두635).

> **비교판례**
>
> "주택재건축조합"설립인가처분은 ... 조합설립행위에 대한 보충행위로서의 성질에 갖는 것에 그치는 것이 아니라 ... 행정주체로서의 지위를 부여하는 일종의 설권적 처분의 성격을 갖는다고 보아야 한다(대판 2009.9.24. 2008다60568).

8 **도시 및 주거환경정비법상 도시환경정비사업조합이 수립한 사업시행계획인가의 성질(인가)**

도시 및 주거환경정비법에 기초하여 도시환경정비사업조합이 수립한 사업시행계획은 그것이 인가·고시를 통해 확정되면 이해관계인에 대한 구속적 행정계획으로서 독립된 행정처분에 해당하므로, <u>사업시행계획을 인가하는 행정청의 행위는 도시환경정비사업조합의 사업시행계획에 대한 법률상의 효력을 완성시키는 보충행위에 해당한다</u>(대판 2010.12.9. 2010두1248).

9 **조합설립추진위원회 구성승인처분의 성격(인가)**

구 도시 및 주거환경정비법 제13조 제1항·제2항, 제14조 제1항, 제15조 제4항·제5항 등 관계 법령의 내용, 형식, 체제 등에 비추어 보면, <u>조합설립추진위원회(이하 '추진위원회'라고 한다) 구성승인처분은 조합의 설립을 위한 주체인 추진위원회의 구성행위를</u> 보충하여 그 효력을 부여하는 처분으로서 조합설립이라는 종국적 목적을 달성하기 위한 중간단계의 처분에 해당하지만, 그 법률요건이나 효과가 조합설립인가처분의 그것과는 다른 독립적인 처분이기 때문에, 추진위원회 구성승인처분에 대한 취소 또는 무효확인 판결의 확정만으로는 이미 조합설립인가를 받은 조합에 의한 정비사업의 진행을 저지할 수 없다. 따라서 추진위원회 구성승인처분을 다투는 소송 계속 중에 조합설립인가처분이 이루어진 경우에는, 추진위원회 구성승인처분에 위법이 존재하여 조합설립인가 신청행위가 무효라는 점 등을 들어 직접 조합설립인가처분을 다툼으로써 정비사업의 진행을 저지하여야 하고, 이와는 별도로 추진위원회 구성승인처분에 대하여 취소 또는 무효확인을 구할 법률상의 이익은 없다고 보아야 한다(대판 2013.1.31. 2011두11112).

10 **재건축조합이 수립하는 관리처분계획에 대한 행정청의 인가처분의 법적성질(= 인가)**

도시재개발법 제41조에 의한 행정청의 인가는 주택개량재개발조합의 관리처분계획에 대한 법률상의 효력을 완성시키는 보충행위로서 그 기본이 되는 관리처분계획에 하자가 있을 때에는 그에 대한 인가가 있었다 하여도 기본행위인 관리처분계획이 유효한 것으로 될 수 없다(대판 1994.10.14. 93누22753).

핵심 OX

05 재건축조합이 수립하는 관리처분계획에 대한 행정청의 인가는 인가에 해당한다. 19. 국가9급 ( )

05 ○

③ **성질:** 인가의 성질은 근거법령의 법문에 따라 판단한다. 인가는 타인 간의 법률행위가 소정의 법적 요건을 갖추는 경우에는 기속행위로 볼 수 있으나 구체적인 기준이 규정되지 않는 경우에는 재량행위로 볼 수 있다.

> ⚖️ **관련판례**
>
> **1 인가를 재량행위로 보아 부관이 가능하다는 판례**
> 주택재건축사업시행 인가의 법적 성질은 재량행위이며 이에 대하여 법령상의 제한에 근거하지 않은 조건(부담)을 부과할 수 있다(대판 2007.7.12. 2007두6663).
>
> **2 인가의 성질을 갖는 토지거래허가를 기속행위로 본 판례**
> 토지거래계약 허가권자는 그 허가신청이 국토이용관리법 제21조의4 제1항 각호 소정의 불허가 사유에 해당하지 아니하는 한 허가를 하여야 하는 것인데, 인근 주민들이 당해 폐기물 처리장 설치를 반대한다는 사유는 국토이용관리법 제21조의4 규정에 의한 불허가 사유로 규정되어 있지 아니하므로 그와 같은 사유만으로는 토지거래허가를 거부할 사유가 될 수 없다(대판 1997.6.27. 96누9362).

④ **인가의 대상:** 허가와 달리 인가는 법률행위에 한하여 인정되고 사실행위는 제외된다. 인가의 대상은 공법상 행위인 경우(예 공공조합의 정관변경의 인가 등)도 있고, 사법상 행위인 경우(예 외국인토지취득인가, 특허기업사업양도인가 등)도 있다.

⑤ **형식**
  ㉠ 인가는 보충행위이기 때문에 반드시 상대방의 출원을 필요로 하는 **쌍방적 행정행위**이다. 그리고 행정청은 인가의 출원에 대하여 소극적으로 인가를 할 것인지의 여부에 관해서만 결정할 수 있을 뿐 출원의 내용과 다른 수정인가를 할 수 없다. 다만, 법률의 규정이 있거나 당사자의 동의가 있는 경우에는 수정인가도 가능하다.
  ㉡ 인가는 불요식행위, 구체적 처분의 형식으로 이루어지는 것이 원칙이며, 법규인가는 없다. 또한 불특정 다수인에게 행하여지는 일반처분 형식의 인가는 없다. 즉, 인가는 반드시 특정인에 대하여만 가능하며, 법령에 의한 인가는 불가능하다고 보아야 한다.

⑥ **효력**
  ㉠ **이전성 여부:** 인가의 효력은 당해 법률행위에만 발생하며, 원칙적으로 타인에게는 이전되지 않는다.
  ㉡ **효력요건:** 대상행위의 법률적 효력을 완전히 발생시키는 것이므로 허가와 같은 적법요건이 아니라 유효요건이다. 그러므로 인가 없이 행해진 행위는 **사법적 무효**이고, 강제집행이나 행정벌의 대상은 되지 않음이 원칙이다.

> ⚖️ **관련판례**
>
> **면허관청의 인가를 받지 않은 공유수면매립면허로 인한 권리의무양도약정의 효력(무효)**
> 공유수면매립면허로 인한 권리 · 의무의 양도 · 양수약정은 이에 대한 면허관청의 인가를 받지 않은 이상 법률상 효력이 발생하지 않는다(대판 1991.6.25. 90누5184).

⑦ **기본적 법률행위와 인가의 효력관계:** 인가의 대상인 기본행위에 하자가 있음에도 불구하고 이에 대하여 인가가 있는 경우 또는 기본행위는 적법하나, 이에 대한 인가가 무효인 경우 그 법적 효과가 문제된다.

　㉠ **기본행위가 불성립 또는 무효인 경우:** 인가가 있어도 그 법률행위가 유효하게 될 수 없고, **인가도 무효**가 된다(예 사립학교설립행위가 무효이면 그에 대한 인가가 있더라도 인가 역시 무효가 됨).

1 **기본행위인 학교법인의 임원선임행위가 무효인 경우에는 그에 대한 감독청의 인가(취임승인)가 유효한지 여부(소극)**

사립학교법 제20조 제2항에 의한 학교법인의 임원에 대한 감독청의 취임승인은 학교법인의 임원선임행위를 보충하여 그 법률상의 효력을 완성케하는 보충적 행정행위이므로 기본행위인 학교법인의 임원선임행위가 불성립 또는 무효인 경우에는 비록 그에 대한 감독청의 취임승인이 있었다 하여도 이로써 무효인 그 선임행위가 유효한 것으로 될 수는 없는 것이다. 다시 말하면, 학교법인의 임원에 대한 감독청의 취임승인처분은 학교법인 이사회의 사법상의 유효한 임원선임행위가 존재함을 전제로 그 선임행위의 법률상의 효력을 완성시키는 보충행위로서 성질상 기본행위를 떠나 승인처분 그 자체만으로서는 법률상 아무런 효력도 발생할 수 없는 것이다(대판 1987.8.18. 86누152).

2 **기본행위가 해지된 경우 그에 대한 인가의 효력(실효)**

외자도입법 제19조에 따른 기술도입계약에 대한 인가는 기본행위인 기술도입계약을 보충하여 그 법률상 효력을 완성시키는 보충적 행정행위에 지나지 아니하므로 기본행위인 기술도입계약이 해지로 인하여 소멸되었다면 위 인가처분은 무효선언이나 그 취소처분이 없어도 당연히 실효된다(대판 1983.12.27. 82누491).

　㉡ **기본행위에 취소원인이 있는 경우:** 인가가 있은 후에도 기본행위를 취소할 수 있다. 즉, 기본행위에 하자가 있는 경우 사후에 인가행위가 있어도 기본행위의 하자가 치유되지 않는다. 이 경우 기본행위가 취소되거나 실효된 경우에는 인가도 실효된다.

　㉢ **기본행위는 유효하고 인가만 무효인 경우:** 무인가행위로서 **사법상 무효**이다.

　㉣ **기본행위에 취소원인이 있는 경우:** 기본행위가 취소되지 않는 한 인가의 효력에는 영향이 없다.

핵심 OX

10 인가는 기본행위의 효력을 완성시켜 주는 보충적 행위이므로 기본행위가 무효인 경우에는 이에 대한 인가가 내려지더라도 그 인가는 무효이다. 　23. 국가7급 ( )

11 학교법인 임원에 대한 감독청의 취임승인은 그 대상인 기본행위의 효과를 완성시키는 보충행위이므로 그 기본행위가 불성립 또는 무효인 때에도 그에 대한 인가를 하면 그 기본행위가 유효하게 될 수 있다. 　12. 국가9급 ( )

핵심 OX

12 인가의 전제가 되는 기본행위에 하자가 있다고 하더라도 행정청의 적법한 인가가 있으면 그 하자는 치유가 된다. 　17. 국가9급(10월), 14. 서울9급, 08. 국회8급, 07. 국가9급 ( )

13 유효한 기본행위를 대상으로 인가가 행해진 후에 기본행위가 취소되거나 실효된 경우에는 인가도 실효된다. 　15. 국가9급 ( )

기본 행위	인가	효력	관련 판례
불성립·행위	적법	무효	기본행위인 학교법인 이사회의 해산결의가 성립하지 않거나 무효인 때에는 교육부장관의 인가를 받았더라도 그 해산결의가 유효로 되는 것은 아니며, 인가도 무효로 된다(대판 1989.5.9. 87다카2407).
취소사유	유효	기본행위 취소 가능 (취소되면 ⇨ 기본행위가 무효인 경우와 동일)	-
유효	무효	무인가행위 ⇨ 무효	-

관련판례

1 도시 및 주거환경정비법에 기초하여 주택재개발정비사업조합이 수립한 관리처분계획은 그것이 인가·고시를 통해 확정되면 이해관계인에 대한 구속적 행정계획으로서 독립적인 행정처분에 해당한다. 이러한 관리처분계획을 인가하는 행정청의 행위는 조합의 관리처분계획에 대한 법률상의 효력을 완성시키는 보충행위이다. 따라서 기본행위가 적법·유효하고 보충행위인 인가처분 자체에 흠이 있다면 그 인가처분의 무효나 취소를 주장할 수 있다. 그러나 인가처분에 흠이 없다면 기본행위에 흠이 있다고 하더라도 따로 기본행위의 흠을 다투는 것은 별론으로 하고 기본행위의 흠을 내세워 바로 그에 대한 인가처분의 무효확인 또는 취소를 구할 수는 없으므로, 그 당부에 관하여 판단할 필요 없이 해당 부분 청구를 기각하여야 한다(대판 2016.12.15. 2015두51347).

2 기본행위인 사법상의 임원선임행위에 하자가 있다 하여 그 선임행위의 효력에 관하여 다툼이 있는 경우에 민사쟁송으로서 그 선임행위의 취소 또는 무효확인을 구하는 것은 별론으로 하고 기본행위의 불성립 또는 무효를 내세워 바로 그에 대한 감독청의 취임승인처분의 취소 또는 무효확인을 구하는 것은 특단의 사정이 없는 한 소구할 법률상의 이익이 있다고 할 수 없다(대판 1987.8.18. 86누152).

⑧ **쟁송방법(권리구제):** 기본행위는 적법·유효하고 보충행위인 인가처분 자체에만 하자가 있는 경우에는 그 인가처분에 대해 무효나 취소를 주장할 수 있다. 한편 기본행위에 하자가 있고 인가행위가 정상인 경우 다투어야 할 것은 기본행위이지 인가행위가 아니다. 따라서 기본행위의 하자를 내세워 바로 그에 대한 행정청의 인가처분의 취소 또는 무효확인을 구할 법률상 이익은 없다.

기본행위(사법행위)	인가	쟁송형태
하자	적법	기본행위의 하자를 다투어야 함(민사소송)
적법·유효	하자	인가처분의 하자를 다투어야 함(행정소송)

⊕ 핵심정리 강학상 인가

1. 기본행위인 정관변경결의에 하자가 있을 때에는 인가가 있었다 하여도 기본행위인 정관변경 결의가 유효한 것으로 될 수 없다.

2. 인가처분에 하자가 없다면 기본행위의 하자가 있는 경우 따로 그 기본행위의 하자를 다투어야 한다.

3. 기본행위의 무효를 내세워 그에 대한 행정청의 인가처분의 취소 또는 무효확인을 소구할 법률상의 이익이 없다.

4. 조합설립인가처분은 단순히 사인들의 조합설립행위에 대한 보충행위로서의 성질을 갖는 것에 그치는 것이 아니라 법령상 요건을 갖출 경우 도시 및 주거환경정비법상 주택재건축사업을 시행할 수 있는 권한을 갖는 행정주체(공법인)로서의 지위를 부여하는 일종의 설권적 처분(특허)의 성격을 갖는다.

5. 조합설립결의에 하자가 있다면 그 하자를 이유로 직접 항고소송의 방법으로 조합설립인가처분의 취소 또는 무효확인을 구하여야 하고, 이와는 별도로 조합설립결의 부분만을 따로 떼어내어 그 효력 유무를 다투는 확인의 소를 제기할 수 없다.

⚔ 관련판례

1 **재단법인의 정관변경결의의 하자를 이유로 정관변경 인가처분의 취소·무효확인을 소구할 수 있는지 여부(소극)**

기본행위인 정관변경결의가 적법·유효하고, 보충행위인 인가처분 자체에만 하자가 있다면 그 인가처분의 무효나 취소를 주장할 수 있지만, 인가처분에 하자가 없다면 기본행위에 하자가 있다 하더라도 따로 그 기본행위의 하자를 다투는 것은 별론으로 하고 기본행위의 무효를 내세워 바로 그에 대한 행정청의 인가처분의 취소 또는 무효확인을 소구할 법률상의 이익이 없다(대판 1996.5.16. 95누4810 전합).

2 행정청의 재건축주택조합의 조합장명의변경에 대한 인가에 하자가 없고 기본행위인 조합장 명의변경에 하자가 있는 경우, 기본행위의 하자를 내세워 바로 그에 대한 행정청의 인가처분의 취소를 구할 수는 없다(대판 2005.10.14. 2005두1046).

3 기본행위인 관리처분계획이 적법유효하고 보충행위인 인가처분 자체에만 하자가 있다면 그 인가처분의 무효나 취소를 주장할 수 있지만, 인가처분에 하자가 없다면 기본행위에 하자가 있다 하더라도 따로 그 기본행위의 하자를 다투는 것은 별론으로 하고 기본행위의 무효를 내세워 바로 그에 대한 행정청의 인가처분의 취소 또는 무효확인을 소구할 법률상의 이익이 있다고 할 수 없다(대판 1994.10.14. 93누22753).

4 **기본행위인 임시이사들에 의한 이사선임결의의 내용 및 그 절차에 하자가 있다는 이유로 이사선임결의의 효력에 관하여 다툼이 있는 경우, 그 보충행위인 임원취임승인처분의 무효확인이나 그 취소를 구할 법률상 이익이 있는지 여부(소극)**

기본행위인 이사선임결의가 적법·유효하고 보충행위인 승인처분 자체에만 하자가 있다면 그 승인처분의 무효확인이나 그 취소를 주장할 수 있지만, 이 사건 임원취임승인처분에 대한 무효확인이나 그 취소의 소처럼 기본행위인 임시이사들에 의한 이사선임결의의 내용 및 그 절차에 하자가 있다는 이유로 이사선임결의의 효력에 관하여 다툼이 있는 경우에는 민사쟁송으로서 그 기본행위에 해당하는 위 이사선임결의의 무효확인을 구하는 등의 방법으로 분쟁을 해결할 것이지 그 이사선임결의에 대한 보충적 행위로서 그 자체만으로는 아무런 효력이 없는 승인처분만의 무효확인이나 그 취소를 구하는 것은 특단의 사정이 없는 한 분쟁해결의 유효적절한 수단이라 할 수 없으므로, <u>임원취임승인처분의 무효확인이나 그 취소를 구할 법률상 이익이 없다</u>(대판 2002.5.24. 2000두3641).

5 재개발조합설립인가신청에 대한 행정청의 조합설립인가처분은 단순히 사인들의 조합설립행위에 대한 보충행위로서의 성질을 가지는 것이 아니라 법령상 일정한 요건을 갖추는 경우 행정주체(공법인)의 지위를 부여하는 일종의 설권적 처분의 성질을 가진다고 보아야 한다. 그러므로 구 도시 및 주거환경정비법상 재개발조합설립인가신청에 대하여 <u>행정청의 조합설립인가처분이 있은 이후에는, 조합설립동의에 하자가 있음을 이유로 재개발조합 설립의 효력을 부정하려면 항고소송으로 조합설립인가처분의 효력을 다투어야 한다</u>(대판 2010.1.28. 2009두4845).

(2) 대리행위

① **의의**: 행정주체가 타 법률관계의 당사자를 대신하여 행하는 행정행위로서 그 행위의 법률적 효과가 당해 당사자에게 귀속하는 것을 말한다. 여기서의 대리는 행정주체가 국민을 대리하는 것이므로 행정조직 내부에서의 행정기관 간에 이루어지는 대리는 포함되지 않는다.

② **성질**: 공법상 대리는 당사자의 의사에 기한 것이 아니라, 법률의 규정에 의한 것이므로 법정대리이다.

③ **종류**

　㉠ 감독적인 입장에서 이루어지는 경우(예 감독청에 의한 공법인의 정관작성, 임원임명 등)

　㉡ 국가 자신의 행정목적을 달성하기 위한 경우(예 조세체납처분절차에서 행하는 압류재산의 공매 등)

　㉢ 당사자간의 협의 불성립시 조정적 견지에서 이루어지는 경우(예 토지수용재결 등)

　㉣ 개인을 보호하는 입장에서 행하는 경우[예 사자(死者)·행려병자의 유류품 매각 등]

④ **효과**: 법령상 대리권에 기하여 행한 대리자의 행위는 원래 본인 자신이 스스로 행한 것과 같은 법적 효과가 발생한다.

구분	허가	특허	인가
의의	법규에 의한 일반적 · 상대적 금지를 특정한 경우에 해제하여 자연적 자유를 회복시켜 주는 행위	특정 상대방을 위하여 권리 · 능력 · 법적 지위 등을 설정하여 주는 행위	제3자(타자)의 법률행위를 보충하여 그 법률적 효력을 완성시켜 주는 행위

성질	• 명령적 행정행위
	• 기속행위
	• 쌍방적 행정행위
	  – 신청 없이 행하여지는 경우 있음
	    (통행금지 해제)
	  – 수정허가 가능
		• 형성적 행정행위(직접 상대방을 위한 행위)
		• 재량행위
		• 쌍방적 행정행위
		  – 반드시 신청 요함
		  – 수정특허 불가
			• 형성적 행정행위(타자를 위한 행위)
			• 재량행위
			• 쌍방적 행정행위
			  – 반드시 신청 요함
			  – 수정인가 불가

상대방	• 특정인 ⇨ 신청 있는 경우 • 불특정 다수인 ⇨ 신청 없는 경우	언제나 특정인(반드시 신청을 요하므로 신청한 자에 대하여만 특허)	언제나 특정인(반드시 신청을 요하므로 신청한 자에 대하여만 인가)
대상	• 사실행위(원칙) • 법률행위	• 사실행위(원칙) • 법률행위	• 사실행위는 제외됨 • 법률행위만

효과	• 자연적 자유회복(상대적 금지해제)
	  – 반사적 이익 발생
	  – 행정쟁송 제기 불가
	• 일신전속적이 아닌 한 이전 가능(대물적 허가)
	• 공법적 효과(○), 사법적 효과(×)
		• 권리설정
		  – 권리(공권 · 사권) 발생
		  – 행정쟁송제기 가능
		• 일신전속적이 아닌 한 이전 가능(대물적 특허)
		• 공법적 효과(○), 사법적 효과(×)
			• 타인 간의 법률행위의 효력을 보충 · 완성(보충적 효력 ⇨ 권리설정 아님)
			• 이전 불가

형식	• 법규허가 ⇨ × • 허가처분 ⇨ ○	• 법규특허 ⇨ ○ • 특허처분 ⇨ ○	• 법규인가 ⇨ × • 인가처분 ⇨ ○

적법유효 요건	**무허가행위**
	• 행위 자체는 유효
	• 단, 행정강제 · 행정벌 가능 ⇨ 허가는 적법요건
		무특허행위
		• 행위 자체가 무효
		  ⇨ 특허는 유효요건
		• 행정강제 · 행정벌 불가
			무인가행위
			• 행위 자체가 무효
			  ⇨ 인가는 유효요건
			• 행정강제 · 행정벌 불가

국가 감독	질서유지를 위한 최소한의 소극적 감독 ⇨ 사기업	공익사업조성을 위한 특별한 적극적 감독 ⇨ 공기업	–
사례	• 건축허가 • 운전면허 • 의사면허 • 영업허가 • 담배소매업지정 • 통금해제 • 수출입허가 • 택시미터검사 • 총포 · 도검 · 화약류영업허가 • 보도관제해제 • 일시적 도로사용허가 • 차량검사합격처분	• 자동차운수사업면허 • 광업허가 • 어업면허 • 귀화허가 • 공기업특허 • 공물사용권특허 • 도로 · 하천점용허가 • 공용수용권설정 • 공유수면매립면허 • 사설철도허가 • 하천도강료징수권설정 • 공무원임명	• 하천사용권양도인가 • 특허기업요금인가 • 공법인설립인가 • 사립대설립인가 • 공공조합정관승인 • 토지거래허가 • 지방채기채승인 • 수도공급규정인가 • 공기업양도인가

1 서설

준법률행위적 행정행위는 행정주체의 의사표시 이외의 정신작용(판단·인식·관념 등)을 요소로 하고, 그 법적 효과는 행정청의 의사와 관계없이 법률의 규정에 의하여 발생하는 **행정행위**를 말한다. 준법률행위적 행정행위는 그 효과가 법률의 규정에 의하여 발생하므로 부관을 붙일 수 없고, **기속행위**임이 원칙이다.

2 확인

1. 의의

확인행위란 특정의 사실 또는 법률관계에 관하여 의문 또는 다툼이 있는 경우, 행정청이 공권적 입장에서 그 존부(存否)·정부(正否) 등을 판단하는 행위로서 법원의 판단과 그 성질이 비슷하다. 실정법상 **재결**·결정·인정·검정·특허 등의 용어가 사용되고 있다. 대표적 예로는 발명특허, 국가시험합격자의 결정, 행정심판의 재결, 민주화운동관련자결정 등이 있다.

2. 성질

(1) 확인행위는 특정한 사실관계 또는 법률관계 존부 여부를 유권적으로 확정하는 판단의 표시이므로 준사법(準司法)행위의 성질을 갖는다.

(2) 확인은 판단작용이기 때문에 일정한 사실관계 또는 법률관계가 존재하거나 정당하다고 판단되는 경우에는 반드시 확인을 해야 하므로 **기속행위** 내지 **기속재량행위**이며, 부관을 붙일 수 없다.

3. 형식

확인은 항상 구체적 처분 형식으로 이루어지며, 법령에 의한 일반적인 확인은 있을 수 없다.

4. 종류(구체적인 예)

(1) 조직법상 확인(예 당선인 결정, 시험합격자 결정)

(2) 급부행정법상 확인(예 도로구역 결정, 발명특허, 교과서의 검정)

(3) 재정법상 확인(예 소득금액의 결정)

(4) 쟁송법상 확인(예 행정심판재결, 이의신청의 결정)

(5) 군정법상 확인(예 신체검사, 군사시설보호구역)

(6) 토지행정법상 확인(예 도시관리계획상의 용도지역·지구·구역 지정)

5. 효과

(1) 공통적 효과로서 행정청 자신도 변경할 수 없는 **불가변력**이 발생한다.

(2) 기타 경우는 각 관계법령이 정한 효력이 발생한다. 발명특허의 경우 권리가 형성되는 경우가 있으나, 이는 확인행위 자체에서의 효과가 아니라 법이 부여한 효과이다.

🔨 관련판례

1 국방전력발전업무훈령 제113조의5 제1항에 의한 <u>연구개발확인서 발급</u>은 개발업체가 '업체투자연구개발' 방식 또는 '정부·업체공동투자연구개발' 방식으로 전력지원체계 연구개발사업을 성공적으로 수행하여 군사용 적합판정을 받고 국방규격이 제·개정된 경우에 사업관리기관이 개발업체에게 해당 품목의 양산과 관련하여 경쟁입찰에 부치지 않고 <u>수의계약의 방식으로 국방조달계약을 체결할 수 있는 지위(경쟁입찰의 예외사유)가 있음을 인정해 주는 '확인적 행정행위'로서 공권력의 행사인 '처분'에 해당하고, 연구개발확인서 발급 거부는 신청에 따른 처분 발급을 거부하는 '거부처분'</u>에 해당한다(대판 2020.1.16. 2019다264700).

2 토지 및 임야조사사업을 통한 사정(査定)은 원칙적으로는 '소유자'의 신고로 시작되고 이에 따른 토지·임야 조사 및 측량, 토지·임야조사부 및 지적도·임야도의 조제, 사정 후 공시 및 이의신청절차를 거쳐 사정명의인이 확정되도록 되어 있어 확인적 성격이 있음을 부인할 수는 없다. 그러나 당시는 일제의 식민통치를 통해 근대적 법률관계가 우리나라에 막 이식되기 시작하던 시기로서 소유권의 귀속에 혼란스러운 점이 적지 않았고, 이에 따라 여러 가지 사정으로 소유자의 신고가 이루어지지 않거나 소유자가 없는 토지, 소유권의 귀속이 명확하지 않은 토지에 대하여도 사정이 이루어지는 등 토지 및 임야조사사업이 일제나 그와 결탁한 친일반민족행위자들에 의하여 토지를 수탈하는 수단으로 이용되기도 하였음은 널리 알려진 사실이므로 사정이라는 제도가 반드시 사정명의인의 해당 토지나 임야에 대한 기존의 소유권을 확인받는 절차에 불과하다고 볼 것은 아니다. 더욱이 사정의 결과로 작성된 토지대장, 임야대장을 토대로 근대적 등기제도가 시행됨으로써 근대적 의미의 소유권이 처음으로 생겨나게 되었으며 이를 통해 토지나 임야에 관하여 그 명의로 사정을 받은 사람은 해당 토지나 임야를 원시적·창설적으로 취득하게 되었으므로, 이러한 사정에 의한 취득 역시 친일반민족행위자 재산의 국가귀속에 관한 특별법 제2조 제2호에서 말하는 취득에 포함된다고 보아야 한다(대판 2013.3.28. 2009두11454).

3 '친일반민족행위자 재산의 국가귀속에 관한 특별법' 제2조 제2호에 정한 친일재산이 친일반민족행위자재산조사위원회의 국가귀속결정의 법적 성격(= 준법률행위적 행정행위)

친일반민족행위자 재산의 국가귀속에 관한 특별법 제3조 제1항 본문, 제9조 규정들의 취지와 내용에 비추어 보면, 같은 법 제2조 제2호에 정한 친일재산은 친일반민족행위자재산조사위원회가 국가귀속결정을 하여야 비로소 국가의 소유로 되는 것이 아니라 특별법의 시행에 따라 그 취득·증여 등 원인행위시에 소급하여 당연히 국가의 소유로 되고, 위 위원회의 <u>국가귀속결정은 당해 재산이 친일재산에 해당한다는 사실을 확인하는 이른바 준법률행위적 행정행위</u>의 성격을 가진다(대판 2008.11.13. 2008두13491).

4 **준공검사처분의 법적 성질(확인)**

준공검사처분은 건축허가를 받아 건축한 건물이 건축허가사항대로 건축행정목적에 적합한가의 여부를 확인하고, 준공검사필증을 교부하여 줌으로써 허가받은 자로 하여금 건축한 건물을 사용, 수익할 수 있게 하는 법률효과를 발생시키는 것이다. 허가 관청은 특단의 사정이 없는 한 건축허가내용대로 완공된 건축물의 준공을 거부할 수 없다고 하겠으나, 만약 건축허가 자체가 건축관계 법령에 위반되는 하자가 있는 경우에는 비록 건축허가내용대로 완공된 건축물이라 하더라도 위법한 건축물이 되는 것으로서 그 하자의 정도에 따라 건축허가를 취소할 수 있음은 물론 그 준공도 거부할 수 있다고 하여야 할 것이다(대판 1992.4.10. 91누5358).

5 건축주가 건축허가 내용대로 완공한 경우 건축허가 자체에 하자가 있어서 위법한 건축물이라는 이유로 허가관청이 사용승인을 거부하려면 건축허가의 취소에 있어서와 같은 조리상의 제약이 따르고, 만약 당해 건축허가를 취소할 수 없는 특별한 사정이 있는 경우라면 그 사용승인도 거부할 수 없다(대판 2009.3.12. 2008두18052).

3 공증

1. 의의

의문 또는 다툼이 없는 사항에 대하여 공권적으로 증명하여 공적 증거력을 부여하는 행위를 말한다. 그 예로는 합격증서의 발급 및 영수증의 교부 등을 들 수 있다.

> **관련판례**
>
> 의료유사업자 자격증 갱신발급행위는 유사의료업자의 자격을 부여 내지 확인하는 것이 아니라 특정한 사실 또는 법률관계의 존부를 공적으로 증명하는 소위 **공증행위**에 속하는 행정행위라 할 것이다(대판 1997.5.24. 76누295).

2. 성질

(1) 확인이 판단의 표시인 데에 비하여, 공증은 **인식의 표시행위**이다. 또한 확인은 의문·분쟁이 있음을 전제로 하는 데 반해, 공증은 의문·분쟁이 있음을 전제로 하지 않는다.

(2) 공증은 특정한 법률사실이나 법률관계가 존재하는 한 공증을 하여야 하는 기속행위 내지 기속재량행위이다.

(3) 공증행위에 종기를 붙인 경우 이는 부관이 아니라 법정기한이라는 것이 다수설이다. 부관에 대한 새로운 견해에 의하면 공증, 특히 여권에 유효기간을 붙이는 점을 들어 준법률행위적 행정행위에도 **부관을 부가**할 수 있다고 한다.

3. 형식

공증은 언제나 구체적인 처분의 형식으로 이루어지며, 일정한 형식에 따라 행하여지는 요식행위이다.

4. 종류(구체적인 예)

(1) 등기 · 등록(예 각종 등기부 · 등록부에의 등기, 특허등록 등)

(2) 등재 · 기재[예 의료유사업자 자격증 갱신발급행위, 각종 명부 · 장부 · 원부에의 등재 (선거인명부, 토지 · 하천 · 가옥 · 임야대장, 광업원부에의 등재), 회의록 · 의사록에 의 기재 등]

(3) 증명서 발부 · 발급(예 당선증서 · 합격증서 · 졸업증서 등의 증명서 발부, 여권 · 감찰 등의 발급 등)

(4) 날인 · 압날(예 날인 · 검인 · 증인의 압날 등)

(5) 교부(예 영수증 · 허가증 · 특허증 · 졸업증서 · 면허장 · 원장 등의 교부 등)

🔨 관련판례

1 특허청장의 상표사용권설정등록행위의 성질(공증)

행정소송제도의 목적에 비추어 볼 때 행정처분이 단지 사인간의 법률관계의 존부를 공적으로 증명하는 공증행위에 불과하여 그 효력을 둘러싼 분쟁의 해결이 사법원리 에 맡겨져 있고, 위법한 행정처분의 취소가 국민의 권익구제나 분쟁의 근본적인 해 결을 위한 적절한 수단이 되지 못하는 경우에는, 취소소송의 대상이 되지 아니한다 고 보아야 할 것이다. … 상표사용권설정등록신청서가 제출된 경우 특허청장은 신청 서와 그 첨부서류만을 자료로 형식적으로 심사하여 그 등록신청을 수리할 것인지의 여부를 결정하여야 되는 것으로서, 특허청장의 상표사용권설정등록행위는 사인간 의 법률관계의 존부를 공적으로 증명하는 준법률행위적 행정행위임이 분명하다(대 판 1991.8.13. 90누9414).

2 건설업면허증 및 건설업면허수첩의 재교부의 법적 성질(공증)

건설업면허증 및 건설업면허수첩의 재교부는 그 면허증 등의 분실, 헐어 못쓰게 된 때, 건설업의 면허이전 등 면허증 및 면허수첩 그 자체의 관리상의 문제로 인하여 종 전의 면허증 및 면허수첩과 동일한 내용의 면허증 및 면허수첩을 새로이 또는 교체 하여 발급하여 주는 것으로서, 이는 건설업의 면허를 받았다고 하는 특정사실에 대 하여 형식적으로 그것을 증명하고 공적인 증거력을 부여하는 행정행위(강학상의 공 증행위)이므로, 그로 인하여 면허의 내용 등에는 아무런 영향이 없이 종전의 면허의 효력이 그대로 지속하고, 면허증 및 면허수첩의 재교부에 의하여 재교부 전의 면허 는 실효되고 새로운 면허가 부여된 것이라고 볼 수 없다(대판 1994.10.25. 93누21231).

5. 효과(공적 증거력 발생)

공증에는 반증에 의하지 아니하고는 번복될 수 없는 공적 증거력이 발생한다. 그러나 반증에 의하여 행정행위의 취소를 기다리지 않고서도 그 공적 증거력을 번복할 수 있기 때문에 공증에는 불가변력은 발생하지 않는다.

6. 처분성 여부

공증의 처분성에 대하여 판례는 공증 자체로 법적 효과를 발생시키는 것이 아니라는 이 유로 처분성을 부정하는 입장이었다. 그러나 지적공부소관청의 **지목변경신청반려행위** (대판 2004.4.22. 2003두9015 전합) 사건에서는 **처분성을 인정**하여 공증의 처분성은 일 률적으로 논의할 수 없게 되었다.

핵심 OX

04 건설업면허증 및 건설업면허수첩의 재교부는 건설업의 면허를 받았다 고 하는 특정사실에 대하여 형식적 으로 그것을 증명하고 공적인 증거 력을 부여하는 행정행위이다.

15. 국회8급 ( )

핵심 OX

05 공증은 반증에 의하지 아니하고는 전복될 수 없는 공적 증거력을 발생 한다. 04. 국회8급 ( )

04 ○ 05 ○

⚖ 관련판례

1 무허가건물을 무허가건물관리대장에서 삭제하는 행위가 항고소송의 대상이 되는 행정처분인지 여부(소극)

무허가건물관리대장은 행정관청이 지방자치단체의 조례 등에 근거하여 무허가건물 정비에 관한 행정상 사무처리의 편의와 사실증명의 자료로 삼기 위하여 작성, 비치하는 대장으로서 무허가건물을 무허가건물관리대장에 등재하거나 등재된 내용을 변경 또는 삭제하는 행위로 인하여 당해 무허가 건물에 대한 실체상의 권리관계에 변동을 가져오는 것이 아니고, 무허가건물의 건축시기, 용도, 면적 등이 무허가건물관리대장의 기재에 의해서만 증명되는 것도 아니므로, 관할관청이 무허가건물의 무허가건물관리대장 등재 요건에 관한 오류를 바로잡으면서 당해 무허가건물을 무허가건물관리대장에서 삭제하는 행위는 다른 특별한 사정이 없는 한 항고소송의 대상이 되는 행정처분이 아니다(대판 2009.3.12. 2008두11525).

2 지적공부 소관청의 지목변경신청 반려행위가 항고소송의 대상이 되는 행정처분에 해당하는지 여부(적극)

구 지적법 제20조, 제38조 제2항의 규정은 토지소유자에게 지목변경신청권과 지목정정신청권을 부여한 것이고, 한편 지목은 토지에 대한 공법상의 규제, 개발부담금의 부과대상, 지방세의 과세대상, 공시지가의 산정, 손실보상가액의 산정 등 토지행정의 기초로서 공법상의 법률관계에 영향을 미치고, 토지소유자는 지목을 토대로 토지의 사용 · 수익 · 처분에 일정한 제한을 받게 되는 점 등을 고려하면, 지목은 토지소유권을 제대로 행사하기 위한 전제요건으로서 토지소유자의 실체적 권리관계에 밀접하게 관련되어 있으므로 지적공부 소관청의 지목변경신청 반려행위는 국민의 권리관계에 영향을 미치는 것으로서 항고소송의 대상이 되는 행정처분에 해당한다(대판 2004.4.22. 2003두9015 전합).

3 행정청이 건축물대장의 용도변경신청을 거부한 행위가 행정처분에 해당하는지 여부(적극)

구 건축법 제14조 제4항의 규정은 건축물의 소유자에게 건축물대장의 용도변경신청권을 부여한 것이고, 한편 건축물의 용도는 토지의 지목에 대응하는 것으로서 건물의 이용에 대한 공법상의 규제, 건축법상의 시정명령, 지방세 등의 과세대상 등 공법상 법률관계에 영향을 미치고, 건물소유자는 용도를 토대로 건물의 사용·수익·처분에 일정한 영향을 받게 된다. 이러한 점 등을 고려해 보면, 건축물대장의 용도는 건축물의 소유권을 제대로 행사하기 위한 전제요건으로서 건축물 소유자의 실체적 권리관계에 밀접하게 관련되어 있으므로, 건축물대장 소관청의 용도변경신청 거부행위는 국민의 권리관계에 영향을 미치는 것으로서 항고소송의 대상이 되는 행정처분에 해당한다(대판 2009.1.30. 2007두7277).

4 행정청이 건축물대장의 작성신청을 거부한 행위가 항고소송의 대상이 되는 행정처분에 해당하는지 여부(적극)

구 건축법 제18조의 규정에 의한 사용승인(다른 법령에 의하여 사용승인으로 의제되는 준공검사·준공인가 등을 포함한다)을 신청하는 자 또는 구 건축법 제18조의 규정에 의한 사용승인을 얻어야 하는 자 외의 자는 건축물대장의 작성 신청권을 가지고 있고, 한편 건축물대장은 건축물에 대한 공법상의 규제, 지방세의 과세대상, 손실보상가액의 산정 등 건축행정의 기초자료로서 공법상의 법률관계에 영향을 미칠 뿐만 아니라, 건축물에 관한 소유권보존등기 또는 소유권이전등기를 신청하려면 이를 등기소에 제출하여야 하는 점 등을 종합해 보면, 건축물대장의 작성은 건축물의 소유권을 제대로 행사하기 위한 전제요건으로서 건축물 소유자의 실체적 권리관계에 밀접하게 관련되어 있으므로 건축물대장 소관청의 작성신청 반려행위는 국민의 권리관계에 영향을 미치는 것으로서 항고소송의 대상이 되는 행정처분에 해당한다(대판 2009.2.12. 2007두17359).

5 **지적 소관청의 토지분할신청 거부행위가 항고소송의 대상이 되는 행정처분인지 여부 (적극)**

토지의 소유자는 자기소유 토지의 일부에 대한 소유권의 양도나 저당권의 설정 등 필요한 처분행위를 할 수 없게 되고, 특히 1필지의 일부가 소유자가 다르게 된 때에도 그 소유권을 등기부에 표창하지 못하고 나아가 처분도 할 수 없게 되어 권리행사에 지장을 초래하게 되는 점 등을 고려한다면, 지적 소관청의 이러한 토지분할신청의 거부행위는 국민의 권리관계에 영향을 미치는 것으로서 항고소송의 대상이 되는 처분으로 보아야 할 것이다(대판 1992.12.8. 92누7542).

6 **지적공부 소관청이 토지대장을 직권으로 말소한 행위가 항고소송의 대상이 되는 행정처분에 해당하는지 여부(적극)**

토지대장은 토지에 대한 공법상의 규제, 개발부담금의 부과대상, 지방세의 과세대상, 공시지가의 산정, 손실보상가액의 산정 등 토지행정의 기초자료로서 공법상의 법률관계에 영향을 미칠 뿐만 아니라, 토지에 관한 소유권보존등기 또는 소유권이전등기를 신청하려면 이를 등기소에 제출해야 하는 점 등을 종합해 보면, 토지대장은 토지의 소유권을 제대로 행사하기 위한 전제요건으로서 토지 소유자의 실체적 권리관계에 밀접하게 관련되어 있으므로, 이러한 토지대장을 직권으로 말소한 행위는 국민의 권리관계에 영향을 미치는 것으로서 항고소송의 대상이 되는 행정처분에 해당한다 (대판 2013.10.24. 2011두13286).

7 **행정청이 토지대장의 소유자명의변경신청을 거부한 행위가 항고소송의 대상이 되는 행정처분인지 여부(소극)**

토지대장에 기재된 일정한 사항을 변경하는 행위는 그것이 지목의 변경이나 정정 등과 같이 토지소유권 행사의 전제요건으로서 토지소유자의 실체적 권리관계에 영향을 미치는 사항에 관한 것이 아닌 한 행정사무집행의 편의와 사실증명의 자료로 삼기 위한 것일 뿐이어서, 그 소유자 명의가 변경된다고 하여도 이로 인하여 당해 토지에 대한 실체상의 권리관계에 변동을 가져올 수 없고 토지 소유권이 지적공부의 기재만에 의하여 증명되는 것도 아니다. 따라서 소관청이 토지대장상의 소유자명의변경신청을 거부한 행위는 이를 항고소송의 대상이 되는 행정처분이라고 할 수 없다 (대판 2012.1.12. 2010두12354).

8 **자동차운전면허대장상의 등재행위가 행정처분인지 여부 및 운전경력증명서에 한 등재의 말소를 구하는 소의 적법성 여부❶**

자동차운전면허대장상 일정한 사항의 등재행위는 운전면허행정사무집행의 편의와 사실증명의 자료로 삼기 위한 것일 뿐 그 등재행위로 인하여 당해 운전면허 취득자에게 새로이 어떠한 권리가 부여되거나 변동 또는 상실되는 효력이 발생하는 것은 아니므로 이는 행정소송의 대상이 되는 독립한 행정처분으로 볼 수 없고, 운전경력증명서상의 기재행위 역시 당해 운전면허 취득자에 대한 자동차운전면허대장상의 기재사항을 옮겨 적는 것에 불과할 뿐이므로 운전경력증명서에 한 등재의 말소를 구하는 소는 부적법하다 할 것이다(대판 1991.9.24. 91누1400).

핵심 OX

04 지적공부 소관청이 토지대장을 직권으로 말소하는 행위는 항고소송의 대상이 되는 행정처분에 해당한다.
19. 지방7급 ( )

핵심 OX

05 토지대장상의 소유자명의변경신청을 거부하는 행위는 실체적 권리관계에 영향을 미치는 사항으로 행정처분이다.
19. 서울7급 ( )

❶
· 건축물대장 작성신청 거부: 처분성 O
· 토지대장 '직권 말소': 처분성 O
· 토지대장 '소유자명의변경신청' 거부: 처분성 X
· 자동차운전면허대장: 처분성 X

04 ○ 05 X

공증의 처분성 긍정 판례	공증의 처분성 부정 판례
• 건축물대장 작성신청거부행위 • 건축물대장상의 용도변경신청거부행위 • 지적공부 소관청의 지목변경신청반려행위 • 지적공부 소관청의 토지분할신청거부행위 • 특허청장의 상표사용권등록설정행위 • 지적공부 소관청의 토지대장 직권말소행위 • 토지면적등록 정정신청 반려 처분: 평택~시흥 간 고속도로 건설공사 사업시행자인 한국도로공사가 고속도로 건설공사에 편입되는 토지들의 지적공부에 등록된 면적과 실제 측량 면적이 일치하지 않는 것을 발견하고 구 지적법(2009.6.9. 법률 제9774호 측량·수로조사 및 지적에 관한 법률 부칙 제2조 제2호로 폐지, 이하 '구 지적법'이라 한다) 제24조 제1항, 제28조 제1호에 따라 토지소유자들을 대위하여 토지면적등록 정정신청을 하였으나 화성시장이 이를 반려한 사안에서, 반려처분은 공공사업의 원활한 수행을 위하여 부여된 사업시행자의 관계 법령상 권리 또는 이익에 영향을 미치는 공권력의 행사 또는 그 거부에 해당하는 것으로서 항고소송 대상이 되는 행정처분에 해당한다(대판 2011.8.25. 2011두3371).	• 무허가건물을 무허가건물관리대장에서 삭제하는 행위 • 자동차운전면허대장에 일정한 사항을 등재하는 행위 • 가옥대장에 일정한 사항을 등재하는 행위(현재 건축물대장으로 변경되었으며, 처분성을 인정함) • 멸실된 지적공부를 복구하거나 지적공부에 기재된 일정한 사항을 변경하는 행위 • 인감증명발급 • 하천대장에 특정 토지를 기재하는 행위(대판 1982.7.13. 81누129) • 온천관리대장에 온천발견자의 성명을 등재하는 행위(대판 2000.9.8. 98두13072) • 지적공부에 기재된 일정한 사항을 변경하는 행위(대판 2002.4.26. 2000두7612)

4 통지

1. 의의

특정인 또는 불특정 다수인에 대하여 **특정한 사실**을 알리는 행정행위를 말한다. 대표적인 예로는 대집행의 계고, 특허출원공고 등이 있다.

2. 성질

(1) 통지는 그 자체가 **독립한** 행정행위이므로 이미 성립한 행정행위의 효력발생요건에 지나지 않는 표시행위(예 법령의 공포, 재결의 고지, 요식행위인 문서의 송달 등)와는 다르다.

(2) 통지가 아무런 법률적 효과를 발생하지 않을 때에는 사실행위에 그치고 행정행위가 아니다.

> **관련판례**
>
> 교통안전공단이 구 교통안전법에 의거하여 교통안전분담금 납부의무자에게 한 분담금 납부통지는 행정처분이다(대판 2000.9.8. 2000다12716).

통지의 처분성 긍정 판례	통지의 처분성 부정 판례
• 대집행계고 • 농지처분의무통지 • 국·공립대상 조교수에 대한 임용기간만료 통지 • 과세관청의 소득처분과 그에 따른 소득금액 변동통지 • 구 도시재개발법상 분양신청기간의 통지 • 구 공무원연금법상 과다지급된 퇴직연금에 대한 지급된 급여의 환수를 위한 행정청의 환수통지	• 정년퇴직의 인사발령통보 • 공무원법상 당연퇴직의 인사발령통보 • 공무원연금법령의 개정사실과 퇴직연금수급자가 퇴직연금 중 일부금액의 지급정지대상자가 되었다는 사실의 통보

3. 종류

(1) 의사의 통지

행정청의 의사를 알리는 행위이다(예 대집행의 계고, 납세의 독촉 등).

(2) 관념의 통지

행정청의 과거 일정한 사실을 알리는 행위이다(예 특허출원의 공고, 귀화고시, 토지수용에 있어서 사업인정의 고시, 토지세목의 공고 등).

4. 효과

통지의 효과는 각 관계법령의 규정에 따라 발생한다(예 대집행의 계고는 의무를 이행하지 않을 때 대집행을 실행함).

관련판례

1 **대집행의 계고는 통지**

대집행의 계고는 다른 수단으로써 이행을 확보하기 곤란하고, 또한 그 불이행을 방치함이 심히 공익을 해하는 것으로 인정되는 경우에 행정청이 그의 우월적인 입장에서 의무자에게 대하여 상당한 이행기한을 정하고 그 기한 내에 이행을 하지 않을 경우에는 대집행을 한다는 의사를 통지하는 준법률적 행정행위라 할 것이며, 대집행의 일련의 절차의 불가결의 일부분으로 정하여진 대집행 영장교부 및 대집행 실행을 적법하게 하는 필요한 전제절차로서 그것이 실제적으로 명령에 의한 기존의 의무 이상으로 새로운 의무를 부담시키는 것은 아니지만, 계고가 있으므로 인하여 대집행이 실행되어 상대방의 권리의무에 변동을 가져오는 것이라 할 것이므로, 상대방은 계고 절차의 단계에서 이의 취소를 소구할 법률상 이익이 있다 할 것이고 계고는 행정소송법 소정 처분에 포함된다고 보아 계고처분 자체에 위법이 있는 경우에 한하여 항고소송의 대상이 될 수 있다(대판 1966.10.31. 66누25).

2 정년퇴직 발령이 행정소송의 대상인지 여부(소극)

국가공무원법 제74조에 의하면 공무원이 소정의 정년에 달하면 그 사실에 대한 효과로서 공무담임권이 소멸되어 당연히 퇴직되고 따로 그에 대한 행정처분이 행하여져야 비로소 퇴직되는 것은 아니라 할 것이며 피고(영주지방철도청장)의 원고에 대한 정년퇴직 발령은 정년퇴직 사실을 알리는 이른바 관념의 통지에 불과하므로 행정소송의 대상이 되지 아니한다(대판 1983.2.8. 81누263).

3 당연퇴직처분이 행정소송의 대상인 행정처분인지 여부(소극)

국가공무원법 제69조에 의하면 공무원이 제33조 각 호의 1에 해당할 때에는 당연히 퇴직한다고 규정하고 있으므로, 국가공무원법상 당연퇴직은 결격사유가 있을 때 법률상 당연히 퇴직하는 것이지 공무원관계를 소멸시키기 위한 별도의 행정처분을 요하는 것이 아니며, 당연퇴직의 인사발령은 법률상 당연히 발생하는 퇴직사유를 공적으로 확인하여 알려주는 이른바 관념의 통지에 불과하고 공무원의 신분을 상실시키는 새로운 형성적 행위가 아니므로 행정소송의 대상이 되는 독립한 행정처분이라고 할 수 없다(대판 1995.11.14. 95누2036).

4 국세징수법의 가산금과 중가산금의 납부독촉의 성질

국세징수법 제21조, 제22조가 규정하는 가산금과 중가산금은 국세가 납부기한까지 납부되지 않은 경우 미납분에 관한 지연이자의 의미로 부과되는 부대세의 일종으로서, 과세권자의 확정절차 없이 국세를 납부기한까지 납부하지 아니하면 같은 법 제21조, 제22조의 규정에 의하여 당연히 발생하고 그 액수도 확정되는 것이며, 그에 관한 징수절차를 개시하려면 독촉장에 의하여 그 납부를 독촉함으로써 가능한 것이므로, 그 납부독촉이 부당하거나 절차에 하자가 있는 경우에는 그 징수처분에 대하여 취소소송에 의한 불복이 가능할 것이다(대판 2000.9.22. 2000두2013).

5 대학교원의 임용권자가 임용기간이 만료된 조교수에 대하여 재임용을 거부하는 취지로 한 임용기간만료의 통지가 행정소송의 대상이 되는 처분에 해당하는지 여부

기간제로 임용되어 임용기간이 만료된 국·공립대학의 조교수는 교원으로서의 능력과 자질에 관하여 합리적인 기준에 의한 공정한 심사를 받아 위 기준에 부합되면 특별한 사정이 없는 한 재임용되리라는 기대를 가지고 재임용 여부에 관하여 합리적인 기준에 의한 공정한 심사를 요구할 법규상 또는 조리상 신청권을 가진다고 할 것이니, 임용권자가 임용기간이 만료된 조교수에 대하여 재임용을 거부하는 취지로 한 임용기간만료의 통지는 위와 같은 대학교원의 법률관계에 영향을 주는 것으로서 행정소송의 대상이 되는 처분에 해당한다(대판 2004.4.22. 2000두7735 전합).

5 수리

1. 의의

수리는 준법률행위적 행정행위로 타인의 행정청에 대한 행위를 유효한 행위로서 받아들이는 행위를 말한다[예 각종 신청서·신고서(행정요건적 행위로서의 신고)·행정심판청구서의 수리 등].

2. 성질

수리는 수동적 행정행위(기속행위)로서 상대방의 행위를 유효한 행위라는 판단 하에 수령하는 인식의 표시행위인 점에서 단순 도달 또는 사실행위인 접수와 다르다.

3. 수리를 위한 심사

행정청은 수리 여부를 결정함에 있어서 특별한 규정이 없는 한 형식적 요건을 심사할 수 있을 뿐 실질적인 심사를 할 수 없다는 것이 판례의 입장이다(대판 1984.12.11. 84도2108).

> **관련판례**
>
> 허가대상 건축물의 양수인이 구 건축법 시행규칙(1992.6.1. 건설부령 제504호로 전문 개정되기 전의 것)에 규정되어 있는 형식적 요건을 갖추어 시장·군수에게 적법하게 건축주의 명의변경을 신고한 때에는 시장·군수는 그 신고를 수리하여야지 실체적인 이유를 내세워 신고의 수리를 거부할 수 없다. 다만, 건축물의 소유권을 둘러싸고 소송이 계속 중이어서 판결로 소유권의 귀속이 확정될 때까지 건축주명의변경신고의 수리를 거부함이 상당하다(대판 1993.10.12. 93누883).

4. 효과

(1) 각 관계법령에 규정하는 효과가 발생한다(예 혼인신고의 수리는 혼인성립이라는 사법상의 효과가 발생하고, 소장의 수리는 법원에 심리절차개시의 의무를 지게 하는 공법상의 효과가 발생함).

(2) 신고서·신청서 등이 형식적 요건을 갖추지 못한 때에는 행정청은 보정명령(이는 보정을 명령하는 하명이 아니라, 거절의 의사를 알리는 의사의 통지)을 하고 소정기한까지 보정되지 않으면 수리를 거부한다.

5. 수리거부

수리거부행위, 즉 각하는 불수리 의사표시로서 소극적인 의사표시이다. 또한 법률행위적 행정행위에 해당하므로, 위법한 수리거부에 대해서는 행정쟁송이 가능하다.

> **관련판례**
>
> **수리대상인 사업양도·양수가 존재하지 아니하거나 무효인 때에는 수리를 하였다 하더라도 그 수리는 당연무효임**
>
> 사업양도·양수에 따른 허가관청의 지위승계신고의 수리는 적법한 사업의 양도·양수가 있었음을 전제로 하는 것이므로 그 수리대상인 사업양도·양수가 존재하지 아니하거나 무효인 때에는 수리를 하였다 하더라도 그 수리는 유효한 대상이 없는 것으로서 당연히 무효라 할 것이고, 사업의 양도행위가 무효라고 주장하는 양도자는 민사쟁송으로 양도·양수행위의 무효를 구함이 없이 막바로 허가관청을 상대로 하여 행정소송으로 위 신고수리처분의 무효확인을 구할 법률상 이익이 있다(대판 2005.12.23. 2005두3554).

구분	공증	통지	수리	확인
의의	의문·다툼이 없는 사실을 공적으로 증명하는 행위	특정사실 또는 의사를 알리는 행위	개인의 행정청에 대한 행위를 유효한 행위로 받아들이는 행위	의문·다툼이 있는 사실에 대하여 공적 권위로써 그 존부·정부를 확인하는 행위
성질	인식표시	의사통지 + 관념통지	인식표시	판단표시
공통효과	(각 법령에 따라) 공적 증명력	각 법령에 따라	각 법령에 따라	(각 법령에 따라) 불가변력
종류	• 등록(외국인, 광업권) • 등재(토지대장 등) • 발명서·합격증 발급 • 영수증교부 • 여권, 감찰 발급 • 검인, 증인날인	• 관념의 통지 - 토지세목공고 - 특허출원공고 - 귀화고시 • 의사의 통지 - 납세독촉 - 대집행계고	원서·신고서·행정심판청구서·소장 등의 수리	• 당선인결정, 합격자결정 • 도로구역결정, 발명특허, 교과서의 검·인정 • 소득금액결정 • 행정심판재결

제6장 행정행위의 부관

1 서설

1. 개념

(1) 종래의 견해(협의설)

부관에 관한 일반적인 견해는 행정행위의 일반적 효과를 제한하기 위하여 주된 의사표시에 부가된 종된 의사표시로 이해하고 있다.

(2) 새로운 견해(광의설)

새로운 견해는 행정행위의 효과를 제한하거나 새로운 의무를 과하거나 법정요건을 보충하기 위하여 주된 행위에 부가된 종된 규율로 정의하고 있다.

2. 부관과 구별되는 개념

(1) 법정부관

행정행위의 부관은 행정청의 의사표시에 의하여 부가되는 것이나, 행정행위의 효과의 제한이 직접 법규에서 규정된 법정부관은 부관이 아니다(예 자동차검사증의 유효기간, 인감증명의 유효기간, 광업권의 존속기간, 수렵면허기간 등). 법정부관에 대하여는 행정행위에 부관을 붙일 수 있는 한계에 관한 일반적인 원칙이 적용되지는 않는다(대판 1994.3.8. 92누1728). 이러한 법정부관은 법규 그 자체이므로 이에 대해서는 항고소송으로 다툴 수 없고 **위헌·위법명령 심사청구**를 하여야 한다(규범통제).

(2) 행정행위의 내용적 제한

행정행위의 내용 자체를 정하는 것은 행정행위의 내용적 제한으로서 부관이 아니다(예 영업구역의 설정은 부담과는 달리 행정행위에 특히 붙여진 의무가 아니고, 그 행정행위의 지역적 한계를 설정하는 것). 다만, 법률효과의 일부배제를 행정행위의 내용적 제한으로 보는 견해가 있다.

3. 기능

(1) 순기능

① 부관은 당사자와 행정청 간의 입장을 조화시켜 행정의 탄력성·신축성에 기여한다.

② 부관은 본래의 처분에 대한 이행확보수단으로서의 기능을 한다.

③ 신청한 사항이 거부된 경우 이에 대한 재신청·재심사절차가 반복되는 것을 부관을 붙여 해결하면 무용한 절차의 반복을 피할 수 있다.

④ 행정행위에 대하여 이해관계의 대립이 있는 경우 부관을 붙여 이러한 이해관계를 조정할 수 있다.

핵심 OX

01 고시에서 정하여진 허가기준에 따라 보존음료수 제조업의 허가에 부가된 조건은 행정행위에 부관을 부가할 수 있는 한계에 관한 일반적인 원칙이 적용되지 아니한다.
19. 국회8급 ( )

02 주택건축허가를 하면서 영업목적으로만 사용할 것을 부관으로 정한 경우에, 이러한 부관은 주된 행정행위의 목적에 위배된다.
18. 서울7급 ( )

핵심 OX

03 부관은 행정의 탄력성을 보장하는 기능을 갖는다.
18. 서울9급, 09. 국가9급 ( )

01 ○ **02** ○ **03** ○

(2) 역기능

① 부관을 남용하거나 과중한 부담이 부과되면 부관이 오히려 국민의 권익에 장애가 될 수 있다.

② 수익적 행정행위의 상대방의 경제적 이익 일부를 흡수하기 위해서 활용하면 행정편의주의로 전락할 수 있다(예 대도시 교통체증부담금제도 등).

4. 부관설정의 의무성

부관을 붙이는 것은 행정청의 재량행위임이 보통이나, 복효적 행정행위의 경우 불이익을 받는 자를 위하여 행정청은 부관을 설정할 의무를 지는가에 대하여 판례는 긍정적으로 본다.

5. 법적 근거

> **행정기본법 제17조 【부관】** ① 행정청은 처분에 재량이 있는 경우에는 부관(조건, 기한, 부담, 철회권의 유보 등을 말한다. 이하 이 조에서 같다)을 붙일 수 있다.
> ② 행정청은 처분에 재량이 없는 경우에는 법률에 근거가 있는 경우에 부관을 붙일 수 있다.

행정기본법(제17조)에 일반적인 근거조항이 있다. 일부 행정법령에서는 행정청이 행정행위를 하면서 부관을 붙일 수 있음을 명시적으로 규정하고 있는 경우가 있다(예 하천법 제33조, 식품위생법 제37조 제2항 등). 다만, 이러한 규정이 없어도 행정청은 필요한 범위 내에서 부관을 붙일 수 있다는 견해가 다수설이다.

⚖ 관련판례

행정청이 수익적 행정처분을 하면서 부관으로 부담을 붙이는 방법
수익적 행정처분에 있어서는 법령에 특별한 근거규정이 없다고 하더라도 그 부관으로서 부담을 붙일 수 있고, 그와 같은 부담은 행정청이 행정처분을 하면서 일방적으로 부가할 수도 있지만 부담을 부가하기 이전에 상대방과 협의하여 부담의 내용을 협약의 형식으로 미리 정한 다음 행정처분을 하면서 이를 부가할 수도 있다(대판 2009.2.12. 2005다65500).

---

2 종류

1. 조건

(1) 의의

조건은 행정행위의 효력발생 또는 소멸을 장래의 불확실한 사실에 의존하게 하는 부관이다.

(2) 종류

① **정지조건**: 행정행위 효과의 **'발생'**을 장래의 불확실한 사실에 의존하게 하는 것을 말한다(예 시설완성을 조건으로 한 호텔영업허가, 도로확장을 조건으로 하는 자동차사업면허). 정지조건부 허가의 경우 조건이 성취되지 않은 경우 허가의 대상이 되는 행위를 할 수 없다.

② **해제조건**: 행정행위 효과의 '**소멸**'을 장래의 불확실한 사실에 의존하게 하는 것을 말한다(예 6월 내에 공사에 착수할 것을 조건으로 한 공유수면매립면허).

(3) 효력발생

정지조건이 성취되면 조건 성취 시부터 당연히 그 효력이 **발생**하며, **해제조건이 성취**되면 당연히 그 효력이 **소멸**한다(실효사유). 즉, 정지조건부 행정행위는 조건의 성취 여부가 정해지지 않은 동안에는 그 효력이 불확정한 상태에 있지만, 해제조건부 행정행위는 일단 효력이 발생하고 조건성취에 의해 그 효력을 상실한다. 행정행위에 조건이 부가되면 조건 성취 시까지는 불확정한 상태에 놓여 실제에서는 그 예가 많지 않다.

2. 기한

(1) 의의

행정행위의 효력발생 또는 소멸이 장래의 확실한 사실에 의존하게 하는 부관이다. 기한은 행정행위의 시간상의 효력범위를 정하는 점에서 조건과 같으나, 확정기한이든 불확정기한이든 그 도래가 확실하다는 점에서 조건과 구별된다.

(2) 종류

① **시기와 종기**: 기한의 도래로 행정행위가 당연히 효력을 발생하는 경우(시기: 3월 1일부터 도로점용허가)와 기한의 도래로 행정행위가 당연히 소멸하는 경우(종기: 3월 1일까지 도로점용허가)가 있다.

② **확정기한과 불확정기한**: 도래할 것이 확실함과 더불어 도래하는 시기까지 확실한 기한(확정기한: 5월 1일부터 5월 30일까지)과 도래할 것은 확실하나 도래하는 시기는 확실하지 않은 기한(불확정기한: A가 죽을 때까지 연금지급)이 있다.

(3) 종기의 해석문제

① 부관에 의하여 종기가 붙여진 경우 '적정한 종기'의 경우에는 종기가 도래하면 행정행위의 효력이 당연히 소멸됨이 원칙이다(행정행위의 실효사유). 이러한 경우 종기의 도래에 의하여 행정행위의 효력은 일단 소멸되며, 재허가 등을 하는 경우에는 법이 정한 소정의 허가요건을 충족하고 있는가를 새로이 판단하여야 할 것이다.

② 그러나 댐건설을 위한 하천점용허가나 음식점영업허가와 같이 내용상 장기계속성이 예정되어 있는 행정행위에 '**부당히 짧은 종기**'를 붙인 경우에는 그것은 행정행위의 효력의 존속기간이 아니라 그 내용의 갱신기간(조건의 존속기간)으로 보아야 한다는 견해가 통설·판례이다.

> ⚖ **관련판례**
>
> **허가에 붙은 기한이 그 허가된 사업의 성질상 부당하게 짧은 경우, 이를 그 허가 자체의 존속기간이 아니라 그 허가조건의 존속기간으로 볼 수 있는지 여부(적극)**
> 일반적으로 행정처분에 효력기간이 정하여져 있는 경우에는 그 기간의 경과로 그 행정처분의 효력은 상실되며, 다만 허가에 붙은 기한이 그 허가된 사업의 성질상 부당하게 짧은 경우에는 이를 그 허가자체(효력)의 존속기간이 아니라 그 허가조건의 존속기간(갱신기간)으로 본다(대결 2005.1.17. 2004무48).

3. 부담

(1) 의의

부담은 행정행위의 주된 내용에 부가하여 그 상대방에게 작위·부작위·급부·수인 의무 등을 명하는 부관이다(예 도로점용허가를 하면서 점용료의 납부를 명하는 경우, 영업허가 시 종업원의 건강진단의무를 명하는 경우). 이는 주로 허가·특허 등 수익적 행정행위에 붙여지며, 부관 중 그 실례가 가장 많다. 실정법상 조건이라는 용어로 자주 사용된다.

(2) 법적 성질

① **부담의 독립성**: 부담은 다른 부관과는 달리 주된 행정행위의 일부로서 의미를 갖는 것이 아니라, 그 자체로서 **독립된 행정행위**이며 하명의 성질을 갖는다. 따라서 자체로서 독립하여 행정쟁송이나 강제집행의 대상이 될 수 있다는 것이 통설·판례이다.

② **부담의 종속성**: 그러나 부담은 주된 행정행위의 존속을 전제로 하는 것이기 때문에 주된 행정행위가 실효가 되면 부담도 실효가 된다.

(3) 조건과의 구별

① **정지조건과의 차이**: 부담이 부가되어도 주된 행정행위의 효력은 처음부터 유효하게 발생하는 점에서 조건이 성취되어야 비로소 효력이 발생하는 정지조건과 다르다. 따라서 영업허가를 발급하면서 일정한 시설설치의무를 부가하는 것을 '부담'으로 본다면 부담의 이행 없이 영업을 하여도 적법한 영업이 되지만, '정지조건'으로 본다면 조건의 성취가 없는 한 무허가영업이 된다.

② **해제조건과의 차이**: 부담은 불이행이 있어도 주된 행정행위의 효력이 당연 소멸되지 않고 행정청의 별도의 의사표시가 있어야 소멸한다는 점에서, 조건성취로 당연히 소멸되는 해제조건과 다르다.

> ⚖️ **관련판례**
>
> **부담부 행정처분의 상대방이 그 부담을 이행하지 않음을 이유로 한 처분의 취소가부(적극)**
>
> 부담부 행정처분에 있어서 처분의 상대방이 부담(의무)을 이행하지 아니한 경우에 처분행정청으로서는 이를 들어 당해 처분을 취소(철회)할 수 있는 것이다(대판 1989.10.24. 89누2431).

③ **독립쟁송가능성 인정여부**: 부담은 독립쟁송가능성이 인정되는 반면, 부담 이외의 부관인 조건의 경우 독립쟁송가능성이 인정되지 않고 조건부 행정행위 전체를 취소소송의 대상으로 삼아야 한다.

④ **강제집행의 대상**: 부담에 의해 부과된 의무의 불이행이 있는 경우에 당해 의무의 불이행은 독립하여 강제집행의 대상이 되는 반면, 조건은 독립적으로 강제집행의 대상이 되지 않는다.

⑤ **'부관이 조건인가 부담인가'가 분명하지 않은 경우❶**: 행정청의 의사를 기준으로 하는 주관설, 객관적 사정을 기준으로 하는 객관설의 대립이 있으나, 상대방에게 유리한 부담으로 추정하는 것이 통설이다.

구분	조건	부담
항고소송의 대상	불가능	가능
효력발생	(정지조건) 조건 성취 시 효력발생	처음부터 효력발생, 특별한 의무부과
효력소멸	(해제조건) 조건 성취 시 효력소멸 ⇨ 별도의 행정행위가 불필요	부담을 이행하지 않아도 당연히 소멸하지는 않음 ⇨ 별도의 행정행위가 있어야 소멸
강제집행	조건 그 자체는 강제집행대상이 아님	부담 그 자체가 행정행위의 성질을 가짐 ⇨ 독립하여 강제집행의 대상이 됨
구별기준	• 1차적 기준: 행정청의 객관화된 법 효과의사 • 2차적 기준: 행정청의 의사가 불분명할 경우에는 상대방에 대한 침익성이 적은 부담으로 해석(통설)	

(4) 부담의 불이행의 경우

① 부담을 불이행한 경우에는 주된 행정행위를 철회할 수 있으며(철회사유), 행정강제의 사유가 된다.

② 상대방이 부담을 불이행한 경우, 행정청은 후속적인 수익적 행정행위를 거부할 수도 있다(대판 1985.2.8. 83누625). 예컨대 건축허가 시 붙인 부담의 불이행으로 준공검사를 거부할 수 있으며, 임야개간 시 붙인 부담의 불이행을 이유로 개간준공인가를 하지 않을 수 있다.

(5) 부담의 부가방법

① 부담은 행정청이 일정한 처분을 하면서 일방적으로 부과하는 방식 외에 상대방과 협의하여 부담의 내용을 협약의 형식으로 미리 정한 다음 처분을 하면서 부가하는 방식으로도 가능하다.

② 행정청이 수익적 행정처분을 하면서 부가한 부담의 위법 여부는 처분 당시 법령을 기준으로 판단하여야 한다. 행정청이 수익적 행정처분을 하면서 부가한 부담이 처분 당시 법령을 기준으로 적법한 경우 처분 후 부담의 전제가 된 주된 행정처분의 근거법령이 개정됨으로써 행정청이 더 이상 부관을 붙일 수 없게 되었다고 하더라도 곧바로 부담이 위법하게 되거나 그 효력이 소멸하는 것은 아니다.

> 🔍 **관련판례**
>
> **행정청이 수익적 행정처분을 하면서 사전에 상대방과 체결한 협약상의 의무를 부담으로 부가하였는데 부담의 전제가 된 주된 행정처분의 근거 법령이 개정되어 부관을 붙일 수 없게 된 경우, 위 협약의 효력이 소멸하는지 여부(소극)**
>
> 행정청이 수익적 행정처분을 하면서 부가한 <u>부담의 위법 여부는 처분 당시 법령을 기준으로 판단하여야 하고</u>, 부담이 처분 당시 법령을 기준으로 적법하다면 <u>처분 후 부담의 전제가 된 주된 행정처분의 근거 법령이 개정됨으로써 행정청이 더 이상 부관을 붙일 수 없게 되었다 하더라도 곧바로 위법하게 되거나 그 효력이 소멸하게 되는 것은 아니다.</u> 따라서 행정처분의 상대방이 수익적 행정처분을 얻기 위하여 행정청과 사이에 행정처분에 부가할 부담에 관한 협약을 체결하고 행정청이 수익적 행정

처분을 하면서 협약상의 의무를 부담으로 부가하였으나 부담의 전제가 된 주된 행정처분의 근거 법령이 개정됨으로써 행정청이 더 이상 부관을 붙일 수 없게 된 경우에도 곧바로 협약의 효력이 소멸하는 것은 아니다(대판 2009.2.12. 2005다65500).

핵심 OX

01 수익적 행정처분에 있어서는 법령에 특별한 근거규정이 있는 경우에만 그 부관으로서 부담을 붙일 수 있다.   23. 국가9급 (   )

(6) 한계

① 수익적 행정행위에 대한 반대급부 획득수단으로 부담이 부가된 경우, 이에 대한 통제가 요망된다.

② 수익적 행정행위에 있어서는 법령에 특별한 근거규정이 없다고 하더라도 그 부관으로서 부담을 붙일 수 있으며, 그러한 부담은 **비례의 원칙, 부당결부금지의 원칙**에 위반되지 않아야 한다(대판 1997.3.11. 96다49650).

핵심 OX

[02-03] 고속국도 관리청이 고속도로 부지와 접도구역에 송유관 매설을 허가하면서 상대방인 甲과 체결한 협약에 따라 송유관 시설을 이전하게 될 경우 그 비용을 甲이 부담하도록 하였는데, 그 후 도로법 시행규칙이 개정되어 접도구역에는 관리청의 허가 없이도 송유관을 매설할 수 있게 되었다.   18. 국가9급

02 도로법 시행규칙의 개정 이후에도 위 협약의 포함된 부관은 부당결부금지의 원칙에 반하지 않는다.
(   )

03 도로법 시행규칙의 개정으로 접도구역에는 관리청의 허가없이도 송유관을 매설할 수 있게 되었기 때문에 위 협약 중 접도구역에 대한 부분은 효력이 소멸된다.   (   )

> **⚡ 관련판례**
>
> **고속국도 관리청이 고속도로 부지와 접도구역에 송유관 매설을 허가하면서 상대방과 체결한 협약에 따라 송유관 시설을 이전하게 될 경우 그 비용을 상대방에게 부담하도록 하였고, 그 후 도로법 시행규칙이 개정되어 접도구역에는 관리청의 허가 없이도 송유관을 매설할 수 있게 된 사안에서, 위 협약에 포함된 부관이 부당결부금지의 원칙에도 반하는지 여부(소극)**
> 부당결부금지의 원칙이란 행정주체가 행정작용을 함에 있어서 상대방에게 이와 실질적인 관련이 없는 의무를 부과하거나 그 이행을 강제하여서는 아니 된다는 원칙을 말한다. 고속국도 관리청이 고속도로 부지와 접도구역에 송유관 매설을 허가하면서 상대방과 체결한 협약에 따라 송유관 시설을 이전하게 될 경우 그 비용을 상대방에게 부담하도록 하였고, 그 후 도로법 시행규칙이 개정되어 접도구역에는 관리청의 허가 없이도 송유관을 매설할 수 있게 된 사안에서, 위 <u>협약이 효력을 상실하지 않을 뿐만 아니라 위 협약에 포함된 부관이 부당결부금지의 원칙에도 반하지 않는다</u>(대판 2009.2.12. 2005다65500).

4. 사후변경유보(부담유보)

(1) 사후변경유보란 행정청이 사후에 행정행위에 부관의 부담을 부가하거나 이미 부가된 부관의 내용을 변경할 수 있는 권한을 유보하는 부관을 말하며, 행정행위의 부담의 유보 또는 보충권의 유보라고도 한다.

(2) 오늘날 행정현실을 예측하고 사회적·경제적 변화 및 기술진보의 변화에 대처할 수 있도록 하기 위해 인정되는 새로운 부관이다.

5. 수정부담

(1) 행정행위에 부가하여 새로운 의무를 부가하는 것이 아니라, 상대방이 신청한 내용과 다르게 행정행위의 내용 자체를 수정·변경하는 것을 말한다(예 A국으로부터 쌀 수입허가 신청에 대해 B국으로부터의 쌀 수입허가를 부여한 경우). 이 경우 수정부담에 대해서는 상대방이 동의했을 때 완전한 효력이 발생한다.

(2) 일반부담이 'Yes, but'의 형태가 되는 데 반하여, 수정부담은 'No, but'의 형태가 된다는 점에서 특색이 있다.

01 X **02** ○ **03** X

(3) 수정부담으로 인하여 권리를 침해당한 자는 그 구제수단으로서 취소쟁송보다는 의무이행심판이나 거부처분취소소송이 가장 실효적인 구제수단이 된다. 왜냐하면 수정부담은 법률효과의 일부배제와 마찬가지로 신청된 행정행위의 발급에 대한 거부를 포함하고 있기 때문이다.

(4) 수정부담은 독일의 연방행정법원의 판례를 통하여 발전된 것으로 부관성 여부에 대하여 견해의 대립이 있다. 수정부담에 대해서는 부관의 일종이 아니라 새로운 행정행위(수정허가)라는 견해가 유력하다.

6. 철회권의 유보

(1) 의의

① 철회권의 유보란 행정청이 장래에 일정한 사유가 발생하는 경우에 행정행위를 철회하여 그의 효력을 소멸시킬 수 있는 권한을 유보한 부관을 말한다(예 숙박업허가를 하면서 윤락행위를 알선하면 허가를 취소한다는 부관). 이는 행정행위의 상대방에게 지속적인 의무이행확보가 필요한 경우에 사용되며, **취소권유보**라고도 한다.

② 철회권의 유보는 유보된 사실이 발생하더라도 철회행위가 있어야 효력이 소멸한다는 점에서 조건의 성취로 당연히 효력이 소멸하는 해제조건 및 기한(종기)과 구별된다.

③ 철회권이 유보된 경우에는 상대방은 철회에 대한 예견가능성이 있었을 것이므로 신뢰보호를 주장하거나 손실보상을 청구할 수 없다.

(2) 철회권 행사의 제한

유보된 철회사유가 발생하더라도 행정청은 자유로이 철회할 수 있는 것이 아니고, 비례원칙 등 조리상 제한을 받는다. 즉, 철회권이 유보된 경우라도 철회권의 행사는 그 자체만으로는 정당화되지 않고 그 외에 철회의 일반적 요건이 충족되어야 한다.

> ⚖️ **관련판례**
>
> **1** 취소(철회)권을 유보한 경우에 있어서도 무조건적으로 취소권을 행사할 수 있는 것은 아니고, 취소를 필요로 할 만한 공익상의 필요가 있는 경우에 한하여 취소권을 행사할 수 있다(대판 1964.6.9. 64누40).
>
> **2** 행정행위의 철회란 하자 없이 유효하게 성립된 행정행위를 사후에 발생한 새로운 사정을 이유로 장래에 향하여 그 효력을 소멸시키는 원행정행위와 독립된 별개의 행정행위를 말한다. 행정청은 수익적 행정행위의 철회 시 원칙적으로 행정절차법상의 사전통지절차나 의견제출의 기회를 주어야 한다(대판 2018.6.28. 2015두58195).

(3) 법정철회사유 이외의 철회권 유보의 가능성

법령에 철회사유가 명시되어 있는 경우에 그 법정철회사유 이외의 사유를 들어 철회권을 유보할 수 있는지가 문제된다. ① 법치주의원칙상 한정적으로 해석하여 부정하는 견해와, ② 행정목적을 해치지 않는 범위 안에서 가능하다는 견해가 있으며, 판례는 분명하지 않으나 적극설(②설)을 취하고 있는 것으로 보인다.

⚖ **관련판례**

종교단체에 대하여 기본재산전환인가를 함에 있어 인가조건을 부가하고 그 불이행시 인가를 취소할 수 있도록 한 경우, 인가조건의 의미가 철회권을 유보한 것인지 여부(적극)

행정행위의 취소는 일단 유효하게 성립한 행정행위를 그 행위에 위법 또는 부당한 하자가 있음을 이유로 소급하여 그 효력을 소멸시키는 별도의 행정처분이고, 행정행위의 철회는 적법요건을 구비하여 완전히 효력을 발하고 있는 행정행위를 사후적으로 그 행위의 효력의 전부 또는 일부를 장래에 향해 소멸시키는 행정처분이므로, 행정행위의 취소사유는 행정행위의 성립 당시에 존재하였던 하자를 말하고, 철회사유는 행정행위가 성립된 이후에 새로이 발생한 것으로서 행정행위의 효력을 존속시킬 수 없는 사유를 말한다. 행정청이 종교단체에 대하여 기본재산전환인가를 함에 있어 인가조건을 부가하고 그 불이행시 인가를 취소할 수 있도록 한 경우, 인가조건의 의미는 <u>철회권을 유보한 것이다</u> (대판 2003.5.30. 2003다6422).

7. 법률효과의 일부배제

(1) 법률효과의 일부배제란 법률이 행정행위에 부여하는 효과의 일부를 배제하는 것을 내용으로 하는 부관을 말한다(예 버스의 노선지정, 심야영업제한, 격일제운행을 부관으로 한 택시영업허가, 야간에만 개설하는 조건의 시장개설허가, 관광객 수송용에 한정한 면세수입차영업 등).

(2) 이는 법령상 규정되어 있는 효과의 일부를 배제하는 것이므로 관계법령에 **명시적인 근거**가 있어야 한다.

(3) 법률효과의 일부배제는 법률에 근거가 있는 경우에만 붙일 수 있다는 점에서 행정청의 의사에 의하여 부가되는 부관과는 다르다고 하면서, 행정행위의 내용적 제한으로 보는 견해도 있다. 실제로 독일에서는 이를 부관으로 보지 않고 있으나, 판례는 법률효과의 일부배제를 행정행위의 내용상 제한이 아니라 부관의 일종(대판 1991.12.23. 90누8503 ; 대판 1993.10.8. 93누2032)으로 보고 있다.

⚖ **관련판례**

공유수면매립준공인가 중 매립지 일부에 대하여 한 국가귀속처분에 대하여 독립하여 행정소송의 대상으로 삼을 수 있는지 여부(소극)

행정행위의 부관은 부담의 경우를 제외하고는 독립하여 행정소송의 대상이 될 수 없는 것인바, 행정청이 한 공유수면매립준공인가 중 매립지 일부에 대하여 한 국가귀속처분은 매립준공인가를 함에 있어서 매립의 면허를 받은 자의 매립지에 대한 소유권취득을 규정한 공유수면매립법 제14조의 효과 일부를 배제하는 부관을 붙인 것이므로 이러한 행정행위의 부관에 대하여는 독립하여 행정소송의 대상으로 삼을 수 없다(대판 1991.12.13. 90누8503).

3 한계

1. 부관을 붙일 수 있는 행정행위

(1) 종래의 통설(판례의 입장)

① **법률행위적 행정행위에는 부관 가능·준법률행위적 행정행위에는 부관 불가능**: 행정행위의 부관이란 행정행위의 일반적 효과를 제한하기 위하여 주된 의사표시에 부가된 종된 의사표시로 이해하면서 의사표시를 요소로 하는 법률행위적 행정행위에는 부관을 붙일 수 있으나, 의사표시를 요소로 하지 않는 준법률행위적 행정행위에는 부관을 붙일 수 없다고 한다.

② **재량행위에는 부관 가능·기속행위에는 부관 불가능**: 법령상 명문규정이 있는 경우를 제외하고는 기속행위에는 붙일 수 없고, 재량행위에만 붙일 수 있다.

> **⚖ 관련판례**
>
> **1** 기속행위에 대하여는 법령상 특별한 근거가 없는 한 부관을 붙일 수 없고 가사 부관을 붙였다 하더라도 이는 무효이다(대판 1993.7.27. 92누13998).
>
> **2** 기속행위나 기속재량행위에 부관을 붙일 수 있는지 여부(소극)
> 이사회소집승인에 있어서의 일시·장소의 지정을 가리켜 소집승인행위의 부관으로 본다 하더라도, 일반적으로 기속행위나 기속적 재량행위에는 부관을 붙일 수 없는 것이고, 위 이사회소집승인행위가 기속행위 내지 기속적 재량행위에 해당함은 위에서 설시한 바에 비추어 분명하므로, 여기에는 부관을 붙이지 못한다 할 것이며, 가사 부관을 붙였다 하더라도 이는 무효의 것으로서 당초부터 부관이 붙지 아니한 소집승인 행위가 있었던 것으로 보아야 할 것이다(대판 1988.4.27. 87누1106).
>
> **3** 행정청이 건축변경허가시 건축주에게 새 담장을 설치하라는 내용의 부관을 붙인 것이 적법한지 여부(소극)
> 행정청이 건축변경허가를 함에 있어서 건축주에게 새 담장을 설치하라는 부관을 붙인 것은 법령상 근거 없는 부담을 부가한 것으로서 위법하다(대판 2000.2.11. 98누7527).
>
> **4** 기속행위나 기속적 재량행위에 붙인 부관의 효력(무효)
> 건축허가를 하면서 일정 토지를 기부채납하도록 한 허가조건은 기속행위 내지 기속적 재량행위인 건축허가에 붙인 부담이거나 또는 법령상 아무런 근거가 없는 부관이어서 무효이다(대판 1995.6.13. 94다56883). 그리고 위 허가조건(부담)이 무효이면 본체인 건축허가 자체의 효력도 무효이다.
>
> **5** 재량적 행정행위에 부관을 붙일 수 있는지 여부(적극)
> 공유수면매립면허와 같은 재량적 행정행위에는 법률상의 근거가 없다고 하더라도 부관을 붙일 수 있다(대판 1982.12.28. 80다731·732).
>
> **6** 인가가 재량행위인 경우 부관을 붙일 수 있다는 판례
> 사회복지법인의 정관변경을 허가할 것인지의 여부는 주무관청의 정책적 판단에 따른 재량에 맡겨져 있다고 할 것이고, 주무관청이 정관변경허가를 함에 있어서는 비례의 원칙 및 평등의 원칙에 적합하고 행정처분의 본질적 효력을 해하지 않는 한도 내에서 부관을 붙일 수 있다(대판 2002.9.24. 2000두5661).

01 수익적 행정처분에 있어서도 원칙적으로 법령에 특별한 근거규정이 있어야만 그 부관으로서 부담을 붙일 수 있다.

23. 국가9급, 14. 서울7급, 11. 국회8급 (　　)

7 수익적 행정행위에 있어서는 법령에 특별한 근거규정이 없다고 하더라도 그 부관으로서 부담을 붙일 수 있으나, 그러한 부담은 비례의 원칙, 부당결부금지의 원칙에 위반되지 않아야만 적법하다(대판 1997.3.11. 96다49650).

구분	전통적 견해	새로운 견해
법률행위적 행정행위	○	개별 성질로 판단
준법률행위적 행정행위	×	개별 성질로 판단
기속행위	×	법률요건충족적 부관은 가능
재량행위	○	○

③ 수익적 행정행위에만 부관을 붙일 것인가에 대하여 견해의 대립이 있으나, 부담적 행정행위에도 성질상 부관을 붙일 수 있다는 것이 다수설이다(예 기한부 부작위명령이나 해제조건부 작위하명).

(2) 최근의 견해

① **유력설:** 행정행위의 부관이란 주된 행위에 붙여진 종된 규율로서 행정행위의 효과를 제한하거나 새로운 의무를 과하거나 법정요건을 보충하기 위하여 주된 행위에 부가된 종된 규율로 정의하고, 부관가능성은 법률행위적 행정행위인지 여부에 따라 일률적으로 논할 수 없으며, 행정행위의 성질·목적에 따라 개별적으로 판단하여야 한다고 본다.

② **법률행위적 행정행위와 준법률행위적 행정행위에 대한 부관가능성은 개별적으로 판단:** 법률행위적 행정행위 중 재량행위에도 성질상 부관을 붙이기가 곤란한 포괄적 신분관계설정행위(예 귀화허가, 공무원 임명행위 등)가 있으며, 기속행위에도 법률요건충족적 부관❶은 가능할 뿐만 아니라, 준법률행위적 행정행위에도 법령에 부관에 관한 규정이 있는 때에는 확인·공증의 경우 종기 정도의 부관을 붙일 수 있다고 본다(예 여권·인감증명의 유효기간 등). 그러나 종래의 견해에 의하면 이러한 여권·인감증명 등에 유효기간을 붙이는 것을 법정부관이라 한다.

❶ 법률요건충족적 부관
관계법상 관련허가 등의 발급요건을 충족시키기 위하여 부가되는 부관을 법률요건충족적 부관이라고 하며 법률요건충족적 부관은 오늘날 기속행위에도 부관을 붙일 수 있다고 보는 것이 통설·판례

> 🔧 **관련판례**
>
> **1** 주택재건축사업시행 인가의 법적 성질(＝재량행위) 및 이에 대하여 법령상의 제한에 근거하지 않은 조건(부담)을 부과할 수 있는지 여부(적극)
> 주택재건축사업시행의 인가는 상대방에게 권리나 이익을 부여하는 효과를 가진 이른바 수익적 행정처분으로서 법령에 행정처분의 요건에 관하여 일의적으로 규정되어 있지 아니한 이상 행정청의 <u>재량행위</u>에 속하므로, 처분청으로서는 법령상의 제한에 근거한 것이 아니라 하더라도 공익상 필요 등에 의하여 필요한 범위 내에서 여러 <u>조건(부담)</u>을 부과할 수 있다(대판 2007.7.12. 2007두6663).
>
> **2** 65세대의 주택건설사업에 대한 사업계획승인 시 '진입도로 설치 후 기부채납, 인근 주민의 기존 통행로 폐쇄에 따른 대체 통행로 설치 후 그 부지 일부 기부채납'을 조건으로 붙인 것이 위법한 부관에 해당하지 않는다(대판 1997.3.14. 96누16698).

2. 부관의 시간적 한계(사후부관)

> **행정기본법 제17조【부관】** ③ 행정청은 부관을 붙일 수 있는 처분이 다음 각 호의 어느 하나에 해당하는 경우에는 그 처분을 한 후에도 부관을 새로 붙이거나 종전의 부관을 변경할 수 있다.
> 1. 법률에 근거가 있는 경우
> 2. 당사자의 동의가 있는 경우
> 3. 사정이 변경되어 부관을 새로 붙이거나 종전의 부관을 변경하지 아니하면 해당 처분의 목적을 달성할 수 없다고 인정되는 경우

행정행위 당시에는 없었던 부관을 사후에 별도로 붙일 수 있는가에 대하여 견해가 대립한다.

(1) 부정설

사후에 부관을 부가하는 것은 부관의 부종성에 반하여 허용되지 않는다는 견해이다.

(2) 제한적 긍정설(다수설·판례)

사후부관을 명문으로 규정하고 있는 경우, 행정행위 당시에 **유보**할 경우, 본인의 **동의**가 있는 경우에 사후부관이 가능하다는 견해가 다수설이다. 다만, 판례는 일정한 요건하에 **사정변경**의 경우에도 가능하다고 본다.

통설(제한적 긍정설; 원칙)	판례
• 법률에 명문의 규정이 있는 경우 • 상대방의 동의가 있는 경우 • 부담 또는 변경이 유보되어 있는 경우	사정변경으로 인하여 당초에 부관을 부가할 수 없게 된 경우에도 그 목적달성에 필요한 범위에서 사후부관이 예외로 허용된다(대판 1997.5.30. 97누2627).

🔨 관련판례

1 부관의 사후변경이 허용되는 범위

행정처분에 이미 부담이 부가되어 있는 상태에서 그 의무의 범위 또는 내용 등을 변경하는 부관의 사후변경은, 법률에 명문의 규정이 있거나 그 변경이 미리 유보되어 있는 경우 또는 상대방의 동의가 있는 경우에 한하여 허용되는 것이 원칙이지만, 사정변경으로 인하여 당초에 부담을 부가한 목적을 달성할 수 없게 된 경우에도 그 목적달성에 필요한 범위 내에서 예외적으로 허용된다(대판 1997.5.30. 97누2627).

2 사후부관의 예

여객자동차 운수사업법(이하 '여객자동차법'이라 한다) 제85조 제1항 제38호에 의하면, 운송사업자에 대한 면허에 붙인 조건을 위반한 경우 감차 등이 따르는 사업계획변경명령(이하 '감차명령'이라 한다)을 할 수 있는데, 감차명령의 사유가 되는 '면허에 붙인 조건을 위반한 경우'에서 '조건'에는 운송사업자가 준수할 일정한 의무를 정하고 이를 위반할 경우 감차명령을 할 수 있다는 내용의 '부관'도 포함된다. 그리고 <u>부관은 면허 발급 당시에 붙이는 것뿐만 아니라 면허 발급 이후에 붙이는 것도 법률에 명문의 규정이 있거나 변경이 미리 유보되어 있는 경우 또는 상대방의 동의가 있는 경우 등에는 특별한 사정이 없는 한 허용된다.</u>

핵심 OX

02 행정청은 사정이 변경되어 종전의 부관을 변경하지 아니하면 해당 처분의 목적을 달성할 수 없다고 인정되는 경우에도 법률에 근거가 없다면 종전의 부관을 변경할 수 없다.
23. 국가7급 ( )

핵심 OX

03 행정청은 부관의 부종성에 의하여 행정행위의 발급 이후에는 사후적으로 부관을 붙이거나 부관의 내용을 변경할 수 없다. 13. 서울7급 ( )

04 부관의 사후변경은, 법률에 명문의 규정이 있거나 그 변경이 미리 유보되어 있는 경우 또는 상대방의 동의가 있는 경우에 한하여 허용되는 것이 원칙이지만, 사정변경으로 인하여 당초에 부담을 부가한 목적을 달성할 수 없게 된 경우에도 그 목적달성에 필요한 범위 내에서 예외적으로 허용된다.
19. 국가9급, 18. 서울7급 ( )

05 부관은 면허 발급 당시에 붙이는 것뿐만 아니라 면허 발급 이후에 붙이는 것도 법률에 명문의 규정이 있거나 변경이 미리 유보되어 있는 경우 또는 상대방의 동의가 있는 경우 등에는 특별한 사정이 없는 한 허용된다.
23. 국가9급 ( )

06 사정변경으로 인하여 당초에 부담을 부가한 목적을 달성할 수 없게 된 경우에 그 목적달성에 필요한 범위 내에서 부관의 사후변경이 예외적으로 허용될 수 있다.
13. 지방7급 ( )

02 X 03 X 04 ○ 05 ○ 06 ○

따라서 관할 행정청은 면허 발급 이후에도 운송사업자의 동의하에 여객자동차운송사업의 질서 확립을 위하여 운송사업자가 준수할 의무를 정하고 이를 위반할 경우 감차명령을 할 수 있다는 내용의 면허 조건을 붙일 수 있고, 운송사업자가 조건을 위반하였다면 여객자동차법 제85조 제1항 제38호에 따라 감차명령을 할 수 있으며, <u>감차명령은 행정소송법 제2조 제1항 제1호가 정한 처분으로서 항고소송의 대상이 된다</u>(대판 2016.11.24. 2016두45028).

3. 부관의 일반적 한계

> **행정기본법 제17조 【부관】** ④ 부관은 다음 각 호의 요건에 적합하여야 한다.
> 1. 해당 처분의 목적에 위배되지 아니할 것
> 2. 해당 처분과 실질적인 관련이 있을 것
> 3. 해당 처분의 목적을 달성하기 위하여 필요한 최소한의 범위일 것

부관은 법령에 위배되지 않아야 하며, 행정행위가 추구하는 목적의 범위를 일탈하지 않아야 한다. 또한 부관은 비례의 원칙에 위배되지 않아야 하며, 부관을 위반한 경우 형벌을 부과하는 경우에도 죄형법정주의에 따라 엄격하게 해석하여야 한다.

(1) 적법한계

부관은 헌법 또는 법령에 위배되어서는 안 된다.

> **⚖ 관련판례**
>
> **1 행정소송에 관한 부제소특약의 효력(무효)**
> 지방자치단체장이 도매시장법인의 대표이사에 대하여 위 지방자치단체장이 개설한 농수산물도매시장의 도매시장법인으로 다시 지정함에 있어서 그 지정조건으로 "지정기간 중이라도 개설자가 농수산물 유통정책의 방침에 따라 도매시장법인 이전 및 지정취소 또는 폐쇄 지시에도 일체 소송이나 손실보상을 청구할 수 없다."라는 부관을 붙였으나, <u>그중 부제소특약에 관한 부분은 당사자가 임의로 처분할 수 없는 공법상의 권리관계를 대상으로 하여 사인의 국가에 대한 공권인 소권을 당사자의 합의로 포기하는 것으로서 허용될 수 없다</u>(대판 1998.8.21. 98두8919).
>
> **2 법률상 지방자치단체가 부담하도록 되어 있는 상수도시설 설치비용을 사업자에게 전가시키는 내용의 부관을 부가한 경우, 그 부관의 효력(취소사유)**
> 주택건설촉진법에 따른 주택건설사업계획승인을 함에 있어, <u>법률상 지방자치단체가 부담하도록 되어 있는 상수도시설 설치비용을 사업자에게 전가시키는 내용의 부관을 부가한 경우, 그 부관의 효력은 위법하나 당연무효라고 볼 수는 없다</u>(대판 2003.5.30. 2003다9339).

(2) 목적상 한계

부관은 주된 행정행위의 목적으로부터 자유롭지 않다. 즉, 주된 행정행위의 목적상 한계를 준수하여야 한다. 예컨대 주택건축허가를 하면서 영업목적으로만 사용할 것을 부관으로 정한 경우에, 이러한 부관은 주된 행정행위의 목적에 위배된다.

⚖ 관련판례

기선선망어업의 허가를 하면서 부속선을 사용할 수 없도록 제한한 부관의 적법 여부(소극)

기선선망어업의 허가를 하면서 운반선, 등선 등 부속선을 사용할 수 없도록 제한한 부관은 그 어업허가의 목적달성을 사실상 어렵게 하여 그 본질적 효력을 해하는 것일 뿐만 아니라 위 시행령의 규정에도 어긋나는 것이며, 더욱이 어업조정이나 기타 공익상 필요하다고 인정되는 사정이 없는 이상 위법한 것이다(대판 1990.4.27. 89누6808).

이 경우 기선선망어업 허가를 하면서 부속선을 사용할 수 있도록 어업허가사항변경신청을 한 다음 그것이 거부된 경우에 거부처분취소소송을 제기할 수 있다.

(3) 일반원칙상 한계

부관은 이행 가능해야 하며, 비례원칙·평등원칙·부당결부금지원칙·신뢰보호원칙 등 행정법의 일반원칙에 부합하여야 한다.

⚖ 관련판례

1 행정처분과 실제적 관련성이 없어 부관으로 붙일 수 없는 부담을 사법상 계약의 형식으로 행정처분의 상대방에게 부과할 수 있는지 여부(소극)

공무원이 인허가 등 수익적 행정처분을 하면서 상대방에게 그 처분과 관련하여 이른바 부관으로서 부담을 붙일 수 있다 하더라도, 그러한 부담은 법치주의와 사유재산존중, 조세법률주의 등 헌법의 기본원리에 비추어 비례의 원칙이나 부당결부의 원칙에 위반되지 않아야만 적법한 것인바, 행정처분과 부관 사이에 실제적 관련성이 있다고 볼 수 없는 경우 공무원이 위와 같은 공법상의 제한을 회피할 목적으로 행정처분의 상대방과 사이에 사법상 계약을 체결하는 형식을 취하였다면 이는 법치행정의 원리에 반하는 것으로서 위법하다. 지방자치단체가 골프장사업계획승인과 관련하여 사업자로부터 기부금을 지급받기로 한 증여계약은 공무수행과 결부된 금전적 대가로서 그 조건이나 동기가 사회질서에 반하므로 민법 제103조에 의해 무효이다(대판 2009.12.10. 2007다63966).

2 65세대의 주택건설사업에 대한 사업계획승인 시 '진입도로 설치 후 기부채납, 인근 주민의 기존 통행로 폐쇄에 따른 대체 통행로 설치 후 그 부지 일부 기부채납'을 조건으로 붙인 것이 위법한 부관에 해당하지 않는다고 본 사례

65세대의 공동주택을 건설하려는 사업주체(지역주택조합)에게 주택건설촉진법 제33조에 의한 주택건설사업계획의 승인처분을 함에 있어 그 주택단지의 진입도로 부지의 소유권을 확보하여 진입도로 등 간선시설을 설치하고 그 부지 소유권 등을 기부채납하며 그 주택건설사업 시행에 따라 폐쇄되는 인근 주민들의 기존 통행로를 대체하는 통행로를 설치하고 그 부지 일부를 기부채납하도록 조건을 붙인 경우, 주택건설촉진법과 같은 법 시행령 및 주택건설기준 등에 관한 규정 등 관련 법령의 관계 규정에 의하면 그와 같은 조건을 붙였다 하여도 다른 특별한 사정이 없는 한 필요한 범위를 넘어 과중한 부담을 지우는 것으로서 형평의 원칙 등에 위배되는 위법한 부관이라 할 수 없다(대판 1997.3.14. 96누16698).

핵심 OX

02 기선선망어업의 허가를 하면서 운반선, 등선 등 부속선을 사용할 수 없도록 제한한 부관은 그 어업허가의 목적 달성을 사실상 어렵게 하여 그 본질적 효력을 해하는 것이다.
23. 국가9급, 19. 지방9급 ( )

03 부관이 주된 행정행위와 실질적 관련성을 갖더라도 주된 행정행위의 효과를 무의미하게 만드는 경우라면 그러한 부관은 비례원칙에 반하는 하자 있는 부관이 된다.
15. 교행·국가9급 ( )

02 ○ **03** ○

4 부관의 하자와 행정행위의 효력

1. 하자 있는 부관의 효력

부관에 하자가 있는 경우, 그 하자가 중대하고 명백한 경우에는 무효인 부관이 되고, 중대하고 명백한 정도에 이르지 않은 때에는 취소사유가 된다.

> **관련판례**
>
> **기부자가 제시한 조건을 이의 없이 수락하면서 시설물을 기부채납 받은 행정청이 위 시설물이용을 위한 도로점용허가를 함에 있어 위 조건에 반하여 점용기간을 단축한 경우, 동 행정처분의 적법여부(소극)**
>
> 원고가 신축한 상가 등 시설물을 부산직할시에 기부채납함에 있어 그 무상사용을 위한 도로점용기간은 원고의 총공사비와 시 징수조례에 의한 점용료가 같아지는 때까지로 정하여 줄 것을 전제조건으로 하고 원고의 위 조건에 대하여 시는 아무런 이의 없이 수락하고 위 상가 등 건물을 기부채납 받아 그 소유권을 취득하였다면 시가 원고에 대하여 위 상가 등의 사용을 위한 도로점용허가를 함에 있어서는 <u>그 점용기간을 수락한 조건대로 해야 할 것임에도 합리적인 근거 없이 단축한 것은 위법한 처분</u>이라 할 것이며 원고가 위 상가를 타에 임대하여 보증금 및 임료수입을 얻는다하여 위 무상점용기간을 단축할 사유가 될 수 없다(대판 1985.7.9. 84누604).

2. 무효인 부관이 붙은 행정행위의 효력

(1) 행정행위의 부관의 하자가 중대하고 명백하여 부관이 당연무효인 경우 본래의 행정행위의 효력이 어떻게 되는가에 대해서는 부관이 무효인 경우에는 부관만 무효라는 견해와 행정행위까지 무효라는 견해가 있으나 절충설이 통설 · 판례의 입장이다.

(2) 무효인 부관이 주된 행정행위의 중요요소 또는 본질요소(부관이 없었더라면 행정청이 그 행정행위를 하지 않았을 것이라고 인정되는 경우)가 되는 경우에는 부관만이 아니라 주된 행정행위까지도 무효가 된다.

> **관련판례**
>
> **1** **건축허가를 하면서 일정 토지를 기부채납하도록 한 허가조건의 효력**
>
> 건축허가를 하면서 일정 토지를 기부채납하도록 하는 내용의 허가조건은 부관을 붙일 수 없는 <u>기속행위 내지 기속적 재량행위인 건축허가에 붙인 부담이거나 또는 법령상 아무런 근거가 없는 부관이어서 **무효**</u>이다(대판 1995.6.13. 94다56883).
>
> **2** 기부채납받은 공원시설의 사용 · 수익허가에서 그 <u>허가기간은 행정행위의 본질적 요소</u>에 해당하므로, <u>부관인 허가기간에 위법사유가 있다면 이로써 공원시설의 사용 · 수익허가 전부가 위법</u>하게 된다(대판 2001.6.15. 99두509).

3 행정소송에 관한 부제소특약의 효력(무효)

지방자치단체장이 도매시장법인의 대표이사에 대하여 위 지방자치단체장이 개설한 농수산물도매시장의 도매시장법인으로 다시 지정함에 있어서 그 지정조건으로 "지정기간 중이라도 개설자가 농수산물 유통정책의 방침에 따라 도매시장법인 이전 및 지정취소 또는 폐쇄 지시에도 일체 소송이나 손실보상을 청구할 수 없다."라는 부관을 붙였으나, 그 중 부제소특약에 관한 부분은 당사자가 임의로 처분할 수 없는 공법상의 권리관계를 대상으로 하여 사인의 국가에 대한 공권인 소권을 당사자의 합의로 포기하는 것으로서 허용될 수 없다(대판 1998.8.21. 98두8919).

4 행정처분과 실제적 관련성이 없어 부관으로 붙일 수 없는 부담을 사법상 계약의 형식으로 행정처분의 상대방에게 부과할 수 있는지 여부(소극)

[1] 구 기부금품모집금지법 제4조는 공무원은 여하한 명목의 기부금도 모집할 수 없다고 규정하고 있고, 1995.12.30. 전부 개정된 구 기부금품모집규제법 제5조도 국가 또는 지방자치단체 및 그 소속기관과 공무원은 기부금품의 모집을 할 수 없고, 비록 자발적으로 기탁하는 금품이라도 원칙적으로 이를 접수할 수 없다고 규정하고 있는데, 이러한 규정들은 기부행위가 공무원의 직무와 사이에 외관상 대가관계가 없는 것으로 보이더라도 사실상 공권력의 영향력에 의한 것이거나 또는 그러한 의심을 자아내는 경우가 있음을 경계하여 직무 관련 여부를 묻지 아니하고 이를 금지함으로써 공무의 순수성과 염결성이 훼손되지 않도록 함에 그 취지가 있는바, 하물며 직무와 사이에 대가관계가 인정되는 기부행위라면 이는 결코 허용되어서는 아니 된다.

[2] 공무원이 인허가 등 수익적 행정처분을 하면서 상대방에게 그 처분과 관련하여 이른바 부관으로서 부담을 붙일 수 있다 하더라도, 그러한 부담은 법치주의와 사유재산 존중, 조세법률주의 등 헌법의 기본원리에 비추어 비례의 원칙이나 부당결부의 원칙에 위반되지 않아야만 적법한 것인바, 행정처분과 부관 사이에 실제적 관련성이 있다고 볼 수 없는 경우 공무원이 위와 같은 공법상의 제한을 회피할 목적으로 행정처분의 상대방과 사이에 사법상 계약을 체결하는 형식을 취하였다면 이는 법치행정의 원리에 반하는 것으로서 위법하다.

[3] 지방자치단체가 골프장사업계획승인과 관련하여 사업자로부터 기부금을 지급받기로 한 증여계약은 공무수행과 결부된 금전적 대가로서 그 조건이나 동기가 사회질서에 반하므로 민법 제103조에 의해 무효이다(대판 2009.12.10. 2007다63966).

3. 취소할 수 있는 부관이 붙은 행정행위의 효력

권한 있는 기관에 의해 취소가 있을 때까지는 유효한 부관부 행정행위이고, 취소가 있으면 무효의 경우와 동일하게 적용된다.

5 위법한 부관에 대한 행정쟁송

행정행위의 부관에 하자가 있는 경우 소송요건으로서 부관만을 독립하여 취소쟁송을 제기할 수 있는가(독립쟁송가능성)의 문제와 쟁송이 가능하다면 본안문제로서 부관만을 분리하여 취소할 수 있는가(독립취소가능성)가 문제된다.

1. 독립쟁송가능성

(1) 행정행위의 부관 중 **부담**은 주된 행정행위와 독립된 행정행위이므로 독립하여 행정쟁송의 대상이 될 수 있으나(진정일부취소), **부담 이외의 부관**은 독립된 쟁송의 대상으로 할 수 없고 부관부 행정행위 전체를 대상으로 소송을 제기하여 그 중 부관에 대해서만 취소를 구하여야 한다는 것이 다수설의 입장이다(부진정일부취소).

(2) 판례는 부담의 독립쟁송가능성은 인정하나, 기타 부관의 경우에 독립쟁송가능성을 부정하고 있다. 부담 이외의 부관에 대하여는 진정일부취소소송을 제기하여 다툴 수 없다(대판 2001.6.15. 99두509). 나아가 부담 이외의 부관이 붙은 행정행위 전부를 대상으로 취소소송을 제기하여 부관만의 취소를 구하는 부진정 일부취소소송을 제기하여 다툴 수도 없다(대판 1985.7.9. 84누604).

> ### 🔖 관련판례
>
> **1** 부담의 경우에는 다른 부관과는 달리 행정행위의 불가분적인 요소가 아니고, 그 존속이 본체인 행정행위의 존재를 전제로 하는 것일 뿐이므로 <u>부담 그 자체로서 행정쟁송의 대상이 될 수 있다</u>(대판 1992.1.21. 91누1264).
>
> **2** 기부채납받은 행정재산에 대한 사용·수익허가 중 사용·수익허가의 기간에 대하여 독립하여 행정소송을 제기할 수 없다(대판 2001.6.15. 99두509).
>
> **3** <u>법률효과의 일부배제는 독립하여 행정소송의 대상이 될 수 없다</u>(대판 1983.10.8. 93누2032).
>
> **4** 어업면허의 <u>유효기간 1년</u>은 그 면허처분에 붙인 부관이며, 이러한 부관에 대하여는 <u>독립한 행정쟁송을 제기할 수 없다</u>(대판 1986.8.19. 86누202).

2. 쟁송형태(부담 이외의 부관에 대한 부진정일부취소의 가능성)

행정행위의 부관 중 부담은 주된 행정행위와 독립하여 취소쟁송대상으로 할 수 있다는 점에 대해서는 통설·판례가 일치한다(부담에 대한 진정일부취소 긍정). 문제는 부담 이외의 부관에 대해서 부관부 행정행위의 전체를 대상으로 소를 제기하여 그 중 부관만의 취소를 구하는 부진정일부취소소송이 가능한가의 문제가 행정소송법 제4조 제1호 '변경'의 해석과 관련하여 문제된다.

(1) 통설

행정소송법 제4조 제1호의 변경을 일부취소의 의미로 보아 부담 이외의 부관은 처분성이 없으므로 부관부 행정행위 전체를 하나의 행정행위로 보아 취소소송을 제기하고, 부관 부분만의 취소를 구하는 **부진정일부취소소송**의 형식을 취해야 한다는 입장이다.

(2) 판례

판례는 부진정일부취소소송의 형식을 인정하지 않고 있다. 따라서 부관부 행정행위 전체의 취소를 청구하든지(대판 1985.7.9. 84누604), 아니면 행정청에 부관이 없는 처분으로 변경해 줄 것을 청구하고 그 청구가 거부된 경우 **거부처분취소소송**을 제기해야 한다고 본다(대판 1990.4.27. 89누6808).

> **⚖ 관련판례**
>
> 기선선망어업 허가를 하면서 부속선을 사용할 수 없도록 제한한 위법한 부관에 대해서는 부속선을 사용할 수 있도록 <u>어업허가사항변경신청을 한 다음 그것이 거부된 경우에 거부처분취소소송을 제기할 수 있다</u>(대판 1990.4.27. 89누6808).

3. 부관의 독립취소가능성

본안심리 결과 부관에 하자가 인정되는 경우에 법원은 부관만을 취소할 수 있는지에 대해서 판례는 본질요소인 경우에는 부관부 행정행위 전체를 취소하여야 한다는 입장이다(대판 1985.7.9. 84누604).

> **⚖ 관련판례**
>
> **1** 행정행위의 부관 중 행정행위에 부수하여 그 상대방에게 일정한 의무를 부과하는 행정청의 의사표시인 부담이 그 자체만으로 행정쟁송의 대상이 될 수 있는지 여부(적극)
>
> 행정행위의 부관은 행정행위의 일반적인 효력이나 효과를 제한하기 위하여 의사표시의 주된 내용에 부가되는 종된 의사표시이지 그 자체로서 직접 법적 효과를 발생하는 독립된 처분이 아니므로 현행 행정쟁송제도 아래서는 부관 그 자체만을 독립된 쟁송의 대상으로 할 수 없는 것이 원칙이나 행정행위의 부관 중에서도 행정행위에 부수하여 그 행정행위의 상대방에게 일정한 의무를 부과하는 행정청의 의사표시인 부담의 경우에는 다른 부관과는 달리 행정행위의 불가분적인 요소가 아니고 그 존속이 본체인 행정행위의 존재를 전제로 하는 것일 뿐이므로 <u>부담 그 자체로서 행정쟁송의 대상이 될 수 있다</u>(대판 1992.1.21. 91누1264).
>
> **2** 기부채납받은 행정재산에 대한 사용·수익허가 중 사용·수익허가의 기간에 대하여 독립하여 행정소송을 제기할 수 있는지 여부(소극)
>
> 행정행위의 부관은 부담인 경우를 제외하고는 독립하여 행정소송의 대상이 될 수 없는바, 기부채납받은 행정재산에 대한 사용·수익허가에서 공유재산의 관리청이 정한 사용·수익허가의 기간은 그 허가의 효력을 제한하기 위한 행정행위의 부관으로서 이러한 사용·수익허가의 <u>기간에 대해서는 독립하여 행정소송을 제기할 수 없다</u>(대판 2001.6.15. 99두509).
>
> **3** 공유수면매립준공인가처분 중 매립지 일부에 대하여 한 국가 및 지방자치단체에의 귀속처분만이 독립하여 행정소송 대상이 될 수 있는지 여부(소극)
>
> 행정행위의 부관은 부담의 경우를 제외하고는 독립하여 행정소송의 대상이 될 수 없는 것인바, 지방국토관리청장이 일부 공유수면매립지에 대하여 한 국가 또는 직할시 귀속처분은 매립준공인가를 함에 있어서 매립의 면허를 받은 자의 매립지에 대한 소유권취득을 규정한 공유수면매립법 제14조의 <u>효과 일부를 배제하는 부관</u>을 붙인 것이고, 이러한 행정행위의 부관은 위 법리와 같이 <u>독립하여 행정소송 대상이 될 수 없다</u>(대판 1993.10.8. 93누2032).

핵심 OX

05 기선선망어업 허가를 하면서 부속선을 사용할 수 없도록 제한한 위법한 부관에 대해서는 부속선을 사용할 수 있도록 어업허가사항변경신청을 한 다음 그것이 거부된 경우에 거부처분취소소송을제기할 수 있다.   15. 국회8급 (   )

핵심 OX

06 취소소송에 의하지 않으면 권리구제를 받을 수 없는 경우에는, 부담이 아닌 부관이라 하더라도 그 부관만을 대상으로 취소소송을 제기하는 것이 허용된다.
18. 국가7급, 17. 국가9급(10월), 15. 서울7급 (   )

07 행정행위의 부관은 부담인 경우를 제외하고는 독립하여 행정소송의 대상이 될 수 없다.
18. 서울9급, 15. 사복, 13. 국가9급, 11. 국가9급·지방9급 (   )

08 기부채납 받은 행정재산에 대한 사용·수익허가에서 공유재산의 관리청이 정한 사용·수익허가의 기간에 대하여서는 독립하여 행정소송을 제기할 수 없다.
19. 변호사·국회8급, 15. 지방9급, 14. 서울7급, 13. 국회9급 (   )

09 매립면허를 받은 자의 매립지에 대한 소유권취득을 규정한 구 공유수면매립법의 규정에도 불구하고 행정청이 공유수면매립준공인가 중 일부 공유수면 매립지에 대하여 한 국가귀속처분은 독립하여 행정소송의 대상이 된다.
19. 국회8급·서울7급·지방9급, 14. 지방9급 (   )

05 ○ **06** X **07** ○ **08** ○ **09** X

4 어업면허처분 중 그 면허유효기간만의 취소를 구하는 소가 허용될 수 있는지 여부 (소극)

어업면허처분을 함에 있어 그 면허의 유효기간을 1년으로 정한 경우, 위 면허의 유효기간은 행정청이 위 어업면허처분의 효력을 제한하기 위한 행정행위의 부관이라 할 것이고 이러한 행정행위의 부관은 독립하여 행정소송의 대상이 될 수 없는 것이므로 위 어업면허처분 중 그 면허유효기간만의 취소를 구하는 청구는 허용될 수 없다(대판 1986.8.19. 86누202).

6 부관과 이를 기초로 한 후속조치 관련 문제

1. 후속조치의 성질

토지 기부채납을 부담으로 하는 토지형질변경 허가 등과 같은 부관부 행정행위에 있어서 토지의 기부채납과 같은 후속행위의 성질이 무엇인지 문제된다. 판례는 기부채납부담과 기부채납을 별개의 행위로 파악하여 기부채납은 사법행위로써의 증여계약으로 보고 있다.

2. 하자 있는 부관의 이행으로 이루어진 후속행위의 효력

행정처분에 붙인 하자 있는 부관의 이행으로 이루어진 사법행위의 효력은 어떻게 되는지 여부와 관련하여 판례는 부담이 무효라 하더라도, 그 부담의 이행으로 한 사법상 법률행위는 부담과는 **별개의 행위**이므로 당연히 무효는 아니라는 입장이다.

관련판례

1 기부채납의 법적 성질(증여계약) 및 그 해제의 효과

기부채납은 기부자가 그의 소유재산을 지방자치단체의 공유재산으로 증여하는 의사표시를 하고 지방자치단체는 이를 승낙하는 채납의 의사표시를 함으로써 성립하는 증여계약이고, 증여계약의 주된 내용은 기부자가 그의 소유재산에 대하여 가지고 있는 소유권, 즉 사용·수익권 및 처분권을 무상으로 지방자치단체에게 양도하는 것이므로, 증여계약이 해제된다면 특별한 사정이 없는 한 기부자는 그의 소유재산에 처분권뿐만 아니라 사용·수익권까지 포함한 완전한 소유권을 회복한다(대판 1996.11.8. 96다20581).

2 토지소유자가 토지형질변경행위허가에 붙은 기부채납의 부관에 따라 토지를 기부채납(증여)한 경우, 기부채납의 부관이 당연무효이거나 취소되지 않은 상태에서 그 부관으로 인하여 증여계약의 중요 부분에 착오가 있음을 이유로 증여계약을 취소할 수 있는지 여부(소극)

토지소유자가 토지형질변경행위허가에 붙은 기부채납의 부관에 따라 토지를 국가나 지방자치단체에 기부채납(증여)한 경우 기부채납의 부관이 당연무효이거나 취소되지 아니한 이상 토지소유자는 위 부관으로 인하여 증여계약의 중요부분에 착오가 있음을 이유로 증여계약을 취소할 수 없다(대판 1999.5.25. 98다53134).

3 행정처분에 붙인 부담인 부관이 무효가 되면 그 부담의 이행으로 한 사법상 법률행위도 당연히 무효가 되는지 여부(소극) 및 행정처분에 붙인 부담인 부관이 제소기간 도과로 불가쟁력이 생긴 경우에도 그 부담의 이행으로 한 사법상 법률행위의 효력을 다툴 수 있는지 여부(적극)

행정처분에 부담인 부관을 붙인 경우 부관의 무효화에 의하여 본체인 행정처분 자체의 효력에도 영향이 있게 될 수는 있지만, 그 처분을 받은 사람이 부담의 이행으로 사법상 매매 등의 법률행위를 한 경우에는 그 부관은 특별한 사정이 없는 한 법률행위를 하게 된 동기 내지 연유로 작용하였을 뿐이므로 이는 법률행위의 취소사유가 될 수 있음은 별론으로 하고 그 법률행위 자체를 당연히 무효화하는 것은 아니다. 또한, 행정처분에 붙은 부담인 부관이 제소기간의 도과로 확정되어 이미 불가쟁력이 생겼다면 그 하자가 중대하고 명백하여 당연무효로 보아야 할 경우 외에는 누구나 그 효력을 부인할 수 없을 것이지만, 부담의 이행으로서 하게 된 사법상 매매 등의 법률행위는 부담을 붙인 행정처분과는 어디까지나 별개의 법률행위이므로 그 부담의 불가쟁력의 문제와는 별도로 법률행위가 사회질서 위반이나 강행규정에 위반되는지 여부 등을 따져보아 그 법률행위의 유효 여부를 판단하여야 한다(대판 2009.6.25. 2006다18174).

4 건축허가를 하면서 일정 토지를 기부채납하도록 한 허가조건의 효력(무효) 및 무효인 건축허가조건을 유효한 것으로 믿고 토지를 증여한 경우에 그 소유권이전등기의 말소를 청구할 수 있는지 여부(소극)

건축허가를 하면서 일정 토지를 기부채납하도록 하는 내용의 허가조건은 부관을 붙일 수 없는 기속행위 내지 기속적 재량행위인 건축허가에 붙인 부담이거나 또는 법령상 아무런 근거가 없는 부관이어서 무효이다. 위의 허가조건이 무효라고 하더라도 그 부관 및 본체인 건축허가 자체의 효력이 문제됨은 별론으로 하고, 허가신청대행자가 그 소유인 토지를 허가관청에게 기부채납함에 있어 위 허가조건은 증여의사표시를 하게 된 하나의 동기 내지 연유에 불과한 것이고, 위 허가신청대행자가 건축허가를 받은 토지의 일부를 반드시 허가관청에 기부채납하여야 한다는 법령상의 근거규정이 없음에도 불구하고 위 허가조건의 내용에 따라 위 토지를 기부채납하여야만 허가신청인들이 시공한 건축물의 준공검사가 나오는 것으로 믿고 증여계약을 체결하여 허가관청인 시 앞으로 위 토지에 관하여 소유권이전등기를 경료하여 주었다면 이는 일종의 동기의 착오로서 그 허가조건상의 하자가 허가신청대행자의 증여의사표시 자체에 직접 영향을 미치는 것은 아니므로, 이를 이유로 하여 위 시 명의의 소유권이전등기의 말소를 청구할 수는 없다(대판 1995.6.13. 94다56883).

5 기속행위 내지 기속적 재량행위 행정처분에 붙인 부담인 부관의 효력(무효) 및 이러한 경우 무효인 부관에 따라 한 증여의 의사표시가 당연히 무효로 되는지 여부(소극)

기속행위 내지 기속적 재량행위 행정처분에 부담인 부관을 붙인 경우 일반적으로 그 부관은 무효라 할 것이고 그 부관의 무효화에 의하여 본체인 행정처분 자체의 효력에도 영향이 있게 될 수는 있지만, 그러한 사유는 그 처분을 받은 사람이 그 부담의 이행으로서의 증여의 의사표시를 하게 된 동기 내지 연유로 작용하였을 뿐이므로 취소사유가 될 수 있음은 별론으로 하여도 그 의사표시 자체를 당연히 무효화하는 것은 아니다(대판 1998.12.22. 98다51305).

◈ 핵심정리 | 행정행위의 부관

1. 일반적으로 기속행위나 기속적 재량행위에는 부관을 붙일 수 없고, 부관을 붙였다 하더라도 이는 무효의 것이다.

2. 재량행위에 있어서는 법령상의 근거가 없다고 하더라도 부관을 붙일 수 있다.

3. 법정부관은 행정행위의 부관이 아니므로 행정행위 부관에 대한 한계가 적용되지 않는다.

4. 도로점용허가의 점용기간은 행정행위의 본질적 요소에 해당하는 것이어서 부관인 점용기간을 정함에 위법이 있으면 도로점용허가 전부가 위법이 된다.

5. 행정재산의 사용·수익허가의 기간은 부관으로서 이에 대해 독립하여 행정소송을 제기할 수 없다.

6. 행정처분과 부관 사이에 실제적 관련성이 있다고 볼 수 없는 경우 공무원이 행정처분의 상대방과 사이에 사법상 계약을 체결하는 형식을 취하였다면 이는 법치행정의 원리에 반하는 것으로서 위법하다.

7. 공유수면매립준공인가 중 판시 토지를 국가 또는 인천직할시 소유로 귀속하는 처분공유수면매립법 제14조의 효과 일부를 배제하는 부관을 붙인 것으로 볼 것이고, 이러한 행정행위의 부관에 대하여는 독립하여 행정소송의 대상으로 삼을 수 없다.

8. 사후부관이 미리 유보되어 있지 않은 경우라도 사정변경으로 인하여 당초에 부담을 부가한 목적을 달성할 수 없게 된 경우에는 그 목적달성에 필요한 범위 내에서 예외적으로 사후부관이 허용된다.

제1절 행정행위의 성립요건과 효력발생요건

1 서설

행정행위의 성립요건과 효력요건에 대하여 실정법상 명문의 규정은 없으나, 일반적으로 행정처분은 주체·내용·절차 및 형식이라는 **내부적 성립요건**과 외부에의 표시라는 **외부적 성립요건**을 모두 갖춘 경우에 행정처분이 존재한다고 할 수 있다. 이러한 요건을 갖추지 못한 경우 하자가 발생하게 된다.

2 성립요건

1. 내부적 성립요건

행정행위는 주체·내용·절차·형식에 있어 법정요건에 적합하여야 하고, 또한 공익에 적합하여야 한다.

(1) 주체

① 정당한 권한을 가진 자가 ② 권한 내의 사항에 관하여 ③ 정당한 의사에 기한 행위일 것을 요한다.

> **⚖ 관련판례**
>
> **개인택시면허처분을 함에 앞서 공무원 아닌 자가 포함된 개인택시면허 심사회의를 구성하여 그 심사회의로 하여금 면허신청자의 자격 등을 심사하게 한 경우 동 면허처분의 효력(유효)**
> 행정청은 일반적으로 어떤 행정처분을 함에 앞서 법령 또는 재량에 의하여 그 사전심사를 위한 심의기구를 구성하여 이를 위임할 수 있는 것이므로 피고가 개인택시를 면허함에 있어서 개인택시면허심사회의를 구성하여 그 심사회의로 하여금 면허신청자의 자격 등을 심사하도록 하고 그 심사위원 중에 공무원 아닌 사람이 포함되어 있다고 하여 심사절차나 그 심사위원에 관하여 특별규정이 없는 이상 이를 무효라고 할 이유가 없다(대판 1985.11.26. 85누394).

(2) 내용

① 법률상·사실상 실현이 가능하고, ② 객관적으로 명확한 행위이어야 하며, ③ 법과 공익에 적합하여야 한다.

(3) 절차

행정행위를 함에 있어서 일정한 절차가 요구되는 경우에는 청문 등 행정절차를 거쳐야 한다.

(4) 형식

행정행위가 불요식인 경우에는 일정한 형식이 필요 없으나, 요식행위인 경우에는 법이 정한 형식을 구비하여야 한다. 행정절차법 제24조는 행정청이 처분을 하는 때에는 다른 법령 등에 특별한 규정이 있는 경우를 제외하고는 문서로 하여야 하고 전자문서로 하는 경우에는 당사자 등의 동의가 있어야 하며, 다만 신속을 요하거나 사안이 경미한 경우에는 구술 기타 방법으로 할 수 있다고 규정하여 서면주의 원칙을 정하고 있다.

> **⚖ 관련판례**
>
> **1** 행정청의 처분의 방식을 규정한 행정절차법 제24조를 위반하여 행해진 행정청의 처분이 무효인지 여부(적극)
>
> 행정절차법 제24조는 행정청이 처분을 하는 때에는 다른 법령 등에 특별한 규정이 있는 경우를 제외하고는 문서로 하여야 하고 전자문서로 하는 경우에는 당사자 등의 동의가 있어야 하며, 다만 신속을 요하거나 사안이 경미한 경우에는 구술 기타 방법으로 할 수 있다고 규정하고 있는데, 이는 행정의 공정성·투명성 및 신뢰성을 확보하고 국민의 권익을 보호하기 위한 것이므로 위 규정을 위반하여 행하여진 행정청의 처분은 하자가 중대하고 명백하여 원칙적으로 무효이다(대판 2011.11.10. 2011도11109).
>
> **2** 행정처분을 하는 문서의 문언만으로 행정처분의 내용이 분명한 경우, 그 문언과 달리 다른 행정처분까지 포함되어 있다고 해석할 수 있는지 여부(소극)
>
> 행정처분을 하는 문서의 문언만으로 행정처분의 내용이 분명한 경우, 처분경위나 처분 이후의 상대방의 태도 등 다른 사정을 고려하여 처분서의 문언과는 달리 다른 처분까지 포함되어 있다고 확대해석 하여서는 아니 된다(대판 2005.7.28. 2003두469).

2. 외부적 성립요건

행정행위는 행정결정을 외부에 표시하는 행위이므로 내부결정만으로는 행정행위가 성립하였다고 볼 수 없고, 외부에 표시되어야 비로소 성립한다. 따라서 상대방이 우연히 알게 되었다고 하더라도 행정행위가 성립한 것은 아니다.

> **⚖ 관련판례**
>
> **행정처분의 성립요건 및 처분의 외부적 성립 여부를 판단하는 기준**
>
> 일반적으로 행정처분이 주체·내용·절차와 형식이라는 내부적 성립요건과 외부에 대한 표시라는 외부적 성립요건을 모두 갖춘 경우에는 행정처분이 존재한다고 할 수 있다. 행정처분의 외부적 성립은 행정의사가 외부에 표시되어 행정청이 자유롭게 취소·철회할 수 없는 구속을 받게 되는 시점을 확정하는 의미를 가지므로, 어떠한 처분의 외부적 성립 여부는 행정청에 의해 행정의사가 공식적인 방법으로 외부에 표시되었는지를 기준으로 판단하여야 한다(대판 2017.7.11. 2016두35120).

3 효력발생요건

행정행위는 특별한 제한이 없는 한 성립요건을 갖춤으로써 유효하게 성립되는 것이 보통이지만 상대방에게 고지를 요하는 행정행위에 있어서는 대외적으로 표시해야 효력이 발생하며, 특히 수령을 요하는 행정행위의 경우에는 상대방에게 도달됨으로써 효력이 발생한다.

1. 특정인을 위한 효력발생요건

(1) 원칙 – 고지(통지)에 의한 도달

① **도달주의**: 수령을 요하는 행정행위의 경우 원칙적으로 상대방에게 고지(통지)되어 도달했을 때 효력이 발생한다(행정절차법 제15조 제1항).

② **효력발생시기**: 도달은 원칙적으로 상대방이 요지할 수 있는 객관적 상태에 놓여진 경우에 도달된 것으로 본다(예) 동거인에게의 교부). 상대방이 현실적으로 인식했는가의 여부는 불문한다.

> **관련판례**
>
> 행정처분의 효력발생요건으로서의 도달이란 상대방이 그 내용을 현실적으로 양지할 필요까지는 없고, 다만 양지할 수 있는 상태에 놓여짐으로써 충분하다(대판 1989.9.26. 89누4963).

③ **우편송달의 경우**: 행정절차법 제14조에 따르면 송달은 우편, 교부 또는 정보통신망 이용 등의 방법으로 하여야 한다고 규정하고 있다.

> **관련판례**
>
> **1** 납세자가 과세처분의 내용을 이미 알고 있는 경우에도 납세고지서 송달이 필요한지 여부(적극)
> 납세고지서의 교부송달 및 우편송달에 있어서는 반드시 납세의무자 또는 그와 일정한 관계에 있는 사람의 현실적인 수령행위를 전제로 하고 있다고 보아야 하며, 납세자가 과세처분의 내용을 이미 알고 있는 경우에도 납세고지서의 송달이 불필요하다고 할 수는 없다(대판 2004.4.9. 2003두13908).
> **2** 납세의무자가 거주하지 아니하는 주민등록상 주소지로 납세고지서를 등기우편으로 발송한 후 반송된 사실이 없는 경우, 송달은 부적법하다(대판 1998.2.13. 97누8977).

ⓐ **통상우편의 도달추정 부정**: 통상우편으로 발송된 재심청구기간결정통지서가 반송되지 않았다는 사실만 가지고서는 발송일로부터 일정기간 내에 배달되었다고 추정할 수는 없다(대판 1977.2.22. 76누265).

ⓑ **등기우편의 도달추정 인정**: 등기우편으로 발송된 경우에 반송되거나 기타 특별한 사정이 없는 한 수취인에게 배달되었다고 볼 수 있다(대판 1992.12.11. 92누13127).

03 보통의 행정행위는 상대방이 수령하여야만 효력이 발생하는 것이므로 상대방이 그 행정행위를 현실적으로 알고 있어야 한다. 19. 국회8급 (   )

04 판례는 내용증명우편이나 등기우편과는 달리 보통우편의 방법으로 발송되었다는 사실만으로는 그 우편물이 상당한 기간 내에 도달하였다고 추정할 수 없고, 송달의 효력을 주장하는 측에서 증거에 의하여 이를 입증하여야 한다고 본다. 16. 서울9급 (   )

🔨 관련판례

1 납세의무자가 거주하지 아니하는 주민등록상 주소지로 납세고지서를 등기우편으로 발송한 후 반송된 사실이 없는 경우, 송달의 적법 여부(소극)

우편물이 등기취급의 방법으로 발송된 경우, 특별한 사정이 없는 한, 그 무렵 수취인에게 배달되었다고 보아도 좋을 것이나, 수취인이나 그 가족이 주민등록지에 실제로 거주하고 있지 아니하면서 전입신고만을 해 둔 경우에는 그 사실만으로써 주민등록지 거주자에게 송달수령의 권한을 위임하였다고 보기는 어려울 뿐 아니라 수취인이 주민등록지에 실제로 거주하지 아니하는 경우에도 우편물이 수취인에게 도달하였다고 추정할 수는 없고, 따라서 이러한 경우에는 우편물의 도달사실을 과세관청이 입증해야 할 것이고, 수취인이나 그 가족이 주민등록지에 실제로 거주하고 있지 아니하면서 전입신고만을 해 두었고, 그 밖에 주민등록지 거주자에게 송달수령의 권한을 위임하였다고 보기 어려운 사정이 인정된다면, 등기우편으로 발송된 납세고지서가 반송된 사실이 인정되지 아니한다 하여 납세의무자에게 송달된 것이라고 볼 수는 없다(대판 1998.2.13. 97누8977).

2 보통우편의 방법으로 우편물을 발송한 경우 그 송달을 추정할 수 있는지 여부(소극)

내용증명우편이나 등기우편과는 달리, 보통우편의 방법으로 발송되었다는 사실만으로 는 그 우편물이 상당기간 내에 도달하였다고 추정할 수 없고 송달의 효력을 주장하는 측에서 증거에 의하여 도달사실을 입증하여야 한다(대판 2009.12.10. 2007두20140).

3 우편물이 등기취급의 방법으로 발송된 경우 그 무렵 수취인에게 배달되었다고 추정할 수 있는지 여부(원칙적 적극)

[1] 행정처분의 효력발생요건으로서의 도달이란 처분상대방이 처분서의 내용을 현실적으로 알았을 필요까지는 없고 처분상대방이 알 수 있는 상태에 놓임으로써 충분하며, 처분서가 처분상대방의 주민등록상 주소지로 송달되어 처분상대방의 사무원 등 또는 그 밖에 우편물 수령권한을 위임받은 사람이 수령하면 처분상대방이 알 수 있는 상태가 되었다고 할 것이다.

[2] 행정소송법 제20조 제1항이 정한 제소기간의 기산점인 '처분 등이 있음을 안 날'이란 통지, 공고 기타의 방법에 의하여 당해 처분 등이 있었다는 사실을 현실적으로 안 날을 의미하므로, 행정처분이 상대방에게 고지되어 상대방이 이러한 사실을 인식함으로써 행정처분이 있다는 사실을 현실적으로 알았을 때 행정소송법 제20조 제1항이 정한 제소기간이 진행한다고 보아야 하고, 처분서가 처분상대방의 주소지에 송달되는 등 사회통념상 처분이 있음을 처분상대방이 알 수 있는 상태에 놓인 때에는 반증이 없는 한 처분상대방이 처분이 있음을 알았다고 추정할 수 있다. 또한 우편물이 등기취급의 방법으로 발송된 경우 그것이 도중에 유실되었거나 반송되었다는 등의 특별한 사정에 대한 반증이 없는 한 그 무렵 수취인에게 배달되었다고 추정할 수 있다(대판 2017.3.9. 2016두60577).

④ **교부송달의 경우:** 교부에 의한 송달은 수령확인서를 받고 문서를 교부함으로써 하며, 송달하는 장소에서 송달받을 자를 만나지 못한 경우에는 그 사무원·피용자 또는 동거인으로서 사리를 분별할 지능이 있는 사람에게 문서를 교부할 수 있다. 문서를 송달받을 자 또는 그 사무원 등이 정당한 사유 없이 송달받기를 거부하는 때에는 그 사실을 수령확인서에 적고, 문서를 송달할 장소에 놓아둘 수 있다.

> ⚖ **관련판례**
>
> **만 8세 1개월 남짓의 딸 乙에게 교부하고 乙의 서명을 받은 사안에서, 송달이 적법하지 않다고 한 사례**
> 송달받을 사람의 동거인에게 송달할 서류가 교부되고 그 동거인이 사리를 분별할 지능이 있는 이상 송달받을 사람이 그 서류의 내용을 실제로 알지 못한 경우에도 송달의 효력은 있다. 이 경우 사리를 분별할 지능이 있다고 하려면, 사법제도 일반이나 소송행위의 효력까지 이해할 수 있는 능력이 있어야 한다고 할 수는 없을 것이지만 적어도 송달의 취지를 이해하고 그가 영수한 서류를 송달받을 사람에게 교부하는 것을 기대할 수 있는 정도의 능력은 있어야 한다(대판 2011.11.10. 2011재두148).

⑤ **정보통신망에 의한 송달:** 정보통신망을 이용한 송달은 송달받을 자가 동의하는 경우에만 한다. 이 경우 송달받을 자는 송달받을 전자우편주소 등을 지정하여야 한다. 정보통신망을 이용하여 전자문서로 송달하는 경우에는 송달받을 자가 지정한 컴퓨터 등에 입력된 때에 도달된 것으로 본다.

> ⚖ **관련판례**
>
> 특정인에 대한 행정처분을 주소불명 등의 이유로 송달할 수 없어 관보·공보·게시판·일간신문 등에 공고한 경우에는, 공고가 효력을 발생하는 날에 상대방이 그 행정처분이 있음을 알았다고 볼 수는 없고, 상대방이 당해 처분이 있었다는 사실을 현실적으로 안 날에 그 처분이 있음을 알았다고 보아야 한다(대판 2006.4.28. 2005두14851).

(2) 송달이 불가능한 경우

송달받을 자의 주소를 통상의 방법으로 확인할 수 없거나 송달이 불가능한 경우에는 공고의 방법에 의한다(행정절차법 제14조 제4항). 이 경우 송달받을 자가 알기 쉽도록 관보, 공보, 게시판, 일간신문 중 하나 이상에 공고하고 인터넷에도 공고하여야 한다(행정절차법 제14조 제4항). 공고의 경우에는 다른 법령에 특별한 규정이 있는 경우를 제외하고는 **공고일로부터 14일**이 경과한 때에 효력이 발생한다. 다만, 긴급히 시행해야 할 특별한 사유가 있어 공고하는 때에 효력발생시기를 달리 정한 경우에는 그에 의한다.

2. 불특정 다수인을 위한 효력발생요건

불특정 다수인을 상대로 행정행위를 하는 경우에는 상대방에게 개별적으로 도달하게 할 수 없으므로 공시·공고로서 효력을 발생하게 하고 있다. 통지를 공고의 방법으로 하는 때에는 다른 법령 등에 특별한 규정이 없는 한 원칙적으로 공고일로부터 14일이 경과한 때에 그 효력이 발생한다(행정절차법 제14조·제15조).

3. 특별한 효력발생요건

(1) 부관부 행정행위의 경우 정지조건부 행정행위는 조건 성취시로부터, 시기부 행정행위는 기한이 도래한 때부터 효력이 발생한다.

(2) 법률에서 행정행위의 효력발생을 제한하고 있는 경우는 그 법정사유가 이루어졌을 때 효력이 발생한다(예 귀화허가의 효력요건은 관보에의 고시, 광업권설정의 효력요건은 광업원부에의 등록).

4. 기간 및 기한의 특례(행정절차법 제16조)

(1) 천재·지변 기타 당사자의 책임 없는 사유로 기간 및 기한을 지킬 수 없는 경우에는 그 사유가 끝나는 날까지 기간의 진행이 정지된다.

(2) 외국에 거주 또는 체류하는 자에 대한 기간 및 기한은 행정청이 그 우편이나 통신에 소요되는 일수를 감안하여 정하여야 한다.

4 요건 결여의 효과

행정행위가 성립·효력발생요건을 결하게 되면 행정행위는 위법 또는 부당한 행위로서 하자 있는 행정행위가 되며, 그 정도에 따라 부존재나 무효·취소의 원인이 될 수 있다.

> **관련판례**
>
> **행정행위의 절대적 무효인 경우**
> 행정행위 효력요건은 정당한 권한 있는 기관이 필요한 수속을 거치고 필요한 표시의 형식을 갖추어야 할 뿐만 아니라, 행정행위의 내용이 법률상 효과를 발생할 수 있는 것이어야 되며 그 중의 어느 하나의 요건의 흠결도 당해 행정행위의 절대적 무효를 초래하는 것이며 행정행위의 내용이 법률상 결과를 발생할 수 없는 권리의무를 목적한 것이면 그 행정행위 및 부관은 절대무효이다(대판 1959.5.14. 4290민상834).

제2절 행정행위의 적용문제

1 문제의 소재

행정처분을 함에 있어 신청시와 처분시 사이에 법령이 개정된 경우 행정청은 신청시의 법령을 적용하여 처분을 하여야 하는지 처분시의 법령을 적용하여 처분을 하여야 하는지 문제된다. 또한 이와 관련하여 법령의 개정이 이루어진 경우에 행정청은 개정 전 법령을 적용할 것인지 개정 후의 법령을 적용할 것인지가 상대방인 국민의 구법에 대한 신뢰보호와 관련하여 문제가 된다. 이는 법령의 위반시점과 불이익처분 사이에 법령이 개정된 경우에 특히 문제된다.

> **행정기본법 제14조 【법 적용의 기준】** ① 새로운 법령 등은 법령 등에 특별한 규정이 있는 경우를 제외하고는 그 법령 등의 효력 발생 전에 완성되거나 종결된 사실관계 또는 법률관계에 대해서는 적용되지 아니한다.
> ② 당사자의 신청에 따른 처분은 법령 등에 특별한 규정이 있거나 처분 당시의 법령 등을 적용하기 곤란한 특별한 사정이 있는 경우를 제외하고는 처분 당시의 법령 등에 따른다.
> ③ 법령 등을 위반한 행위의 성립과 이에 대한 제재처분은 법령 등에 특별한 규정이 있는 경우를 제외하고는 법령 등을 위반한 행위 당시의 법령 등에 따른다. 다만, 법령 등을 위반한 행위 후 법령 등의 변경에 의하여 그 행위가 법령 등을 위반한 행위에 해당하지 아니하거나 제재처분 기준이 가벼워진 경우로서 해당 법령 등에 특별한 규정이 없는 경우에는 변경된 법령 등을 적용한다.

핵심 OX

03 신법의 효력발생일까지 진행 중인 사건에 대하여 신법을 적용하는 것은 법률의 소급적용에 해당하므로 원칙적으로 허용될 수 없다.

23. 국가7급 (   )

03 X

2 구체적 검토

1. 원칙 - 처분시의 법령을 적용

행정기관은 행위를 함에 있어 법치주의원칙에 따라 처분 당시의 법을 적용함이 원칙이다. 즉, 행정처분은 그 근거 법령이 개정된 경우에도 경과규정에서 달리 정함이 없는 한 처분 당시 시행되는 개정법령과 그에서 정한 기준에 의하는 것이 원칙이다. 법령의 소급적용은 원칙적으로 인정되지 않으나, 부진정소급적용은 엄밀한 의미에서 소급적용이 아니므로 가능하다.

🔎 관련판례

1 **행정처분의 근거 법령이 개정 시행된 경우, 적용되는 법령(개정된 법령)**

행정처분은 그 근거 법령이 개정된 경우에도 경과 규정에서 달리 정함이 없는 한 처분 당시 시행되는 개정 법령과 그에서 정한 기준에 의하는 것이 원칙이고, 그 개정 법령이 기존의 사실 또는 법률관계를 적용대상으로 하면서 국민의 재산권과 관련하여 종전보다 불리한 법률효과를 규정하고 있는 경우에도 그러한 사실 또는 법률관계가 개정 법률이 시행되기 이전에 이미 완성 또는 종결된 것이 아니라면 이를 헌법상 금지되는 소급입법에 의한 재산권 침해라고 할 수는 없으며, 그러한 개정 법률의 적용과 관련하여서는 개정 전 법령의 존속에 대한 국민의 신뢰가 개정 법령의 적용에 관한 공익상의 요구보다 더 보호가치가 있다고 인정되는 경우에 그러한 국민의 신뢰보호를 보호하기 위하여 그 적용이 제한될 수 있는 여지가 있을 따름이다.

광업권자가 광업권을 취득하고 그에 대한 사업휴지인가를 받은 것은 모두 개정 광업법 시행령[1994.12.8. 대통령령 제14424호로 개정된 시행령, 부칙(1994.12.8.) 제1항에 의하여 1995.6.8.부터 시행]이 시행되기 이전이기는 하나 그 존속기간의 만료는 개정 시행령 시행 이후인 1996.4.30.이고, 그 존속기간의 연장신청 역시 그 시행 이후인 1996.1.30.자로 이루어졌음이 분명하여 광업권의 존속기간 연장에 대하여 개정 시행령규정을 적용하는 것이 이미 완성되거나 종결된 사실 또는 법률관계에 대하여 개정 시행령을 소급 적용하는 것이라고 할 수 없다(대판 2000.3.10. 97누13818).

2 한시적인 법인세액 감면제도를 시행하다가 새로운 조문을 신설하면서 법인세액 감면 대상이 되지 아니하는 업종으로 변경된 기업에 대하여 아무런 경과규정을 두지 아니하였더라도 신뢰보호의 원칙에 위반되지 않는다(대판 2009.9.10. 2008두9324).

3 구 의료법(2000.1.12. 법률 제6157호로 개정되기 전의 것) 제52조 제1항은 제8조 제1항 제4호 소정의 '파산선고를 받고 복권되지 아니한 자'를 임의적 면허취소사유로 규정하였다가 위 개정으로 그 항에 단서를 신설하여 위 사유를 필요적 면허취소사유로 규정하였는바, '파산선고를 받고 복권되지 아니한 자'를 파산선고 후 복권될 때까지 파산자의 상태에 있는 자의 의미로 해석한다면, 파산선고를 받고 복권되지 아니한 의사의 경우 파산자라는 결격사유가 위 법률 개정 전에 이미 종료된 것이 아니고 위 법률 개정 후에도 여전히 존속하고 있는 것으로 보아야 할 것이므로, 행정청으로서는 개정 전의 의료법을 적용하여 면허취소에 대한 재량판단을 할 것이 아니라, 개정된 의료법 제52조 제1항 단서에 따라 그 면허를 반드시 취소하여야 할 것이다(대판 2001.10.12. 2001두274).

2. 예외

(1) 구법에 대한 신뢰보호를 위한 개정법령의 적용제한

개정 전 법령의 존속에 대한 국민의 신뢰가 개정법령의 적용에 대한 공익상의 요구보다 더 보호가치가 있다고 인정되는 경우에는 개정법령의 적용이 제한될 수 있다.

⚖ 관련판례

1 비관리청이 항만공사 시행허가를 받은 이후 항만시설 준공 시까지 사이에 비관리청의 항만시설 무상사용권의 내용에 관한 항만법 시행령이 비관리청에게 불리하게 개정된 경우, 비관리청의 항만시설 무상사용권의 내용을 정함에 있어 비관리청의 신뢰보호를 위하여 개정 전 항만법 시행령을 적용할 수 있는지 여부(한정 적극)

비관리청이 항만공사 시행허가를 받은 이후 항만시설 준공 시까지 사이에 비관리청의 항만시설 무상사용권의 범위와 관련된 총사업비에 포함되는 건설이자율에 관한 항만법 시행령이 비관리청에게 불리하게 개정된 경우, 그 건설이자를 개정 전 항만법 시행령에 따라 산정하더라도 총사업비가 실제 소요비용보다 과다 산정된다고 볼 수 없고, 개정 전 항만법 시행령이 적용될 것을 전제로 사업계획을 세운 비관리청의 신뢰가 개정된 시행령을 적용하여야 할 공익상의 요구보다 더 보호할 만한 가치가 있다는 이유로, 비관리청의 항만시설 무상사용권의 범위와 관련된 총사업비의 산정은 개정 전 항만법 시행령을 적용하여야 한다(대판 2001.8.21. 2000두8745).

2 한약사 국가시험의 응시자격에 관하여 '필수 한약관련 과목과 학점을 이수하고 대학을 졸업한 자'로 규정하고 있던 것을 '한약학과를 졸업한 자'로 응시자격을 변경하면서, 그 개정 이전에 이미 한약자원학과에 입학하여 대학에 재학 중인 자에게도 개정 시행령이 적용되게 한 개정 시행령 부칙이 헌법상 신뢰보호의 원칙과 평등의 원칙에 위배되는지 여부(적극)

개정 전 약사법(1994.1.7. 법률 제4731호로 개정되고 2005.7.29. 법률 제7635호로 개정되기 전의 것) 제3조의2 제2항의 위임에 따라 같은 법 시행령(1994.7.7. 대통령령 제14319호로 개정되고 1997.3.6. 대통령령 제15301호로 개정되기 전의 것) 제3조의2에서 한약사 국가시험의 응시자격을 '필수 한약관련 과목과 학점을 이수하고 대학을 졸업한 자'로 규정하던 것을, 개정 시행령(1997.3.6. 대통령령 제15301호로 개정되고 2006.3.29. 대통령령 제19425호로 개정되기 전의 것) 제3조의2에서 '한약학과를 졸업한 자'로 응시자격을 변경하면서, 개정 시행령 부칙이 한약사 국가시험의 응시자격에 관하여 1996학년도 이전에 대학에 입학하여 개정 시행령 시행 당시 대학에 재학 중인 자에게는 개정 전의 시행령 제3조의2를 적용하게 하면서도 1997학년도에 대학에 입학하여 개정 시행령 시행 당시 대학에 재학 중인 자에게는 개정 시행령 제3조의2를 적용하게 하는 것은 헌법상 신뢰보호의 원칙과 평등의 원칙에 위배되어 허용될 수 없다(대판 2007.10.29. 2005두4649 전합).

---

(2) 법률관계를 확인하는 처분

사건의 발생 시 법령에 따라 이미 법률관계가 확정되고, 행정청이 이를 확인하는 처분(예 장해등급결정을 하는 경우 등)은 행정청이 확정된 법률관계를 확인하는 처분을 하는 경우에는 처분시의 법령을 적용하는 것이 아니라 당해 **법률관계**의 확정시(지급사유발생시)의 법령을 적용한다는 것이 판례의 입장이다.

⚖️ **관련판례**

1 **산업재해보상보험법상 장해급여 지급을 위한 장해등급 결정의 근거 법령**

산업재해보상보험법상 장해급여는 근로자가 업무상의 사유로 부상을 당하거나 질병 에 걸려 치료를 종결한 후 신체 등에 장해가 있는 경우 그 지급사유가 발생하고, 그때 근로자는 장해급여 지급청구권을 취득하므로, 장해급여 지급을 위한 장해등급 결정 역시 <u>장해급여 지급청구권을 취득할 당시, 즉 그 지급사유 발생 당시의 법령에 따르 는 것이 원칙</u>이다(대판 2007.2.22. 2004두12957).

2 **국민연금법상 장애연금 지급을 위한 장애등급 결정시와 장애연금의 변경지급을 위한 장애등급 변경결정시 각 적용할 법령**

국민연금법상 장애연금은 국민연금 가입 중에 생긴 질병이나 부상으로 완치된 후에 도 신체상 또는 정신상의 장애가 있는 자에 대하여 그 장애가 계속되는 동안 장애 정 도에 따라 지급되는 것으로서, 치료종결 후에도 신체 등에 장애가 있을 때 지급사유 가 발생하고 그때 가입자는 장애연금 지급청구권을 취득한다. 따라서 장애연금 지급 을 위한 장애등급 결정은 <u>장애연금 지급청구권을 취득할 당시, 즉 치료종결 후 신체 등에 장애가 있게 된 당시의 법령에 따르는 것이 원칙</u>이다. 나아가 이러한 법리는 기 존의 장애등급이 변경되어 장애연금액을 변경하여 지급하는 경우에도 마찬가지이므 로, <u>장애등급 변경결정 역시 변경사유 발생 당시, 즉 장애등급을 다시 평가하는 기준 일인 '질병이나 부상이 완치되는 날'의 법령에 따르는 것이 원칙</u>이다(대판 2014.10.15. 2012두15135).

(3) 신의성실의 원칙 위반이 있는 경우

행정청이 심히 부당하게 처분을 늦추고, 그 사이에 허가기준을 변경한 것처럼 **신의 성실의 원칙에 반하는 경우**에는 개정 전의 법령을 적용하여 처분하여야 한다는 것 이 판례의 취지이다.

⚖️ **관련판례**

허가 등의 행정처분은 원칙적으로 처분 시의 법령과 허가기준에 의하여 처리되어야 하고 허가신청 당시의 기준에 따라야 하는 것은 아니며, 비록 허가신청 후 허가기준이 변경되 었다 하더라도 그 허가관청이 허가신청을 수리하고도 정당한 이유 없이 그 처리를 늦추 어 그 사이에 허가기준이 변경된 것이 아닌 이상 변경된 허가기준에 따라서 처분을 하여 야 한다(대판 1996.8.20. 95누10877).

02 경과규정 등의 특별규정 없이 법령 이 변경된 경우, 그 변경 전에 발생 한 사항에 대하여 적용할 법령은 개정 후의 신 법령이다.
14. 국가9급 ( )

03 건설업자가 시공자격 없는 자에게 전문공사를 하도급한 행위에 대하 여 과징금 부과처분을 하는 경우, 구체적인 부과기준에 대하여 처분 시의 법령이 행위시의 법령보다 불 리하게 개정되었고 어느 법령을 적 용할 것인지에 대하여 특별한 규정 이 없다면 행위시의 법령을 적용하 여야 한다. 15. 서울9급 · 국가9급 ( )

(4) 법령위반행위에 대한 과징금 등 행정제재처분

법령위반행위시의 법에 따라야 함이 원칙이라는 것이 판례의 입장이다.

⚖️ **관련판례**

1 **경과규정 등의 특별규정 없이 법령이 변경된 경우, 그 변경 전에 발생한 사항에 대하 여 적용할 법령(= 구 법령)**

법령이 변경된 경우 신 법령이 피적용자에게 유리하여 이를 적용하도록 하는 경과규 정을 두는 등의 특별한 규정이 없는 한 헌법 제13조 등의 규정에 비추어 볼 때 <u>그 변 경 전에 발생한 사항에 대하여는 변경 후의 신 법령이 아니라 변경 전의 구 법령이 적 용되어야 한다.</u>

구 건설업법(1996.12.30. 법률 제5230호 건설산업기본법으로 전문 개정되기 전의 것) 시행 당시에 건설업자가 도급받은 건설공사 중 전문공사를 그 전문공사를 시공할 자격 없는 자에게 하도급한 행위에 대하여 건설산업기본법(1999.4.15. 법률 제5965호로 개정된 것) 시행 이후에 과징금 부과처분을 하는 경우, 과징금의 부과상한은 건설산업기본법 부칙(1999.4.15.) 제5조 제1항에 의하여 피적용자에게 유리하게 개정된 건설산업기본법 제82조 제2항에 따르되, 구체적인 부과기준에 대하여는 <u>처분시의 시행령이 행위시의 시행령보다 불리하게 개정되었고 어느 시행령을 적용할 것인지에 대하여 특별한 규정이 없으므로, 행위시의 시행령을 적용하여야 한다</u>(대판 2002.12.10. 2001두3228).

2 **건설업면허수첩 대여행위가 법령 개정으로 취소사유에서 삭제된 경우 구법 적용에 의한 면허취소 여부(적극)**

<u>법령이 변경된 경우 명문의 다른 규정이나 특별한 사정이 없는 한 그 변경 전에 발생한 사항에 대하여는 변경 후의 신 법령이 아니라 변경 전의 구 법령이 적용되므로,</u> 건설업자인 원고가 1973.12.31. 소외인에게 면허수첩을 대여한 것이 그 당시 시행된 건설업법 제38조 제1항 제8호 소정의 건설업면허 취소사유에 해당된다면 그 후 동법 시행령 제3조 제1항이 개정되어 건설업면허 취소사유에 해당하지 아니하게 되었다 하더라도 건설부장관은 동 면허수첩 대여행위 당시 시행된 건설업법 제38조 제1항 제8호를 적용하여 원고의 건설업면허를 취소하여야 할 것이다(대판 1982.12.28. 82누1).

(5) 법령위반에 대한 형사처벌의 문제

행위 후 법률의 개정으로 그 행위가 더 이상 처벌대상이 아니거나 처벌이 가볍게 바뀐 경우 법률변경의 동기가 법적 견해의 변경으로 인한 것이면 행위의 가벌성이 없<u>어졌으므로</u> 처벌할 수 없지만, 단순한 사실관계의 변화로 인한 것이라면 가벌성이 없어지지 않았으므로 **행위 당시**의 법령에 따라 처벌할 수 있다는 것이 판례의 입장이다.

> **⚖ 관련판례**
>
> **허가나 신고 없이 개발제한구역 내 공작물 설치행위를 할 수 있도록 법령이 개정된 경우, 그 법령의 시행 전에 이미 범하여진 위법한 설치행위에 대한 가벌성이 소멸하는지 여부(소극)**
>
> <u>종전에 허가를 받거나 신고를 하여야만 할 수 있던 행위의 일부를 허가나 신고 없이 할 수 있도록 법령이 개정되었다 하더라도</u> 이는 법률 이념의 변천으로 과거에 범죄로서 처벌하던 일부 행위에 대한 처벌 자체가 부당하다는 반성적 고려에서 비롯된 것이라기보다는 사정의 변천에 따른 규제 범위의 합리적 조정의 필요에 따른 것이라고 보이므로, 위 개발제한구역의 지정 및 관리에 관한 특별조치법과 같은 법 시행규칙의 <u>신설 조항들이 시행되기 전에 이미 범하여진 개발제한구역 내 비닐하우스 설치행위에 대한 가벌성이 소멸하는 것은 아니다</u>(대판 2007.9.6. 2007도4197).

(6) 경과규정을 둔 경우

국민의 기득권과 신뢰보호를 위해 **경과규정**(예 ○○법 제90조 "이 법 시행 전에 이미 신청이 있었던 경우에는 개정 전 법령을 적용한다."라는 규정)을 두는 경우가 있다. 이러한 경우에는 **신청시**의 법령을 적용하여 신청에 대한 처분을 하여야 한다.

(7) 불합격처분

시험에 따른 합격 또는 불합격처분은 **시험일자**의 법령을 적용한다.

(8) 예외적 소급적용

법령을 소급적용하더라도 일반국민의 이해에 직접 관계가 없는 경우, 오히려 그 이익을 증진하는 경우, 불이익이나 고통을 제거하는 경우 등의 특별한 사정이 있는 경우에 한하여 예외적으로 법령의 **소급적용**이 허용된다.

제3절 행정행위의 효력

1 구속력

1. 의의

행정행위가 성립요건과 효력발생요건의 법정요건을 갖추어 행하여진 경우에 그 내용에 따라 상대방·제3자·처분청·관계행정청 등을 구속하는 **실체법적 효과**가 발생하게 되는데 이를 구속력이라고 한다.

2. 성질

구속력은 행정행위의 다른 효력과는 달리 모든 행정행위에 당연히 인정되는 효력이며, 보통 행정행위의 효력이라고 하면 구속력을 의미한다. 이에 대하여 모든 행정작용에 인정되는 효력이므로 행정행위의 고유한 효력은 아니라는 견해가 있다.

2 공정력(예선적 효력)

행정행위가 요건을 결여하여 성립상의 하자가 있어도 그 하자가 중대·명백하여 당연무효로 인정되는 경우를 제외하고는, 권한 있는 기관에 의하여 직권 또는 쟁송절차를 거쳐 취소되기까지는 상대방과 행정청 및 제3자에 대하여 유효한 것으로 통용되는 힘을 말한다. 조세부과처분이 비록 위법하다 하더라도 그 하자가 중대하고 명백한 것이 아닌 한 일단 상대방은 세금을 납부해야 할 의무를 지는 것은 행정행위의 공정력에 의한 것이다.

3 확정력(불가쟁력·불가변력)

행정행위는 일정한 쟁송기간이 경과하거나 심급을 다 거친 경우에는 그 행정행위의 효력을 더 이상 다툴 수 없게 되는 **불가쟁력**이 발생하고, 일정한 행정행위는 행정청 스스로 이를 변경·철회할 수 없는 **불가변력**이 발생한다.

4 강제력(자력집행력)

1. 의의

행정행위에 의하여 부과된 의무를 상대방이 이행하지 않는 경우에 행정청이 스스로의 힘에 의해 강제로 의무이행을 실현시키는 힘을 말한다.

2. 특징

(1) 사법관계에서는 의무불이행에 대하여 스스로의 실력으로 의무를 실현할 수 없고 민사소송으로써 그 강제집행을 청구할 수 있는 타력집행력인 데 대하여, 행정행위에서는 행정청이 법원의 힘을 빌리지 않고 자력으로 행정행위의 내용을 실현시킬 수 있는 자력집행력이 특징이다.

(2) 모든 행정행위가 집행력을 갖는 것은 아니며, 상대방에게 일정한 의무를 부과하는 하명은 집행력을 가진다. 판례에 따르면 행정행위의 집행력은 성질상 자력집행력에 관한 별도의 법적 근거를 요한다.

5 제재력

행정법상 부과된 의무위반에 대하여 **행정형벌과 행정질서벌**(과태료)을 부과할 수 있는 효력을 말한다. 제재력은 **과거의 의무위반**에 대한 처벌로서 심리적 강제(간접강제)에 의하여 행정상 의무이행을 확보하여 주는 기능을 한다.

제4절 공정력과 존손력

1 행정행위의 공정력

1. 의의

행정행위의 성립상 하자가 있어도 그 하자가 중대·명백하여 당연무효가 되는 경우를 제외하고는 권한 있는 기관이 취소하기까지는 일응 유효하다는 잠정적인 추정을 받게 되어 상대방은 물론 제3자, 타 행정청 및 법원 등 국가기관까지 구속하여 그 효력을 부인할 수 없는 절차상의 효력을 말한다. 과거에는 공정력을 실체법상 적법성을 추정하는 효력으로 이해하였지만, 오늘날에는 권한 있는 기관에 의하여 취소되기까지 잠정적으로 통용되는 효력으로 이해한다.

2. 성질

(1) 행정행위의 공정력은 하자가 있는 경우에 잠정적인 유효성의 추정에 불과하므로 절차법적 효력에 불과하다(실체법적 효력으로 보는 견해도 있음).

(2) 공정력은 하자 있는 행위에 대한 잠정적인 통용력을 갖는 것이므로(사후에 취소 가능하므로), 위법한 행위를 적법화시키는 하자의 치유사유는 아니다.

3. 공정력과 기타의 행정행위의 효력과의 관계

(1) 공정력과 구속력

행정행위가 요건을 갖추어 적법·타당하게 행하여졌을 때 발생하는 구속력은 행정행위의 내용에 따라 또는 직접 법률의 규정에 따라 일정 효력을 발생하는 실체법상 효력인 데 반하여, 공정력은 그러한 구속력이 있는 것을 승인시키는 절차적·잠정적 효력이다.

(2) 공정력과 집행력

집행력은 공정력을 전제로 하여 인정된다. 하자 있는 행정행위라도 취소되지 않는 한 일단 유효한 공정력이 인정되므로 이를 기초로 집행력이 인정된다. 또한 공정력은 집행부정지의 원칙에 의해 그 효력이 강화된다고 볼 수 있다.

(3) 공정력과 불가쟁력

공정력과 불가쟁력은 별개의 효력이다. 불가쟁력은 불복기간이 경과하여 발생하는 효력임에 대하여 공정력은 잠정적인 통용력이라는 점에서 차이가 있다.

4. 근거

> **행정기본법 제15조 【처분의 효력】** 처분은 권한이 있는 기관이 취소 또는 철회하거나 기간의 경과 등으로 소멸되기 전까지는 유효한 것으로 통용된다. 다만, 무효인 처분은 처음부터 그 효력이 발생하지 아니한다.

(1) 이론적 근거

공정력은 행정행위에 내재하는 특수성이 아니라 행정행위의 상대방이나 제3자의 신뢰보호·질서유지·행정의 원활한 운영 등 외재적 특수성인 기술적·정책적 이유에서 인정되는 것이라고 하는 법적 안정성설(행정정책설)이 통설이다.

(2) 실정법적 근거

행정기본법 제15조가 실정법적 근거이다. 취소소송과 관련된 행정소송법, 행정심판법의 규정에서 그 간접적 근거를 찾을 수 있다(행정감독권에 의한 직권취소제도, 행정상 자력강제제도, 쟁송제기기간의 제한규정).

5. 한계

(1) 공정력은 권력적 공법행위인 행정행위에 인정되므로 행정상의 사법행위(私法行爲)나 사실행위, 비권력적 공법작용(관리행위)에는 인정되지 않는다.

(2) 공정력은 행정의 법적 안정성 확보를 위하여 인정되는 것이므로 그 하자가 중대·명백한 무효인 행정행위에 대하여도 인정되지 않는다.

6. 공정력과 입증책임

공정력이 취소소송의 입증책임분배에 영향을 미치는가에 대하여는 공정력이 행정행위의 적법성을 추정하는 효력으로 보았던 종래 견해에 의하면 행정행위 위법성의 입증책임은 그 취소를 구하는 국민에게 있다고 한다. 그러나 오늘날에는 공정력이 행정행위의 적법성을 추정하는 효력이 아니라는 점에서 공정력이 입증책임에는 영향을 미치지 않고, 민사소송법상의 입증책임분배설(법률요건분류설)이 적용되어야 한다는 것이 통설의 입장이다.

7. 공정력과 집행부정지원칙

행정쟁송이 제기된 경우에도 행정처분은 정지되지 않는 것을 집행부정지라고 한다. 이러한 집행부정지원칙의 근거를 공정력의 당연한 귀결로 보는 견해가 있으나, 집행부정지원칙은 각국의 입법정책에 따라 인정 여부가 결정된 것으로 공정력과는 무관하다는 것이 일반적인 견해이다.

8. 공정력과 선결문제

(1) 의의

① 선결문제란 특정한 행정행위의 효력 유무 또는 위법성 여부가 다른 소송사건 재판의 본안판단의 전제로서 먼저 해결(선결)되어야 하는 것일 때, 민·형사법원이 그 행정행위의 효력과 위법성 여부를 스스로 심리·결정할 수 있는가의 문제이다.

② 선결문제는 민·형사법원이 ㉠ 행정행위의 효력을 부인해야 하는 효력 유무가 선결문제가 되는 경우와, ㉡ 행정행위의 위법성 확인만으로 본안판단이 가능한지에 대한 위법 여부가 선결문제가 되는 경우가 있다.

③ 현행 행정소송법 제11조는 "처분 등의 효력 유무 또는 존재 여부가 민사소송의 선결문제로 되어 당해 민사소송의 수소법원이 이를 심리·판단할 수 있다."라고 하여 민사법원이 처분의 효력이 무효인 경우에는 선결적으로 판단할 수 있음을 명문으로 규정하였으나, 취소사유인 경우와 형사법원이 선결적으로 판단하는 경우에는 이론에 맡기고 있다.

(2) 민사사건과 선결문제

① **행정행위의 효력 유무가 민사사건의 선결문제가 되는 경우(민사소송에서 행정행위의 효력인정 문제)**: 하자 있는 과세처분에 의하여 조세를 이미 납부한 자가 행정소송을 제기함이 없이 민사소송상 부당이득반환청구소송을 제기한 경우에 민사법원은 그 하자 있는 처분의 효력을 스스로 판단할 수 있는가의 문제이다.

㉠ **행정행위가 무효(부존재)인 경우**: 당사자에게 행한 과세처분의 하자가 중대·명백하여 **당연무효**인 경우에는 공정력이 발생하지 않으므로, 민사법원(수소법원)은 그 처분의 효력에 구애됨이 없이 스스로 그것이 무효임을 전제로 하여 법률관계를 판단할 수 있다.

㉡ **행정행위가 취소사유인 경우**: 위법한 조세부과처분을 이유로 이미 납부한 조세에 대한 부당이득반환청구소송이 제기된 경우 수소법원은 그 과세처분의 하자가 **취소사유**에 그치는 경우에는 공정력이 있기 때문에 권한 있는 기관이 이를 취소하기까지는 민사법원은 처분의 효력을 스스로 판단할 수 없다.

1 민사소송에서 어느 행정처분의 당연무효 여부가 선결문제로 된 경우 반드시 행정소송 등의 절차에 의해 그 취소나 무효 확인을 받아야 하는 것은 아니다 (대판 2010.4.8. 2009다90092).

2 갑종근로소득세 부과처분이 무효임을 전제로 한 부당이득반환 청구소는 민사법원에 관할권이 있다(대판 1970.2.10. 69다1536).

3 **행정상대방이 행정청에 이미 납부한 돈이 민법상 부당이득에 해당한다고 주장하면서 반환을 청구하는 경우, 민사소송절차를 따라야 하는지 여부(적극) 및 이때 그 돈이 행정처분에 근거하여 납부한 것인 경우, 행정처분이 취소되거나 당연무효가 아닌 상태에서 이를 법률상 원인 없는 이득이라고 할 수 있는지 여부(소극)**

행정상대방이 행정청에 이미 납부한 돈이 민법상 부당이득에 해당한다고 주장하면서 그 반환을 청구하는 것은 민사소송절차를 따라야 한다. 그러나 그 돈이 행정처분에 근거하여 납부한 것이라면 행정처분이 취소되거나 당연무효가 아닌 이상 법률상 원인 없는 이득이라고 할 수 없다(대판 2021.12.30. 2018다241458).

4 행정처분이 아무리 위법하다고 하여도 그 하자가 중대하고 명백하여 당연무효라고 보아야 할 사유가 있는 경우를 제외하고는 아무도 그 하자를 이유로 무단히 그 효과를 부정하지 못하는 것으로, 이러한 행정행위의 공정력은 판결의 기판력과 같은 효력은 아니지만 그 공정력의 객관적 범위에 속하는 행정행위의 하자가 취소사유에 불과한 때에는 그 처분이 취소되지 않는 한 처분의 효력을 부정하여 그로 인한 이득을 법률상 원인 없는 이득이라고 말할 수 없는 것이다(대판 1994.11.11. 94다28000).

5 재결에 대하여 불복절차를 취하지 아니함으로써 그 재결에 대하여 더 이상 다툴 수 없게 된 경우에는 기업자는 그 재결이 당연무효이거나 취소되지 않는 한, 이미 보상금을 지급받은 자에 대하여 민사소송으로 그 보상금을 부당이득이라 하여 반환을 구할 수 없다(대판 2001.4.27. 2000다50237).

6 국세 등의 부과 및 징수처분 등과 같은 행정처분이 당연무효임을 전제로 하여 민사소송을 제기한 때에는 그 행정처분의 당연무효인지의 여부가 선결문제이므로, 법원은 이를 심사하여 그 행정처분의 하자가 중대하고 명백하여 ① 당연무효라고 인정될 경우에는 이를 전제로 하여 판단할 수 있으나, ② 그 하자가 단순한 취소사유에 그칠 때에는 법원은 그 효력을 부인할 수 없다(대판 1973.7.10. 70다1439).

7 **행정처분의 취소를 구하는 취소소송에 당해 처분의 취소를 선결문제로 하는 부당이득반환청구가 병합된 경우, 그 청구가 인용되려면 소송절차에서 당해 처분의 취소가 확정되어야 하는지 여부(소극)**

행정소송법 제10조는 처분의 취소를 구하는 취소소송에 당해 처분과 관련되는 부당이득반환소송을 관련 청구로 병합할 수 있다고 규정하고 있는바, 이 조항을 둔 취지에 비추어 보면, 취소소송에 병합할 수 있는 당해 처분과 관련되는 부당이득반환소송에는 당해 처분의 취소를 선결문제로 하는 부당이득반환청구가 포함되고, 이러한 부당이득반환청구가 인용되기 위해서는 그 소송절차에서 판결에 의해 당해 처분이 취소되면 충분하고 그 처분의 취소가 확정되어야 하는 것은 아니라고 보아야 한다(대판 2009.4.9. 2008두23153).

8 **과세처분에 단지 취소할 수 있는 위법사유가 있는 경우, 민사소송절차에서 그 과세처분의 효력을 부인할 수 있는지 여부(소극)**

과세처분이 당연무효라고 볼 수 없는 한 과세처분에 취소할 수 있는 위법사유가 있다 하더라도 그 과세처분은 행정행위의 공정력 또는 집행력에 의하여 그것이 적법하게 취소되기 전까지는 유효하다 할 것이므로, 민사소송절차에서 그 과세처분의 효력을 부인할 수 없다(대판 1999.8.20. 99다20179).

② **행정행위의 위법성 여부가 선결문제로 되는 경우(손해배상청구소송에서의 위법성 문제):** 행정상 손해배상소송은 실무상 민사소송으로 다루어지고 있는데, 위법한 행정행위에 의하여 손해를 받은 자가 행정행위의 위법함을 이유로 국가배상소송을 제기한 경우에 국가배상소송에서 행정행위의 위법성을 스스로 판단할 수 있는가의 문제이다.

　㉠ **소극설:** 법원을 포함한 모든 국가기관은 행정행위의 공정력에 의한 기속을 받으며, 취소소송의 배타적 관할원칙에 따라 민사법원은 행정행위의 취소권이 없으므로 그 위법성 여부를 스스로 심리할 수 없다는 견해이다.

　㉡ **적극설(통설·판례):** 국가배상청구소송에서는 행정행위가 위법하다고 인정되기만 하면 처분의 효력을 취소시키지 않고도 **국가배상청구**를 인정할 수 있다는 점에서 수소법원인 민사법원이 직접 그 위법성 여부를 심리·판단할 수 있다고 보는 견해이다.

> 🔨 **관련판례**
>
> **1** 계고처분이 위법임을 이유로 배상을 청구하는 취지가 인정될 수 있는 사건에 있어 미리 그 행정처분의 취소판결이 있어야만 그 위법임을 이유로 피고에게 배상을 청구할 수 있는 것은 아니다(대판 1972.4.28. 72다337).
>
> **2** 물품세 과세대상이 아닌 것을 세무공무원이 직무상 과실로 과세대상으로 오인하여 과세처분을 행함으로 인하여 손해가 발생된 경우에는, 동 과세처분이 취소되지 아니하였다 하더라도, 국가는 이로 인한 손해를 배상할 책임이 있다(대판 1979.4.10. 79다262).

(3) 형사사건과 선결문제

행정행위를 위반하는 것이 형사사건의 범죄구성요건으로 되어 있는 경우에 형사법원이 당해 행정행위의 효력 유무 또는 위법성 여부를 스스로 판단하여 형벌을 과할 수 있는지의 문제이다.

① **형사소송에서 행정행위의 효력 유무가 선결문제인 경우:** 행정행위의 효력을 부인하는 것이 형사소송에서 선결문제가 된 경우 민사소송과 같이 무효인 경우에는 형사법원이 행정행위의 하자를 스스로 심사하여 판단할 수 있으나, 취소사유인 경우에는 형사법원이 행정행위의 하자를 심사하여 행정행위의 효력을 부인하는 것은 공정력에 반하므로 인정될 수 없다고 보는 것이 통설·판례이다.

⚖ 관련판례

1 연령미달의 결격자가 형의 이름으로 운전면허시험에 응시, 합격하여 교부받은 운전면허는 당연무효가 아닌 취소사유에 불과하여 취소되지 않는 한 유효하므로 그의 운전행위는 무면허운전에 해당하지 아니한다(대판 1982.6.8. 80도2646).

2 부정한 방법으로 받은 수입승인서를 함께 제출하여 수입면허를 받았다고 하더라도, 그 수입면허가 당연무효인 것으로 인정되지 않는 한 관세법 제181조 소정의 무면허수입죄가 성립되지 않는다(대판 1989.3.28. 89도149).

3 **조세포탈죄에 있어 과세처분을 취소하는 판결이 확정된 경우 형사소송법 제420조 제5호 소정의 재심사유에의 해당여부(적극)**
조세의 부과처분을 취소하는 행정소송판결이 확정된 경우 그 조세부과처분의 효력은 처분시에 소급하여 효력을 잃게 되고 따라서 그 부과처분을 받은 사람은 그 처분에 따른 납부의무가 없다고 할 것이므로 위 확정된 행정판결은 조세포탈에 대한 무죄 내지 원판결이 인정한 죄보다 경한 죄를 인정할 명백한 증거라 할 것이다. 조세포탈에 관하여 원심판결이 있은 후에 그 조세부과처분을 취소하는 행정소송판결이 확정된 경우에는 형사소송법 제420조 제5호 소정의 재심사유에 해당한다(대판 1985.10.22. 83도2933).

4 **어업면허를 받은 피고인 甲과 어장시설의 복구·증설 비용을 부담하기로 한 피고인 乙이 동업계약을 맺고 어류를 양식하던 중 어업면허가 취소되었으나 그 후 판결로 그 처분이 취소되기까지 사이에 어장을 그대로 유지한 행위가 어업권의 임대 및 무면허 어업행위가 되는지 여부(소극)**
피고인 甲이 어업면허를 받아 피고인 乙과 동업계약을 맺고 피고인 乙의 비용으로 어장시설을 복구 또는 증설하여 어류를 양식하던 중 어업면허가 취소되었으나 피고인 甲이 행정소송을 제기하여 면허취소처분의 효력정지가처분결정을 받은 후 면허취소처분을 취소하는 판결이 확정되었다면, 피고인들간의 거래는 어업권의 임대가 아니며 면허취소 후 판결로 그 처분이 취소되기까지 사이에 어장을 그대로 유지한 행위를 무면허어업행위라고 보아서 처벌할 수는 없다(대판 1995.5.14. 91도627).

② **형사소송에서 행정행위의 위법성 여부가 선결문제인 경우:** 형사소송에서 행정행위의 위법성이 선결문제가 되는 경우 민사소송에서와 동일하게 행정행위의 위법성을 확인하는 것은 행정행위의 효력을 부인하는 것은 아니므로, 공정력에 반하지 않는다고 보는 것이 통설·판례이다.

⚖ 관련판례

1 **도시계획법 제78조 제1항에 정한 처분이나 조치명령을 받은 자가 이에 위반한 경우 같은 법 제92조에 정한 처벌을 하기 위하여는 그 처분이나 조치명령이 적법할 것을 요하는지 여부(적극)**
[1] 구 도시계획법(1991.12.14. 법률 제4427호로 개정되기 전의 것) 제92조 제4호, 제78조 제1호, 제4조 제1항 제1호의 각 규정을 종합하면 도시계획구역 안에서 허가 없이 토지의 형질을 변경한 경우 행정청은 그 토지의 형질을 변경한 자에 대하여서만 같은 법 제78조 제1항에 의하여 처분이나 원상회복 등의 조치명령을 할 수 있다고 해석되고, 토지의 형질을 변경한 자도 아닌 자에 대하여 원상복구의 시정명령이 발하여진 경우 위 원상복구의 시정명령은 위법하다 할 것이다.

[2] 같은 법 제78조 제1항에 정한 처분이나 조치명령을 받은 자가 이에 위반한 경우 이로 인하여 같은 법 제92조에 정한 처벌을 하기 위하여는 그 처분이나 조치명령이 적법한 것이라야 하고, 그 처분이 당연무효가 아니라 하더라도 그것이 위법한 처분으로 인정되는 한 같은 법 제92조 위반죄가 성립될 수 없다 (대판 1992.8.18. 90도1709).

2 온천수를 사용하는 여관 또는 목욕탕에서 계량기가 달린 양수기를 설치 사용하라는 시설개선명령은 온천수의 효율적인 수급으로 온천의 적절한 보호를 도모하기 위한 조치로서 온천법 제15조가 정하는 온천의 이용증진을 위하여 특히 필요한 명령이라 할 것이므로 이에 위반한 소위는 온천법 제26조 제1호, 제15조의 구성요건을 충족한다(대판 1986.1.28. 85도2489).

3 행정청으로부터 구 주택법(2008.2.29. 법률 제8863호로 개정되기 전의 것) 제91조에 의한 시정명령을 받고도 이를 위반하였다는 이유로 위 법 제98조 제11호에 의한 처벌을 하기 위해서는 그 시정명령이 적법한 것이어야 하고, 그 시정명령이 위법하다고 인정되는 한 위 법 제98조 제11호 위반죄는 성립하지 않는다(대판 2009.6.25. 2006도824).

⊕ **핵심정리** 행정행위의 공정력

1. 조세의 과오납이 부당이득이 되기 위하여는 납세 또는 조세의 징수가 당연무효이어야 하고 과세처분의 하자가 단지 취소할 수 있는 정도에 불과할 때에는 과세관청이 이를 스스로 취소하거나 항고소송절차에서 취소되지 않는 한 그로 인한 조세의 납부가 부당이득이라 할 수 없다.

2. 민사소송에 있어서 어느 행정처분이 당연무효 여부가 선결문제로 되는 때에는 이를 판단하여 당연무효임을 전제로 판결할 수 있고 반드시 행정소송 등의 절차에 의하여 그 취소나 무효확인을 받아야 하는 것은 아니다.

3. 계고처분이 위법임을 이유로 배상청구 시 미리 행정처분의 취소판결이 없더라도 배상판단 가능하다.

4. 타인명의 운전면허취득이 취소되지 않는 한 형사법원은 무면허 운전으로 처벌할 수 없다.

---

2 행정행위의 구성요건적 효력

1. 의의

구성요건적 효력이란 행정행위가 유효하게 존재하는 이상 모든 국가기관은 그의 존재를 존중하여 스스로의 판단의 기초 내지는 구성요건으로 삼아야 하는 행정행위의 기속력을 말한다(예 법무부장관이 외국인에 대하여 귀화허가를 한 경우에 그것이 무효가 아닌 한 당해 처분이 위법한 것으로 판단되어도 다른 모든 국가기관은 관련처분을 함에 있어서 그 자를 한국 국민으로 인정해야 함).

2. 인정근거

직접적인 근거규정은 없으나, 국가기관 상호간에 권한 내지 관할을 달리하므로 이를 존중하여야 한다는 권한분배와 권력분립원리에서 그 근거를 찾는다.

핵심 OX

05 구성요건적 효력을 직접 규정한 실정법은 찾을 수 없으나, 국가기관 상호간의 권한분배체계와 권한존중의 원칙에서 그 근거를 찾을 수 있다. 08. 선관위9급 ( )

05 ○

3. 공정력과 구성요건적 효력과의 구별(구성요건적 효력을 공정력과 구별하는 입장)

(1) 공정력은 행정기본법(제15조) 현행법의 행정행위에 대한 취소소송제도의 효과에서 근거를 찾고(법적 안정성), 구성요건적 효력은 **국가기관 상호간의 권한존중**에서 그 근거를 찾는다(권력분립원리).

(2) 공정력은 행정객체에 대한 구속력인 데 비해, 구성요건적 효력은 **다른 국가기관**(당해 처분청, 행정심판위원회, 취소소송의 수소법원은 제외)에 대한 **구속력**이다.

(3) 이와 같은 차이로 인해 공정력과 구성요건적 효력을 구별하는 견해와 구속력의 상대방의 차이에 불과하기 때문에 이를 구별하지 않는 견해가 대립한다.

⊙ **핵심정리** 공정력과 구성요건적 효력의 비교

구분	공정력	구성요건적 효력
개념	취소사유에 해당하는 하자 있는 행정행위라도 상대방 또는 이해관계인은 권한 있는 기관에 의해 취소되기까지는 그 효력을 부인할 수 없는 효력	하자 있는 행정행위라도 모든 국가기관은 행정행위의 내용과 유효성을 존중하여 스스로 판단의 기초로 삼아야 하는 효력
범위	상대방 또는 이해관계인 (행정객체)	처분청, 행정심판위원회, 행정법원 이외의 모든 국가기관에 대한 구속력(행정주체)
이론적 근거	법적 안정성, 실효성 확보	국가기관 상호간의 권한존중, 권력분립원리
실정법적 근거	직접적 규정은 행정기본법이고, 취소소송에 관한 규정, 쟁송기간에 관한 규정에서 근거를 찾음(간접적 근거)	직접적인 근거규정은 없으나, 권한분배와 권력분립원리에서 근거를 찾음

3 행정행위의 확정력(존속력)

행정행위에는 법적 안정성 측면과 행정목적 달성을 위하여 행정행위에 일정한 효력을 인정하고 있다. 행정행위가 유효하게 성립하면 발하여진 행정행위를 존속시키게 되는데, 이를 존속력이라고 하고 불가쟁력과 불가변력으로 구분한다.

1. 불가쟁력(형식적 확정력)

(1) 의의

행정행위에 대하여 ① 쟁송기간이 경과하거나, ② 쟁송수단을 모두 거친 경우에는 행정행위의 상대방 기타 이해관계인이 더 이상 그 행정행위의 효력을 다툴 수 없게 되는데, 이를 불가쟁력이라 한다. 불가쟁력은 행정법관계를 신속하게 안정시키기 위하여 제소기간 등을 정한데서 기인하는 **절차법적 효력**이라 할 수 있다. 불가쟁력은 처분청의 상대방이나 이해관계인에 대하여 발생하는 효력이다.

(2) 인정이유

불가쟁력은 행정법관계의 신속한 확정과 능률적인 행정목적 실현을 위해서 인정된다.

(3) 발생시기

① 쟁송수단이 인정되지 않는 행정행위(예 통치행위)는 행정행위의 성립·발효와 동시에 불가쟁력이 발생한다.

② 쟁송수단이 인정되는 행정행위는 쟁송기간의 경과, 법적 구제수단의 포기, 판결을 통한 행정행위의 확정에 의하여 발생한다.

(4) 효과

① 불가쟁력이 발생한 행정행위에 대하여 쟁송이 제기되면 부적법한 것으로 **각하**된다.

② 불가쟁력이 발생하더라도 행정행위의 하자가 치유되는 것은 아니다.

③ **불복기간을 도과한 경우 국가배상청구 가능성 여부:** 과세처분에 취소사유가 있어 이를 이유로 국가배상청구소송을 제기하였으나 이 과세처분이 이미 쟁송기간을 도과하여 불가쟁력이 발생한 경우 당해 수소법원은 위법성을 심사할 수 있는가에 대하여는 견해의 대립이 있으나, 쟁송기간을 도과한 과세처분에 대해서도 국가배상청구소송을 제기하여 정당한 세액의 초과범위를 반환받을 수 있다는 것이 판례의 입장이다.

④ 불가쟁력에 의한 구속력은 행정행위의 상대방 기타 이해관계인에 대한 구속력이며 행정청을 구속하는 효력은 아니므로, 불가쟁력이 발생했더라도 불가변력이 발생하지 않는 한 **행정청은 직권**으로 **취소 또는 변경**이 가능하다.

⑤ **불가쟁력 있는 행정행위의 재심사:** 불가쟁력은 위법한 행정작용이라고 하더라도 행정법관계의 신속한 확정을 목적으로 하고 개인의 권리구제에는 미흡한 점이 있으므로 이에 대한 재심사청구를 인정할 것인가가 문제된다. 그 논거로는 정식절차에 의하여 확정된 판결의 경우에도 재심의 기회가 인정되는데, 확정된 행정행위에 대하여 재심을 인정하지 않는 것은 불합리하다는 점에서 이를 인정하여야 한다는 것이다.

> **행정기본법 제37조 【처분의 재심사】** ① 당사자는 처분(제재처분 및 행정상 강제는 제외한다. 이하 이 조에서 같다)이 행정심판, 행정소송 및 그 밖의 쟁송을 통하여 다툴 수 없게 된 경우(법원의 확정판결이 있는 경우는 제외한다)라도 다음 각 호의 어느 하나에 해당하는 경우에는 해당 처분을 한 행정청에 처분을 취소·철회하거나 변경하여 줄 것을 신청할 수 있다.
> 1. 처분의 근거가 된 사실관계 또는 법률관계가 추후에 당사자에게 유리하게 바뀐 경우
> 2. 당사자에게 유리한 결정을 가져다주었을 새로운 증거가 있는 경우
> 3. 민사소송법 제451조에 따른 재심사유에 준하는 사유가 발생한 경우 등 대통령령으로 정하는 경우
> ② 제1항에 따른 신청은 해당 처분의 절차, 행정심판, 행정소송 및 그 밖의 쟁송에서 당사자가 중대한 과실 없이 제1항 각 호의 사유를 주장하지 못한 경우에만 할 수 있다.

③ 제1항에 따른 신청은 당사자가 제1항 각 호의 사유를 안 날부터 60일 이내에 하여야 한다. 다만, 처분이 있은 날부터 5년이 지나면 신청할 수 없다.

④ 제1항에 따른 신청을 받은 행정청은 특별한 사정이 없으면 신청을 받은 날부터 90일(합의제행정기관은 180일) 이내에 처분의 재심사 결과(재심사 여부와 처분의 유지·취소·철회·변경 등에 대한 결정을 포함한다)를 신청인에게 통지하여야 한다. 다만, 부득이한 사유로 90일(합의제행정기관은 180일) 이내에 통지할 수 없는 경우에는 그 기간을 만료일 다음 날부터 기산하여 90일(합의제행정기관은 180일)의 범위에서 한 차례 연장할 수 있으며, 연장 사유를 신청인에게 통지하여야 한다.

⑤ 제4항에 따른 처분의 재심사 결과 중 처분을 유지하는 결과에 대해서는 행정심판, 행정소송 및 그 밖의 쟁송수단을 통하여 불복할 수 없다.

⑥ 행정청의 제18조에 따른 취소와 제19조에 따른 철회는 처분의 재심사에 의하여 영향을 받지 아니한다.

⑦ 제1항부터 제6항까지에서 규정한 사항 외에 처분의 재심사의 방법 및 절차 등에 관한 사항은 대통령령으로 정한다.

⑧ 다음 각 호의 어느 하나에 해당하는 사항에 관하여는 이 조를 적용하지 아니한다.

1. 공무원 인사 관계 법령에 따른 징계 등 처분에 관한 사항
2. 노동위원회법 제2조의2에 따라 노동위원회의 의결을 거쳐 행하는 사항
3. 형사, 행형 및 보안처분 관계 법령에 따라 행하는 사항
4. 외국인의 출입국·난민인정·귀화·국적회복에 관한 사항
5. 과태료 부과 및 징수에 관한 사항
6. 개별 법률에서 그 적용을 배제하고 있는 경우

(5) 한계

① 법률·법규명령은 그 자체가 행정소송의 대상이 될 수 없으므로 불가쟁력이 적용될 수 없지만, 법규 자체에 처분성이 인정되는 처분법규인 경우에는 쟁송대상으로 할 수 있으므로 이때에는 불가쟁력이 적용된다.

② **무효인 행정행위**에 대하여는 제소기간의 제한을 받지 않으므로 **불가쟁력**이 발생하지 않는다.

③ 불가쟁력은 불복기간의 경과 등으로 확정되는 효력일 뿐, 판결과 같은 **기판력**이 발생하는 것은 아니다.

⚖ 관련판례

1 피재해자에게 이루어진 요양승인처분이 불복기간의 경과로 확정되었다 하더라도 사업주는 피재해자가 재해 발생 당시 자신의 근로자가 아니라는 사정을 들어 보험급여액징수처분의 위법성을 주장할 수 있다(대판 2008.7.24. 2006두20808).

2 행정처분이나 행정심판 재결이 불복기간의 경과로 확정된 경우 확정력의 의미
행정처분이나 행정심판 재결이 불복기간의 경과로 인하여 확정될 경우 확정력은 처분으로 인하여 법률상 이익을 침해받은 자가 처분이나 재결의 효력을 더 이상 다툴 수 없다는 의미일 뿐 판결에 있어서와 같은 기판력이 인정되는 것은 아니어서 처분의 기초가 된 사실관계나 법률적 판단이 확정되고 당사자들이나 법원이 이에 기속되어 모순되는 주장이나 판단을 할 수 없게 되는 것은 아니다(대판 1993.4.13. 92누17181).

3 종전의 산업재해요양보상급여취소처분이 불복기간의 경과로 확정된 후 다시 요양급여청구를 할 수 있는지 여부(적극) 및 그것이 거부된 경우 새로운 거부처분으로서 위법 여부를 소구할 수 있는지 여부(적극)

종전의 산업재해요양보상급여취소처분이 불복기간의 경과로 인하여 확정되었더라도 요양급여청구권이 없다는 내용의 법률관계까지 확정된 것은 아니며 <u>소멸시효에 걸리지 아니한 이상 다시 요양급여를 청구할 수 있고 그것이 거부된 경우 이는 새로운 거부처분으로서 위법 여부를 소구할 수 있다</u>(대판 1993.4.13. 92누17181).

④ **불가쟁력과 신청권 유무**: 제소기간이 이미 도과하여 불가쟁력이 생긴 행정처분에 대하여는 개별 법규에서 그 변경을 요구할 신청권을 규정하고 있거나 관계법령의 해석상 그러한 신청권이 인정될 수 있는 등 특별한 사정이 없는 한 국민에게 그 행정처분의 변경을 구할 신청권이 있다고 할 수 없다(대판 2007.4.26. 2005두11104).

⑤ 거부처분에 대하여 불복기간의 경과로 불가쟁력이 발생한 경우 다시 신청을 하고 행정청이 이에 대하여 다시 거부처분을 하면 당해 거부처분은 새로운 처분이 되므로 새로운 거부처분을 대상으로 취소소송을 제기할 수 있다.

2. 불가변력(실질적 확정력)

(1) 의의

행정청은 행정행위에 하자가 있거나 사후에 사정변경을 이유로 행정행위를 취소·변경할 수 있으나, 예외적으로 일정한 경우에는 법적 안정성을 이유로 행정청이 직권으로 취소·변경할 수 없는 효력을 갖는데, 이를 **불가변력**(실질적 확정력)이라 한다. 불가변력은 행정심판의 재결, 징계처분결정과 같은 준사법적 행정행위와 국가시험자격자결정, 당선인결정과 같은 확인행위에만 인정된다.

(2) 근거

불가변력은 행정행위의 성질에 의하여 인정되는 효력이므로 명문의 근거규정이 없는 경우에도 인정될 수 있다.

(3) 불가변력이 인정되는 행정행위

불가변력은 불가쟁력과 달리 모든 행정행위에 인정되는 것이 아니라, 예외적으로 특별한 경우에만 인정된다.

① **준사법적 행정행위**: 행정심판의 재결 등과 같이 일정한 쟁송절차를 거쳐 행해지는 행위이다(예 징계위원회의 징계의결, 소청심사위원회의 결정, 국가배상심의회의 배상결정 등).

② **확인행위**: 교과서의 검·인정, 발명특허, 실용신안특허, 당선자결정, 국가시험합격자결정, 도로구역결정 등의 행위이다.

③ **수익적 행정행위**: 행정행위의 상대방에게 권익을 부여하거나 의무를 면제하는 행위(인가, 허가, 특허)에도 불가변력이 발생한다는 견해가 있으나, 상대방의 신뢰보호를 이유로 취소권·철회권이 제한되는 것이라고 설명하는 견해가 다수설이다.

(4) 불가변력에 위반된 행위의 효과

행정청이 불가변력에 위반된 행위를 한 경우에는 당연무효사유가 아니라 **취소사유**에 해당한다는 것이 판례의 입장이다(대판 1965.4.22. 63누220).

(5) 한계

① 행정행위의 하자가 중대·명백한 **무효**인 행정행위에는 불가변력이 발생하지 아니한다.
② 불가변력은 **당해 행정행위**에 대해서만 **인정**되는 것이고, 동종의 행정행위라 하더라도 그 대상을 달리할 때에는 인정할 수 없다(대판 1974.12.10. 73누129).

3. 불가쟁력과 불가변력의 관계

행정법관계의 안정성 도모와 상대방의 신뢰보호를 위해 행정행위의 효력을 지속시키는 점에서는 같으나, 다음과 같은 차이점이 있다.

(1) 불가쟁력은 행정행위의 **상대방 및 이해관계인에 대한 구속력**인 데에 비하여, 불가변력은 주로 처분청 등 **행정기관에 대한 구속력**으로 볼 수 있다.

(2) 불가쟁력은 행정소송법 등에서 제소기간을 법정함으로써 발생하는 쟁송법상의 **절차법적 효력**인 데에 비하여, 불가변력은 행정행위의 성질에서 연유하는 **실체법적 효력**이라고 볼 수 있다.

(3) 불가쟁력은 모든 행정행위에 대해 발생하나, 불가변력은 특수한 행정행위의 경우에만 발생한다.

(4) 양자는 **상호 독립적**이다. 불가쟁력이 발생한 행정행위라도 불가변력이 발생하지 않는 한 권한 있는 기관이 직권으로 취소·변경하는 것은 가능하고, 불가변력이 있는 행정행위라도 쟁송제기기간이 경과하기 전에는 상대방은 쟁송을 제기하여 그 효력을 다툴 수 있다.

핵심정리 불가쟁력과 불가변력과의 관계

구분	불가쟁력	불가변력
효력	절차법적 효력	실체법적 효력
상대방	상대방 및 이해관계인	행정기관
대상	모든 (취소할 수 있는) 행정행위	일정한 (취소할 수 있는) 행정행위
상호관계	• 상호 독립적 • 불가쟁력이 발생한 경우에도 불가변력이 발생하지 않은 한 행정청은 직권으로 취소할 수 있다. • 불가변력이 발생한 경우에도 불가쟁력이 발생하지 않은 한 상대방은 쟁송제기가 가능하다.	

핵심정리 행정행위의 존속력(확정력)

1. 불가쟁력은 그 처분으로 인하여 법률상 이익을 침해받은 자가 당해 처분이나 재결의 효력을 더 이상 다툴 수 없다는 의미일 뿐, 더 나아가 판결에 있어서와 같은 기판력이 인정되는 것은 아니다.

2. 불가쟁력이 발생한 행정행위라도 국가배상청구는 인정된다.

3. 이미 취소소송의 제기기간을 경과하여 확정력이 발생한 행정처분의 경우에는 위헌결정의 소급효가 미치지 않는다.

4. 동종의 행정행위라도 그 대상을 달리하는 경우 불가변력이 인정되지 않는다.

제1절 행정행위의 하자

1 서설

1. 의의

행정행위의 하자란 행정행위가 성립하기 위한 적법·유효요건을 갖추지 못한 것을 말한다. 적법요건을 완전하게 구비한 것이 아닌 위법행위와 적법요건을 구비하였으나 비합목적적인 재량행사인 부당한 행위가 있다. 하자 있는 행정행위에 관해서는 일반법이 없기 때문에 이론과 판례에 의존하고 있다.

2. 하자의 형태

(1) 행정행위의 하자는 내용면에서는 위법한 경우와 부당한 경우로, 효과면에서는 무효원인인 경우와 취소원인인 경우로 나눌 수 있다. 그러나 단순한 오기나 오산 등은 하자로 보지 않는다.

(2) 행정절차법 규정에 따르면 행정청은 처분에 오기·오산이 있을 때에는 직권으로 또는 신청에 따라 정정하고 그 사실을 당사자에게 통지하면 된다. 다만, 법규에 특별한 규정이 없는 한 단순한 계산의 착오만으로는 행정행위의 효력에 영향이 없다.

3. 하자 유무 판단기준

행정소송에서 행정처분의 위법 여부는 행정처분이 있을 때의 법령과 사실상태를 기준으로 하여 판단하여야 하고, 처분 후 법령의 개폐나 사실상태의 변동에 의하여 영향을 받지는 않는다(대판 2002.7.9. 2001두10084).

> **⚖ 관련판례**
>
> **1** 예산이 각 처분 등으로써 이루어지는 '4대강 살리기 사업' 중 한강 부분을 위한 재정지출을 내용으로 하고 있고 예산의 편성에 절차상 하자가 있다는 사정만으로 곧바로 각 처분에 취소사유에 이를 정도의 하자가 존재한다고 보기 어렵다고 한 사례
> 甲 등이 국토해양부, 환경부, 문화체육관광부, 농림수산식품부가 합동으로 2009.6.8. 발표한 '4대강 살리기 마스터플랜'에 따른 '4대강 살리기 사업' 중 한강 부분에 관한 각 하천공사시행계획 및 각 실시계획승인처분(이하 '각 처분'이라 한다)에 보의 설치와 준설 등에 대한 구 국가재정법 제38조 및 구 국가재정법 시행령 제13조에서 정한 예비타당성조사를 하지 않은 절차상 하자가 있다는 이유로 각 처분의 취소를 구한 사안에서, 구 하천법 제27조 제1항·제3항, 구 국가재정법 제38조 및 구 국가재정법 시행령 제13조의 내용과 형식, 입법 취지와 아울러, 예산은 1회계연도에 대한 국가의 향후 재원 마련 및 지출 예정 내역에 관하여 정한 계획으로 매년 국회의 심의·의결을 거쳐

확정되는 것으로서, 각 처분과 비교할 때 수립절차, 효과, 목적이 서로 다른 점 등을 종합하면, 구 국가재정법 제38조 및 구 국가재정법 시행령 제13조에 규정된 예비타당성조사는 각 처분과 형식상 전혀 별개의 행정계획인 예산의 편성을 위한 절차일 뿐 각 처분에 앞서 거쳐야 하거나 근거 법규 자체에서 규정한 절차가 아니므로, 예비타당성조사를 실시하지 아니한 하자는 원칙적으로 예산 자체의 하자일 뿐, 그로써 곧바로 각 처분의 하자가 된다고 할 수 없어, 예산이 각 처분 등으로써 이루어지는 '4대강 살리기 사업' 중 한강 부분을 위한 재정 지출을 내용으로 하고 있고 예산의 편성에 절차상 하자가 있다는 사정만으로 각 처분에 취소사유에 이를 정도의 하자가 존재한다고 보기 어렵다(대판 2015.12.10. 2011두32515).

2 **민원사무를 처리하는 행정기관이 민원 1회방문 처리제를 시행하는 절차의 일환으로 민원사항의 심의·조정 등을 위한 민원조정위원회를 개최하면서 민원인에게 회의일정 등을 사전에 통지하지 않은 경우, 민원사항에 대한 행정기관의 장의 거부처분에 취소사유에 이를 정도의 흠이 존재하는지 여부(소극)**

민원사무를 처리하는 행정기관이 민원 1회방문 처리제를 시행하는 절차의 일환으로 민원사항의 심의·조정 등을 위한 민원조정위원회를 개최하면서 민원인에게 회의일정 등을 사전에 통지하지 아니하였다 하더라도, 이러한 사정만으로 곧바로 민원사항에 대한 행정기관의 장의 거부처분에 취소사유에 이를 정도의 흠이 존재한다고 보기는 어렵다. 다만 행정기관의 장의 거부처분이 재량행위인 경우에, 위와 같은 사전통지의 흠결로 민원인에게 의견진술의 기회를 주지 아니한 결과 민원조정위원회의 심의과정에서 고려대상에 마땅히 포함시켜야 할 사항을 누락하는 등 재량권의 불행사 또는 해태로 볼 수 있는 구체적 사정이 있다면, 거부처분은 재량권을 일탈·남용한 것으로서 위법하다(대판 2015.8.27. 2013두1560).

2 행정행위의 부존재

1. 의의

행정행위의 부존재란 행정행위가 그 성립요건의 어떤 중요한 요소를 완전히 결여함으로써 행정행위로서 성립조차 하지 못한 경우, 즉 행정행위의 외관조차 없는 경우를 의미한다. 반면, 행정행위의 무효란 행정행위로서의 외관은 갖추고 있으나 하자가 중대·명백하여 처음부터 효력이 없는 행정행위를 말한다.

2. 내용(광의의 부존재)

(1) 비행정행위

① 행정기관이 아닌 것이 명백한 사인의 행위(예 사인의 관명사칭행위 등)

② 행정기관의 행위이지만 행정권 발동으로 볼 수 없는 행위(예 권유, 주의, 호의적 알선, 희망표시 등)

(2) 협의의 부존재

① 행정기관 내부의 의사결정이 있을 뿐 행정행위로서 외부에 표시되지 않은 경우 (예 징계위원회의 징계의결 등)

② 행정행위가 실효된 경우(예 해제조건의 성취, 종기의 도래 등)

3. 무효인 행정행위와의 구별실익

(1) 구별부정설
① 부존재와 무효는 외관의 차이일 뿐 효력이 전혀 발생하지 않는 점에서는 동일하다.
② 행정심판법이나 행정소송법 모두 양자를 쟁송의 대상으로 하고 있다는 점에서 양자는 구별할 실익이 없다.

(2) 구별긍정설
① 무효인 경우 행정행위의 외형을 가지고 있는 점에서 외형조차 존재하지 않는 부존재와 구별된다.
② 무효확인소송과 부존재확인소송은 그 쟁송형식이 다르고, 부존재는 쟁송목적물이 없어 각하되나 무효인 경우에는 쟁송목적물 자체는 존재하므로 소로 성립할 수 있다.

(3) 결어
무효인 행정행위는 전환이 인정될 수 있으나 부존재는 전환이 인정될 수 없다. 또한 무효인 행정행위는 무효선언을 구하는 취소소송이 인정된다는 점에서 양자는 구별실익이 있다고 본다(다수설).

3 무효인 행정행위와 취소할 수 있는 행정행위

1. 의의

(1) 무효인 행정행위
무효인 행정행위는 행정행위로서의 외관은 존재하나 그 하자가 중대·명백하여 처음부터 행정행위로서의 법적 효과를 전혀 발생하지 않는 행위를 말한다. 따라서 누구든지 이에 구속당하지 않고 독자적 판단 아래 그 효력을 부인할 수 있다.

(2) 취소할 수 있는 행정행위
취소할 수 있는 행정행위는 그 성립상의 하자가 있음에도 불구하고 일응유효한 행위로 추정을 받아 쟁송절차 또는 직권에 의해 취소될 때까지는 유효한 행정행위로서 통용되는 행정행위를 말한다.

2. 양자의 구별실익

(1) 선결문제
무효인 행정행위는 처음부터 당연히 효력을 발생하지 않기 때문에 민·형사법원이 선결문제로서 그 효력을 스스로 판단할 수 있지만, 취소사유인 경우에는 민·형사법원은 행정행위의 공정력(구성요건적 효력)으로 인하여 선결문제로서 판단할 수 없다(단, 취소사유인 경우에도 위법하다는 판단은 할 수 있다).

(2) 행정소송의 방식과 요건
항고소송인 점에서는 차이가 없으나 쟁송의 형식은 각각 무효확인소송·취소소송 방식에 의한다. 또한 취소소송에서는 제소기간제한·행정심판전치주의가 적용되나, 무효등확인소송에서는 이러한 것이 적용되지 않는다는 점에서 차이가 있다.

(3) 사정재결 및 사정판결

사정재결·사정판결은 그 성질상 취소할 수 있는 행정행위에만 적용된다. 판례는 처분이 무효인 경우에는 존치시킬 유효한 처분이 없다는 점 등을 논거로 사정판결과 사정재결이 인정되지 않는다는 입장이다.

(4) 하자의 승계

불가쟁력이 발생한 선행 행정행위에 하자가 있는 경우 그 하자가 무효인 경우에는 당연히 승계되나, 취소사유인 경우에는 원칙적으로 승계되지 않고 예외적으로 승계된다.

(5) 하자의 치유와 전환

일반적으로 하자 있는 행정행위의 치유는 취소할 수 있는 행정행위에서 인정되고, 하자 있는 행정행위의 전환은 무효인 행정행위에 인정된다(다수설).

(6) 신뢰보호의 원칙 및 공무집행방해죄

무효인 행정행위에는 신뢰보호원칙이 적용되지 않으며, 무효인 행정행위에 대한 불복종은 공무집행방해죄로 구성되지 않고 정당방위가 된다.

(7) 공정력 기타 효력

공정력·확정력은 일응유효하게 취소할 수 있는 행정행위에만 인정되고, 무효인 행정행위에는 인정되지 않는다.

(8) 불가쟁력

무효인 행정행위는 행정쟁송에 있어서 제소기간의 제한을 받지 아니하므로 불가쟁력이 발생하지 않으나, 취소할 수 있는 행정행위는 쟁송제기기간의 제한으로 불가쟁력이 발생한다(단, 국가배상과 집행정지의 경우에는 무효·취소의 구별실익이 없다).

3. 하자의 구별에 대한 학설

(1) 중대설

행정행위에는 중대성만 있으면 무효가 되며, 명백성은 그 요건이 아니라는 입장이다. 이는 무효사유를 넓히려는 견해로서 중대성만이 무효사유이므로 명백성까지 있는 경우에는 부존재에 해당한다는 것이다. 중대설은 부담적 행정행위에 대하여는 국민의 권리구제에 도움이 될 수 있으나, 수익적 행정행위와 복효적 행정행위에는 언제나 타당하지 못하다는 비판이 가해진다.

(2) 중대·명백설(통설·판례)

① 행정행위의 내용이 중대하고 그 하자가 외관상 명백한 때에는 당해 행정행위는 무효가 되고, 그중 어느 한 요건 또는 두 요건 전부를 결여한 경우에는 당해 행정행위는 취소할 수 있는 행정행위에 해당한다는 견해이다.

② 중대·명백설을 취하는 경우 무엇을 중대한 하자로 볼 것이며, 어느 정도의 하자를 명백한 하자로 볼 것인가가 문제된다. 이에 대하여 ㉠ 중대성이란 능력규정 및 강행규정과 같은 중요한 법규위반 여부를 참작하되, 행정행위가 법률요건을 위반하여 하자가 내용적으로 중대함을 의미하고, ㉡ 명백성이란 평균인의 정상적인 인식능력을 기준으로 하여 객관적으로 외관상 일견하여 명백함을 뜻하는 외관상 일견명백설이 통설·판례이다.

③ 중대하거나 명백하면 취소사유에 불과하고, 중대하고 동시에 명백하여야 무효 사유에 해당한다. 중대·명백설은 무효의 범위를 가장 좁게 본다.

(3) 조사의무위반설
기본적으로는 중대·명백설의 입장이지만 명백성의 요건을 완화하여 일반인의 인식능력을 기준으로 명백하게 하자가 있었다는 것을 인정할 수 있는 경우뿐만 아니라, 관계 공무원이 조사해 보았더라면 명백한 경우도 명백한 것으로 보아 무효사유를 넓히려는 견해이다.

(4) 명백성보충요건설
무효인 행정행위가 되기 위해서는 하자의 중대성은 항상 요건이 되는 반면 명백성은 언제나 요구되는 것이 아니고, 행정의 법적 안정성이나 제3자의 신뢰보호의 요청이 있는 경우에만 보충적으로 요구된다는 견해이다(대법원 소수견해). 명백성이 항상 요구되지는 아니하므로 중대·명백설보다 무효의 범위가 넓어지게 된다.

(5) 구체적 가치형량설[하자(흠)의 개별화이론]
① **의의**: 하자의 개별화이론은 행정행위의 하자를 법규의 해석과 하자 자체의 성질만을 기준으로 하자의 효과를 결정하던 종래의 입장과는 달리 개개의 경우에 관계 제이익, 즉 행정쟁송제도의 취지나 상대방과 일반의 신뢰보호 등을 비교·형량하여 구체적으로 결정하여야 한다는 이론이다.
② **종류**: ㉠ 흠 있는 행정행위의 치유와 전환, ㉡ 사실상 공무원이론, ㉢ 표현대리이론, ㉣ 사정판결이 있다.

4. 판례의 경향(중대·명백설)

(1) 다수 견해(중대·명백설)
하자 있는 행정처분이 당연무효가 되기 위하여는 그 하자가 법규의 중요한 부분을 위반한 중대한 것으로 객관적으로 명백한 것이어야 하며, 하자가 중대하고 명백한 것인지 여부를 판별함에 있어서는 그 법규의 목적·의미·기능 등을 목적론적으로 고찰함과 동시에 구체적 사안 자체의 특수성에 관하여도 합리적으로 고찰함을 요한다(대판 1996.11.12. 96누1221).

⚖ 관련판례

1 행정처분이 무효로 되기 위한 요건
공공사업의 경제성 내지 사업성의 결여로 인하여 <u>행정처분이 무효로 되기 위하여는</u> 공공사업을 시행함으로 인하여 얻는 이익에 비하여 공공사업에 소요되는 비용이 훨씬 커서 이익과 비용이 현저하게 균형을 잃음으로써 사회통념에 비추어 행정처분으로 달성하고자 하는 사업목적을 실질적으로 실현할 수 없는 정도에 이르렀다고 볼 정도로 과다한 비용과 희생이 요구되는 등 <u>그 하자가 중대하여야 할 뿐만 아니라, 그러한 사정이 객관적으로 명백하여야 한다</u>(대판 2006.3.16. 2006두330).

2 행정처분에 사실관계를 오인한 중대한 하자가 있는 경우 그 하자가 명백하다고 하기 위한 판단기준
행정처분에 실체적 요건에 관련된 사실관계를 오인한 하자가 있는 경우 그 하자가 중대하다고 하더라도 객관적으로 명백하지 않다면 그 처분을 당연무효라고 할 수 없는 바,

하자가 명백하다고 하기 위해서는 그 사실관계 오인의 근거가 된 자료가 외형상 상태성(상태성)을 결여하거나 또는 객관적으로 그 성립이나 내용의 진정을 인정할 수 없는 것임이 명백한 경우라야 할 것이고, 사실관계의 자료를 정확히 조사하여야 비로소 그 하자 유무가 밝혀질 수 있는 경우라면 이러한 하자는 외관상 명백하다고 할 수는 없을 것이다(대판 1992.4.28. 91누6863).

3 행정청이 사전환경성검토협의를 거쳐야 할 대상사업에 관하여 법의 해석을 잘못한 나머지 세부용도지역이 지정되지 않은 개발사업 부지에 대하여 <u>사전환경성검토협의를 할지 여부를 결정하는 절차를 생략한 채 승인 등의 처분을 한 사안에서, 그 하자가 객관적으로 명백하다고 할 수 없다</u>(대판 2009.9.24. 2009두2825).

4 그 처분이 위헌법률에 근거하여 내려진 것이고 그 행정처분의 목적달성을 위하여서는 후행정처분이 필요한데 후행정처분은 아직 이루어지지 않는 경우와 같이 그 <u>행정처분을 무효로 하더라도 법적 안정성을 크게 해치지 않는 반면에, 그 하자가 중대하여 그 구제가 필요할 경우에 대해서는 그 예외를 인정하여 이를 당연무효사유로 보아서 쟁송기간 경과 후에라도 무효확인을 구할 수 있는 것이라고 보아야 할 것이다</u>(헌재 1994.6.30. 92헌바23).

(2) 소수 견해(명백성보충요건설)

행정행위의 무효사유를 판단하는 기준으로서의 명백성은 행정처분의 법적 안정성 확보를 통하여 행정의 원활한 수행을 도모하는 한편 그 행정처분을 유효한 것으로 믿은 제3자나 공공의 신뢰를 보호하여야 할 필요가 있는 경우에 보충적으로 요구되는 것으로서, 그와 같은 필요가 없거나 하자가 워낙 중대하여 그와 같은 필요에 비하여 처분 상대방의 권익을 구제하고 위법한 결과를 시정할 필요가 훨씬 더 큰 경우라면 그 하자가 명백하지 않더라도 그와 같이 중대한 하자를 가진 행정처분은 당연무효라고 보아야 한다(대판 1995.7.11. 94누4615).

관련판례

1 행정처분의 무효 판단기준(헌법재판소)

판례나 통설은 행정처분이 당연무효인가의 여부는 그 행정처분의 하자가 중대하고 명백한가의 여부에 따라 결정된다고 보고 있지만 행정처분의 근거가 되는 법규범이 상위법 규범에 위반되어 무효인가 하는 점은 그것이 헌법재판소 또는 대법원에 의하여 유권적으로 확정되기 전에는 어느 누구에게도 명백한 것이라고 할 수 없기 때문에 원칙적으로 당연무효사유에는 해당할 수 없게 되는 것이다. 그러나 행정처분 자체의 효력이 쟁송기간 경과 후에도 존속 중인 경우, 특히 그 처분이 위헌법률에 근거하여 내려진 것이고 그 행정처분의 목적달성을 위하여서는 후행(後行) 행정처분이 필요한데 후행 행정처분은 아직 이루어지지 않은 경우, 그 행정처분을 무효로 하더라도 법적 안정성을 크게 해치지 않는 반면에 그 하자가 중대하여 그 구제가 필요한 경우에 대하여서는 그 예외를 인정하여 이를 당연무효사유로 보아서 쟁송기간 경과 후에라도 무효확인을 구할 수 있는 것이라고 봐야 할 것이다. 학설상으로도 중대명백설 외에 중대한 하자가 있기만 하면 그것이 명백하지 않더라도 무효라고 하는 중대설도 주장되고 있고, 대법원의 판례로도 반드시 하자가 중대명백한 경우에만 행정처분의 무효가 인정된다고는 속단할 수 없기 때문이다(헌재 1994.6.30. 92헌바23).

2 행정처분의 하자의 명백성의 의미

행정처분에 사실관계를 오인한 하자가 있는 경우 그 하자가 중대하다고 하더라도 객관적으로 명백하지 않다면 그 처분을 당연무효라고 할 수 없는바, 하자가 명백하다고 하기 위하여는 그 사실관계 오인의 근거가 된 자료가 외형상 상태성을 결여하거나 또는 객관적으로 그 성립이나 내용의 진정을 인정할 수 없는 것임이 명백한 경우라야 할 것이고 사실관계의 자료를 정확히 조사하여야 비로소 그 하자 유무가 밝혀질 수 있는 경우라면 이러한 하자는 외관상 명백하다고 할 수는 없을 것이다(대판 1992.4.28. 91누6863).

3 법률규정 적용에 있어 하자의 명백성 여부

행정청이 어느 법률관계나 사실관계에 대하여 어느 법률규정을 적용하여 행정처분을 한 경우에 그 법률관계나 사실관계에 대하여는 그 법률규정을 적용할 수 없다는 법리가 명백히 밝혀져 해석에 다툼의 여지가 없음에도 행정청이 위 규정을 적용하여 처분을 한 때에는 하자가 중대하고도 명백하지만, 그 법률관계나 사실관계에 대하여 그 법률규정을 적용할 수 없다는 법리가 명백히 밝혀지지 않아 해석에 다툼의 여지가 있는 때에는 행정관청이 이를 잘못 해석하여 행정처분을 했더라도 이는 처분 요건사실을 오인한 것에 불과하여 하자가 명백하다고 할 수 없다(대판 2012.8.23. 2010두13463).

4 세관출장소장에 의한 과세처분의 효과(취소)

적법한 권한 위임 없이 세관출장소장에 의하여 행하여진 관세부과처분이 그 하자가 중대하기는 하지만 객관적으로 명백하다고 할 수 없어 당연무효는 아니다(대판 2004.11.26. 2003두2403).

5 위법·무효인 시행령을 적용한 개발부담금 부과처분이 당연무효인지 여부(소극)

구 개발이익환수에 관한 법률 시행령(1991.9.13. 대통령령 제13465호로 개정되기 전의 것) 제9조 제5항 및 제8조 제1항 제2호의 규정은 구 개발이익환수에 관한 법률 제10조 제3항 단서 및 제9조 제3항 제2호의 규정에 위반되어 무효이고, 그 구법 시행령의 규정들을 적용한 개발부담금 부과처분은 사안의 특수성을 고려하여 볼 때 그 중요한 부분에 하자가 있는 것으로 귀착되어 그 하자가 중대하지만, 개발부담금 부과처분 당시 (1991.4.30.)에는 아직 그 구법 시행령의 규정들이 위법·무효라고 선언한 대법원의 판결들이 선고되지 아니하였고 또한 그 구법 시행령의 규정들이 그 구법의 규정들에 위반되는 것인지 여부가 해석상 다툼의 여지가 없을 정도로 객관적으로 명백하였다고 보여지지는 아니하는 경우, 그 구법 시행령의 규정들에 따른 개발부담금 부과처분의 하자가 객관적으로 명백하다고 볼 수는 없다(대판 1997.5.28. 95다15735).

6 청소년보호법 시행령 조항에 따른 청소년유해매체물 결정·고시처분이 무효인지 여부(소극)

구 청소년보호법 제10조 제3항의 위임에 따라 같은 법 시행령(2001.8.25. 대통령령 제17344호로 개정되기 전의 것) 제7조와 [별표 1]의 제2호 다목은 '동성애를 조장하는 것'을 청소년유해매체물 개별 심의기준의 하나로 규정하고 있는바, 현재까지 위 시행령 규정에 관하여 이를 위헌이거나 위법하여 무효라고 선언한 대법원의 판결이 선고된 바는 없는 점, … 이 사건 청소년유해매체물 결정 및 고시처분 당시 위 시행령의 규정이 헌법이나 모법에 위반되는 것인지 여부가 해석상 다툼의 여지가 없을 정도로 객관적으로 명백하였다고 단정할 수 없고, 따라서 위 시행령의 규정에 따른 위 처분의 하자가 객관적으로 명백하다고 볼 수 없다(대판 2007.6.14. 2004두619).

5. 위헌법률에 근거한 행정처분

(1) 의의

법률이 헌법재판소에서 위헌으로 결정되면 그 법률은 효력이 상실된다. 위헌결정의 효력은 원칙적으로 장래를 향해서 효력이 상실되지만 일정한 경우에는 소급효가 인정된다. 행정처분이 있은 후에 그 처분의 근거가 된 법률이 위헌결정된 경우 그 처분은 하자 있는 처분이 되는데, 그 하자가 무효사유인지 취소사유인지 등이 문제된다.

(2) 위헌결정과 소급효

위헌으로 결정된 법률 또는 법률의 조항은 그 결정이 있는 날부터 효력을 상실한다 (헌법재판소법 제47조).

> **🏛 관련판례**
>
> **1** 헌법재판소법 제47조 제2항 본문에 불구하고 위헌결정의 예외적 소급효를 인정할 수 있는지 여부(적극)
>
> 헌법재판소법 제47조 제2항 본문은 위헌결정의 시간적 효력 범위에 관하여 장래효를 원칙으로 규정하고 있으나, <u>위헌결정을 위한 계기를 부여한 사건(당해 사건)</u>, 위헌결정이 있기 전에 이와 동종의 위헌 여부에 관하여 헌법재판소에 위헌제청을 하였거나 법원에 위헌제청신청을 한 사건(동종사건), 따로 위헌제청신청을 아니하였지만 당해 법률조항이 재판의 전제가 되어 법원에 계속 중인 사건(병행사건)에 대하여 <u>예외적으로 소급효가 인정</u>되고, 위헌결정 이후에 제소된 사건(일반사건)이라도 구체적 타당성의 요청이 현저하고 소급효의 부인이 정의와 형평에 반하는 경우에는 예외적으로 소급효를 인정할 수 있다(헌재 2013.6.27. 2010헌마535).
>
> **2** 확정력이 발생한 행정처분에는 위헌결정의 소급효가 미치는지 여부(소극)
>
> 위헌인 법률에 근거한 행정처분이 당연무효인지의 여부는 위헌결정의 소급효와는 별개의 문제로서, 위헌결정의 소급효가 인정된다고 하여 위헌인 법률에 근거한 행정처분이 당연무효가 된다고는 할 수 없고, 오히려 이미 취소소송의 제기기간을 경과하여 <u>확정력이 발생한 행정처분에는 위헌결정의 소급효가 미치지 않는다고</u> 보아야 한다(대판 1994.10.28. 92누9463).
>
> **3** 구 교원지위향상을 위한 특별법 제10조 제3항에 대한 헌법재판소 위헌결정의 효력이 위헌결정 이전에 있었던 헌법소원심판청구의 직접적 계기가 된 당해 결정에 미치는지 여부(적극)
>
> [1] 헌법재판소의 위헌결정으로 교원만이 교원소청심사위원회의 결정에 대하여 소송을 제기할 수 있도록 하였던 구 교원지위향상을 위한 특별법(2007.5.11. 법률 제8414호로 개정되기 전의 것) 제10조 제3항이 효력을 상실함에 따라 위헌결정 후 개정된 법률이 시행되기 전이라도 학교법인 등 교원소청심사위원회의 결정에 대하여 그 취소를 구할 법률상 이익이 있는 자는 교원이 아니더라도 행정소송법 제12조에 의하여 취소소송을 제기할 수 있게 되었고, 헌법소원심판청구의 직접적 계기가 된 법률관계에 대하여는 심판청구를 인용하여 선고된 위헌결정의 효력이 미친다고 할 것이므로, <u>헌법소원심판청구의 직접적 계기가 된 당해 결정에 대하여는 그 결정이 위헌결정 이전에 있었다고 하더라도 위헌결정의 효력이 미친다.</u>
>
> [2] 행정소송법 제20조가 제소기간을 규정하면서 '처분 등이 있은 날' 또는 '처분 등이 있음을 안 날'을 각 제소기간의 기산점으로 삼은 것은 그때 비로소 적법한 취소소송을 제기할 객관적 또는 주관적 여지가 발생하기 때문이므로, <u>처분 당시</u>

에는 취소소송의 제기가 법제상 허용되지 않아 소송을 제기할 수 없다가 위헌결정으로 인하여 비로소 취소소송을 제기할 수 있게 된 경우, 객관적으로는 '위헌결정이 있은 날', 주관적으로는 '위헌결정이 있음을 안 날' 비로소 취소소송을 제기할 수 있게 되어 이때를 제소기간의 기산점으로 삼아야 한다.

[3] 사립학교 교원에게 징계사유가 있어 징계처분을 하는 경우 어떠한 처분을 할 것인가는 원칙적으로 징계권자의 재량에 맡겨 있으므로 그 징계처분이 위법하다고 하기 위하여서는 징계권자가 재량권을 행사하여 한 징계처분이 사회통념상 현저하게 타당성을 잃어 징계권자에게 맡긴 재량권을 남용한 것이라고 인정되는 경우에 한하고, 그 징계처분이 사회통념상 현저하게 타당성을 잃은 처분이라고 하려면 구체적인 사례에 따라 직무의 특성, 징계의 사유가 된 비위사실의 내용과 성질 및 징계에 의하여 이루고자 하는 목적과 그에 수반되는 제반 사정을 참작하여 객관적으로 명백히 부당하다고 인정되는 경우라야 한다(대판 2008.2.1. 2007두20997).

4 헌법재판소의 위헌결정의 소급효가 제한되는 경우

[1] 헌법재판소의 위헌결정의 효력은 위헌제청을 한 당해 사건, 위헌결정이 있기 전에 이와 동종의 위헌 여부에 관하여 헌법재판소에 위헌여부심판제청을 하였거나 법원에 위헌여부심판제청신청을 한 동종사건과 따로 위헌제청신청은 아니하였지만 당해 법률 또는 법률 조항이 재판의 전제가 되어 법원에 계속 중인 병행사건뿐만 아니라, 위헌결정 이후에 위와 같은 이유로 제소된 일반사건에도 미친다고 할 것이나, 위헌결정의 효력은 그 미치는 범위가 무한정일 수는 없고 다른 법리에 의하여 그 소급효를 제한하는 것까지 부정되는 것은 아니라 할 것이며, 법적 안정성의 유지나 당사자의 신뢰보호를 위하여 불가피한 경우에 위헌결정의 소급효를 제한하는 것은 오히려 법치주의의 원칙상 요청되는 바라 할 것이다.

[2] 금고 이상의 형의 선고유예를 받은 경우에 공무원직에서 당연히 퇴직하는 것으로 규정한 구 지방공무원법 제61조 중 제31조 제5호 부분에 대한 헌법재판소의 위헌결정의 소급효를 인정할 경우 그로 인하여 보호되는 퇴직공무원의 권리구제라는 구체적 타당성 등의 요청에 비하여 종래의 법령에 의하여 형성된 공무원의 신분관계에 관한 법적 안정성과 신뢰보호의 요청이 현저하게 우월하다는 이유로, 위 위헌결정 이후 제소된 일반사건에 대하여 위 위헌결정의 소급효가 제한된다(대판 2005.11.10. 2005두5628).

(3) 위헌법률에 근거한 행정처분의 효력

① 대법원의 입장

⚖ 관련판례

1 위헌법률에 근거하여 발하여진 행정처분의 효력

법률에 근거하여 행정처분이 발하여진 후에 헌법재판소가 그 행정처분의 근거가 된 법률을 위헌으로 결정하였다면 결과적으로 행정처분은 법률의 근거가 없이 행하여진 것과 마찬가지가 되어 하자가 있는 것이 되나, 하자 있는 행정처분이 당연무효가 되기 위하여는 그 하자가 중대할 뿐만 아니라 명백한 것이어야 하는데, 일반적으로 법률이 헌법에 위반된다는 사정이 헌법재판소의 위헌결정이 있기 전에는 객관적으로 명백한 것이라고 할 수는 없으므로 헌법재판소의 위헌결정 전에 행정처분의 근거가 되는 당해 법률이 헌법에 위반된다는 사유는 특별한 사정이 없는 한 그 행정처분의 취소소송의 전제가 될 수 있을 뿐 당연무효사유는 아니라고 봄이 상당하다(대판 1994.10.28. 92누9463).

2 위헌·위법한 시행령에 근거한 행정처분이 당연무효가 되기 위한 요건 및 그 시행령의 무효를 선언한 대법원판결이 없는 상태에서 그에 근거하여 이루어진 처분을 당연무효라 할 수 있는지 여부(원칙적 소극)

일반적으로 시행령이 헌법이나 법률에 위반된다는 사정은 그 시행령의 규정을 위헌 또는 위법하여 무효라고 선언한 대법원의 판결이 선고되지 아니한 상태에서는 그 시행령 규정의 위헌 내지 위법 여부가 해석상 다툼의 여지가 없을 정도로 명백하였다고 인정되지 아니하는 이상 객관적으로 명백한 것이라 할 수 없으므로, 이러한 시행령에 근거한 행정처분의 하자는 취소사유에 해당할 뿐 무효사유가 되지 아니한다(대판 2007.6.14. 2004두619).

3 조례가 법률 등 상위법령에 위배된다고 하여 그 조례에 근거한 행정처분의 하자가 당연무효사유에 해당하는지 여부(원칙적 소극)

하자 있는 행정처분이 당연무효로 되려면 그 하자가 법규의 중요한 부분을 위반한 중대한 것이어야 할 뿐 아니라 객관적으로 명백한 것이어야 하므로, 행정청이 위법하여 무효인 조례를 적용하여 한 행정처분이 당연무효로 되려면 그 규정이 행정처분의 중요한 부분에 관한 것이어서 결과적으로 그에 따른 행정처분의 중요한 부분에 하자가 있는 것으로 귀착되고, 또한 그 규정의 위법성이 객관적으로 명백하여 그에 따른 행정처분의 하자가 객관적으로 명백한 것으로 귀착되어야 하는바, 일반적으로 조례가 법률 등 상위법령에 위배된다는 사정은 그 조례의 규정을 위법하여 무효라고 선언한 대법원의 판결이 선고되지 아니한 상태에서는 그 조례 규정의 위법 여부가 해석상 다툼의 여지가 없을 정도로 명백하였다고 인정되지 아니하는 이상 객관적으로 명백한 것이라 할 수 없으므로, 이러한 조례에 근거한 행정처분의 하자는 취소사유에 해당할 뿐 무효사유가 된다고 볼 수는 없다(대판 2009.10.29. 2007두26285).

② 헌법재판소의 입장

> ⚖️ **관련판례**

1 원칙: 취소사유

행정처분의 근거법률이 헌법에 위반된다는 사정은 헌법재판소의 <u>위헌결정이 있기 전에는 객관적으로 명백한 것이라고 할 수는 없으므로</u> 특별한 사정이 없는 한 그러한 하자는 <u>행정처분의 취소사유에 해당할 뿐</u> 당연무효사유는 아니어서, 제소기간이 경과한 뒤에는 행정처분의 근거법률이 위헌임을 이유로 무효확인소송 등을 제기하더라도 행정처분의 효력에는 영향이 없음이 원칙이다(헌재 2014.1.28. 2010헌바251).

2 예외: 무효사유

행정처분의 집행이 이미 종료되었고, 그것이 번복될 경우 법적 안정성을 크게 해치게 되는 경우에는 후에 행정처분의 근거가 된 법규가 헌법재판소에서 위헌으로 선고된다고 하더라도 그 행정처분이 당연무효가 되지는 않음이 원칙이라고 할 것이나, 행정처분 자체의 효력이 쟁송기간 경과 후에도 존속 중인 경우, 특히 그 처분이 위헌법률에 근거하여 내려진 것이고 그 행정처분의 목적달성을 위하여서는 후행 행정처분이 필요한데 후행 행정처분은 아직 이루어지지 않는 경우와 같이 <u>그 행정처분을 무효로 하더라도 법적 안정성을 크게 해치지 않는 반면에 그 하자가 중대하여 그 구제가 필요할 경우에 대해서는</u> 그 예외를 인정하여 이를 당연무효사유로 보아서 쟁송기간 경과 후에라도 무효확인을 구할 수 있는 것이라고 보아야 할 것이다(헌재 1994.6.30. 92헌바23).

(4) 위헌법률에 근거한 행정처분의 집행

대법원은 행정처분이 있은 후에 집행단계에서 그 처분의 근거법률이 위헌결정된 경우에 그 행정처분 자체는 불가쟁력이 발생하여 위헌의 소급효가 미치지 않는다고 하더라도 그 행정처분의 집행이나 집행력을 유지하기 위한 후속행위는 위헌결정의 기속력에 위반되어 허용되지 않는다고 한다.

> **⚖ 관련판례**
>
> **1** 과세처분 이후 조세 부과의 근거가 되었던 법률규정에 대하여 위헌결정이 내려진 경우, 그 조세채권의 집행을 위한 체납처분이 당연무효인지 여부(적극)
>
> 헌법재판소법 제47조 제1항은 "법률의 위헌결정은 법원 기타 국가기관 및 지방자치단체를 기속한다."고 규정하고 있는데, 이러한 위헌결정의 기속력과 헌법을 최고규범으로 하는 법질서의 체계적 요청에 비추어 국가기관 및 지방자치단체는 위헌으로 선언된 법률규정에 근거하여 새로운 행정처분을 할 수 없음은 물론이고, 위헌결정 전에 이미 형성된 법률관계에 기한 후속처분이라도 그것이 새로운 위헌적 법률관계를 생성·확대하는 경우라면 이를 허용할 수 없다. 따라서 조세 부과의 근거가 되었던 법률규정이 위헌으로 선언된 경우, 비록 그에 기한 과세처분이 위헌결정 전에 이루어졌고, 과세처분에 대한 제소기간이 이미 경과하여 조세채권이 확정되었으며, 조세채권의 집행을 위한 체납처분의 근거규정 자체에 대하여는 따로 위헌결정이 내려진 바 없다고 하더라도, 위와 같은 위헌결정 이후에 조세채권의 집행을 위한 새로운 체납처분에 착수하거나 이를 속행하는 것은 더 이상 허용되지 않고, 나아가 이러한 위헌결정의 효력에 위배하여 이루어진 체납처분은 그 사유만으로 하자가 중대하고 객관적으로 명백하여 당연무효라고 보아야 한다(대판 2012.2.16. 2010두10907 전합).
>
> **2** 위헌결정 이후에 후속 체납처분절차를 진행할 수 있는지 여부(소극) 및 다른 사람에 의하여 개시된 경매절차에서 배당을 받을 수 있는지 여부(소극)
>
> 위헌법률에 기한 행정처분의 집행이나 집행력을 유지하기 위한 행위는 위헌결정의 기속력에 위반되어 허용되지 않는다고 보아야 할 것인데, 그 규정 이외에는 체납부담금을 강제로 징수할 수 있는 다른 법률적 근거가 없으므로, 그 위헌결정 이전에 이미 부담금 부과처분과 압류처분 및 이에 기한 압류등기가 이루어지고 위의 각 처분이 확정되었다고 하여도, 위헌결정 이후에는 별도의 행정처분인 매각처분, 분배처분 등 후속 체납처분절차를 진행할 수 없는 것은 물론이고, 특별한 사정이 없는 한 기존의 압류등기나 교부청구만으로는 다른 사람에 의하여 개시된 경매절차에서 배당을 받을 수도 없다(대판 2002.8.23. 2001두2959).

4 행정행위의 무효

1. 의의

행정행위로서의 외형은 갖추고 있으나, 그 **하자가 중대**하고 **명백**하여 처음부터 당연히 효력이 발생하지 않는 행위를 말한다. 외형은 존재한다는 점에서 부존재와 구별되고, 처음부터 효력이 없다는 점에서 일응 유효한 취소할 수 있는 행정행위와 구별된다.

2. 무효사유

(1) 주체

① 정당한 권한이 없는 행정기관의 행위(예 공무원이 아닌 자의 행위. 단, 사실상 공무원의 행위는 유효함)

📌 관련판례

1 입지선정위원회는 폐기물처리시설의 입지를 선정하는 의결기관이고, 입지선정위원회의 구성방법에 관하여 일정 수 이상의 주민대표 등을 참여시키도록 한 것은 폐기물처리시설 입지선정 절차에 있어 주민의 참여를 보장함으로써 주민들의 이익과 의사를 대변하도록 하여 주민의 권리에 대한 부당한 침해를 방지하고 행정의 민주화와 신뢰를 확보하는 데 그 취지가 있는 것이므로, 주민대표나 주민대표 추천에 의한 전문가의 참여 없이 의결이 이루어지는 등 입지선정위원회의 구성방법이나 절차가 위법한 경우에는 그 하자 있는 입지선정위원회의 의결에 터잡아 이루어진 폐기물처리시설 입지결정처분도 위법하게 된다.
구 폐기물처리시설 설치촉진 및 주변지역 지원 등에 관한 법률에 정한 입지선정위원회가 그 구성방법 및 절차에 관한 같은 법 시행령의 규정에 위배하여 <u>군수와 주민대표가 선정·추천한 전문가를 포함시키지 않은 채 임의로 구성되어 의결을 한 경우</u>, 그에 터잡아 이루어진 폐기물처리시설 <u>입지결정처분의 하자는 중대한 것이고 객관적으로도 명백하므로 **무효사유**에 해당한다</u>(대판 2007.4.12. 2006두20150).

2 학교법인의 감독청인 피고(부산시교육위원회)의 학교법인기본재산교환허가처분은 학교법인의 이사장이 교환허가신청을 함에 있어서 이사회의 승인의결을 받음이 없이 이사회회의록사본을 위조하여 첨부한 교환허가신청서에 의한 것인바, 사립학교법 제1조, 제16조, 제28조, 제73조 동법 시행령 제11조의 각 규정취지를 종합고찰하면 피고의 <u>이 사건 허가처분은 중대하고 명백한 하자가 있어 **당연무효**</u>라 할 것이고 위 학교법인이사회가 위 교환을 추인·재추인하는 의결을 한 사실만으로써 무효인 허가처분의 하자가 치유된다고 볼 수 없다(대판 1984.2.28. 81누275).

② 행정기관의 권한 외의 행위(권한초과는 취소사유): 원칙적 무효

📌 관련판례

1 유기장 영업허가 권한이 없는 동장이 허가한 영업허가: 무효(대판 1976.2.24. 76누1)

2 보건복지부장관이 가지는 의료업정지권한을 도지사가 군수에게 위임한 경우에 그 효력: 무효(대판 1975.4.8. 75누41)

3 도지사의 인사교류안 작성과 그에 따른 인사교류의 권고가 전혀 이루어지지 않은 상태에서 행하여진 관할구역 내 시장의 인사교류에 관한 처분은 그 하자가 중대하고 객관적으로 명백하여 당연무효이다(대판 2005.6.24. 2004두10968).

4 조세채권의 소멸시효가 완성되어 부과권이 소멸된 후에 부과한 과세처분은 위법한 처분으로 그 하자가 중대하고도 명백하여 **무효**라고 할 것이다(대판 1988.3.22. 87누1018).

5 음주운전 단속경찰관이 자신의 명의로 음주면허행정처분통지서를 작성·교부하여 행한 운전면허정지처분은 **당연무효**이다(대판 1997.5.16. 97누2313).

핵심 OX

01 무권한의 행위는 원칙적으로 무효라고 할 것이므로, 5급 이상의 국가정보원 직원에 대해 임면권자인 대통령이 아닌 국가정보원장이 행한 의원면직처분은 당연무효에 해당한다. 18. 지방9급 ( )

02 무권한은 중대·명백한 하자이므로 항상 무효사유라는 것이 판례의 입장이다. 15. 서복·서울9급 ( )

03 적법한 권한 위임 없이 세관출장소장에 의하여 행하여진 관세부과처분은 그 하자가 중대하기는 하지만 객관적으로 명백하다고 할 수 없어 당연무효는 아니다. 19. 지방9급, 15. 지방9급 ( )

6 체납취득세에 대한 압류처분권한은 도지사로부터 시장에게 권한위임된 것이고 시장으로부터 압류처분권한을 내부위임받은 데 불과한 구청장으로서는 시장 명의로 압류처분을 대행처리할 수 있을 뿐이고 자신의 명의로 이를 할 수 없다 할 것이므로 구청장이 자신의 명의로 한 압류처분은 권한 없는 자에 의하여 행하여진 **위법무효**의 처분이다(대판 1993.5.27. 93누6621).

7 행정청의 권한에는 사무의 성질 및 내용에 따르는 제약이 있고, 지역적·대인적으로 한계가 있으므로 이러한 권한의 범위를 넘어서는 권한유월의 행위는 무권한 행위로서 원칙적으로 무효라고 할 것이나, 행정청의 공무원에 대한 의원면직처분은 공무원의 사직의사를 수리하는 소극적 행정행위에 불과하고, 당해 공무원의 사직의사를 확인하는 확인적 행정행위의 성격이 강하며 재량의 여지가 거의 없기 때문에 의원면직처분에서의 행정청의 권한유월 행위를 다른 일반적인 행정행위에서의 그것과 반드시 같이 보아야 할 것은 아니다(대판 2007.7.26. 2005두15748).

8 세관출장소장에게 과세부과처분에 관한 권한이 위임되었다고 볼 만한 법령상의 근거가 없는데도 … 세관출장소장에게 관세부과처분을 할 권한이 있다고 객관적으로 오인할 여지가 다분하다고 인정되므로 결국 적법한 권한 위임 없이 행해진 이 사건 처분은 그 하자가 중대하기는 하지만 객관적으로 명백하다고 할 수는 없어 당연무효는 아니라고 보아야 할 것이다(대판 2004.11.26. 2003두2403).

9 체납처분으로서 압류의 요건을 규정하는 국세징수법 제24조 각 항의 규정을 보면, 어느 경우에나 압류의 대상을 납세자의 재산에 국한하고 있으므로, 납세자가 아닌 제3자의 재산을 대상으로 한 압류처분은 그 처분의 내용이 법률상 실현될 수 없는 것이어서 **당연무효**이다(대판 2001.2.23. 2000다68924).

③ 행정기관의 의사에 결함이 있는 행위
④ 권한의 초과행위, 사기·강박에 의한 행위, 착오의 결과 위법·부당하게 된 행위, 증수뢰·부정신고·부정행위에 의한 행위, 필요한 자문을 결한 행위는 취소사유이다.

🔍 관련판례

1 주택건설촉진법에 의한 설립인가를 받은 주택조합이 아파트지구 개발사업의 사업계획을 승인받아 아파트를 건축한 경우 구 개발이익환수에 관한 법률(1993.6.11. 법률 제4563호로 개정되기 전의 것) 제6조 제1항 소정의 개발부담금 납부의무자는 사업시행자인 주택조합이고 그 조합원들이 아니므로, 납부의무자가 아닌 조합원들에 대한 개발부담금 부과처분은 그 처분의 법적 근거가 없는 것으로서 그 하자가 중대하고도 명백하여 무효이다(대판 1998.5.8. 95다30390).

2 부동산을 양도한 사실이 없음에도 세무당국이 부동산을 양도한 것으로 오인해 양도소득세를 부과하였다면 그 부과처분은 착오에 의한 행정처분으로서 그 표시된 내용에 중대하고 명백한 하자가 있어 **당연무효**이다(대판 1983.8.23. 83누179).

핵심 OX

04 구 개발이익환수에 관한 법률 시행 당시, 납부의무자가 아닌 조합원에 대하여 행한 개발부담금 부과처분은 무효이다. 11. 국회8급 ( )

05 부동산을 양도한 사실이 없음에도 세무당국이 부동산을 양도한 것으로 오인한 양도소득세 부과처분은 착오에 의한 행정처분으로서 취소할 수 있는 행정행위에 해당한다. 11. 지방9급 ( )

(2) 내용

① **내용이 실현불능인 행위:** 법은 불가능한 것을 요구할 수 없는 바, 실현불가능한 행위는 무효이다. 예컨대 국가시험에 불합격한 자에 대한 의사면허는 의료법에 위배되는 법률상 실현불능의 행위로서 내용에 관한 흠에 해당되어 무효이다.

01 X **02** X **03** ○ **04** ○ **05** X

② **내용이 불명확한 행위**: 행정행위의 내용이 사회통념상 인식할 수 없을 정도로 불명확하거나 확정되지 아니한 경우에는 원칙적으로 무효이다(예 특정되지 아니한 건물철거계고처분, 경계를 명백히 하지 않은 도로구역결정, 목적물의 특정이 없는 귀속재산의 임대처분 등).

③ **법률관계에 관한 불능**: 납세의무가 없는 자에 대한 납세의무면제, 매춘업 알선에 대한 경찰허가, 법률상 인정되지 않는 어업권설정, 소멸시효가 완성된 후의 과세처분[비교: 선량한 풍속 기타 사회질서에 위반하는 행위 내지 공서양속에 반하는 행위는 취소사유(다수설)❶]

④ **법령위반의 경우**: 행정행위의 내용이 법령에 위반되는 경우 중대·명백설에 따라 무효 또는 취소할 수 있는 행정행위가 된다.

❶
우리나라 민법과 독일 행정법에서는 무효사유

⚖️ **관련판례**

1 **행정청이 법령규정의 문언상 처분 요건의 의미가 분명함에도 합리적인 근거 없이 의미를 잘못 해석한 결과 처분 요건이 충족되지 않은 상태에서 해당 처분을 한 경우, 하자가 명백한지 여부(적극)**

행정청이 어느 법률관계나 사실관계에 대하여 어느 법률의 규정을 적용하여 행정처분을 한 경우에 그 법률관계나 사실관계에 대하여는 그 법률의 규정을 적용할 수 없다는 법리가 명백히 밝혀져 그 해석에 다툼의 여지가 없음에도 불구하고 행정청이 위 규정을 적용하여 처분을 한 때에는 그 하자가 중대하고 명백하다고 할 것이나, 그 법률관계나 사실관계에 대하여 그 법률의 규정을 적용할 수 없다는 법리가 명백히 밝혀지지 아니하여 그 해석에 다툼의 여지가 있는 때에는 행정관청이 이를 잘못 해석하여 행정처분을 하였더라도 이는 그 처분 요건사실을 오인한 것에 불과하여 그 하자가 명백하다고 할 수 없다. 그리고 행정청이 법령규정의 문언상 처분 요건의 의미가 분명함에도 합리적인 근거 없이 그 의미를 잘못 해석한 결과, 처분 요건이 충족되지 아니한 상태에서 해당 처분을 한 경우에는 법리가 명백히 밝혀지지 아니하여 그 해석에 다툼의 여지가 있다고 볼 수는 없다(대판 2014.5.16. 2011두27094).

2 **공유수면에 대한 적법한 사용인지 무단 사용인지의 여부에 관한 판단을 그르쳐 변상금 부과처분을 할 것을 사용료 부과처분을 하거나 반대로 사용료 부과처분을 할 것을 변상금 부과처분을 한 경우, 그 부과처분의 하자가 중대한 하자인지 여부(소극)**

공유수면 점·사용 허가 등을 받아 적법하게 사용하는 경우에는 사용료 부과처분을, 허가를 받지 않고 무단으로 사용하는 경우에는 변상금 부과처분을 하는 것이 적법하다. 그러나 적법한 사용이든 무단 사용이든 그 공유수면 점·사용으로 인한 대가를 부과할 수 있다는 점은 공통된 것이고, 적법한 사용인지 무단 사용인지의 여부에 관한 판단은 사용관계에 관한 사실 인정과 법적 판단을 수반하는 것으로 반드시 명료하다고 할 수 없으므로, 그러한 판단을 그르쳐 변상금 부과처분을 할 것을 사용료 부과처분을 하거나 반대로 사용료 부과처분을 할 것을 변상금 부과처분을 하였다고 하여 그와 같은 부과처분의 하자를 중대한 하자라고 할 수는 없다(대판 2013.4.26. 2012두20663).

(3) 절차

행정처분의 근거법률에서 처분을 하기 위해 일정한 절차를 거칠 것을 규정한 경우, 그러한 절차를 거치지 않는 등의 하자가 있는 경우 위법한 행정행위가 된다. 무효사유인지 취소사유인지 여부는 원칙적으로 판례의 입장인 중대·명백설에 따른다.

> **⚖ 관련판례**
>
> 경찰공무원에 대한 징계위원회의 심의과정에 감경사유에 해당하는 공적 사항이 제시되지 아니한 경우에는 그 징계양정이 결과적으로 적정한지와 상관없이 이는 관계 법령이 정한 징계절차를 지키지 않은 것으로서 위법하다(대판 2012.10.11. 2012두13245).

① **법률상 필요한 상대방의 신청 또는 동의를 결여한 행위:** 법령이 일정한 행정행위에 대하여 상대방의 신청 또는 동의를 필요적 절차로 규정하고 있는 경우에 상대방의 신청 또는 동의를 결하는 행위는 무효이다(예 신청 없는 광업허가, 공유수면매립면허, 귀화의 허가, 상대방의 동의 없는 공무원임명 등).

② **필요한 공고·통지를 결여한 행위:** 열람시키지 않고 행한 선거인명부확정, 특허출원공고를 거치지 아니한 발명특허, 사업인정고시·통지 없이 한 토지수용의 재결, 계고 없이 한 무허가건물의 철거 등

> **⚖ 관련판례**
>
> **1** 납세의무자가 세금을 납부기한까지 납부하지 아니하자 과세청이 그 징수를 위하여 압류처분에 이른 것이라면 비록 독촉절차없이 압류처분을 하였다 하더라도 이러한 사유만으로는 압류처분을 무효로 되게 하는 중대하고도 명백한 하자로는 되지 않는다(대판 1987.9.22. 87누383).
>
> **2** **재외국민의 주민등록신고요건 및 거주용여권 무효확인서를 첨부하지 아니하였음을 이유로 최고·공고의 절차를 거치지 않고 한 주민등록말소처분의 당연무효 여부(소극)**
> 재외국민이 관할행정청에게 여행증명서의 무효확인서를 제출, 주민등록신고를 하여 주민등록이 되었는데, 관할행정청이 주민등록신고 시 거주용여권의 무효확인서를 첨부하지 아니하고 여행용여권의 무효확인서를 첨부하는 위법이 있었다고 하여 주민등록을 말소하는 처분을 한 경우 이 처분이 주민등록법 제17조의 2에 규정한 최고·공고의 절차를 거치지 아니하였다 하더라도 그러한 하자는 중대하고 명백한 것이라고 할 수 없어 처분의 당연무효사유에 해당하는 것이라고는 할 수 없다(대판 1994.8.26. 94누3223).
>
> **3** **과세관청이 과세예고 통지를 하지 아니함으로써 납세자에게 과세전적부심사의 기회를 부여하지 아니한 채 과세처분을 한 경우, 과세처분이 위법한지 여부(원칙적 적극)**
> 과세관청이 과세처분에 앞서 필수적으로 행하여야 할 과세예고 통지를 하지 아니함으로써 납세자에게 과세전적부심사의 기회를 부여하지 아니한 채 과세처분을 하였다면, 이는 납세자의 절차적 권리를 침해한 것으로서 과세처분의 효력을 부정하는 방법으로 통제할 수밖에 없는 중대한 절차적 하자가 존재하는 경우에 해당하므로, 과세처분은 위법하다(대판 2016.4.15. 2015두52326).

4 과세관청이 과세예고 통지 후 과세전적부심사청구나 그에 대한 결정이 있기 전에 과세처분을 한 경우, 원칙적으로 절차상 하자가 중대·명백하여 과세처분은 <u>무효가 된다</u>(대판 2016.12.27. 2016두49228).

5 체납자 등에 대한 공매통지 없이 한 공매처분이 당연무효가 되는 것은 아니다(대판 2012.7.26. 2010다50625).

③ **필요한 이해관계인의 참여 또는 협의를 결여한 행위:** 체납자 등의 참여 없이 행한 조세체납처분으로서의 재산압류, 토지소유자나 이해관계인과의 협의 없이 한 토지수용의 재결 등

> **📖 관련판례**
>
> 택지개발촉진법 제8조 제2항은 건설부장관이 택지개발계획을 승인한 때에는 이를 고시하고 관할시장 또는 군수에게 그 내역을 송부하여 일반에게 공람하게 하여야 한다고 규정하고, 같은 법 제9조 제3항은 건설부장관이 토지 등의 수용을 요하는 택지개발사업실시계획을 승인한 때에는 그 택지개발사업의 시행자의 성명, 사업의 종류와 수용할 토지 등의 세목을 관보에 고시하고 그 토지 등의 소유자 및 권리자에게 이를 통지하여야 한다고 규정하고 있으나, 위와 같은 택지개발계획의 공람절차를 거치지 아니하였다거나 수용할 토지의 세목을 고시하고 토지소유자에게 이를 통지하는 절차를 취하지 아니하였다는 등의 하자들은 이의재결에 대한 소송에서 그 재결의 취소를 구하는 사유가 되는 것은 몰라도 재결의 효력이 당초부터 발생할 수 없게 되는 당연무효의 사유라고는 여겨지지 아니한다.
> 건설부장관이 토지수용법 제16조의 규정에 따라 토지수용사업승인을 한 후 그 뜻을 토지소유자 등에게 통지하지 아니하였다거나, <u>기업자가 토지소유자와 협의를 거치지 아니한 채 피고에게 토지의 수용을 위한 재결을 신청하였다는 등의 하자들 역시 절차상의 위법으로서 피고가 한 이의재결의 취소를 구할 수 있는 사유가 될지언정 당연무효의 사유라고 할 수는 없다</u>(대판 1993.8.13. 93누2148).

④ **필요한 청문 또는 변명의 기회를 주지 않은 행위:** 예를 들어, 청문을 거치지 않고 행한 전당포영업허가의 취소, 변명의 기회 없이 한 파면처분, 국가공무원법 제13조의 소청심사절차에서 청구인에게 진술의 기회를 부여하지 아니한 재결(동조 제2항) 등이 있다.

핵심 OX

04 침해적 행정처분을 할 때 처분의 근거법령 등에서 청문을 실시하도록 규정하고 있다면 행정절차법 등의 예외에 해당하지 않는 한 반드시 청문을 실시하여야 하며, 그러한 절차를 결여한 처분은 위법한 처분으로서 당연무효이다. 12. 지방9급 ( )

05 행정청이 청문을 거쳐야 하는 처분을 하면서 청문절차를 거치지 않는 경우에는 그 처분은 위법하지만 당연무효인 것은 아니다. 15. 국가9급 ( )

03 ○ 04 X 05 ○

> **📖 관련판례**
>
> **법률상 청문을 요하는 행정처분의 경우 청문절차를 결여한 하자는 취소사유에 해당한다는 판례**
> 행정절차법 제22조 제1항 제1호에 정한 청문제도는 행정처분의 사유에 대하여 당사자에게 변명과 유리한 자료를 제출할 기회를 부여함으로써 위법사유의 시정가능성을 고려하고 처분의 신중과 적정을 기하려는 데 그 취지가 있으므로, 행정청이 특히 침해적 행정처분을 할 때 그 처분의 근거법령 등에서 청문을 실시하도록 규정하고 있다면, <u>행정절차법 등 관련 법령상 청문을 실시하지 않아도 되는 예외적인 경우에 해당하지 않는 한 반드시 청문을 실시하여야 하며, 그러한 절차를 결여한 처분은 위법한 처분으로서 취소사유에 해당한다</u>(대판 2007.11.16. 2005두15700).

⑤ 다른 기관의 협의 등을 거치지 않은 경우

> ⚖ **관련판례**

> **1** 환경영향평가절차가 완료되기 전에 공사를 시행하여 사전공사시행금지규정을 위반한 경우: 무효가 아님
>
> 환경영향평가법 제28조 제1항 본문이 환경영향평가절차가 완료되기 전에 공사 시행을 금지하고, 제51조 제1호 및 제52조 제2항 제2호가 그 위반행위에 대하여 형사처벌을 하도록 한 것은 환경영향평가의 결과에 따라 사업계획 등에 대한 승인 여부를 결정하고, 그러한 사업계획 등에 따라 공사를 시행하도록 하여 당해 사업으로 인한 해로운 환경영향을 피하거나 줄이고자 하는 환경영향평가제도의 목적을 달성하기 위한 데에 입법 취지가 있다. 따라서 사업자가 이러한 사전 공사시행 금지규정을 위반하였다고 하여 승인기관의 장이 한 사업계획 등에 대한 승인 등의 처분이 위법하게 된다고는 볼 수 없다(대판 2014.3.13. 2012두1006).

> **2** 2 이상의 시·도에 걸친 노선업종에 있어서의 노선신설이나 변경 또는 노선과 관련되는 사업계획변경인가처분이 미리 관계 도지사와 협의를 거치지 아니하고 행해진 경우 당연무효인지의 여부(소극)
>
> 자동차운송사업계획변경(기점연장)인가처분과 자동차운송사업계획변경(노선 및 운행시간)인가처분을 함에 있어서 그 내용이 2 이상의 시·도에 걸치는 노선업종에 있어서의 노선신설이나 변경 또는 노선과 관련되는 사업계획변경의 인가 등에 관한 사항이므로 미리 관계 도지사와 협의하여야 함에도 불구하고 이를 하지 아니한 하자가 있으나, 그와 같은 사정만으로는 자동차운송사업계획변경(기점연장)인가처분과 자동차운송사업계획변경(노선 및 운행시간)인가처분이 모두 당연무효의 처분이라고 할 수 없다(대판 1995.11.7. 95누9730).

> **3** 건설부장관이 택지개발예정지구를 지정함에 있어 미리 관계중앙행정기관의 장과 협의를 하라고 규정한 의미는 그의 자문을 구하라는 것이지 그 의견을 따라 처분을 하라는 의미는 아니라 할 것이므로 이러한 협의를 거치지 아니하였다고 하더라도 이는 위 지정처분을 취소할 수 있는 원인이 되는 하자 정도에 불과하고 위 지정처분이 당연무효가 되는 하자에 해당하는 것은 아니다(대판 2000.10.13. 99두653).

> **4** 환경영향평가를 거쳐야 할 대상사업에 대하여 환경영향평가를 거치지 아니하였음에도 불구하고 승인 등 처분이 이루어진다면, 사전에 환경영향평가를 함에 있어 평가대상지역 주민들의 의견을 수렴하고 그 결과를 토대로 하여 환경부장관과의 협의내용을 사업계획에 미리 반영시키는 것 자체가 원천적으로 봉쇄되는 바, 이렇게 되면 환경파괴를 미연에 방지하고 쾌적한 환경을 유지·조성하기 위하여 환경영향평가제도를 둔 입법 취지를 달성할 수 없게 되는 결과를 초래할 뿐만 아니라 환경영향평가대상지역 안의 주민들의 직접적이고 개별적인 이익을 근본적으로 침해하게 되므로, 이러한 행정처분의 하자는 법규의 중요한 부분을 위반한 중대한 것이고 객관적으로도 명백한 것이라고 하지 않을 수 없어, 이와 같은 행정처분은 당연무효이다.
>
> 국방·군사시설 사업에 관한 법률 및 구 산림법(2002.12.30. 법률 제6841호로 개정되기 전의 것)에서 보전임지를 다른 용도로 이용하기 위한 사업에 대하여 승인 등 처분을 하기 전에 미리 산림청장과 협의를 하라고 규정한 의미는 그의 자문을 구하라는 것이지 그 의견을 따라 처분을 하라는 의미는 아니라 할 것이므로, 이러한 협의를 거치지 아니하였다고 하더라도 이는 당해 승인처분을 취소할 수 있는 원인이 되는 하자 정도에 불과하고 그 승인처분이 당연무효가 되는 하자에 해당하는 것은 아니라고 봄이 상당하다(대판 2006.6.30. 2005두14363).

5 환경영향평가법령에서 정한 환경영향평가를 거쳐야 할 대상사업에 대하여 그러한 환경영향평가를 거치지 아니하였음에도 승인 등 처분을 하였다면 그 처분은 위법하다 할 것이나, 그러한 절차를 거쳤다면, 비록 그 환경영향평가의 내용이 다소 부실하다 하더라도, 그 부실의 정도가 환경영향평가제도를 둔 입법 취지를 달성할 수 없을 정도이어서 환경영향평가를 하지 아니한 것과 다를 바 없는 정도의 것이 아닌 이상, 그 부실은 당해 승인 등 처분에 재량권 일탈·남용의 위법이 있는지 여부를 판단하는 하나의 요소로 됨에 그칠 뿐, 그 부실로 인하여 당연히 당해 승인 등 처분이 위법하게 되는 것이 아니다(대판 2006.3.16. 2006두330).

6 행정청이 구 학교보건법(2005.12.7. 법률 제7700호로 개정되기 전의 것) 소정의 학교환경위생정화구역 내에서 금지행위 및 시설의 해제 여부에 관한 행정처분을 함에 있어 학교환경위생정화위원회의 심의를 거치도록 한 취지는 그에 관한 전문가 내지 이해관계인의 의견과 주민의 의사를 행정청의 의사결정에 반영함으로써 공익에 가장 부합하는 민주적 의사를 도출하고 행정처분의 공정성과 투명성을 확보하려는 데 있고, 나아가 그 심의의 요구가 법률에 근거하고 있을 뿐 아니라 심의에 따른 의결내용도 단순히 절차의 형식에 관련된 사항에 그치지 않고 금지행위 및 시설의 해제 여부에 관한 행정처분에 영향을 미칠 수 있는 사항에 관한 것임을 종합해 보면, 금지행위 및 시설의 해제 여부에 관한 행정처분을 하면서 절차상 위와 같은 심의를 누락한 흠이 있다면 그와 같은 흠을 가리켜 위 행정처분의 효력에 아무런 영향을 주지 않는다거나 경미한 정도에 불과하다고 볼 수는 없으므로, 특별한 사정이 없는 한 이는 행정처분을 위법하게 하는 취소사유가 된다(대판 2007.3.15. 2006두15806).

7 교통영향평가는 환경영향평가와 그 취지 및 내용, 대상사업의 범위, 사전 주민의 견수렴절차 생략 여부 등에 차이가 있고 그 후 교통영향평가가 교통영향분석·개선대책으로 대체된 점, 행정청은 교통영향평가를 배제한 것이 아니라 '건축허가 전까지 교통영향평가 심의필증을 교부받을 것'을 부관으로 하여 실시계획변경 및 공사시행변경 인가처분을 한 점 등에 비추어, 행정청이 사전에 교통영향평가를 거치지 아니한 채 위와 같은 부관을 붙여서 한 위 처분에 중대하고 명백한 흠이 있다고 할 수 없으므로 이를 무효로 보기는 어렵다(대판 2010.2.25. 2009두102).

⑥ **예산 편성에서의 절차상 하자에 관한 판례:** 예비타당성조사는 각 처분과 형식상 전혀 별개의 행정계획인 예산의 편성을 위한 절차일 뿐 각 처분에 앞서 거쳐야 하거나 근거법규 자체에서 규정한 절차가 아니므로, 예비타당성조사를 실시하지 아니한 하자는 원칙적으로 예산 자체의 하자일 뿐, 그로써 곧바로 각 처분의 하자가 된다고 할 수 없어, 예산이 각 처분 등으로써 이루어지는 '4대강 살리기 사업' 중 한강 부분을 위한 재정 지출을 내용으로 하고 있고 예산의 편성에 절차상 하자가 있다는 사정만으로 각 처분에 취소사유에 이를 정도의 하자가 존재한다고 보기 어렵다(대판 2015.12.10. 2011두32515).

⑦ 그러나 절차가 행정의 능률·원활·참고 등을 위한 편의적 절차일 때 그 절차를 위반한 행위는 취소사유가 된다.

03 건축주 등이 장기간 시정명령을 이
행하지 아니하였으나 그 기간 중
에 시정명령의 이행 기회가 제공되
지 아니하였다가 뒤늦게 이행 기회
가 제공된 경우, 이행 기회가 제공되
지 아니한 과거의 기간에 대한 이행
강제금까지 한꺼번에 부과하였다면
그러한 이행강제금 부과처분은 하
자가 중대·명백하여 당연무효이다.
19. 국가7급 (　　)

04 선행 도시계획의 결정·변경 등에
대한 권한이 없는 행정청이라도 후
행 도시계획결정에 대한 권한이 있
다면 선행 도시계획이 결정·고시
된 지역에 대하여도 다른 내용의 도
시계획을 결정·고시할 수 있고, 이
때에 후행 도시계획에 선행 도시계
획과 양립할 수 없는 내용이 포함
되어 있다면 특별한 사정이 없는
한 선행 도시계획은 후행 도시계획
과 같은 내용으로 변경된다.
21. 국가9급 (　　)

(4) 형식

① **법령상 필요한 문서에 의하지 않은 행위:** 법령상 문서에 의하도록 한 행정행위를 문서에 의하여 하지 아니한 때, 그 처분은 하자가 중대하고 명백하여 원칙적으로 무효이다. 예를 들어, 재결서에 의하지 않은 행정심판재결, 독촉장에 의하지 않은 납세독촉, 소집통지서에 의하지 않고 구두에 의한 예비군소집(대판 1970.3.24. 69도724) 등이 있다.

> **관련판례**
>
> 소방시설 등의 설치 또는 유지·관리에 대한 명령이 행정처분으로서 하자가 있어 무효인 경우에는 명령에 따른 의무위반이 생기지 아니하므로 행정형벌을 부과할 수 없다. 담당 소방공무원이 행정처분인 위 명령을 구술로 고지한 것은 행정절차법 제24조를 위반한 것으로 하자가 **중대하고 명백하여 당연무효**이고, 무효인 명령에 따른 의무위반이 생기지 아니하는 이상 피고인에게 명령 위반을 이유로 소방시설 설치·유지 및 안전관리에 관한 법률 제48조의2 제1호에 따른 행정형벌을 부과할 수 없다(대판 2011.11.10. 2011도11109).

② **법령상 필요한 서명·날인을 결한 행위:** 예를 들어, 선거관리위원들의 서명·날인 없는 선거록 등이 있다.

> **관련판례**
>
> **1** 건축주 등이 장기간 시정명령을 이행하지 아니하였으나 그 기간 중에 시정명령의 이행 기회가 제공되지 아니하였다가 뒤늦게 이행 기회가 제공된 경우, 이행 기회가 제공되지 아니한 과거의 기간에 대한 이행강제금까지 한꺼번에 부과할 수 있는지 여부(소극) 및 이를 위반하여 이루어진 이행강제금 부과처분의 하자가 중대·명백한지 여부(적극)
> 비록 건축주 등이 장기간 시정명령을 이행하지 아니하였더라도, 그 기간 중에는 시정명령의 이행 기회가 제공되지 아니하였다가 뒤늦게 시정명령의 이행 기회가 제공된 경우라면, 시정명령의 이행 기회 제공을 전제로 한 1회분의 이행강제금만을 부과할 수 있고, 시정명령의 이행 기회가 제공되지 아니한 과거의 기간에 대한 이행강제금까지 한꺼번에 부과할 수는 없다. 그리고 이를 위반하여 이루어진 이행강제금 부과처분은 과거의 위반행위에 대한 제재가 아니라 행정상의 간접강제 수단이라는 이행강제금의 본질에 반하여 구 건축법 제80조 제1항·제4항 등 법규의 중요한 부분을 위반한 것으로서, 그러한 하자는 중대할 뿐만 아니라 객관적으로도 명백하다(대판 2016.7.14. 2015두46598).
>
> **2** 후행 도시계획의 결정을 하는 행정청이 선행 도시계획의 결정·변경 등에 관한 권한을 가지고 있지 아니한 경우, 선행 도시계획과 양립할 수 없는 내용이 포함된 후행 도시계획결정의 효력(= 무효)
> 도시계획의 결정·변경 등에 관한 권한을 가진 행정청은 이미 도시계획이 결정·고시된 지역에 대하여도 다른 내용의 도시계획을 결정·고시할 수 있고, 이때에 후행 도시계획에 선행 도시계획과 서로 양립할 수 없는 내용이 포함되어 있다면, 특별한 사정이 없는 한 선행 도시계획은 후행 도시계획과 같은 내용으로 변경되는 것이나, 후행 도시계획의 결정을 하는 행정청이 선행 도시계획의 결정·변경 등에 관한 권한을 가지고 있지 아니한 경우에 선행 도시계획과 서로 양립할 수 없는 내용이 포함된 후행 도시계획결정을 하는 것은 아무런 권한 없이 선행 도시계획결정을 폐지하고, 양립할 수 없는 새로운 내용이 포함된 후행 도시계획

결정을 하는 것으로서, 선행 도시계획결정의 폐지 부분은 권한 없는 자에 의하여 행해진 것으로서 무효이고, 같은 대상지역에 대하여 선행 도시계획결정이 적법하게 폐지되지 아니한 상태에서 그 위에 다시 한 후행 도시계획결정 역시 위법하고, 그 하자는 중대하고도 명백하여 다른 특별한 사정이 없는 한 무효라고 보아야한다(대판 2000.9.8. 99두11257).

3 과세관청이 과세예고 통지 후 과세전적부심사 청구나 그에 대한 결정이 있기 전에 과세처분을 한 경우, 절차상 하자가 중대·명백하여 과세처분이 무효인지 여부(원칙적 적극)

사전구제절차로서 과세전적부심사 제도가 가지는 기능과 이를 통해 권리구제가 가능한 범위, 이러한 제도가 도입된 경위와 취지, 납세자의 절차적 권리 침해를 효율적으로 방지하기 위한 통제 방법과 더불어, 헌법 제12조 제1항에서 규정하고 있는 적법절차의 원칙은 형사소송절차에 국한되지 아니하고, 세무공무원이 과세권을 행사하는 경우에도 마찬가지로 준수하여야 하는 점 등을 고려하여 보면, 국세기본법 및 국세기본법 시행령이 과세전적부심사를 거치지 않고 곧바로 과세처분을 할 수 있거나 과세전적부심사에 대한 결정이 있기 전이라도 과세처분을 할 수 있는 예외사유로 정하고 있다는 등의 특별한 사정이 없는 한, 과세예고통지 후 과세전적부심사 청구나 그에 대한 결정이 있기도 전에 과세처분을 하는 것은 원칙적으로 과세전적부심사 이후에 이루어져야 하는 과세처분을 그보다 앞서 함으로써 과세전적부심사 제도 자체를 형해화시킬 뿐만 아니라 과세전적부심사 결정과 과세 처분 사이의 관계 및 불복절차를 불분명하게 할 우려가 있으므로, 그와 같은 과세처분은 납세자의 절차적 권리를 침해하는 것으로서 절차상 하자가 중대하고도 명백하여 무효이다(대판 2016.12.27. 2016두49228).

4 행정청의 처분의 방식을 규정한 행정절차법 제24조를 위반하여 행해진 행정청의 처분이 무효인지 여부(원칙적 적극)

행정절차법 제24조는 행정청이 처분을 하는 때에는 다른 법령 등에 특별한 규정이 있는 경우를 제외하고는 문서로 하여야 하고 전자문서로 하는 경우에는 당사자 등의 동의가 있어야 하며, 다만 신속을 요하거나 사안이 경미한 경우에는 구술 기타 방법으로 할 수 있다고 규정하고 있는데, 이는 행정의 공정성·투명성 및 신뢰성을 확보하고 국민의 권익을 보호하기 위한 것이므로 위 규정을 위반하여 행하여진 행정청의 처분은 하자가 중대하고 명백하여 원칙적으로 무효이다(대판 2011.11.10. 2011도11109).

③ 이유 기타 필요적 기재사항을 기재하지 않은 행위: 예를 들어, 이유를 붙이지 아니한 행정심판재결, 집행책임자를 표시하지 아니한 대집행영장, 징계사유서 없는 징계처분 등이 있다.

3. 무효의 효과

(1) 처음부터 효력이 발생하지 않으며, 공정력·확정력 등의 구속력은 인정되지 않는다.

(2) 일정한 경우 무효행위의 전환이 인정된다.

4. 무효인 행정행위에 대한 구제

(1) 행정쟁송

① **무효확인소송:** 무효확인소송에는 행정심판전치주의, 사정판결, 제소기간의 제한은 적용되지 않는다.

② **무효선언을 구하는 취소소송:** 무효의 주장을 취소소송의 형식으로 행하는 경우에는 형식상으로는 취소소송의 요건을 갖추어야 하므로 행정심판전치주의와 제소기간의 제한을 받는다.

③ **선결문제로서의 무효주장:** 무효인 과세처분에 의해 납세한 자가 행정소송을 제기함이 없이 곧바로 민사소송을 제기한 경우에도 민사법원은 무효인 행위의 효력을 선결적으로 판단할 수 있다.

(2) 형사상 구제

무효인 행정행위의 집행에 대하여 필요한 범위 내에서 실력에 의하여 불복할 수 있다. 이 경우 불복행위는 공무집행방해죄를 구성하지 않고 정당방위가 된다.

⚖ 판례정리 행정행위의 무효와 취소

행정처분이 무효라는 판례	행정처분이 취소라는 판례
• 권한 없는 행정청의 처분 • 행정기관의 권한범위 밖의 행위 • 위법하게 구성된 입지선정위원회의 입지결정처분 • 계고서에 의하지 않은 계고 • 독촉서에 의하지 않은 독촉 • 체납자 아닌 제3자에 대한 압류 • 행정재산의 착오에 의한 매각처분 • 특정되지 않은 계고처분 • 적법한 건축물에 대한 철거명령, 대집행계고 • 거부처분이 행해진 후 거부처분이 취소되지 않은 상태에서 사유를 추가하여 거부처분을 반복하는 것 • 이미 위헌이 결정된 법률에 근거한 처분 • 환경영향평가를 거쳐야 할 대상사업에 대하여 환경영향평가를 거치지 않은 개발사업승인 • 도지사의 인사교류안 작성과 그에 따른 인사교류의 권고가 전혀 이루어지지 않은 상태에서 행해진 처분 • 의견진술을 듣지 않은 공무원에 대한 징계처분	• 청문절차를 위반한 처분 • 납세고지서의 기재사항이 누락된 처분 • 다른 행정기관의 필요적 자문을 거치지 않은 처분 • 독촉절차 없는 압류처분 • 기업자의 과실로 인하여 토지소유자나 관계인을 알지 못하여 이들의 참가 없이 한 수용재결 • 택지개발계획을 승인함에 있어서 이해관계자의 의견을 듣지 아니하였거나 토지소유자에 대한 통지를 하지 아니한 하자 • 2 이상의 시·도에 걸친 노선업종에 있어서 노선관련 사업계획의 변경인가처분이 미리 관계도지사와 협의를 거치지 않은 경우 • 압류재산의 가액이 징수할 국세액을 초과한 경우

5 하자 있는 행정행위의 치유와 전환

1. 제도의 의의

(1) 법치주의원리에 따르면 하자 있는 행정행위는 무효 또는 취소되어야 하지만 공익 또는 사익에 새로운 불이익을 미치지 아니하는 범위 내에서 상대방의 신뢰보호, 기득권 존중, 법률생활의 안정을 도모하고 행정행위의 무용한 반복을 피하기 위하여 그 행정행위의 효력을 유지하거나 다른 행위로 전환하게 하는 법리가 등장하였는 바, 이를 하자의 치유·전환의 법리라고 한다. 이러한 법리는 행정법에는 규정이 없으며 민법의 규정을 유추한 결과이다.

(2) 하자 있는 행위의 치유와 전환의 이론은 법치주의 관점에서 원칙적으로는 허용되지 않으며, **예외적인 경우에 인정**되는 법리이다.

> **관련판례**
>
> **1** 하자 있는 행정행위의 치유와 전환은 행정행위의 성질이나 법치주의의 관점에서 볼 때 원칙적으로 허용될 수 없는 것이지만, 행정행위의 무용한 반복을 피하고 당사자의 법적 안정성을 위해 이를 허용하는 때에도 국민의 권리와 이익을 침해하지 않는 범위에서 구체적 사정에 따라 합목적적으로 인정해야 할 것이다(대판 1983.7.26. 82누420).
>
> **2** 인근주민의 동의를 받아야 하는 요건을 결여하였다는 이유로 경원관계에 있는 자가 제기한 허가처분의 취소소송에서, 허가처분을 받은 자가 사후 동의를 받은 경우에 하자의 치유를 인정하는 것은 원고에게 불이익하게 되므로 이를 허용할 수 없다(대판 1992.5.8. 91누13274).
>
> **3** 재건축조합설립인가처분 당시 토지소유자 등의 동의율을 충족하지 못한 하자는 후에 토지소유자 등의 추가동의서가 제출되었다는 사정만으로 치유될 수 없다(대판 2013.7.11. 2011두27544).

2. 하자 있는 행정행위의 치유

(1) 의의

① 하자의 치유란 행정행위의 성립 당시에는 하자가 있었으나 사후에 그 하자가 보완되었거나 하자가 취소를 요하지 않을 만큼 경미해진 경우에 그 성립 당시의 하자에도 불구하고 이를 유효한 행위로 취급하는 것을 말한다.

② 통설·판례는 하자의 치유는 취소할 수 있는 행정행위에 대하여서만 인정된다. 무효인 행정행위에 있어서 하자의 치유는 인정되지 않는다.

> **관련판례**
>
> **1** 징계처분이 중대하고 명백한 흠 때문에 당연무효의 것이라면 징계처분을 받은 자가 이를 용인하였다 하여 그 흠이 치료되는 것은 아니다(대판 1989.12.12. 88누8869).
>
> **2** 절차상 또는 형식상 하자로 인하여 무효인 행정처분이 있은 후 행정청이 관계법령에서 정한 절차 또는 형식을 갖추어 다시 동일한 행정처분을 하였다면 당해 행정처분은 종전의 무효인 행정처분과 관계없이 새로운 행정처분이라고 보아야 한다(대판 2014.3.13. 2012두1006).

04 이유부기를 결한 행정행위는 무효이며 그 흠의 치유를 인정하지 아니하는 것이 판례의 입장이다. 18. 국회8급 ( )

05 부과처분에 앞서 보낸 과세예고통지서에 납세고지서의 필요적 기재사항이 제대로 기재되어 있었더라도, 납세고지서에 그 기재사항의 일부가 누락되었다면 이유제시의 하자는 치유의 대상이 될 수 없다. 14. 지방9급 ( )

06 재건축조합설립인가처분 당시 동의율을 충족하지 못한 하자는 후에 추가동의서가 제출되었다는 사정만으로도 치유된다. 23. 국가9급 ( )

❶
하자의 치유 ⇨ '쟁송제기 전'까지 가능

(2) 하자의 치유사유

판례는 행정행위의 형식이나 절차상의 하자에 대해서는 치유를 인정하나, 내용상의 하자는 치유의 대상이 되지 않는다는 입장이다.

> **⚖ 관련판례**
>
> 행정행위의 성질이나 법치주의의 관점에서 볼 때 하자 있는 행정행위의 치유는 원칙적으로 허용될 수 없을 뿐만 아니라 이를 허용하는 경우에도 국민의 권리와 이익을 침해하지 않는 범위에서 구체적 사정에 따라 합목적적으로 가려야 할 것이다. 위의 사업계획변경인가처분에 관한 하자가 행정처분의 내용에 관한 것이고 새로운 노선면허가 소 제기 이후에 이루어진 사정 등에 비추어 하자의 사후적 치유를 인정하지 아니한다(대판 1991.5.28. 90누1359).

① 요건의 사후보완(예) 필요한 신청서의 사후제출 또는 보완, 무권한대리의 추인, 불특정 목적물의 사후특정, 타 기관 또는 상대방의 협력이 결여된 경우의 추인, 처분의 형식 · 절차의 사후이행 · 보완 등)

　㉠ 이유 등의 사후제시: 행정청이 처분을 함에 있어서 처분의 이유를 제시하지 않은 절차상 하자가 있은 경우, 판례에 의하면 원칙적으로 위 처분은 취소할 수 있는 행정행위가 된다. 다만 제한적으로 이유제시의 하자의 치유를 인정하고 있다.

> **⚖ 관련판례**
>
> **1** 단체협약에 규정된 여유기간을 두지 않고 징계회부 사실을 통보하였으나 피징계자가 징계위원회에 출석하여 통지절차에 대한 이의없이 충분한 소명을 한 경우, 징계절차상의 하자가 치유된다(대판 1999.3.26. 98두4672).
>
> **2** 과세관청이 과세처분에 앞서 납세의무자에게 보낸 과세예고통지서 등에 의하여 납세의무자가 그 처분에 대한 불복 여부의 결정 및 불복신청에 전혀 지장을 받지 않았음이 명백하다면, 이로써 납세고지서의 흠결이 보완되거나 하자가 치유된다고 보아야 하나, 이와 같이 납세고지서의 하자를 사전에 보완할 수 있는 서면은 법령 등에 의하여 납세고지에 앞서 납세의무자에게 교부하도록 되어 있어 납세고지서와 일체를 이룰 수 있는 것에 한정되는 것은 물론, 납세고지서의 필요적 기재사항이 제대로 기재되어 있어야 한다(대판 1998.6.26. 96누12634).
>
> **3** 납세고지서에 세액산출근거 등의 기재사항이 누락되었거나 과세표준과 세액의 계산명세서가 첨부되지 않았다면 적법한 납세의 고지라고 볼 수 없으며, 위와 같은 납세고지의 하자는 납세의무자가 그 나름대로 산출근거를 알고 있다거나 사실상 이를 알고서 쟁송에 이르렀다 하더라도 치유되지 않는다(대판 2002.11.13. 2001두1543).❶

4 국유재산 무단 점유자에 대하여 변상금을 부과함에 있어서 그 납부고지서에 일정한 사항을 명시하도록 요구한 위 시행령의 취지와 그 규정의 강행성 등에 비추어 볼 때, 처분청이 변상금 부과처분을 함에 있어서 그 납부고지서 또는 적어도 사전통지서에 그 산출근거를 밝히지 아니하였다면 위법한 것이고, 위 시행령 제26조, 제26조의2에 변상금 산정의 기초가 되는 사용료의 산정방법에 관한 규정이 마련되어 있다고 하여 산출근거를 명시할 필요가 없다거나 이로써 간접적으로 산출근거를 명시하였다고는 볼 수 없다(대판 2000.10.13. 99두2239).

ⓛ **청문절차의 하자**: 판례는 청문절차상 하자의 치유가능성을 인정한 바 있다.

> ⚖️ **관련판례**
>
> **행정청이 식품위생법상의 청문절차를 이행함에 있어 청문서 도달기간을 다소 어겼지만 영업자가 이의하지 아니한 채 청문일에 출석하여 의견을 진술하고 변명하는 등 방어의 기회를 충분히 가진 경우 하자의 치유 여부(적극)**
> 행정청이 식품위생법상의 청문절차를 이행함에 있어 소정의 청문서 도달기간을 지키지 아니하였다면 이는 청문의 절차적 요건을 준수하지 아니한 것이므로 이를 바탕으로 한 행정처분은 일단 위법하다고 보아야 할 것이지만 이러한 청문제도의 취지는 처분으로 말미암아 받게 될 영업자에게 미리 변명과 유리한 자료를 제출할 기회를 부여함으로써 부당한 권리침해를 예방하려는 데에 있는 것임을 고려하여 볼 때, 가령 행정청이 청문서 도달기간을 다소 어겼다하더라도 영업자가 이에 대하여 이의하지 아니한 채 스스로 청문일에 출석하여 그 의견을 진술하고 변명하는 등 방어의 기회를 충분히 가졌다면 청문서 도달기간을 준수하지 아니한 하자는 치유되었다고 봄이 상당하다(대판 1992.10.23. 92누2844).

ⓒ **기타 중요판례**

> ⚖️ **관련판례**
>
> **1** 세액산출근거가 기재되지 아니한 납세고지서에 의한 부과처분은 강행법규에 위반하여 취소대상이 된다 할 것이므로 이와 같은 하자는 납세의무자가 전심절차에서 이를 주장하지 아니하였거나, 그 후 부과된 세금을 자진납부하였다거나, 또는 조세채권의 소멸시효기간이 만료되었다 하여 치유되는 것이라고는 할 수 없다(대판 1985.4.9. 84누431).
>
> **2** 행정처분의 적법 여부는 특별한 사정이 없는 한 그 처분 당시를 기준으로 판단하여야 하고, 처분청이 처분 이후에 추가한 새로운 사유를 보태어 처분 당시의 흠을 치유시킬 수는 없다(대판 1996.12.20. 96누9799).

② **흠 있는 행정행위의 장기간 방치로 인한 법률관계의 확정(실권)**

③ **취소할 수 없는 공익상의 필요(사정재결, 사정판결)**: 이에 대하여 ②, ③의 경우는 '취소의 제한사유'로 보는 것이 타당하다는 이유로, ①의 경우만을 하자의 치유 사유로 보는 것이 다수설이다.

핵심 OX

07 청문서가 행정절차법에서 정한 날짜보다 다소 늦게 도달하였을 경우에도, 당사자가 이에 대하여 이의하지 아니하고 청문일에 출석하여 의견을 진술하였다면 청문서 도달기간을 준수하지 않은 하자는 치유된다. 15. 국가9급 ( )

08 행정청이 식품위생법상 청문절차를 이행함에 있어 청문서 도달기간을 다소 어겼지만 영업자가 이의하지 아니한 채 청문일에 출석하여 의견을 진술하고 변명하는 등 방어의 기회를 충분히 가진 경우 하자는 치유된 것으로 본다. 16. 지방9급·사복 ( )

09 판례에 따르면 신고납세방식의 관세에 있어서 과세관청이 납세의무자의 신고에 따라 세액을 수령하는 경우 이를 부과처분으로 볼 수 있다고 한다. 16. 지방7급 ( )

10 과세처분을 하면서 장기간 세액산출근거를 부기하지 아니한 경우에 납세자가 자진납부하였다면 처분의 위법성은 치유된다. 23. 국가9급, 13. 국가7급, 12. 지방9급 ( )

07 ○ **08** ○ **09** X **10** X

④ 하자의 치유는 비교적 경미한 형식과 절차에 대하여 인정되고, 행정처분의 내용상의 하자에 대해서는 치유를 인정하지 않는다(독일 연방행정절차법, 대판 1991.5.28. 90누1359).

(3) 무효인 행정행위에 대한 치유 여부

무효인 행위는 하자가 중대·명백하므로 전환을 인정할 수는 있으나, 치유를 인정하는 것은 오히려 법치주의에 반한다는 이유로 이를 부정하는 것이 다수설·판례이다.

(4) 효과(소급효)

하자가 치유되면 그 효과는 **소급적**으로 처음부터 적법했던 행위처럼 다루어진다.

(5) 하자의 치유의 시간적 한계

① 하자의 치유가 언제까지 허용되는지에 대해서는 **행정쟁송제기 전까지** 가능하다는 견해가 일반적 견해이다('행정심판제기 전까지라는 견해'와 '행정소송제기 전까지라는 견해'의 대립이 있다). 독일 연방행정절차법(제45조)은 행정소송절차가 종결되기까지 하자의 치유가 허용된다고 규정하고 있다.

② 판례는 구체적으로 정확한 시기를 밝히고 있지는 않으나, 치유를 허용하려면 적어도 처분에 대한 불복 여부의 결정 및 불복신청에 편의를 줄 수 있는 상당한 기간 내(변론종결 시가 아님)에 하여야 한다고 보고 있다(대판 1983.7.26. 82누420).

> **⚖ 관련판례**
>
> 하자의 치유를 허용하려면 늦어도 과세처분에 대한 불복 여부의 결정 및 불복신청에 편의를 줄 수 있는 상당한 기간 내에 하여야 한다고 할 것이므로 위 과세처분에 대한 전심절차가 모두 끝나고 이 사건 소송이 상고심에 계류 중인 세액산출근거의 통지가 있었다고 하여 이로써 위 과세처분의 하자가 치유되었다고는 볼 수 없다고 할 것이다(대판 1984.4.10. 83누393).

(6) 하자의 치유사유에 해당하지 않는 경우(불가쟁력·공정력)

불가쟁력은 불복기간의 경과로 인하여 행정행위의 효력을 다툴 수 없을 뿐이지 하자가 치유되는 것은 아니다. 또한 **공정력**은 하자 있는 행위를 잠정적으로 일응 유효로 추정하는 것이지 그 하자를 완전 유효하게 하는 것은 아니다.

3. 무효인 행정행위의 전환

(1) 의의

① 행정행위의 전환이라 함은 본래 의도한 행정행위로서는 무효이나, 일정요건 하에 흠 없는 다른 행위로서의 요건을 갖추고 있는 경우에는 그 다른 행위로서 효력을 인정하는 것을 말한다[예 사자(死者)에 대한 과세처분을 그 상속인에 대한 과세처분으로 전환하는 경우].

② 행정행위의 전환은 무효인 행정행위에 대해서만 인정되고, 취소할 수 있는 행정행위에 대해서는 인정되지 않는다.

(2) 전환의 요건

① 적극적 요건

㉠ 무효인 행정행위와 전환되는 행정행위가 요건·효과·목적에 있어서 실질적인 공통성이 있을 것

㉡ 무효인 행정행위는 전환될 행정행위로서 법적 요건(성립요건·효력발생요건)을 갖출 것

㉢ 흠 있는 행정행위를 한 행정청이 전환을 의욕하는 경우일 것

② 소극적 요건

㉠ 전환이 처분청의 의도에 반하지 않을 것

㉡ 상대방에게 원처분보다 불이익을 부과하는 경우가 아닐 것

㉢ 제3자의 이익을 침해하지 않을 것

㉣ 기속행위는 재량행위로의 전환이 허용되지 않는다(예 독일 연방행정절차법 제47조 제3항).

(3) 전환의 예

① 토지수용절차에서 재결신청인이 사망한 경우 토지수용재결의 효력을 상속인에게 인정하는 경우

② 사자(死者)에 대한 귀속재산불하·광업허가·조세부과를 상속인에게 인정하는 경우

> **⚖ 관련판례**
>
> 귀속재산을 불하받은 자가 사망한 후에 그 수불하자에 대하여 한 그 불하처분은 사망자에 대한 행정처분이므로 무효이지만 그 취소처분을 수불하자의 상속인에게 송달한 때에는 그 송달시에 그 상속인에 대하여 다시 그 불하처분을 취소한다는 새로운 행정처분을 한 것이라고 할 것이다(대판 1969.1.21. 68누190).

③ 과오납세액을 다른 조세채무에 충당한 행위가 무효인 경우 환급행위로 전환한 경우

④ 이중의 도로부담금부과처분을 독촉의 효력으로 인정하는 경우

(4) 전환권자

무효인 행정행위의 전환권자는 처분행정청이 됨은 당연하지만, 법원도 전환권자가 될 수 있는가에 대하여 독일의 지배적 견해는 이를 긍정하고 있으며 우리나라에서도 긍정하는 견해가 있다. 그러나 권력분립에 위배된다는 이유로 반대하는 견해도 있다.

(5) 전환의 효과와 쟁송

① 무효행위의 전환의 효과는 취소할 수 있는 행위의 치유와 마찬가지로 소급하여 효력이 발생한다.

② 전환된 행정행위는 그 자체가 새로운 행정행위이므로 상대방은 행정쟁송의 방법을 통해 그 전환을 다툴 수 있다.

하자의 치유 긍정	• 청문서 도달기간을 어겼더라도 영업자가 이의하지 아니한 채 스스로 청문일에 출석하여 의견을 진술하고 변명하는 등의 방어의 기회를 가진 경우 청문서 도달기간을 준수하지 아니한 하자는 치유되었다고 봄이 상당하다. • 납세고지서의 기재사항 일부 등이 누락된 경우라도 앞서 보낸 과세예고통지서 등에 필요적 기재사항이 제대로 기재된 경우 납세고지서의 하자가 치유된다. • 압류처분 단계에서 독촉의 흠결과 같은 절차상 하자가 있었다고 하더라도 그 이후에 이루어진 공매절차에서 공매통지서가 적법하게 송달된 바가 있다면 매수인이 매각결정에 따른 매수대금을 납부한 이후에는 당해 공매처분을 취소할 수 없다.
하자의 치유 부정	• 납세고지서에 세액산출근거를 전혀 명기하지 아니하였다면 설사 과세관청이 사전에 납세의무회사의 직원을 불러 과세의 근거와 세액산출근거 등을 사실상 알려준 바 있다 하더라도 하자의 치유를 부정한다. • 납세고지서에 세액산출근거 등이 기재사항이 누락된 하자는 납세의무자가 나름대로 산출근거를 알고 있다거나 사실상 이를 알고서 쟁송에 이르렀다 하더라도 치유를 부정한다.

제2절　행정행위의 하자승계

1 의의

행정행위의 하자승계란 둘 이상의 행정행위가 연속하여 행해지는 경우에 선행 행정행위에 취소사유에 해당하는 하자가 있었음에도 불구하고 제소기간 내에 이를 다투지 않아 불가쟁력이 발생한 경우 하자 없는 후행 행정행위에서 선행 행정행위의 하자를 다툴 수 있는가의 문제를 말한다.

2 기본적 전제요건

1. 선행행위와 후행행위 모두 항고소송의 대상이 되는 처분일 것

하자의 승계문제는 계속되는 행정행위간의 문제이므로 연속되는 행정행위가 모두 항고소송의 대상이 되는 처분이어야 한다.

2. 선행행위에 취소사유가 있을 것

선행행위가 무효인 경우에는 불가쟁력이 발생하지 않으므로 당연히 그 하자가 승계되나, 취소인 경우에는 모습을 달리한다.

관련판례

1 선행처분인 도시계획시설사업 시행자 지정처분이 처분 요건을 충족하지 못하여 당연 무효인 경우, 후행처분인 도시계획시설사업의 시행자가 작성한 실시계획을 인가하는 처분도 무효인지 여부(적극)

국토계획법령이 정한 도시계획시설사업의 대상 토지의 소유와 동의 요건을 갖추지 못하였는데도 사업시행자로 지정하였다면, 이는 국토계획법령이 정한 법규의 중요한 부분을 위반한 것으로서 특별한 사정이 없는 한 그 하자가 중대하다고 보아야 한다. 선행처분과 후행처분이 서로 독립하여 별개의 법률효과를 목적으로 하는 때에도 선행처분이 당연무효이면 선행처분의 하자를 이유로 후행처분의 효력을 다툴 수 있다. 도시계획시설사업의 시행자가 작성한 실시계획을 인가하는 처분은 도시계획시설사업 시행자에게 도시계획시설사업의 공사를 허가하고 수용권을 부여하는 처분으로서 선행처분인 도시계획시설사업 시행자 지정처분이 처분 요건을 충족하지 못하여 당연무효인 경우에는 사업시행자 지정처분이 유효함을 전제로 이루어진 후행처분인 실시계획 인가처분도 무효라고 보아야 한다(대판 2017.7.11. 2016두35120).

2 적법한 건축물에 대한 철거명령의 효력(당연무효) 및 그 후행행위인 대집행계고처분 의 효력(당연무효)

적법한 건축물에 대한 철거명령은 그 하자가 중대하고 명백하여 당연무효라고 할 것이고, 그 후행행위인 건축물철거 대집행계고처분 역시 당연무효라고 할 것이다(대판 1999.4.27. 97누6780).

3. 후행행위 자체에는 고유한 하자가 없을 것

후행행위 자체에 하자가 있다면 후행행위의 위법성을 독자적으로 다툴 수 있기 때문이다. 반대로 후행행위의 하자를 이유로 선행행위를 다툴 수도 없다.

4. 선행행위에 대한 제소기간이 경과하여 불가쟁력이 발생할 것

선행행위에 불가쟁력이 발생하지 않았다면 그 선행행위를 다툴 수 있으므로 하자의 승계를 논할 실익이 없다.

3 하자의 승계 여부

1. 논점

원칙상 불가쟁력이 발생한 행정행위에 대해서는 법적 안정성 등을 위하여 더 이상 그 효력을 다툴 수 없으나, 예외적으로 일정한 경우에 하자의 승계를 인정하여 당사자의 권리를 보호할 필요성이 있을 경우 이를 인정할 것인가의 문제이다.

2. 학설

(1) 하자승계론(전통적·일반적 견해)

① 선행처분과 후행처분이 동일한 법적 효과를 목적으로 하는 경우: 승계 긍정대집행절차 '계고 – 영장통지 – 실행 – 비용징수' 상호간처럼 동일한 선행처분과 후행처분이 서로 **동일한 법적 효과를 목적**으로 하는 경우에는 하자가 승계된다는 입장이다. '독촉 – 압류 – 매각 – 청산(충당)'도 같은 경우이다.

핵심 OX

01 선행처분과 후행처분이 서로 독립하여 별개의 법률효과를 목적으로 하는 경우에 선행처분이 당연무효의 하자가 있다는 이유로 후행처분의 효력을 다툴 수 없다.

18. 서울9급 ( )

② 선행처분과 후행처분이 별개의 법적 효과를 목적으로 하는 경우: 승계 부정연속되는 행위일지라도 서로 별개의 법적 효과를 목적으로 하는 경우에는 승계가 부정된다는 견해이다. '과세처분 – 체납처분', '철거명령 – 계고'와 같은 행위의 경우이다.

(2) 구속력이론(= 규준력이론)

① 의의: 하자의 승계문제를 불가쟁력이 발생한 선행행위의 후행행위에 대한 구속력의 문제로 파악하는 견해로서, 행정행위의 하자의 승계문제를 행정행위의 효력 중 실질적 존속력과 관련하여 이해한다. 실질적 존속력은 행정행위의 불가쟁력이 발생하기 이전에 존재하는 구속력과는 구별되는 개념으로서 둘 이상의 행정행위가 행하여지는 경우 행정청과 상대방 및 이해관계인에 대한 구속력을 의미하는바, 행정행위가 발령되면 그의 구속력에 의하여 처분청 자신도 거기에 구속되고, 상대방도 이에 구속되므로 후행행위를 함에 있어서 선행행위의 구속력을 부인할 수 없다는 것이다.

② 근거: 구속력의 직접적인 근거규정은 없지만 간접적이나마 행정행위의 불가쟁력에 관한 규정, 즉 행정심판이나 행정소송의 제소기간의 제한규정이 있다.

③ 한계

  ㉠ 사물적 한계: 선행행위의 후행행위에 대한 구속력은 양 행정행위가 동일한 목적을 추구하며 그의 법적 효과가 궁극적으로 일치하는 한도 내에서만 인정된다.

  ㉡ 대인적 한계: 선행행위의 후행행위에 대한 구속력은 양 행정행위의 수범자가 일치하는 한도에서만 인정된다.

  ㉢ 시간적 한계: 선행행위의 사실 및 법 상태가 유지되는 한도 안에서 구속력이 미친다.

  ㉣ 추가적 요건으로서의 '예측가능성'과 '수인한도성': 사물적·대인적·시간적 한계 내에 구속력이 인정되어도 그 결과가 개인에게 지나치게 예측가능성과 수인한도를 넘는 가혹한 결과를 초래하는 경우에는 구속력이 미치지 않는다.

④ 이러한 이론에 의하면 **개별공시지가와 과세처분**간, **직위해제와 면직처분**간에는 하자의 승계가 인정되어야 한다고 본다.

3. 판례

(1) 판례는 원칙적으로 하자승계론을 취한다.

(2) 다만, 예외적으로 개별공시지가와 과세처분 사이에서는 "별개의 효과를 목적으로 하는 경우에도 … 수인한도를 넘거나, 그 결과가 당사자에게 예측가능성이 없다면 구속력을 인정할 수 없다."라고 하여 하자의 승계를 인정하였다.

1 선행처분과 후행처분이 서로 독립하여 별개의 효과를 목적으로 하는 경우에도 선행처분의 하자를 이유로 후행처분의 효력을 다툴 수 있는 경우

두 개 이상의 행정처분이 연속적으로 행하여지는 경우 선행처분과 후행처분이 서로 결합하여 1개의 법률효과를 완성하는 때에는 선행처분에 하자가 있으면 그 하자는 후행처분에 승계되므로 선행처분에 불가쟁력이 생겨 그 효력을 다툴 수 없게 된 경우에도 선행처분의 하자를 이유로 후행처분의 효력을 다툴 수 있는 반면, <u>선행처분과 후행처분이 서로 독립하여 별개의 법률효과를 목적으로 하는 때</u>에는 선행처분에 불가쟁력이 생겨 그 효력을 다툴 수 없게 된 경우에는 선행처분의 하자가 중대하고 명백하여 당연무효인 경우를 제외하고는 선행처분의 하자를 이유로 후행처분의 효력을 다툴 수 없는 것이 원칙이나 <u>선행처분과 후행처분이 서로 독립하여 별개의 효과를 목적으로 하는 경우에도 선행처분의 불가쟁력이나 구속력이 그로 인하여 불이익을 입게 되는 자에게 수인한도를 넘는 가혹함을 가져오며, 그 결과가 당사자에게 예측가능한 것이 아닌 경우</u>에는 국민의 재판받을 권리를 보장하고 있는 헌법의 이념에 비추어 선행처분의 후행처분에 대한 구속력은 인정될 수 없다(대판 1994.1.25. 93누8542).

2 과세처분 등 행정처분의 취소를 구하는 행정소송에서 선행처분인 개별공시지가결정의 위법을 독립된 위법사유로 주장할 수 있는지 여부(적극)

개별공시지가결정은 이를 기초로 한 과세처분 등과는 별개의 독립된 처분으로서 서로 독립하여 별개의 법률효과를 목적으로 하는 것이나, 개별공시지가는 이를 토지소유자나 이해관계인에게 개별적으로 고지하도록 되어 있는 것이 아니어서 토지소유자 등이 개별공시지가결정 내용을 알고 있었다고 전제하기도 곤란할 뿐만 아니라 결정된 개별공시지가가 자신에게 유리하게 작용될 것인지 또는 불이익하게 작용될 것인지 여부를 쉽사리 예견할 수 있는 것도 아니며, 더욱이 장차 어떠한 과세처분 등 구체적인 불이익이 현실적으로 나타나게 되었을 경우에 비로소 권리구제의 길을 찾는 것이 우리 국민의 권리의식임을 감안하여 볼 때 토지소유자 등으로 하여금 결정된 개별공시지가를 기초로 하여 장차 과세처분 등이 이루어질 것에 대비하여 항상 토지의 가격을 주시하고 개별공시지가결정이 잘못된 경우 정해진 시정절차를 통하여 이를 시정하도록 요구하는 것은 부당하게 높은 주의의무를 지우는 것이라고 아니할 수 없고, <u>위법한 개별공시지가결정에 대하여 그 정해진 시정절차를 통하여 시정하도록 요구하지 아니하였다는 이유로 위법한 개별공시지가를 기초로 한 과세처분 등 후행 행정처분에서 개별공시지가결정의 위법을 주장할 수 없도록 하는 것은 수인한도를 넘는 불이익을 강요하는 것</u>으로서 국민의 재산권과 재판받을 권리를 보장한 헌법의 이념에도 부합하는 것이 아니라고 할 것이므로, 개별공시지가결정에 위법이 있는 경우에는 그 자체를 행정소송의 대상이 되는 행정처분으로 보아 그 위법 여부를 다툴 수 있음은 물론 <u>이를 기초로 한 과세처분 등 행정처분의 취소를 구하는 행정소송에서도 선행처분인 개별공시지가결정의 위법을 독립된 위법사유로 주장할 수 있다</u>고 해석함이 타당하다(대판 1994.1.25. 93누8542).

비교판례

개별토지가격 결정에 대한 재조사 청구에 따른 감액조정에 대하여 더 이상 불복하지 아니한 경우, 이를 기초로 한 양도소득세 부과처분 취소소송에서 다시 개별토지가격 결정의 위법을 당해 과세처분의 위법사유로 주장할 수 없다(대판 1998.3.13. 96누6059).

02 선행행위에 대하여 불가쟁력이 발생하지 않았거나 선행행위와 후행행위가 서로 독립하여 각각 별개의 법률효과를 목적으로 하는 때에는 원칙적으로 선행행위의 하자를 이유로 후행행위의 효력을 다툴 수 없다.
17. 지방9급 (   )

03 선행행위와 후행행위가 서로 독립하여 별개의 법률효과를 목적으로 하는 경우라도 선행행위의 불가쟁력이나 구속력이 그로 인하여 불이익을 입는 자에게 수인한도를 넘는 가혹함을 가져오고 그 결과가 예측가능한 것이 아닌 때에는 하자의 승계를 인정할 수 있다.
17. 지방9급 (   )

04 위법한 개별공시지가결정에 대하여 그 정해진 시정절차를 통하여 시정하도록 요구하지 아니하였다는 이유로 위법한 개별공시지가를 기초로 한 과세처분 등 후행행정처분에서 개별공시지가결정의 위법을 주장할 수 없도록 하는 것은 수인한도를 넘는 불이익을 강요하는 것이다.
18. 서울9급 (   )

05 선행처분과 후행처분이 서로 독립하여 별개의 법률효과를 발생시키는 경우에는 선행처분에 불가쟁력이 생겨 그 효력을 다툴 수 없게 되면 수인한도를 넘는 가혹함을 가져오며 그 결과가 당사자에게 예측가능하지 않더라도 하자의 승계가 인정되지 않는다.
23. 지방9급 (   )

❶ 하자승계
· 개별공시지가 - 과세처분: 승계 O
　(이전에 개별공시지가에 대하여 다퉜던
　경우에는 승계 X)
· 표준공시지가 - 수용재결: 승계 O
· 개별공시지가 - 수용재결: 승계 X
· 표준공시지가 - 과세처분: 승계 X
· 개별공시지가 - 표준공시지가: 승계 X

❸ 수용보상금의 증액을 구하는 소송에서 선행처분으로서 그 수용대상 토지 가격 산정의 기초가 된 비교표준지공시지가결정의 위법을 독립한 사유로 주장할 수 있는지 여부(적극)

표준지공시지가결정은 이를 기초로 한 수용재결 등과는 별개의 독립된 처분으로서 서로 독립하여 별개의 법률효과를 목적으로 하지만, 표준지공시지가는 이를 인근 토지의 소유자나 기타 이해관계인에게 개별적으로 고지하도록 되어 있는 것이 아니어서 인근 토지의 소유자 등이 표준지공시지가결정 내용을 알고 있었다고 전제하기가 곤란할 뿐만 아니라, 결정된 표준지공시지가가 공시될 당시 보상금 산정의 기준이 되는 표준지의 인근 토지를 함께 공시하는 것이 아니어서 인근 토지소유자는 보상금 산정의 기준이 되는 표준지가 어느 토지인지를 알 수 없으므로, 인근 토지 소유자가 표준지의 공시지가가 확정되기 전에 이를 다투는 것은 불가능하다. 더욱이 장차 어떠한 수용재결 등 구체적인 불이익이 현실적으로 나타나게 되었을 경우에 비로소 권리구제의 길을 찾는 것이 우리 국민의 권리의식임을 감안하여 볼 때, 인근 토지소유자 등으로 하여금 결정된 표준지공시지가를 기초로 하여 장차 토지보상 등이 이루어질 것에 대비하여 항상 토지의 가격을 주시하고 표준지공시지가결정이 잘못된 경우 정해진 시정절차를 통하여 이를 시정하도록 요구하는 것은 부당하게 높은 주의의무를 지우는 것이고, 위법한 표준지공시지가결정에 대하여 그 정해진 시정절차를 통하여 시정하도록 요구하지 않았다는 이유로 위법한 표준지공시지가를 기초로 한 수용재결 등 후행 행정처분에서 표준지공시지가결정의 위법을 주장할 수 없도록 하는 것은 수인한도를 넘는 불이익을 강요하는 것으로서 국민의 재산권과 재판받을 권리를 보장한 헌법의 이념에도 부합하는 것이 아니다. 따라서 표준지공시지가결정이 위법한 경우에는 그 자체를 행정소송의 대상이 되는 행정처분으로 보아 그 위법 여부를 다툴 수 있음은 물론, <u>수용보상금의 증액을 구하는 소송에서도 선행처분으로서 그 수용대상 토지 가격 산정의 기초가 된 비교표준지공시지가결정의 위법을 독립한 사유로 주장할 수 있다</u>(대판 2008.8.21. 2007두13845).**❶**

❹ 甲을 친일반민족행위자로 결정한 친일반민족행위진상규명위원회의 최종발표(선행처분)에 따라 지방보훈지청장이 독립유공자 예우에 관한 법률 적용 대상자로 보상금 등의 예우를 받던 甲의 유가족 乙 등에 대하여 독립유공자 예우에 관한 법률 적용배제자결정(후행처분)을 한 사안에서, 선행처분의 후행처분에 대한 구속력을 인정할 수 없어 선행처분의 위법을 이유로 후행처분의 효력을 다툴 수 있는지 여부(적극)

甲을 <u>친일반민족행위자로 결정한 친일반민족행위진상규명위원회(이하 '진상규명위원회'라 한다)의 최종발표(선행처분)</u>에 따라 지방보훈지청장이 독립유공자 예우에 관한 법률(이하 '독립유공자법'이라 한다) 적용 대상자로 보상금 등의 예우를 받던 甲의 유가족 乙 등에 대하여 <u>독립유공자법 적용배제자 결정(후행처분)</u>을 한 사안에서, 진상규명위원회가 甲의 친일반민족행위자 결정 사실을 통지하지 않아 乙은 후행처분이 있기 전까지 선행처분의 사실을 알지 못하였고, 후행처분인 지방보훈지청장의 독립유공자법 적용배제결정이 자신의 법률상 지위에 직접적인 영향을 미치는 행정처분이라고 생각했을 뿐, 통지를 받지도 않은 진상규명위원회의 친일반민족행위자 결정처분이 자신의 법률상 지위에 영향을 주는 독립된 행정처분이라고 생각하기는 쉽지 않았을 것으로 보여, 乙이 선행처분에 대하여 일제강점하 반민족행위 진상규명에 관한 특별법에 의한 이의신청절차를 밟거나 후행처분에 대한 것과 별개로 행정심판이나 행정소송을 제기하지 않았다고 하여 선행처분의 하자를 이유로 후행처분의 효력을 다툴 수 없게 하는 것은 乙에게 수인한도를 넘는 불이익을 주고 그 결과가 乙에게 예측가능한 것이라고 할 수 없어 선행처분의 후행처분에 대한 구속력을 인정할 수 없으므로 <u>선행처분의 위법을 이유로 후행처분의 효력을 다툴 수 있음에도</u>, 이와 달리 본 원심판결에 법리를 오해한 위법이 있다(대판 2013.3.14. 2012두6964).

5 **도시·군계획시설결정의 하자가 실시계획인가에 승계되는지 여부(소극)**

도시·군계획시설결정과 실시계획인가는 도시·군계획시설사업을 위하여 이루어지는 단계적 행정절차에서 별도의 요건과 절차에 따라 별개의 법률효과를 발생시키는 독립적인 행정처분이다. 그러므로 선행처분인 도시·군계획시설결정에 하자가 있더라도 그것이 당연무효가 아닌 한 원칙적으로 후행처분인 실시계획인가에 승계되지 않는다(대판 2017.7.18. 2016두49938).

6 **후행처분인 대집행영장발부통보처분의 취소청구 소송에서 선행처분인 계고처분이 위법하다는 이유로 대집행영장발부통보처분도 위법한 것이라는 주장을 할 수 있는지 여부(적극)**❷

대집행의 계고, 대집행영장에 의한 통지, 대집행의 실행, 대집행에 요한 비용의 납부명령 등은 타인이 대신하여 행할 수 있는 행정의무의 이행을 의무자의 비용부담하에 확보하고자 하는, 동일한 행정목적을 달성하기 위하여 단계적인 일련의 절차로 연속하여 행하여지는 것으로서, 서로 결합하여 하나의 법률효과를 발생시키는 것이므로, 선행처분인 계고처분이 하자가 있는 위법한 처분이라면, 비록 그 하자가 중대하고도 명백한 것이 아니어서 당연무효의 처분이라고 볼 수 없고 행정소송으로 효력이 다투어지지도 아니하여 이미 불가쟁력이 생겼으며, 후행처분인 대집행영장발부통보처분 자체에는 아무런 하자가 없다고 하더라도, 후행처분인 대집행영장발부통보처분의 취소를 청구하는 소송에서 청구원인으로 선행처분인 계고처분이 위법한 것이기 때문에 그 계고처분을 전제로 행하여진 대집행영장발부통보처분도 위법한 것이라는 주장을 할 수 있다(대판 1996.2.9. 95누12507).

7 **공청회와 이주대책이 없는 도시계획수립행위의 위법을 이유로 수용재결처분의 취소를 구할 수 있는지 여부(소극)**

도시계획의 수립에 있어서 도시계획법 제16조의2 소정의 공청회를 열지 아니하고 공공용지의 취득 및 손실보상에 관한 특례법 제8조 소정의 이주대책을 수립하지 아니하였더라도 이는 절차상의 위법으로서 취소사유에 불과하고 그 하자가 도시계획결정 또는 도시계획사업시행인가를 무효라고 할 수 있을 정도로 중대하고 명백하다고는 할 수 없으므로 이러한 위법을 선행처분인 도시계획결정이나 사업시행인가 단계에서 다투지 아니하였다면 그 쟁소기간이 이미 도과한 후인 수용재결단계에 있어서는 도시계획수립 행위의 위와 같은 위법을 들어 재결처분의 취소를 구할 수는 없다고 할 것이다(대판 1990.1.23. 87누947).

8 도시계획시설변경 및 지적승인고시처분(이하 '이 사건 처분'이라 한다)이 피고가 피고보조참가인에 대하여 한 1993.4.16. 사업계획승인처분과는 절차적으로 전혀 별개의 독립된 처분이고, 가사 위 사업계획승인처분과 이 사건 처분이 선행행위와 후행행위의 관계에 있다고 하더라도 선행행위와 후행행위가 서로 독립하여 각각 별개의 법률효과를 목적으로 하는 때에는 선행행위의 하자가 중대하고 명백하여 당연무효인 경우를 제외하고는 선행행위의 하자를 이유로 후행행위의 효력을 다툴 수 없다고 할 것인바, 위 사업계획승인처분과 이 사건 처분은 각각 별개의 법률효과를 목적으로 하고 있고, 위 사업계획승인처분의 하자가 중대하고 명백하여 당연무효라고 볼 수 없으므로 어느 모로 보나 위 사업계획승인처분의 하자를 이유로 이 사건 처분의 위법을 다툴 수 없다(대판 2000.9.5. 99두9889).

❷ **하자승계**
· 계고 – 통지 – 실행 – 비용징수: 승계 ○
· 독촉 – 압류 – 매각 – 청산: 승계 ○

핵심 OX

03 도시계획결정과 수용재결처분 사이의 하자는 승계된다.
10. 지방9급 ( )

04 헌법재판소의 결정에 따르면 불가쟁력이 발생한 사업실시계획인가 고시의 하자는 당연무효가 아닌 한 수용재결에 승계되지 아니한다.
14. 지방7급 ( )

03 × **04** ○

제8장 행정행위의 하자와 하자승계 **381**

9 이미 불가쟁력이 발생한 보충역편입처분에 하자가 있다고 하더라도 그것이 당연무효의 사유가 아닌 한 공익근무요원소집처분에 승계되는지 여부(소극)

보충역편입처분 등의 병역처분은 역종을 부과하는 처분임에 반하여, 공익근무요원소집처분은 보충역편입처분을 받은 공익근무요원소집대상자에게 공익근무요원으로서의 복무를 명하는 구체적인 행정처분이므로, 위 두 처분은 후자의 처분이 전자의 처분을 전제로 하는 것이기는 하나 각각 단계적으로 별개의 법률효과를 발생하는 독립된 행정처분이라고 할 것이므로, 보충역편입처분에 하자가 있다고 할지라도 그것이 당연무효라고 볼만한 특단의 사정이 없는 한 그 위법을 이유로 공익근무요원소집처분의 효력을 다툴 수 없다(대판 2002.12.10. 2001두5422).

10 건물철거명령이 당연무효가 아니고 불가쟁력이 발생하였다면 건물철거명령의 하자를 이유로 후행 대집행계고처분의 효력을 다툴 수 있는지 여부(소극)

건물철거명령이 당연무효가 아닌 이상 행정심판이나 소송을 제기하여 그 위법함을 소구하는 절차를 거치지 아니하였다면 후행행위인 대집행계고처분에서는 그 건물이 무허가건물이 아닌 적법한 건축물이라는 주장이나 그러한 사실인정을 하지 못한다(대판 1998.9.8. 97누20502).

11 선행처분인 공무원직위해제처분과 후행 직권면직처분 사이에 하자의 승계가 인정되는지 여부(소극)

구 경찰공무원법 제50조 제1항에 의한 직위해제처분과 같은 제3항에 의한 면직처분은 후자가 전자의 처분을 전제로 한 것이기는 하나 각각 단계적으로 별개의 법률효과를 발생하는 행정처분이어서 선행 직위해제처분의 위법사유가 면직처분에는 승계되지 아니한다 할 것이므로 선행된 직위해제 처분의 위법사유를 들어 면직처분의 효력을 다툴 수는 없다(대판 1984.9.11. 84누191).

12 표준지로 선정된 토지의 공시지가에 대하여 불복하기 위하여는 지가공시 및 토지등의 평가에 관한 법률 제8조 제1항 소정의 이의절차를 거쳐 처분청을 상대로 그 공시지가결정의 취소를 구하는 행정소송을 제기하여야 하는 것이지, 그러한 절차를 밟지 아니한 채 개별토지가격결정을 다투는 소송에서 그 개별토지가격 산정의 기초가 된 표준지 공시지가의 위법성을 다툴 수는 없다(대판 1995.3.28. 94누12920).

하자의 승계 인정	하자의 승계 부정
① 계고·통지·실행·비용징수의 각 행위간 ② 암매장분묘개장명령과 후행계고처분간	① 건물철거명령과 계고처분간
③ 독촉·압류·매각·충당의 각 행위간	② 과세처분과 체납처분간 ③ 사업시행 후 시행인가처분과 환지청산금 부과처분간
④ 무효인 조례와 그에 근거한 지방세부과처분간	④ 지방의회의안의결과 지방세부과처분간
⑤ 환지예정지지정처분과 공작물이전명령간 ⑥ 귀속재산의 임대처분과 후행매각처분간	⑤ 도시계획결정과 수용재결처분간 ⑥ 도시계획시설변경·지적승인고시처분과 사업계획승인처분간 ⑦ 사업인정처분과 재결처분간 ⑧ 도시 및 주거환경정비법상 사업시행계획과 관리처분계획간 ⑨ 도시·군계획시설결정과도시·군시설사업 실시계획인가간 ⑩ 운수권 배분 실효처분 및 노선면허거부처분간
⑦ 한지의사시험자격인정과 한지의사면허처분간 ⑧ 안경사국가시험합격무효처분과 안경사면허처분 취소간	⑪ 변상판정과 변상명령간 ⑫ 감사원시정요구결정과 그에 따른 처분취소간
⑨ 개별공시지가결정과 과세처분간 ⑩ 표준지공시지가결정과 수용재결(보상금재결)간 ⑪ 기준지가고시처분과 토지수용처분 ⑫ 어업정지처분과 어업허가취소처분	⑬ LPG판매사업허가처분과 사업개시신고반려처분간 ⑭ 직위해제처분과 직권면직처분간 ⑮ 보충역 편입처분과 공익근무요원소집처분간
⑬ 친일반민족행위자 결정과 독립유공자 배제자 결정간	⑯ 표준공시지가결정과 개별공시지가결정간 ⑰ 표준공시지가결정과 과세처분간

05 선행처분인 국제항공노선 운수권 배분 실효처분 및 노선면허거부 처분에 대하여 이미 불가쟁력이 생겨 그 효력을 다툴 수 없게 되었더라도 후행처분인 노선면허처분을 다투는 단계에서 선행처분의 하자를 다툴 수 있다. 19. 국회8급 ( )

06 토지구획정리사업 시행 후 시행인 가처분의 하자가 취소사유에 불과하더라도 사업 시행 후 시행인가처분의 하자를 이유로 환지청산금 부과처분의 효력을 다툴 수 있다. 19. 국회8급 ( )

07 조세부과처분에 취소사유인 하자가 있는 경우 그 하자는 후행 강제징수절차인 독촉·압류·매각·청산절차에 승계된다. 19. 국가9급, 11. 지방9급 ( )

08 개별공시지가 결정에 대한 재조사 청구에 따른 감액조정에 대하여 더 이상 불복하지 아니한 경우에는 선행처분의 불가쟁력이나 구속력이 수인한도를 넘는 가혹한 것이거나 예측불가능하다고 볼 수 없어 이를 기초로 한 양도소득세 부과처분 취소소송에서 다시 개별공시지가 결정의 위법을 당해 과세처분의 위법사유로 주장할 수 없다. 17. 국가9급(10월) ( )

09 사업시행계획과 관리처분계획은 서로 독립하여 별개의 법적 효과를 발생시키는 것으로서 사업시행계획의 수립에 관한 취소사유인 하자가 관리처분계획에 승계되지 아니한다. 18. 국가9급·서울9급 ( )

05 X **06** X **07** X **08** ○ **09** ○

제1절 행정행위의 취소

1 서설

1. 의의

(1) 행정행위의 취소라 함은 일단 유효하게 효력이 발생한 행정행위에 대해 그 성립의 하자를 이유로 권한이 있는 기관이 그 법률상의 효력을 원칙적으로 **행위시에 소급**하여 소멸시키는 **독립된 행정행위**를 말한다.

(2) 협의의 취소는 직권취소만을, 광의의 취소는 직권취소와 쟁송취소 모두를 의미한다.

2. 철회와의 구별

(1) 행정행위의 취소는 성립 **당시의 하자(원시적 하자)**를 이유로 행정행위의 효력을 **소멸**시킨다는 점에서, 아무런 하자 없이 유효하게 성립한 행정행위를 사후에 발생한 새로운 사정에 의하여 장래에 향하여 효력을 소멸시키는 철회와 구별된다.

(2) 취소와 철회를 포함하여 강학상 폐지라고 한다.

3. 취소의 종류

(1) **주체에 따라**

행정청에 의한 취소(직권취소, 행정심판에 의한 취소)와 법원에 의한 취소(쟁송취소)가 있다.

(2) **직권취소와 쟁송취소**

직권취소의 경우 위법뿐만 아니라 부당도 취소사유가 되며, 쟁송취소의 경우 행정심판에 의한 취소는 위법 외에 부당도 취소사유가 되나, 행정소송에 의한 취소는 위법만이 취소사유가 된다.

(3) **성질에 따라**

수익적 행위의 취소(주로 직권취소), 부담적 행위의 취소(주로 쟁송취소), 복효적 행정행위의 취소

2 직권취소의 근거❶

> **행정기본법 제18조 【위법 또는 부당한 처분의 취소】** ① 행정청은 위법 또는 부당한 처분의 전부나 일부를 소급하여 취소할 수 있다. 다만, 당사자의 신뢰를 보호할 가치가 있는 등 정당한 사유가 있는 경우에는 장래를 향하여 취소할 수 있다.

핵심 OX

01 행정기본법은 직권취소나 철회의 일반적 근거규정을 두고 있고, 직권취소나 철회는 개별법률의 근거가 없어도 가능하다.   23. 국가9급 (   )

❶ 쟁송취소의 경우
행정심판법, 행정소송법에 명문의 규정이 있음

01 ○

② 행정청은 제1항에 따라 당사자에게 권리나 이익을 부여하는 처분을 취소하려는 경우에는 취소로 인하여 당사자가 입게 될 불이익을 취소로 달성되는 공익과 비교·형량(衡量)하여야 한다. 다만, 다음 각 호의 어느 하나에 해당하는 경우에는 그러하지 아니하다.
1. 거짓이나 그 밖의 부정한 방법으로 처분을 받은 경우
2. 당사자가 처분의 위법성을 알고 있었거나 중대한 과실로 알지 못한 경우

상대방의 기득권보호를 위하여 법적 근거가 있어야 된다는 견해가 있으나, 행정행위의 취소는 성립·효력발생요건을 갖추지 않은 하자가 있음을 이유로 행정행위의 효력을 소멸시키는 것이므로 별도의 법적 근거가 없어도 가능하다는 것이 다수설·판례의 입장이다.

관련판례

1 개별토지에 대한 가격결정도 행정처분(일반처분)에 해당하며 원래 행정처분을 한 처분청이 있는 경우에는 원칙적으로 별도의 법적 근거가 없더라도 <u>스스로 이를 직권으로 취소할 수 있는 것</u>이다(대판 1995.9.15. 95누6311).

2 권한 없는 행정기관이 한 당연무효인 행정처분을 취소할 수 있는 권한은 당해 행정처분을 한 처분청에게 속하고, 당해 행정처분을 할 수 있는 적법한 권한을 가지는 행정청에게 그 취소권이 귀속되는 것이 아니다(대판 1984.10.10. 84누463).

3 산림법령에는 채석허가처분을 한 처분청이 산림을 복구한 자에 대하여 복구설계서 승인 및 복구준공통보를 한 경우 그 취소신청과 관련하여 아무런 규정을 두고 있지 않고, 원래 행정처분을 한 처분청은 그 처분에 하자가 있는 경우에는 원칙적으로 별도의 법적 근거가 없더라도 스스로 이를 직권으로 취소할 수 있지만, 그와 같이 직권취소를 할 수 있다는 사정만으로 이해관계인에게 처분청에 대하여 그 취소를 요구할 신청권이 부여된 것으로 볼 수는 없다(대판 2006.6.30. 2004두701).

4 변상금 부과처분에 대한 취소소송이 진행 중이라도 그 부과권자로서는 위법한 처분을 스스로 취소하고 그 하자를 보완하여 다시 적법한 부과처분을 할 수 있다(대판 2006.2.10. 2003두5686).

5 **구 영유아보육법상 어린이집 평가인증의 효력을 과거로 소급하여 상실시키기 위해서는 특별한 사정이 없는 한 별도의 법적 근거가 필요한지 여부(적극)**
영유아보육법 제30조 제5항 제3호에 따른 평가인증의 취소는 평가인증 당시에 존재하였던 하자가 아니라 그 이후에 새로이 발생한 사유로 평가인증의 효력을 소멸시키는 경우에 해당하므로, 법적 성격은 평가인증의 '철회'에 해당한다. 그런데 행정청이 평가인증을 철회하면서 그 효력을 철회의 효력발생일 이전으로 소급하게 하면, 철회 이전의 기간에 평가인증을 전제로 지급한 보조금 등의 지원이 그 근거를 상실하게 되어 이를 반환하여야 하는 법적 불이익이 발생한다. 이는 장래를 향하여 효력을 소멸시키는 철회가 예정한 법적 불이익의 범위를 벗어나는 것이다. 이처럼 행정청이 평가인증이 이루어진 이후에 새로이 발생한 사유를 들어 영유아보육법 제30조 제5항에 따라 평가인증을 철회하는 처분을 하면서도, 평가인증의 효력을 과거로 소급하여 상실시키기 위해서는, 특별한 사정이 없는 한 영유아보육법 제30조 제5항과는 별도의 법적 근거가 필요하다(대판 2018.6.28. 2015두58195).

3 직권취소의 한계

1. 주체(취소권자)❶

행정행위를 직권으로 취소할 수 있는 자는 원칙적으로 처분청이나, 법적 근거가 있는 경우에는 감독청도 취소권을 갖는다. 대표적 예로 ① 행정권한의 위임 및 위탁에 관한 규정 제6조(지휘·감독)는 "위임 및 위탁기관은 수임 및 수탁기관의 수임 및 수탁사무 처리에 대하여 지휘·감독하고, 그 처리가 위법하거나 부당하다고 인정될 때에는 이를 취소하거나 정지시킬 수 있다."라고 규정하고 있고, ② 정부조직법 제11조는 "대통령은 국무총리와 중앙행정기관의 장의 명령이나 처분이 위법 또는 부당하다고 인정하면 이를 중지 또는 취소할 수 있다."라고 규정하고 있다. 법적 근거 없는 경우에 감독청의 취소권이 인정될 수 있는가에 대하여는 견해의 대립이 있다.

(1) 긍정설

취소권은 감독의 목적을 달성하기 위한 불가결한 수단이므로 감독청은 당연히 취소권을 가진다는 견해이다.

(2) 부정설(다수설)

명문의 규정이 있는 경우(예 정부조직법, 지방자치법 등)를 제외하고 **취소권**은 **당해 처분청**만이 가지고, 감독청은 취소명령권만을 가진다고 보는 견해이다.

2. 형식❷

직권취소는 특별한 규정이 있는 경우를 제외하고는 취소의 뜻을 객관적으로 알 수 있는 방법이면 되고, 특별한 형식은 요구되지 않는다. 즉, 행정청은 명시적인 방법 외에 종전 처분과 양립할 수 없는 처분을 함으로써 묵시적으로 종전 처분을 취소할 수도 있다. 직권취소의 경우 실권의 법리에 의한 제한을 제외하고 취소기간의 제한은 없다.

3. 절차❸

직권취소절차에 관한 일반적인 규정은 없으나, 수익적 행정행위의 직권취소는 상대방에게 부담적 효과를 발생시키므로 행정절차법상의 사전통지(행정절차법 제21조), 의견제출(동법 제22조), 이유부기(동법 제23조) 등의 절차에 의한다. 또한, 영업허가의 취소의 경우에는 개별법에서 상대방의 권익보호를 위해 청문절차를 요구하는 경우가 있다(식품위생법 제81조).

4. 직권취소의 사유(내용)

(1) 주체에 관한 취소사유

① 필요적 자문을 결여한 행위

② 권한초과행위(권한 없는 자의 행위는 무효)

③ 사기·강박 등으로 인한 의사결정에 하자가 있는 행위

④ 착오의 결과로서 위법·부당하게 된 행위(착오의 결과 불능은 무효, 단순오기·오산의 경우는 유효)

⑤ 증수뢰·부정신고 또는 부정행위에 의한 행위

(2) 내용에 관한 취소사유

① 단순한 위법인 경우

② 부당한 행위(공익에 반하는 행위)

③ 공서양속에 위반한 행위

(3) 절차에 관한 취소사유

행정의 능률·원활을 위한 참고적·세부적·행정편의적 절차에 위반된 행위

(4) 형식에 관한 취소사유

경미한 형식을 결여한 행위

4 직권취소의 제한④

직권취소가 부담적 행정행위를 대상으로 하는 경우에는 자유로우나, 직권취소는 주로 수익적 행정행위를 대상으로 하기 때문에 그 취소는 일정한 제한을 받게 된다. 따라서 취소에 의하여 달성하려는 공익 또는 제3자의 사익 보호와 상대방의 신뢰보호, 기득권 침해 또는 법률생활의 안정 등을 구체적으로 비교·형량하여야 한다.

1. 취소자유의 원칙으로부터 취소제한의 원칙으로

종래에는 행정의 법률적합성의 원칙에 따라 행정행위는 자유로이 취소할 수 있다는 입장이었으나, 오늘날 직권취소는 취소에 의하여 달성하려는 **공익과 사익**을 **비교·형량**하여 공익적 요구가 더 큰 경우에 한하여 취소할 수 있다는 것이다.

2. 취소가 제한되는 경우

(1) 수익적 행정행위

수익적 행정행위를 취소하는 경우 비례원칙이 적용된다. 따라서 비례원칙에 의해 취소사유가 있는 경우에도 취소권 행사가 제한될 수 있다.

> **⚖ 관련판례**
>
> **국민에게 일정한 이득과 권리를 취득하게 한 종전 행정처분을 취소할 수 있는 경우 및 취소해야 할 필요성에 대한 증명책임의 소재(= 행정청)**
>
> 일정한 행정처분으로 국민이 일정한 이익과 권리를 취득하였을 경우에 종전 행정처분을 취소하는 행정처분은 이미 취득한 국민의 기존 이익과 권리를 박탈하는 별개의 행정처분으로 취소될 행정처분에 하자 또는 취소해야 할 공공의 필요가 있어야 하고, 나아가 행정처분에 하자 등이 있다고 하더라도 취소해야 할 공익상 필요와 취소로 당사자가 입게 될 기득권과 신뢰보호 및 법률생활안정의 침해 등 불이익을 비교·교량한 후 공익상 필요가 당사자가 입을 불이익을 정당화할 만큼 강한 경우에 한하여 취소할 수 있는 것이며, 하자나 취소해야 할 필요성에 관한 증명책임은 기존 이익과 권리를 침해하는 처분을 한 행정청에 있다(대판 2012.3.29. 2011두23375).

④ 쟁송취소의 경우
주로 부담적 행정행위가 대상이 되므로 그 취소는 원칙적으로 제한받지 않음. 즉, 원칙적으로 취소권의 제한이 인정되지 않지만, 공공복리를 위하여 제한되는 경우가 있음(예 사정판결, 사정재결)

핵심 OX

05 수익적 행정처분의 경우 상대방의 신뢰보호와 관련하여 직권취소가 제한되나 그 필요성에 대한 입증책임은 기존 이익과 권리를 침해하는 처분을 한 행정청에 있다.

18. 서울7급 (   )

06 행정행위를 한 처분청이 그 행위에 하자가 있어 수익적 행정처분을 취소할 때에는 이를 취소하여야 할 공익상의 필요와 그 취소로 인하여 당사자가 입게 될 기득권과 신뢰보호 및 법률생활 안정의 침해 등 불이익을 비교·교량한 후 공익상의 필요가 당사자가 입을 불이익을 정당화할 만큼 강한 경우에 한하여 취소할 수 있다.

18. 서울7급, 15. 국가9급, 12. 국가7급, 07. 관세사 (   )

05 ○ **06** ○

(2) 불가변력이 발생한 행위(준사법적 행정행위)

행정심판재결과 같은 준사법적 행정행위에는 취소권 행사가 제한된다.

(3) 사법(私法)형성적 행위

인가와 같은 사인의 법률행위의 효력을 완성시켜 주는 행위에는 취소권 행사가 제한된다.

(4) 포괄적 신분관계 설정행위

공무원임용행위, 국적부여행위 등에는 취소권 행사가 제한된다.

(5) 실권의 경우

취소권의 기간이 경과된 경우에는 취소권 행사가 제한된다.

(6) 하자의 치유가 인정되는 경우

하자 있는 행정행위의 위법이 치유된 경우에는 그 위법을 이유로 당해 행정행위를 직권으로 취소할 수 없다.

(7) 복효적 행정행위

연금 지급결정을 취소하는 처분이 적법한 경우 그에 기초한 환수처분도 반드시 적법하다고 판단해야 하는지 여부(소극)

[1] 구 국민연금법 제57조 제1항, 부칙 제9조 제1항 제1호의 내용과 취지, 사회보장 행정영역에서 수익적 행정처분 취소의 특수성 등을 종합하여 보면, 위 조항에 따라 급여를 받은 당사자로부터 잘못 지급된 급여액에 해당하는 금액을 환수하는 처분을 할 때에는 급여의 수급에 관하여 당사자에게 고의 또는 중과실 등 귀책사유가 있는지, 지급된 급여의 액수·연금지급결정일과 지급결정 취소 및 환수처분일 사이의 시간적 간격·수급자의 급여액 소비 여부 등에 비추어 이를 다시 원상회복하는 것이 수급자에게 가혹한지, 잘못 지급된 급여액에 해당하는 금액을 환수하는 처분을 통하여 달성하고자 하는 공익상 필요의 구체적 내용과 그 처분으로 말미암아 당사자가 입게 될 불이익의 내용 및 정도와 같은 여러 사정을 두루 살펴, 잘못 지급된 급여액에 해당하는 금액을 환수하는 처분을 하여야 할 공익상 필요와 그로 인하여 당사자가 입게 될 기득권과 신뢰의 보호 및 법률생활 안정의 침해 등의 불이익을 비교·교량한 후, 공익상 필요가 당사자가 입게 될 불이익을 정당화할 만큼 강한 경우에 한하여 잘못 지급된 급여액에 해당하는 금액을 환수하는 처분을 하여야 한다.

[2] 행정처분을 한 처분청은 처분의 성립에 하자가 있는 경우 별도의 법적 근거가 없더라도 직권으로 이를 취소할 수 있다고 봄이 원칙이므로, 국민연금법이 정한 수급요건을 갖추지 못하였음에도 연금 지급결정이 이루어진 경우에는 이미 지급된 급여 부분에 대한 환수처분과 별도로 지급결정을 취소할 수 있다. 이 경우에도 이미 부여된 국민의 기득권을 침해하는 것이므로 취소권의 행사는 지급결정을 취소할 공익상의 필요보다 상대방이 받게 될 불이익 등이 막대한 경우에는 재량권의 한계를 일탈한 것으로서 위법하다고 보아야 한다. 다만 이처럼 연금 지급결정을 취소하는 처분과 그 처분에 기초하여 잘못 지급된 급여액에 해당하는 금액을 환수하는 처분이 적법한지를 판단하는 경우 비교·교량할 각 사정이 동일하다고는 할 수 없으므로, 연금 지급결정을 취소하는 처분이 적법하다고 하여 환수처분도 반드시 적법하다고 판단하여야 하는 것은 아니다(대판 2017.3.30. 2015두43971).

3. 취소가 제한되지 않는 경우(직권취소가 인정되는 경우)

(1) 위험방지의 경우

(2) 수익적 행정행위가 상대방의 사기·증수뢰에 의한 경우

(3) 수익자가 행정행위의 위법을 알았거나 중대한 과실로 알지 못한 경우

(4) 쟁송기간이 도과하여 더 이상 다툴 수 없는 불가쟁력이 발생한 경우

⚖ 관련판례

1 **공장의 용도뿐만 아니라 공장 외의 용도로도 활용할 내심의 의사가 있었다고 하더라도 그와 같은 사유만으로는 공장등록이 하자 있는 행정행위로서 취소사유가 있다고 할 수 있는지 여부(소극)**

원고의 이 사건 공장의 등록신청은 법과 시행령 등 관련 법령이 규정하고 있는 공장등록의 요건을 모두 갖추고 있는 것으로 보이므로, 원고에게 이 사건 공장을 공장의 용도뿐만 아니라 공장 외의 용도로도 활용할 내심의 의사가 있었다고 하더라도 그와 같은 사유만으로는 이 사건 공장등록이 하자 있는 행정행위로서 취소사유가 있다고 할 수 없고, 다만 위와 같은 내심의 의사가 현실화되어 원고가 공장을 공장 외의 용도로 실제로 활용하는 경우 법과 시행령이 규정하고 있는 공장등록취소사유가 될 수 있을 뿐이므로, 이 사건 공장등록이 하자 있는 행정행위로서 취소할 수 있음을 전제로 한 위 처분사유는 결국 위법하다고 할 것이다(대판 2006.5.25. 2003두4669).

2 **행정처분에 당사자의 사실은폐나 기타 사위의 방법에 의한 신청행위에 기인하는 하자가 있음을 이유로 처분청이 이를 취소하는 경우, 당사자의 신뢰이익을 고려하여야 하는지 여부(소극)**

행정처분에 하자가 있음을 이유로 처분청이 이를 취소하는 경우에도 그 처분이 국민에게 권리나 이익을 부여하는 처분인 때에는 그 처분을 취소하여야 할 공익상의 필요와 그 취소로 인하여 당사자가 입게 될 불이익을 비교교량한 후 공익상의 필요가 당사자가 입을 불이익을 정당화할 만큼 강한 경우에 한하여 취소할 수 있는 것이지만, 그 처분의 하자가 당사자의 사실은폐나 기타 사위의 방법에 의한 신청행위에 기인한 것이라면 당사자는 그 처분에 의한 이익이 위법하게 취득되었음을 알아 그 취소가능성도 예상하고 있었다고 할 것이므로 그 자신이 위 처분에 관한 신뢰이익을 원용할 수 없음은 물론 행정청이 이를 고려하지 아니하였다고 하여도 재량권의 남용이 되지 않는다.

허위의 고등학교 졸업증명서를 제출하는 사위의 방법에 의한 하사관 지원의 하자를 이유로 하사관 임용일로부터 33년이 경과한 후에 행정청이 행한 하사관 및 준사관 임용취소처분이 적법하다(대판 2002.2.5. 2001두5286).

5 직권취소의 효과-소급효(원칙)

1. 취소의 형성력

직권취소 · 쟁송취소 모두 행정행위의 효력을 소멸시키는 형성력이 발생한다.

> **관련판례**
>
> **행정청이 의료법인의 이사에 대한 이사취임승인취소처분을 직권으로 취소한 경우, 법원에 의하여 선임된 임시이사는 법원의 해임결정이 없더라도 당연히 그 지위가 소멸되는지 여부(적극)**
>
> 행정처분이 취소되면 그 소급효에 의하여 처음부터 그 처분이 없었던 것과 같은 효과를 발생하게 되는바, 행정청이 의료법인의 이사에 대한 이사취임승인취소처분(제1처분)을 직권으로 취소(제2처분)한 경우에는 그로 인하여 이사가 소급하여 이사로서의 지위를 회복하게 되고, 그 결과 위 제1처분과 제2처분 사이에 법원에 의하여 선임결정된 임시이사들의 지위는 법원의 해임결정이 없더라도 당연히 소멸된다(대판 1997.1.21. 96누3401).

2. 직권취소 – 소급효 발생 여부

행정행위의 취소는 원시적 하자를 대상으로 하므로 소급하여 효력이 발생함이 원칙이다. 그러나 수익적 행정행위의 경우에는 법적 안정성과 신뢰보호의 관점에서 당사자에게 귀책사유가 없는 경우에는 장래적 효력만이 인정되는 경우도 있다. 또한 수익적 행정행위에 대한 직권취소의 경우 상대방에게 귀책사유가 없고 상대방이 당해 행정행위의 존속을 신뢰한 경우에는 손실을 보상하여야 할 경우도 있다.

3. 쟁송취소

쟁송취소는 원칙적으로 당해 행정행위가 있었던 때에 소급하여 취소의 효력이 발생한다. 또한 쟁송취소는 법정의 절차에 의하여 행하여지므로 불가변력이 발생한다.

> **관련판례** 쟁송취소
>
> **1 취소소송에 의한 행정처분 취소의 경우에도 수익적 행정처분의 취소·철회 제한에 관한 법리가 적용되는지 여부(소극)**
>
> 수익적 행정처분에 대한 취소권 등의 행사는 기득권의 침해를 정당화할 만한 중대한 공익상의 필요 또는 제3자의 이익보호의 필요가 있는 때에 한하여 허용될 수 있다는 법리는, 처분청이 수익적 행정처분을 직권으로 취소·철회하는 경우에 적용되는 법리일 뿐 쟁송취소의 경우에는 적용되지 않는다(대판 2019.10.17. 2018두104).
>
> **2** 피고인이 행정청으로부터 자동차 운전면허취소처분을 받았으나 나중에 그 행정처분 자체가 행정쟁송절차에 의하여 취소되었다면, 위 운전면허취소처분은 그 처분 시에 소급하여 효력을 잃게 되고, 피고인은 위 운전면허취소처분에 복종할 의무가 원래부터 없었음이 후에 확정되었다고 봄이 타당할 것이고, 행정행위에 공정력의 효력이 인정된다고 하여 행정소송에 의하여 적법하게 취소된 운전면허취소처분이 단지 장래에 향하여서만 효력을 잃게 된다고 볼 수는 없다(대판 1999.2.5. 98도4239).

3 영업의 금지를 명한 영업허가취소처분 자체가 나중에 행정쟁송절차에 의하여 취소되었다면 그 영업허가취소처분은 그 처분 시에 소급하여 효력을 잃게 되며, 그 영업허가취소처분에 복종할 의무가 원래부터 없었음이 확정되었다고 봄이 타당하고, 영업허가취소처분이 장래에 향하여서만 효력을 잃게 된다고 볼 것은 아니므로 그 영업허가취소처분 이후의 영업행위를 무허가영업이라고 볼 수는 없다(대판 1993.6.25. 93도277).

> ⚖ **관련판례** 　직권취소의 효과
>
> **1** 국세감액결정처분은 이미 부과된 과세처분에 하자가 있음을 이유로 사후에 이를 일부 취소하는 처분이므로 취소의 효력은 그 취소된 국세부과처분이 있었을 당시에 소급하여 발생하는 것이고, 이는 판결 등에 의한 취소이거나 과세관청의 직권에 의한 취소이거나에 따라 차이가 있는 것이 아니다(대판 1995.9.15. 94다16045).
>
> **2** 행정처분의 취소의 효과는 행정처분이 있었던 때에 소급하는 것이나 취소되기까지의 기득권을 침해할 수 없는 것이 원칙이다(대판 1962.3.8. 4294민상1263).

6 직권취소의 직권취소[= 하자(흠) 있는 취소의 효력]

1. 직권취소에 무효원인이 있는 경우

이 경우에는 취소처분은 당연히 무효이므로 원행정행위에는 아무런 영향을 미치지 않아 원처분은 그대로 존속한다.

2. 직권취소에 단순 위법한 취소사유가 있는 경우

이에 대하여는 하자 있는 행정행위의 일반원칙에 따라 취소가능하다는 적극설(다수설)과 소멸한 행정행위를 다시 회복할 수 없고 새로운 처분을 다시 하여야 한다는 소극설이 있으나, 이에 대해서 판례는 부담적 행위와 수익적 행위를 구별하여 살펴보는 절충설의 입장으로 볼 수 있다. 판례의 입장을 정리하면 다음과 같다.

(1) 수익적 행정행위인 경우(적극설)

수익적 처분의 경우에는 제3자의 이해관계를 고려할 필요가 없다면 취소의 취소를 인정하여 **원처분을 소생**시킬 수 있다.

(2) 부담적 행정행위인 경우(소극설)

부담적 처분의 경우에는 취소의 취소를 부정하여 원처분을 소생시킬 수 없고, **새로운 처분**을 다시 하여야 한다.

> ⚖ **관련판례**
>
> **1** 과세관청이 부과의 취소를 다시 취소함으로써 원부과처분을 소생시킬 수 있는지 여부(소극)❶
>
> 국세기본법 제26조 제1호는 부과의 취소를 국세납부의무 소멸사유의 하나로 들고 있으나, 그 부과의 취소에 하자가 있는 경우의 부과의 취소의 취소에 대하여는 법률이

핵심 OX

05 국세감액결정처분은 이미 부과된 과세처분에 하자가 있음을 이유로 사후에 이를 일부 취소하는 처분이고, 취소의 효력은 판결 등에 의한 취소이거나 과세관청의 직권에 의한 취소이거나에 관계없이 그 부과처분이 있었을 당시로 소급하여 발생한다.　18. 지방9급 (　)

❶ **주의**
취소의 효과로 소급효가 아닌 장래효를 인정한 예외적 판례

핵심 OX

06 국세기본법상 상속세부과처분의 취소에 하자가 있는 경우, 부과의 취소의 취소에 대하여는 법률이 명문으로 그 취소요건이나 그에 대한 불복절차에 대하여 따로 규정을 두고 있지 않더라도 과세관청은 부과의 취소를 다시 취소함으로써 원부과처분을 소생시킬 수 있다.　18 · 11. 지방9급 (　)

05 ○ **06** X

명문으로 그 취소요건이나 그에 대한 불복절차에 대하여 따로 규정을 둔 바도 없으므로, 설사 부과의 취소에 위법사유가 있다고 하더라도 당연무효가 아닌 한 일단 유효하게 성립하여 부과처분을 확정적으로 상실시키는 것이므로, **과세관청은 부과의 취소를 다시 취소함으로써 원부과처분을 소생시킬 수는 없고 납세의무자에게 종전의 과세대상에 대한 납부의무를 지우려면 다시 법률에서 정한 부과절차에 좇아 동일한 내용의 새로운 처분을 하는 수밖에 없다**(대판 1995.3.10. 94누7027).

2 **지방병무청장이 재신체검사 등을 거쳐 현역병입영대상편입처분을 보충역편입처분이나 제2국민역편입처분으로 변경하거나 보충역편입처분을 제2국민역편입처분으로 변경하는 경우, 그 후 새로운 병역처분의 성립에 하자가 있었음을 이유로 하여 이를 취소한다고 하더라도 종전의 병역처분의 효력이 되살아나는지 여부(소극)**

지방병무청장이 재신체검사 등을 거쳐 현역병입영대상편입처분을 보충역편입처분이나 제2국민역편입처분으로 변경하거나 보충역편입처분을 제2국민역편입처분으로 변경하는 경우 비록 새로운 병역처분의 성립에 하자가 있다고 하더라도 그것이 당연무효가 아닌 한 일단 유효하게 성립하고 제소기간의 경과 등 형식적 존속력이 생김과 동시에 종전의 병역처분의 효력은 취소 또는 철회되어 확정적으로 상실된다고 보아야 할 것이므로 그 후 새로운 병역처분의 성립에 하자가 있었음을 이유로 하여 이를 취소한다고 하더라도 <u>종전의 병역처분의 효력이 되살아난다고 할 수 없다</u>(대판 2002.5.28. 2001두9653).

3 **광업권 허가에 대한 취소처분을 한 후 적법한 광업권 설정의 선출원이 있는 경우에는 취소처분을 취소하여 광업권을 복구시키는 조치는 위법하다는 판례**

취소처분을 한 후에 새로운 이해관계인이 생기기 전에 취소처분을 취소하여 그 광업권의 회복을 시켰다면 모르되 피고가 본건취소처분을 한 후에 원고가 1966.1.19에 본건 광구에 대하여 선출원을 적법히 함으로써 이해관계인이 생긴 이 사건에 있어서, 피고가 1966.8.24.자로 1965.12.30.자의 취소처분을 취소하여, 소외인 명의의 광업권을 복구시키는 조치는, 원고의 선출원 권리를 침해하는 위법한 처분이라고 하지 않을 수 없다(대판 1967.10.23. 67누126).

7 **일부취소**

일부 하자의 경우에는 일부 직권취소도 가능하다.

> **📚 관련판례**
>
> **1** **당초 과세처분에 취소사유인 하자가 있는 경우, 하자가 있는 부분의 세액을 감액하는 경정처분에 의하여 당초 과세처분의 하자를 시정할 수 있는지 여부(적극)**
>
> 당초 과세처분에 취소사유인 하자가 있는 경우, 하자가 있는 부분의 세액을 감액하는 경정처분(감액경정처분)은 당초처분의 일부 <u>취소로서의 성질</u>을 가지고 있으므로, 당초처분에 취소사유인 하자가 있는 경우 그것이 처분 전체에 영향을 미치는 절차상 사유에 해당하는 등의 사정이 없는 한 <u>당초처분 자체를 취소하고 새로운 과세처분을 하는 대신 하자가 있는 해당부분 세액을 감액하는 경정처분에 의해 당초처분의 하자를 시정할 수 있다</u>(대판 2006.3.9. 2003두2861).

핵심 OX

01 현역병입영대상편입처분을 보충역편입처분으로 변경한 경우, 보충역편입처분에 불가쟁력이 발생한 이후 보충역편입처분이 하자를 이유로 직권취소되었다면 종전의 현역병입영대상편입처분의 효력은 되살아난다. 14. 지방9급 ( )

핵심 OX

02 광업권취소처분 후 광업권 설정의 선출원이 있는 경우에도 취소처분을 취소하여 광업권을 복구시키는 조치는 적법하다. 14. 서울7급 ( )

핵심 OX

03 독점규제 및 공정거래에 관한 법률을 위반한 광고행위와 표시행위를 하였다는 이유로 공정거래위원회가 사업자에 대하여 법위반사실공표명령을 행한 경우, 표시행위에 대한 법위반사실이 인정되지 아니한다면 법원으로서는 그 부분에 대한 공표명령의 효력만을 취소할 수 있을 뿐, 공표명령 전부를 취소할 수 있는 것은 아니다. 19. 서울9급(6월) ( )

01 X **02** X **03** ○

2 공정거래위원회의 법위반사실공표명령이 하나의 조항으로 이루어졌으나 그 대상이 된 사업자의 광고행위와 표시행위로 인한 각 법위반사실이 별개로 특정될 수 있는 경우, 그 중 하나의 법위반사실이 인정되지 않는다고 하여 법위반사실공표명령 전부를 취소할 수 있는지 여부(소극)

<u>외형상 하나의 행정처분이라 하더라도 가분성이 있거나 그 처분대상의 일부가 특정될 수 있다면 일부만의 취소도 가능하고 그 일부의 취소는 당해 취소 부분에 관하여만 효력이 생기는 것인바</u>, 공정거래위원회가 사업자에 대하여 행한 법위반사실공표명령은 비록 하나의 조항으로 이루어진 것이라고 하여도 그 대상이 된 사업자의 광고행위와 표시행위로 인한 각 법위반사실은 별개로 특정될 수 있어 위 각 법위반사실에 대한 독립적인 공표명령이 경합된 것으로 보아야 할 것이므로, 이 중 표시행위에 대한 법위반사실이 인정되지 아니하는 경우에 그 부분에 대한 공표명령의 효력만을 취소할 수 있을 뿐, 공표명령 전부를 취소할 수 있는 것은 아니다(대판 2000.12.12. 99두12243).

◉ 핵심정리 **직권취소와 쟁송취소의 비교**

구분	직권취소	쟁송취소
주목적	• 1차적: 행정의 적법성 보장(공익우선) • 2차적: 국민의 권익구제	• 1차적: 국민의 권익구제(사익우선) • 2차적: 행정의 적법성 보장
성질	행정작용	• 행정심판: 행정작용 + 준사법(準司法)작용 • 행정소송: 사법작용
대상	주로 수익적 행위	주로 부담적 행위+복효적 행위
취소권자	행정청(처분청)	• 행정심판: 행정심판위원회 • 행정소송: 행정법원
법적 근거	별도의 근거 불요	행정심판법·행정소송법의 근거 필요
사유	위법·부당	• 행정심판: 위법·부당 • 행정소송: 위법
제한	• 부담적 행위의 취소: 자유 • 수익적 행위의 취소: 제한(이익형량)	원칙적으로 이익형량 불요 (단, 사정재결·사정판결의 제한)
절차	• 행정절차법 • 비교적 엄격하지 않음	• 행정심판법, 행정소송법 • 비교적 엄격함
절차개시	주로 처분청 스스로 판단(직권)	상대방의 쟁송제기에 의함
기간제한	기간제한 없음 (단, 실권의 법리는 적용 가능)	기간제한 있음
효과	• 수익적 행위: 원칙적으로 소급, 단 제한 • 부담적 행위: 원칙적으로 소급효 있음	소급효 있음
내용	적극적 변경도 가능	• 행정심판: 적극적 변경도 가능 • 행정소송: 소극적 변경만 가능(일부 취소)

1 서설

1. 의의

행정행위의 철회라 함은 처음부터 **적법·유효하게 성립한 행정행위**에 대하여 그 효력을 존속시킬 수 없는 **새로운 사정이 발생**하였음을 이유로 **장래에 향하여** 그 **효력을 소멸**시키는 행위를 말한다. 철회는 실정법상 취소라고 불리는 경우가 많다.

2. 취소와의 구별

행정행위의 취소는 원시적 하자를 이유로 원칙적으로 소급하여 효력을 소멸시키는 하자의 시정을 목적으로 하는 행위이나, 철회는 처음부터 유효하게 성립한 행정행위에 대하여 변화한 사정에 적응하기 위하여 장래에 향하여 효력을 상실시키는 행위라는 점에서 차이가 있다.

> **⚖ 관련판례**
>
> 행정행위의 취소는 일단 유효하게 성립한 행정행위를 그 행위에 위법 또는 부당한 하자가 있음을 이유로 소급하여 그 효력을 소멸시키는 별도의 행정처분이고, 행정행위의 철회는 적법요건을 구비하여 완전히 효력을 발하고 있는 행정행위를 사후적으로 그 행위의 효력의 전부 또는 일부를 장래에 향해 소멸시키는 행정처분이므로, 행정행위의 취소사유는 행정행위의 성립 당시에 존재하였던 하자를 말하고, 철회사유는 **행정행위가 성립된 이후에 새로이 발생한 것**으로서 행정행위의 효력을 존속시킬 수 없는 사유를 말한다(대판 2003.5.30. 2003다6422).

3. 직권취소와 철회의 상대화

직권취소와 철회는 하자의 원시·후발성, 감독청의 취소권 여부의 차이에도 불구하고 주로 수익적 행정행위를 대상으로 하는 점, 그 효과의 소멸이 장래효를 갖는 점, 별도의 법적 근거가 불요한 점 등에서 그 구별은 상대적이며, 직권취소나 철회는 행정목적 실현을 도모하는 행정개입수단으로서 양자는 유사성을 갖는다.

2 근거

> **행정기본법 제19조 【적법한 처분의 철회】** ① 행정청은 적법한 처분이 다음 각 호의 어느 하나에 해당하는 경우에는 그 처분의 전부 또는 일부를 장래를 향하여 철회할 수 있다.
> 1. 법률에서 정한 철회사유에 해당하게 된 경우
> 2. 법령 등의 변경이나 사정변경으로 처분을 더 이상 존속시킬 필요가 없게 된 경우
> 3. 중대한 공익을 위하여 필요한 경우
> ② 행정청은 제1항에 따라 처분을 철회하려는 경우에는 철회로 인하여 당사자가 입게 될 불이익을 철회로 달성되는 공익과 비교·형량하여야 한다.

행정행위에 철회사유가 존재하는 경우에 행정청은 그것만을 이유로 별도의 법령의 근거 없이 철회할 수 있는가가 문제된다. 부담적 행위는 철회가 자유롭다고 볼 수 있으므로 이는 주로 수익적 행정행위인 경우에 문제된다.

1. 철회자유설(판례)

철회의 대상이 되는 원래의 행정행위의 수권규정이 철회의 근거규정이 될 수 있으며, 행정행위는 새로운 사정에 대처하여야 하는 특수성이 있기 때문에 법률의 근거를 요하지 않는다고 본다. 다만, 수익적 행정행위의 경우에는 상대방 보호의 입장에서 조리상 제한을 받는다는 입장이다.

> **⚖ 관련판례**
>
> 행정행위를 한 처분청은 비록 그 처분 당시에 별다른 하자가 없었고 또 그 처분 후에 이를 철회할 별도의 법적 근거가 없다 하더라도 원래의 처분을 존속시킬 필요가 없게 될 <u>사정 변경이 생겼거나 또는 중대한 공익상의 필요가 발생할 경우</u>에는 그 효력을 상실케 하는 별개의 행정행위로 이를 <u>철회할 수 있다</u>(대판 1992.1.17. 91누3130).

2. 철회제한설

수익적 행정행위의 철회는 적법하게 발급된 행정행위를 소멸시키는 행정행위이므로 하자를 전제로 하는 직권취소와는 다르며, 이러한 행정행위의 철회는 국민의 기본권 보장에도 부합하지 않기 때문에 법적 근거를 요한다고 한다.

3 요건

1. 주체(철회권자)

행정행위의 철회는 **처분청만이** 할 수 있다. 그 이유는 행정행위의 철회는 그 성질상 원래의 행정행위와 동일한 새로운 행정행위를 하기 때문이다. 따라서 상급감독청은 법률에 특별한 규정이 없는 한 철회권을 행사할 수 없다.

2. 형식

명문규정이 없다면, 철회의 형식에는 제한이 없다.

3. 절차

철회의 절차에 대하여 특별한 규정이 없는 한 일반 행정행위에 관한 절차에 따라 철회할 수 있다. 수익적 행정행위의 철회는 상대방에게 부담적 효과를 주기 때문에 행정절차법상 사전통지, 의견청취, 이유제시 등의 절차를 거쳐야 한다.

4. 철회의 사유(내용)

(1) 부담적 행정행위

부담적 행정행위에 대한 철회는 상대방에게 수익적 효과를 발생하게 하므로 제한 없이 철회할 수 있다. 따라서 부담적 행정행위에 대한 철회는 **행정청의 재량**에 속한다.

(2) 수익적 행정행위

수익적 행정행위에 대한 철회는 적법한 행위를 대상으로 하므로 직권취소보다는 신뢰보호가 더 크다고 할 수 있다. 따라서 행정행위의 철회여부는 철회에 의하여 달성하고자 하는 공익상의 필요가 상대방의 신뢰보다 우월한 경우에 인정된다고 할 수 있다. 따라서 다음과 같은 제한적인 범위 내에서 철회할 수 있다.

① **철회권이 유보된 경우:** 수익적 행정행위에 대하여 철회권이 유보된 경우 행정청은 철회할 수 있다. 그러나 유보된 철회사유가 발생하더라도 자유롭게 철회할 수 있는 것은 아니며, 철회권유보가 적법하고 합리적인 사유가 있어야 하며, 조리상의 제한을 받는 범위 내에서 인정된다.

② **부담의 불이행:** 행정청이 수익적 처분을 하면서 일정한 작위·부작위·수인·급부 의무를 명하는 부담을 붙인 경우에 이러한 부담불이행을 이유로 철회할 수 있다.

③ **법령에서 정한 철회사유의 발생**
   ㉠ 수익적 처분에 대하여 법령에서 직접 또는 하명에 의하여 부과된 의무를 위반한 경우 철회할 수 있다(예 도로법, 건축법, 하천법 등).
   ㉡ 철회사유 중 그 예가 가장 많다.

④ **근거법령의 개정:** 소급효금지의 원칙상 행정행위의 효력에 아무런 영향이 없는 것이 원칙이나, 법령개폐의 목적을 달성하기 위하여 불가피한 경우에는 비교·형량을 거쳐 손실보상을 조건으로 철회할 수 있다.

⑤ **사실관계의 변경:** 사후에 국민기초생활보장법상의 수급자요건을 갖추지 못한 경우, 도로의 폐지에 따른 도로점용허가의 철회 등의 경우이다. 그러나 포괄적 신분관계설정행위(예 공무원 임명, 귀화허가)는 사정변경에 의한 철회가 허용되지 않는다.

⑥ **중대한 공익상 필요:** 상대방의 귀책사유는 아니지만 중대한 공익적 요구에 의하여 철회할 수 있다(예 댐건설을 위한 하천점용허가의 철회). 당사자의 귀책사유에 기인하지 않았으므로 손실이 보상되어야 한다.

⑦ **당사자의 동의가 있는 경우**

4 한계(제한)

철회가 부담적 행정행위를 대상으로 하는 경우에는 자유로우나, 수익적 행정행위를 대상으로 하는 경우에는 일정한 제한을 받게 된다. 따라서 철회에 의하여 달성하려는 공익목적 또는 제3자 사익보호와 상대방의 신뢰보호, 기득권 침해 또는 법률생활의 안정 등을 구체적으로 비교·형량하여야 한다.

> **관련판례**
>
> **1** 행정청이 일단 행정처분을 한 경우에는 행정처분을 한 행정청이라도 법령에 규정이 있는 때, 행정처분에 하자가 있는 때, 행정처분의 존속이 공익에 위반되는 때, 또는 상대방의 동의가 있는 때 등의 특별한 사유가 있는 경우를 제외하고는 행정처분을 자의로 취소(철회의 의미를 포함한다)할 수 없다(대판 1990.2.23. 89누7061).

핵심 OX

01 사실관계의 변동은 철회의 사유로 볼 수 없다. 13. 서울7급 ( )

02 처분청의 행정처분 후 사정변경이 있거나 중대한 공익상 필요가 있는 경우 법적 근거가 없어도 그 처분의 효력을 상실케 하는 별도의 행정행위로 이를 철회할 수 있다. 18. 서울7급 ( )

03 판례는 별도의 법적 근거가 없더라도 사정변경 또는 중대한 공익상의 필요에 의해 행정행위를 철회할 수 있다는 입장이다. 11. 지방7급, 09. 국회8급 ( )

04 행정청이 철회사유가 있음을 알면서도 장기간 철회권을 행사하지 않은 경우 실권의 법리에 의하여 철회권행사가 제한된다. 09. 국회8급 ( )

01 X **02** ○ **03** ○ **04** ○

2 수익적 행정행위의 철회는 그 처분 당시 별다른 하자가 없었음에도 불구하고 사후적으로 그 효력을 상실케 하는 행정행위이므로, 법령에 명시적인 규정이 있거나 행정행위의 부관으로 그 철회권이 유보되어 있는 등의 경우가 아니라면, 원래의 행정행위를 존속시킬 필요가 없게 된 사정변경이 생겼거나 또는 중대한 공익상의 필요가 발생한 경우 등의 예외적인 경우에만 허용된다고 할 것이다(대판 2005.4.29. 2004두11954).

3 건축허가를 받은 자가 건축허가가 취소되기 전에 공사에 착수한 경우, 착수기간이 지났다는 이유로 허가권자가 건축허가를 취소할 수 있는지 여부(원칙적 소극) 및 이는 건축허가를 받은 자가 건축허가가 취소되기 전에 공사에 착수하려 하였으나 허가권자의 위법한 공사중단명령으로 공사에 착수하지 못한 경우에도 마찬가지인지 여부(적극)
구 건축법(2014.1.14. 법률 제12246호로 개정되기 전의 것) 제11조 제7항은 건축허가를 받은 자가 허가를 받은 날부터 1년 이내에 공사에 착수하지 아니한 경우에 허가권자는 허가를 취소하여야 한다고 규정하면서도, 정당한 사유가 있다고 인정되면 1년의 범위에서 공사의 착수기간을 연장할 수 있다고 규정하고 있을 뿐이며, 건축허가를 받은 자가 착수기간이 지난 후 공사에 착수하는 것 자체를 금지하고 있지 아니하다. 이러한 법 규정에는 건축허가의 행정목적이 신속하게 달성될 것을 추구하면서도 건축허가를 받은 자의 이익을 함께 보호하려는 취지가 포함되어 있으므로, 건축허가를 받은 자가 건축허가가 취소되기 전에 공사에 착수하였다면 허가권자는 그 착수기간이 지났다고 하더라도 건축허가를 취소하여야 할 특별한 공익상 필요가 인정되지 않는 한 건축허가를 취소할 수 없다. 이는 건축허가를 받은 자가 건축허가가 취소되기 전에 공사에 착수하려 하였으나 허가권자의 위법한 공사중단명령으로 공사에 착수하지 못한 경우에도 마찬가지이다(대판 2017.7.11. 2012두22973).

4 철회권의 행사는 기득권의 침해를 정당화할 만한 중대한 공익상의 필요 또는 제3자의 이익을 보호할 필요가 있고, 공익상의 필요 등이 상대방이 입을 불이익을 정당화할 만큼 강한 경우에 한해 허용될 수 있는지 여부(적극)
수익적 행정행위를 취소 또는 철회하거나 중지시키는 경우에는 이미 부여된 국민의 기득권을 침해하는 것이 되므로, 비록 취소 등의 사유가 있다고 하더라도 그 취소권 등의 행사는 기득권의 침해를 정당화할 만한 중대한 공익상의 필요 또는 제3자의 이익을 보호할 필요가 있고, 이를 상대방이 받는 불이익과 비교·교량하여 볼 때 공익상의 필요 등이 상대방이 입을 불이익을 정당화할 만큼 강한 경우에 한하여 허용될 수 있다(대판 2021.1.14. 2020두46004).

5 효과 - 장래효(원칙)

1. 일반적 효과(형성력·장래효)

(1) 행정행위가 장래에 향하여 소멸되므로 형성력이 발생하고 그 효과는 **장래에 향하여 효력을 발생**한다.

(2) 예외적으로 행정목적 달성을 위해서 소급효를 인정하여야 하는 경우도 있다(예 행정행위에 의하여 상대방에게 보조금이 지급된 경우에 그 상대방의 부담 또는 법령상의 의무위반으로 인하여 그 지급결정을 취소하는 경우 등).

2. 부수적 효과

(1) 행정청은 상대방에게 관련문서(허가증)나 물건의 반환을 요구할 수 있으며 원상회복 등을 명할 수 있다. 이러한 경우에는 법령의 근거를 요한다.

(2) 수익적 행정행위의 철회로 인하여 특별한 손실을 입은 경우에는 법률이 정하는 바에 의하여 그 손실을 보상해 주어야 한다.

6 취소[= 하자(흠) 있는 철회의 효력]

1. 의의

행정행위의 철회에 하자가 있는 경우에는 직권취소의 법리에 따라 철회행위를 취소할 수 있다.

2. 부당결부금지

(1) 한 사람이 여러 종류의 자동차운전면허를 취득한 경우 이를 취소 또는 정지할 때 서로 별개의 것으로 취급하는 것이 원칙이다.

(2) 1종 특수면허와 1종 보통면허 개인택시운전사가 음주운전한 경우 두 면허 모두 취소할 수 있다.

(3) 1종 보통면허 차량을 운전면허정지기간 중에 운전한 경우 이와 관련된 1종 대형면허와 원동기장치자전거면허까지 취소할 수 있다.

(4) 1종 대형운전면허 차량을 음주운전한 경우 이와 관련된 1종 보통운전면허까지 취소할 수 있다.

(5) 2종 소형면허를 가진 사람만이 운전할 수 있는 오토바이를 음주운전한 경우 1종 대형면허나 보통면허를 취소·정지하는 것은 부당결부금지원칙에 위반된다.

(6) 1종 특수·대형·보통면허의 소지자가 특수면허로만 운전할 수 있는 차량(레커크레인)을 음주운전한 경우 1종 보통면허나 대형면허까지 취소할 수 없다.

7 일부철회의 가능성

핵심OX

01 제1종 보통면허로 운전할 수 있는 차량을 음주운전한 경우에 제1종 대형면허와 원동기장치자전거면허도 취소할 수 있다. 10. 국회8급 (   )

01 ○

⊕ **핵심정리** 운전면허별 운전할 수 있는 차의 종류 및 취득조건(도로교통법 제53조, [별표 18])

운전차량	소지한 면허	취소(강학상 철회)의 대상
이륜자동차	1종 대형 / 1종 보통 / 2종 소형	2종 소형
트레일러	1종 특수 / 1종 대형 / 1종 보통	1종 특수
승용차 (11인승 이상)	1종 특수 / 1종 대형 / 1종 보통	1종 대형 + 1종 보통
12인승 승합차 운전	1종 특수 / 1종 대형 / 1종 보통	1종 대형 + 1종 보통
택시 (10인승 이하의 승합차)	1종 특수 / 1종 보통	1종 특수 + 1종 보통

승용차	1종 대형 / 1종 보통 / 원동기장치자전거	전부
승용차	1종 보통 / 원동기장치자전거	전부

⚖ 판례정리 **복수운전면허의 일부철회**

원칙	예외
운전면허의 관련성을 기준으로 취소 여부를 판단하여야 한다는 입장에서 기본적으로 외형상 하나의 처분일지라도 가분성이 있거나 그 처분 대상이 특정될 수 있다면 그 일부만의 철회가 가능하다(대판 2000.9.26. 2000두5425).	운전면허의 대인적 성질에 초점을 맞추어 복수의 운전면허 전부를 취소하여야 한다(대판 1996.11.8. 96누9959).

운전면허		운전할 수 있는 차의 종류	취득 조건
종별	구분		
1종	특수면허	• 트레일러 • 레커 • 제2종 보통면허로 운전할 수 있는 차량('95~)	만 19세 이상이고, 운전경력 1년 이상
	대형면허	• 승용자동차·승합자동차·화물자동차·긴급자동차 • 건설기계 　– 덤프트럭, 아스팔트살포기, 노상안정기 　– 콘크리트믹서트럭, 콘크리트 펌프 　– 천공기(트럭적재식) 　– 도로를 운행하는 3톤 미만의 지게차 • 특수자동차(트레일러 및 레커를 제외한다) • 원동기장치자전거	만 19세 이상이고, 운전경력 1년 이상
	보통면허	• 승용자동차 • 승차정원 15인 이하의 승합자동차 • 승차정원 12인 이하의 긴급자동차 • 적재중량 12톤 미만의 화물자동차 • 건설기계(도로를 운행하는 3톤 미만의 지게차에 한함) • 원동기장치자전거	만 18세 이상
	소형면허	• 3륜화물자동차 • 3륜승용자동차 • 원동기장치자전거	만 18세 이상

2종	보통면허	• 승용자동차(정원 10인 이하의 승합자동차를 포함) • 적재중량 4톤 이하 화물자동차 • 원동기장치자전거	만 18세 이상
	소형면허	• 이륜자동차(측차부 포함) • 원동기장치자전거(125cc 초과)	만 18세 이상
	원동기장치 자전거면허	원동기장치자전거(125cc 이하): 도로교통법 제2조 제18호	만 16세 이상
연습 면허	1종 보통	• 승용자동차 • 승차정원 15인 이하의 승합자동차 • 적재중량 12톤 미만의 화물자동차	만 18세 이상
	2종 보통	• 승용자동차(승차정원 10인 이하의 승합자동차 포함) • 적재중량 4톤 이하의 화물자동차	만 18세 이상

⚖ 관련판례

1 제1종 보통면허로 운전할 수 있는 차량을 음주운전한 경우 이와 관련된 원동기장치자전거면허까지 취소할 수 있는지 여부(적극)

한 사람이 여러 종류의 자동차운전면허를 취득하는 경우뿐 아니라 이를 취소 또는 정지하는 경우에 있어서도 서로 별개의 것으로 취급하는 것이 원칙이기는 하나, 자동차운전면허는 그 성질이 대인적 면허일 뿐만 아니라 도로교통법 시행규칙 제26조 [별표 14]에 의하면, 제1종 보통면허 소지자는 승용자동차뿐만 아니라 원동기장치자전거까지 운전할 수 있도록 규정하고 있어 제1종 보통면허의 취소에는 당연히 원동기장치자전거의 운전까지 금지하는 취지가 포함된 것이어서 이들 차량의 운전면허는 서로 관련된 것이라고 할 것이므로, 제1종 보통면허로 운전할 수 있는 차량을 음주운전한 경우에는 이와 관련된 원동기장치자전거면허까지 취소할 수 있는 것으로 보아야 한다(대판 1996.11.8. 96누9959).

2 제1종 보통 및 대형운전면허의 소지자가 제1종 보통운전면허로 운전할 수 있는 차를 음주운전한 경우 제1종 대형면허도 취소할 수 있는지 여부(적극)

오늘날 자동차가 급증하고 이에 따른 도로사정의 개선도 쉽사리 이루어지지 아니하여 교통상황이 날로 혼잡하여 감에 따라 교통법규를 엄격히 지켜야 할 필요성은 더욱 커지고, 주취운전으로 인한 교통사고가 빈번하고 그 결과 참혹한 경우가 많아 주취운전을 엄격하게 단속하여야 할 필요가 절실하다는 점에 비추어 볼 때, 이 사건 취소처분으로 원고가 입게 되는 불이익보다는 공익목적의 실현이라는 필요가 더욱 크다고 하지 않을 수 없을 뿐만 아니라(이 건에서 기록에 의하면 위 주취 정도는 단속시로부터 2시간여가 경과한 이후의 수치이어서 음주운전 당시의 주취 정도는 그보다 더 높았을 것으로 추측되는 사정도 있다), 원고에 대한 이 사건 처분 중 제1종 대형운전면허의 취소만이 재량권을 일탈한 것으로 위법하다면 원고는 위 운전면허로 다시 승용 및 승합자동차를 운전할 수 있게 되어 위 주취운전에도 불구하고 아무런 불이익을 받지 아니하게 되는 점에서도 현저히 형평을 잃게 되는 결과를 초래하고 있으므로, 원심판결이 들고 있는 사정만으로는 이 사건 처분이 재량권의 한계를 일탈하였거나 남용한 위법한 처분이라고 할 수 없다(대판 1997.3.11. 96누15176).

3 택시를 음주운전한 것을 이유로 제1종 보통면허 및 제1종 특수면허까지 취소할 수 있는지 여부(적극)

제1종 특수면허로 운전할 수 있는 차량의 한 종류로 규정된 '제2종 보통면허로 운전할 수 있는 차량'이라 함은 같은 별표에 제2종 보통면허로 운전할 수 있는 차량으로 규정된 '승용자동차, 승차정원 9인 이하 승합자동차, 적재중량 4톤 이하 화물자동차, 원동기장치자전거' 등을 의미하는 것일 뿐 비사업용자동차를 의미하는 것은 아니라 할 것이고, 특수면허가 제1종 운전면허의 하나인 이상 특수면허 소지자는 승용자동차로서 자동차운수사업법, 같은 법 시행령, 사업용자동차구조 등의 기준에 관한 규칙 등에 규정된 사업용자동차인 택시를 운전할 수 있다. 따라서 <u>택시의 운전은 제1종 보통면허 및 특수면허 모두로 운전한 것이 되므로 택시의 음주운전을 이유로 위 두 가지 운전면허 모두를 취소할 수 있다</u>(대판 1996.6.28. 96누4992).

4 한 사람이 여러 종류의 자동차운전면허를 소지한 경우 제1종 대형면허를 취소할 때에 제1종 보통면허까지 취소할 수 있는지 여부(적극)

한 사람이 여러 종류의 자동차운전면허를 취득하는 경우뿐 아니라 이를 취소 또는 정지하는 경우에 있어서도 서로 별개의 것으로 취급하는 것이 원칙이고, 제1종 대형면허를 가진 사람만이 운전할 수 있는 대형승합자동차는 제1종 보통면허를 가지고 운전할 수 없는 것이기는 하지만, 자동차운전면허는 그 성질이 대인적 면허일 뿐만 아니라 도로교통법 시행규칙 제26조 [별표 14]에 의하면, 제1종 대형면허 소지자는 제1종 보통면허 소지자가 운전할 수 있는 차량을 모두 운전할 수 있는 것으로 규정하고 있어, 제1종 대형면허의 취소에는 당연히 제1종 보통면허 소지자가 운전할 수 있는 차량의 운전까지 금지하는 취지가 포함된 것이어서 이들 차량의 운전면허는 서로 관련된 것이라고 할 것이므로, <u>제1종 대형면허로 운전할 수 있는 차량을 음주운전하거나 그 제재를 위한 음주측정의 요구를 거부한 경우에는 그와 관련된 제1종 보통면허까지 취소할 수 있다</u>(대판 1997.2.28. 96누17578).

5 제1종 대형, 제1종 보통자동차운전면허를 가지고 있는 甲이 배기량 400cc의 오토바이를 절취하였다는 이유로 지방경찰청장이 甲의 제1종 대형, 제1종 보통 자동차운전면허를 모두 취소한 사안에서, 위 오토바이를 훔쳤다는 사유만으로 제1종 대형면허나 보통면허를 취소할 수 있는지 여부(소극)

제1종 대형, 제1종 보통자동차운전면허를 가지고 있는 甲이 배기량 400cc의 오토바이를 절취하였다는 이유로 지방경찰청장이 도로교통법 제93조 제1항 제12호에 따라 甲의 제1종 대형, 제1종 보통자동차운전면허를 모두 취소한 사안에서, 도로교통법 제93조 제1항 제12호, 도로교통법 시행규칙 제91조 제1항 [별표 28] 규정에 따르면 그 취소사유가 훔치거나 빼앗은 해당 자동차 등을 운전할 수 있는 특정 면허에 관한 것이며, <u>제2종 소형면허 이외의 다른 운전면허를 가지고는 위 오토바이를 운전할 수 없어 취소사유가 다른 면허와 공통된 것도 아니므로</u>, 甲이 위 오토바이를 훔친 것은 제1종 대형면허나 보통면허와는 아무런 관련이 없어 위 오토바이를 훔쳤다는 사유만으로 제1종 대형면허나 보통면허를 취소할 수 없다(대판 2012.5.24. 2012두1891).

6 혈중알코올농도 0.140%의 주취상태로 125cc 이륜자동차를 음주운전한 사람에 대해 제1종 대형, 제1종 보통, 제1종 특수(대형견인·구난)운전면허도 취소할 수 있는지 여부(적극)

甲이 혈중알코올농도 0.140%의 주취상태로 배기량 125cc 이륜자동차를 운전하였다는 이유로 관할 지방경찰청장이 甲의 자동차운전면허[제1종 대형, 제1종 보통, 제1종 특수(대형견인 · 구난), 제2종 소형]를 취소하는 처분을 한 사안에서, 甲에 대하여 제1종 대형, 제1종 보통, 제1종 특수(대형견인 · 구난) 운전면허를 취소하지 않는다면, <u>甲이 각 운전면허로 배기량 125cc 이하 이륜자동차를 계속 운전할 수 있어 실질적으로는</u>

아무런 불이익을 받지 않게 되는 점, 甲의 혈중알코올농도는 0.140%로서 도로교통법령에서 정하고 있는 운전면허 취소처분 기준인 0.100%를 훨씬 초과하고 있고 甲에 대하여 특별히 감경해야 할 만한 사정을 찾아볼 수 없는 점, 甲이 음주상태에서 운전을 하지 않으면 안 되는 부득이한 사정이 있었다고 보이지 않는 점, 처분에 의하여 달성하려는 행정목적 등에 비추어 볼 때, 처분이 사회통념상 현저하게 타당성을 잃어 재량권을 남용하거나 한계를 일탈한 것이라고 단정하기에 충분하지 않음에도, 이와 달리 위 처분 중 제1종 대형, 제1종 보통, 제1종 특수(대형견인 · 구난) 운전면허를 취소한 부분에 재량권을 일탈 · 남용한 위법이 있다고 본 원심판단에 재량권 일탈 · 남용에 관한 법리 등을 오해한 위법이 있다(대판 2018.2.28. 2017두67476).

⊕ 핵심정리 행정행위의 취소 · 철회

1. 행정행위를 한 처분청은 그 행위에 하자가 있는 경우에는 별도의 법적 근거가 없더라도 스스로 이를 취소할 수 있다.

2. 직권취소를 할 수 있는 사정이 있는 경우 이해관계인에게 처분청에 대하여 그 취소를 요구할 신청권이 부여된 것으로 볼 수 없다.

3. 과세관청은 부과의 취소를 다시 취소함으로써 원부과처분을 소생시킬 수는 없고 납세의무자에게 종전의 과세대상에 대한 납부의무를 지우려면 다시 법률에서 정한 부과절차에 좇아 동일한 내용의 새로운 처분을 하는 수밖에 없다.

4. 현역병처분을 보충역처분으로 변경 한 후 이를 취소한다고 하여 현역병처분이 부활하지 않는다.

5. 행정청이 의료법인의 이사에 대한 이사취임승인취소처분(제1처분)을 직권으로 취소(제2처분)한 경우에는 그로 인하여 이사가 소급하여 이사로서의 지위를 회복하게 된다.

6. 비공개 대상 정보와 공개 대상 정보가 분리될 수 있는 경우 공개가 가능한 부분을 특정하고 판결주문에 공개가능한 부분만 취소한다고 표시하여야 한다.

7. 별도의 법적 근거가 없더라도 철회할 수 있지만, 상대방에게 철회를 신청할 신청권은 인정되지 않는다.

8. 직권취소나 쟁송취소나 원칙적 소급효이나 상대방의 기득권보호측면에서 제한될 수 있다.

제3절 행정행위의 실효

1 서설

1. 의의

행정행위의 실효란 하자 없이 성립 · 발효한 행정행위가 행정청의 의사와는 관계없이 일정한 객관적 사실에 의하여 당연히 장래를 향하여 그 효력이 소멸되는 것을 말한다.

2. 무효와의 구별

무효는 성립상의 하자로 인하여 처음부터 효력이 발생하지 않는 행위이나, 실효는 하자와는 관계없이 유효하게 성립한 행정행위가 사후에 소멸되는 행위이다.

3. 취소·철회와의 구별

행정행위의 취소와 철회는 행정청의 별도의 의사표시에 의해 소멸되지만, 실효는 행정청의 의사표시 없이 일정한 사실의 발생에 의하여 당연히 소멸되는 것이다.

2 실효의 사유와 효과

1. 실효의 사유

(1) 당사자의 사망(예 유효한 의사면허가 의사의 사망으로 당연히 소멸)

(2) 부관의 성취(예 해제조건의 성취, 종기의 도래)

(3) 행정행위의 목적달성, 목적달성의 불가능, 목적물의 멸실

> **관련판례**
>
> **1** 신청에 의한 영업허가처분에 있어서 그 영업의 폐업과 그 허가처분의 당연 실효 여부 (적극)
>
> 청량음료 제조업허가는 신청에 의한 처분이고, 이와 같이 신청에 의한 허가처분을 받은 원고가 그 영업을 폐업한 경우에는 그 영업허가는 당연 실효되고, 이런 경우 허가행정청의 허가취소처분은 허가의 실효됨을 확인하는 것에 불과하므로 원고는 그 허가취소처분의 취소를 구할 소의 이익이 없다고 할 것이다(대판 1981.7.14. 80누593).
>
> **2** 유기장법(1981.4.13. 법률 제3441호로 개정되기 전의 것)상 유기장의 영업허가는 대물적 허가로서 영업장소의 소재지와 유기시설 등이 영업허가의 요소를 이루는 것이므로, 영업장소에 설치되어 있던 유기시설이 모두 철거되어 허가를 받은 영업상의 기능을 더 이상 수행할 수 없게 된 경우에는, 이미 당초의 영업허가는 허가의 대상이 멸실된 경우와 마찬가지로 그 효력이 당연히 소멸되는 것이다(대판 1990.7.13. 90누2284).

2. 실효의 효과

(1) 행정행위의 실효사유가 발생하면 행정청의 별도의 행위 없이 당연히 장래를 향하여 그 행정행위의 효력이 상실되므로 특별한 절차를 거칠 필요가 없다. 이 점에서 일정한 철회절차가 요구되는 철회와 구별된다.

(2) 행정행위가 실효된 경우에는 누구나 이를 주장할 수 있으며, 이에 대한 분쟁으로 실효확인의 소를 제기할 수 있다.

1 서설

1. 의의

(1) 행정계획이란 행정목적을 달성하기 위하여 목표를 설정하고 그 목표를 달성하기 위하여 관련된 행정수단을 종합·조정하는 행위를 말한다.

(2) 과거 근대시대에도 행정계획이 존재하였으나, 이때에는 방재계획·국방계획 등 소극적인 것에 그쳤다. 현대행정은 광역화·복잡화되면서 그에 따른 행정기관 상호간의 조정이 필요하게 되었고, 행정의 중심이 장기성·종합성을 요구하게 되었다는 점에서 행정계획은 불가피하게 되어 그 중요성이 크게 인식되고 있다.

2. 기능

(1) 목표설정기능

행정계획의 가장 기본적인 기능이다.

(2) 행정수단의 종합·조정화 기능

개별적인 행정조치를 상호 유기적으로 종합화·체계화하여 행정능률을 확보하게 하는 기능이다.

(3) 행정과 국민간의 매개적 기능

계획을 미리 알려 예측가능성을 부여한다.

3. 법적 성질

행정계획이 법률과 같은 특정의 형식을 취하지 않은 경우 행정계획의 법적 성질이 무엇인지에 대해 학설이 대립한다. 이는 행정계획의 처분성 인정 여부와 관련되어 실천적 의미가 있다.

(1) 입법행위설

행정계획을 일반적·추상적 성격을 갖는 법규로 이해하여 특정 개인에게 직접적인 권리·의무관계가 발생하지 않는 것으로 본다.

(2) 행정행위설

일정한 행정계획은 고시 또는 공고되면 법규정과 결합하여 각종 권리제한을 받게 되므로 행정행위의 성질을 갖는 것으로 본다.

(3) 복수성질설(다수설)

행정계획을 단일의 법적 성격으로 파악하지 않고 각 행정계획의 내용과 성격에 따라 개별적으로 결정할 수밖에 없다고 보는 것이 다수설이다. 대법원은 구 도시계획법(현 국토의 계획 및 이용에 관한 법률) 제12조의 도시계획결정(현 도시관리계획결정)의 결정·고시를 행정처분으로 인정하였다.

처분성 부정	처분성 인정
구 도시계획법상 **도시계획결정 등의 고시** ⇨ 행정계획의 효력발생요건	구 도시계획법상 **도시계획결정** ⇨ 행정소송법상 처분성 인정
구 도시계획법 제7조가 도시계획결정 등 처분의 고시를 도시계획구역·도시계획결정 등의 효력발생요건으로 규정하였다고 볼 것이어서 건설부장관 또는 그의 권한의 일부를 위임받은 서울특별시장·도지사 등이 기안·결재 등의 과정을 거쳐 정당하게 도시계획결정 등의 처분을 하였다고 하더라도 **이를 관보에 게재하여 고시하지 아니한 이상 대외적으로는 아무런 효력을 발생하지 아니한다**(대판 1985.12.10. 85누186).	구 도시계획법 제12조 소정의 도시계획결정이 고시되면 도시계획구역 안의 토지나 건물소유자의 토지의 형질변경, 건축물의 신축·개축 또는 증축 등 권리 행사가 일정한 제한을 받게 되는 바, 이런 점에서 볼 때 본조 소정의 **도시계획결정은 특정 개인의 권리 내지 법률상의 이익을 개별적이고 구체적으로 규제하는 효과를 가져오게 하는 행정청의 처분**이라 할 것이고, 이는 **행정소송의 대상이 된다**(대판 1982.3.9. 80누105).

4. 처분성 인정 여부

판례는 도시·군관리계획과 같이 국민의 권리·의무에 직접적 영향을 미치는 행정계획의 경우 처분성을 인정하나, 구 도시계획법상 도시기본계획 및 구 토지구획정리사업법상 환지계획 등의 경우 국민의 권리·의무에 영향을 미치지 않음을 근거로 처분성을 부정하였다.

🔨 관련판례

1 도시관리계획입안제안 반려: 처분성 긍정

군수가 도시관리계획 구역 내 토지 등을 소유하고 있는 주민의 납골시설에 관한 도시관리계획의 입안제안을 반려한 처분은 항고소송의 대상이 되는 행정처분에 해당한다(대판 2010.7.22. 2010두5745).

2 도시계획시설결정: 처분성 긍정

도시계획시설결정은 특정 개인의 구체적인 권리·의무나 법률관계를 직접적으로 규율하는 성격을 갖는 행정처분에 해당한다(대판 2011.2.24. 2009헌마164).

3 택지개발촉진법상 택지공급방법결정: 처분성 부정

택지개발촉진법 제18조, 제20조의 규정에 따라 택지개발사업 시행자가 건설부장관으로부터 승인을 받아 택지의 공급방법을 결정하였더라도 그 공급방법의 결정은 내부적인 행정계획에 불과하여 그것만으로 택지공급희망자의 권리나 법률상 이익에 개별적이고 구체적인 영향을 미치는 것은 아니므로, 택지개발사업시행자가 그 공급방법을 결정하여 통보한 것은 분양계약을 위한 사전 준비절차로서의 사실행위에 불과하고 항고소송의 대상이 되는 행정처분으로 볼 수 없다.

4 구 도시재개발법상의 관리처분계획은 **항고소송의 대상**이 되는 행정처분이다(대판 2002.12.10. 2001두6333).

5 도시계획법 제12조 소정의 고시된 도시계획결정은 특정 개인의 권리 내지 법률상의 이익을 개별적이고 구체적으로 규제하는 효과를 가져오게 하는 행정청의 처분이라 할 것이고, 이는 **행정소송의 대상**이 된다(대판 1982.3.9. 80누105).

핵심 OX

04 개발제한구역의 지정·고시행위는 특정 개인의 법률상 이익을 구체적으로 규제하는 효과를 가져오는 행정청의 처분으로서 행정소송의 대상이 된다. 14. 국회8급 (　)

04 ○

6 개발제한구역지정처분은 건설부장관이 법령의 범위 내에서 도시의 무질서한 확산방지 등을 목적으로 도시정책상의 전문적·기술적 판단에 기초하여 행하는 일종의 행정계획으로서 그 입안·결정에 관하여 광범위한 형성의 자유를 가지는 계획재량처분이다(대판 1997.6.24. 96누1313).

7 재건축정비사업조합이 이러한 행정주체의 지위에서 위 법에 기초하여 수립한 <u>사업시행계획</u>은 인가·고시를 통해 확정되면 이해관계인에 대한 구속적 행정계획으로서 독립된 <u>행정처분에 해당한다</u>(대결 2009.11.2. 2009마596).

8 <u>도시기본계획</u>은 도시의 장기적 개발방향과 미래상을 제시하는 도시계획입안의 지침이 되는 장기적·종합적인 개발계획으로서 <u>행정청에 대한 직접적인 구속력은 없다</u>(대판 2007.4.12. 2005두1893).

핵심 OX

01 환지계획은 그 자체가 직접 토지소유자 등의 법률상 지위를 변동시키므로 환지계획은 항고소송의 대상이 되는 처분에 해당한다.

14. 국가7급 (　　)

9 토지구획정리사업법 제57조, 제62조 등의 규정상 환지예정지 지정이나 환지처분은 그에 의하여 직접 토지소유자 등의 권리의무가 변동되므로 이를 <u>항고소송의 대상이 되는 처분</u>이라고 볼 수 있으나, <u>환지계획</u>은 위와 같은 환지예정지 지정이나 환지처분의 근거가 될 뿐 그 자체가 직접 토지소유자 등의 법률상의 지위를 변동시키거나 또는 <u>환지예정지 지정이나 환지처분과는 다른 고유한 법률효과를 수반하는 것이 아니어서 이를 항고소송의 대상이 되는 처분에 해당한다고 할 수가 없다</u>(대판 1999.8.20. 97누6889).

10 국토해양부, 환경부, 문화체육관광부, 농림수산부, 식품부가 합동으로 2009.6.8. 발표한 '4대강 살리기 마스터플랜' 등은 4대강 정비사업과 주변 지역의 관련 사업을 체계적으로 추진하기 위하여 수립한 종합계획이자 '4대강 살리기 사업'의 기본방향을 제시하는 계획으로서, 행정기관 내부에서 사업의 기본방향을 제시하는 것일 뿐, 국민의 권리·의무에 직접 영향을 미치는 것이 아니어서 <u>행정처분에 해당하지 않는다</u>(대결 2011.4.21. 2010무111).

11 **구체적인 계획을 입안함에 있어 지침이 되거나 특정 사업의 기본방향을 제시하는 내용의 행정계획이 항고소송의 대상인 행정처분에 해당하는지 여부(소극)**
도시기본계획은 도시의 기본적인 공간구조와 장기발전방향을 제시하는 종합계획으로서 그 계획에는 토지이용계획, 환경계획, 공원녹지계획 등 장래의 도시개발의 일반적인 방향이 제시되지만, 그 계획은 도시계획입안의 지침이 되는 것에 불과하여 일반 국민에 대한 직접적인 구속력은 없는 것이다(대판 2002.10.11. 2000두8226).

12 **개발제한구역으로 지정되어 있는 부지에 묘지공원과 화장장 시설들을 설치하기로 하는 도시계획시설결정은 위법한지 여부(소극)**
개발제한구역은 도시의 무질서한 확산을 방지하고 도시 주변의 자연환경을 보전하여 도시민의 건전한 생활환경을 확보하기 위하여 도시의 개발을 제한할 필요에 의하여 지정되는 것이어서 원칙적으로 개발제한구역에서의 개발행위는 제한되는 것이기는 하지만 위와 같은 개발제한구역의 지정목적에 위배되지 않는다면 허용될 수 있는 것인바, 도시계획시설인 묘지공원과 화장장 시설의 설치가 위와 같은 개발제한구역의 지정목적에 위배된다고 보이지 않으므로, 시장이 이미 개발제한구역으로 지정되어 있는 부지에 묘지공원과 화장장 시설들을 설치하기로 하는 내용의 도시계획시설결정을 하였다 하더라도 이를 두고 위법하다고 할 수 없다(대판 2007.4.12. 2005두1893).

01 X

2 종류

1. 대상지역에 따른 분류(전국계획, 지방계획, 지역계획)

2. 내용에 따른 분류(국토계획, 경제계획, 국방계획, 사회계획)

3. 기간에 따른 분류(장기계획, 중기계획, 연도별 계획)

4. 계획범위에 따른 분류(종합계획, 부문계획)

5. 구체화에 따른 분류(기본계획, 실시계획)

6. 법적 효력에 따른 분류

(1) 구속적 계획

① **국민에 대한 구속력을 갖는 계획:** 이는 직접적으로 국민의 권리·의무를 규율하므로 **행정행위로서의 효력**을 갖는다(예 국토의 계획 및 이용에 관한 법률에 의한 도시관리계획, 도시 및 주거환경정비법에 의한 도시재개발계획 등).

② **관계행정기관에 대해 구속력을 갖는 계획:** 이는 **행정규칙의 성질**을 갖는다(예 국토종합계획 등)

③ **다른 계획에 대해 구속력을 갖는 계획:** 국토종합계획은 도종합계획이나 시·군종합계획의 기본이 되고, 도종합계획은 시·군종합계획의 기본이 된다.

> 🔨 **관련판례**
>
> **1** 도시설계는 도시계획구역의 일부분을 그 대상으로 하여 토지의 이용을 합리화하고, 도시의 기능 및 미관을 증진시키며 양호한 도시환경을 확보하기 위하여 수립하는 도시계획의 한 종류로서 도시설계지구 내의 모든 건축물에 대하여 구속력을 가지는 <u>구속적 행정계획의 법적 성격</u>을 갖는다(헌재 2003.6.26. 2002헌마402).
>
> **2** 이미 고시된 실시계획에 포함된 상세계획으로 관리되는 토지 위의 건물의 용도를 상세계획 승인권자의 변경승인 없이 임의로 판매시설에서 상세계획에 반하는 일반목욕장으로 변경한 사안에서, 그 영업신고를 수리하지 않고 영업소를 폐쇄한 처분은 적법하다(대판 2008.3.27. 2006두3742·3759).
>
> **3** 도시계획법 제12조 소정의 <u>도시계획결정</u>이 고시되면 도시계획구역 안의 토지나 건물 소유자의 토지형질변경, 건축물의 신축, 개축 또는 증축 등 권리행사가 일정한 제한을 받게 되는바 이런 점에서 볼 때 고시된 도시계획결정은 특정 개인의 권리 내지 법률상의 이익을 개별적이고 구체적으로 규제하는 효과를 가져오게 하는 행정청의 처분이라 할 것이고, 이는 행정소송의 대상이 되는 것이라 할 것이다(대판 1978.12.26. 78누281).

핵심 OX

02 행정계획은 구체화의 정도에 따라 기본계획과 실시계획으로 나눌 수 있는바, 실시계획은 기본계획의 내용을 구체화하는 것이다. 13. 서울9급 ( )

03 국민의 권리·의무에 구체적·개별적인 영향을 미치는 행정계획은 처분성이 인정된다. 15. 교행 ( )

핵심 OX

04 도시설계는 건축물규제라는 성격과 건축법의 입법적인 경과에 비추어 볼 때 법적 구속력을 갖는 구속적 행정계획이다. 08. 지방9급 ( )

핵심 OX

05 도시관리계획결정의 법적 성질을 행정처분으로 보지 아니하는 것이 판례의 입장이다. 09. 국회8급 ( )

02 ○ 03 ○ 04 ○ 05 ✕

(2) 비구속적 계획

행정기관의 지침에 불과하여 대외적으로 국민에 대하여 법적 구속력을 갖지 않는 행정계획을 말한다(例 공공기관 선진화 추진계획, 농어촌 전화사업계획, 경제개발 5개년계획 등).

⚖ 관련판례

1 행정계획이 헌법소원의 대상이 되는 공권력의 행사에 해당할 것인지 여부는 일률적으로 말할 수 없고, 그 행정계획의 구체적인 성격을 고려하여 개별적으로 판단하여야 한다. 국민적 구속력을 갖는 행정계획은 공권력의 행사로 볼 수 있지만, 구속력을 갖지 않고 사실상의 준비행위나 사전안내 또는 행정기관 내부의 지침에 지나지 않는 행정계획은 원칙적으로 헌법소원의 대상이 되는 공권력의 행사라 할 수 없다. 하지만, <u>비구속적 행정계획안이나 행정지침이라도 국민의 기본권에 직접적으로 영향을 끼치고, 앞으로 법령의 뒷받침에 의하여 그대로 실시될 것이 틀림없을 것으로 예상될 수 있을 때에는, 공권력행위로서 예외적으로 헌법소원의 대상이 된다</u>고 할 것이다(헌재 2011.12.29. 2009헌마330 등).

2 국토의 계획 및 이용에 관한 법률에 따른 도시기본계획이 행정청에 대한 직접적인 구속력이 인정되는지 여부(소극)

구 도시계획법 제19조 제1항 및 도시계획시설결정 당시의 지방자치단체의 도시계획조례에서는, 도시계획이 도시기본계획에 부합되어야 한다고 규정하고 있으나, <u>도시기본계획은 도시의 장기적 개발방향과 미래상을 제시하는 도시계획입안의 지침이 되는 장기적·종합적인 개발계획으로서 행정청에 대한 직접적인 구속력은 없다</u>(대판 2007.4.12. 2005두1893).

3 구 도시계획법 및 지방자치단체의 도시계획조례상 규정된 도시기본계획이 장기적·종합적인 개발계획으로서 행정청에 대한 직접적 구속력을 가지는지 여부(소극)

구 도시계획법 제10조의2, 제16조의2, 같은 법 시행령 제7조, 제14조의2의 각 규정을 종합하면, 도시기본계획은 도시의 기본적인 공간구조와 장기발전방향을 제시하는 종합계획으로서 그 계획에는 토지이용계획, 환경계획, 공원녹지계획 등 장래의 도시개발의 일반적인 방향이 제시되지만, 그 계획은 도시계획입안의 지침이 되는 것에 불과하여 일반 국민에 대한 직접적인 구속력은 없는 것이다(대판 2002.10.11. 2000두8226).

---

③ 법적 근거와 절차

1. 법적 근거(법률유보)

(1) 조직법적 근거

모든 행정계획을 수립하기 위해 조직법적 근거가 필요하다.

(2) 작용법적 근거

① 구속적인 행정계획의 경우에는 그 효과에 있어서 국민의 권리·의무에 영향을 미치거나 관련 행정기관에 대한 법적 구속력을 갖는 것이므로 법적 근거가 필요하다.

② 비구속적 행정계획의 경우에는 지침적 성격을 가지므로 법적 근거가 필요하지 않다.

후행 도시계획의 결정을 하는 행정청이 선행 도시계획의 결정·변경 등에 관한 권한을 가지고 있지 아니한 경우, 선행 도시계획과 양립할 수 없는 내용이 포함된 후행 도시계획결정의 효력(= 무효)

도시계획의 결정·변경 등에 관한 권한을 가진 행정청은 이미 도시계획이 결정·고시된 지역에 대하여도 다른 내용의 도시계획을 결정·고시할 수 있고, 이 때에 후행 도시계획에 선행 도시계획과 서로 양립할 수 없는 내용이 포함되어 있다면, 특별한 사정이 없는 한 선행 도시계획은 후행 도시계획과 같은 내용으로 변경되는 것이나, 후행 도시계획의 결정을 하는 행정청이 선행 도시계획의 결정·변경 등에 관한 권한을 가지고 있지 아니한 경우에 선행 도시계획과 서로 양립할 수 없는 내용이 포함된 후행 도시계획결정을 하는 것은 아무런 권한 없이 선행 도시계획결정을 폐지하고, 양립할 수 없는 새로운 내용이 포함된 후행 도시계획결정을 하는 것으로서, 선행 도시계획결정의 폐지 부분은 권한 없는 자에 의하여 행해진 것으로서 무효이고, 같은 대상지역에 대하여 선행 도시계획결정이 적법하게 폐지되지 아니한 상태에서 그 위에 다시 한 후행 도시계획결정 역시 위법하고, 그 하자는 중대하고도 명백하여 다른 특별한 사정이 없는 한 무효라고 보아야 한다(대판 2000.9.8. 99두11257).

(3) 우리나라 행정절차법의 적용문제

우리나라의 행정절차법에는 행정계획에 대하여 일반적인 규정을 두고 있다.

행정절차법 제40조의4 【행정계획】 행정청은 행정청이 수립하는 계획 중 국민의 권리·의무에 직접 영향을 미치는 계획을 수립하거나 변경·폐지할 때에는 관련된 여러 이익을 정당하게 형량하여야 한다.❶

2. 절차

(1) 우리나라에는 행정계획에 대한 일반적인 절차는 행정절차법을 따르며, 특별한 규정이 있는 경우에는 각 **개별법 규정**을 따른다. 또한, 행정절차법은 국민생활에 매우 큰 영향을 주는 사항에 대한 행정계획을 수립·시행하거나 변경하고자 하는 때에는 이를 예고하도록 규정하고 있다. 일반적으로는 ① 관계행정기관의 의견조정, ② 심의·의결기관의 심의, ③ 주민 등 이해관계인의 참여, ④ 결정, ⑤ 공고를 거쳐 수립하게 된다.

(2) 행정계획을 법률, 법규명령, 조례 등의 형식으로 정한 경우에는 법령 등 공포에 관한 법률이 정한 바에 따라 공포하여야 하고 **공포한 날로부터 20일**이 경과함으로써 효력이 발생한다. 법령 등 외의 형식으로 행정계획을 정한 경우에는 개별법이 정한 바에 따라 고시하여야 하고, **고시와 동시에 효력을 발생**한다.

핵심 OX

03 도시계획의 결정·변경 등에 관한 권한을 가진 행정청은 이미 도시계획이 결정·고시된 지역에 대하여도 다른 내용의 도시계획을 결정·고시할 수 있고, 이 때에 후행 도시계획에 선행 도시계획과 서로 양립할 수 없는 내용이 포함되어 있다면, 특별한 사정이 없는 한 선행 도시계획은 후행 도시계획과 같은 내용으로 변경되는 것이나, 후행 도시계획의결정을 하는 행정청이 선행 도시계획의 결정·변경 등에 관한 권한을 가지고 있지 아니한 경우에 선행 도시계획과 서로 양립할 수 없는 내용이 포함된 후행 도시계획결정을 하는 것은 취소사유에 해당한다. ( )

04 행정계획에 대해서는 행정절차법의 규정이 적용될 여지가 없다.
09. 국가7급 ( )

❶ 행정계획의 확정절차에 관해 행정기본법은 명시적 규정을 두고 있지 않음

핵심 OX

05 행정계획에 있어서는 전문지식의 도입 계획 상호간의 조정, 관계인의 이해 조절 민주적 통제 등 절차적 요소가 중요한 의미를 가지므로 우리 행정절차법에는 계획확정절차에 관하여 명문의 규정을 두고 있다.
15. 교행, 08. 선관위9급 ( )

03 X **04** X **05** X

관련판례

관보에 게재하여 고시하지 아니한 도시계획결정 등 처분의 효력
구 도시계획법(1971.1.19. 법률 제2291호로 개정되기 전의 것) 제7조가 도시계획결정 등 처분의 고시를 도시계획구역, 도시계획결정 등의 효력발생요건으로 규정하였다고 볼 것이어서 건설부장관 또는 그의 권한의 일부를 위임받은 서울특별시장, 도지사 등 지방장관이 기안, 결재 등의 과정을 거쳐 정당하게 도시계획결정 등의 처분을 하였다고 하더라도 이를 관보에 게재하여 고시하지 아니한 이상 대외적으로는 아무런 효력도 발생하지 아니한다(대판 1985.12.10. 85누186).

(3) 행정계획에는 광범위한 형성의 자유가 인정되므로 계획수립과정의 절차통제가 중시된다. 판례 역시 구속적 계획의 경우 절차하자를 위법사유로 보고 있다.

관련판례

1 도시계획안의 공고 및 공람절차에 하자가 있는 도시계획결정의 적법 여부(위법)
도시계획의 입안에 있어 해당 도시계획안의 내용을 공고 및 공람하게 한 것은 다수 이해관계자의 이익을 합리적으로 조정하여 국민의 권리자유에 대한 부당한 침해를 방지하고 행정의 민주화와 신뢰를 확보하기 위하여 국민의 의사를 그 과정에 반영시키는 데 있는 것이므로 이러한 공고 및 공람절차에 하자가 있는 도시계획결정은 위법하다(대판 2000.3.23. 98두2768).

2 공청회와 이주대책이 없는 도시계획수립행위의 위법 여부(적극)
도시계획의 수립에 있어서 도시계획법 제16조의2 소정의 공청회를 열지 아니하고 공공용지의 취득 및 손실보상에 관한 특례법 제8조 소정의 이주대책을 수립하지 아니하였더라도 이는 절차상의 위법으로서 취소사유에 불과하고 그 하자가 도시계획결정 또는 도시계획사업시행인가를 무효라고 할 수 있을 정도로 중대하고 명백하다고는 할 수 없다(대판 1990.1.23. 87누947).

3 환지계획 인가 후에 수정하고자 하는 환지계획의 내용에 대하여 토지소유자 등 이해관계인의 공람절차를 거치지 아니한 채 수정된 내용에 따라 한 환지예정지 지정처분의 효력(=당연무효)
환지계획 인가 후에 당초의 환지계획에 대한 공람과정에서 토지소유자 등 이해관계인이 제시한 의견에 따라 수정하고자 하는 내용에 대하여 다시 공람절차 등을 밟지 아니한 채 수정된 내용에 따라 한 환지예정지 지정처분은 환지계획에 따르지 아니한 것이거나 환지계획을 적법하게 변경하지 아니한 채 이루어진 것이어서 당연무효라고 할 것이다(대판 1999.8.20. 97누6889).

4 행정계획과 계획재량 - 계획법규와 계획재량

1. 계획법규의 특색

일반적인 재량권을 부여하는 행정법규는 조건프로그램형식(요건-효과)인 데 반해, 계획법규는 목적프로그램형식(목적-수단)을 취하는 것이 일반적이다. 이러한 계획법규는 변화와 미래지향적인 특징으로 일반 행정법규와는 다른 형식으로 규정하는 것이 특징이다.

2. 계획재량

(1) 의의

계획법규는 장래 달성하고자 하는 목표만을 규정하고 목표실현을 위한 계획수립에 있어서는 계획행정기관에게 광범위한 **재량·형성의 자유**가 인정되어 일반 행정재량(재량행위)보다는 확대되는 재량을 계획재량이라고 한다.

(2) 행정재량과 계획재량이 질적 차이인가, 양적 차이인가의 여부

① **질적 차이설(다수설):** 계획재량은 특유한 목적프로그램의 성질을 가졌다는 점, 계획재량에 대한 사법심사는 형량명령이라는 특유한 재량하자이론이 적용된다는 점에서 둘은 질적 차이가 있다는 견해이다.

② **양적 차이설:** 형량명령은 입법자의 수권목적에 따라 범위와 내용이 다르게 나타나는 것이며, 또한 형량명령은 비례의 원칙이 계획에 적용된 것이라는 견해이다.

③ **판례:** 계획재량의 개념을 인정하지만, 양자의 관계에 대해 명확한 입장은 아니다.

(3) 행정재량과 계획재량의 비교

구분	행정재량	계획재량
형식	조건프로그램 (요건-효과 모형)	목적프로그램 (목적-수단 모형)
재량 범위	상대적으로 좁음 (구체적 사실과 결부시킴)	상대적으로 넓음 (광범위한 형성의 자유)
위법성 판단	재량권의 내적·외적 한계 (일탈·남용론)	재량권 하자의 절차적 기준 (형량명령)
형량대상(고려대상)	부분적 이해관계인	전체적인 이해관계인
재량통제방법	사후적 통제 중심	사전적 절차통제 중심

5 효력(집중효)

1. 의의

집중효란 행정계획이 확정되면 다른 법률이 규정하고 있는 승인허가 등을 받은 것으로 간주하는 효력을 말한다. 계획확정결정을 통하여 인허가 등을 받은 것으로 대체된다는 점에서 '대체효'라고 부르기도 한다.

2. 구별 개념

(1) 배제효(불가쟁력)

계획집행단계에 들어선 후에는 이해관계인이 행정쟁송 제기를 하지 못하는 **불가쟁력**을 말한다.

(2) 구속효(불가변력)

계획확정 후에 계획주체가 임의로 변경할 수 없는 **불가변력**을 말한다.

- 의의: 근거법상 주된 허가·특허 등을 받으면, 그 시행에 필요한 다른 법령에 의한 인허가도 받은 것으로 간주하는 제도로 하나의 사업을 위해 여러 인허가를 받아야 하는 경우 이를 간소화하여 민원인의 편의를 도모하기 위하여 만들어진 제도
- 법적 근거: 인허가의제 제도 역시 행정기관의 권한의 변경을 가져오므로 명시적인 법률의 근거를 요함
- 집중효와의 차이
  - 인허가의제 제도는 행정계획뿐만 아니라 건축허가 등 일반행정행위에도 인정된다는 점에서 집중효와 차이가 있음
  - 집중효는 행정계획과 관련된 모든 인허가에 인정되는 데 대하여, 인허가의제 제도는 법률에 열거된 인허가행위에 한정된다는 점에서 차이가 있음
  - 집중효와 인허가의제 제도는 그 기능면에서 공통성이 있으므로 엄격하게 구별되는 것은 아님
- 인허가의제에 대한 불복방법: 인허가의제 제도에 있어서 의제되는 처분의 요건이 불비된 경우 주된 인허가가 거부될 수 있다는 것이 판례의 입장이므로 의제되는 처분의 요건에 대한 다툼이 있는 경우에는 '주된 인허가거부처분'을 대상으로 하여 취소소송을 제기하여야 함

3. 제도적 취지

집중효는 대규모 사업에 있어서 다수의 인허가 등을 받아야 하는 경우 개개의 행정기관에 대한 인허가를 거치지 않고도 당해 사업을 수행할 수 있도록 절차의 간소화를 통하여 당해 사업을 촉진시키려는 데 그 의의가 있다. 이렇게 절차를 간소화하는 취지로서 행정행위에는 '주된 인허가의제 제도❶'가 있다.

4. 법적 근거

집중효제도는 행정기관의 권한 및 절차법상의 변경을 하는 것이므로 반드시 **법률상 근거**가 있을 것을 요한다(예 국토의 계획 및 이용에 관한 법률 제61조, 택지개발촉진법 제11조, 건축법 제11조 제5항 등).

5. 효과(절차집중효설)

계획확정기관은 계획확정절차에 관한 규정을 준수하면 되고 의제되는 인허가를 따를 필요는 없으나, 집중효가 실체법상의 요건규정에는 효력이 미치지 않으므로 실체법상의 요건규정에는 전면적으로 구속된다. 판례도 같은 입장이다.

6 행정계획에 대한 통제

행정계획은 광범위한 형성의 자유가 부여되므로 일반재량의 통제법리와는 다른 특유한 통제법리가 필요하다. 행정계획이 확대되면서 법률에 의한 행정이 아닌 계획에 의한 행정이 확대되면 법치주의를 형해화 할 수 있기 때문이다.

1. 입법적 통제

구속적 계획은 법률의 근거를 요하나, 광범위한 행정계획의 특성상 법률에 의한 직접적 통제는 그 실효성이 적다고 볼 수 있다.

2. 행정적 통제(사전절차통제의 중요성)

행정적 통제는 절차통제가 중요시된다. 계획의 수립과정에 대한 이해관계인·주민의 참여기회의 보장, 전문적 심의기구의 설치, 계획의 공표에 관한 절차적 보장 등이 중요하다. 이러한 행정계획에 대한 사전절차통제를 위하여 행정절차법에 의한 통제가 중요시된다.

3. 사법적 통제
(1) 행정계획의 처분성

행정입법의 성질을 갖는 행정계획은 처분성이 부정되어 행정쟁송의 대상으로 할 수 없으나, 처분적 성질의 행정계획은 행정쟁송의 대상이 될 수 있다. 그러나 처분적 성질의 행정계획도 계획의 수립에 광범위한 형성의 자유가 인정되므로 본안판단에서 원고승소가 어려운 문제점이 따른다.

관련판례

1 관리처분계획에 대한 관할 행정청의 인가·고시까지 있게 되면 관리처분계획은 행정처분으로서 효력이 발생하게 되므로, 총회결의의 하자를 이유로 하여 행정처분의 효력을 다투는 항고소송의 방법으로 관리처분계획의 취소 또는 무효확인을 구하여야 하고, 그와 별도로 행정처분에 이르는 절차적 요건 중 하나에 불과한 총회결의 부분만을 따로 떼어내어 효력 유무를 다투는 확인의 소를 제기하는 것은 특별한 사정이 없는 한 허용되지 않는다고 보아야 한다(대판 2009.9.17. 2007다2428 전합).

2 구 도시재개발법에 의한 재개발조합은 조합원에 대한 법률관계에서 적어도 특수한 존립목적을 부여받은 특수한 행정주체로서 … 관리처분계획은 토지 등의 소유자에게 구체적이고 결정적인 영향을 미치는 것으로서 조합이 행한 처분에 해당하므로 항고소송에 의하여 관리처분계획 또는 그 내용인 분양거부처분 등의 취소를 구할 수 있다(대판 1996.2.15. 94다31235 전합).

3 도시계획구역 내 토지 등을 소유하고 있는 사람과 같이 당해 도시계획시설결정에 이해관계가 있는 주민으로서는 도시시설계획의 입안권자 내지 결정권자에게 도시시설계획의 입안 내지 변경을 요구할 수 있는 법규상 또는 조리상의 신청권이 있고, 이러한 신청에 대한 거부행위는 항고소송의 대상이 되는 행정처분에 해당한다(대판 2004.4.28. 2003두1806).

(2) 행정계획의 자율성(계획재량)

계획법규범은 일반 행정법규와 달리 일정한 행정목표를 제시하지만 그 목표실현을 위한 수단은 구체적으로 제시하지 않는 목적프로그램의 형식을 취하는 것을 특징으로 한다. 이러한 점에서 행정주체는 구체적인 행정계획을 입안·결정함에 있어서 일반적인 행정행위에 비하여 비교적 광범위한 형성의 자유를 가진다. 이를 계획재량이라 한다.

관련판례

행정계획이라 함은 행정에 관한 전문적·기술적 판단을 기초로 하여 도시의 건설·정비·개량 등과 같은 특정한 행정목표를 달성하기 위하여 서로 관련되는 행정수단을 종합·조정함으로써 장래의 일정한 시점에 있어서 일정한 질서를 실현하기 위한 활동기준으로 설정된 것으로서, 도시계획법 등 관계 법령에는 추상적인 행정목표와 절차만이 규정되어 있을 뿐 행정계획의 내용에 대하여는 별다른 규정을 두고 있지 아니하므로 행정주체는 구체적인 행정계획을 입안·결정함에 있어서 비교적 광범위한 형성의 자유를 가진다(대판 2000.3.23. 98두2768).

(3) 사법적 통제의 특수성(형량명령)

① **행정계획의 하자:** 행정계획은 계획수립 주체에게 광범위한 형성의 자유가 인정되므로 이에 대한 별도의 통제법리가 필요하게 되는데, 이러한 계획재량의 행사와 관련하여 재량통제를 가능하게 하려는 이론이 형량명령이다. 이는 계획재량을 행사함에 있어서 관련 제 이익, 즉 모든 관계자의 이익을 최대한 존중하여 형량하여야 한다는 것이다. 이러한 형량명령을 위반한 경우를 형량하자라고 하고 이는 위법한 행정계획이 된다.

핵심 OX

01 행정계획에서 행정기관이 가지는 계획재량의 통제를 위한 법리로는 형량명령이 있다.   12. 서울7급 ( )

02 도시관리계획변경신청에 따른 도시관리계획시설변경결정에는 형량명령이 적용되지 않는다.   18. 지방교행 ( )

② 계획재량의 하자

　㉠ **형량명령:** 행정청의 계획재량의 행사에 있어서는 공익과 사익 사이에서는 물론이고 공익 상호간과 사익 상호간에도 정당하게 비교·교량해야 한다는 제한이 따른다. 이 경우 법령에서 고려하도록 규정한 이익은 물론 법령에 규정되지 않은 이익도 행정계획과 관련이 있으면 모두 형량명령에 포함시켜야 한다.

> **⚖ 관련판례**
>
> **행정주체가 구체적인 행정계획을 입안·결정할 때 가지는 형성의 자유의 한계에 관한 법리가 주민의 입안 제안 또는 변경신청을 받아들여 도시관리계획결정을 하거나 도시계획시설을 변경할 것인지를 결정할 때에도 동일하게 적용되는지 여부(적극)**
>
> 형량명령의 법리는 행정주체가 구 국토의 계획 및 이용에 관한 법률(2009.2.6. 법률 제9442호로 개정되기 전의 것) 제26조에 의한 주민의 도시관리계획입안 제안을 받아들여 도시관리계획결정을 할 것인지를 결정할 때에도 마찬가지이고, 나아가 도시계획시설구역 내 토지 등을 소유하고 있는 주민이 장기간 집행되지 아니한 도시계획시설의 결정권자에게 도시계획시설의 변경을 신청하고, 결정권자가 이러한 신청을 받아들여 도시계획시설을 변경할 것인지를 결정하는 경우에도 동일하게 적용된다고 보아야 한다(대판 2012.1.12. 2010두5806).

핵심 OX

03 계획재량의 경우 형성의 자유가 인정되나 형량의 부존재, 형량의 누락, 형량의 불비례 등의 경우에는 형량의 하자로 인해 그 행정계획결정은 위법하게 된다.   13. 지방7급 ( )

04 형량해태, 형량흠결, 오형량은 계획재량의 통제원리인 형량명령 하자의 일반적 내용이다.   08. 국회8급 ( )

05 형량의 대상 중 당연히 포함되어야 할 사항을 빠뜨린 경우를 형량의 흠결이라고 한다.   14. 서울7급, 13. 지방9급 ( )

06 형량시에 여러 이익간의 형량을 행하기는 하였으나 그것이 객관성, 비례성을 결한 경우를 형량의 해태라고 한다.   14. 서울7급 ( )

　㉡ **형량의 하자:** 형량해태(이익형량을 전혀 하지 않은 경우), 형량흠결(이익형량의 고려대상에 마땅히 포함시켜야 할 사항을 누락한 경우), 오형량(이익형량을 하였으나 정당성·객관성이 결여된 경우)은 계획재량의 통제원리인 형량명령 하자의 일반적 내용이다.

> **⚖ 관련판례**
>
> **1** **행정주체의 행정계획결정에 관한 재량의 범위**
> 행정주체가 가지는 이와 같은 형성의 자유는 무제한적인 것이 아니라 그 행정계획과 관련되는 자들의 이익을 공익과 사익 사이에는 물론이고, 공익 상호간 또는 사익 상호간에도 정당하게 비교·형량하여야 한다는 제한이 있는 것이고, 따라서 행정주체가 행정계획을 입안·결정함에 있어서 <u>이익형량을 전혀 행하지 아니하거나 이익형량의 고려대상에 마땅히 포함시켜야 할 사항을 누락한 경우 또는 이익형량을 하였으나 정당성·객관성이 결여된 경우</u>에는 그 행정계획결정은 재량권을 일탈·남용한 것으로서 위법한 것으로 보아야 한다(대판 1996.11.29. 96누8567).
>
> **2** 청계산 도시자연공원 인근에 휴게광장을 조성하기 위한 구청장의 도시계획결정은 공익과 사익에 관한 이익형량을 그르쳐 위법하다(대판 2007.1.25. 2004두12063).

01 ○ **02** X **03** ○ **04** ○ **05** ○ **06** X

핵심정리	형량하자의 유형
형량의 해태	형량을 전혀 행하지 않은 경우
형량의 흠결	형량의 대상에 마땅히 포함시켜야 할 사항을 누락하고 형량을 한 경우
오형량	모든 이익간의 형량을 하기는 했으나, 객관성 또는 비례성을 결한 경우

7 행정계획과 권리구제

1. 사전적 구제수단

행정계획의 집행단계 이후 사후구제는 그 공익성으로 인하여 구제가 어렵기 때문에 사전적 권리구제절차인 계획수립절차가 중시된다.

2. 사후적 구제수단

(1) 행정쟁송(기성사실의 문제)

① **처분성문제:** 구속적 행정계획과 같이 일부 행정계획만이 처분성이 인정되어 권리구제에 미흡하다.

② **계획재량:** 계획확정에 있어서 일반재량과는 달리 광범위한 형성의 자유를 가지므로 형량명령이 요구된다.

③ **기성사실의 문제:** 행정계획이 확정되어 현실화된 경우에는 이미 완성된 사실로 인정되어 취소·변경이 어려워 비록 위법하더라도 사정판결·사정재결이 행하여질 가능성이 많다.

(2) 손해전보

위법한 행정계획으로 인하여 손해를 입은 경우에는 **국가배상**을 청구할 수 있으며, **적법한 행정계획**으로 인해 특별한 희생이 있는 경우에는 **손실보상**을 청구할 수 있다.

(3) 헌법소원

행정계획에 의하여 기본권을 침해당한 자는 헌법소원을 통하여 권리구제가 가능하다. 헌법재판소는 국립대학의 '대학입학고사 주요 요강'을 행정쟁송 대상인 처분으로 보지 않으면서도 헌법소원의 대상이 되는 공권력 행사로 본 바 있다. 즉, 국민의 기본권에 직접적으로 영향을 끼치고 법령의 뒷받침에 의해 실시될 것이라고 예상될 수 있는 경우라면 비구속적 행정계획안의 경우라도 헌법소원의 대상이 될 수 있다.

관련판례

1 비구속적 행정계획안이나 행정지침이라도 국민의 기본권에 직접적으로 영향을 끼치고, 앞으로 법령의 뒷받침에 의하여 그대로 실시될 것이 틀림없을 것으로 예상될 수 있을 때에는, 공권력행위로서 예외적으로 헌법소원의 대상이 될 수 있다. 1999.7.22.

핵심 OX

07 국민의 기본권에 직접적으로 영향을 끼치고 법령의 뒷받침에 의해 실시될 것이라고 예상될 수 있다 하더라도 비구속적 행정계획안의 경우 헌법소원의 대상이 될 수 없다.

18. 서울7급·국가7급, 15. 사복,
11. 국가7급 (   )

07 X

발표한 개발제한구역제도개선방안은 건설교통부장관이 개발제한구역의 해제 내지 조정을 위한 일반적인 기준을 제시하고, 개발제한구역의 운용에 대한 국가의 기본방침을 천명하는 정책계획안으로서 비구속적 행정계획안에 불과하므로 공권력행위가 될 수 없으며, 이 사건 개선방안을 발표한 행위도 대내외적 효력이 없는 단순한 사실행위에 불과하므로 공권력의 행사라고 할 수 없다(헌재 2000.6.1. 99헌마358).

2 2012년도와 2013년도 대학교육역량강화사업 기본계획은 대학교육역량강화 지원사업을 추진하기 위한 국가의 기본방침을 밝히고 국가가 제시한 일정 요건을 충족하여 높은 점수를 획득한 대학에 대하여 지원금을 배분하는 것을 내용으로 하는 행정계획일 뿐, 위 계획에 따를 의무를 부과하는 것은 아니다. 총장직선제를 개선하지 않을 경우 지원금을 받지 못하게 될 가능성이 있어 대학들이 이 계획에 구속될 여지가 있다 하더라도, 이는 사실상의 구속에 불과하고 이에 따를지 여부는 전적으로 대학의 자율에 맡겨져 있다. 더구나 총장직선제를 개선하려면 학칙이 변경되어야 하므로, 계획 자체만으로는 대학의 구성원인 청구인들의 법적 지위나 권리의무에 어떠한 영향도 미친다고 보기 어렵다. 따라서 2012년도와 2013년도 계획 부분은 헌법소원의 대상이 되는 공권력 행사에 해당하지 아니한다(헌재 2016.10.27. 2013헌마576).

3 공공기관 지방이전에 따른 혁신도시 건설 및 지원에 관한 특별법에 따르면, 지방이전계획을 수립하는 주체는 이전공공기관의 장이고, 그 제출받은 계획을 검토·조정하여 국토해양부장관에게 제출하는 주체는 소관 행정기관의 장이며, 그에 따라 지역발전위원회의 심의를 거친 후 승인하는 주체가 국토해양부장관일 뿐이므로, 피청구인이 발표한 이 사건 이전방안은 한국토지주택공사와 각 광역시·도, 관련 행정부처 사이의 의견 조율 과정에서 행정청으로서의 내부 의사를 밝힌 행정계획안 정도에 불과하다. 한국토지주택공사의 지방이전계획은 지역발전위원회의 심의를 거쳐 피청구인의 최종 승인에 의하여 확정되는 것이며, 그 이전 단계에서 발표된 이 사건 이전방안이 국민의 권리의무 또는 법적 지위에 어떠한 변동을 가져온다고 할 수 없다. 따라서 이 사건 이전방안은 헌법재판소법 제68조 제1항의 공권력의 행사에 해당한다고 할 수 없다(헌재 2014.3.27. 2011헌마291).

3. 계획보장청구권(계획변경과 신뢰보호)

(1) 의의

행정계획의 폐지·변경에 대하여 당사자의 신뢰보호를 위해 행정계획의 존속이나 준수를 청구하고, 그러한 청구를 할 수 없어 행정계획의 개폐를 저지할 수 없는 경우에는 경과조치 등 대상조치를 청구하며, 이에 의하여서도 손해가 완전히 전보될 수 없는 경우 손해배상이나 손실보상을 청구할 수 있는 권리를 말한다.

(2) 논의의 배경

행정계획은 행정목표를 제시한다는 점에서 국민은 행정계획을 신뢰하고 일정한 행위를 하게 된다. 그러나 행정계획은 국가의 상황 등에 따라 변경될 수 있는 가변성을 가진다. 즉, 행정계획은 그 본질상 변경가능성과 신뢰보호의 긴장관계에 있다. 이러한 점에서, 행정계획을 신뢰한 사인의 권리구제 방안으로 계획보장청구권이 논의되는 것이다.

(3) 내용

① **계획존속청구권**: 폐지하려는 계획의 유지를 청구하는 권리를 말한다.

② **계획준수·집행청구권**: 기존 계획과 다르게 집행되는 경우, 기존 계획에 따를 것을 요구하는 권리를 말한다.

③ **경과조치 등 대상청구권**: 계획을 개폐하기 전에 그 개폐에 따라 생길 불이익을 방지하기 위하여 경과조치 또는 적합한 원조를 청구하는 것을 말한다.

④ **손해배상 및 손실보상청구권**: 계획변경을 저지할 수 없는 경우 최후적으로 손해배상·손실보상을 청구하는 권리를 말한다.

⑤ **계획변경청구권**: 기존의 행정계획에 대하여 사정변경 등을 이유로 그 계획의 변경을 청구하는 권리를 말한다.

(4) 인정 여부(부정설: 다수설)

① 실정법상 명문으로 계획보장을 규정한 법령이 없고, 행정계획의 속성인 가변성·공공복리의 관점에서 계획보장청구권은 인정될 수 없다는 것이 다수설이다.

② 계획법규는 공익보호를 목적으로 하는 것이지 사익보호성이 인정되지 않는다는 점에서 원칙적으로 계획변경청구권은 인정될 수 없으나, 판례는 예외적으로 계획변경청구권을 인정한 바 있다.

(5) 판례의 태도(계획변경청구권)

판례는 도시계획 및 국토이용계획 등과 관련하여 주민의 계획보장청구는 법규상 또는 조리상 권리가 없다고 보고 있고, 계획변경신청에 대한 불허행위에 대하여 처분성을 부정하고 있다. 다만, 예외적으로 최근 판례는 폐기물관리법상 적정통보를 받은 자는 용도변경신청에 대하여 일정한 신청권이 있다고 보아 그 거부행위에 대하여 처분성을 인정하였다.

⚖ 관련판례

1 **폐기물처리사업계획의 적정통보를 받은 자에게 용도변경에 대한 신청권이 있는지 여부(적극)**

폐기물처리사업계획의 적정통보를 받은 자는 장래 일정한 기간 내에 관계 법령이 규정하는 시설 등을 갖추어 폐기물처리업허가신청을 할 수 있는 법률상 지위에 있다고 할 것인바, 피고로부터 폐기물처리사업계획의 적정통보를 받은 원고가 폐기물처리업허가를 받기 위하여는 이 사건 부동산에 대한 용도지역을 '농림지역 또는 준농림지역'에서 '준도시지역(시설용지지구)'으로 변경하는 국토이용계획변경이 선행되어야 하고, 원고의 위 계획변경신청을 피고가 거부한다면 이는 <u>실질적으로 원고에 대한 폐기물처리업허가신청을 불허하는 결과</u>가 되므로, 원고는 위 국토이용계획변경의 입안 및 결정권자인 피고에 대하여 그 <u>계획변경을 신청할 법규상 또는 조리상 권리를 가진다</u>(대판 2003.9.23. 2001두10936).

2 <u>도시계획시설결정</u>은 광범위한 지역과 상당한 기간에 걸쳐 다수의 이해관계인에게 다양한 법률적·경제적 영향을 미치는 것이 되어 일단 도시계획시설사업의 시행에 착수한 뒤에는, 시행의 지연에 따른 손해나 손실의 배상 또는 보상을 함은 별론으로 하고, 그 결정 자체의 취소나 해제를 요구할 권리를 일부의 이해관계인에게 줄 수는 없는 것이다. 그러므로 심판대상조항들에 대하여 위헌취지결정을 한다고 하더라도 이에 따라 새로이 개정될 법은 도시계획결정의 성질상 도시계획사업이 시행되고 있지 아니한 토지들에 대하여 취소청구권 또는 해제청구권을 부여할 수 있을 뿐이지 <u>이미 사업이 시행된 토지에 대하여는 그 취소나 해제를 요구할 권리를 부여할 수 없다</u>(헌재 2002.5.30. 2000헌바58·2001헌바3).

핵심 OX

03 적법한 행정계획의 시행으로 국민 또는 주민의 재산권 행사가 제한된다면, 법령이 손실보상의 근거규정을 두고 있는 경우에는 손실보상을 청구할 수 있다.　14. 서울7급 (　　)

핵심 OX

04 판례는 원칙적으로 계획보장청구권을 인정하고 있다.
15. 사복, 10. 국가9급 (　　)

핵심 OX

05 폐기물처리사업의 적정통보를 받은 자가 폐기물처리업허가를 받기 위해서는 국토이용계획의 변경이 선행되어야 하는 경우 일반적 추상적 효력을 가지는 이용계획의 특성상 그 변경을 신청할 개인의 권리는 인정되지 아니한다. 14. 국회8급 (　　)

03 ○　04 ✕　05 ✕

01 일정한 기간 내에 요건을 갖추어 일정한 행정처분을 신청할 수 있는 법률상 지위에 있는 자에 대해 국토이용계획변경신청을 거부하는 것이 실질적으로 당해 행정처분 자체를 거부하는 결과가 되는 경우에는 그 신청인은 계획변경을 신청할 권리가 있다.
19. 서울7급, 17. 지방9급, 15. 사복, 14. 국가9급 ( )

02 확정된 행정계획에 대하여 사정변경을 이유로 조리상 변경신청권이 인정된다. 18. 서울7급, 10. 국가7급 ( )

03 산업단지개발계획상 산업단지 안의 토지 소유자로서 산업단지개발계획에 적합한 시설을 설치하여 입주하려는 자는 산업단지지정권자 또는 그로부터 권한을 위임받은 기관에 대하여 산업단지개발 계획의 변경을 요청할 수 있는 법규상 또는 조리상 신청권이 있다. 21. 지방7급 ( )

04 문화재보호구역 내에 있는 토지의 소유자는 그 보호구역의 지정해제를 요구할 수 있는 법규상 또는 조리상의 신청권이 있다고 보기 어려우므로 이에 대한 거부행위는 항고소송의 대상이 되는 행정처분으로 보기 어렵다. 18. 지방7급, 14. 국가9급 ( )

05 국토의 계획 및 이용에 관한 법률상 도시 · 군계획시설결정에 이해관계가 있는 주민에 의한 도시 · 군계획시설결정 변경신청에 대해 관할 행정청이 거부한 경우, 그 거부행위는 항고소송의 대상이 되는 행정처분에 해당한다. 17. 국가9급(10월) ( )

06 도시계획법상 주민이 도시계획 및 그 변경에 대하여 어떤 신청을 할 수 있다는 규정이 없으나 어떤 사정의 변동이 있다면 지역주민에게 일일이 그 계획의 변경을 청구할 권리를 인정할 수 있다. 23. 국회9급 ( )

3 구 국토이용관리법상 계획이 일단 확정된 후에 어떤 사정의 변동이 있다고 하여 그러한 사유만으로는 지역주민이나 일반 이해관계인에게 일일이 그 계획의 변경을 신청할 권리를 인정하여 줄 수는 없을 것이지만, 장래 일정한 기간 내에 관계 법령이 규정하는 시설 등을 갖추어 일정한 행정처분을 구하는 신청을 할 수 있는 법률상 지위에 있는 자의 국토이용계획변경신청을 거부하는 것이 실질적으로 당해 행정처분 자체를 거부하는 결과가 되는 경우에는 예외적으로 그 신청인에게 국토이용계획변경을 신청할 권리가 인정된다고 봄이 상당하므로, 이러한 신청에 대한 거부행위는 항고소송의 대상이 되는 행정처분에 해당한다(대판 2003.9.23. 2001두10936).

4 도시계획법상 주민이 행정청에 대하여 도시계획 및 그 변경에 대하여 어떤 신청을 할 수 있다는 규정이 없고, 도시계획과 같이 장기성 · 종합성이 요구되는 행정계획에 있어서 그 계획이 일단 확정된 후 어떤 사정의 변동이 있다 하여 지역주민에게 일일이 그 계획의 변경을 청구할 권리를 인정해 줄 수도 없는 것이므로 그 변경 거부행위를 항고소송의 대상이 되는 행정처분에 해당한다고 볼 수 없다(대판 1994.1.28. 93누22029).

5 산업단지개발계획상 산업단지 안의 토지소유자로서 산업단지개발계획에 적합한 시설을 설치하여 입주하려는 자는 산업단지지정권자 또는 그로부터 권한을 위임받은 기관에 대하여 산업단지개발계획의 변경을 요청할 수 있는 **법규상 또는 조리상 신청권**이 있고, 이러한 신청에 대한 거부행위는 항고소송의 대상이 되는 행정처분에 해당한다고 보아야 한다(대판 2017.8.29. 2016두44186).

6 문화재보호법 시행규칙 제3조의2 제1항은 그 적정성 여부의 검토에 있어서 당해 문화재의 보존 가치 외에도 보호구역의 지정이 재산권 행사에 미치는 영향 등을 고려하도록 규정하고 있는 점 등과 헌법상 개인의 재산권 보장의 취지에 비추어 보면, 문화재보호구역 내에 있는 토지소유자 등으로서는 위 보호구역의 지정해제를 요구할 수 있는 **법규상 또는 조리상의 신청권**이 있다고 할 것이고, 이러한 신청에 대한 거부행위는 항고소송의 대상이 되는 행정처분에 해당한다(대판 2004.4.27. 2003두8821).

7 국토의 계획 및 이용에 관한 법률은 국토의 이용·개발과 보전을 위한 계획의 수립 및 집행 등에 필요한 사항을 규정함으로써 공공복리를 증진시키고 국민의 삶의 질을 향상시키는 것을 목적으로 하면서도 도시계획시설결정으로 인한 개인의 재산권행사의 제한을 줄이기 위하여, 도시 · 군계획시설부지의 매수청구권(제47조), 도시 · 군계획시설결정의 실효(제48조)에 관한 규정과 아울러 도시 · 군관리계획의 입안권자인 특별시장 · 광역시장 · 특별자치시장 · 특별자치도지사 · 시장 또는 군수(이하 '입안권자'라 한다)는 5년마다 관할 구역의 도시 · 군관리계획에 대하여 타당성 여부를 전반적으로 재검토하여 정비하여야 할 의무를 지우고(제34조), 주민(이해관계자 포함)에게는 도시 · 군관리계획의 입안권자에게 기반시설의 설치 · 정비 또는 개량에 관한 사항, 지구단위계획구역의 지정 및 변경과 지구단위계획의 수립 및 변경에 관한 사항에 대하여 도시 · 군관리계획도서와 계획설명서를 첨부하여 도시 · 군관리계획의 입안을 제안할 권리를 부여하고 있고, 입안제안을 받은 입안권자는 그 처리 결과를 제안자에게 통보하도록 규정하고 있다. 이들 규정에 헌법상 개인의 재산권 보장의 취지를 더하여 보면, 도시계획구역 내 토지 등을 소유하고 있는 사람과 같이 당해 도시계획시설결정에 이해관계가 있는 주민으로서는 도시시설계획의 입안권자 내지 결정권자에게 도시시설계획의 입안 내지 변경을 요구할 수 있는 **법규상 또는 조리상의 신청권**이 있고, 이러한 신청에 대한 거부행위는 항고소송의 대상이 되는 행정처분에 해당한다(대판 2015.3.26. 2014두42742).

8 장기미집행 도시계획시설결정의 실효제도는 도시계획시설부지로 하여금 도시계획시설결정으로 인한 사회적 제약으로부터 벗어나게 하는 것으로서 결과적으로 개인의 재산권이 보다 보호되는 측면이 있는 것은 사실이나, 이와 같은 보호는 입법자가 새로운 제도를 마련함에 따라 얻게 되는 법률에 기한 권리일 뿐 헌법상 재산권으로부터 당연히 도출되는 권리는 아니다(헌재 2005.9.29. 2002헌바84).

◈ 핵심정리 행정계획

1. 도시재개발법상 관리처분계획은 처분성이 인정된다.

2. 택지개발촉진법상의 택지개발예정지구지정은 처분성이 인정된다.

3. 후행 도시계획에 선행 도시계획과 서로 양립할 수 없는 내용이 포함되어 있다면 특별한 사정이 없는 한 선행도시계획은 후행 도시계획과 같은 내용으로 변경된다.

4. 후행 도시계획의 결정을 하는 행정청이 선행 도시계획의 결정권한이 없는 경우, 선행 도시계획과 양립할 수 없는 내용이 포함된 후행 도시계획결정의 효력은 무효이다.

5. 공람절차를 거치지 않은 도시계획결정은 위법하다.

6. 도시관리계획 결정·고시를 하지 않으면 대외적으로 아무런 효력도 발생하지 아니한다.

7. 환지계획은 처분성이 인정되지 않고 환지예정지지정이나 환지처분이 처분성이 긍정된다.

8. 행정계획은 행정주체에게 광범위한 형성재량이 인정된다.

9. 계획재량의 행사과정에서 제반이익들의 형량을 하지 않거나 형량을 명백히 잘못한 경우 이는 재량권 일탈·남용이다.

10. 도시계획과 같이 장기성·종합성이 요구되는 행정계획에 있어서 그 계획이 일단 확정된 후에 어떤 사정의 변동이 있다고 하여 지역주민에게 일일이 그 계획의 변경 또는 폐지를 청구할 권리를 인정해 줄 수 없다.

11. 장래 일정기간 내에 관계법령이 규정하는 시설 등을 갖추어 일정한 행정처분을 구하는 신청을 할 수 있는 법률상 지위에 있는 자의 국토이용계획변경신청을 거부하는 것이 실질적으로 당해 행정처분 자체를 거부하는 결과가 되는 경우에는 예외적으로 그 신청인에게 국토이용계획변경을 신청할 권리가 인정된다고 봄이 상당하다.

12. 도시계획구역 내 토지 등을 소유하고 있는 주민으로서는 입안권자에게 도시계획입안을 요구할 법규상 조리상의 신청권이 있고 이러한 신청에 대한 거부행위는 항고소송의 대상이 되는 행정처분에 해당한다.

제11장 공법상 계약

1 서설

1. 의의

공법상 계약이란 공법적 효과발생을 목적으로 하는 복수당사자간의 반대방향의 의사표시의 합치에 의하여 성립하는 공법행위를 말한다. **대등한 당사자 사이**에서 이루어진다는 점에서 권력작용이 아닌 **비권력적 작용**이다.

> **행정기본법 제27조 【공법상 계약의 체결】** ① 행정청은 법령 등을 위반하지 아니하는 범위에서 행정목적을 달성하기 위하여 필요한 경우에는 공법상 법률관계에 관한 계약(이하 '공법상 계약'이라 한다)을 체결할 수 있다. 이 경우 계약의 목적 및 내용을 명확하게 적은 계약서를 작성하여야 한다.
> ② 행정청은 공법상 계약의 상대방을 선정하고 계약 내용을 정할 때 공법상 계약의 공공성과 제3자의 이해관계를 고려하여야 한다.

2. 구별개념

(1) 사법(私法)상 계약

대등한 당사자 사이의 의사표시의 합치로 성립된다는 점은 동일하나, 공법상 계약은 공법적 효과발생을 목적으로 하고 사법상 계약은 사법적 효과발생을 목적으로 한다는 점에서 양자는 구별된다.

(2) 행정행위

공법적 효과를 발생한다는 점에서는 공법상 계약과 행정행위는 동일하나, 공법상 계약은 대등한 당사자 사이의 의사표시의 합치에 의하여 성립하고 행정행위는 행정주체가 우월한 지위에서 단독의사로 행하는 일방적(쌍방적) 행정행위인 점에서 양자는 구별된다.

(3) 공법상 합동행위

공법상 계약은 반대방향의 의사표시의 합치로 성립하고, 공법상 합동행위는 동일방향의 의사표시의 합치로 성립한다는 점에서 양자는 구별된다.

(4) 행정계약

행정계약이란 행정주체가 당사자로 되어 있는 모든 계약을 말한다. 행정계약은 공법상 계약뿐만 아니라 행정주체의 사법(私法)상 계약을 포함한다는 점에서 공법상의 계약과 구별된다.

2 성립가능성

오토 마이어(O. Mayer)는 권력작용인 행정영역에서 대등한 당사자간에 체결되는 공법상 계약은 인정될 수 없다고 하였으나, 현대 복리국가에서 비권력적 행정이 중시되고 있는 점에서 공법상 계약의 성립가능성을 부인하는 견해는 거의 찾아볼 수 없다.

3 공법상 계약의 유용성과 문제점

1. 유용성

(1) 개별적 · 구체적 사정에 따라 탄력적으로 행정목적을 달성할 수 있다.

(2) 사실관계 또는 법률관계가 불명료한 경우에 해결이 용이하다.

(3) 당사자 합의를 우선시함으로써 쟁송의 제기를 최소화할 수 있다.

(4) 법률지식이 없는 자에게도 교섭을 통해 계약내용을 이해시킬 수 있다.

(5) 법의 흠결을 매워 준다.

2. 문제점

개인의 의사를 존중함으로써 행정권이 약체화될 수 있고, 행정주체의 사실상 우월성으로 계약체결이 강요될 가능성이 있으며, 평등원칙의 위반과 불평등계약이 될 수 있는 단점도 역시 가지고 있다.

3. 공법상 계약과 행정행위간의 선택문제

(1) 특별한 법적 근거가 없어도 공법상 계약이 성립될 수 있다면, 행정청은 구체적인 경우에 행정행위와 공법상 계약 중 어떠한 수단으로 행정을 할 것인가가 문제된다. 기본적으로 행정청은 적합한 수단을 자유로이 선택할 수 있다고 할 것이다.

(2) 한편 전형적인 권력행정분야에서도 공법상 계약을 인정한 예도 있다(예 일본의 공해방지협정, 독일의 교환계약-허가와 같은 행정행위를 해주면서 부담금의 납부의무를 약속하는 경우).

4 법적 근거

공법상 계약을 인정한다고 하더라도, 특히 이를 허용하는 별도의 법률규정이 있을 때에만 가능하다는 견해가 있으나(계약부자유설), 공법상 계약은 당사자간의 의사표시의 합치에 의하여 성립하는 것이므로 법률의 근거 없이도 체결할 수 있다고 보는 것이 통설이다(계약자유설).

5 법적 한계

공법상 계약이 법률의 근거 없이 체결될 수 있다고 하더라도, 이는 사법상 계약과는 다르기 때문에 법령에 위배되지 않아야 하고, 평등 · 비례의 원칙 등 조리상의 일반원칙은 준수하여야 한다. 즉, 공법상 계약도 법률우위의 원칙에 위반될 수 없다.

6 공법상 계약의 종류

1. 행정주체 상호간의 공법상 계약

(1) 공공단체 상호간의 사무위탁(예 교육사무위탁, 조합비징수위탁 등)

(2) 도로 · 하천 및 공공시설의 관리 및 경비부담에 관한 협의(예 도로법, 하천법)

2. 행정주체와 사인간의 공법상 계약

(1) 공법상 특별권력관계 설정 합의(예 지원입대, 전문직공무원 채용계약, 영조물이용관계의 설정 등)

공법상 계약	사법상 계약
• 서울시립무용단원의 위촉 • 광주광역시립합창단원의 재위촉거부 • 전문직공무원의 채용계약해지 • 공중보건의사의 채용계약해지	비원안내원의 채용계약

(2) 임의적 공용부담(예 문화재 · 학교용 대지 · 도로용지의 기증, 청원경찰에 관한 비용부담 등)

(3) 공법상 보조계약(예 장학계약 등)

(4) 행정사무의 위임(예 사인의 신청에 의한 별정우체국 지정, 교육사무위임을 위한 협의 등)

(5) 보상계약(예 택지개발사업자와의 개발협력금 내지 부담금의 납부계약 등)

(6) 환경보전협정(예 국가나 지방자치단체가 사기업과 공해발생의 방지 및 환경보전을 목적으로 체결하는 계약 등)

> **⚖ 관련판례**
>
> KAI(한국항공우주산업)와 체결한 '한국형 헬기 개발사업에 대한 물품 · 용역 협약'은 공법상 계약이다(대판 2017.11.9. 2015다215526).

3. 사인 상호간의 공법상 계약

(1) 사인인 사업시행자와 토지소유자간의 토지수용에 관한 협의를 예로 들 수 있다. 그러나 판례는 이러한 토지수용법(현 공익사업을 위한 토지 등의 취득 및 보상에 관한 법률)상의 협의를 **사경제주체로서의 사법상 계약**이라고 본다(대판 1999.11.26. 98다47245).

(2) 한편 사인 상호간의 공법상 계약에 있어서 계약당사자 일방은 공무수탁사인으로서 행정주체이어야 하며, 순수 사인간의 공법상 계약은 인정되기 어렵다.

🔨 관련판례

1 과학기술기본법령상 사업(해양생물유래 고부가식품·향장·한약 기초소재 개발 인력 양성사업에 대한 2단계 두뇌한국(BK)21 사업) 협약의 해지 통보는 단순히 대등 당사자의 지위에서 형성된 공법상 계약을 계약당사자의 지위에서 종료시키는 의사표시에 불과한 것이 아니라 행정청이 우월적 지위에서 연구개발비의 회수 및 관련자에 대한 국가연구개발사업 참여제한 등의 법률상 효과를 발생시키는 행정처분에 해당한다(대판 2014.12.11. 2012두28704).

2 한국환경산업기술원장이 환경기술개발사업 협약을 체결한 甲 주식회사 등에게 연차평가 실시 결과 절대평가 60점 미만으로 평가되었다는 이유로 연구개발중단 조치 및 연구비 집행중지 조치를 한 사안에서, 각 조치는 항고소송의 대상이 되는 행정처분에 해당한다(대판 2015.12.24. 2015두264).

3 **사회기반시설에 대한 민간투자법에 따라 지방자치단체와 유한회사 간 체결한 터널 민간투자사업 실시협약이 공법상 계약인지 여부(적극)**
甲 광역자치단체가 乙 유한회사와 '관계 법령 등의 변경으로 사업의 수익성에 중대한 영향을 미치는 경우 협약당사자 간의 협의를 통해 통행료를 조정하고, 통행료 조정 사유가 발생하였으나 실제로 통행료 조정이 이루어지지 못한 경우 보조금을 증감할 수 있다'는 내용의 터널 민간투자사업 실시협약(공법상 계약)을 체결하였는데, 2002년에 법인세법이 개정되어 법인세율이 인하되자 甲 자치단체가 법인세율 인하 효과를 반영하여 산정한 재정지원금액을 지급한 사안에서, 법인세법 개정에 따른 법인세율 인하가 실시협약에서 정한 '관계 법령 등의 변경'에 해당하고 '사업의 수익성에 중대한 영향을 미치는 경우'에 해당한다고 본 원심판단을 수긍한 사례에서 민간투자사업 실시협약을 체결한 당사자가 공법상 당사자소송에 의하여 그 실시협약에 따른 재정지원금의 지급을 구하는 경우에, 수소법원은 단순히 주무관청이 재정지원금액을 산정한 절차 등에 위법이 있는지 여부를 심사하는 데 그쳐서는 아니 되고, 실시협약에 따른 적정한 재정지원금액이 얼마인지를 구체적으로 심리·판단하여야 한다(대판 2019.1.31. 2017두46455).

4 **협의취득 또는 보상합의의 법적 성질**
구 공공용지의 취득 및 손실보상에 관한 특례법은 사업시행자가 토지 등의 소유자로부터 토지 등의 협의취득 및 그 손실보상의 기준과 방법을 정한 법으로서, 이에 의한 협의취득 또는 보상합의는 공공기관이 사경제주체로서 행하는 사법상 매매 내지 사법상 계약의 실질을 가진다(대판 2004.9.24. 2002다68713).

5 **옴부즈만 채용행위가 공법상 계약인지 여부(적극)**
[1] 행정청이 자신과 상대방 사이의 근로관계를 일방적인 의사표시로 종료시켰다고 하더라도 곧바로 그 의사표시가 행정청으로서 공권력을 행사하여 행하는 행정처분이라고 단정할 수는 없고, 관계 법령이 상대방의 근무관계에 관하여 구체적으로 어떻게 규정하고 있는지에 따라 그 의사표시가 항고소송의 대상이 되는 행정처분에 해당하는 것인지 아니면 공법상 계약관계의 일방 당사자로서 대등한 지위에서 행하는 의사표시인지 여부를 개별적으로 판단하여야 한다. 이러한 법리는 공법상 근무관계의 형성을 목적으로 하는 채용계약의 체결 과정에서 행정청의 일방적인 의사표시로 계약이 성립하지 아니하게 된 경우에도 마찬가지이다.

[2] 이 사건 조례에 의하면 이 사건 옴부즈만은 토목분야와 건축분야 각 1인을 포함하여 5인 이내의 '지방계약직공무원'으로 구성하도록 되어 있는데(제3조 제2항), 위 조례와 이 사건 통보 당시 구 지방공무원법 제2조 제3항 제3호, 제3조 제1항 및 같은 법 제2조 제4항의 위임에 따른 구 지방계약직공무원 규정 제5조 등 관련 법령의 규정에 비추어 보면, 지방계약직공무원인 이 사건 옴부즈만 채용행위는 공법상 대등한 당사자 사이의 의사표시의 합치로 성립하는 공법상 계약에 해당한다. 이와 같이 이 사건 옴부즈만 채용행위가 공법상 계약에 해당하는 이상 원고의 채용계약 청약에 대응한 피고의 '승낙의 의사표시'가 대등한 당사자로서의 의사표시인 것과 마찬가지로 그 청약에 대하여 '승낙을 거절하는 의사표시' 역시 행정청이 대등한 당사자의 지위에서 하는 의사표시라고 보는 것이 타당하고, 그 채용계약에 따라 담당할 직무의 내용에 고도의 공공성이 있다거나 원고가 그 채용과정에서 최종합격자로 공고되어 채용계약 성립에 관한 강한 기대나 신뢰를 가지게 되었다는 사정만으로 이를 행정청이 우월한 지위에서 행하는 공권력의 행사로서 행정처분에 해당한다고 볼 수는 없다(대판 2014.4.24. 2013두6244).

6 중소기업기술정보진흥원장의 협약의 해지 및 그에 따른 환수통보가 행정청이 우월한 지위에서 행하는 공권력의 행사로서 행정처분에 해당하는지 여부(소극)

[1] 행정청이 자신과 상대방 사이의 법률관계를 일방적인 의사표시로 종료시켰다고 하더라도 곧바로 의사표시가 행정청으로서 공권력을 행사하여 행하는 행정처분이라고 단정할 수는 없고, 관계 법령이 상대방의 법률관계에 관하여 구체적으로 어떻게 규정하고 있는지에 따라 의사표시가 항고소송의 대상이 되는 행정처분에 해당하는지 아니면 공법상 계약관계의 일방 당사자로서 대등한 지위에서 행하는 의사표시인지를 개별적으로 판단하여야 한다.

[2] 중소기업기술정보진흥원장이 甲 주식회사와 중소기업 정보화지원사업 지원대상인 사업의 지원에 관한 협약을 체결하였는데, 협약이 甲 회사에 책임이 있는 사업실패로 해지되었다는 이유로 협약에서 정한 대로 지급받은 정부지원금을 반환할 것을 통보한 사안에서, 중소기업 정보화지원사업에 따른 지원금 출연을 위하여 중소기업청장이 체결하는 협약은 공법상 대등한 당사자 사이의 의사표시의 합치로 성립하는 공법상 계약에 해당하는 점, 구 중소기업 기술혁신 촉진법 제32조 제1항은 제10조가 정한 기술혁신사업과 제11조가 정한 산학협력 지원사업에 관하여 출연한 사업비의 환수에 적용될 수 있을 뿐 이와 근거규정을 달리하는 중소기업 정보화지원사업에 관하여 출연한 지원금에 대하여는 적용될 수 없고 달리 지원금 환수에 관한 구체적인 법령상 근거가 없는 점 등을 종합하면, 협약의 해지 및 그에 따른 환수통보는 공법상 계약에 따라 행정청이 대등한 당사자의 지위에서 하는 의사표시로 보아야 하고, 이를 행정청이 우월한 지위에서 행하는 공권력의 행사로서 행정처분에 해당한다고 볼 수는 없다(대판 2015.8.27. 2015두41449).

7 서울특별시립무용단원의 해촉은 공법상 계약의 해지이므로 공법상 당사자소송으로 무효확인을 청구할 수 있다(대판 1995.12.22. 95누4636).

8 지방전문직공무원(공중보건의사) 채용계약해지 의사표시는 행정처분이 아니므로 공법상 당사자소송으로 무효확인을 청구할 수 있다(대판 1993.9.14. 92누4611 ; 대판 1996.5.31. 95누10617).

9 광주광역시립합창단원으로서 위촉기간이 만료되는 자들의 재위촉 신청에 대하여 광주광역시문화예술회관장이 실기와 근무성적에 대한 평정을 실시하여 재위촉을 하지 아니한 것은 항고소송의 대상이 되는 불합격처분이라고 할 수 없다(대판 2001.12.11. 2001두7794).

1 국립의료원 부설 주차장에 관한 위탁관리용역운영계약

운영계약의 실질은 행정재산인 위 부설 주차장에 대한 국유재산법 제24조 제1항에 의한 사용·수익 허가로서 이루어진 것임을 알 수 있으므로, 이는 위 국립의료원이 원고의 신청에 의하여 공권력을 가진 우월적 지위에서 행한 행정처분으로서 특정인에게 행정재산을 사용할 수 있는 권리를 설정하여 주는 강학상 특허에 해당한다(대판 2006.3.9. 2004다31074).

2 택시회사들의 자발적 감차와 그에 따른 감차보상금의 지급 및 자발적 감차 조치의 불이행에 따른 행정청의 직권 감차명령을 내용으로 하는 택시회사들과 행정청간의 합의

여객자동차 운수사업법(이하 '여객자동차법'이라 한다) 제85조 제1항 제38호에 의하면, 운송사업자에 대한 면허에 붙인 조건을 위반한 경우 감차 등이 따르는 사업계획 변경명령(이하 '감차명령'이라 한다)을 할 수 있는데, 감차명령의 사유가 되는 '면허에 붙인 조건을 위반한 경우'에서 '조건'에는 운송사업자가 준수할 일정한 의무를 정하고 이를 위반할 경우 감차명령을 할 수 있다는 내용의 '부관'도 포함된다. 그리고 부관은 면허 발급 당시에 붙이는 것뿐만 아니라 면허 발급 이후에 붙이는 것도 법률에 명문의 규정이 있거나 변경이 미리 유보되어 있는 경우 또는 상대방의 동의가 있는 경우 등에는 특별한 사정이 없는 한 허용된다. 따라서 관할 행정청은 면허 발급 이후에도 운송사업자의 동의하에 여객자동차운송사업의 질서 확립을 위하여 운송사업자가 준수할 의무를 정하고 이를 위반할 경우 감차명령을 할 수 있다는 내용의 면허 조건을 붙일 수 있고, 운송사업자가 조건을 위반하였다면 여객자동차법 제85조 제1항 제38호에 따라 감차명령을 할 수 있으며, 감차명령은 행정소송법 제2조 제1항 제1호가 정한 처분으로서 항고소송의 대상이 된다(대판 2016.11.24. 2016두45028).

7 공법상 계약의 특수성

1. 실체법적 특수성

(1) 성립상의 특색

① **계약의 내용(부합계약성):** 공법상 계약의 내용은 당사자간의 협의에 의해 정해지기도 하나, 공공복리 실현을 이유로 계약자유원칙은 제한되고 계약의 내용을 행정주체가 일방적으로 정하고 상대방은 체결 여부만 선택하는 부합계약의 성질을 갖는다.

🔨 **관련판례**

지방전문직 공무원 채용계약에서 정한 채용기간이 만료한 경우 채용계약을 갱신하거나 채용기간을 연장할 것인지 여부는 지방자치단체장의 재량이다(대판 1993.9.14. 92누4611).

② **계약의 절차·형식:** 행정기본법은 공법상 계약은 계약의 목적 및 내용을 명확하게 적은 계약서를 작성하여야 한다고 명시하여 문서에 의하도록 하고 있다(행정기본법 제27조 제1항).

⚖ 관련판례

1 국가를 당사자로 하는 계약에 관한 법률상의 요건과 절차를 거치지 아니하고 체결된 지방자치단체와 사인 사이의 사법상 계약의 효력(무효)

구 국가를 당사자로 하는 계약에 관한 법률상의 요건과 절차를 거치지 않고 체결한 국가와 사인간의 사법상 계약의 효력은 무효이다(대판 2005.5.27. 2004다30811).

2 지방계약직공무원에 대하여 지방공무원법 등에 정한 징계절차에 의하지 않고 보수를 삭감할 수 있는지 여부(소극)

근로기준법 등의 입법 취지, 지방공무원법과 지방공무원 징계 및 소청 규정의 여러 규정에 비추어 볼 때, 채용계약상 특별한 약정이 없는 한, 지방계약직 공무원에 대하여 지방공무원법, 지방공무원 징계 및 소청 규정에 정한 징계절차에 의하지 않고서는 보수를 삭감할 수 없다고 봄이 상당하다(대판 2008.6.12. 2006두16328).

③ 토지수용의 협의 시 토지수용위원회의 확인을 받는 경우와 같이 계약체결과는 별도로 감독청에의 보고 · 인가 · 확인을 필요로 하는 경우가 있다.

(2) 효력상의 특색

① **비권력성**: 권력작용에서 인정되는 공정력 · 존속력 · 집행력 등은 인정되지 않는다.

② **계약의 해제변경권**: 사정변경이 있는 경우 행정주체는 공익상의 견지에서 일방적으로 계약을 해제 · 변경할 수 있으나, 행정객체는 이를 신청할 수 있을 뿐 해제할 수 없다고 할 것이다. 따라서 공법상 계약에는 민법상의 계약해제규정이 그대로 적용되지 않는다.

(3) 이행상의 특성

공법상 계약에서 발생한 권리 · 의무는 이전 또는 대행이 제한된다(예 지원입대의 경우 대리입대금지 등).

(4) 공법상 계약의 하자

공법상 계약에 하자가 있는 경우 당해 계약은 무효가 될 뿐이며, 행정행위와 같이 취소할 수 있는 공법상 계약은 있을 수 없다. 그 이유는 공법상 계약은 권력작용인 행정행위와는 달리 공정력이 인정되지 않기 때문이다.

2. 절차상의 특수성

(1) 행정절차법의 적용문제

독일의 연방행정절차법과는 달리 우리나라의 행정절차법에는 공법상 계약에 관하여 규정을 두고 있지 않다. 판례도 공법상 계약의 경우 일반적인 행정처분과 같이 행정절차법에 의하여 근거와 이유를 제시하여야 하는 것은 아니라는 입장이다.

관련판례

공법상 계약 해지 시에 행정절차법에 의한 근거와 이유를 제시하여야 하는지 여부(소극)
계약직공무원에 관한 현행 법령의 규정에 비추어 볼 때, 계약직공무원 채용계약해지의 의사표시는 일반공무원에 대한 징계처분과는 달라서 항고소송의 대상이 되는 처분 등의 성격을 가진 것으로 인정되지 아니하고, 일정한 사유가 있을 때에 국가 또는 지방자치단체가 채용계약 관계의 한쪽 당사자로서 대등한 지위에서 행하는 의사표시로 취급되는 것으로 이해되므로, 이를 징계해고 등에서와 같이 그 징계사유에 한하여 효력 유무를 판단하여야 하거나, 행정처분과 같이 행정절차법에 의하여 근거와 이유를 제시하여야 하는 것은 아니다(대판 2002.11.26. 2002두5948).

---

(2) 쟁송형태

공법상 계약에 관한 분쟁은 공법상 권리관계에 관한 소송으로서 행정소송 중 **당사자소송**에 의하게 된다. 다만, 공법상 계약의 체결, 집행상의 불법행위로 인한 손해배상책임은 실무상 민사소송으로 본다.

(3) 자력집행력 여부

공법상 계약은 당사자가 대등한 지위에서 체결하는 것이므로 행정주체는 상대방의 의무불이행에 대하여 자력집행력을 갖지 않는 것이 원칙이다. 다만, 예외적으로 법률의 근거가 있는 경우에는 자력집행력이 인정된다(예 보조금의 예산 및 관리에 관한 법률 제33조).

핵심정리 **공법상 계약**

1. 도시계획사업의 시행자가 그 사업에 필요한 토지를 협의취득하는 행위는 사법상의 법률행위(민사소송)이다.
2. 창덕궁관리소장의 1년 단위로 채용한 비원안내원 채용계약은 사법상 고용계약(민사소송)이다.
3. 국립의료원 부설 주차장 운영계약의 실질은 행정처분으로 강학상 특허(항고소송)이다.
4. 서울특별시무용단원 위촉 공법상 계약 그 해촉은 당사자소송으로 무효확인을 청구하여야 한다.
5. 공중보건의사 채용계약 해지의 의사표시 공법상 당사자소송으로 무효확인을 청구하여야 한다.
6. 지방직전문공무원 채용계약 해지의 의사표시 공법상 당사자소송으로 의사표시의 무효확인을 청구하여야 한다.
7. 계약직공무원 채용계약해지의 의사표시는 처분이 아니므로 행정절차법에 의해 근거와 이유를 제시하여야 하는 것은 아니다.
8. 지방계약직공무원에 대해 법률상 징계절차에 의하지 않고서는 보수를 삭감할 수 없다.

제1절 확약

1. 의의

(1) 개념

확약(確約)이란 행정청이 국민에 대하여 장차 어떤 권력적인 공법적 행위를 하거나 하지 않을 것을 일방적으로 약속하는 의사표시로서 행정청이 이에 구속되는 것을 말한다(예 각종 인허가에 대한 내허가·내인가, 공무원임용 내정, 주민에 대한 개발사업의 약속, 무허가건물의 양성화에 대한 약속, 무허가건물의 자진 철거자에게 아파트입주권을 주겠다는 약속, 무허가영업을 일정기간까지 단속하지 않겠다는 약속 등). 확약은 실무상으로 내인가 또는 내허가로 표현된다.

(2) 구별되는 개념

확약은 본 행정행위를 행할 것을 약속하는 구속적 의사표시라는 점에서, 행정행위가 아닌 것에 대한 약속인 '확언(確言)'과 구별되며, 구속력이 없는 '교시(教示)'와 구별된다.

2. 다단계 행정결정과 확약

(1) 개념

다단계 행정결정이란 종국적인 행정결정이 내려지기 전까지 여러 단계가 연계적으로 이루어지는 행위를 말한다.

(2) 필요성

현대 행정행위 가운데는 종국적인 행정결정에는 오랜 시간을 요한 경우가 많고 그 효과가 중대하기 때문에 본처분에 대하여 예측가능성을 확보하기 위하여 단계적 행정결정이 필요하게 되었다.

(3) 종류

확약, 가행정행위, 예비결정, 부분허가 등이 있다.

3. 확약의 행정행위성 여부

(1) 긍정설

확약은 내용에 따라 행정기관에 대하여 장래의 이행·불이행을 의무지우는 효과를 발생시키는 점에서 자기구속의 법리 및 신뢰보호원칙이 적용되므로 행정행위로 본다.

(2) 부정설(판례)

① 행정청 자신을 구속하고 국민을 구속하지 않는다는 점을 들어 행정행위성을 부정하는 견해이다.

관련판례

어업권면허에 선행하는 <u>우선순위결정</u>은 행정청이 우선권자로 결정된 자의 신청이 있으면 어업권면허처분을 하겠다는 것을 약속하는 행위로서 <u>강학상 확약</u>에 불과하고 행정처분은 아니므로, 우선순위결정에 공정력이나 불가쟁력과 같은 효력은 인정되지 아니한다(대판 1995.1.20. 94누6529).

② 다만, 판례는 행정청이 확약 후에 그것을 취소하는 행위에 대해서는 처분성을 인정한다.

관련판례

자동차운송사업양도양수계약에 기한 양도양수인가신청에 대하여 내인가를 한 후 위 내인가에 기한 본인가신청이 있었으나 일정한 사유로 내인가를 취소한 경우, 내인가의 법적 성질이 행정행위의 일종으로 볼 수 있든 아니든 피고가 위 내인가를 취소함으로써 다시 본인가에 대하여 따로이 인가 여부의 처분을 한다는 사정이 보이지 않는다면 위 <u>내인가취소를 인가신청을 거부하는 처분으로 보아야 할 것이다</u>(대판 1991.6.28. 90누4402).

4. 법적 근거

확약에 관해 법령에 명문규정이 있는 경우에는 그 허용성에 문제가 없으나, 명문규정이 없는 경우에도 확약이 허용된다는 것이 다수설이다. 다만, 그 근거에 대해서는 견해의 대립이 있다.

(1) 신뢰보호설

법적 안정성에 바탕을 둔 신뢰보호의 법리에 의하여 확약을 인정할 수 있다는 설이다.

(2) 본처분권한포함설(다수설)

법령이 행정청에 본처분할 수 있는 권한을 부여한 경우에는 다른 특별한 규정이 없더라도 본처분을 할 수 있는 권한에 기초하여 확약을 할 수 있다는 견해이다.

> **행정절차법 제40조의2【확약】** ① 법령 등에서 당사자가 신청할 수 있는 처분을 규정하고 있는 경우 행정청은 당사자의 신청에 따라 장래에 어떤 처분을 하거나 하지 아니할 것을 내용으로 하는 의사표시(이하 "확약"이라 한다)를 할 수 있다.
> ② 확약은 문서로 하여야 한다.
> ③ 행정청은 다른 행정청과의 협의 등의 절차를 거쳐야 하는 처분에 대하여 확약을 하려는 경우에는 확약을 하기 전에 그 절차를 거쳐야 한다.
> ④ 행정청은 다음 각 호의 어느 하나에 해당하는 경우에는 확약에 기속되지 아니한다.
> 1. 확약을 한 후에 확약의 내용을 이행할 수 없을 정도로 법령 등이나 사정이 변경된 경우
> 2. 확약이 위법한 경우
> ⑤ 행정청은 확약이 제4항 각 호의 어느 하나에 해당하여 확약을 이행할 수 없는 경우에는 지체 없이 당사자에게 그 사실을 통지하여야 한다.

핵심 OX

04 어업권면허에 선행하는 우선순위결정은 강학상 확약에 불과하고 행정처분은 아니므로 우선순위결정에 공정력이나 불가쟁력과 같은 효력은 인정되지 아니한다.
15·14. 경특1차 ( )

핵심 OX

05 자동차운송사업 양도 양수인가신청에 대하여 행정청이 내인가를 한 후 그 본인가신청이 있음에도 내인가를 취소한 경우, 다시 본인가에 대하여 별도로 인가여부의 처분을 한다는 사정이 보이지 않는다면 내인가취소는 행정처분에 해당한다.
22. 국가9급 ( )

핵심 OX

06 재량행위에 대해 상대방에게 확약을 하려면 확약에 대한 법적 근거가 있어야 한다. 18. 국가9급 ( )

07 확약을 허용하는 명문의 규정이 없더라도 다수설은 본처분권한에 확약에 대한 권한이 포함되어 있다고 보아 별도의 명문의 규정이 없더라도 확약을 할 수 있다는 입장이다.
14. 경특 ( )

04○ **05**○ **06**✕ **07**○

5. 요건 및 한계

확약이 그 효력을 발생하기 위해서는 주체·절차·형식·내용 등 일반적인 요건을 갖추어야 한다. 즉, 확약은 본행정행위에 대해 정당한 권한을 가진 행정청만이 할 수 있고, 당해 행정청의 행위권한의 범위 내에 있어야 한다. 또한 확약은 적법하고 실현가능해야 하며, 법률에 규정된 절차를 거쳐야 한다.

6. 효력

(1) 자기구속적 의무 발생

행정청은 상대방에게 신뢰보호에 의하여 확약된 행위를 하여야 할 자기구속적 의무가 발생한다. 또한 상대방은 행정청에 그 이행을 청구할 권리를 갖게 된다.

(2) 확약의 하자

확약의 행정행위성을 긍정하는 견해에 의하면 확약에 무효사유가 있는 경우에는 처음부터 효력이 발생하지 않게 되고, 단순위법의 경우에는 취소할 수 있게 된다. 나아가 이 경우 취소의 제한에 관한 일반원리가 적용된다.

(3) 확약과 사정변경(확약의 실효)

확약이 주어진 후 사실상태 또는 법적 상태가 변경되면 확약의 구속성은 사후적으로 별다른 의사표시 없이 그 효력이 상실된다고 본다.

> **⚖ 관련판례**
>
> 행정청이 상대방에게 장차 어떤 처분을 하겠다고 확약 또는 공적인 의사표명을 하였다고 하더라도, 그 자체에서 상대방으로 하여금 언제까지 처분의 발령을 신청을 하도록 유효기간을 두었는데도 그 기간 내에 상대방의 신청이 없었다거나 확약 또는 공적인 의사표명이 있은 후에 사실적·법률적 상태가 변경되었다면, 그와 같은 확약 또는 공적인 의사표명은 행정청의 별다른 의사표시를 기다리지 않고 실효된다(대판 1996.8.20. 95누10877).

7. 권리구제

(1) 행정쟁송

행정청이 확약을 이행하지 않은 경우에는 의무이행심판이나 부작위위법확인소송, 거부처분취소소송을 통하여 의무이행을 청구할 수 있다. 그러나 확약의 처분성을 부정하는 판례에 따르면 행정청의 확약에 대해 법률상 이익이 있는 제3자라도 확약에 대해 취소소송으로 다툴 수는 없다.

(2) 손해전보

행정청의 위법한 확약으로 손해를 입은 자는 국가배상법(제2조)에 따라 손해배상을 청구할 수 있고, 적법한 확약이 공익상의 이유로 철회되거나 그 밖에 확약이 실효된 경우에는 손실보상이 인정될 수 있다.

제2절 사전결정, 부분허가, 가행정행위

1 사전결정(예비결정)

1. 의의

(1) 예비결정이란 최종적인 행정결정이 내려지기 전에 사전적인 단계에서 최종적 행정결정의 요건 중 일부의 심사에 대한 판단으로서 내려지는 결정으로서 개개의 요건에 대한 행정청의 종국적·완결적 구속력 있는 행정행위를 말한다.

(2) 예비결정은 그 자체가 일부요건에 대한 최종적 결정이라는 점에서 종국적 결정에 대한 약속에 불과한 확약과 구별된다.

2. 구체적인 예

(1) 구 건축법상 건축허가를 신청하기 이전에 건축하고자 하는 건축물이 법령상 허용되는지 여부에 대한 사전결정제도와 구 주택건설촉진법(현 주택법)상 사전결정제도

(2) 체육시설의 설치·이용에 관한 법률 제12조에 의한 골프장업의 건설사업계획서에 대한 시·도지사의 사전승인

(3) 폐기물관리법에 의한 폐기물처리사업 적정 여부 판정

> **⚖ 관련판례**
>
> **적정·부적정 통보의 성격 및 통보제도를 둔 취지**
>
> [1] 폐기물관리법 관계 법령의 규정에 의하면 폐기물처리업의 허가를 받기 위하여는 먼저 사업계획서를 제출하여 허가권자로부터 사업계획에 대한 적정통보를 받아야 하고, 그 적정통보를 받은 자만이 일정기간 내에 시설, 장비, 기술능력, 자본금을 갖추어 허가신청을 할 수 있으므로, 결국 <u>부적정통보는 허가신청 자체를 제한하는 등 개인의 권리 내지 법률상의 이익을 개별적이고 구체적으로 규제하고 있어 행정처분에 해당한다.</u>
>
> [2] 폐기물관리법 제26조 제1항·제2항 및 같은 법 시행규칙 제17조 제1항 내지 제5항의 규정에 비추어 보면 폐기물처리업의 허가에 앞서 사업계획서에 대한 <u>적정·부적정 통보제도를 두고 있는 것은</u> 폐기물처리업을 하고자 하는 자가 스스로 시설 등을 설치하여 허가신청을 하였다가 허가단계에서 그 사업계획이 부적정하다고 판명되어 불허가되면 허가신청인이 막대한 경제적·시간적 손실을 입게 되므로, 이를 방지하는 동시에 허가관청으로 하여금 미리 사업계획서를 심사하여 그 적정·부적정통보 처분을 하도록 하고, 나중에 허가단계에서는 <u>나머지 허가요건만을 심사하여 신속하게 허가업무를 처리하는 데 그 취지가 있다</u>(대판 1998.4.28. 97누21086).

3. 성질

예비결정은 비록 중간단계에서 행해지는 결정이기는 하지만 최종적인 법적 규율이 행해지는 것이기 때문에 그 자체로서 행정행위의 성질을 갖는다. 따라서 행정행위의 취소나 철회, 행정행위의 하자이론 등이 그대로 적용된다.

핵심 OX

06 예비결정과 확약은 구분된다.
14. 경특1차 ( )

06 ○

4. 효과

판례는 주택건설촉진법 제32조의4 소정의 주택건설사업계획의 사전결정에 대하여는 구속성을 부정한 바 있고, 이와 달리 폐기물관리법상의 사업계획에 대한 적정통보에 대하여는 구속성을 인정한 바 있어 예비결정의 구속력을 개별적으로 판단하는 입장이다.

> **관련판례**
>
> **1** 구 주택건설촉진법(1999.2.8. 법률 제5914호로 삭제) 제33조 제1항의 규정에 의한 주택건설사업계획의 승인은 상대방에게 권리나 이익을 부여하는 효과를 수반하는 이른바 수익적 행정처분으로서 행정처분의 요건에 관하여 일의적으로 규정되어 있지 아니한 이상 행정청의 재량행위에 속하고, 그 전 단계인 같은 법 제32조의4 제1항의 규정에 의한 주택건설사업계획의 사전결정이 있다 하여 달리 볼 것은 아니다(대판 1999.5.25. 99두1052).
>
> **2** (폐기물처리업 적정통보를 받은 경우) 나중에 허가단계에서는 나머지 허가요건만을 심사하여 신속하게 허가업무를 처리하면 된다(대판 1998.4.28. 97누21086).

2 부분허가(일부허가 · 부분승인)

1. 의의

(1) 부분허가는 보통 비교적 장기간의 시간을 요하고 중요한 시설의 건설 등에 있어서 제한된 범위 내에서 어떤 행위를 할 수 있음을 허용하는 종국적 결정을 행하는 행정행위를 말한다.

(2) 부분허가는 본허가 권한에 의해 가능하므로 본허가를 할 권한을 가진 행정청은 별도의 법적 근거가 없더라도 부분허가를 할 수 있다(본처분권한포함설).

2. 구체적인 예

주택건설사업 완료 전의 아파트 동별 사용검사

3. 성질

부분허가는 비록 중간단계에서 이루어지지만 그 단계는 최종적인 법적 규율이기 때문에 그 자체로서 행정행위성이 인정되고 행정쟁송의 대상이 된다. 판례에 의하면 본처분인 건축허가처분이 내려진 후에는 부지사전승인처분은 건축허가처분에 흡수되므로 독립하여 쟁송제기할 수 없다는 입장이다.

4. 사전결정과 부분허가의 구별

구분	사전결정	부분허가
내용	사전결정만으로 영업 불가	부분적이기는 하나, 그 자체가 종국적이므로 영업 가능
판례	원자로시설부지 사전승인처분 ⇨ 사전적 부분건설허가 ⇨ 판례평석: 사전결정으로 보는 견해와 부분허가로 보는 견해(다수설)가 대립한다.	

📌 관련판례

1 원자로 시설부지 인근 주민들에게 방사성물질 등에 의한 생명·신체의 안전침해를 이유로 부지사전승인처분의 취소를 구할 원고적격이 있는지 여부(적극)

① 환경영향평가대상지역 안의 원자로 시설부지 인근 주민들이 방사성물질 이외의 원인에 의한 환경침해를 받지 아니하고 생활할 수 있는 이익이 직접적·구체적 이익인지 여부(적극) 및 ② 위 주민들에게 이를 이유로 원자로시설부지사전승인처분의 취소를 구할 원고적격이 있는지 여부(적극)

2 원자력법 제11조 제3항 소정의 부지사전승인제도의 취지 및 이에 터 잡은 건설허가처분이 있는 경우, 선행의 부지사전승인처분의 취소를 구할 소의 이익 유무(소극)

원자로 및 관계 시설의 부지사전승인처분은 그 자체로서 건설부지를 확정하고 사전공사를 허용하는 법률효과를 지닌 독립한 행정처분이기는 하지만, 건설허가 전에 신청자의 편의를 위하여 미리 그 건설허가의 일부 요건을 심사하여 행하는 사전적 부분 건설허가처분의 성격을 갖고 있는 것이어서 나중에 건설허가처분이 있게 되면 그 건설허가처분에 흡수되어 독립된 존재가치를 상실함으로써 그 건설허가처분만이 쟁송의 대상이 되는 것이므로, 부지사전승인처분의 취소를 구하는 소는 소의 이익을 잃게 되고, 따라서 부지사전승인처분의 위법성은 나중에 내려진 건설허가처분의 취소를 구하는 소송에서 이를 다투면 된다(대판 1998.9.4. 97누19588).

핵심 OX

02 구 원자력법상 원자로 및 관계 시설의 부지사전승인처분 후 건설허가처분까지 내려진 경우, 선행처분은 후행처분에 흡수되어 건설허가처분만이 행정쟁송의 대상이 된다.

22. 국가9급 (　)

3 가행정행위

1. 의의

행정행위의 법적 효과 또는 구속력이 최종적으로 결정될 때까지 잠정적으로만 행정행위로서의 구속력을 갖는 행위를 말한다. 가행정행위는 임시적이기는 하지만 구속력 있는 행정행위를 외부에 발한다는 점에서 종국적·구체적으로 형성되는 법률관계가 존재하지 않는 확약과 구별된다.

2. 구체적인 예

(1) 징계의결요구 중인 공무원에 대하여 행하는 임용권자의 직위해제처분

(2) 개인의 납세신고에 의하여 일단 과세처분의 효과를 발생하게 한 다음 과세행정청의 경정결정에 의하여 세액을 확정하는 경우

(3) 경찰행정에 있어 위해의 혐의가 있는 때에 일정한 처분을 하는 경우

(4) 잠정적인 세액에 의하여 먼저 과세한 후 확정된 세액에 따라 종전 과세에 대체되는 과세를 하는 경우

02 ○

3. 성질과 적용범위

(1) 행정행위성

가행정행위는 잠정적인 효력만 있다는 점에서 전형적인 행정행위라기보다는 행정행위와 유사한 성질을 갖는다고 보는 것이 다수설이다(특수한 행정행위설). 즉, 가행정행위는 그 효력발생이 시간적으로 잠정적이라는 것 외에는 보통의 행정행위와 같고, 가행정행위로 인한 권리침해에 대한 구제도 보통의 행정행위와 같다.

(2) 잠정적 효력

가행정행위는 종국적 결정이 있을 때까지 잠정적으로 규율하는 것이므로 종국적 행위가 내려지면 그 효력을 잃는다. 따라서 종국적 행위가 있은 후 가행정행위의 취소를 구하는 소송은 이미 효력이 소멸한 처분의 취소를 구하는 것이므로 위법이다.

(3) 적용범위

가행정행위는 본래의 영역인 급부행정의 경우뿐만 아니라, 당사자에게 불리한 효과를 발생하게 하는 기타 침해행정의 경우에도 존재한다.

4. 법적 근거 여부

가행정행위는 장래의 본처분에 대한 사전작용이기 때문에 본처분의 권한에 당연히 포함된 것으로 본다면 명문의 규정이 없더라도 허용될 수 있다고 보는 것이 다수설이다(본처분권한포함설).

5. 효과

가행정행위에는 불가변력이 발생하지 않기 때문에 당사자는 가행정행위가 사후에 발하여지는 종국적인 결정(본처분)으로서의 대체에 대해 신뢰보호원칙을 주장하지 못한다.

핵심 OX

03 가행정행위는 불가변력이 발생하지 않기 때문에 신뢰보호원칙이 적용된다고 보기 어렵다. 08. 지방9급 (   )

◉ 핵심정리 **다단계 행정결정의 비교**

다단계 행정결정	처분성	본처분에 대한 신뢰보호원칙상의 구속력	구체적인 예
확약	×	○	어업면허에 선행하는 우선순위결정
가행정행위	○	×	잠정적 세액결정, 직위해제처분
사전결정(예비결정)	○	○	(폐기물처리업허가 전의) 사업계획에 대한 적정·부적정통보
부분허가	○	○	(주택건설사업 완료 전의) 아파트 동별 사용검사

03 ○

제1절 사실행위

1 의의

행정상 사실행위란 법률적 효과의 발생을 직접적 목적으로 하는 것이 아니라 무기사용, 도로청소 등과 같이 직접적으로는 어떠한 사실상의 효과의 발생을 목적으로 하는 행정청의 행위이다. 공법상 사실행위는 어떠한 직접적인 법적 효과가 발생하는 것은 아니기 때문에 법적효력이 발생하는 일반적인 행정행위와는 다르다. 그러나 사실행위도 합법적인 범위 내에서 이루어져야 하고, 만약 사실행위의 위법성으로 손해를 입게 된 경우에는 손해배상청구권 등을 행사할 수 있다는 측면에서 논의의 실익이 있다.

> **관련판례**
>
> **1** 추첨방식에 의하여 운수사업 면허대상자를 선정하는 경우 추첨 자체는 다수의 면허신청자 중에서 면허를 받을 수 있는 신청자를 특정하여 선발하는 행정처분을 위한 사전 준비절차로서의 사실행위에 불과한 것이다(대판 1993.5.11. 92누15987).
>
> **2** 학교당국이 미납공납금을 완납하지 아니할 경우에 졸업증의 교부와 증명서를 발급하지 않겠다고 통고한 것은 일종의 비권력적 사실행위이다(헌재 2001.10.25. 2001헌마113).
>
> **3** 구속된 피의자가 검사조사실에서 수갑 및 포승을 시용한 상태로 피의자신문을 받도록 한 이 사건 수갑 및 포승 사용행위는 이미 종료된 권력적 사실행위이다(헌재 2005.5.26. 2001헌마728).

2 종류

1. 권력적 사실행위

권력적 사실행위란 행정청이 우월적 지위에서 일방적으로 강제하는 사실행위를 말한다. 무허가건축물의 강제철거 등 대집행 실행행위, 전염병환자의 강제격리 등이 행정상 즉시강제가 그 예이다.

2. 비권력적 사실행위

비권력적 사실행위란 경고·권고·시사와 같은 정보제공행위나 단순한 행정지도와 같이 대외적 구속력이 없는 사실행위를 말한다. 도로건설, 여론조사, 폐기물 수거, 품질평가, 비공식적 행정작용 등이 그 예이다.

> **권력적 사실행위와 비권력적 사실행위 판단기준**
>
> 행정청의 사실행위는 경고·권고·시사와 같은 정보제공 행위나 단순한 행정지도와 같이 대외적 구속력이 없는 '비권력적 사실행위'와 행정청이 우월적 지위에서 일방적으로 강제하는 '권력적 사실행위'로 나눌 수 있고, 이 중에서 <u>권력적 사실행위만 헌법소원의 대상이 되는 공권력 행사에 해당하고 비권력적 사실행위는 공권력 행사에 해당하지 아니한다</u>. 그런데 일반적으로 어떤 행정청의 사실행위가 권력적 사실행위인지 또는 비권력적 사실행위인지 여부는, 당해 행정주체와 상대방과의 관계, 그 사실행위에 대한 상대방의 의사·관여정도·태도, 그 사실행위의 목적·경위, 법령에 의한 명령·강제수단의 발동가부 등 그 행위가 행하여질 당시의 <u>구체적 사정을 종합적으로 고려하여 개별적으로 판단</u>하여야 한다(헌재 2017.11.30. 2016헌마503).

③ 행정상 사실행위의 법적 근거와 한계

1. 법적 근거(법률유보 측면)

행정상 사실행위도 행정청이 자신의 권한범위 내에서 행하여야 하므로 조직법적 근거는 필요하다. 다만, 작용법적 근거에 대해서 권력적 사실행위는 침익적 성질이 강하므로 법률유보의 원칙이 적용되어 법적 근거가 필요하다고 할 것이나, 비권력적 사실행위는 원칙적으로 법적 근거가 필요 없다고 본다.

2. 한계(법률우위 측면)

행정상 사실행위도 행정작용인 이상 법률우위의 원칙이 적용되어 성문법과 불문법(행정법의 일반원리)을 포함하는 법규범에 위반하지 않아야 한다.

④ 권리구제

1. 행정쟁송

(1) 권력적 사실행위

① **처분성 여부**: 권력적 사실행위는 행정쟁송법상의 **처분에 해당**한다. 따라서 권력적 사실행위에 대해서는 **취소소송 등 항고소송**을 제기하여 다툴 수 있다.

② **소의 이익 여부**: 무허가건물의 강제철거와 같은 권력적 사실행위는 단기간에 종료하는 것이 보통이므로 협의의 소의 이익이 없어 취소쟁송을 통해 구제받기 어려운 경우가 많다. 반면에 계속적 성질을 가지는 사실행위인 경우, 예컨대 전염병환자의 강제격리 등은 쟁송을 통해 다툴 실익이 있다.

③ **판례**: 대법원은 권력적 사실행위의 성질을 가지는 단수조치, 미결수용자의 교도소 이송조치, 동장의 주민등록 직권말소행위 등의 행위에 대해 **처분성을 인정**하고 있다. 한편 헌법재판소는 편지검열행위는 권력적 사실행위로서 행정소송의 대상이 되는 처분으로 볼 수 있다고 판시하여 명시적으로 권력적 사실행위의 처분성을 인정하고 있다.

(2) 비권력적 사실행위

권고, 조언, 정보제공, 권유, 경고, 추천, 사실상의 통지와 같은 비권력적 사실행위에 대해서는 처분성을 부정하는 것이 통설과 판례의 태도이다.

⚖ 관련판례

1 **검찰수사관인 피청구인이 피의자신문에 참여한 변호인인 청구인에게 피의자 후방에 앉으라고 요구한 행위(후방착석요구행위)가 권력적 사실행위인지 여부(적극)**

이 사건 후방착석요구행위는 피청구인이 자신의 우월한 지위를 이용하여 청구인에게 일방적으로 강제한 것으로서 권력적 사실행위에 해당한다. 따라서 이 사건 후방착석요구행위는 헌법소원의 대상이 되는 공권력의 행사에 해당한다(헌재 2017.11.30. 2016헌마503).

2 **방송통신심의위원회의 시정요구가 항고소송의 대상인지 여부(적극)**

행정기관인 방송통신심의위원회의 시정요구는 정보통신서비스제공자 등에게 조치결과 통지의무를 부과하고 있고, 정보통신서비스제공자 등이 이에 따르지 않는 경우 방송통신위원회의 해당 정보의 취급거부·정지 또는 제한명령이라는 법적 조치가 예정되어 있으며, 행정기관인 방송통신심의위원회가 표현의 자유를 제한하게 되는 결과의 발생을 의도하거나 또는 적어도 예상하였다 할 것이므로, 이는 단순한 행정지도로서의 한계를 넘어 규제적·구속적 성격을 갖는 것으로서 헌법소원 또는 항고소송의 대상이 되는 공권력의 행사라고 봄이 상당하다(헌재 2012.2.23. 2011헌가13).

3 수도요금체납자에 대한 단수조치는 항고소송의 대상이 되는 행정처분에 해당한다(대판 1979.12.28. 79누218).

4 주민등록말소처분은 행정처분이다(대판 1994.8.26. 94누3223).

5 교도소 이송처분은 행정처분이다(대결 1992.8.7. 92두30).

6 수형자의 서신을 교도소장이 검열하는 행위는 항고소송의 대상이 되는 처분에 해당하는 사실행위이다(헌재 1998.8.27. 96헌마398).

7 급수공사 신청자에 대한 수도사업자의 급수공사비 납부통지는 처분성이 인정되지 않는다(대판 1993.10.26. 93누6331).

---

2. 손해전보

(1) 손해배상

위법한 행정상 사실행위로 국민이 손해를 입은 경우에 손해배상을 청구할 수 있다(국가배상법 제2조, 제5조).

(2) 손실보상

적법한 권력적 사실행위에 의해 국민에게 손실이 발생하고 그것이 **특별한 희생**에 해당하는 경우에 행정상 손실보상을 청구할 수 있다.

3. 결과제거청구권

행정상 사실행위로 인한 위법한 결과로 법률상 이익의 침해를 받은 자는 공법상 결과제거청구권을 통해 원상회복을 청구할 수 있다.

4. 헌법소원

사실행위가 국민의 권익에 영향력을 행사하여 법적 통제가 필요함에도 불구하고 처분성이 인정되지 않는 경우 행정소송을 제기할 수 없으므로 **헌법소원이 가능**하다. 한편 헌법재판소는 경찰서의 유치장화장실 사용강제, 교도관의 동행계호행위, 마약류 수용자에 대한 소변채취 등에 관한 사건에서 이를 권력적 사실행위로 보면서 보충성의 원칙에 대한 예외에 해당하는 경우 **헌법소원의 대상**이 된다는 입장이다.

> ### ⚖️ 관련판례
>
> **1 국제그룹 해체지시 사건**
>
> 재무부장관이 제일은행장에 대하여 한 해체준비착수지시와 언론발표지시를 보면 이는 상급관청이 하급관청에 대하여 한 지시가 아님은 물론 위 인정사실에 의할 때 제일은행 측의 임의적 협력을 기대하여 행하는 비권력적인 권고·조언 따위의 단순한 행정지도로서의 한계도 이미 넘어선 것이라 할 것이고, 오히려 위와 같은 공권력의 개입은 주거래은행으로 하여금 공권력의 뜻대로 순응케 하여 그 이름으로 제3자인수식의 국제그룹 해체라는 결과를 사실상 실현시키는 행위라고 할 것이므로, 이와 같은 유형의 행위는 형식적으로는 사법인인 주거래은행의 행위였던 점에서 행정행위는 될 수 없더라도 그 실질이 공권력의 힘으로 재벌기업의 해체라는 사태변동을 일으키는 경우인 점에서 일종의 권력적 사실행위로 볼 것이며, 헌법재판소법 제68조 제1항 소정의 헌법소원의 대상이 되는 공권력의 행사에 해당되는 것으로 파악할 것이다(헌재 1993.7.29. 89헌마31).
>
> **2** 서울대학교의 94학년도 대학입학고사 주요 요강은 사실행위에 불과하여 행정쟁송의 대상이 될 수 있는 행정처분은 아니지만 헌법재판의 대상이 되는 공권력의 행사에 해당한다(헌재 1992.10.1. 92헌마68).
>
> **3** 마약류 수용자에 대한 소변채취는 권력적 사실행위로서 헌법재판의 대상이 되는 공권력의 행사에 해당한다(헌재 2006.7.27. 2005헌마277).

제2절 | 행정지도

1 서설

1. 의의

행정지도란 행정기관이 소관사무의 범위 안에서 일정한 행정목적을 실현하기 위하여 특정인에게 일정한 행위를 하거나 하지 않도록 지도·권고·조언 등을 하는 행정작용을 말한다(행정절차법 제2조 제3호). 실정법상으로 행정절차법에 행정지도에 관한 규정을 두고 있다. 대부분의 행정행위 형식이 독일, 프랑스 등 대륙법계에서 발전한 것과는 달리, 일본에서 생성·발전되었다는 점이 특색이다.

2. 성질

행정지도는 행정객체의 임의적 · 자발적 협력을 전제로 한다는 점에서 그 자체로서는 아무런 법적 효력을 발생하지 않는 **비권력적 사실행위**에 속한다.

> **⚖ 관련판례**
>
> 행정관청이 건축허가 시에 도로의 폭에 대하여 행정지도를 하였다는 점만으로는 건축법 시행령 제64조 제1항 소정의 도로지정이 있었던 것으로 볼 수 없다(대판 1991.12.13. 91누1776).

2 종류

1. 법령의 근거에 의한 분류

(1) 법령의 직접적 근거에 의한 행정지도

행정지도는 반드시 법적 근거를 요하는 것은 아니지만, 개별법에서 행정지도에 관하여 직접 규정하고 있는 경우가 있다[예 우량종자의 권고 · 조언 · 지도(구 주요농작물종자법 제8조), 어업지도(구 수산진흥법 제3조), 생활지도(구 생활보호법 제2조), 중소기업의 경영합리화지도(중소기업기본법 제6조) 등].

(2) 법령의 간접적 근거에 의한 행정지도

행정지도에 관하여 법령에서 직접적으로 규정하고 있지 않으나, 당해 사항에 관하여 일정한 행정행위를 할 수 있는 근거가 있는 경우에 그러한 행정행위를 할 수 있는 권한을 배경으로 행정지도가 행하여지는 경우가 있다.

(3) 법령에 근거가 없는 행정지도

법령에 근거 없이 행정주체가 그 권한범위 내에서 행정지도를 할 수 있다.

2. 기능에 의한 분류

(1) 규제적 행정지도

일정한 행정목적의 달성이나 공익에 장애가 될 일정한 행위를 예방 · 억제하기 위하여 행하여지는 행정지도이다[예 환경보호를 목적으로 오물투기억제를 위한 행정지도, 물가억제를 위한 지도, 독점규제 및 공정거래에 관한 법률 제51조에 의한 위반행위의 시정권고).

(2) 조정적 행정지도

사인간의 분쟁해결이나 이해대립의 조정을 위하여 행하여지는 행정지도이다[예 노사간의 쟁의조정(노동조합 및 노동관계조정법 제53조), 기업 간의 협력의 중개(산업발전법 제11조 제3항)].

(3) 조성적 행정지도

일정한 질서의 형성을 촉진하기 위하여 관계자에게 기술이나 지식을 제공하거나 조언을 하는 행정지도이다[예 중소기업의 기술지도(중소기업기본법 제6조), 직업지도(직업안정법 제14조)].

3 유용성과 문제점

1. 유용성

(1) 행정기능의 확대

행정기능의 확대에 따라 전통적인 행위형식으로는 현실이 행정수요에 적절히 대응할 수 없게 되었다. 따라서 다양한 현대 행정기능을 법령의 구속에서 벗어나 새로운 변화에 발맞추어 행정의 탄력적 기능을 수행하게 된다.

(2) 임의적 수단에 의한 편의성(분쟁의 사전예방)

행정지도는 일방적이 아닌 상대방의 **동의나 협력을 바탕**으로 한 **임의적 조치**에 의함으로써 마찰이나 저항을 줄일 수 있다.

(3) 지식·정보의 제공

행정지도는 최근의 새로운 기술·지식·정보를 제공한다.

(4) 신축적·탄력적 행정수단

비권력적 작용으로서 법적 근거 없이 작용하므로 급격한 사회변화에 따른 탄력적 대응이 가능하다.

(5) 법령보완적 기능

행정지도는 법령의 수권이 필요 없기 때문에 법령과 현실의 간극을 좁힐 수 있다.

2. 문제점

(1) 사실상의 강제성

비권력적 사실행위이나, 행정주체의 우위성으로 인하여 사실상 강제가 되기 쉽다.

(2) 행정구제제도의 불비

행정지도는 비권력적 사실행위이므로 처분성이 결여되어 행정쟁송, 손해전보 등을 통하여 구제받기가 어렵다.

(3) 법치행정의 위험

행정편의주의에 따라 엄격한 법률에 의한 행정보다는 편리한 지도에 의한 행정으로 변질될 우려가 있다.

4 법적 근거

1. 조직법적 근거

행정지도는 행정조직법상 사항적 권한을 가진 행정기관만이 할 수 있으므로 조직법상의 근거는 필요하다.

2. 작용법적 근거

작용법적 근거는 비권력적 성격으로 인하여 불요하다는 것이 다수설의 입장이다.

5 한계

1. 법규상의 한계

행정지도에 법률유보는 적용되지 않는다고 하더라도 법률우위의 원칙은 적용된다. 따라서 행정지도는 법률을 위반할 수 없고, 조직법상의 목적·임무·소관사무의 범위 안에서만 행하여져야 한다. 행정절차법 제48조 이하에서 행정지도의 기본원칙을 규정하고 있다.

2. 조리상의 한계

비권력적 사실행위이지만 행정작용의 하나이므로 평등·비례·신뢰보호의 원칙 등 **행정법상의 일반원칙을 준수하여야 한다.**

6 원칙 및 방식(행정절차법상)

1. 원칙

(1) 비례의 원칙 및 임의성의 원칙

행정지도는 그 목적달성에 필요한 최소한도에 그쳐야 하며, 행정지도의 상대방의 의사에 반하여 부당하게 강요하여서는 안 된다(제48조 제1항).

(2) 불이익조치금지의 원칙

행정기관은 행정지도의 상대방이 행정지도를 따르지 아니하였다는 것을 이유로 불이익한 조치를 하여서는 아니 된다(제48조 제2항).

2. 방식

(1) 특별한 방식이 요구되는 것이 아니므로 서면·구두 모두 가능하나, 상대방이 서면의 교부를 요구하는 경우에는 행정지도를 행하는 자는 직무수행에 특별한 지장이 없는 한 이를 교부하여야 한다(제49조 제2항).

(2) 행정지도실명제

행정지도를 하는 자는 그 상대방에게 행정지도의 취지·내용 및 신분을 밝혀야 한다(제49조 제1항).

(3) 의견제출

행정지도의 상대방은 당해 행정지도의 방식·내용 등에 관하여 행정기관에 의견제출을 할 수 있다(제50조).

(4) 공표

행정기관이 같은 행정목적을 실현하기 위하여 많은 상대방에게 행정지도를 하고자 하는 때에는 특별한 사정이 없는 한 행정지도에 공통적인 내용이 되는 사항을 공표하여야 한다(제51조).

7 권리구제

1. 행정쟁송(항고심판, 항고소송)

(1) 처분성 – 부정(다수설·판례)

행정지도는 직접적으로 아무런 법적 효과를 발생하지 않는 비권력적 사실행위로서, 처분성이 부정되어 이에 대한 항고소송의 대상이 되지 않음이 원칙이다. 그러나 행정지도에 불응한 것을 이유로 부담적 행정행위가 행하여진 경우에는 그 행정행위를 대상으로 행정쟁송을 제기할 수 있다.

> **관련판례**
>
> **1** **수도사업자의 급수공사 신청자에 대한 급수공사비 납부통지가 행정처분인지 여부(소극)**
>
> 항고소송의 대상이 되는 행정처분이라 함은 행정청의 공법상 행위로서 특정사항에 대하여 법규에 의한 권리의 설정 또는 의무의 부담을 명하며 기타 법률상 효과를 발생케 하는 등 국민의 구체적 권리의무에 직접적 변동을 초래하는 행위를 말하고 행정권 내부에서의 행위나 알선, 권유, 사실상의 통지 등과 같이 상대방 또는 기타 관계자들의 법률상 지위에 직접적인 법률적 변동을 일으키지 아니하는 행위는 항고소송의 대상이 될 수 없다. 수도사업자가 급수공사 신청자에 대하여 급수공사비 내역과 이를 지정기일 내에 선납하라는 취지로 한 납부통지는 수도사업자가 급수공사를 승인하면서 급수공사비를 계산하여 급수공사 신청자에게 이를 알려 주고 위 신청자가 이에 따라 공사비를 납부하면 급수공사를 하여 주겠다는 취지의 강제성이 없는 의사 또는 사실상의 통지행위라고 풀이함이 상당하고, 이를 가리켜 항고소송의 대상이 되는 행정처분이라고 볼 수 없다(대판 1993.10.26. 93누6331).
>
> **2** **도시재개발구역내의 건물소유자에게 보낸 건물의 자진철거를 요청하는 내용의 지장물철거촉구 공문이 처분인지 여부(소극)**
>
> 구청장이 도시재개발구역내의 건물소유자 甲에게 건물의 자진철거를 요청하는 내용의 공문을 보냈다고 하더라도 그 공문의 제목이 지장물철거촉구로 되어 있어서 철거명령이 아님이 분명하고, 행위의 주체면에서 구청장은 재개발구역 내 지장물의 철거를 요구할 아무런 법적 근거가 없으며, 공문의 내용도 甲에게 재개발사업에의 협조를 요청함과 아울러 자발적으로 협조하지 아니하여 법에 따른 강제집행이 행하여짐으로써 甲이 입을지도 모를 불이익에 대한 안내로 되어 있고 구청장이 위 공문을 발송한 후 甲으로부터 취소요청을 받고 위 공문이 도시재개발법 제36조의 지장물이전요구나 동 제35조 제2항에 따른 행정대집행법상의 강제철거지시가 아니고 자진철거의 협조를 요청한 것이라고 회신한 바 있다면 이러한 회신내용과 법치행정의 현실 및 일반적인 법의식수준에 비추어 볼 때 외형상 행정처분으로 오인될 염려가 있는 행정청의 행위가 존재함으로써 상대방이 입게 될 불이익 내지 법적 불안도 존재하지 않는다고 볼 것이므로 이를 행정소송의 대상이 되는 처분이라고 볼 수 없다(대판 1989.9.12. 88누8883).
>
> **3** 세무당국이 소외 회사에 대하여 원고와의 주류거래를 일정기간 중지하여 줄 것을 요청한 행위는 권고 내지 협조를 요청하는 권고적 성격의 행위로서 소외 회사나 원고의 법률상의 지위에 직접적인 법률상의 변동을 가져오는 행정처분이라고 볼 수 없는 것이므로 항고소송의 대상이 될 수 없다(대판 1980.10.27. 80누395).

4 기획재정부장관이 2008.8.11.부터 2009.3.31.까지 사이에 6차에 걸쳐 공공기관 선진화 추진계획을 확정, 공표한 행위(이하 '이 사건 선진화 계획'이라 한다)가 공권력 행사에 해당하는지 여부(소극)

[1] 이 사건 선진화 계획은 그 법적 성격이 행정계획이라고 할 것인바, 국민의 기본권에 직접적인 영향을 미친다고 볼 수 없고, 장차 법령의 뒷받침에 의하여 그대로 실시될 것이 틀림없을 것으로 예상된다고 보기도 어려우므로, 헌법소원의 대상이 되는 공권력의 행사에 해당한다고 할 수 없다.

[2] 이 사건 개선요구는 이를 따르지 않을 경우의 불이익을 명시적으로 예정하고 있다고 보기 어렵고, 행정지도로서의 한계를 넘어 규제적·구속적 성격을 강하게 갖는다고 할 수 없어 헌법소원의 대상이 되는 공권력의 행사에 해당한다고 볼 수 없다.

[3] 이 사건 점검 및 개선 제시 중, 점검행위는 감사원 내부의 자료수집에 불과하고, 개선 제시는 이를 따르지 않을 경우의 불이익을 명시적으로 예정하고 있다고 보기 어려우므로 행정지도로서의 한계를 넘어 규제적·구속적 성격을 강하게 갖는다고 볼 수 없다. 따라서 이 사건 점검 및 개선 제시는 헌법소원의 대상이 되는 공권력의 행사라고 보기 어렵다(헌재 2011.12.29. 2009헌마330).

(2) 이에 대하여 처분개념을 확대하기 위한 형식적 행정행위 개념을 인정하여 행정지도의 처분성과 행정쟁송의 대상을 인정하려는 견해가 주장되고 있다.

(3) 또한 규제적 또는 조정적 행정지도는 사실상의 강제력을 갖는다는 점에서 항고쟁송의 대상이 될 수 있다는 견해도 있다.

⚖ 관련판례

1 방송통신심의위원회의 시정요구가 항고소송 대상인지 여부(적극)

이 사건 시정요구는 서비스제공자 등에게 조치결과 통지의무를 부과하고 있고, 서비스제공자 등이 이에 따르지 않는 경우 방송통신위원회의 해당 정보의 취급거부·정지 또는 제한명령이라는 법적 조치가 내려질 수 있으며, 행정기관인 방송통신심의위원회가 표현의 자유를 제한하게 되는 결과의 발생을 의도하거나 또는 적어도 예상하였다 할 것이므로, 이 사건 시정요구는 단순한 행정지도로서의 한계를 넘어 규제적·구속적 성격을 상당히 강하게 갖는 것으로서 항고소송의 대상이 되는 공권력의 행사라고 봄이 상당하다. 따라서, 청구인들은 이 사건 시정요구에 대하여 행정소송을 제기하였어야 할 것임에도 이를 거치지 아니하였으므로 이 부분 심판청구는 보충성을 결여하여 부적법하다(헌재 2012.2.23. 2008헌마500).

2 학칙시정요구가 헌법소원의 대상이 되는 공권력행사인지 여부(적극)

교육인적자원부장관의 대학총장들에 대한 이 사건 학칙시정요구는 고등교육법 제6조 제2항, 동법 시행령 제4조 제3항에 따른 것으로서 그 법적 성격은 대학총장의 임의적인 협력을 통하여 사실상의 효과를 발생시키는 행정지도의 일종이지만, 그에 따르지 않을 경우 일정한 불이익조치를 예정하고 있어 사실상 상대방에게 그에 따를 의무를 부과하는 것과 다를 바 없으므로 단순한 행정지도로서의 한계를 넘어 규제적·구속적 성격을 상당히 강하게 갖는 것으로서 헌법소원의 대상이 되는 공권력의 행사라고 볼 수 있다(헌재 2003.6.26. 2002헌마337 등).

2. 손해전보

(1) 손해배상

① **국가배상법상 직무행위 해당 여부**: 공무원의 위법한 행정지도로 인하여 손해를 받은 경우에는 행정지도 역시 국가배상법상 배상청구요건인 공무원의 직무에 해당하는가에 대하여 다수설·판례는 광의설을 취하고 있으므로 직무행위에는 해당한다고 본다.

> **🔥 관련판례**
>
> 국가배상법이 정한 배상청구의 요건인 '공무원의 직무'에는 권력적 작용만이 아니라 행정지도와 같은 비권력적 작용도 포함되며 단지 행정주체가 사경제주체로서 하는 활동만 제외된다(대판 2004.4.9. 2002다10691).

② **위법성**: 행정지도에 대한 국가배상이 인정되기 위해서는 위법성이 인정되어야 한다. 행정지도가 통상적인 범위를 넘어 강제성을 갖는 경우에는 위법성이 인정된다. 법의 일반원칙을 위반한 경우에도 위법성이 인정된다.

> **🔥 관련판례**
>
> **1** 정부의 주식매각 종용행위가 강박행위에 해당한다고 하여 행정지도로서 위법성이 조각된다는 주장을 배척한 사례
>
> 행정지도라 함은 행정주체가 일정한 행정목적을 실현하기 위하여 권고 등과 같은 비강제적인 수단을 사용하여 상대방의 자발적 협력 내지 동의를 얻어내어 행정상 바람직한 결과를 이끌어내는 행정활동으로 이해되고, 따라서 적법한 행정지도로 인정되기 위하여는 우선 그 목적이 적법한 것으로 인정될 수 있어야 할 것이므로, 주식매각의 종용이 정당한 법률적 근거 없이 자의적으로 주주에게 제재를 가하는 것이라면 이 점에서 벌써 행정지도의 영역을 벗어난 것이라고 보아야 할 것이고 만일 이러한 행위도 행정지도에 해당된다고 한다면 이는 행정지도라는 미명하에 법치주의의 원칙을 파괴하는 것이라고 하지 않을 수 없으며, 더구나 그 주주가 주식매각의 종용을 거부한다는 의사를 명백하게 표시하였음에도 불구하고, 집요하게 위협적인 언동을 함으로써 그 매각을 강요하였다면 이는 위법한 강박행위에 해당한다고 하지 않을 수 없다 하여, 정부의 재무부 이재국장 등이 ○○그룹 정리방안에 따라 신한투자금융주식회사의 주식을 주식회사 제일은행에게 매각하도록 종용한 행위가 행정지도에 해당되어 위법성이 조각된다는 주장을 배척한 사례(대판 1994.12.13. 93다49482)
>
> **2** 토지거래계약신고에 관한 행정관청의 위법한 관행에 따라 토지의 매매가격을 허위로 신고한 행위가 사회상규에 위배되지 않는 정당한 행위라고 볼 수 없다 한 사례
>
> 행정관청이 토지거래계약신고에 관하여 공시된 기준지가를 기준으로 매매가격을 신고하도록 행정지도하여 온 경우 그와 같은 위법한 관행에 따라 토지의 매매가격을 허위로 신고한 행위는 범법행위로서 사회상규에 위배되지 않는 정당한 행위라고 볼 수 없다(대판 1992.4.24. 91도1609).

핵심 OX

01 토지매매대금의 허위신고가 위법한 행정지도에 따른 것이라 하더라도 그 범법행위가 정당화되지는 않는다.
18. 지방교행 ( )

02 위법한 행정지도에 따라 행한 사인의 행위는 위법성이 조각되어 범법행위가 되지 않는다. 23. 지방9급 ( )

3 **행정관청의 행정지도에 따라 매매가격을 허위신고한 것이 정당행위인지 여부 (소극)**

행정관청이 국토이용관리법 소정의 토지거래계약신고에 관하여 공시된 기준시가를 기준으로 매매가격을 신고하도록 행정지도를 하여 그에 따라 허위신고를 한 것이라 하더라도 이와 같은 행정지도는 법에 어긋나는 것으로서 그와 같은 행정지도나 관행에 따라 허위신고행위에 이르렀다고 하여도 이것만 가지고서는 그 범법행위가 정당화될 수 없다(사회상규에 위배되지 않는 정당한 행위라고는 볼 수 없음)(대판 1994.6.14. 93도3247).

③ **인과관계**: 위법한 행정지도로 인하여 손해를 입은 경우 피해자는 임의적인 의사에 따라 행정지도에 따른 것이므로 인과관계가 단절되어 국가배상을 인정하기가 어렵다(통설·판례). 그러나 사실상의 강제력으로 인하여 행정지도에 따를 수밖에 없는 것으로 판단되는 경우에는 인과관계가 인정되어 국가배상을 인정하여야 할 것이다.

> **관련판례**
>
> **한계를 일탈하지 않은 행정지도로 인하여 상대방에게 손해가 발생한 경우, 행정기관이 손해배상책임을 지는지 여부(소극)**
>
> 행정지도가 강제성을 띠지 않은 비권력적 작용으로서 행정지도의 한계를 일탈하지 아니하였다면, 그로 인하여 상대방에게 어떤 손해가 발생하였다 하더라도 행정기관은 그에 대한 손해배상책임이 없다.
> 행정기관의 위법한 행정지도로 일정기간 어업권을 행사하지 못하는 손해를 입은 자가 그 어업권을 타인에게 매도하여 매매대금 상당의 이득을 얻었더라도 그 이득은 손해배상책임의 원인이 되는 행위인 위법한 행정지도와 상당인과관계에 있다고 볼 수 없고, 행정기관이 배상하여야 할 손해는 위법한 행정지도로 피해자가 일정기간 어업권을 행사하지 못한 데 대한 것임에 반해 피해자가 얻은 이득은 어업권 자체의 매각대금이므로 위 이득이 위 손해의 범위에 대응하는 것이라고 볼 수도 없어, 피해자가 얻은 매매대금 상당의 이득을 행정기관이 배상하여야 할 손해액에서 공제할 수 없다(대판 2008.9.25. 2006다18228).

핵심 OX

03 행정지도의 한계 일탈로 인해 상대방에게 손해가 발생한 경우 행정기관은 손해배상책임이 없다.
18. 지방교행, 14. 국가7급 ( )

04 행정지도가 강제성을 띠지 않은 비권력적 작용으로서 행정지도의 한계를 일탈하지 아니하였다면 그로 인하여 상대방에게 손해가 발생하였다 하더라도 행정기관은 손해배상책임이 없다. 23. 지방9급 ( )

(2) 손실보상

① 적법한 행정지도로 발생한 손실의 경우에도 피해자는 자유로운 의사에 따른 승낙에 의해 그 불이익을 수인한 것으로 되어 그 손실을 특별희생으로 볼 수 없기 때문에 손실보상청구 역시 부정될 것이다. 그러나 적법한 행정지도로 인하여 의도되지 않은 결과로 상대방에게 특별한 희생이 있고, 이에 대하여 인과관계가 있는 경우에는 수용적 침해이론에 의해 손실보상을 인정하려는 견해가 있다.

② 한편, 특별법 제정에 의해 보상하는 것은 가능하다(예 통일벼사건 등).

01 ○ **02** X **03** X **04** ○

1. 주류거래를 일정기간 중지하여 줄 것을 요청한 행위는 권고 내지 협조를 요청하는 권고적 성격의 행위로 원고의 법률상의 지위에 직접적인 법률상의 변동을 초래하는 행정처분이라 볼 수 없다.

2. 소속 장관의 서면에 의한 경고는 항고소송의 대상이 되는 처분에 해당하지 않는다.

3. 행정규칙에 의한 '불문경고조치'는 처분에 해당한다.

4. 금융기관의 임원에 대한 금융감독원장의 문책경고는 처분에 해당한다.

5. 문책경고장의 통보행위는 행정처분에 해당하지 않는다.

6. 시정조치에 대한 결과를 증빙서를 첨부한 문서로 보고하도록 하는 것은 행정처분에 해당한다.

7. 국가인권위원회의 성희롱결정 및 시정조치권고는 처분에 해당한다.

8. 교육인적자원부장관의 국·공립대학총장들에 대한 학칙시정요구는 헌법소원의 대상이 된다.

9. 서울대학교의 '94학년도 대학입학고사주요요강'은 헌법소원의 대상이 된다.

10. 한계를 일탈하지 않은 행정지도에 의한 손해는 배상책임이 없으나 한계를 일탈한 위법한 행정지도는 불법행위를 구성한다.

11. 위법한 행정지도에 대해 보상 "문제는 관련 부서와의 협의 및 상급기관의 질의, 전문기관의 자료에 의하여 처리해야 하므로 처리기간이 지연됨을 양지하여 달라."라는 취지의 공문을 보낸 사유만으로 자신의 채무를 승인한 것으로 볼 수는 없다.

제1절 비공식 행정작용

1 의의

1. 개념

행정작용의 형식·요건·효과·절차 등이 법에 정해져 있는 작용을 공식적인 행정작용이라 하고, 비공식 행정작용은 형식·요건·효과·절차 등이 법에 정해져 있지 않은 일체의 행정작용을 총칭하는 것이며 법적 구속력이 발생하지 않는 사실행위를 말한다.

2. 의미와 유래

(1) 의미

광의로는 ① 행정주체와 국민이 협력하여 행하는 협상, 사전절충 및 비구속적 합의, ② 행정기관이 일방적으로 하는 경고·권고·추천·정보제공 등을 포함한다. 협의로는 ①의 경우만을 의미한다.

(2) 유래

독일에서 유래된 개념으로 행정기관이 전통적인 명령강제수단을 사용하는 대신 협상·설득·경고·권고·조언 등의 수단을 사용해서 행정의 목적을 달성하고자 하는 새로운 행정작용의 일종이라고 할 수 있다.

3. 실정법상 근거

독일법상 행정작용의 유형이며, 우리나라의 실정법에는 규정이 없고 학설상 논의되고 있는 개념이다.

2 종류

1. 협력하여 하는 비공식 행정작용

(1) 규범대체형 합의

행정청이 법령 등 규범정립을 통해 문제를 해결하는 것이 아니라 합의를 통해 해결하여 규범정립은 잠정적으로 유보하는 것을 말한다. 사업자가 환경보호를 위해 자유의사에 따라 환경친화적 용기제작을 약속하고 행정청도 잠정적으로 단속법령의 제정을 유보하는 것이 그 예이다.

(2) 규범집행형 합의

규범이 제정되어 있는 경우 규범을 집행하여 제재조치를 행하는 대신 합의를 통해 문제를 해결하는 것이다. 노후시설에 대한 개선조치로 개선명령을 하는 대신, 사인과 행정청이 합의를 통해 문제를 해결하는 것이 그 예이다.

2. 일방적으로 하는 비공식 행정작용

행정청이 특정 상품의 소비가 환경에 유해하다거나 건강에 해롭다고 국민에게 알리는 경고와 환경친화적 상품의 사용을 권하는 권고가 이에 해당한다. 이러한 경고와 권고는 법적인 구속력이 없다는 점에서 하명 등의 권력적 행정작용과는 구별된다.

3 순기능과 역기능

1. 비공식 행정작용의 순기능

비공식 행정작용의 순기능은 행정의 능률과 효율화, 법적 분쟁의 예방과 회피 등을 들 수 있다.

2. 비공식 행정작용의 역기능

(1) 법치행정의 후퇴

행정청이 법적 구속 및 법원의 통제로부터 벗어나기 위해 의도적으로 비공식 행정작용을 선택함으로써 법치행정을 회피하는 수단이 될 수 있다. 또한, 비공식 행정작용은 법률에 명문규정이 없기 때문에 예측가능성 확보에도 어려움이 있다.

(2) 제3자의 위험부담

비공식 행정작용은 행정기관과 상대방 사이에 비공식적으로 이루어지기 때문에 외부에 공개되지 않으므로 제3자가 소외되어 제3자의 보호에 소홀할 수 있는 문제점이 있다.

4 허용성

다양한 행정수요를 만족시키기 위해서는 행정작용도 다양화되어야 하므로 비공식 행정작용도 인정될 수 있다. "행정의 행위형식에는 정원이 없다."라는 말처럼 비공식 행정작용은 공식적 행정작용의 공백을 방지하고 사회적 비용을 줄일 수 있는 장점이 있기 때문에 허용될 수 있다.

5 법적 근거 및 한계

1. 법적 근거

비공식 행정작용은 법적 구속력(강제력)이 없는 행정작용이므로 법률의 근거 없이 행해질 수 있다. 다만, 경고처럼 실질적으로 상대방에게 불이익하게 작용하는 경우에는 법적 근거가 필요하다고 본다.

2. 한계

비공식 행정작용도 행정작용인 이상, 법률우위원칙의 적용을 받으므로 비례의 원칙, 평등의 원칙, 부당결부금지의 원칙 등 행정법의 일반원칙이 적용된다.

6 효력

비공식 행정작용은 비권력적 사실행위로서 법적 구속력은 없다. 경고나 권고 등은 물론이고 규범대체형 합의 등도 마찬가지로 법적 구속력을 갖지 못한다.

7 권리구제

비공식 행정작용은 비권력적 사실행위로서 비권력적 사실행위의 권리구제방법과 동일하다.

1. 취소소송 가능성

처분성이 부정되므로 취소소송을 제기할 수 없다는 것이 일반적 견해이다.

2. 합의내용의 이행청구 여부

합의는 신사협정(법적 구속력을 가지지 않는 계약을 말함)으로서 법적 구속력이 없으므로 합의내용에 대한 이행청구권이 없으며, 합의내용 불이행으로 인한 손해배상청구도 할 수 없다.

3. 행정상 손해배상

경고나 권고 그 자체가 국가배상법상의 요건을 충족한다면 행정상 손해배상을 청구할 수 있다.

제2절 행정의 자동결정

1 의의

행정의 자동결정은 일반적으로 행정과정에서 컴퓨터 등 전자처리정보를 이용하여 행정 업무를 자동화하여 수행하는 것을 말한다. 컴퓨터를 통한 학교배정이나 부대배치, 신호 등에 의한 교통신호 작동 등이 그 예이다.

> **행정기본법 제20조【자동적 처분】** 행정청은 법률로 정하는 바에 따라 완전히 자동화된 시스템(인공지능 기술을 적용한 시스템을 포함한다)으로 처분을 할 수 있다. 다만, 처분에 재량이 있는 경우는 그러하지 아니하다.

2 법적 성질

1. 자동결정의 법적 성질

행정의 자동결정 역시 행정기관이 작성한 프로그램에 의해 이루어진다는 점을 고려한 다면 보통의 행정행위와 차이점은 크지 않으므로 행정자동결정도 행정행위의 일종이라 는 것이 통설적 견해이다. 자동결정도 일반 행정행위와 마찬가지로 외부에 표시되고 상 대방에게 도달함으로써 효력이 발생한다.

2. 프로그램의 법적 성질

자동결정의 기준이 되는 컴퓨터프로그램은 **행정규칙의 성질**을 가진다고 본다.

3. 행정의 자동결정의 대상

자동결정의 대상이 기속행위인 경우에는 이를 프로그램화하여 자동절차로 만드는 데 있어 아무런 문제가 없으므로 당연히 허용된다. 재량행위의 경우에는 구체적 특수성과 개별성을 고려하여 재량권을 행사하여야 한다는 점에서 문제가 될 수 있다. 그러나 재 량준칙을 정형화·세분화하여 프로그램화한다면 재량행위의 경우에도 예외적으로 허 용된다고 본다.

4. 자동결정의 특수성

행정의 자동결정이 행정행위라 할지라도 일반 행정행위와 다르다. 특히 독일의 연방행 정절차법은 행정자동결정에 대해 다음과 같은 특례를 규정하고 있다. 이러한 특수한 법 적 규율은 원칙적으로 명문의 규정이 있는 경우에 한하여 인정되며 해석상 인정될 수는 없다. 우리나라 행정절차법은 이러한 특례규정이 없다.

(1) 행정청의 서명·날인을 생략할 수 있다.

(2) 자동결정의 내용은 문자가 아닌 특별한 부호가 사용되는 것도 허용된다.

핵심 OX ───────

03 행정기본법상 자동적 처분을 할 수 있는 '완전히 자동화 된 시스템'에 는 '인공지능기술을 적용한 시스템' 이 포함되지 않는다. 23. 지방9급 ( )

04 행정기본법은 재량행위에 대해서 자동적 처분을 허용하지 않고 있다.
23. 지방9급 ( )

핵심 OX ───────

05 행정의 자동결정은 컴퓨터를 통하 여 이루어지는 자동적 결정이기 때 문에 행정행위의 개념적 요소를 구 비하는 경우에도 행정행위로서의 성격을 인정하는 데 어려움이 있다.
16. 사복 ( )

03 X **04** O **05** X

(3) 이유제시의 경우에도 예외가 인정된다. 즉, 자동장치를 사용하여 행정행위를 하는 경우에는 이유제시를 생략할 수 있다.

(4) 관계자의 의견청취를 생략할 수 있다.

5. 자동결정의 하자 및 권리구제

행정자동결정 역시 행정행위이므로 행정행위의 하자에 관한 내용이 적용된다. 또한, **위법한 행정자동결정에 대해서는 행정쟁송을 제기할 수 있고, 행정상 손해배상을 청구할 수도 있다.** 손해배상청구와 관련하여서는 행정자동결정의 프로그램을 작성하는 관계공무원의 유책의 위법행위로 인한 경우에는 국가배상법 제2조에 의한 배상책임이 인정되고, 자동장치 자체의 하자로 인해 손해를 입은 경우에는 국가배상법 제5조에 의한 배상책임이 발생할 수 있다.

제3절　행정사법

1 개설

1. 의의

(1) 광의의 국고행정 중 사법(私法)형식에 의하여 직접적인 행정목적을 수행하는 행정활동으로서, 일정한 공법적 규율을 받는 특별법을 말한다.

(2) 행정사법이론은 독일의 볼프(H. Wolff)에 의하여 주장되었으며, 행정이 사법형식으로 수행하지만 직접적으로 행정목적을 수행함으로 인하여 사법의 사적 자치를 누리지 못하고 공법적인 구속을 받는다는 점에 특색이 있다.

2. 필요성

행정주체는 행정작용을 함에 있어서 그 목적달성을 위한 방식은 공법의 형식과 사법의 형식 중 어느 방식으로 할 것인가에 관하여 선택할 수 있는 재량권을 갖는다. 이러한 선택의 자유로움으로 인하여 행정주체는 공법의 형식으로 하는 경우에 받게 될 여러 가지 제한을 벗어나기 위하여 고의로 사법으로의 도피할 우려가 있는바 이러한 사법형식의 행정작용에 대한 통제가 문제되어 등장한 것이 행정사법이론이다.

3. 성립 배경

(1) 플라이너(F. Fleiner)

본래 공행정 형식으로 해야 할 것을 사법이란 형식의 두루마기를 걸치는 것과 같은 행정의 사법으로의 도피에 대하여 일정한 공법적 규율을 받도록 할 필요가 있다.

(2) 옐리네크(W. Jellinek)

군인이 자기활동의 자유를 더 얻기 위하여 군복 아닌 사복으로 갈아입고 외출하고 자 하는 이유에 비유하고, 이러한 사법형식의 행정활동을 적절한 공법적 통제하에 둘 필요가 있다.

2 행정사법의 구체적 분야

일반적으로 급부행정이나 유도행정작용과 같이 행정주체에게 당해 작용수행의 법적 형식에 대한 선택가능성이 있는 경우 행정사법이 적용된다.

1. 급부행정분야

(1) 공급행정

교통, 운수, 전기, 수도, 가스

(2) 생활배려행정

폐수 · 오물 · 쓰레기 · 폐기물 처리

(3) 자금지원에 의한 경제지도

물자조달, 공사도급계약, 근로자고용계약 광산 · 은행경영, 주식시장 참가 등은 행정 사법이 아니라 협의의 국고행정에 속하며, 이에 대해서는 전적으로 사법규정의 적 용을 받는다(예 투자 · 융자, 보조금, 지불보증 등).

2. 유도행정분야

토지대책, 경기대책, 수출진흥, 고용대책 등

3. 경찰 · 조세행정분야

행정사법은 행정주체에게 선택가능성이 있는 경우에 인정되므로 행정주체에게 선택가 능성이 없는 경찰 · 조세행정영역에서는 인정되지 않는다.

3 관리관계와 행정사법과의 관계 – 학설

1. 구별긍정설

관리관계는 공법관계임에 반하여, 행정사법은 사법관계라는 점에서 양자는 구별되어야 한다는 입장이다.

2. 구별부정설

양자가 명확하게 구별될 수 없다는 점을 근거로 한다. 부정설 중에는 관리관계를 모두 행정사법으로 대체시켜야 한다는 견해와 모두 관리관계로 파악하는 견해가 있다.

4 행정사법의 특색

1. 공법적 규율

행정사법영역에서는 사적 자치를 완전히 누리지 못하고 일정한 공법적 규율을 받으며, 헌법원칙에 의한 평등원칙 · 비례원칙 · 신뢰보호원칙 · 재산권 보장 등과 같은 제한을 받는다.

2. 사법적 규율의 수정 · 제한

공법적 기속으로 인하여 사법과는 달리 계약강제 · 해약제한 · 계속적 경영의무 · 계약내용의 법정 등 공법적 제한을 받는다. 예컨대, 무능력자의 행위를 능력자로 취급하거나 (예 우편법), 공기업 이용관계에서의 계약강제 등을 들 수 있다.

5 행정사법과 행정구제

1. 분쟁 해결 방식

행정사법에 대한 분쟁에 대해서는 사법작용이 공법규정에 의한 제한을 받는다고 하여 공법작용으로 전환되는 것은 아니므로 그에 관한 법적 분쟁은 특별한 규정이 없는 한 민사소송에 의하여야 한다는 것이 다수설이다.

2. 협의의 국고작용(구별개념)

(1) 의의

국고작용이란 행정주체가 사경제주체로서 일반사인과 같은 지위에서 사법적 행위를 하는 작용을 말한다. 이는 직접적으로 공행정작용을 수행하는 것이 아니라는 점에서 행정사법과 구별된다.

> **⚖ 관련판례**
>
> 지방재정법에 의하여 준용되는 '국가를 당사자로 하는 계약에 관한 법률'에 따라 지방자치단체가 당사자가 되는 이른바 공공계약은 사경제의 주체로서 상대방과 대등한 위치에서 체결하는 사법상의 계약으로서 그 본질적인 내용은 사인간의 계약과 다를 바가 없으므로, 그에 관한 법령에 특별한 정함이 있는 경우를 제외하고는 사적 자치와 계약자유의 원칙 등 사법의 원리가 그대로 적용된다(대결 2006.6.19. 2006마1170).

(2) 국가를 당사자로 하는 계약에 관한 법률

사법형식으로 행정상 활동을 하는 경우 국가를 당사자로 하는 계약에 관한 법률(국가계약법)이 적용되기도 한다. 국가계약법에 따르면 계약은 상호 대등한 입장에서 당사자의 합의에 따라 체결되어야 하며, 당사자는 계약의 내용을 신의성실의 원칙에 따라 이를 이행하여야 한다.

학습 점검 문제

01 행정입법의 사법적 통제에 대한 내용으로 옳지 않은 것은? (다툼이 있는 경우 판례에 의함)

① 명령·규칙이 헌법이나 법률에 위반되는지 여부가 법원의 재판의 전제가 되는 경우에는 본안심리에 부수하는 구체적 규범통제의 형식으로 심사하며, 이때의 심사기준에는 형식적 의미의 헌법과 법률뿐만 아니라 국회의 동의를 받은 조약이나 대통령의 긴급명령도 포함된다.

② 행정소송에서 대법원이 명령·규칙이 위헌 또는 위법이라는 이유로 무효로 선언하고 이 판결이 관보에 게재되었다 하더라도 그 명령·규칙이 일반적으로 무효로 되는 것은 아니다.

③ 법령보충적 행정규칙뿐만 아니라 재량권 행사의 준칙인 행정규칙이 행정의 자기구속원리에 따라 대외적 구속력을 가지는 경우에는 헌법소원의 대상이 될 수 있다.

④ 행정기관에 행정입법 제정의 법적 의무가 있는 경우에 그 제정의 부작위는 공권력의 불행사에 해당하므로 행정소송법상 부작위위법확인소송의 대상이 된다.

02 행정입법에 대한 판례의 입장으로 옳지 않은 것은?

① 행정입법부작위의 위헌·위법성과 관련하여, 하위 행정입법의 제정 없이 상위 법령의 규정만으로 집행이 이루어질 수 있는 경우에도 상위 법령의 명시적 위임이 있다면 하위 행정입법을 제정하여야 할 작위의무는 인정된다.

② 법령의 위임관계는 반드시 하위 법령의 개별조항에서 위임의 근거가 되는 상위 법령의 해당 조항을 구체적으로 명시하고 있어야 하는 것은 아니다.

③ 입법부가 법률로써 행정부에게 특정한 사항을 위임했음에도 불구하고 행정부가 정당한 이유 없이 이를 이행하지 않는다면 권력분립의 원칙과 법치국가 내지 법치행정의 원칙에 위배된다.

④ 상위 법령에서 세부사항 등을 시행규칙으로 정하도록 위임하였으나 이를 고시 등 행정규칙으로 정한 경우에는 대외적구속력을 가지는 법규명령으로서의 효력을 인정할 수 없다.

정답 및 해설

01 행정소송은 구체적 사건에 대한 법률상 분쟁을 법에 의하여 해결함으로써 법적 안정을 기하자는 것이므로 부작위위법확인소송의 대상이 될 수 있는 것은 구체적 권리의무에 관한 분쟁이어야 하고 추상적인 법령에 관하여 제정의 여부 등은 그 자체로서 국민의 구체적인 권리의무에 직접적 변동을 초래하는 것이 아니어서 그 소송의 대상이 될 수 없다(대판 1992.5.8. 91누11261). 그러나 행정입법부작위는 헌법 제68조 제1항상의 공권력의 불행사에 해당되고 대법원 판례에 의하면 행정소송의 대상이 되지 아니하므로 보충성의 예외에 해당되어 이를 대상으로 헌법소원을 제기하는 것은 가능하다.

02 삼권분립의 원칙, 법치행정의 원칙을 당연한 전제로 하고 있는 우리 헌법 하에서 행정권의 행정입법 등 법집행의무는 헌법적 의무라고 보아야 할 것이다. 그런데 이는 행정입법의 제정이 법률의 집행에 필수불가결한 경우로서 행정입법을 제정하지 아니하는 것이 곧 행정권에 의한 입법권 침해의 결과를 초래하는 경우를 말하는 것이므로, 만일 하위 행정입법의 제정 없이 상위 법령의 규정만으로도 집행이 이루어질 수 있는 경우라면 하위 행정입법을 하여야 할 헌법적 작위의무는 인정되지 아니한다(헌재 2005.12.22. 2004헌마66).

정답 **01** ④ **02** ①

03 재량행위와 사법심사에 대한 내용으로 옳은 것은? (다툼이 있는 경우 판례에 의함)

① 재량행위에 대한 사법심사는 법원이 사실인정과 관련법규의 해석·적용을 통하여 일정한 결론을 도출한 후 그 결론에 비추어 행정청이 한 판단의 적법여부를 독자적인 입장에서 판정하는 방식에 의한다.

② 육아휴직 중 국가공무원법 제73조 제2항에서 정한 복직요건인 '휴직사유가 없어진 때'에 하는 복직명령은 재량행위이므로 휴직사유가 소멸하였음을 이유로 복직을 신청하는 경우 임용권자는 복직명령을 할 수 있다.

③ 여객자동차운수사업법에 의한 개인택시운송사업면허는 특정인에게 특정한 권리나 이익을 부여하는 행위로서 법령에 특별한 규정이 없는 한 재량행위이지만, 그 면허를 위하여 필요한 기준을 정하는 것은 행정청의 재량이 아니다.

④ 학생에 대한 징계권의 발동이나 징계의 양정(量定)이 징계권자의 교육적 재량에 맡겨져 있다 할지라도 법원이 심리한 결과 그 징계처분에 위법한 사유가 있다고 판단되는 경우에는 이를 취소할 수 있다.

04 허가, 특허 및 인가에 대한 판례의 입장으로 옳지 않은 것은?

① 건축허가권자는 건축허가신청이 건축법 등 관계 법령에서 정하는 제한에 배치되지 않는 이상 건축허가를 하여야 하고, 중대한 공익상의 필요가 없음에도 불구하고 관계 법령에서 정하는 제한사유 이외의 사유를 들어서 요건을 갖춘 자에 대한 허가를 거부할 수는 없다.

② 개발제한구역 내의 건축물의 용도변경허가는 공공의 질서를 위하여 잠정적으로 금지하고, 법상의 요건을 갖춘 경우에 그 금지를 해제하여 본래의 자유를 회복시켜 주는 행위로 기속행위이다.

③ 도로법상 도로점용허가는 특정인에게 일정한 내용의 공물사용권을 설정하는 설권행위로서 공물관리자가 신청인의 적격성, 사용목적 및 공익상의 영향 등을 참작하여 허가를 할 것인지의 여부를 결정하는 재량행위이다.

④ 기본행위에 하자가 있는 경우 기본행위의 하자를 이유로 인가처분의 취소 또는 무효를 구할 법률상의 이익이 없다.

05 인가에 대한 내용으로 옳지 않은 것은? (다툼이 있는 경우 판례에 의함)

① 기본행위가 적법·유효하고 보충행위인 인가처분 자체에만 하자가 있다면 그 인가처분의 무효나 취소를 주장할 수 있다고 할 것이지만, 인가처분에 하자가 없다면 기본행위에 하자가 있다 하더라도 따로 그 기본행위의 하자를 다투는 것은 별론으로 하고 기본행위의 무효를 내세워 바로 그에 대한 인가처분의 취소 또는 무효확인을 구할 수 없다.

② 도시 및 주거환경정비법상 관리처분계획에 대한 행정청의 인가는 관리처분계획의 법률상 효력을 완성시키는 보충행위로서의 성질을 갖는다.

③ 도시 및 주거환경정비법 등 관련 법령에 근거하여 행하는 주택재건축사업조합 설립인가처분은 사인들의 조합설립행위에 대한 보충행위로서의 성질을 갖는 것에 그칠 뿐, 행정주체로서의 지위를 부여하는 설권적 처분의 성격을 갖는 것은 아니다.

④ 관할관청이 개인택시운송사업의 양도·양수에 대한 인가를 하였을 경우 거기에는 양도인과 양수인 간의 양도행위를 보충하여 그 법률효과를 완성시키는 의미에서의 인가처분뿐만 아니라 양수인에 대해 양도인이 가지고 있던 면허와 동일한 내용의 면허를 부여하는 처분이 포함되어 있다.

06 행정작용과 그 성격을 연결한 것으로 옳지 않은 것을 모두 고르면?

> ㄱ. 특허출원의 공고 – 확인
>
> ㄴ. 운전면허 – 허가
>
> ㄷ. 국가시험합격자 결정 – 통지
>
> ㄹ. 한의사 면허 – 특허
>
> ㅁ. 선거 당선인 결정 – 확인

① ㄱ, ㄴ, ㄹ
② ㄱ, ㄷ, ㄹ
③ ㄱ, ㄷ, ㅁ
④ ㄷ, ㄹ, ㅁ

정답 및 해설

03 학생에 대한 징계권의 발동이나 징계의 양정이 징계권자의 교육적 재량에 맡겨져 있다 할지라도 법원이 심리한 결과 그 징계처분에 위법사유가 있다고 판단되는 경우에는 이를 취소할 수 있는 것이고, 징계처분이 교육적 재량행위라는 이유만으로 사법심사의 대상에서 당연히 제외되는 것은 아니다(대판 1991.11.22. 91누2144).

| 선지분석 |
① 재량행위의 경우 행정청의 재량에 기한 공익판단의 여지를 감안하여 법원은 독자의 결론을 도출함이 없이 당해 행위에 재량권의 일탈·남용이 있는지 여부만을 심사하게 되고, 이러한 재량권의 일탈·남용 여부에 대한 심사는 사실오인, 비례·평등의 원칙 위배, 당해 행위의 목적 위반이나 동기의 부정 유무 등을 그 판단 대상으로 한다(대판 2001.2.9. 98두17593).

② 국가공무원법 제73조 제2항의 문언에 비추어 복직명령은 기속행위이므로 휴직사유가 소멸하였음을 이유로 신청하는 경우 임용권자는 지체 없이 복직명령을 하여야 한다(대판 2014.6.12. 2012두4852).

③ 여객자동차 운수사업법에 의한 개인택시 운송사업의 면허는 특정인에게 권리나 이익을 부여하는 행정청의 재량행위이고 위 법과 그 시행규칙의 범위 내에서 면허를 위하여 필요한 기준을 정하는 것 역시 행정청의 재량에 속하는 것이므로, 그 설정된 기준이 객관적으로 합리적이 아니라거나 타당하지 않다고 볼 만한 다른 특별한 사정이 없는 이상 행정청의 의사는 가능한 한 존중되어야 하는바, 행정청이 개인택시운송사업의 면허를 함에 있어 택시 운전경력이 버스 등 다른 차종의 운전경력보다 개인택시의 운전업무에 더 유용할 수 있다는 점 등을 고려하여 택시의 운전경력을 다소 우대하는 것이 객관적으로 합리적이 아니라거나 타당하지 않다고 볼 수 없고, 또한 해당 지역에서 일정기간 거주하여야 한다는 요건 이외에 해당 지역 운수업체에서 일정기간 근무한 경력이 있는 경우에만 개인택시운송사업면허에서 우선권을 부여한다는 개인택시 면허사무처리지침은 개인택시 면허제도의 성격, 운송사업의 공익성, 지역에서의 장기간 근속을 장려할 필요성, 기준의 명확성 요청 등의 제반 사정에 비추어 합리적인 제한이라고 볼 것이다(대판 2007.6.1. 2006두17987).

04 도시의 무질서한 확산을 방지하고 도시주변의 자연환경을 보전하여 도시민의 건전한 생활환경을 확보하기 위하여 지정되는 개발제한구역 내에서는 구역 지정의 목적상 건축물의 건축이나 그 용도변경은 원칙적으로 금지되고, 다만 구체적인 경우에 위와 같은 구역 지정의 목적에 위배되지 아니할 경우 예외적으로 허가에 의하여 그러한 행위를 할 수 있게 되어 있음이 위와 같은 관련 규정의 체재와 문언상 분명한 한편, 이러한 건축물의 용도변경에 대한 예외적인 허가는 그 상대방에게 수익적인 것에 틀림이 없으므로, 이는 그 법률적 성질이 재량행위 내지 자유재량행위에 속하는 것이라고 할 것이고, 따라서 그 위법 여부에 대한 심사는 재량권 일탈·남용의 유무를 그 대상으로 한다(대판 2001.2.9. 98두17593).

05 행정청이 도시 및 주거환경정비법 등 관련 법령에 근거하여 행하는 조합설립인가처분은 단순히 사인들의 조합설립행위에 대한 보충행위로서의 성질을 갖는 것에 그치는 것이 아니라 법령상 요건을 갖출 경우 도시 및 주거환경정비법상 주택재건축사업을 시행할 수 있는 권한을 갖는 행정주체(공법인)로서의 지위를 부여하는 일종의 설권적 처분의 성격을 갖는다고 보아야 한다(대판 2009.9.24. 2008다60568).

06 옳지 않은 것은 ㄱ, ㄷ, ㄹ이다.
ㄱ. 특허출원의 공고 – 통지
ㄷ. 국가시험합격자 결정 – 확인
ㄹ. 한의사 면허 – 허가

07 행정입법에 대한 내용으로 옳지 않은 것은? (다툼이 있는 경우 판례에 의함)

① 법령의 규정이 특정 행정기관에게 법령 내용의 구체적 사항을 정할 수 있는 권한을 부여하면서 권한행사의 절차나 방법을 특정하지 아니하였다면, 수임 행정기관은 행정규칙이나 규정 형식으로 법령 내용이 될 사항을 구체적으로 정할 수 없다.

② 법률의 시행령이나 시행규칙의 내용이 모법의 입법 취지와 관련 조항 전체를 유기적·체계적으로 살펴보아 모법의 해석상 가능한 것을 명시한 것에 지나지 아니하거나 모법 조항의 취지에 근거하여 이를 구체화하기 위한 것인 때에는, 모법에 이에 관하여 직접 위임하는 규정을 두지 아니하였다고 하더라도 이를 무효라고 볼 수는 없다.

③ 입법부가 법률로써 행정부에게 특정한 사항을 위임했음에도 불구하고 행정부가 정당한 이유 없이 이를 이행하지 않는다면 권력분립의 원칙과 법치국가 내지 법치행정의 원칙에 위배된다.

④ 대통령령을 제정하려면 국무회의의 심의와 법제처의 심사를 거쳐야 한다.

08 행정입법에 대한 내용으로 옳은 것은? (다툼이 있는 경우 판례에 의함)

① 위임명령이 위임 내용을 구체화하는 단계를 벗어나 새로운 입법을 한 것으로 평가할 수 있다고 하더라도 이는 위임의 한계를 일탈한 것이 아니다.

② 법령의 위임이 없음에도 법령에 규정된 처분 요건에 해당하는 사항을 부령에서 변경하여 규정한 경우에는 그 부령의 규정은 행정청 내부의 사무처리 기준 등을 정한 것으로서 행정조직 내에서 적용되는 행정명령의 성격을 지닐 뿐이다.

③ 교육에 관한 조례에 대한 항고소송을 제기함에 있어서는 그 의결기관인 시·도 지방의회를 피고로 하여야 한다.

④ 행정소송에 대한 대법원판결에 의하여 총리령이 법률에 위반된다는 것이 확정된 경우에는 대법원은 지체 없이 그 사유를 국무총리에게 통보하여야 한다.

09 행정규칙에 대한 내용으로 가장 옳지 않은 것은?

① 행정규칙이 법령의 규정에 의하여 행정관청에 법령의 구체적 내용을 보충할 권한을 부여한 경우, 평등의 원칙이나 신뢰보호의 원칙에 따라 행정기관은 그 상대방에 대한 관계에서 그 규칙에 따라야 할 자기구속을 당하게 된다.

② 상급행정기관이 하급행정기관에 대하여 업무처리지침이나 법령의 해석적용에 관한 기준을 정하여 발하는 행정규칙은 일반적으로 행정조직 내부에서만 효력을 가질 뿐 대외적인 구속력을 갖는 것은 아니다.

③ 행정규칙도 행정작용의 하나이므로 하자가 있으면 하자의 정도에 따라 무효 또는 취소할 수 있는 행정규칙이 된다.

④ 어떠한 처분의 근거나 법적인 효과가 행정규칙에 규정되어 있다고 하더라도, 그 처분이 행정규칙의 내부적 구속력에 의하여 상대방에게 권리의 설정 또는 의무의 부담을 명하거나 기타 법적인 효과를 발생하게 하는 등 그 상대방의 권리 의무에 직접 영향을 미치는 행위라면, 이는 항고소송의 대상이 되는 행정처분에 해당한다.

10 행정행위에 대한 내용으로 옳지 않은 것은? (다툼이 있는 경우 판례에 의함)

① 기속행위에 대한 사법심사는 법원이 사실인정과 관련 법규의 해석·적용을 통하여 일정한 결론을 도출한 후 그 결론에 비추어 행정청이 한 판단의 적법 여부를 독자의 입장에서 판정하는 방식에 의하게 된다.

② 구 원자력법상 원자로 및 관계 시설의 부지사전승인처분은 그 자체로서 건설부지를 확정하고 사전공사를 허용하는 법률효과를 지닌 독립한 행정처분이다.

③ 귀화허가는 외국인에게 대한민국 국적을 부여함으로써 국민으로서의 법적 지위를 포괄적으로 설정하는 행위에 해당하므로 법무부장관은 귀화신청인이 국적법 소정의 귀화 요건을 모두 갖춘 경우에는 관계 법령에서 정하는 제한사유 외에 공익상의 이유로 귀화허가를 거부할 수 없다.

④ 지적공부 소관청의 지목변경신청 반려행위는 국민의 권리관계에 영향을 미치는 것으로서 항고소송의 대상이 되는 행정처분에 해당한다.

정답 및 해설

07 상급행정기관이 하급행정기관에 대하여 업무처리지침이나 법령의 해석 적용에 관한 기준을 정하여 발하는 이른바 행정규칙은 일반적으로 행정조직 내부에서만 효력을 가질 뿐 대외적인 구속력을 갖지 않지만, 법령의 규정이 특정 행정기관에게 그 법령 내용의 구체적 사항을 정할 수 있는 권한을 부여하면서 그 권한 행사의 절차나 방법을 특정하고 있지 않아 수임 행정기관이 행정규칙의 형식으로 그 법령의 내용이 될 사항을 구체적으로 정하고 있다면, 그와 같은 행정규칙은 위에서 본 행정규칙이 갖는 일반적 효력으로서가 아니라 행정기관에 법령의 구체적 내용을 보충할 권한을 부여한 법령 규정의 효력에 의하여 그 내용을 보충하는 기능을 갖게 되고, 따라서 이와 같은 행정규칙은 당해 법령의 위임 한계를 벗어나지 않는 한 그것들과 결합하여 대외적인 구속력이 있는 법규명령으로서의 효력을 가진다(대판 2008.3.27. 2006두3742).

08 법령에서 행정처분의 요건 중 일부 사항을 부령으로 정할 것을 위임한 데 따라 시행규칙 등 부령에서 이를 정한 경우에 그 부령의 규정은 국민에 대해서도 구속력이 있는 법규명령에 해당한다고 할 것이지만, 법령의 위임이 없음에도 법령에 규정된 처분 요건에 해당하는 사항을 부령에서 변경하여 규정한 경우에는 그 부령의 규정은 행정청 내부의 사무처리 기준 등을 정한 것으로서 행정조직 내에서 적용되는 행정명령의 성격을 지닐 뿐 국민에 대한 대외적 구속력은 없다고 보아야 한다. 따라서 어떤 행정처분이 그와 같이 법규성이 없는 시행규칙 등의 규정에 위배된다고 하더라도 그 이유만으로 처분이 위법하게 되는 것은 아니라 할 것이고, 또 그 규칙 등에서 정한 요건에 부합한다고 하여 반드시 그 처분이 적법한 것이라고 할 수도 없다. 이 경우 처분의 적법 여부는 그러한 규칙 등에서 정한 요건에 합치하는지 여부가 아니라 일반 국민에 대하여 구속력을 가지는 법률 등 법규성이 있는 관계 법령의 규정을 기준으로 판단하여야 한다(대판 2013.9.12. 2011두10584).

| 선지분석 |
① 법률이 특정 사안과 관련하여 시행령에 위임을 한 경우 시행령이 위임의 한계를 준수하고 있는지를 판단할 때는 당해 법률 규정의 입법 목적과 규정 내용, 규정의 체계, 다른 규정과의 관계 등을 종합적으로 살펴야 한다. 법률의 위임 규정 자체가 그 의미 내용을 정확하게 알 수

있는 용어를 사용하여 위임의 한계를 분명히 하고 있는데도 시행령이 그 문언적 의미의 한계를 벗어났다든지, 위임 규정에서 사용하고 있는 용어의 의미를 넘어 그 범위를 확장하거나 축소함으로써 위임 내용을 구체화하는 단계를 벗어나 새로운 입법을 한 것으로 평가할 수 있다면, 이는 위임의 한계를 일탈한 것으로서 허용되지 않는다(대판 2012.12.20. 2011두30878).

③ 시·도의 교육·학예에 관한 사무의 집행기관은 시·도 교육감이고 시·도 교육감에게 지방교육에 관한 조례안의 공포권이 있다고 규정되어 있으므로, 교육에 관한 조례의 무효확인소송을 제기함에 있어서는 그 집행기관인 시·도 교육감을 피고로 하여야 한다(대판 1996.9.20. 95누8003).

④ 행정소송에 대한 대법원판결에 의하여 명령·규칙이 헌법 또는 법률에 위반된다는 것이 확정된 경우에는 대법원은 지체 없이 그 사유를 행정안전부장관에게 통보하여야 한다(행정소송법 제6조).

09 적법요건을 갖추지 못한 행정규칙은 하자 있는 것이 되며, 하자 있는 행정규칙은 하자있는 행정행위와 달리 무효이다. 즉, 행정행위의 경우에는 하자의 효과로서 무효와 취소가 있으나 행정규칙은 무효만 있을 뿐이다.

10 귀화허가는 외국인에게 대한민국 국적을 부여함으로써 국민으로서의 법적 지위를 포괄적으로 설정하는 행위에 해당한다. … 법무부장관은 귀화신청인이 법률이 정하는 귀화요건을 갖추었다고 하더라도 귀화를 허가할 것인지 여부에 관하여 재량권을 가진다(대판 2010.7.15. 2009두19069).

정답 07 ① 08 ② 09 ③ 10 ③

학습 점검 문제 **459**

11 허가에 대한 내용으로 옳지 않은 것은? (다툼이 있는 경우 판례에 의함)

① 인·허가 등 수익적 행정처분을 신청한 여러 사람이 서로 경원관계에 있어서 한 사람에 대한 허가 등 처분이 다른 사람에 대한 불허가 등으로 귀결될 수밖에 없을 때 허가 등 처분을 받지 못한 사람은 신청에 대한 거부처분의 직접 상대방으로서 원칙적으로 자신에 대한 거부처분의 취소를 구할 원고적격이 있고 특별한 사정이 없는 한 자신에 대한 거부처분의 취소를 구할 소의 이익이 있다.

② 공익법인의 기본재산에 대한 감독관청의 처분허가는 그 성질상 특정 상대에 대한 처분행위의 허가가 아니고 처분의 상대가 누구이든 이에 대한 처분행위를 보충하여 유효하게 하는 행위라 할 것이므로 그 처분행위에 따른 권리의 양도가 있는 경우에도 처분이 완전히 끝날 때까지는 허가의 효력이 유효하게 존속한다.

③ 건축허가를 받은 자가 법정 착수기간이 지나 공사에 착수한 경우, 허가권자는 착수기간이 지났음을 이유로 건축허가를 취소하여야 한다.

④ 어업에 관한 허가 또는 신고에 유효기간연장제도가 마련되어있지 않은 경우 그 유효기간이 경과하면 그 허가나 신고의 효력이 당연히 소멸하며, 재차 허가를 받거나 신고를 하더라도 허가나 신고의 기간만 갱신되어 종전의 어업허가나 신고의 효력 또는 성질이 계속된다고 볼 수 없고 새로운 허가 내지 신고로서의 효력이 발생한다고 할 것이다.

12 허가에 대한 내용으로 가장 옳지 않은 것은? (다툼이 있는 경우 판례에 의함)

① 유료직업소개사업의 허가갱신은 허가취득자에게 종전의 지위를 계속 유지시키는 효과를 갖는 것이며 갱신 후에는 갱신 전의 법위반사항을 불문에 붙이는 효과를 발생하는 것이므로, 갱신이 있은 후에는 갱신 전의 법위반 사실을 근거로 허가를 취소할 수 없다.

② 일반적으로 행정처분에 효력기간이 정하여져 있는 경우에는 그 기간의 경과로 그 행정처분의 효력은 상실되고, 다만 허가에 붙은 기한이 그 허가된 사업의 성질상 부당하게 짧은 경우에는 이를 그 허가 자체의 존속기간이 아니라 그 허가조건의 존속기간으로 보아 그 기한이 도래함으로써 그 조건의 개정을 고려한다는 뜻으로 해석할 수는 있지만, 그와 같은 경우라 하더라도 그 허가기간이 연장되기 위하여는 그 종기가 도래하기 전에 그 허가기간의 연장에 관한 신청이 있어야 하며, 만일 그러한 연장신청이 없는 상태에서 허가기간이 만료하였다면 그 허가의 효력은 상실된다.

③ 건축허가권자는 건축허가신청이 건축법 등 관계 법규에서 정하는 어떠한 제한에 배치되지 않는 이상 당연히 같은 법조에서 정하는 건축허가를 하여야 하고, 중대한 공익상의 필요가 없는데도 관계 법령에서 정하는 제한사유 이외의 사유를 들어 요건을 갖춘 자에 대한 허가를 거부할 수는 없다.

④ 산림훼손행위는 국토의 유지와 환경의 보전에 직접적으로 영향을 미치는 행위이므로 법령이 규정하는 산림훼손 금지 또는 제한지역에 해당하는 경우는 물론 금지 또는 제한지역에 해당하지 않더라도 허가관청은 산림훼손허가신청 대상토지의 현상과 위치 및 주위의 상황 등을 고려하여 국토 및 자연의 유지와 환경의 보전 등 중대한 공익상 필요가 있다고 인정될 때에는 허가를 거부할 수 있고, 그 경우 법규에 명문의 근거가 없더라도 거부처분을 할 수 있다.

13 건축허가에 대한 내용으로 옳지 않은 것은? (다툼이 있는 경우 판례에 의함)

① 국토의 계획 및 이용에 관한 법률상 건축물의 건축에 관한 개발행위허가가 의제 되는 건축허가신청이 국토의 계획 및 이용에 관한 법령이 정한 개발행위허가기준에 부합하지 아니하면 건축허가권자는 이를 거부할 수 있다.

② 건축허가청은 건축허가신청이 건축법 등 관계법령에서 정하는 어떠한 제한에 배치되지 않는 이상 당연히 같은 법에서 정하는 건축허가를 하여야 하고, 중대한 공익상의 필요가 없음에도 불구하고 요건을 갖춘 자에 대한 허가를 관계법령에서 정하는 제한사유 이외의 사유를 들어 거부할 수는 없다.

③ 건축허가청은 건축허가신청에 대하여 건축불허가처분을 하는 경우 미리 처분의 제목과 처분하려는 원인이 되는 사실과 처분의 내용 및 법적 근거를 당사자 등에게 통지하여야 한다.

④ 건축허가신청 후 허가기준이 변경된 경우 그 허가청이 허가신청을 수리하고도 정당한 이유 없이 그 처리를 늦추어 그 사이에 허가기준이 변경된 것이 아닌 이상 변경 된 허가기준에 따라서 처분을 하여야 한다.

정답 및 해설

11 구 건축법 제11조 제7항은 건축허가를 받은 자가 허가를 받은 날부터 1년 이내에 공사에 착수하지 아니한 경우에 허가권자는 허가를 취소하여야 한다고 규정하면서도, 정당한 사유가 있다고 인정되면 1년의 범위에서 공사의 착수기간을 연장할 수 있다고 규정하고 있을 뿐이며, 건축허가를 받은 자가 착수기간이 지난 후 공사에 착수하는 것 자체를 금지하고 있지 아니하다. 이러한 법 규정에는 건축허가의 행정목적이 신속하게 달성될 것을 추구하면서도 건축허가를 받은 자의 이익을 함께 보호하려는 취지가 포함되어 있으므로, 건축허가를 받은 자가 건축허가가 취소되기 전에 공사에 착수하였다면 허가권자는 그 착수기간이 지났다고 하더라도 건축허가를 취소하여야 할 특별한 공익상 필요가 인정되지 않는 한 건축허가를 취소할 수 없다. 이는 건축허가를 받은 자가 건축허가가 취소되기 전에 공사에 착수하려 하였으나 허가권자의 위법한 공사중단명령으로 공사에 착수하지 못한 경우에도 마찬가지이다(대판 2017.7.11. 2012두22973).

12 유료직업소개사업의 허가갱신은 허가취득자에게 종전의 지위를 계속 유지시키는 효과를 갖는 것에 불과하고 갱신 후에는 갱신 전의 법위반사항을 불문에 붙이는 효과를 발생하는 것이 아니므로 일단 갱신이 있은 후에도 갱신 전의 법위반사실을 근거로 허가를 취소할 수 있다(대판 1982.7.27. 81누174).

13 행정절차법 제21조 제1항은 행정청은 당사자에게 의무를 과하거나 권익을 제한하는 처분을 하는 경우에는 미리 처분의 제목, 당사자의 성명 또는 명칭과 주소, 처분하고자 하는 원인이 되는 사실과 처분의 내용 및 법적 근거, 그에 대하여 의견을 제출할 수 있다는 뜻과 의견을 제출하지 아니하는 경우의 처리방법, 의견제출기관의 명칭과 주소, 의견제출기한 등을 당사자 등에게 통지하도록 하고 있는바, 신청에 따른 처분이 이루어지지 아니한 경우에는 아직 당사자에게 권익이 부과되지 아니하였으므로 특별한 사정이 없는 한 신청에 대한 거부처분이라고 하더라도 직접 당사자의 권익을 제한하는 것은 아니어서 신청에 대한 거부처분을 여기에서 말하는 '당사자의 권익을 제한하는 처분'에 해당한다고 할 수 없는 것이어서 처분의 사전통지대상이 된다고 할 수 없다(대판 2003.11.28. 2003두674).

정답 11 ③ 12 ① 13 ③

14 행정행위에 대한 내용으로 옳은 것은? (다툼이 있는 경우 판례에 의함)

① 하명의 대상은 불법광고물의 철거와 같은 사실행위에 한정된다.

② 허가의 갱신은 허가취득자에게 종전의 지위를 계속 유지시키는 효과를 갖게 하는 것으로 갱신 후라도 갱신 전 법위반 사실을 근거로 허가를 취소할 수 있다.

③ 인가처분에 하자가 없더라도 기본행위의 하자를 이유로 행정청의 인가처분의 취소 또는 무효확인을 구할 법률 상 이익이 인정된다.

④ 제소기간이 이미 도과하여 불가쟁력이 생긴 행정처분에 대하여는, 관계 법령의 해석상 그 변경을 요구할 신청 권이 인정될 수 있는 경우라 하더라도 국민에게 그 행정처분의 변경을 구할 신청권이 없다.

15 행정행위의 부관에 대한 내용으로 옳지 않은 것은? (다툼이 있는 경우 판례에 의함)

① 도로점용허가의 점용기간을 정함에 있어 위법사유가 있다면 도로점용허가처분 전부가 위법하게 된다.

② 기속행위에 대해서는 법령상 특별한 근거가 없는 한 부관을 붙일 수 없고, 가사 부관을 붙였다고 하더라도 이는 무효이다.

③ 행정처분에 부담인 부관을 붙인 경우, 부관이 무효라면 부담의 이행으로 이루어진 사법상 매매행위도 당연히 무효가 된다.

④ 사정변경으로 당초에 부담을 부가한 목적을 달성할 수 없게 된 경우에도 그 목적달성에 필요한 범위 내에서 예 외적으로 부담의 사후변경이 허용된다.

16 행정행위의 부관에 대한 내용으로 가장 옳은 것은? (다툼이 있는 경우 판례에 의함)

① 공유수면매립준공인가처분 중 매립지 일부에 대하여 한 국가 및 지방자치단체에의 귀속처분은 독립하여 행정 소송의 대상이 될 수 있다.

② 부담부 행정행위에 있어서 처분의 상대방이 부담을 이행하지 아니한 경우에 당해 부담부 행정행위는 당연히 효력을 상실하게 된다.

③ 부담 이외의 부관으로 인하여 권리를 침해당한 자는 부관부 행정행위 전체에 대해 취소소송을 제기하거나, 행 정청에 부관이 없는 행정행위로 변경해 줄 것을 청구한 다음 그것이 거부된 경우 거부처분 취소소송을 제기할 수 있다.

④ 행정청이 수익적 행정처분을 하면서 부가한 부담이 처분 당시 법령을 기준으로는 적법하였지만 처분 후 부담 의 전제가 된 주된 행정처분의 근거법령이 개정됨으로써 행정청이 더 이상 부관을 붙일 수 없게 되었다면 그 부 담은 위법하게 된다.

17 행정행위의 하자에 대한 내용으로 옳지 않은 것은? (다툼이 있는 경우 판례에 의함)

① 구 환경영향평가법상 환경영향평가를 실시하여야 할 사업에 대하여 환경영향평가를 거치지 아니하였음에도 승인 등 처분을 한 경우, 그 처분은 당연무효이다.

② 적법한 권한 위임 없이 세관출장소장에 의하여 행하여진 관세부과처분은 그 하자가 중대하기는 하지만 객관적으로 명백하다고 할 수 없어 당연무효는 아니다.

③ 행정청이 사전에 교통영향평가를 거치지 아니한 채 '건축허가 전까지 교통영향평가 심의필증을 교부받을 것'을 부관으로 붙여서 한 '실시계획변경 승인 및 공사시행변경 인가처분'은 그 하자가 중대하고 객관적으로 명백하여 당연무효이다.

④ 징계처분이 중대하고 명백한 하자 때문에 당연무효의 것이라면 징계처분을 받은 자가 이를 용인하였다 하여 그 하자가 치유되는 것은 아니다.

정답 및 해설

14 유료 직업소개사업의 허가갱신은 허가취득자에게 종전의 지위를 계속 유지시키는 효과를 갖는 것에 불과하고 갱신 후에는 갱신 전의 법위반사항을 불문에 붙이는 효과를 발생하는 것이 아니므로 일단 갱신이 있은 후에도 갱신 전의 법위반사실을 근거로 허가를 취소할 수 있다(대판 1982.7.27. 81누174).

| 선지분석 |

① 하명의 대상은 ㉠ 사실행위(무허가건물 철거)인 경우, ㉡ 법률행위(영업양도금지)인 경우가 있다.

③ 본행위인 관리처분계획이 적법유효하고 보충행위인 인가처분 자체에만 하자가 있다면 그 인가처분의 무효나 취소를 주장할 수 있지만, 인가처분에 하자가 없다면 기본행위에 하자가 있다 하더라도 따로 그 기본행위의 하자를 다투는 것은 별론으로 하고 기본행위의 무효를 내세워 바로 그에 대한 행정청의 인가처분의 취소 또는 무효확인을 소구할 법률상의 이익이 있다고 할 수 없다(대판 1994.10.14. 93누22753).

④ 제소기간이 이미 도과하여 불가쟁력이 생긴 행정처분에 대하여는 개별법규에서 그 변경을 요구할 신청권을 규정하고 있거나 관계 법령의 해석상 그러한 신청권이 인정될 수 있는 등 특별한 사정이 없는 한 국민에게 그 행정처분의 변경을 구할 신청권이 있다 할 수 없다(대판 2007.4.26. 2005두11104).

15 부담인 부관이 무효가 된다고 해서 부담의 이행으로 한 사법상 법률행위도 당연히 무효가 되는 것은 아니다. 행정처분에 부담인 부관을 붙인 경우 부관의 무효화에 의하여 본체인 행정처분 자체의 효력에도 영향이 있게 될 수는 있지만, 그 처분을 받은 사람이 부담의 이행으로 사법상 매매 등의 법률행위를 한 경우에는 그 부관은 특별한 사정이 없는 한 법률행위를 하게 된 동기 내지 연유로 작용하였을 뿐이므로 이는 법률행위의 취소사유가 될 수 있음은 별론으로 하고 그 법률행위 자체를 당연히 무효화하는 것은 아니다(대판 2009.6.25. 2006다18174).

16 판례는 부담이 아닌 기타 부관은 주된 행정행위와 불가분적 요소를 이루고 있기 때문에 독립하여 취소소송의 대상이 될 수 없다는 입장이다. 이 경우 부관부 행정행위 전체에 대해 취소소송을 제기하거나, 행정청에 부관이 없는 행정행위로 변경해 줄 것을 청구한 다음 그것이 거부된 경우 거부처분 취소소송을 제기할 수 있다(대판 1990.4.27. 89누6808).

| 선지분석 |

① 법률효과의 일부배제는 부담이 아닌 부관이므로 독립하여 행정소송의 대상이 될 수 없다(대판 1993.10.8. 93누2032).

② 부담부 행정행위에 있어서 처분의 상대방이 부담을 이행하지 아니한 경우에 당해 부담부 행정행위는 당연히 효력을 상실하게 되는 것은 아니고, 주된 행정행위의 철회사유가 되며 철회를 함으로써 효력이 소멸하게 된다.

④ 행정청이 수익적 행정처분을 하면서 부가한 부담의 위법 여부는 처분 당시 법령을 기준으로 판단하여야 하고, 부담이 처분 당시 법령을 기준으로 적법하다면 처분 후 부담의 전제가 된 주된 행정처분의 근거 법령이 개정됨으로써 행정청이 더 이상 부관을 붙일 수 없게 되었다 하더라도 곧바로 위법하게 되거나 그 효력이 소멸하게 되는 것은 아니다(대판 2009.2.12. 2005다65500).

17 교통영향평가는 환경영향평가와 그 취지 및 내용, 대상사업의 범위, 사전 주민의견수렴절차 생략 여부 등에 차이가 있고 그 후 교통영향평가가 교통영향분석·개선대책으로 대체된 점, 행정청은 교통영향평가를 배제한 것이 아니라 '건축허가 전까지 교통영향평가 심의필증을 교부받을 것'을 부관으로 하여 실시계획변경 및 공사시행변경 인가처분을 한 점 등에 비추어, 행정청이 사전에 교통영향평가를 거치지 아니한 채 위와 같은 부관을 붙여서 한 위 처분에 중대하고 명백한 흠이 있다고 할 수 없으므로 이를 무효로 보기는 어렵다(대판 2010.2.25. 2009두102).

정답 14 ② 15 ③ 16 ③ 17 ③

18 위헌·위법인 법령에 근거한 행정처분의 효력에 대한 내용으로 옳은 것은? (다툼이 있는 경우 판례에 의함)

① 행정처분 이후에 처분의 근거법령에 대하여 헌법재판소 또는 대법원이 위헌 또는 위법하다는 결정을 하게 되면, 당해 처분은 법적 근거가 없는 처분으로 하자 있는 처분이고 그 하자는 중대한 것으로 당연 무효이다.

② 헌법재판소의 위헌결정의 효력은 위헌제청을 한 당해 사건은 물론 위헌제청신청은 아니하였지만 당해 법률 또는 법률의 조항이 재판의 전제가 되어 법원에 계속 중인 사건에도 미친다.

③ 처분이 있은 후에 근거법률이 위헌으로 결정된 경우, 그 법률을 적용한 공무원에게 고의 또는 과실이 있었다고 단정할 수 있다.

④ 조세 부과의 근거가 되었던 법률규정이 위헌으로 선언된 이후, 조세채권의 집행을 위한 새로운 체납 처분에 착수하거나 이를 속행하더라도 위법하지 않다.

19 행정행위의 하자와 행정소송 상호간의 관계에 대한 내용으로 옳은 것을 모두 고른 것은? (다툼이 있는 경우 판례에 의함)

> ㄱ. 취소사유 있는 영업정지처분에 대한 취소소송의 제소기간이 도과한 경우 처분의 상대방은 국가배상청구소송을 제기하여 재산상 손해의 배상을 구할 수 있다.
> ㄴ. 취소사유 있는 과세처분에 의하여 세금을 납부한 자는 과세처분취소소송을 제기하지 않은 채 곧바로 부당이득반환청구소송을 제기하더라도 납부한 금액을 반환받을 수 있다.
> ㄷ. 파면처분을 당한 공무원은 그 처분에 취소사유인 하자가 존재하는 경우 파면처분취소소송을 제기하여야 하고 곧바로 공무원지위확인소송을 제기할 수 없다.
> ㄹ. 무효인 과세처분에 의하여 세금을 납부한 자는 납부한 금액을 반환받기 위하여 부당이득반환청구소송을 제기하지 않고 곧바로 과세처분무효확인소송을 제기할 수 있다.

① ㄱ, ㄴ   ② ㄷ, ㄹ

③ ㄱ, ㄷ, ㄹ   ④ ㄴ, ㄷ, ㄹ

20 행정행위의 효력에 대한 내용으로 옳지 않은 것은? (다툼이 있는 경우 판례에 의함)

① 과·오납세금반환청구소송에서 민사법원은 그 선결문제로서 과세처분의 무효 여부를 판단할 수 있다.

② 행정처분이 위법임을 이유로 국가배상을 청구하기 위한 전제로서 그 처분이 취소되어야만 하는 것은 아니다.

③ 영업허가취소처분이 청문절차를 거치지 않았다 하여 행정심판에서 취소되었더라도 그 허가취소처분 이후 취소재결시까지 영업했던 행위는 무허가영업에 해당한다.

④ 건물 소유자에게 소방시설 불량사항을 시정·보완하라는 명령을 구두로 고지한 것은 행정절차법에 위반한 것으로 하자가 중대·명백하여 당연 무효이다.

정답 및 해설

18 헌법재판소의 위헌결정의 효력은 위헌제청을 한 당해 사건, 위헌결정이 있기 전에 이와 동종의 위헌 여부에 관하여 헌법재판소에 위헌여부심판제청을 하였거나 법원에 위헌여부심판제청신청을 한 경우의 당해 사건과 따로 위헌제청신청은 아니하였지만 당해 법률 또는 법률의 조항이 재판의 전제가 되어 법원에 계속 중인 사건뿐만 아니라 위헌결정 이후에 위와 같은 이유로 제소된 일반사건에도 미친다(대판 1993.1.15. 92다12377 ; 대판 2003.7.24. 2001다48781).

| 선지분석 |

① 법률에 근거하여 행정처분이 발하여진 후에 헌법재판소에 의해 그 법률이 위헌으로 되었다면 결과적으로 그 행정처분은 법률의 근거가 없이 행하여진 것과 마찬가지가 되어 하자가 있는 것이 되나, 그 하자가 중대하기는 하나 헌법재판소의 위헌결정이 있기 전에는 객관적으로 명백한 것이라고 할 수는 없으므로, 헌법재판소의 위헌결정 전에 행정처분의 근거가 되는 당해 법률이 헌법에 위반된다는 사유는 특별한 사정이 없는 한, 그 행정처분의 취소소송의 전제가 될 수 있을 뿐 당연무효사유는 아니라고 봄이 상당하다(대판 2000.6.9. 2000다16329).

③ 법령에 근거하여 처분이 행하여진 후 근거법령이 위헌으로 판명된다면 위헌인 법령에 근거하여 행해진 당해 처분으로 발생한 손해에 대하여 국가 등의 배상책임이 인정될 수 있는가와 관련하여 공무원의 고의·과실이 인정될 수 있는가가 문제된다. 공무원에게 법률의 위헌 여부를 심사할 권한이 없기 때문에 당해 처분이 결과적으로 위법한 처분이 되더라도, 그에 이르는 과정에 있어 공무원의 과실은 인정될 수 없다고 보는 것이 통설이다.

④ 위헌법률에 기한 행정처분의 집행이나 집행력을 유지하기 위한 행위는 위헌결정의 기속력에 위반되어 허용되지 않는다고 보아야 할 것인데, 그 규정 이외에는 체납부담금을 강제로 징수할 수 있는 다른 법률적 근거가 없으므로, 그 위헌결정 이전에 이미 부담금 부과처분과 압류처분 및 이에 기한 압류등기가 이루어지고 위의 각 처분이 확정되었다고 하여도, 위헌결정 이후에는 별도의 행정처분인 매각처분, 분배처분 등 후속 체납처분절차를 진행할 수 없는 것은 물론이고, 특별한 사정이 없는 한 기존의 압류등기나 교부청구만으로는 다른 사람에 의하여 개시된 경매절차에서 배당을 받을 수도 없다(대판 2002.8.23. 2001두2959).

19 옳은 것은 ㄱ, ㄷ, ㄹ이다.

ㄱ. 대법원은 "처분이 취소되지 아니하였다 하더라도 국가는 이로 인한 손해를 배상할 책임이 있다"라고 하여 일관되게 민사법원이 선결문제로서 행정행위의 위법성 여부를 판단할 수 있다고 한다(대판 1979.4.11. 79다262). 따라서 취소사유 있는 영업정지처분에 대한 취소소송의 제소기간이 도과한 경우에도 처분의 상대방은 민사법원에 국가배상청구소송을 제기하여 재산상 손해의 배상을 구할 수 있다.

ㄷ. 파면처분을 당한 공무원은 그 처분에 취소사유인 하자가 존재하는 경우에는 공정력 때문에 파면처분이 유효하다고 통용된다. 따라서 파면처분 취소소송을 제기하여야 하지, 공무원신분을 전제로 한 당사자소송으로 공무원지위확인소송을 제기할 수는 없다. 다만 공무원파면처분이 무효인 경우라면 공무원지위확인소송을 제기할 수 있다.

ㄹ. 무효인 과세처분은 공정력이 인정되지 않기 때문에 곧바로 민사법원에 부당이득반환청구소송을 제기할 수도 있다. 또한 무효등확인소송은 보충성이 요구되지 않기 때문에 직접적인 구제방법인 부당이득반환소송을 제기하지 않고도 곧바로 행정법원에 과세처분무효확인소송을 제기할 수 있다.

| 선지분석 |

ㄴ. 행정처분이 아무리 위법하다고 하여도 그 하자가 중대하고 명백하여 당연무효라고 보아야 할 사유가 있는 경우를 제외하고는 아무도 그 하자를 이유로 무단히 그 효과를 부정하지 못하는 것으로, 이러한 행정행위의 공정력은 판결의 기판력과 같은 효력은 아니지만 그 공정력의 객관적 범위에 속하는 행정행위의 하자가 취소사유에 불과한 때에는 그 처분이 취소되지 않는 한 처분의 효력을 부정하여 그로 인한 이득을 법률상 원인 없는 이득이라고 말할 수 없는 것이다(대판 1994.11.11. 94다28000).

20 영업의 금지를 명한 영업허가취소처분 자체가 나중에 행정쟁송절차에 의하여 취소되었다면 그 영업허가취소처분은 그 처분시에 소급하여 효력을 잃게 되며, 그 영업허가취소처분에 복종할 의무가 원래부터 없었음이 확정되었다고 봄이 타당하고, 영업허가취소처분이 장래에 향하여서만 효력을 잃게 된다고 볼 것은 아니므로 그 영업허가취소처분 이후의 영업행위를 무허가영업이라고 볼 수는 없다(대판 1993.6.25. 93도277).

정답 18 ② 19 ③ 20 ③

21 행정행위의 효력에 대한 내용으로 옳지 않은 것은? (다툼이 있는 경우 판례에 의함)

① 민사소송에 있어서 어느 행정처분의 당연무효 여부가 선결문제로 되는 때에는 당해 소송의 수소법원은 이를 판단하여 그 행정처분의 무효확인판결을 할 수 있다.

② 과세처분의 하자가 단지 취소할 수 있는 정도에 불과할 때에는 과세관청이 이를 스스로 취소하거나 행정쟁송 절차에 의하여 취소되지 않는 한 그로 인한 조세의 납부가 부당이득이 된다고 할 수 없다.

③ 구 소방시설 설치·유지 및 안전관리에 관한 법률 제9조에 의한 소방시설 등의 설치 또는 유지·관리에 대한 명령이 행정처분으로서 하자가 있어 무효인 경우에는 명령에 따른 의무위반이 생기지 아니하므로, 명령 위반을 이유로 행정형벌을 부과할 수 없다.

④ 행정처분이 불복기간의 경과로 인하여 확정될 경우, 그 확정력은 처분으로 인하여 법률상 이익을 침해받은 자가 처분의 효력을 더 이상 다툴 수 없다는 의미일 뿐 판결에 있어서와 같은 기판력이 인정되는 것은 아니다.

22 행정행위의 하자에 대한 내용으로 가장 옳지 않은 것은? (다툼이 있는 경우 판례에 의함)

① 적법한 건축물에 대한 철거명령은 그 하자가 중대하고 명백하여 당연무효이고 그 후행행위인 건축물 철거 대집행계고처분 역시 당연무효이다.

② 처분의 하자가 그 내용에 관한 것인 경우, 판례는 소 제기 이후에도 하자의 치유가 가능한 것으로 본다.

③ 법치주의 원칙을 강조할 경우 행정행위의 하자의 치유는 원칙적으로 허용될 수 없지만 예외적으로 행정의 무용한 반복을 피하고 당사자의 법적 안정성을 위해 허용될 수 있다.

④ 행정행위의 하자가 치유되면 당해 행정행위는 처분 당시부터 하자가 없는 적법한 행정행위로 효력을 발생한다.

23 행정계획에 대한 내용으로 옳지 않은 것은? (다툼이 있는 경우 판례에 의함)

① 국토의 계획 및 이용에 관한 법률에 따른 도시기본계획은 일반 국민에 대한 직접적인 구속력은 인정되지 않지만, 도시의 장기적 개발방향과 미래상을 제시하는 도시계획 입안의 지침이 되기에 행정청에 대한 직접적인 구속력은 인정된다.

② 관계법령에 추상적인 행정목표와 절차만이 규정되어 있을 뿐 행정계획의 내용에 관하여 별다른 규정을 두고 있지 아니하는 경우에, 행정주체는 구체적인 행정계획의 입안·결정에 관하여 비교적 광범위한 형성의 자유를 가진다.

③ 비구속적 행정계획안이나 행정지침이라도 국민의 기본권에 직접적으로 영향을 끼치고, 앞으로 법령의 뒷받침에 의하여 그대로 실시될 것이 틀림없을 것으로 예상될 수 있을 때에는, 공권력행위로서 헌법소원의 대상이 될 수 있다.

④ 행정주체가 행정계획을 입안·결정함에 있어서 행정계획에 관련되는 자들의 이익을 공익과 사익 사이에서는 물론이고 공익 상호간과 사익 상호간에도 정당하게 비교교량하여야 한다.

24 공법상 계약에 대한 판례의 입장으로 옳지 않은 것은?

① 계약직공무원 채용계약해지의 의사표시는 일반공무원에 대한 징계처분과는 다르지만, 행정절차법의 처분절차에 의하여 근거와 이유를 제시하여야 한다.

② 구 중소기업 기술혁신 촉진법상 중소기업 정보화지원사업의 일환으로 중소기업기술정보진흥원장이 甲 주식회사와 중소기업 정보화지원사업에 관한 협약을 체결한 후 甲 주식회사의 협약 불이행으로 인해 사업실패가 초래된 경우, 중소기업기술진흥원장이 협약에 따라 甲에 대해 행한 협약의 해지 및 지급받은 정부지원금의 환수통보는 행정처분에 해당하지 않는다.

③ 구 산업집적활성화 및 공장설립에 관한 법률에 따른 산업단지 입주계약의 해지통보는 행정청인 관리권자로부터 관리업무를 위탁받은 한국산업단지공단이 우월적 지위에서 그 상대방에게 일정한 법률상 효과를 발생하게 하는 것으로서 항고소송의 대상이 되는 행정처분에 해당한다.

④ 지방공무원법상 지방전문직공무원 채용계약에서 정한 채용기간이 만료한 경우에는 채용계약의 갱신이나 기간연장 여부는 기본적으로 지방자치단체장의 재량이다.

정답 및 해설

21 민사소송에 있어서 어느 행정처분의 당연무효 여부가 선결문제로 되는 때에는 당해 소송의 수소법원인 민사법원은 행정소송 등의 절차에서 행정처분의 무효나 취소가 없이도 행정처분의 무효여부를 민사법원 스스로 심사하여 판결을 내릴 수 있다. 그러나 행정법원이 아닌 민사법원이 스스로 그 행정처분의 무효확인판결을 할 수는 없다.

22 치유의 대상이 되는 하자는 절차상 하자 및 형식의 하자만이 가능하고 내용상의 하자의 치유는 불가능하다. 판례도 같은 입장이다.
행정행위의 성질이나 법치주의의 관점에서 볼 때 하자있는 행정행위의 치유는 원칙적으로 허용될 수 없을 뿐만 아니라 이를 허용하는 경우에도 국민의 권리와 이익을 침해하지 않는 범위에서 구체적 사정에 따라 합목적적으로 가려야 할 것인 바, 이 사건 처분에 관한 하자가 행정처분의 내용에 관한 것이고 새로운 노선면허가 이 사건 소 제기 이후에 이루어진 사정 등에 비추어 하자의 치유를 인정치 않은 원심의 판단은 정당하고, 거기에 소론이 지적하는 바와 같은 법리오해의 위법이 있다 할 수 없다 (대판 1991.5.28. 90누1359).

23 구 도시계획법 제19조 제1항 및 도시계획시설결정 당시의 지방자치단체의 도시계획조례에서는, 도시계획이 도시기본계획에 부합되어야 한다고 규정하고 있으나, 도시기본계획은 도시의 장기적 개발방향과 미래상을 제시하는 도시계획 입안의 지침이 되는 장기적·종합적인 개발계획으로서 행정청에 대한 직접적인 구속력은 없다(대판 2007.4.12. 2005두1893).

24 계약직공무원 채용계약해지의 의사표시는 일반공무원에 대한 징계처분과는 달라서 항고소송의 대상이 되는 처분 등의 성격을 가진 것으로 인정되지 아니하므로 행정처분과 같이 행정절차법에 의하여 근거와 이유를 제시하여야 하는 것은 아니다(대판 2002.11.26. 2002두5948).

정답 **21** ① **22** ② **23** ① **24** ①

제3편

행정절차와 행정공개

1 서설

1. 광의의 행정절차

광의의 행정절차란 입법절차나 사법절차에 대응되는 개념으로 행정의사의 결정과 집행에 관한 일체의 절차를 의미하며, 여기에는 사전절차인 행정입법절차·행정계획확정절차·행정처분절차와 사후절차인 행정심판절차·행정강제절차·행정상 의무이행확보절차까지 포함한다.

2. 협의의 행정절차

협의의 행정절차란 행정권을 발동하여 행정결정을 함에 앞서 밟아야 할 사전절차로서 행정청의 행정입법·행정계획·행정처분·행정지도절차를 말한다. 따라서 사후적 구제절차는 제외된다.

2 필요성

1. 행정의 민주화

행정과정에 이해관계인을 참여시켜 행정의 투명성을 확보하고 행정운영의 민주적 통제를 기할 수 있다.

2. 행정작용의 적정화

이해관계인을 참여시켜 행정처분에 관한 의견이나 참고자료제출을 인정함으로써 적정성·타당성을 확보하게 되고, 행정작용의 신중성도 확보하게 된다.

3. 행정의 능률화

복잡·다양한 행정작용을 함에 있어서 이에 관한 절차를 표준화하면 행정에 대한 저항·마찰을 감소시켜 행정의 능률화에 기여한다. 그러나 지나친 사전절차는 행정의 능률화와 신속성의 저해요인이 될 수 있다.

4. 행정작용에 대한 사전적 구제

침해된 이후의 사후적 구제제도는 완벽한 회복을 기대하기 어려우므로 사전에 권리침해를 방지하는 사전구제로서 작용한다.

핵심 OX

01 행정절차는 행정의 민주화, 행정의 능률화, 사후적 행정구제 등의 기능을 수행한다.　13. 서울7급 (　)

01 X

1. 행정절차법이 규정하고 있는 원칙 및 절차

규정 있음	처분, 신고, 행정상 입법예고, 행정예고, 행정지도, 신의성실원칙, 신뢰보호원칙, 청문회, 공청회, 국민참여, 확약, 위반사실 등의 공표, 행정계획, 비밀누설금지·목적의 사용금지 등 개인정보보호규정
규정 없음	부당결부금지원칙, 행정행위 하자의 치유와 전환, 제3자효 행정행위에 있어서 제3자 통지제도, 행정조사, 행정자동화결정 등, 공법상 계약, 행정계획의 확정절차

2. 행정절차법의 기본개요

공통사항	• 처분의 방식
	  – 원칙: 문서주의
	  – 예외: 전자문서로 하는 경우(당사자 등의 동의, 전자문서로 처분을 신청한 경우) 공공의 안전 또는 복리를 위하여 긴급히 처분을 할 필요가 있거나 사안이 경미한 경우에는 말, 전화, 휴대전화를 이용한 문자 전송, 팩스 또는 전자우편 등 문서가 아닌 방법으로 처분을 할 수 있다.
	
	• 처분기준의 설정·공표
	  〈예외〉 처분기준을 공표하는 것이 당해 처분의 성질상 현저히 곤란하거나 공공의 안전 또는 복리를 현저히 해하는 것으로 인정될 만한 상당한 이유가 있는 경우에는 이를 공표하지 아니할 수 있음
	
	• 처분의 이유제시
	  〈예외〉
	  – 신청내용을 모두 그대로 인정하는 처분인 경우
	  – 단순·반복적인 처분 또는 경미한 처분으로서 당사자가 그 이유를 명백히 알 수 있는 경우
	  – 긴급을 요하는 경우
	• 처분의 정정
	• 고지

신청에 의한 처분 (수익적 처분)	• 처분의 신청(문서주의원칙)
	  – 원칙: 문서
	  – 예외: 다른 법령 등에 특별한 규정이 있는 경우와 행정청이 미리 다른 방법을 정하여 공시한 경우에는 문서로 하지 않아도 됨. 전자문서로 신청하는 경우에는 행정청의 컴퓨터에 입력된 때에 신청한 것으로 봄
	• 처리기간의 설정·공표

불이익처분	• 처분의 사전통지: 의무부과 또는 권익을 제한하는 처분을 하는 경우
	  〈예외〉
	  – 공공의 안전 또는 복리를 위하여 긴급히 처분을 할 필요가 있는 경우
	  – 법령 등에서 요구된 자격이 없거나 없어지게 되면 반드시 일정한 처분을 하여야 하는 경우에, 그 자격이 없거나 없어지게 된 사실이 법원의 재판 등에 의하여 객관적으로 증명된 때
	  – 당해 처분의 성질상 의견청취가 현저히 곤란하거나 명백히 불필요하다고 인정될 만한 상당한 이유가 있는 경우

- 의견청취(청문, 공청회, 의견제출)

  <예외>
  - 공공의 안전 또는 복리를 위하여 긴급히 처분을 할 필요가 있는 경우(처분의 사전통지의 예외와 공통된 사유)
  - 법령 등에서 요구된 자격이 없거나 없어지게 되면 반드시 일정한 처분을 하여 야 하는 경우에, 그 자격이 없거나 없어지게 된 사실이 법원의 재판 등에 의하 여 객관적으로 증명된 때(처분의 사전통지의 예외와 공통된 사유)
  - 당해 처분의 성질상 의견청취가 현저히 곤란하거나 명백히 불필요하다고 인 정될 만한 상당한 이유가 있는 경우(처분의 사전통지의 예외와 공통된 사유)
  - 당사자가 의견진술의 기회를 포기한다는 뜻을 명백히 표시한 경우

4 행정절차의 하자와 치유

1. 절차상 하자의 의의

법령에 의하여 요구되는 고지·청문·이유부기 등을 결여한 경우 그 행정행위는 절차상 하자 있는 행정행위가 된다. 이 경우 본체의 행정작용에 어떠한 영향을 미치는가가 문 제된다. 절차상 하자에 대해서는 행정절차법에 규정하고 있지 않다.

2. 절차상 하자의 독립적 위법사유 인정 여부

(1) 명문규정이 있는 경우

절차상 하자 있는 행정행위의 효력에 관하여 일반적인 규정을 두고 있는 독일과는 달리 우리나라는 일반적인 규정은 없고, 개별법에서 "소청사건을 심사할 때 소청인 등에게 진술의 기회를 부여하지 아니하고 한 결정은 무효로 한다."(국가공무원법 제13조 제2항, 지방공무원법 제18조 제2항)라는 규정 등을 두고 있을 뿐이다.

(2) 명문규정이 없는 경우

① 학설
- ㉠ **적극설(통설)**: 적법한 절차를 거쳐 다시 처분을 하는 경우 반드시 동일한 결정 에 도달하게 되는 것은 아니며, 절차상 하자는 내용상의 하자와 같이 그 자체 로서 **무효 또는 취소사유**가 된다는 것이다.
- ㉡ **소극설**: 행정청이 적법한 절차를 거쳐 다시 처분을 하여도 여전히 전과 같은 처분을 하여야 하는 경우에는, 단지 절차상의 하자만을 이유로 당해 행위를 취소하는 것은 행정경제 및 소송경제에 반하는 점을 들어, 절차상 하자만으 로는 행정행위를 무효 또는 취소시킬 사유가 될 수 없다는 것이다.

② **판례(적극설)**: 판례는 적극설의 입장에서 재량행위·기속행위의 구분 없이 절차 상의 하자를 모두 **독립된 위법사유**로 보고 있다. 그 위법성의 정도는 청문과 이 유부기의 하자에 관하여는 주로 취소사유로 보고 있다(대판 2001.4.13. 2000두 3337).

1. 절차상 하자가 독립의 위법사유가 되는가: 적극설(통설·판례)

2. 위법성의 정도: 중대명백설에 따라 ⇨ 무효 또는 취소(주로 취소사유)

3. 취소사유인 절차상 하자에 대한 치유 인정 여부: 제한적 긍정설(다수설·판례) ⇨ 제3자의 권익침해가 없고 + 시간상 제한(행정쟁송 제기 전까지)

4. 행정쟁송이 제기된 이상 위법 여부 판단을 받아야 하는데 이 경우 인용판결의 기속력(반복금지효): 절차상의 하자가 보완된 이상 내용이 동일하더라도 동일한 처분이 아니므로 반복금지효에 반하지 않는다(통설·판례).

⚖ 관련판례

1 행정청이 침해적 행정처분을 하면서 당사자에게 행정절차법상의 사전통지를 하거나 의견제출의 기회를 주지 아니한 경우, 그 처분이 위법한 것인지 여부(적극)

행정청이 침해적 행정처분을 하면서 당사자에게 행정절차법상의 사전통지를 하거나 의견제출의 기회를 주지 아니하였다면 사전통지를 하지 않거나 의견제출의 기회를 주지 아니하여도 되는 예외적인 경우에 해당하지 아니하는 한 그 처분은 위법하여 취소를 면할 수 없다. 군인사법령에 의하여 진급예정자명단에 포함된 자에 대하여 의견제출의 기회를 부여하지 아니한 채 진급선발을 취소하는 처분을 한 것이 절차상 하자가 있어 위법하다(대판 2007.9.21. 2006두20631).

2 식품위생법 소정의 청문절차를 전혀 거치지 아니하거나 거쳤다고 하여도 그 절차적 요건을 제대로 준수하지 아니하고 한 영업정지 등의 처분의 적부(소극)

식품위생법 제64조, 같은 법 시행령 제37조 제1항 소정의 청문절차를 전혀 거치지 아니하거나 거쳤다고 하여도 그 절차적 요건을 제대로 준수하지 아니한 경우에는 가사 영업정지사유 등 위 법 제58조 등 소정사유가 인정된다고 하더라도 그 처분은 위법하여 취소를 면할 수 없다(대판 1991.7.9. 91누971).

3. 절차상 하자의 치유

(1) 문제의 소재

절차상 하자 있는 행정행위가 절대적 무효가 아니라면 사후에 이를 보완한 경우에 하자의 치유를 인정할 것인가가 문제된다.

(2) 학설

① **치유긍정설**: 행정능률성 확보를 위해 인정한다.

② **치유부정설**: 행정의 신중성 확보와 자의 배제를 이유로 부정한다.

③ **제한적 긍정설(다수설)**: 국민의 권익을 침해하지 않는 범위 내에서 구체적 사정에 따라 제한적으로 인정한다.

(3) 판례

"하자 있는 행정행위에 있어서 하자의 치유는 행정행위의 성질이나 법치주의의 관점에서 볼 때 원칙적으로는 허용될 수 없으나, 행정행위의 무용한 반복을 피하고 당사자의 법적 안정성을 보호하기 위하여 국민의 권리와 이익을 침해하지 아니하는 범위 내에서 구체적인 사정에 따라 **예외적으로 허용**될 수 있다."라는 입장이다(대판 1998.10.27. 98두4535).❶

1 납세고지의 하자는 납세의무자가 그 나름대로 산출근거를 알고 있다거나 사실상 이를 알고서 쟁송에 이른 경우 치유되는지 여부(소극)

납세고지서에 과세연도, 세목, 세액 및 그 산출근거, 납부기한과 납부장소 등의 명시를 요구한 국세징수법 제9조 등은 강행규정으로 보아야 하고, 따라서 납세고지서에 세액산출근거 등의 기재사항이 누락되었거나 과세표준과 세액의 계산명세서가 첨부되지 않았다면 적법한 납세의 고지라고 볼 수 없으며, <u>위와 같은 납세고지의 하자는 납세의무자가 그 나름대로 산출근거를 알고 있다거나 사실상 이를 알고서 쟁송에 이르렀다 하더라도 치유되지 않는다</u>(대판 2002.11.13. 2001두1543).

2 세무공무원의 조사행위가 실질적으로 납세자 등으로 하여금 질문에 대답하고 검사를 수인하도록 함으로써 납세자의 영업의 자유 등에 영향을 미치는 경우, '현지확인'의 절차에 따른 것이더라도 재조사가 금지되는 '세무조사'에 해당하는지 여부(적극)

국세청 소속 세무공무원이 옥제품 도매업체를 운영하면서 제품을 판매하는 甲이 현금매출 누락 등의 수법으로 세금을 탈루한다는 제보를 받고 먼저 현장조사를 하고 그 결과 甲이 부가가치세에 관한 매출을 누락하였다고 보아 세무조사를 한 후 부가가치세 부과처분을 한 사안에서, 첫 번째 조사가 실질적으로 포괄적 질문조사권을 행사하고 과세자료를 획득하는 것이어서 재조사가 금지되는 '세무조사'이므로, 두 번째 조사는 구 국세기본법 제81조의4 제2항에 따라 금지되는 재조사이어서 그에 기초한 처분이 위법하다(대판 2017.3.16. 2014두8360).

3 음주운전 여부에 대한 조사과정에서 운전자 본인의 동의를 받지 아니하고 법원의 영장도 없이 한 혈액 채취 조사결과를 근거로 한 운전면허 정지·취소 처분이 위법한지 여부(원칙적 적극)

음주운전 여부에 관한 조사방법 중 혈액 채취(이하 '채혈'이라고 한다)는 상대방의 신체에 대한 직접적인 침해를 수반하는 방법으로서, 이에 관하여 도로교통법은 호흡조사와 달리 운전자에게 조사에 응할 의무를 부과하는 규정을 두지 아니할 뿐만 아니라, 측정에 앞서 운전자의 동의를 받도록 규정하고 있으므로(제44조 제3항), 운전자의 동의 없이 임의로 채혈조사를 하는 것은 허용되지 아니한다. 그리고 수사기관이 범죄 증거를 수집할 목적으로 운전자의 동의 없이 혈액을 취득·보관하는 행위는 형사소송법상 '감정에 필요한 처분' 또는 '압수'로서 법원의 감정처분허가장이나 압수영장이 있어야 가능하고, 다만 음주운전 중 교통사고를 야기한 후 운전자가 의식불명 상태에 빠져 있는 등으로 호흡조사에 의한 음주측정이 불가능하고 채혈에 대한 동의를 받을 수도 없으며 법원으로부터 감정처분허가장이나 사전 압수영장을 발부받을 시간적 여유도 없는 긴급한 상황이 발생한 경우에는 수사기관은 예외적인 요건하에 음주운전 범죄의 증거 수집을 위하여 운전자의 동의나 사전 영장 없이 혈액을 채취하여 압수할 수 있으나 이 경우에도 형사소송법에 따라 사후에 지체 없이 법원으로부터 압수영장을 받아야 한다. 따라서 음주운전 여부에 대한 조사과정에서 <u>운전자 본인의 동의를 받지 아니하고 또한 법원의 영장도 없이 채혈조사를 한 결과를 근거로 한 운전면허 정지·취소 처분은</u> 도로교통법 제44조 제3항을 위반한 것으로서 <u>특별한 사정이 없는 한 위법한 처분으로 볼 수밖에 없다</u>(대판 2016.12.27. 2014두46850).

1 청문서 도달기간을 다소 어겼지만 영업자가 이의하지 아니한 채 청문일에 출석하여 의견을 진술하고 변명하는 등 방어의 기회를 충분히 가진 경우 하자의 치유 여부(적극)

행정청이 청문서 도달기간을 다소 어겼다 하더라도, 영업자가 이에 대하여 이의하지 아니한 채 스스로 청문일에 출석하여 그 의견을 진술하고 변명하는 등 방어의 기회를 충분히 가졌다면, 청문서 도달기간을 준수하지 아니한 하자는 치유되었다고 할 것이다(대판 1992.10.23. 92누2844).

2 부과처분 전 부담금예정통지서에 필요적 기재사항이 기재되어 있는 경우, 납부고지서에 기재사항의 일부가 누락되었더라도 그 하자가 치유되는지 여부(적극)

택지초과소유부담금의 납부고지서에 납부금액 및 산출근거, 납부기한과 납부장소 등의 필요적 기재사항의 일부가 누락되었다면 그 부과처분은 위법하다고 할 것이나, 납부의무자에게 교부한 부담금예정통지서에 납부고지서의 필요적 기재사항이 제대로 기재되어 있었다면 납부의무자로서는 부과처분에 대한 불복 여부의 결정 및 불복신청에 전혀 지장을 받지 않았음이 명백하므로, 이로써 납부고지서의 흠결이 보완되거나 하자가 치유될 수 있는 것이다(대판 1997.12.26. 97누9390).

4. 절차상 하자의 치유시기

판례는 적어도 처분에 대한 불복 여부의 결정 및 불복신청에 편의를 줄 수 있는 상당한 기간 내에 보정행위를 하여야 한다고 하여 구체적인 기간을 명시하고 있지는 않으나, 항고소송 계속 중에는 절차상 하자가 치유될 수 없다는 입장이다.

하자 있는 행정행위의 치유시기

행정행위의 성질이나 법치주의의 관점에서 볼 때 하자 있는 행정행위의 치유는 원칙적으로 허용될 수 없는 것일 뿐만 아니라, 이를 허용하는 경우에도 국민의 권리와 이익을 침해하지 않는 범위에서 구체적 사정에 따라 합목적적으로 가려야 한다고 할 것인바 … 이 치유를 허용하려면 적어도 처분에 대한 불복 여부의 결정 및 불복신청에 편의를 줄 수 있는 상당한 기간 내에 하여야 할 것이다(대판 1983.7.26. 82누420).

5. 절차상 하자와 취소판결의 기판력(기속력)

(1) 행정소송에서 절차상 하자를 이유로 취소판결이 난 이후에 행정청이 하자를 보완하여 동일한 처분을 한 경우, 이는 취소판결에 의해 취소된 종전의 처분과는 **별개의 처분**에 해당하므로 기속력에 반하지 않는다는 것이 다수설·판례의 입장이다.

(2) 따라서 절차상 하자를 이유로 처분이 취소된 경우에는 실체적 위법사유로 취소된 경우와 판결의 기판력 면에서 차이를 보일 수 있다.

01 행정청이 식품위생법상의 청문절차를 이행함에 있어 청문서 도달기간을 다소 어겼지만 영업자가 이의하지 아니한 채 청문일에 출석하여 의견을 진술하고 변명하는 등 방어의 기회를 충분히 가졌다면 청문서 도달기간을 준수하지 아니한 하자는 치유되었다고 본다.
20. 국가9급 ( )

02 판례는 절차하자의 치유는 행정쟁송제기 이후에도 가능하다고 본다.
11. 국가7급 ( )

01 ○ **02** X

1 각국의 행정절차 발달과정

1. 영미법계 국가

(1) 영국

① 영국에서는 자연적 정의의 원칙을 기초로 행정절차가 발달하였다.

ㄱ **편견배제의 원칙**: 누구든지 자기가 관계되는 사건에서 심판관이 될 수 없다.

ㄴ **쌍방청문의 원칙**: 누구든지 청문 없이는 불이익을 받아서는 안 된다. 이들의 원칙은 원래 법원에서의 사법절차에 적용되었던 것이었지만, 행정기능의 확대에 따라 행정절차에도 적용되었다.

② 1958년에는 행정심판소 및 심문에 관한 법률의 제정으로 심판소에 심의회가 설치되어 각 심판소가 절차규칙을 제정하는 경우 심의회의 자문을 받도록 하였다.

(2) 미국

① 미국에서는 수정헌법 제5조의 '적법절차(Due Process of Law)'조항을 중심으로 행정절차가 발전하였다. 적법절차에 의한 국민의 권리보장에 있어서 가장 중요한 것은 행정결정과정에서의 사전청문을 받을 권리이다.

② 헌법상의 적법절차조항을 구체화하기 위하여 1946년 행정절차법(APA: Administrative Procedure Act)이 제정되었고 1966년에는 정보자유법이 제정되었다.

2. 대륙법계 국가

대륙법계 국가에서는 행정작용의 적정성을 도모하는 행정절차보다는 행정의 신속·능률성 확보에 중점을 두어 행정절차를 소홀하게 다루었으나, 제2차 세계대전 이후 실질적 법치주의의 채택에 따라 행정작용의 적정화 및 행정에의 국민참여를 확보하기 위하여 행정절차에 관심을 기울이게 되었다.

(1) 독일

독일에서는 1976년 연방행정절차법이 제정되었는데, 이에는 고지·청문 등 절차규정은 물론 행정행위·부관·확약·행정행위의 하자 등 실체법적 규정을 포함하고 있다.

(2) 프랑스

프랑스에서는 국참사원(Conseil d'Etat)에 의한 사후통제 중심으로 행하여지고 있고, 사전절차로서의 행정절차는 상대적으로 관심이 적어 일반법으로서의 행정절차법이 제정되어 있지 않았으나, 최근에서야 몇 가지 중요한 입법조치(1979년 이유부기에 관한 법률)가 이루어졌다.

2 우리나라의 행정절차법

1. 법적 근거

(1) 헌법

우리나라 헌법 제12조 제1항은 형사사건의 적법절차에 관한 규정을 두고 있지만, 이 규정은 행정절차에도 유추적용된다는 것이 다수설과 헌법재판소의 입장이다.

헌법 제12조 ① 모든 국민은 신체의 자유를 가진다. 누구든지 법률에 의하지 아니하고는 체포·구속·압수·수색 또는 심문을 받지 아니하며, 법률과 적법한 절차에 의하지 아니하고는 처벌·보안처분 또는 강제노역을 받지 아니한다.

> **관련판례**
>
> **1** 적법절차의 원칙의 적용범위
> 헌법 제12조 제1항에서 규정하고 있는 적법절차의 원칙은 형사소송절차에 국한되지 아니하고 모든 국가작용 전반에 대하여 적용된다. 세무조사는 국가의 과세권을 실현하기 위한 행정조사의 일종으로서 과세자료의 수집 또는 신고내용의 정확성 검증 등을 위하여 필요불가결하며, 종국적으로는 조세의 탈루를 막고 납세자의 성실한 신고를 담보하는 중요한 기능을 수행한다. 이러한 세무공무원의 세무조사권의 행사에서도 적법절차의 원칙은 마땅히 준수되어야 한다(대판 2014.6.26. 2012두911).
> **2** 헌법 제12조의 적법절차원리는 형사절차상의 영역 외에 입법·행정 등 국가의 모든 공권력의 작용에 적용된다(헌재 1992.12.24. 92헌마78).

(2) 법률

① 1998년부터 시행된 일반법으로서 행정절차법이 있다. 또한 민원사무와 관련된 일반법으로서 민원처리에 관한 법률과 고충처리와 관련된 일반법으로서 부패방지 및 국민권익위원회의 설치와 운영에 관한 법률이 있다.

② 행정절차법이 제정되기 전에도 개별법(예 식품위생법, 공중위생법 등)에서 절차에 관한 규정을 두고 있었다. 그러나 행정절차법의 제정으로 행정절차법은 절차에 관한 일반법적 지위를 갖게 되었다.

③ **법 적용순서**: 행정절차법은 행정절차의 일반법이므로 행정절차법보다 다른 특별법이 있다면 그 법률이 먼저 적용되고 행정절차법은 최후적으로 적용된다(특별법 우선의 원칙).

2. 내용

(1) 개괄

① 행정절차법은 절차법이지만, 신뢰보호의 원칙, 신의성실의 원칙 등 실체적 규정도 포함하고 있다.

② 행정절차법은 처분절차 이외에도 신고, 확약, 위반사실 등의 공표, 행정계획, 행정예고, 행정상 입법예고 및 행정지도절차에 관한 규정을 두고 있다.

③ 다만, 행정절차법은 공법상 계약, 행정조사절차를 규정하고 있지 않다.

(2) 목적(제1조)

행정절차에 관한 공통적인 사항을 규정하여 국민의 행정참여를 도모함으로써 행정의 공정성·투명성·신뢰성을 확보하고 국민의 권익을 보호함을 목적으로 한다.

(3) 적용범위 및 적용제외사항

① **적용대상(제3조 제1항):** 처분, 신고, 확약, 위반사실 등의 공표, 행정계획, 행정상 입법예고, 행정예고 및 행정지도의 절차에 관하여 다른 법률에 특별한 규정이 있는 경우를 제외하고는 행정절차법을 적용한다.

② **제외사항(제3조 제2항):** 다음의 사항은 행정절차법이 적용되지 아니한다.

ㄱ 국회 또는 지방의회의 의결을 거치거나 동의 또는 승인을 얻어 행하는 사항

ㄴ 법원 또는 군사법원의 재판에 의하거나 그 집행으로 행하는 사항

ㄷ 헌법재판소의 심판을 거쳐 행하는 사항

ㄹ 각급 선거관리위원회의 의결을 거쳐 행하는 사항

ㅁ 감사원이 감사위원회의의 결정을 거쳐 행하는 사항

ㅂ 형사·행형 및 보안처분 관계 법령에 의하여 행하는 사항

ㅅ 국가안전보장·국방·외교 또는 통일에 관한 사항 중 행정절차를 거칠 경우 국가의 중대한 이익을 현저히 해할 우려가 있는 사항

ㅇ 심사청구·해양안전심판·조세심판·특허심판·행정심판 기타 불복절차에 따른 사항

ㅈ 병역법에 의한 징집·소집, 외국인의 출입국·난민인정·귀화, 공무원 인사 관계 법령에 의한 징계와 그 밖의 처분 또는 이해조정을 목적으로 법령에 의한 알선·조정·중재·재정 또는 그 밖의 처분 등 당해 행정작용의 성질상 행정절차를 거치기 곤란하거나 거칠 필요가 없다고 인정되는 사항과 행정절차에 준하는 절차를 거친 사항으로서 대통령령으로 정하는 사항

③ **판례:** 한편, 판례는 대통령령으로 정하는 사항 전부가 행정절차법의 적용범위에서 제외되는 것이 아니라 성질상 행정절차를 거치기 곤란하거나 거칠 필요가 없다고 인정되는 사항과 행정절차에 준하는 절차를 거친 사항의 경우에만 행정절차법의 적용이 배제된다는 입장이다.

> ### ⚖ 관련판례
>
> **1** 산업기능요원 편입취소처분이 행정절차법의 적용이 배제되는 사항인 행정절차법에서 규정하는 '병역법에 의한 소집에 관한 사항'에 해당하는지 여부(소극)
>
> 지방병무청장이 병역법 제41조 제1항 제1호, 제40조 제2호의 규정에 따라 산업기능요원에 대하여 한 산업기능요원 편입취소처분은, 행정처분을 할 경우 '처분의 사전통지'와 '의견제출 기회의 부여'를 규정한 행정절차법 제21조 제1항, 제22조 제3항에서 말하는 '당사자의 권익을 제한하는 처분'에 해당하는 한편, 행정절차법의 적용이 배제되는 사항인 행정절차법 제3조 제2항 제9호, 같은 법 시행령 제2조 제1호에서 규정하는 '병역법에 의한 소집에 관한 사항'에는 해당하지 아니하므로, 행정절차법상의 '처분의 사전통지'와 '의견제출 기회의 부여'등의 절차를 거쳐야 한다(대판 2002.9.6. 2002두554).

2 공정거래위원회의 시정조치 및 과징금납부명령에 행정절차법 소정의 의견청취절차 생략사유가 존재하는 경우, 공정거래위원회가 행정절차법을 적용하여 의견청취절차를 생략할 수 있는지 여부(소극)

행정절차법 제3조 제2항, 같은 법 시행령 제2조 제6호에 의하면 <u>공정거래위원회의 의결·결정을 거쳐 행하는 사항에는 행정절차법의 적용이 제외되게 되어 있으므로</u>, 설사 공정거래위원회의 시정조치 및 과징금납부명령에 행정절차법 소정의 의견청취절차 생략사유가 존재한다고 하더라도, 공정거래위원회는 행정절차법을 적용하여 의견청취절차를 생략할 수는 없다(대판 2001.5.8. 2000두10212).

3 군인사법령에 의하여 진급예정자명단에 포함된 자에 대하여 의견제출의 기회를 부여하지 아니한 채 진급선발을 취소하는 처분을 한 것이 절차상 하자가 있어 위법하다고 한 사례

[1] 행정과정에 대한 국민의 참여와 행정의 공정성, 투명성 및 신뢰성을 확보하고 국민의 권익을 보호함을 목적으로 하는 행정절차법의 입법목적과 행정절차법 제3조 제2항 제9호의 규정 내용 등에 비추어 보면, 공무원 인사관계 법령에 의한 처분에 관한 사항 전부에 대하여 행정절차법의 적용이 배제되는 것이 아니라 성질상 행정절차를 거치기 곤란하거나 불필요하다고 인정되는 처분이나 행정절차에 준하는 절차를 거치도록 하고 있는 처분의 경우에만 행정절차법의 적용이 배제된다.

[2] 군인사법령에 의하여 진급예정자명단에 포함된 자에 대하여 의견제출의 기회를 부여하지 아니한 채 진급선발을 취소하는 처분을 한 것이 절차상 하자가 있어 위법하다(대판 2007.9.21. 2006두20631).

> **비교판례**
>
> 구 군인사법상 보직해임처분은 구 행정절차법 제3조 제2항 제9호, 같은 법 시행령 제2조 제3호에 의하여 당해 행정작용의 성질상 행정절차를 거치기 곤란하거나 불필요하다고 인정되는 사항 또는 행정절차에 준하는 절차를 거친 사항에 해당하므로, 처분의 근거와 이유 제시 등에 관한 구 행정절차법의 규정이 별도로 적용되지 아니한다고 봄이 상당하다(대판 2014.10.15. 2012두5756).

4 국가공무원법상 직위해제처분에 처분의 사전통지 및 의견청취 등에 관한 행정절차법 규정이 적용되는지 여부(소극)

국가공무원법상 직위해제처분은 구 행정절차법 제3조 제2항 제9호, 구 행정절차법 시행령 제2조 제3호에 의하여 당해 행정작용의 성질상 행정절차를 거치기 곤란하거나 불필요하다고 인정되는 사항 또는 행정절차에 준하는 절차를 거친 사항에 해당하므로, 처분의 사전통지 및 의견청취 등에 관한 행정절차법의 규정이 별도로 적용되지 않는다(대판 2014.5.16. 2012두26180).

> **비교판례**
>
> 정규공무원으로 임용된 사람에게 시보임용처분 당시 지방공무원법 제31조 제4호에 정한 공무원임용 결격사유가 있어 시보임용처분을 취소하고 그에 따라 정규임용처분을 취소한 사안에서, 정규임용처분을 취소하는 처분은 성질상 행정절차를 거치는 것이 불필요하여 행정절차법의 적용이 배제되는 경우에 해당하지 않으므로, 그 처분을 하면서 사전통지를 하거나 의견제출의 기회를 부여하지 않은 것은 위법하다(대판 2009.1.30. 2008두16155)

5 대통령의 한국방송공사 사장의 해임처분에도 행정절차법이 적용되는지 여부 (적극)

대통령의 한국방송공사 사장의 해임절차에 관하여 방송법이나 관련 법령에도 별도의 규정을 두지 않고 있고, 행정절차법의 입법 목적과 행정절차법 제3조 제2항 제9호와 관련 시행령의 규정 내용 등에 비추어 보면, 이 사건 해임처분이 행정절차법과 그 시행령에서 열거적으로 규정한 예외 사유에 해당한다고 볼 수 없으므로 이 사건 해임처분에도 행정절차법이 적용된다고 할 것이다(대판 2012.2.23. 2011두5001).

6 공무원 인사관계 법령에 의한 처분에 관한 사항에 대하여 행정절차법의 적용이 배제되는 범위 및 그 법리가 별정직 공무원에 대한 직권면직처분에도 적용되는지 여부(적극)

공무원 인사관계 법령에 의한 처분에 관한 사항이라 하더라도 전부에 대하여 행정절차법의 적용이 배제되는 것이 아니라, 성질상 행정절차를 거치기 곤란하거나 불필요하다고 인정되는 처분이나 행정절차에 준하는 절차를 거치도록 하고 있는 처분의 경우에만 행정절차법의 적용이 배제되는 것으로 보아야 하고, 이러한 법리는 '공무원 인사관계 법령에 의한 처분'에 해당하는 별정직 공무원에 대한 직권면직 처분의 경우에도 마찬가지로 적용된다(대판 2013.1.16. 2011두30687).

7 중앙선거관리위의 선거중립의무 준수 요청조치에 행정절차법이 적용되는지 여부(소극)

각급 선거관리위원회의 의결을 거쳐 행하는 사항에 대하여는 원칙적으로 행정절차에 관한 규정이 적용되지 않는바, 이는 권력분립의 원리와 선거관리위원회 의결절차의 합리성을 고려한 것으로 보인다. 또한 선거운동의 특성상 선거법 위반행위인지 여부와 그에 대한 조치는 가능하면 신속하게 결정되어야 할 뿐 아니라, 선거관리위원회법 제14조의2의 조치가 위반행위자에 대하여 종국적 법률효과를 발생시키는 것도 아니므로, 위반행위자에게 의견진술의 기회를 보장하는 것이 반드시 필요하거나 적절하다고 보기는 어렵다. 이와 같이 선거관리의 특성, 이 사건 조치가 규율하는 행위의 성격, 위 조치의 제재효과 및 기본권침해의 정도 등을 종합하여 볼 때, 청구인에게 위 조치 전에 의견진술의 기회를 부여하지 않은 것이 적법절차원칙에 어긋나서 청구인의 기본권을 침해한다고 볼 수 없다(헌재 2008.1.17. 2007헌마700).

8 행정절차법의 적용이 제외되는 '외국인의 출입국에 관한 사항'의 의미 및 '외국인의 출입국에 관한 사항'의 경우 행정절차를 거칠 필요가 당연히 부정되는지 여부(소극)

행정절차법 제3조 제2항 제9호, 행정절차법 시행령 제2조 제2호 등 관련 규정들의 내용을 행정의 공정성, 투명성, 신뢰성을 확보하고 처분상대방의 권익보호를 목적으로 하는 행정절차법의 입법 목적에 비추어 보면, 행정절차법의 적용이 제외되는 '외국인의 출입국에 관한 사항'이란 해당 행정작용의 성질상 행정절차를 거치기 곤란하거나 거칠 필요가 없다고 인정되는 사항이나 행정절차에 준하는 절차를 거친 사항으로서 행정절차법 시행령으로 정하는 사항만을 가리킨다. '외국인의 출입국에 관한 사항'이라고 하여 행정절차를 거칠 필요가 당연히 부정되는 것은 아니다. 외국인의 사증발급 신청에 대한 거부처분은 당사자에게 의무를 부과하거나 적극적으로 권익을 제한하는 처분이 아니므로, 행정절차법 제21조 제1항에서 정한 '처분의 사전통지'와 제22조 제3항에서 정한 '의견제출 기회 부여'의 대상은 아니다. 그러나 사증발급 신청에 대한 거부처분이 성질상 행정절차법 제24조에서 정한 '처분서 작성·교부'를 할 필요가 없거나 곤란하다고 일률적으로 단정하기 어렵다. 또한 출입국관리 법령에 사증발급 거부처분서 작성에 관한 규정을 따로 두고 있지 않으므로, 외국인의 사증발급 신청에 대한 거부처분을 하면서 행정절차법 제24조에 정한 절차를 따르지 않고 '행정절차에 준하는 절차'로 대체할 수도 없다(대판 2019.7.11. 2017두38874).

(4) 행정절차법의 일반원칙

① 신의성실 및 신뢰보호원칙(제4조)

ㄱ. **신의성실의 원칙**: 행정청은 직무를 수행할 때 신의(信義)에 따라 성실히 하여야 한다.

ㄴ. **신뢰보호의 원칙**: 행정청은 법령 등의 해석 또는 행정청의 관행이 일반적으로 국민들에게 받아들여졌을 때에는 공익 또는 제3자의 정당한 이익을 현저히 해칠 우려가 있는 경우를 제외하고는 새로운 해석 또는 관행에 따라 소급하여 불리하게 처리하여서는 아니 된다.

② 투명성원칙(제5조)

ㄱ. 행정청이 행하는 행정작용은 그 내용이 구체적이고 명확하여야 한다.

ㄴ. 행정작용의 근거가 되는 법령 등의 내용이 명확하지 아니한 경우 상대방은 해당 행정청에 그 해석을 요청할 수 있으며, 해당 행정청은 특별한 사유가 없으면 그 요청에 따라야 한다.

ㄷ. 행정청은 상대방에게 행정작용과 관련된 정보를 충분히 제공하여야 한다.

🔨 관련판례

1 납세고지서에 해당 본세의 과세표준과 세액의 산출근거 등이 제대로 기재되지 않은 경우 과세처분의 적법 여부(원칙적 소극) 및 하나의 납세고지서에 의하여 복수의 과세처분을 하는 경우 납세고지서 기재의 방식

구 국세징수법(2011.4.4. 법률 제10527호로 개정되기 전의 것, 이하 '국세징수법'이라 한다)과 개별 세법의 납세고지에 관한 규정들은 헌법상 적법절차의 원칙과 행정절차법의 기본 원리를 과세처분의 영역에도 그대로 받아들여, 과세관청으로 하여금 자의를 배제한 신중하고도 합리적인 과세처분을 하게 함으로써 조세행정의 공정을 기함과 아울러 납세의무자에게 과세처분의 내용을 자세히 알려주어 이에 대한 불복 여부의 결정과 불복신청의 편의를 주려는 데 그 근본취지가 있으므로, 이 규정들은 강행규정으로 보아야 한다. 따라서 납세고지서에 해당 본세의 과세표준과 세액의 산출근거 등이 제대로 기재되지 않았다면 특별한 사정이 없는 한 그 과세처분은 위법하다는 것이 판례의 확립된 견해이다. 판례는 여기에서 한발 더 나아가 설령 부가가치세법과 같이 개별 세법에서 납세고지에 관한 별도의 규정을 두지 않은 경우라 하더라도 해당 본세의 납세고지서에 국세징수법 제9조 제1항이 규정한 것과 같은 세액의 산출근거 등이 기재되어 있지 않다면 그 과세처분은 적법하지 않다고 한다. 말하자면 개별 세법에 납세고지에 관한 별도의 규정이 없더라도 국세징수법이 정한 것과 같은 납세고지의 요건을 갖추지 않으면 안 된다는 것이고, 이는 적법절차의 원칙이 과세처분에도 적용됨에 따른 당연한 귀결이다.

같은 맥락에서, 하나의 납세고지서에 의하여 복수의 과세처분을 함께 하는 경우에는 과세처분별로 그 세액과 산출근거 등을 구분하여 기재함으로써 납세의무자가 각 과세처분의 내용을 알 수 있도록 해야 하는 것 역시 당연하다고 할 것이다(대판 2012.10.18. 2010두12347).

2 하나의 납세고지서로 본세와 가산세를 함께 부과하거나 여러 종류의 가산세를 함께 부과하는 경우 납세고지서 기재의 방식

본세의 부과처분과 가산세의 부과처분은 각 별개의 과세처분인 것처럼, 같은 세목에 관하여 여러 종류의 가산세가 부과되면 그 각 가산세 부과처분도 종류별로 각각 별개의 과세처분이라고 보아야 한다. 따라서 하나의 납세고지서에 의하여 본세와 가산세를 함께 부과할 때에는 납세고지서에 본세와 가산세 각각의 세액과 산출근거 등을 구분하여 기재해야 하는 것이고, 또 여러 종류의 가산세를 함께 부과하는 경우에는 그 가산세 상호간에도 종류별로 세액과 산출근거 등을 구분하여 기재함으로써 납세의무자가 납세고지서 자체로 각 과세처분의 내용을 알 수 있도록 하는 것이 당연한 원칙이다(대판 2012.10.18. 2010두12347).

(5) 당사자 등

① 당사자의 개념(제2조 제4호): '당사자 등'이라 함은 행정청의 처분에 대하여 직접 그 상대가 되는 **당사자와 행정청이 직권 또는 신청에 따라 행정절차에 참여하게 한 이해관계인**을 말한다.

② 당사자의 자격요건(제9조)

> **제9조 【당사자 등의 자격】** 다음 각 호의 어느 하나에 해당하는 자는 행정절차에서 당사자등이 될 수 있다.
> 1. 자연인
> 2. 법인, 법인이 아닌 사단 또는 재단(이하 "법인등"이라 한다)
> 3. 그 밖에 다른 법령 등에 따라 권리·의무의 주체가 될 수 있는 자

③ 당사자의 지위승계(제10조)

> **제10조 【지위의 승계】** ① 당사자 등이 사망하였을 때의 상속인과 다른 법령 등에 따라 당사자 등의 권리 또는 이익을 승계한 자는 당사자 등의 지위를 승계한다.
> ② 당사자 등인 법인 등이 합병하였을 때에는 합병 후 존속하는 법인 등이나 합병 후 새로 설립된 법인 등이 당사자 등의 지위를 승계한다.
> ③ 제1항 및 제2항에 따라 당사자 등의 지위를 승계한 자는 행정청에 그 사실을 통지하여야 한다.
> ④ 처분에 관한 권리 또는 이익을 사실상 양수한 자는 행정청의 승인을 받아 당사자 등의 지위를 승계할 수 있다.
> ⑤ 제3항에 따른 통지가 있을 때까지 사망자 또는 합병 전의 법인 등에 대하여 행정청이 한 통지는 제1항 또는 제2항에 따라 당사자 등의 지위를 승계한 자에게도 효력이 있다.

④ 대표자(제11조)

제11조【대표자】 ① 다수의 당사자 등이 공동으로 행정절차에 관한 행위를 할 때에는 대표자를 선정할 수 있다.

② 행정청은 제1항에 따라 당사자 등이 대표자를 선정하지 아니하거나 대표자가 지나치게 많아 행정절차가 지연될 우려가 있는 경우에는 그 이유를 들어 상당한 기간 내에 3인 이내의 대표자를 선정할 것을 요청할 수 있다. 이 경우 당사자 등이 그 요청에 따르지 아니하였을 때에는 행정청이 직접 대표자를 선정할 수 있다.

③ 당사자 등은 대표자를 변경하거나 해임할 수 있다.

④ 대표자는 각자 그를 대표자로 선정한 당사자 등을 위하여 행정절차에 관한 모든 행위를 할 수 있다. 다만, <u>행정절차를 끝맺는 행위에 대하여는 당사자 등의 동의를 받아야 한다.</u>

⑤ 대표자가 있는 경우에는 당사자 등은 그 대표자를 통하여서만 행정절차에 관한 행위를 할 수 있다.

⑥ <u>다수의 대표자가 있는 경우 그중 1인에 대한 행정청의 행위는 모든 당사자 등에게 효력이 있다. 다만, 행정청의 통지는 대표자 모두에게 하여야 그 효력이 있다.</u>

⑤ 대리인(제12조, 제13조)

제12조【대리인】 ① 당사자 등은 다음 각 호의 어느 하나에 해당하는 자를 대리인으로 선임할 수 있다.

1. 당사자 등의 배우자, 직계 존속·비속 또는 형제자매
2. 당사자 등이 법인등인 경우 그 임원 또는 직원
3. 변호사
4. 행정청 또는 청문 주재자(청문의 경우만 해당한다)의 허가를 받은 자
5. 법령 등에 따라 해당 사안에 대하여 대리인이 될 수 있는 자

제13조【대표자·대리인의 통지】 ① 당사자 등이 대표자 또는 대리인을 선정하거나 선임하였을 때에는 지체 없이 그 사실을 행정청에 통지하여야 한다. 대표자 또는 대리인을 변경하거나 해임하였을 때에도 또한 같다.

② 제1항에도 불구하고 제12조 제1항 제4호에 따라 청문 주재자가 대리인의 선임을 허가한 경우에는 청문 주재자가 그 사실을 행정청에 통지하여야 한다.

(6) 행정청의 관할 및 행정청간의 협조·응원

① 행정청의 관할(제6조)

제6조【행정청의 관할】 ① 행정청이 그 관할에 속하지 아니하는 사안을 접수하였거나 이송받은 경우에는 지체 없이 이를 관할 행정청에 이송하여야 하고 그 사실을 신청인에게 통지하여야 한다. 행정청이 접수하거나 이송받은 후 관할이 변경된 경우에도 또한 같다.

② 행정청의 관할이 분명하지 아니한 경우에는 해당 행정청을 공통으로 감독하는 상급 행정청이 그 관할을 결정하며, 공통으로 감독하는 상급 행정청이 없는 경우에는 각 상급 행정청이 협의하여 그 관할을 결정한다.

② 행정청간의 협조(제7조)

> **제7조 【행정청간의 협조 등】** ① 행정청은 행정의 원활한 수행을 위하여 서로 협조하여야 한다.
> ② 행정청은 업무의 효율성을 높이고 행정서비스에 대한 국민의 만족도를 높이기 위하여 필요한 경우 행정협업(다른 행정청과 공동의 목표를 설정하고 행정청 상호간의 기능을 연계하거나 시설·장비 및 정보 등을 공동으로 활용하는 것을 말한다. 이하 같다)의 방식으로 적극적으로 협조하여야 한다.
> ③ 행정청은 행정협업을 활성화하기 위한 시책을 마련하고 그 추진에 필요한 행정적·재정적 지원방안을 마련하여야 한다.
> ④ 행정협업의 촉진 등에 필요한 사항은 대통령령으로 정한다.

③ 행정응원(제8조)

> **제8조 【행정응원】** ① 행정청은 다음 각 호의 어느 하나에 해당하는 경우에는 다른 행정청에 행정응원을 요청할 수 있다.
> 1. 법령 등의 이유로 독자적인 직무수행이 어려운 경우
> 2. 인원·장비의 부족 등 사실상의 이유로 독자적인 직무수행이 어려운 경우
> 3. 다른 행정청에 소속되어 있는 전문기관의 협조가 필요한 경우
> 4. 다른 행정청이 관리하고 있는 문서(전자문서를 포함한다. 이하 같다)·통계 등 행정자료가 직무수행을 위하여 필요한 경우
> 5. 다른 행정청의 응원을 받아 처리하는 것이 보다 능률적이고 경제적인 경우
> ② 제1항에 따라 행정응원을 요청받은 행정청은 다음 각 호의 어느 하나에 해당하는 경우에는 응원을 거부할 수 있다.
> 1. 다른 행정청이 보다 능률적이거나 경제적으로 응원할 수 있는 명백한 이유가 있는 경우
> 2. 행정응원으로 인하여 고유의 직무수행이 현저히 지장받을 것으로 인정되는 명백한 이유가 있는 경우
> ③ 행정응원은 해당 직무를 직접 응원할 수 있는 행정청에 요청하여야 한다.
> ④ 행정응원을 요청받은 행정청은 응원을 거부하는 경우 그 사유를 응원을 요청한 행정청에 통지하여야 한다.
> ⑤ 행정응원을 위하여 파견된 직원은 응원을 요청한 행정청의 지휘·감독을 받는다. 다만, 해당 직원의 복무에 관하여 다른 법령 등에 특별한 규정이 있는 경우에는 그에 따른다.
> ⑥ 행정응원에 드는 비용은 응원을 요청한 행정청이 부담하며, 그 부담금액 및 부담방법은 응원을 요청한 행정청과 응원을 하는 행정청이 협의하여 결정한다.

(7) 효력발생

① **도달주의원칙:** 송달은 다른 법령 등에 특별한 규정이 있는 경우를 제외하고는 송달받을 자에게 도달됨으로써 그 효력이 발생한다(제15조 제1항).

② **정보통신망을 이용한 송달**

　㉠ 정보통신망을 이용한 송달은 송달받을 자가 **동의하는 경우**에 한한다. 이 경우 송달받을 자는 송달받을 전자우편주소 등을 지정하여야 한다(제14조 제3항).

　㉡ 전자통신망을 이용하여 전자문서로 송달하는 경우에는 송달받을 자가 **지정한 컴퓨터 등에 입력**된 때에 도달된 것으로 본다(제15조 제2항).

③ **교부에 의한 송달**: 교부에 의한 송달은 송달받은 자로부터 수령확인서를 받고 문서를 교부함으로써 행하며, 송달하는 장소에서 송달받을 자를 만나지 못한 때에는 그 사무원·피용자 또는 동거자로서 사리를 분별할 지능이 있는 자에게 이를 교부할 수 있다(제14조 제2항 본문).

④ **유치송달**: 다만, 문서를 송달받을 자 또는 그 사무원 등이 정당한 사유 없이 송달받기를 거부하는 때에는 그 사실을 수령확인서에 적고, 문서를 송달할 장소에 놓아둘 수 있다(제14조 제2항 단서).

⑤ **공시송달**

　㉠ 다음의 어느 하나에 해당하는 경우에는 송달받을 자가 알기 쉽도록 **관보·공보·게시판·일간신문** 중 하나 이상에 공고하고 **인터넷**에도 공고하여야 한다(제14조 제4항).

　　ⓐ 송달받을 자의 주소 등을 통상의 방법으로 확인할 수 없는 경우

　　ⓑ 송달이 불가능한 경우

　㉡ **효력발생시기(제15조 제3항)**: 다른 법령 등에 특별한 규정이 있는 경우를 제외하고는 공고일부터 14일이 지난 때에 그 효력이 발생한다. 다만, 긴급히 시행하여야 할 특별한 사유가 있어 효력발생시기를 달리 정하여 공고한 경우에는 그에 따른다.

3. 처분절차

(1) 기본개요

공통절차	• 이유부기(이유제시)	• 처분기준의 설정·공표
	• 처분의 방식(원칙: 문서)	• 처분의 정정
	• 고지	
불이익처분절차	• 사전통지	
	• 의견제출기회부여(⇨ 청문 ⇨ 공청회)	
수익적 처분절차	• 처분의 신청	
	• 처리기간의 설정·공표	

(2) 공통절차

행정절차법상 처분절차는 '신청에 의한 처분절차'와 '불이익처분절차'로 구분된다. 먼저 양 절차에 공통된 사항을 규정하고, 이어서 세부적 내용을 규정하고 있다. 공통된 사항으로는 처분의 방식, 처분기준의 설정·공표, 처분의 이유제시, 처분의 정정, 고지 등을 규정하고 있다.

① **처분의 방식(제24조)**

　㉠ **문서주의**: 행정청이 처분을 하는 때에는 다른 법령 등에 특별한 규정이 있는 경우를 제외하고는 문서로 하여야 하며, 전자문서로 하는 경우에는 당사자 등의 동의가 있거나 당사자가 전자문서로 신청한 경우이어야 한다. 다만, **신속**을 요하거나 사안이 **경미**한 경우에는 **말 또는 그 밖의 방법**으로 할 수 있으며, 이 경우 당사자의 요청이 있는 때에는 지체 없이 처분에 관한 문서를 교부하여야 한다.

ⓒ **처분실명제:** 처분을 하는 문서에는 그 처분 행정청과 담당자의 소속·성명과 연락처(전화번호·팩스번호·전자우편주소 등)를 적어야 한다.

> ### 🔍 관련판례
>
> **1** **면허관청이 임의로 출석한 상대방의 편의를 위하여 구두로 면허정지사실을 알린 경우 면허정지처분으로서의 효력이 있는지 여부(소극)**
>
> 면허관청이 운전면허정지처분을 하면서 별지 52호 서식의 통지서에 의하여 면허정지사실을 통지하지 아니하거나 처분집행예정일 7일 전까지 이를 발송하지 아니한 경우에는 특별한 사정이 없는 한 위 관계법령이 요구하는 절차·형식을 갖추지 아니한 조치로서 그 효력이 없고, 이와 같은 법리는 면허관청이 임의로 출석한 상대방의 편의를 위하여 구두로 면허정지사실을 알렸다고 하더라도 마찬가지이다(대판 1996.6.14. 95누17823).
>
> **2** **행정처분을 하는 문서의 문언만으로 행정처분의 내용이 분명한 경우, 그 문언과 달리 다른 행정처분까지 포함되어 있다고 해석할 수 있는지 여부(소극)**
>
> 행정절차법 제24조 제1항이 행정청이 처분을 하는 때에는 다른 법령 등에 특별한 규정이 있는 경우를 제외하고는 문서로 하도록 규정한 것은 처분내용의 명확성을 확보하고 처분의 존부에 관한 다툼을 방지하기 위한 것이라 할 것인바, 그와 같은 행정절차법의 규정 취지를 감안하여 보면, 행정청이 문서에 의하여 처분을 한 경우 그 처분서의 문언이 불분명하다는 등의 특별한 사정이 없는 한, 그 문언에 따라 어떤 처분을 하였는지 여부를 확정하여야 할 것이고, 처분서의 문언만으로도 행정청이 어떤 처분을 하였는지가 분명함에도 불구하고 처분경위나 처분 이후의 상대방의 태도 등 다른 사정을 고려하여 처분서의 문언과는 달리 다른 처분까지 포함되어 있는 것으로 확대해석하여서는 아니 된다(대판 2005.7.28. 2003두469).

② 처분기준의 설정 및 공표(제20조)

> ### 🔍 관련판례
>
> **행정청이 행정절차법 제20조 제1항의 처분기준 사전공표 의무를 위반하여 미리 공표하지 아니한 기준을 적용하여 처분을 하였다는 사정만으로 해당 처분에 취소사유에 이를 정도의 흠이 존재하는지 여부(소극)**
>
> 행정청이 행정절차법 제20조 제1항의 처분기준 사전공표 의무를 위반하여 미리 공표하지 아니한 기준을 적용하여 처분을 하였다고 하더라도, 그러한 사정만으로 곧바로 해당 처분에 취소사유에 이를 정도의 흠이 존재한다고 볼 수는 없다. 다만 해당 처분에 적용한 기준이 상위법령의 규정이나 신뢰보호의 원칙 등과 같은 법의 일반원칙을 위반하였거나 객관적으로 합리성이 없다고 볼 수 있는 구체적인 사정이 있다면 해당 처분은 위법하다고 평가할 수 있다(대판 2020.12.24. 2018두45633).

ⓒ **의의**

ⓐ 행정청은 필요한 처분기준을 당해 처분의 성질에 비추어 될 수 있는 한 구체적으로 정하여 공표하여야 한다. 처분기준을 변경하는 경우에도 또한 같다. 처분기준의 구체성은 처분의 공정성과 합리성을 보장하고 당사자 등에게 예측가능성을 보장하는 정도의 것이어야 한다.

ⓑ 행정기본법 제24조에 따른 인허가의제의 경우 관련 인허가 행정청은 관련 인허가의 처분기준을 주된 인허가 행정청에 제출하여야 하고, 주된 인허가 행정청은 제출받은 관련 인허가의 처분기준을 통합하여 공표하여야 한다. 처분기준을 변경하는 경우에도 또한 같다.

ⓛ **예외:** 처분기준을 공표하는 것이 당해 처분의 성질상 현저히 곤란하거나 공공의 안전 또는 복리를 현저히 해하는 것으로 인정될 만한 상당한 이유가 있는 경우에는 이를 공표하지 아니할 수 있다.

ⓒ **처분기준 해석·설명요구권:** 당사자 등은 공표된 처분기준이 불명확한 경우 해당 행정청에 대하여 그 해석 또는 설명을 요청할 수 있다. 이 경우 해당 행정청은 특별한 사정이 없는 한 그 요청에 따라야 한다.

③ **처분의 이유제시(이유부기)**

ⓐ **의의:** 행정청이 행정처분을 함에 있어서 그 처분의 근거가 된 법령상·사실상의 이유를 명시하는 것을 말한다.

ⓛ **기능:** ⓐ 행정의 자기통제기능(정당성기능, 자의억제기능, 신중배려확보기능), ⓑ 명확성확보기능, ⓒ 당사자의 권리보호기능(쟁송제기 편의제공), ⓓ 당사자에 대한 만족기능(설득기능), ⓔ 부담완화기능 등이 있다.

ⓒ **법적 근거**

ⓐ 일반적 규정으로서 행정절차법 제23조에 규정되어 있다.

ⓑ 민원사무처리와 관련하여서는 민원처리에 관한 법률 제15조에 규정되어 있다.

ⓒ 판례는 행정절차법 제정 이전부터 이유부기를 불문법원리로 파악하여 개별법상의 근거가 없더라도 이유부기를 요한다고 판단하였다(대판 1990. 9.11. 90누1786 ; 대판 1987.5.26. 86누788).

ⓔ **적용 예외(제23조 제1항):** 다음의 경우를 제외하고는 당사자에게 그 근거와 이유를 제시해야 한다. 행정청은 ⓑ, ⓒ의 경우에도 처분 후 당사자가 요청하는 경우에는 그 근거와 이유를 제시하여야 한다(제23조 제2항). 따라서 ⓐ의 경우처럼 신청내용을 모두 그대로 인정하는 처분인 경우에는 당사자가 요청하는 경우에도 이유제시를 하지 않아도 되는 경우에 해당한다.

ⓐ 신청내용을 **모두** 그대로 **인정**하는 처분인 경우

ⓑ **단순·반복**적인 처분 또는 **경미**한 처분으로서 당사자가 그 이유를 명백히 알 수 있는 경우

ⓒ 긴급히 처분을 할 필요가 있는 경우

ⓜ **이유부기의 정도**

ⓐ 이유제시의 정도는 처분의 원인이 되는 법령 등의 내용을 구체적으로 명시하여야 하며, 행정청이 처분의 결정에 고려하였던 사실상·법률상의 근거를 알려야 한다. 또한 기속행위의 경우에는 처분을 함에 있어서 고려한 중요하고 본질적인 사실상·법률상의 근거를 제시하여야 하고, 재량행위의 경우에는 이보다 더 구체적으로 명확히 제시되어야 한다.

01 판례에 의하면 이유제시의 정도는 당사자가 처분사유를 이해할 수 있을 정도로 구체적이어야 하므로, 인허가사항의 거부 등 신청 당시 당사자가 근거규정을 알 수 있을 정도의 상당한 이유가 있더라도 당해 처분의 근거 및 이유의 구체적 조항 및 내용을 명시하여야 한다.

13. 국가7급, 10. 국회8급 ( )

ⓑ 다만, 판례는 최근 이유제시의 정도를 완화하고 있는바, 구체적으로 당사자가 근거규정 등을 명시하여 신청하는 인허가 등을 거부하는 처분을 함에 있어 당사자가 그 근거를 알 수 있을 정도로 상당한 이유를 제시한 경우에는, 당해 처분의 근거 및 이유를 구체적 조항 및 내용까지 명시하지 않았더라도 그로 말미암아 그 처분이 위법한 것이 된다고 할 수 없다고 하고 있으며, 처분 당시 당사자가 어떠한 근거와 이유로 처분이 이루어진 것인지를 충분히 알 수 있어서 그에 불복하여 행정구제절차로 나아가는 데에 별다른 지장이 없었던 것으로 인정되는 경우에는, 처분서에 처분의 근거와 이유가 구체적으로 명시되어 있지 않았다고 하더라도 그로 말미암아 그 처분이 위법한 것으로 된다고 할 수는 없다고 하고 있다.

관련판례

1 납세고지서에 과세대상과 그에 대한 과세표준액, 세액, 세액산출방법 등은 상세히 기재하면서 구체적 근거 법령인 지방세법 시행령과 조례의 규정을 누락한 경우 부과처분이 위법한지 여부(소극)

납세고지서에 과세대상과 그에 대한 과세표준액, 세율, 세액산출방법 등 세액산출의 구체적 과정과 기타 필요한 사항이 상세히 기재되어 있어 납세의무자가 당해 부과처분의 내용을 확연하게 파악할 수 있고 과세표준액과 세율에 관한 근거 법령이 기재되어 있다면 그 근거 법령이 다소 총괄적으로 기재되어 있다 하여도 특별한 사정이 없는 한 위 법이 요구하는 세액산출근거의 기재요건을 충족한 것으로 보아야 할 것이다(대판 2008.11.13. 2007두160).

2 성비위행위 관련 징계에서 징계대상자에게 피해자의 '실명' 등 구체적인 인적사항이 공개되지 않았으나 징계혐의사실이 서로 구별될 수 있을 정도로 특정되어 있고 징계대상자가 징계사유의 구체적인 내용과 피해자를 충분히 알 수 있다고 인정되는 경우, 징계절차상 방어권 행사에 실질적인 지장이 초래된다고 볼 수 있는지 여부(소극)

성비위행위의 경우 각 행위가 이루어진 상황에 따라 그 행위의 의미 및 피해자가 느끼는 불쾌감 등이 달라질 수 있으므로, 징계대상자의 방어권을 보장하기 위해서 각 행위의 일시, 장소, 상대방, 행위 유형 및 구체적 상황이 다른 행위들과 구별될 수 있을 정도로 특정되어야 함이 원칙이다. 그러나 각 징계혐의사실이 서로 구별될 수 있을 정도로 특정되어 있고, 징계대상자가 징계사유의 구체적인 내용과 피해자를 충분히 알 수 있다고 인정되는 경우에는 징계대상자에게 피해자의 '실명' 등 구체적인 인적사항이 공개되지 않는다고 하더라도, 그와 같은 사정만으로 징계대상자의 방어권 행사에 실질적인 지장이 초래된다고 볼 수 없다. 특히 성희롱 피해자의 경우 2차 피해 등의 우려가 있어 실명 등 구체적 인적사항 공개에 더욱 신중히 처리할 필요가 있다는 점에서 더욱 그러하다(대판 2022.7.14. 2022두33323).

3 교육부장관이 어떤 후보자를 총장 임용에 부적격하다고 판단하여 배제하고 다른 후보자를 임용제청하는 경우라면 배제한 후보자에게 연구윤리 위반, 선거부정, 그 밖의 비위행위 등과 같은 부적격사유가 있다는 점을 구체적으로 제시할 의무가 있다. 그러나 부적격사유가 없는 후보자들 사이에서

어떤 후보자를 상대적으로 더욱 적합하다고 판단하여 임용제청하는 경우라면, 이는 후보자의 경력, 인격, 능력, 대학운영계획 등 여러 요소를 종합적으로 고려하여 총장 임용의 적격성을 정성적으로 평가하는 것으로 그 판단 결과를 수치화하거나 이유제시를 하기 어려울 수 있다. 이 경우에는 교육부장관이 어떤 후보자를 총장으로 임용제청하는 행위 자체에 그가 총장으로 더욱 적합하다는 정성적 평가 결과가 당연히 포함되어 있는 것으로, 이로써 행정절차법상 이유제시의무를 다한 것이라고 보아야 한다. 여기에서 나아가 교육부장관에게 개별 심사항목이나 고려요소에 대한 평가 결과를 더 자세히 밝힐 의무까지는 없다(대판 2018.6.15. 2016두57564).

4 행정처분의 근거 및 이유부기의 정도

행정절차법 제23조 제1항은 행정청이 처분을 하는 때에는 당사자에게 그 근거와 이유를 제시하도록 규정하고 있고, 이는 행정청의 자의적 결정을 배제하고 당사자로 하여금 행정구제절차에서 적절히 대처할 수 있도록 하는 데 그 취지가 있다. 따라서 처분서에 기재된 내용과 관계법령 및 당해 처분에 이르기까지 전체적인 과정 등을 종합적으로 고려하여, 처분 당시 당사자가 어떠한 근거와 이유로 처분이 이루어진 것인지를 충분히 알 수 있어서 그에 불복하여 행정구제절차로 나아가는 데에 별다른 지장이 없었던 것으로 인정되는 경우에는, 처분서에 처분의 근거와 이유가 구체적으로 명시되어 있지 않았다고 하더라도 그로 말미암아 그 처분이 위법한 것으로 된다고 할 수는 없다(대판 2013.11.14. 2011두18571).

5

행정청이 토지형질변경허가신청을 불허하는 근거규정으로 '도시계획법 시행령 제20조'를 명시하지 아니하고 '도시계획법'이라고만 기재하였으나, 신청인이 자신의 신청이 개발제한구역의 지정목적에 현저히 지장을 초래하는 것이라는 이유로 구 도시계획법 시행령(2000.7.1. 대통령령 제16891호로 전문 개정되기 전의 것) 제20조 제1항 제2호에 따라 불허된 것임을 알 수 있었던 경우, 그 불허처분이 위법하지 아니하다(대판 2002.5.17. 2000두8912).

6 주류도매업면허의 취소처분에 그 대상이 된 위반사실을 특정하지 아니한 경우 위법한지 여부(적극)

면허의 취소처분에는 그 근거가 되는 법령이나 취소권 유보의 부관 등을 명시하여야 함은 물론 처분을 받은 자가 어떠한 위반사실에 대하여 당해 처분이 있었는지를 알 수 있을 정도로 사실을 적시할 것을 요하며, 이와 같은 취소처분의 근거와 위반사실의 적시를 빠뜨린 하자는 피처분자가 처분 당시 그 취지를 알고 있었다거나 그 후 알게 되었다 하여도 치유될 수 없다고 할 것인바, 세무서장인 피고가 주류도매업자인 원고에 대하여 한 이 사건 일반주류도매업면허취소통지에 "상기 주류도매장은 무면허 주류판매업자에게 주류를 판매하여 주세법 제11조 및 국세법사무처리규정 제26조에 의거 지정조건위반으로 주류판매면허를 취소합니다."라고만 되어 있어서, 원고의 영업기간과 거래상대방 등에 비추어 원고가 어떠한 거래행위로 인하여 이 사건 처분을 받았는지 알 수 없게 되어 있다면 이 사건 면허취소처분은 위법하다(대판 1990.9.11. 90누1786).

ⓑ **이유부기의 방식과 시기:** 이유부기의 방식에 관하여는 명문의 규정이 없으므로 행정절차법상의 처분방식대로 원칙적으로 문서로서 하여야 할 것이고, 이유부기의 시기는 **처분시**에 하여야 할 것이다.

Ⓐ 이유부기의 하자와 치유

ⓐ **이유부기의 하자**: 행정행위 자체에는 하자가 없으나 절차상 이유부기에 하자가 있는 경우 그것만 가지고 행정행위 자체에 하자가 인정되는가의 문제이다. 이에 대하여는 하자의 일반론에 따라 그 하자의 정도에 따라 무효 또는 취소사유가 될 수 있다. 이유부기가 전혀 없는 처분은 무효로 볼 수 있으나, 이유부기가 불충분한 경우에는 취소할 수 있는 처분으로 볼 수 있다. 판례는 이유부기의 하자를 **취소사유**로 보고 있다.

핵심 OX

01 납세고지서에 과세표준과 세율, 세액산출근거 등이 누락되면 그 과세처분은 위법하다. 07. 대구9급 ( )

> ### 🔍 관련판례
>
> **1 납세고지서 작성과 관련한 하자로 과세처분이 당연무효로 되는지 여부 (소극)**
>
> 지방세법 제1조 제1항 제5호, 제25조 제1항, 지방세법 시행령 제8조 등 납세고지서에 관한 법령 규정들은 강행규정으로서 이들 법령이 요구하는 기재사항 중 일부를 누락시킨 하자가 있는 경우 이로써 그 부과처분은 위법하게 되지만, 이러한 납세고지서 작성과 관련한 하자는 그 고지서가 납세의무자에게 송달된 이상 과세처분의 본질적 요소를 이루는 것은 아니어서 과세처분의 취소사유가 됨은 별론으로 하고 당연무효의 사유로는 되지 아니한다(대판 1998.6.26. 96누12634).
>
> > **비교판례**
> >
> > **국유재산 무단 점유자에 대한 변상금부과처분에 있어서 그 납부고지서 또는 사전통지서에 변상금 산출근거를 명시하지 않은 경우, 그 부과처분의 적법 여부(소극)**
> >
> > 구 국유재산법 시행령(2000.7.27. 대통령령 제16913호로 개정되기 전의 것) 제56조 제4항은 변상금부과 징수의 주체, 납부고지서에 명시하여야 할 사항, 납부기한 등의 절차적 규정에 관하여 가산금의 부과절차에 관한 위 시행령 제31조 제2항 내지 제4항을 준용하고 있음이 분명한바, 국유재산 무단 점유자에 대하여 변상금을 부과함에 있어서 그 납부고지서에 일정한 사항을 명시하도록 요구한 위 시행령의 취지와 그 규정의 강행성 등에 비추어 볼 때, 처분청이 변상금 부과처분을 함에 있어서 그 납부고지서 또는 적어도 사전통지서에 그 산출근거를 밝히지 아니하였다면 위법한 것이고, 위 시행령 제26조, 제26조의2에 변상금 산정의 기초가 되는 사용료의 산정방법에 관한 규정이 마련되어 있다고 하여 산출근거를 명시할 필요가 없다거나, 부과통지서 등에 위 시행령 제56조를 명기함으로써 간접적으로 산출근거를 명시하였다고는 볼 수 없다(대판 2000.10.13. 99두2239).
>
> **2 이유제시의 하자: 취소사유**
>
> 과세관청이 과세예고를 함과 아울러 과세자료조사서를 납세의무자에게 발송하였다 하더라도 과세대상을 특정하지 아니하고 세액산출근거의 기재를 흠결한 납세고지서에 의한 납세고지가 강행법규에 저촉된 처분으로서 위법하다고 보는 이상 납세의무자가 세액산출 내역을 알고 변명자료를 과세관청에 제출하였다 하여 달리 볼 것은 아니다(대판 1997.4.13. 92누10623).

핵심 OX

02 세액산출의 근거가 기재되지 않은 납세고지서에 의한 부과처분은 강행법규에 위반하여 당연무효라고 보는 것이 판례의 태도이다.
13. 국가7급 ( )

01 ○ 02 X

ⓑ **이유부기 하자의 치유:** 이유부기에 흠결이 있는 경우 사후에 보완하여 그 하자를 치유할 수 있는지가 문제되나, 일정한 요건하에 치유를 인정하는 것이 일반적인 견해이다.

- 이유부기의 의의가 쟁송제기의 편의에 있다고 보는 견해에 의하면 일정한 경우 하자의 치유를 인정할 수 있다.
- 이유부기의 의의가 행정청의 판단을 신중·합리적으로 행하는 데 있다고 보는 견해에 의하면 하자의 치유를 인정할 수 없다.
- 판례는 이유부기 하자의 치유에 대하여 원칙적으로는 허용될 수 없다는 입장이며, 예외적으로만 치유를 인정하고 있다. 그 치유시기에 대하여는 **행정쟁송제기 전까지 가능하다는 입장**이다.

④ **처분의 정정(제25조):** 행정청은 처분에 오기·오산 기타 이에 준하는 명백한 잘못이 있는 때에는 직권 또는 신청에 의하여 지체 없이 정정하고 이를 당사자에게 통지하여야 한다.

⑤ **고지(제26조):** 행정청이 처분을 하는 때에는 당사자에게 그 처분에 관하여 행정심판 및 행정소송을 제기할 수 있는지 여부, 기타 불복을 할 수 있는지 여부, 청구절차 및 청구기간 기타 필요한 사항을 알려야 한다.

(3) 신청에 의한 처분절차(수익적 처분절차)

행정절차법 제17조 이하에서는 신청에 의한 처분절차에 관한 사항으로 처분의 신청, 처리기간의 설정·공표 등에 관하여 규정하고 있다.

① **처분의 신청절차(제17조)**

㉠ 다른 법령 등에 특별한 규정이 있는 경우와 행정청이 미리 다른 방법을 정하여 공시한 경우를 제외하고는 행정청에 대하여 처분을 구하는 신청은 문서로 하여야 한다. 전자문서로 신청하는 경우에는 **행정청의 컴퓨터 등에 입력된 때에 신청한 것으로 본다.**

⚖ **관련판례**

행정청에 대한 신청의 의사표시의 방법
행정절차법상 신청인의 행정청에 대한 신청의 의사표시는 명시적이고 확정적인 것이어야 한다고 할 것이므로 신청인이 신청에 앞서 행정청의 허가업무 담당자에게 신청서의 내용에 대한 검토를 요청한 것만으로는 다른 특별한 사정이 없는 한 명시적이고 확정적인 신청의 의사표시가 있었다고 하기 어렵다(대판 2004.9.24. 2003두13236).

㉡ 행정청은 신청이 있는 때에는 다른 법령 등에 특별한 규정이 있는 경우를 제외하고는 그 접수를 보류 또는 거부하거나 부당하게 되돌려 보내서는 아니되며, 신청을 접수한 경우에는 신청인에게 접수증을 주어야 한다. 다만, 대통령령이 정하는 경우에는 접수증을 주지 아니할 수 있다.

㉢ 행정청은 신청에 구비서류의 미비 등 흠이 있는 경우에는 보완에 필요한 상당한 기간을 정하여 지체 없이 신청인에게 보완을 요구하여야 한다.

01 처분의 처리기간에 관한 규정은 강행규정이므로 행정청이 처리기간이 지나 처분을 하였다면 이는 처분을 취소할 절차상 하자로 볼 수 있다.
23. 국가9급 ( )

02 행정청이 처리기간을 신청인에게 공표하였으나 그 처리기간 내에 처리하기 곤란한 경우에는 신청인에게 통지하고 그 처리기간을 3회까지 연장할 수 있다. 04. 국가9급 ( )

03 행정청이 정당한 처리기간 내에 처분을 처리하지 아니하였을 때에는 신청인은 해당 행정청 또는 그 감독행정청에 신속한 처리를 요청할 수 있다. 17. 국가9급(10월) ( )

04 용도를 무단변경한 건물의 원상복구를 명하는 시정명령 및 계고처분을 하는 경우, 사전에 통지할 필요가 없다. 19. 국가9급 ( )

05 특별한 사정이 없는 한 신청에 대한 거부처분은 '당사자의 권익을 제한하는 처분'에 해당한다고 할 수 없는 것이어서 처분의 사전통지대상이 된다고 할 수 없다.
19. 서울9급(6월), 17. 국가7급, 15. 지방9급·사복, 15·13. 국회8급, 08. 지방7급 ( )

06 판례는 교수임용거부처분 취소청구사건에서 특별한 사정이 없는 한 신청에 대한 거부처분은 당사자의 권익을 제한하는 것은 아니므로 사전통지의 대상이 되지 않는다고 보았다. 14. 경특, 11. 국가7급 ( )

07 행정청은 당사자 등에게 의무를 면제하거나 권익을 부여하는 처분을 하는 경우에도 사전통지의무를 진다. 10. 지방7급 ( )

08 사전통지의 내용은 처분의 제목, 당사자의 성명 또는 명칭과 주소, 처분하고자 하는 원인이 되는 사실과 처분의 내용 및 법적 근거, 의견제출기관의 명칭과 주소, 의견제출기한 등이다. 11. 국회8급 ( )

01 X **02** X **03** ○ **04** X **05** ○ **06** ○
07 X **08** ○

행정청은 신청인이 상당한 기간 내에 보완을 하지 아니하였을 때에는 그 이유를 구체적으로 밝혀 접수된 신청을 되돌려 보낼 수 있다. 판례에 의하면, 여기서 말하는 신청은 명시적이고 확정적인 신청을 뜻한다.

ⓔ 신청인은 처분이 있기 전에는 그 신청의 내용을 보완하거나 변경 또는 취하할 수 있다. 다만, 다른 법령 등에 특별한 규정이 있거나 당해 신청의 성질상 보완·변경 또는 취하할 수 없는 경우에는 그러하지 아니한다.

② 처리기간의 설정 및 공표(제19조)

㉠ 행정청은 신청인의 편의를 위하여 처분의 처리기간을 종류별로 미리 정하여 공표하여야 한다.

㉡ 행정청은 부득이한 사유로 공표한 처리기간 내에 처리하기 곤란한 경우에는 당해 처분의 처리기간의 범위 내에서 **1회에 한하여** 그 기간을 **연장**할 수 있다.

관련판례

처분이나 민원의 처리기간을 정하는 것은 신청에 따른 사무를 가능한 한 조속히 처리하도록 하기 위한 것이다. 처리기간에 관한 규정은 훈시규정에 불과할 뿐 강행규정이라고 볼 수 없다. 행정청이 처리기간이 지나 처분을 하였더라도 이를 처분을 취소할 절차상 하자로 볼 수 없다(대판 2019.12.13. 2018두41907).

㉢ 행정청이 정당한 처리기간 내에 처리하지 아니한 때에는 신청인은 당해 행정청 또는 그 감독 행정청에 대하여 신속한 처리를 요청할 수 있다.

(4) 불이익처분절차

행정절차법상 불이익처분이란 당사자에게 '의무를 과하거나 권익을 침해하는 처분'을 말한다. 이러한 불이익처분에 인허가신청에 대한 거부처분도 실질적으로는 불이익처분의 성질을 갖는다고 볼 수 있으므로 이에 해당하는가에 대하여 판례는 부정한다(대판 2003.11.28. 2003두674).

관련판례

거부처분이 행정절차법 제21조 제1항 소정의 처분의 사전통지대상이 되는지 여부(소극)
특별한 사정이 없는 한, 수익적 행정행위의 신청에 대한 거부처분은 사전통지를 요하는 행정절차법 제21조 제1항 상의 '당사자의 권익을 제한하는 처분'에 해당되지 않는다(대판 2003.11.28. 2003두674).

① 행정처분의 사전통지(제21조)

제21조 【처분의 사전통지】 ① 행정청은 당사자에게 의무를 부과하거나 권익을 제한하는 처분을 하는 경우에는 미리 다음 각 호의 사항을 당사자 등에게 통지하여야 한다.
1. 처분의 제목
2. 당사자의 성명 또는 명칭과 주소
3. 처분하려는 원인이 되는 사실과 처분의 내용 및 법적 근거
4. 제3호에 대하여 의견을 제출할 수 있다는 뜻과 의견을 제출하지 아니하는 경우의 처리방법

5. 의견제출기관의 명칭과 주소

6. 의견제출기한

7. 그 밖에 필요한 사항

② 행정청은 청문을 하려면 청문이 시작되는 날부터 10일 전까지 제1항 각 호의 사항을 당사자 등에게 통지하여야 한다. 이 경우 제1항 제4호부터 제6호까지의 사항은 청문 주재자의 소속·직위 및 성명, 청문의 일시 및 장소, 청문에 응하지 아니하는 경우의 처리방법 등 청문에 필요한 사항으로 갈음한다.

③ 제1항 제6호에 따른 기한은 의견제출에 필요한 기간을 10일 이상으로 고려하여 정하여야 한다.

④ 다음 각 호의 어느 하나에 해당하는 경우에는 제1항에 따른 통지를 하지 아니할 수 있다.

1. 공공의 안전 또는 복리를 위하여 긴급히 처분을 할 필요가 있는 경우

2. 법령 등에서 요구된 자격이 없거나 없어지게 되면 반드시 일정한 처분을 하여야 하는 경우에 그 자격이 없거나 없어지게 된 사실이 법원의 재판 등에 의하여 객관적으로 증명된 경우

3. 해당 처분의 성질상 의견청취가 현저히 곤란하거나 명백히 불필요하다고 인정될 만한 상당한 이유가 있는 경우

⑤ 처분의 전제가 되는 사실이 법원의 재판 등에 의하여 객관적으로 증명된 경우 등 제4항에 따른 사전 통지를 하지 아니할 수 있는 구체적인 사항은 대통령령으로 정한다.

⑥ 제4항에 따라 사전 통지를 하지 아니하는 경우 행정청은 처분을 할 때 당사자 등에게 통지를 하지 아니한 사유를 알려야 한다. 다만, 신속한 처분이 필요한 경우에는 처분 후 그 사유를 알릴 수 있다.

⑦ 제6항에 따라 당사자 등에게 알리는 경우에는 제24조를 준용한다.

⚖ 관련판례

1 사전통지나 의견제출기회제공의 예외 사유인 '의견청취가 현저히 곤란하거나 명백히 불필요하다고 인정될 만한 상당한 이유가 있는 경우'에 해당하는지 판단하는 기준 및 이때 처분상대방이 이미 행정청에 위반사실을 시인하였다거나 처분의 사전통지 이전에 의견을 진술할 기회가 있었다는 사정을 고려하여야 하는지 여부(소극)

행정절차법 제21조 제1항·제3항·제4항, 제22조에 의하면, 행정청이 당사자에게 의무를 부과하거나 권익을 제한하는 처분을 하는 경우에는 미리 '처분의 제목', '처분하려는 원인이 되는 사실과 처분의 내용 및 법적 근거', '이에 대하여 의견을 제출할 수 있다는 뜻과 의견을 제출하지 아니하는 경우의 처리방법', '의견제출기관의 명칭과 주소', '의견제출기한' 등의 사항을 당사자 등에게 통지하여야 하고, 의견제출기한은 의견제출에 필요한 상당한 기간을 고려하여 정하여야 하며, 다른 법령 등에서 필수적으로 청문을 하거나 공청회를 개최하도록 규정하고 있지 아니한 경우에도 당사자 등에게 의견제출의 기회를 주어야 하며, 다만 '해당 처분의 성질상 의견청취가 현저히 곤란하거나 명백히 불필요하다고 인정될 만한 상당한 이유가 있는 경우' 등에 한하여 처분의 사전통지나 의견청취를 하지 아니할 수 있다. 따라서 행정청이 침해적 행정처분을 하면서 당사자에게 사전통지를 하거나 의견제출의 기회를 주지 아니하였다면, 사전통지나 의견제출의 예외적인 경우에 해당하지 아니하는 한, 처분은 위법하여 취소를 면할 수 없다. 그리고 여기에서 '의견청취가 현저히 곤란하거나 명백히 불필요하다고 인정될 만한

상당한 이유가 있는 경우'에 해당하는지는 해당 행정처분의 성질에 비추어 판단하여야 하며, 처분상대방이 이미 행정청에 위반사실을 시인하였다거나 처분의 사전통지 이전에 의견을 진술할 기회가 있었다는 사정을 고려하여 판단할 것은 아니다(대판 2016.10.27. 2016두41811).

2 행정청이 당사자에게 의무를 과하거나 권익을 제한하는 처분을 함에 있어서 당사자에게 행정절차법상의 사전통지를 하거나 의견제출의 기회를 주지 아니한 경우, 그 처분이 위법한 것인지 여부(한정 적극)

행정절차법 제21조 제1항, 제4항, 제22조 제1항 내지 제4항에 의하면, 행정청이 당사자에게 의무를 과하거나 권익을 제한하는 처분을 하는 경우에는 미리 처분하고자 하는 원인이 되는 사실과 처분의 내용 및 법적 근거, 이에 대하여 의견을 제출할 수 있다는 뜻과 의견을 제출하지 아니하는 경우의 처리방법 등의 사항을 당사자 등에게 통지하여야 하고, 다른 법령 등에서 필요적으로 청문을 실시하거나 공청회를 개최하도록 규정하고 있지 아니한 경우에도 당사자 등에게 의견제출의 기회를 주어야 하되, "당해 처분의 성질상 의견청취가 현저히 곤란하거나 명백히 불필요하다고 인정될 만한 상당한 이유가 있는 경우" 등에는 처분의 사전통지나 의견청취를 하지 아니할 수 있도록 규정하고 있으므로, 행정청이 침해적 행정처분을 함에 있어서 당사자에게 위와 같은 사전통지를 하거나 의견제출의 기회를 주지 아니하였다면 사전통지를 하지 않거나 의견제출의 기회를 주지 아니하여도 되는 예외적인 경우에 해당하지 아니하는 한 그 처분은 위법하여 취소를 면할 수 없다(대판 2004.5.28. 2004두1254).

② **복효적 행정행위의 제3자에 대한 사전통지의무 인정 여부:** 행정절차법은 복효적 행정행위의 제3자에 대한 사전통지에 대해서 직접적으로 규정을 두고 있지 않다. 이에 대해서 ㉠ 행정절차법의 규정상 당사자에 대한 침익적 처분에 한정하여 제3자에게 침익적 효과가 발생하는 제3자효 행정행위에 대하여 사전통지의무가 배제된다는 견해와, ㉡ 사전통지는 의견청취절차이므로 당사자 등 이해관계인에게 의견청취절차가 인정된다는 점을 근거로 긍정하는 입장이 대립한다.

③ **기타 사전통지대상(불이익처분)인지 여부가 문제되는 경우**

㉠ **지위승계신고의 수리:** 판례는 영업자지위승계신고를 수리하는 처분은 종전의 영업자의 권익을 제한하는 처분이므로 종전 영업자에 대하여 사전통지를 하여야 한다는 입장이다.

> ⚖ **관련판례**
>
> **1** 영업자지위승계신고 수리처분 시 종전의 영업자에게 행정절차법 소정의 행정절차를 실시하여야 하는지 여부(적극)
>
> 지방세법에 의한 압류재산 매각절차에 따라 영업시설의 전부를 인수함으로써 그 영업자의 지위를 승계한 자가 관계 행정청에 이를 신고하여 행정청이 이를 수리하는 경우에는 종전의 영업자에 대한 영업허가 등은 그 효력을 잃는다 할 것인데, 위 규정들을 종합하면 위 행정청이 구 식품위생법 규정에 의하여 <u>영업자지위승계신고를 수리하는 처분은 종전의 영업자의 권익을 제한하는 처분이라 할 것이고</u> 따라서 종전의 영업자는 그 처분에 대하여 직접 그 상대가 되는 자에 해당한다고 봄이 상당하므로, 행정청으로서는 위 신고를 수리하는 처분을 함에 있어서 행정절차법 규정 소정의 당사자에 해당하는 <u>종전의</u>

영업자에 대하여 위 규정 소정의 행정절차를 실시하고 처분을 하여야 한다 (대판 2003.2.14. 2001두7015).

2 유원시설업자 또는 체육시설업자 지위승계신고를 수리하는 처분을 하는 경우, 종전 유원시설업자 또는 체육시설업자에 대하여 행정절차법 제21조 제1항 등에서 정한 처분의 사전통지 등 절차를 거쳐야 하는지 여부(적극)

공매 등의 절차에 따라 문화체육관광부령으로 정하는 주요한 유원시설업 시설의 전부 또는 체육시설업의 시설기준에 따른 필수시설을 인수함으로써 유원시설업자 또는 체육시설업자의 지위를 승계한 자가 관계 행정청에 이를 신고하여 행정청이 수리하는 경우에는 종전 유원시설업자에 대한 허가는 효력을 잃고, 종전 체육시설업자는 적법한 신고를 마친 체육시설업자의 지위를 부인당할 불안정한 상태에 놓이게 된다. 따라서 행정청이 구 관광진흥법 또는 구 체육시설법의 규정에 의하여 <u>유원시설업자 또는 체육시설업자 지위승계신고를 수리하는 처분</u>은 종전 유원시설업자 또는 체육시설업자의 권익을 제한하는 처분이고, 종전 유원시설업자 또는 체육시설업자는 그 처분에 대하여 직접 그 상대가 되는 자에 해당한다고 보는 것이 타당하므로, 행정청이 그 신고를 수리하는 처분을 할 때에는 행정절차법 규정에서 정한 당사자에 해당하는 종전 유원시설업자 또는 체육시설업자에 대하여 위 규정에서 정한 행정절차를 실시하고 처분을 하여야 한다(대판 2012.12.13. 2011두29144).

ⓛ **거부처분의 경우:** 판례는 수익적 행정처분의 신청을 행정청이 거부한 경우, 신청에 따른 처분이 이루어지지 아니한 경우 아직 당사자에게 권익이 부과되지 아니하였으므로 신청에 대한 거부를 '권익을 제한하는 처분'이라고 볼 수 없으므로 사전통지 대상이 아니라는 입장이다.

> ⚖️ **관련판례**
>
> **거부처분이 행정절차법 제21조 제1항 소정의 처분의 사전통지대상이 되는지 여부(소극)**
>
> 행정절차법 제21조 제1항은 행정청은 당사자에게 의무를 과하거나 권익을 제한하는 처분을 하는 경우에는 미리 처분의 제목, 당사자의 성명 또는 명칭과 주소, 처분하고자 하는 원인이 되는 사실과 처분의 내용 및 법적 근거, 그에 대하여 의견을 제출할 수 있다는 뜻과 의견을 제출하지 아니하는 경우의 처리방법, 의견제출기관의 명칭과 주소, 의견제출기한 등을 당사자 등에게 통지하도록 하고 있는 바, 신청에 따른 처분이 이루어지지 아니한 경우에는 아직 당사자에게 권익이 부과되지 아니하였으므로 특별한 사정이 없는 한 신청에 대한 거부처분이라고 하더라도 직접 당사자의 권익을 제한하는 것은 아니어서 신청에 대한 <u>거부처분을 여기에서 말하는 '당사자의 권익을 제한하는 처분'에 해당한다고 할 수 없는 것이어서 처분의 사전통지대상이 된다고 할 수 없다(대판 2003.11.28. 2003두674).</u>

ⓒ **일반처분의 경우(고시에 의한 처분):** 판례는 '고시'의 방법으로 불특정 다수인을 상대로 의무를 부과하거나 권익을 제한하는 처분은 성질상 의견제출의 기회를 주어야 하는 상대방을 특정할 수 없으므로, 이와 같은 처분에 있어서까지 구 행정절차법 제22조 제3항에 의하여 그 상대방에게 의견제출의 기회를 주어야 한다고 해석할 것은 아니라는 입장이다.

관련판례

> 도로구역변경결정이 행정절차법 제21조 제1항의 사전통지나 제22조 제3항의 의견청취의 대상이 되는 처분인지 여부(소극)
>
> 행정절차법 제2조 제4호가 행정절차법의 당사자를 행정청의 처분에 대하여 직접 그 상대가 되는 당사자로 규정하고, 도로법 제25조 제3항이 도로구역을 결정하거나 변경할 경우 이를 고시에 의하도록 하면서, 그 도면을 일반인이 열람할 수 있도록 한 점 등을 종합하여 보면, 도로구역을 변경한 이 사건 처분은 행정절차법 제21조 제1항의 사전통지나 제22조 제3항의 의견청취의 대상이 되는 처분은 아니라고 할 것이다(대판 2008.6.12. 2007두1767).

ㄹ. **사전통지의 하자:** 판례는 이유제시의 하자와 마찬가지로 불이익 처분을 하면서 사전통지 등의 절차를 하지 않은 경우에는 사전통지 등의 예외사유에 해당하지 않는 한 위법한 처분으로 취소할 수 있다는 입장이다.

관련판례

1 **건축법상의 공사중지명령에 대한 사전통지를 하고 의견제출의 기회를 준다면 많은 액수의 손실보상금을 기대하여 공사를 강행할 우려가 있다는 사정이 사전통지 및 의견제출절차의 예외사유에 해당하지 아니한다고 한 사례**

행정청이 침해적 행정처분을 함에 있어서 당사자에게 위와 같은 사전통지를 하거나 의견제출의 기회를 주지 아니하였다면 사전통지를 하지 않거나 의견제출의 기회를 주지 아니하여도 되는 예외적인 경우에 해당하지 아니하는 한 그 처분은 위법하여 취소를 면할 수 없다.

건축법상의 공사중지명령에 대한 사전통지를 하고 의견제출의 기회를 준다면 많은 액수의 손실보상금을 기대하여 공사를 강행할 우려가 있다는 사정이 사전통지 및 의견제출절차의 예외사유에 해당하지 아니한다(대판 2004.5.28. 2004두1254).

2 **정규공무원으로 임용된 사람에게 시보임용처분 당시 지방공무원법 제31조 제4호에 정한 공무원임용 결격사유가 있어 시보임용처분을 취소하고 그에 따라 정규임용처분을 취소한 사안에서, 정규임용처분을 취소하는 처분은 성질상 행정절차를 거치는 것이 불필요하여 행정절차법의 적용이 배제되는 경우에 해당하지 않으므로, 그 처분을 하면서 사전통지를 하거나 의견제출의 기회를 부여하지 않은 것은 위법하다고 한 사례**

정규임용처분을 취소하는 처분은 원고의 이익을 침해하는 처분이라 할 것이고, 한편 지방공무원법 및 그 시행령에는 이 사건 처분과 같이 정규임용처분을 취소하는 처분을 함에 있어 행정절차에 준하는 절차를 거치도록 하는 규정이 없을 뿐만 아니라 위 처분이 성질상 행정절차를 거치기 곤란하거나 불필요하다고 인정되는 처분이라고 보기도 어렵다고 할 것이어서 이 사건 처분이 행정절차법의 적용이 제외되는 경우에 해당한다고 할 수 없으며, 나아가 이 사건 처분은, 지방공무원법 제31조 제4호 소정의 공무원임용 결격사유가 있어 당연무효인 이 사건 시보임용처분과는 달리, 위 시보임용처분의 무효로 인하여 시보공무원으로서의 경력을 갖추지 못하였다는 이유만으로, 위 결격사유가 해소된 후에 한 별도의 정규임용처분을 취소하는 처분이어서 행정절차법 제21조 제4항 및 제22조 제4항에 따라 원고에게 사전통지를 하지 않거나 의견제출의 기회를 주지 아니하여도 되는 예외적인 경우에 해당한다고 할 수도 없다. 그렇다면 이 사건 처분을 함에 있어 원고에게 처분의 사전통지를 하거나 의견제출의 기회를 부여하지 아니한 이상, 이 사건 처분은 절차상 하자가 있어 위법하다(대판 2009.1.30. 2008두16155).

3 감사원이 한국방송공사에 대한 감사를 실시한 결과 사장 甲에게 부실 경영 등 문책사유가 있다는 이유로 한국방송공사 이사회에 甲에 대한 해임제청을 요구하였고, 이사회가 대통령에게 甲의 사장직 해임을 제청함에 따라 대통령이 甲을 한국방송공사 사장직에서 해임한 사안에서, 대통령의 해임처분에 재량권 일탈·남용의 하자가 존재한다고 하더라도 그것이 중대·명백하지 않고, 행정절차법을 위반한 위법이 있으나 절차나 처분형식의 하자가 중대하고 명백하다고 볼 수 없어 당연무효가 아닌 취소사유에 해당한다고 본 원심판단을 정당하다고 한 사례

(공기업 사장에 대한) 해임처분과정에서 甲이 처분 내용을 사전에 통지받거나 그에 대한 의견제출 기회 등을 받지 못했고 해임처분 시 법적 근거 및 구체적 해임 사유를 제시받지 못하였으므로 해임처분이 행정절차법에 위배되어 위법하지만, 절차나 처분형식의 하자가 중대하고 명백하다고 볼 수 없어 역시 당연무효가 아닌 취소사유에 해당한다(대판 2012.2.23. 2011두5001).

④ **청문**

　㉠ **의의**: 행정청이 어떠한 처분을 하기에 앞서 당사자 등의 의견을 직접 듣고 증거를 조사하는 절차를 말한다.

> 🔍 **관련판례**
>
> 행정절차법상 청문절차를 거쳐야 하는 처분임에도 청문절차를 결여한 처분은 위법하나 당연무효인 것은 아니다(대판 2007.11.16. 2005두15700). ⇨ 취소사유

　㉡ **청문의 종류**: 우리나라 행정절차법상 의견제출은 약식청문을, 청문은 정식·비공개청문을 채택하고 있다.

　㉢ **공개청문과 비공개청문**: 청문의 과정을 청문관계자 이외의 자에게 공개하는 가운데 진행하는 공개청문과 오직 당해 청문관계자만의 참여 아래 진행되는 비공개청문이 있다.

　㉣ **청문의 절차**

　　ⓐ **청문의 개시(제21조 제2항)**: 행정청은 청문을 실시하고자 하는 경우에 청문이 시작되는 날부터 **10일 전까지** 제1항 각 호의 사항을 당사자 등에게 통지하여야 한다.

　　ⓑ **적용범위(제22조 제1항)**: 행정청이 처분을 할 때 다음의 어느 하나에 해당하는 경우에는 청문을 한다.

　　　• 다른 법령 등에서 청문을 실시하도록 규정하고 있는 경우
　　　• 행정청이 필요하다고 인정하는 경우
　　　• 인허가 등의 취소, 신분·자격의 박탈, 법인이나 조합 등의 설립허가의 취소처분 시

01 침익적 처분의 경우 처분청은 사전에 반드시 청문을 실시하여야 한다.
11. 사복 ( )

02 인허가 등을 취소하는 경우에는 개별 법령상 청문을 하도록 하는 근거 규정이 없고 의견제출기한 내에 당사자 등의 신청이 없는 경우에도 청문을 하여야 한다.
19. 서울9급(6월) ( )

03 징계심의대상자가 선임한 변호사가 징계위원회에 출석하여 징계심의대상자를 위하여 필요한 의견을 진술하는 것은 방어권 행사의 본질적 내용에 해당하므로, 행정청은 특별한 사정이 없는 한 이를 거부할 수 없다.
19. 서울9급(2월) ( )

04 판례는 법령상 확정된 의무부과의 경우에도 의견제출의 기회를 주어야 한다고 본다.
07. 국회8급 ( )

05 사전통지의무가 면제되는 경우에도 의견청취의무가 면제되는 것은 아니다.
10. 지방7급 ( )

06 행정청이 당사자에게 의무를 과하거나 권익을 제한하는 처분을 하는 경우라도 당사자가 명백히 의견진술의 기회를 포기한다는 뜻을 표시한 경우에는 의견청취를 하지 않을 수 있다.
18. 국가9급 ( )

07 행정청이 '고시'의 방법으로 불특정 다수인을 상대로 의무를 부과하거나 권익을 제한하는 처분을 한 경우에도 상대방에게 의견제출의 기회를 주어야 한다.
19. 서울7급(10월) ( )

08 구 공중위생법상 유기장업허가취소처분을 함에 있어서 두 차례에 걸쳐 발송한 청문통지서가 모두 반송되어 온 경우, 처분의 상대방이 청문일시에 불출석하였다는 이유로 청문을 거치지 않고 한 침해적 행정처분은 적법하다.
19·13. 지방9급, 15. 서울9급, 12. 지방7급·국회8급 ( )

ⓒ 예외사유(제22조 제4항)

- 공공의 안전 또는 복리를 위하여 긴급히 처분을 할 필요가 있는 경우
- 법령 등에서 요구된 자격이 없거나 없어지게 되면 반드시 일정한 처분을 하여야 하는 경우에 그 자격이 없거나 없어지게 된 사실이 법원의 재판 등에 의하여 객관적으로 증명된 때
- 당해 처분의 성질상 의견청취가 현저히 곤란하거나 명백히 불필요하다고 인정될 만한 상당한 이유가 있는 경우(이상은 처분의 사전통지의 예외와 공통된 사유)
- 당사자가 의견진술의 기회를 포기한다는 뜻을 명백히 표시한 경우

제22조【의견청취】 ① 행정청이 처분을 할 때 다음 각 호의 어느 하나에 해당하는 경우에는 청문을 한다.
1. 다른 법령 등에서 청문을 하도록 규정하고 있는 경우
2. 행정청이 필요하다고 인정하는 경우
3. 다음 각 목의 처분을 하는 경우
  가. 인허가 등의 취소
  나. 신분·자격의 박탈
  다. 법인이나 조합 등의 설립허가의 취소
② 행정청이 처분을 할 때 다음 각 호의 어느 하나에 해당하는 경우에는 공청회를 개최한다.
1. 다른 법령 등에서 공청회를 개최하도록 규정하고 있는 경우
2. 해당 처분의 영향이 광범위하여 널리 의견을 수렴할 필요가 있다고 행정청이 인정하는 경우
3. 국민생활에 큰 영향을 미치는 처분으로서 대통령령으로 정하는 처분에 대하여 대통령령으로 정하는 수 이상의 당사자 등이 공청회 개최를 요구하는 경우
③ 행정청이 당사자에게 의무를 부과하거나 권익을 제한하는 처분을 할 때 제1항 또는 제2항의 경우 외에는 당사자 등에게 의견제출의 기회를 주어야 한다.
④ 제1항부터 제3항까지의 규정에도 불구하고 제21조 제4항 각 호의 어느 하나에 해당하는 경우와 당사자가 의견진술의 기회를 포기한다는 뜻을 명백히 표시한 경우에는 의견청취를 하지 아니할 수 있다.
⑤ 행정청은 청문·공청회 또는 의견제출을 거쳤을 때에는 신속히 처분하여 해당 처분이 지연되지 아니하도록 하여야 한다.
⑥ 행정청은 처분 후 1년 이내에 당사자 등이 요청하는 경우에는 청문·공청회 또는 의견제출을 위하여 제출받은 서류나 그 밖의 물건을 반환하여야 한다.

---

01 X **02** O **03** O **04** X **05** X **06** O
07 X **08** X

1 '고시'의 방법으로 불특정 다수인을 상대로 의무를 부과하거나 권익을 제한하는 처분에서도 위 조항에 따라 상대방에게 의견제출의 기회를 주어야 하는지 여부(소극)

'고시'의 방법으로 불특정 다수인을 상대로 의무를 부과하거나 권익을 제한하는 처분은 성질상 의견제출의 기회를 주어야 하는 상대방을 특정할 수 없으므로, 이와 같은 처분에 있어서까지 구 행정절차법 제22조 제3항에 의하여 그 상대방에게 의견제출의 기회를 주어야 한다고 해석할 것은 아니다(대판 2014.10.27. 2012두7745).

2 행정절차법 제21조 제4항 제3호에 정한 청문을 실시하지 않아도 되는 예외사유에 해당한다고 단정하여 당사자가 청문일시에 불출석하였다는 이유로 청문을 거치지 않고 이루어진 위 처분이 위법한지 여부(적극)

처분의 성질상 의견청취가 현저히 곤란하거나 명백히 불필요한 경우의 판단기준은 당해 행정처분의 성질에 비추어 판단하여야 하는 것이지, 행정처분의 상대방에 대한 청문통지서가 반송되었다거나, 행정처분의 상대방이 청문일시에 불출석하였다는 이유로 청문을 실시하지 아니하고 한 침해적 행정처분은 위법하다(대판 2001.4.13. 2000두3337).

3 행정청이 당사자와 사이에 도시계획사업의 시행과 관련한 협약을 체결하면서 관계 법령 및 행정절차법에 규정된 청문의 실시 등 의견청취절차를 배제하는 조항을 둔 경우, 청문의 실시에 관한 규정의 적용이 배제되거나 청문을 실시하지 않아도 되는 예외적인 경우에 해당하는지 여부(소극)

행정청이 당사자와 사이에 도시계획사업의 시행과 관련한 협약을 체결하면서 관계 법령 및 행정절차법에 규정된 청문의 실시 등 의견청취절차를 배제하는 조항을 둔 경우, 청문의 실시에 관한 규정의 적용이 배제되거나 청문을 실시하지 않아도 되는 예외적인 경우에 해당한다고 할 수 없다(대판 2004.7.8. 2002두8350).

4 퇴직연금의 환수결정시 당사자에게 의견진술의 기회를 주지 아니한 경우, 행정절차법 제22조 제3항이나 신의칙에 위반되는지 여부(소극)

퇴직연금의 환수결정은 당사자에게 의무를 과하는 처분이기는 하나, 관련 법령에 따라 당연히 환수금액이 정하여지는 것이므로, 퇴직연금의 환수결정에 앞서 당사자에게 의견진술의 기회를 주지 아니하여도 행정절차법 제22조 제3항이나 신의칙에 어긋나지 아니한다(대판 2000.11.28. 99두5443).

5 사전통지나 의견제출기회제공의 예외사유인 '의견청취가 현저히 곤란하거나 명백히 불필요하다고 인정될 만한 상당한 이유가 있는 경우'에 해당하는지 판단하는 기준 및 이때 처분상대방이 이미 행정청에 위반사실을 시인하였다거나 처분의 사전통지 이전에 의견을 진술할 기회가 있었다는 사정을 고려하여야 하는지 여부(소극)

행정청이 침해적 행정처분을 하면서 당사자에게 사전통지를 하거나 의견제출의 기회를 주지 아니하였다면, 사전통지나 의견제출의 예외적인 경우에 해당하지 아니하는 한, 처분은 위법하여 취소를 면할 수 없다. 그리고 여기에서 '의견청취가 현저히 곤란하거나 명백히 불필요하다고 인정될 만한 상당한 이유가 있는 경우'에 해당하는지는 해당 행정처분의 성질에 비추어 판단하여야 하며, 처분상대방이 이미 행정청에 위반사실을 시인하였다거나 처분의 사전통지 이전에 의견을 진술할 기회가 있었다는 사정을 고려하여 판단할 것은 아니다(대판 2016.10.27. 2016두41811).

09 행정절차법의 청문배제사유인 '당해 처분의 성질상 의견청취가 현저히 곤란하거나 명백히 불필요하다고 인정될 만한 상당한 이유가 있는 경우'는 당해 행정처분의 성질에 의하여 판단하여야 하는 것이지, 청문통지서의 반송여부, 청문통지의 방법 등에 의하여 판단할 것은 아니다.   19. 서울7급 (   )

10 협약이 체결되었다고 하여 청문의 실시에 관한 규정의 적용이 배제된다거나 청문을 실시하지 않아도 되는 예외적인 경우에 해당한다고 할 수 없다.
              19. 서울7급, 16. 국가9급·사복 (   )

11 불이익처분을 하면서 행정청과 당사자 사이의 합의에 의해 청문절차를 배제하기로 하였더라도 청문을 실시하지 않아도 되는 예외사유에 해당하지 아니한다.
              14. 지방9급, 09. 지방7급 (   )

12 공무원연금관리공단의 퇴직연금의 환수결정은 관련 법령에 따라 당연히 환수금액이 정해지는 것이므로, 퇴직연금의 환수결정에 앞서 당사자에게 의견진술의 기회를 주지 아니하여도 행정절차법에 위반되지 않는다.
      19. 국가7급·서울7급, 17. 국가9급(10월),
      15. 지방9급·국회8급, 13. 국회9급 (   )

ⓓ **청문 주재자(제28조, 제29조)**

> **제28조【청문 주재자】** ① 행정청은 소속 직원 또는 대통령령으로 정하는 자격을 가진 사람 중에서 청문 주재자를 공정하게 선정하여야 한다.
> ② 행정청은 다음 각 호의 어느 하나에 해당하는 처분을 하려는 경우에는 청문 주재자를 2명 이상으로 선정할 수 있다. 이 경우 선정된 청문 주재자 중 1명이 청문 주재자를 대표한다.
> 1. 다수 국민의 이해가 상충되는 처분
> 2. 다수 국민에게 불편이나 부담을 주는 처분
> 3. 그 밖에 전문적이고 공정한 청문을 위하여 행정청이 청문 주재자를 2명 이상으로 선정할 필요가 있다고 인정하는 처분
> ③ 행정청은 청문이 시작되는 날부터 7일 전까지 청문 주재자에게 청문과 관련한 필요한 자료를 미리 통지하여야 한다.
> ④ 청문 주재자는 독립하여 공정하게 직무를 수행하며, 그 직무 수행을 이유로 본인의 의사에 반하여 신분상 어떠한 불이익도 받지 아니한다.
> ⑤ 제1항 또는 제2항에 따라 선정된 청문 주재자는 형법이나 그 밖의 다른 법률에 따른 벌칙을 적용할 때에는 공무원으로 본다.
> ⑥ 제1항부터 제5항까지에서 규정한 사항 외에 청문 주재자의 선정 등에 필요한 사항은 대통령령으로 정한다.
>
> **제29조【청문 주재자의 제척·기피·회피】** ① 청문 주재자가 다음 각 호의 어느 하나에 해당하는 경우에는 청문을 주재할 수 없다.
> 1. 자신이 당사자 등이거나 당사자등과 민법 제777조 각 호의 어느 하나에 해당하는 친족관계에 있거나 있었던 경우
> 2. 자신이 해당 처분과 관련하여 증언이나 감정(鑑定)을 한 경우
> 3. 자신이 해당 처분의 당사자 등의 대리인으로 관여하거나 관여하였던 경우
> 4. 자신이 해당 처분업무를 직접 처리하거나 처리하였던 경우
> 5. 자신이 해당 처분업무를 처리하는 부서에 근무하는 경우. 이 경우 부서의 구체적인 범위는 대통령령으로 정한다.
> ② 청문 주재자에게 공정한 청문 진행을 할 수 없는 사정이 있는 경우 당사자 등은 행정청에 기피신청을 할 수 있다. 이 경우 행정청은 청문을 정지하고 그 신청이 이유가 있다고 인정할 때에는 해당 청문 주재자를 지체 없이 교체하여야 한다.
> ③ 청문 주재자는 제1항 또는 제2항의 사유에 해당하는 경우에는 행정청의 승인을 받아 스스로 청문의 주재를 회피할 수 있다.

ⓔ **청문의 비공개원칙(제30조):** 청문절차는 당사자의 공개신청이 있거나 청문 주재자가 필요하다고 인정하는 경우(직권) 공개할 수 있지만, 공익 또는 제3자의 정당한 이익을 현저히 해할 우려가 있는 경우 공개하여서는 아니 된다.

ⓕ **청문의 병합과 분리(제32조):** 행정청은 직권 또는 당사자의 신청에 의해 수개의 사안을 병합하거나 분리하여 청문을 실시할 수 있다.

ⓖ **증거조사(제33조):** 청문 주재자는 신청 또는 직권에 의하여 필요한 조사를 할 수 있으며, 당사자 등이 주장하지 아니한 사실에 대하여도 조사할 수 있다.

ⓗ **청문 주재자의 청문조서 작성의무(제34조):** 청문 주재자는 일정한 사항이 기재된 청문조서를 작성하여야 하며, 당사자 등은 청문조서의 기재내용을 열람·확인할 수 있으며, 이의가 있을 때에는 그 정정을 요구할 수 있다.

ⓘ 청문 주재자의 의견서 작성의무(제34조의2): 청문 주재자는 일정한 사항이 기재된 청문 주재자의 의견서를 작성하여야 한다.

ⓙ 문서열람청구권(제37조): 당사자 등은 의견제출의 경우에는 처분의 사전통지가 있는 날부터 의견제출기한까지 청문의 경우에는 청문의 통지가 있는 날부터 청문이 끝날 때까지 행정청에 대하여 당해 사안의 조사결과에 관한 문서 기타 당해 처분과 관련되는 문서의 열람 또는 복사를 요청할 수 있다. 이 경우 행정청은 다른 법령에 의하여 공개가 제한되는 경우를 제외하고는 이를 거부할 수 없다(문서열람청구를 제한적으로 인정하고 있음).

ⓚ 청문의 종결(제35조)

> **제35조【청문의 종결】** ① 청문 주재자는 해당 사안에 대하여 당사자 등의 의견진술, 증거조사가 충분히 이루어졌다고 인정하는 경우에는 청문을 마칠 수 있다.
> ② 청문 주재자는 당사자 등의 전부 또는 일부가 정당한 사유 없이 청문기일에 출석하지 아니하거나 제31조 제3항에 따른 의견서를 제출하지 아니한 경우에는 이들에게 다시 의견진술 및 증거제출의 기회를 주지 아니하고 청문을 마칠 수 있다.
> ③ 청문 주재자는 당사자 등의 전부 또는 일부가 정당한 사유로 청문기일에 출석하지 못하거나 제31조 제3항에 따른 의견서를 제출하지 못한 경우에는 10일 이상의 기간을 정하여 이들에게 의견진술 및 증거제출을 요구하여야 하며, 해당 기간이 지났을 때에 청문을 마칠 수 있다.
> ④ 청문 주재자는 청문을 마쳤을 때에는 청문조서, 청문 주재자의 의견서, 그 밖의 관계 서류 등을 행정청에 지체 없이 제출하여야 한다.

ⓛ 청문결과의 반영(제35조의2): 행정청은 처분을 함에 있어서 제출받은 청문조서, 청문 주재자의 의견서 그 밖의 관계서류 등을 충분히 검토하고 **상당한 이유**가 있다고 인정하는 경우에는 청문결과를 반영하여야 한다. 다만, 판례에 의하면 청문결과를 반영하여야 하는 데 그칠 뿐, 처분청이 청문결과에 기속되는 것은 아니다.

🔍 **관련판례**

광업용 토지수용을 위한 사업인정 여부를 결정함에 있어 처분청이 그 의견에 기속되어야 하는지 여부
광업법상 광업용 토지수용을 위한 사업인정을 하고자 할 때 토지소유자와 토지에 관한 권리를 가진 자의 의견을 들어야 한다고 한 것은 그 사업인정 여부를 결정함에 있어서 소유자나 기타 권리자가 의견을 반영할 기회를 주어 이를 참작하도록 하고자 하는 데 있을 뿐, 처분청이 그 의견에 기속되는 것은 아니다(대판 1995.12.22. 95누30).

ⓜ 청문의 재개(제36조): 행정청은 청문을 마친 후 처분을 하기까지 새로운 사정이 발견되어 청문을 재개할 필요가 있다고 인정하는 때에는 제출받은 청문조서 등을 되돌려 보내고 청문의 재개를 명할 수 있다.

ⓝ **청문을 결한 경우:** 행정절차법상 청문이 일반적인 절차로서 인정되는 것은 아니지만, 이러한 청문을 결여한 경우에는 위법한 행정행위가 되며, 판례는 취소사유로 보는 것이 주류적 입장이다.

> **⚖ 관련판례**
>
> **1 주택조합설립인가처분 취소처분**
> 청문절차 없이 어떤 행정처분을 한 경우에도 관계 법령에서 청문절차를 시행하도록 규정하지 않고 있는 경우에는 그 행정처분이 위법하게 되는 것이 아니라고 할 것인바, 구 주택건설촉진법(1992.12.8. 법률 제4530호로 개정되기 전의 것) 및 같은 법 시행령에 의하면 주택조합설립인가처분의 취소처분을 하고자 하는 경우에 청문절차를 거치도록 규정하고 있지 아니하므로 청문절차를 거치지 아니한 것이 위법하지 아니하다(대판 1994.3.22. 93누18969).
>
> **2 국민의 권익보호를 위한 행정절차에 관한 훈령에 규정된 청문절차를 거치지 아니한 문화재지정**
> 국민의 권익보호를 위한 행정절차에 관한 훈령에 따라 1990.3.1.부터 시행된 행정절차운영지침에 의하면 행정청이 공권력을 행사하여 국민의 구체적인 권리 또는 의무에 직접적인 변동을 초래하게 하는 행정처분을 하고자 할 때에는 미리 당사자에게 행정처분을 하고자 하는 원인이 되는 사실을 통지하여 그에 대한 의견을 청취한 다음 이유를 명시하여 행정처분을 하여야 한다고 규정되어 있으나 이는 대외적 구속력을 가지는 것이 아니므로, 시장이 건조물 소유자의 신청이 없는 상태에서 소유자의 의견을 듣지 아니하고 건조물을 문화재로 지정하였다고 하여 위법한 것이라고 할 수 없다(대판 1994.8.9. 94누3414).
>
> **3 청문절차를 거치지 아니한 건축사 사무소등록 취소처분**
> 관계행정청이 건축사사무소의 등록취소처분을 함에 있어 당해 건축사들을 사전에 청문토록 한 취지는 위 행정처분으로 인하여 건축사사무소의 기존권리가 부당하게 침해받지 아니하도록 등록취소 사유에 대하여 당해 건축사에게 변명과 유리한 자료를 제출할 기회를 부여하여 위법 사유의 사정가능성을 감안하고 처분의 신중성과 적정성을 기하려 함에 있다 할 것이므로 설사 건축사법 제28조 소정의 등록취소 등 사유가 분명히 존재하는 경우라 하더라도 당해 건축사가 정당한 이유없이 청문에 응하지 아니한 경우가 아닌 한 청문절차를 거치지 아니하고 한 건축사사무소 등록취소 처분은 위법하다(대판 1984.9.11. 82누166).

⑤ **공청회**

㉠ **의의(제2조 제6호):** 행정청이 공개적인 토론을 통하여 어떠한 행정작용에 대하여 당사자 등, 전문지식과 경험을 가진 자, 기타 일반인으로부터 의견을 널리 수렴하는 절차를 말한다.

㉡ **공청회의 개최사유(제22조 제2항):** 다음의 경우에 공청회를 개최한다.
ⓐ 다른 법령 등에서 공청회를 개최하도록 규정하고 있는 경우
ⓑ 당해 처분의 영향이 광범위하여 널리 의견을 수렴할 필요가 있다고 행정청이 인정하는 경우

ⓒ 당사자 등이 공청회 개최를 요구하는 경우

⚖ 관련판례

행정청이 개최한 공청회가 아닌 경우 행정절차법의 공청회에 관한 규정이 적용되지 않는다는 취지의 판례

묘지공원과 화장장의 후보지를 선정하는 과정에서 서울특별시, 비영리법인, 일반 기업 등이 공동발족한 협의체인 추모공원건립추진협의회가 후보지 주민들의 의견을 청취하기 위하여 그 명의로 개최한 공청회는 행정청이 도시계획시설결정을 하면서 개최한 공청회가 아니므로, 위 공청회의 개최에 관하여 행정절차법에서 정한 절차를 준수하여야 하는 것은 아니다(대판 2007.4.12. 2005두1893).

ⓒ 공청회 개최의 알림(제38조)

제38조【공청회 개최의 알림】 행정청은 공청회를 개최하려는 경우에는 공청회 개최 14일 전까지 다음 각 호의 사항을 당사자 등에게 통지하고 관보, 공보, 인터넷 홈페이지 또는 일간신문 등에 공고하는 등의 방법으로 널리 알려야 한다. 다만, <u>공청회 개최를 알린 후 예정대로 개최하지 못하여 새로 일시 및 장소 등을 정한 경우에는 공청회 개최 7일 전까지 알려야 한다.</u>

1. 제목
2. 일시 및 장소
3. 주요 내용
4. 발표자에 관한 사항
5. 발표신청 방법 및 신청기한
6. 정보통신망을 통한 의견제출
7. 그 밖에 공청회 개최에 필요한 사항

ⓔ 온라인공청회(제38조의2)

제38조의2【온라인공청회】 ① 행정청은 <u>제38조에 따른 공청회와 병행하여서만 정보통신망을 이용한 공청회(이하 "온라인공청회"라 한다)를 실시할 수 있다.</u>
② 제1항에도 불구하고 다음 각 호의 어느 하나에 해당하는 경우에는 온라인공청회를 단독으로 개최할 수 있다
1. 국민의 생명·신체·재산의 보호 등 국민의 안전 또는 권익보호 등의 이유로 제38조에 따른 공청회를 개최하기 어려운 경우
2. 제38조에 따른 공청회가 행정청이 책임질 수 없는 사유로 개최되지 못하거나 개최는 되었으나 정상적으로 진행되지 못하고 무산된 횟수가 3회 이상인 경우
3. 행정청이 널리 의견을 수렴하기 위하여 온라인공청회를 단독으로 개최할 필요가 있다고 인정하는 경우. 다만, 제22조 제2항 제1호 또는 제3호에 따라 공청회를 실시하는 경우는 제외한다.
③ 행정청은 온라인공청회를 실시하는 경우 의견제출 및 토론 참여가 가능하도록 적절한 전자적 처리능력을 갖춘 정보통신망을 구축·운영하여야 한다.
④ 온라인공청회를 실시하는 경우에는 누구든지 정보통신망을 이용하여 의견을 제출하거나 제출된 의견 등에 대한 토론에 참여할 수 있다.

㉤ 공청회의 주재자 및 발표자의 선정(제38조의3)

> **제38조의3 【공청회의 주재자 및 발표자의 선정】** ① 행정청은 해당 공청회의 사안과 관련된 분야에 전문적 지식이 있거나 그 분야에 종사한 경험이 있는 사람으로서 대통령령으로 정하는 자격을 가진 사람 중에서 공청회의 주재자를 선정한다.
> ② 공청회의 발표자는 발표를 신청한 사람 중에서 행정청이 선정한다. 다만, 발표를 신청한 사람이 없거나 공청회의 공정성을 확보하기 위하여 필요하다고 인정하는 경우에는 다음 각 호의 사람 중에서 지명하거나 위촉할 수 있다.
> 1. 해당 공청회의 사안과 관련된 당사자 등
> 2. 해당 공청회의 사안과 관련된 분야에 전문적 지식이 있는 사람
> 3. 해당 공청회의 사안과 관련된 분야에 종사한 경험이 있는 사람
> ③ 행정청은 공청회의 주재자 및 발표자를 지명 또는 위촉하거나 선정할 때 공정성이 확보될 수 있도록 하여야 한다.
> ④ 공청회의 주재자, 발표자, 그 밖에 자료를 제출한 전문가 등에게는 예산의 범위에서 수당 및 여비와 그 밖에 필요한 경비를 지급할 수 있다.

㉥ 공청회의 진행(제39조)

- ⓐ 공청회의 주재자는 공청회를 공정하게 진행하여야 하며, 공청회의 원활한 진행을 위하여 발표내용을 제한할 수 있고, 질서유지를 위하여 발언중지, 퇴장명령 등 행정안전부장관이 정하는 필요한 조치를 할 수 있다.
- ⓑ 발표자는 공청회의 내용과 직접 관련된 사항에 한하여 발표하여야 한다.
- ⓒ 공청회의 주재자는 발표자의 발표가 끝난 후에는 발표자 상호간에 질의 및 답변을 할 수 있도록 하여야 하며, 방청인에 대하여도 의견을 제시할 기회를 주어야 한다.

㉦ 공청회 및 온라인공청회 결과의 반영(제39조의2): 행정청은 처분을 함에 있어서 공청회·온라인공청회 및 정보통신망 등을 통하여 제시된 사실 및 의견이 상당한 이유가 있다고 인정하는 경우에는 이를 반영하여야 한다.

㉧ 공청회의 재개최(제39조의3): 행정청은 공청회를 마친 후 처분을 할 때까지 새로운 사정이 발견되어 공청회를 다시 개최할 필요가 있다고 인정할 때에는 공청회를 다시 개최할 수 있다.

⑥ 의견제출(약식청문)

㉠ 의의: 의견제출이란 행정청이 어떠한 행정작용을 하기 전에 당사자 등이 의견을 제시하는 절차로서 청문이나 공청회에 해당하지 아니하는 절차를 말한다.

㉡ 의견제출의 기회제공과 방법

> **제27조 【의견제출】** ① 당사자 등은 처분 전에 그 처분의 관할 행정청에 서면이나 말로 또는 정보통신망을 이용하여 의견제출을 할 수 있다.
> ② 당사자 등은 제1항에 따라 의견제출을 하는 경우 그 주장을 입증하기 위한 증거자료 등을 첨부할 수 있다.
> ③ 행정청은 당사자 등이 말로 의견제출을 하였을 때에는 서면으로 그 진술의 요지와 진술자를 기록하여야 한다.
> ④ 당사자 등이 정당한 이유 없이 의견제출기한까지 의견제출을 하지 아니한 경우에는 의견이 없는 것으로 본다.

제27조의2 【제출 의견의 반영 등】 ① 행정청은 처분을 할 때에 당사자 등이 제출한 의견이 상당한 이유가 있다고 인정하는 경우에는 이를 반영하여야 한다.

② 행정청은 당사자 등이 제출한 의견을 반영하지 아니하고 처분을 한 경우 당사자 등이 처분이 있음을 안 날부터 90일 이내에 그 이유의 설명을 요청하면 서면으로 그 이유를 알려야 한다. 다만, 당사자 등이 동의하면 말, 정보통신망 또는 그 밖의 방법으로 알릴 수 있다.

⚖ 관련판례

> **퇴직연금의 환수결정 시 당사자에게 의견진술의 기회를 주지 아니한 경우, 행정절차법 제22조 제3항이나 신의칙에 위반되는지 여부(소극)**
>
> 퇴직연금의 환수결정은 당사자에게 의무를 과하는 처분이기는 하나, 관련 법령에 따라 당연히 환수금액이 정하여지는 것이므로, 퇴직연금의 환수결정에 앞서 당사자에게 의견진술의 기회를 주지 아니하여도 행정절차법 제22조 제3항이나 신의칙에 어긋나지 아니한다(대판 2000.11.28. 99두5443).

4. 신고 절차

(1) 개설

① 신고는 일정한 법률사실 또는 법률관계의 존부에 관하여 서면이나 구술로 관계 행정청에 알리는 행위를 말한다. 신고에는 ㉠ 수리를 요하지 않는 자체완성적 신고와 ㉡ 수리를 요하는 행위요건적 신고가 있다. 이 중 행정절차법 제40조는 **자체완성적 신고**에 관해 규정하고 있다.

② 법령 등에서 행정청에 대하여 일정한 사항을 통지함으로써 의무가 끝나는 신고를 규정하고 있는 경우, 신고를 관장하는 행정청은 신고에 필요한 구비서류와 접수기관 기타 법령 등에 의한 신고에 필요한 사항을 게시(인터넷 등을 통한 게시를 포함)하거나 이에 대한 편람을 비치하여 누구나 열람할 수 있도록 하여야 한다(제40조 제1항).

(2) 요건 및 효과

① 신고는 ㉠ 신고서의 기재사항에 흠이 없을 것, ㉡ 필요한 구비서류가 첨부되어 있을 것, ㉢ 그 밖에 법령 등에 규정된 형식상의 요건에 적합할 것 등의 요건을 충족한 신고에 대하여 신고서가 접수기관에 도달한 때에 신고의무가 이행된 것으로 보고 있다(제40조 제2항).

② 행정청은 ①의 요건을 갖추지 못한 신고서가 제출된 경우 지체 없이 상당한 기간을 정하여 신고인에게 보완을 요구하여야 하며, 신고인이 그 기간 내에 보완을 하지 아니하였을 때에는 그 이유를 구체적으로 밝혀 해당 신고서를 되돌려 보내야 한다(제40조 제3항·제4항).

5. 확약

제40조의2 【확약】 ① 법령 등에서 당사자가 신청할 수 있는 처분을 규정하고 있는 경우 행정청은 당사자의 신청에 따라 장래에 어떤 처분을 하거나 하지 아니할 것을 내용으로 하는 의사표시(이하 "확약"이라 한다)를 할 수 있다.

01 행정절차법상 법령 등에서 당사자가 신청할 수 있는 처분을 규정하고 있는 경우 행정청은 당사자의 신청에 따라 장래에 어떤 처분을 하거나 하지 아니할 것을 내용으로 하는 확약을 할 수 있으며, 문서 또는 말에 의한 확약도 가능하다.
23. 국가7급 (   )

02 행정절차법상 행정청은 확약을 한 후에 확약의 내용을 이행할 수 없을 정도로 법령 등이나 사정이 변경된 경우에는 확약에 기속되지 아니하며, 그 확약을 이행할 수 없는 경우에는 지체 없이 당사자에게 그 사실을 통지하여야 한다.
23. 국가7급 (   )

03 행정청은 위반사실 등의 공표를 할 때에는 특별한 사정이 없는 한 미리 당사자에게 그 사실을 통지하고 의견제출의 기회를 주어야 하며, 의견제출의 기회를 받은 당사자는 공표 전에 관할 행정청에 서면이나 말 또는 정보통신망을 이용하여 의견을 제출할 수 있다. 23. 국가7급 (   )

② 확약은 문서로 하여야 한다.
③ 행정청은 다른 행정청과의 협의 등의 절차를 거쳐야 하는 처분에 대하여 확약을 하려는 경우에는 확약을 하기 전에 그 절차를 거쳐야 한다.
④ 행정청은 다음 각 호의 어느 하나에 해당하는 경우에는 확약에 기속되지 아니한다.
1. 확약을 한 후에 확약의 내용을 이행할 수 없을 정도로 법령 등이나 사정이 변경된 경우
2. 확약이 위법한 경우
⑤ 행정청은 확약이 제4항 각 호의 어느 하나에 해당하여 확약을 이행할 수 없는 경우에는 지체 없이 당사자에게 그 사실을 통지하여야 한다.

6. 법위반 사실공표

제40조의3 【위반사실 등의 공표】 ① 행정청은 법령에 따른 의무를 위반한 자의 성명·법인명, 위반사실, 의무 위반을 이유로 한 처분사실 등(이하 "위반사실 등"이라 한다)을 법률로 정하는 바에 따라 일반에게 공표할 수 있다.
② 행정청은 위반사실 등의 공표를 하기 전에 사실과 다른 공표로 인하여 당사자의 명예·신용 등이 훼손되지 아니하도록 객관적이고 타당한 증거와 근거가 있는지를 확인하여야 한다.
③ 행정청은 위반사실 등의 공표를 할 때에는 미리 당사자에게 그 사실을 통지하고 의견제출의 기회를 주어야 한다. 다만, 다음 각 호의 어느 하나에 해당하는 경우에는 그러하지 아니하다.
1. 공공의 안전 또는 복리를 위하여 긴급히 공표를 할 필요가 있는 경우
2. 해당 공표의 성질상 의견청취가 현저히 곤란하거나 명백히 불필요하다고 인정될 만한 타당한 이유가 있는 경우
3. 당사자가 의견진술의 기회를 포기한다는 뜻을 명백히 밝힌 경우
④ 제3항에 따라 의견제출의 기회를 받은 당사자는 공표 전에 관할 행정청에 서면이나 말 또는 정보통신망을 이용하여 의견을 제출할 수 있다.
⑤ 제4항에 따른 의견제출의 방법과 제출 의견의 반영 등에 관하여는 제27조 및 제27조의2를 준용한다. 이 경우 "처분"은 "위반사실 등의 공표"로 본다.
⑥ 위반사실 등의 공표는 관보, 공보 또는 인터넷 홈페이지 등을 통하여 한다.
⑦ 행정청은 위반사실 등의 공표를 하기 전에 당사자가 공표와 관련된 의무의 이행, 원상회복, 손해배상 등의 조치를 마친 경우에는 위반사실 등의 공표를 하지 아니할 수 있다.
⑧ 행정청은 공표된 내용이 사실과 다른 것으로 밝혀지거나 공표에 포함된 처분이 취소된 경우에는 그 내용을 정정하여, 정정한 내용을 지체 없이 해당 공표와 같은 방법으로 공표된 기간 이상 공표하여야 한다. 다만, 당사자가 원하지 아니하면 공표하지 아니할 수 있다.

7. 행정계획

제40조의4 【행정계획】 행정청은 행정청이 수립하는 계획 중 국민의 권리·의무에 직접 영향을 미치는 계획을 수립하거나 변경·폐지할 때에는 관련된 여러 이익을 정당하게 형량하여야 한다.

8. 행정상 입법예고 절차

(1) 의의

행정상 입법예고 제도는 입법과정에서 국민참여와 입법의 투명성을 보장함으로써 입법 내용에 대한 문제점을 검토하고 법령 등의 실효성을 담보하기 위한 절차이다.

(2) 적용범위

① 원칙(제41조 제1항)

㉠ 법령 등을 제정·개정 또는 폐지하고자 할 때에는 당해 입법안을 마련한 행정청은 이를 예고하여야 한다.

㉡ 법제처장은 입법예고를 하지 아니한 법령안의 심사요청을 받은 경우에 입법 예고를 하는 것이 적당하다고 판단할 때에는 해당 행정청에 입법예고를 권고 하거나 직접 예고할 수 있다.

> **🔍 관련판례**
>
> 대통령령이 개정됨에 있어서 입법예고나 홍보가 없었다고 하여 그 조항이 신의 성실의 원칙에 위배되는 무효인 규정이라고 볼 수 없다(대판 1990.6.8. 90누2420).

② 예외(제41조 제1항 단서): 다음의 경우에는 입법예고를 하지 아니할 수 있다.

㉠ 신속한 국민의 권리보호 또는 예측 곤란한 특별한 사정의 발생 등으로 입법이 긴급을 요하는 경우

㉡ 상위 법령 등의 단순한 집행을 위한 경우

㉢ 입법내용이 국민의 권리·의무 또는 일상생활과 관련이 없는 경우

㉣ 단순한 표현·자구(字句)를 변경하는 경우 등 입법내용의 성질상 예고의 필요가 없거나 곤란하다고 판단되는 경우

㉤ 예고함이 공공의 안전 또는 복리를 현저히 해칠 우려가 있는 경우

③ 예고방법(제42조)

제42조【예고방법】 ① 행정청은 입법안의 취지, 주요 내용 또는 전문(全文)을 <u>다음 각 호의 구분에 따른 방법으로 공고하여야 하며, 추가로 인터넷, 신문 또는 방송 등을 통하여 공고할 수 있다.</u>
1. <u>법령의 입법안을 입법예고하는 경우: 관보 및 법제처장이 구축·제공하는 정보 시스템을 통한 공고</u>
2. <u>자치법규의 입법안을 입법예고하는 경우: 공보를 통한 공고</u>
② 행정청은 대통령령을 입법예고하는 경우 국회 소관 상임위원회에 이를 제출하여야 한다.
③ 행정청은 입법예고를 할 때에 입법안과 관련이 있다고 인정되는 중앙행정기관, 지방자치단체, 그 밖의 단체 등이 예고사항을 알 수 있도록 예고사항을 통지하거나 그 밖의 방법으로 알려야 한다.
④ 행정청은 제1항에 따라 예고된 입법안에 대하여 온라인공청회 등을 통하여 널리 의견을 수렴할 수 있다. 이 경우 제38조의2 제3항부터 제5항까지의 규정을 준용한다.
⑤ 행정청은 예고된 입법안의 전문에 대한 열람 또는 복사를 요청받았을 때에는 특별한 사유가 없으면 그 요청에 따라야 한다.
⑥ 행정청은 제5항에 따른 복사에 드는 비용을 복사를 요청한 자에게 부담시킬 수 있다.

④ **예고기간(제43조)**: 입법예고기간은 예고할 때 정하되, 특별한 사정이 없으면 **40일** (자치법규는 **20일**) 이상으로 한다.

⑤ **의견제출 및 처리(제44조)**

　㉠ 누구든지 예고된 입법안에 대하여 의견을 제출할 수 있다.

　㉡ 행정청은 의견접수기관, 의견제출기간 그 밖에 필요한 사항을 해당 입법안을 예고할 때 함께 공고하여야 한다.

　㉢ 행정청은 해당 입법안에 대한 의견이 제출된 경우 특별한 사유가 없으면 이를 존중하여 처리하여야 한다.

　㉣ 행정청은 의견을 제출한 자에게 그 제출된 의견의 처리결과를 통지하여야 한다.

⑥ **공청회(제45조 제1항)**: 행정청은 입법안에 관하여 공청회를 개최할 수 있다.

⑦ **재입법예고**: 입법안을 마련한 행정청은 입법예고 후 예고내용에 국민생활과 직접 관련된 내용이 추가되는 등 대통령령으로 정하는 중요한 변경이 발생하는 경우에는 해당 부분에 대한 입법예고를 다시 하여야 한다. 다만, 일정한 경우에는 예고를 하지 아니할 수 있다.

9. 행정예고 절차

(1) 의의

① 행정예고의 대상(제46조 제1항)

> **제46조 【행정예고】** ① 행정청은 정책, 제도 및 계획(이하 '정책 등'이라 한다)을 수립·시행하거나 변경하려는 경우에는 이를 예고하여야 한다. 다만, 다음 각 호의 어느 하나에 해당하는 경우에는 예고를 하지 아니할 수 있다.
> 1. 신속하게 국민의 권리를 보호하여야 하거나 예측이 어려운 특별한 사정이 발생하는 등 긴급한 사유로 예고가 현저히 곤란한 경우
> 2. 법령 등의 단순한 집행을 위한 경우
> 3. 정책 등의 내용이 국민의 권리·의무 또는 일상생활과 관련이 없는 경우
> 4. 정책 등의 예고가 공공의 안전 또는 복리를 현저히 해칠 우려가 상당한 경우

② **행정예고가 행정입법을 포함하는 경우(제46조 제2항)**: 법령 등의 입법을 포함하는 행정예고의 경우에는 입법예고로 이를 갈음할 수 있다.

(2) 행정예고기간(제46조 제3항·제4항)

행정예고기간은 예고내용의 성격 등을 고려하여 정하되, 특별한 사정이 없으면 **20일** 이상으로 한다. 다만, 행정목적을 달성하기 위하여 긴급한 필요가 있는 경우에는 행정예고기간을 단축할 수 있다. 이 경우 단축된 행정예고기간은 10일 이상으로 한다.

(3) 행정예고 통계 작성 및 공고(제46조의2)

행정청은 매년 자신이 행한 행정예고의 실시현황과 그 결과에 관한 통계를 작성하고, 이를 관보·공보 또는 인터넷 등의 방법으로 널리 공고하여야 한다.

(4) 예고방법 등(제47조)

행정청은 정책등안(案)의 취지, 주요 내용 등을 관보·공보나 인터넷·신문·방송 등을 통하여 공고하여야 한다.

제47조 【예고방법 등】 ① 행정청은 정책등안(案)의 취지, 주요 내용 등을 관보·공보나 인터넷·신문·방송 등을 통하여 공고하여야 한다.

② 행정예고의 방법, 의견제출 및 처리, 공청회 및 온라인공청회에 관하여는 제38조, 제38조의2, 제38조의3, 제39조, 제39조의2, 제39조의3, 제42조(제1항·제2항 및 제4항은 제외한다), 제44조 제1항부터 제3항까지 및 제45조 제1항을 준용한다. 이 경우 '입법안'은 '정책등안'으로, '입법예고'는 '행정예고'로, '처분을 할 때'는 '정책 등을 수립·시행하거나 변경할 때'로 본다.

10. 행정지도절차

(1) 의의(제2조 제3호)

행정기관이 그 소관 사무의 범위 안에서 일정한 행정목적을 실현하기 위하여 특정인에게 일정한 행위를 하거나 하지 아니하도록 지도·권고·조언 등을 하는 행정작용을 말한다.

(2) 행정지도의 원칙(제48조)

① 과잉금지의 원칙 및 임의성의 원칙: 행정지도는 그 목적 달성에 필요한 최소한도에 그쳐야 하고, 또한 그 상대방의 의사에 반하여 부당하게 강요하여서는 안 된다.

② 불이익조치금지의 원칙: 행정기관은 상대방이 행정지도에 따르지 아니하였다는 것을 이유로 불이익한 조치를 하여서는 아니 된다.

(3) 행정지도의 방식(제49조)

① 행정지도를 행하는 자는 그 상대방에게 당해 행정지도의 취지·내용 및 신분을 밝혀야 한다.

② 행정지도가 **말로** 이루어지는 경우에 상대방이 위 ①의 사항을 적은 서면의 교부를 요구하면 그 당해 행정지도를 행하는 자는 직무수행에 특별한 지장이 없으면 이를 교부하여야 한다.

(4) 의견제출(제50조)

행정지도의 상대방은 당해 행정지도의 방식·내용 등에 관하여 행정기관에 의견제출을 할 수 있다. 그러나 입법예고와 같이 결과통지의무까지는 규정하고 있지 않다.

(5) 다수인을 대상으로 하는 행정지도(제51조)

행정기관이 같은 행정목적을 실현하기 위하여 많은 상대방에게 행정지도를 하고자 하는 때에는 특별한 사정이 없는 한 행정지도에 공통적인 내용이 되는 사항을 공표하여야 한다.

11. 국민참여의 확대

(1) 국민참여 확대 노력(제52조)

① 행정청은 행정과정에서 국민의 의견을 적극적으로 청취하고 이를 반영하도록 노력하여야 한다.

② 행정청은 국민에게 다양한 참여방법과 협력의 기회를 제공하도록 노력하여야 하며, 구체적인 참여방법을 공표하여야 한다.

③ 행정청은 국민참여 수준을 향상시키기 위하여 노력하며 필요한 경우 국민참여 수준에 대한 자체진단을 실시하고, 그 결과를 행정안전부장관에게 제출해야 한다.

④ 행정청은 제3항에 따라 자체진단을 실시한 경우 그 결과를 공개할 수 있다.

⑤ 행정청은 국민참여를 활성화하기 위하여 교육·홍보, 예산·인력 확보 등 필요한 조치를 할 수 있다.

⑥ 행정안전부장관은 국민참여 확대를 위하여 행정청에 교육·홍보, 포상, 예산·인력 확보 등을 지원할 수 있다.

(2) 국민제안의 처리(제52조의2)

① 행정청(국회사무총장·법원행정처장·헌법재판소사무처장 및 중앙선거관리위원회사무총장은 제외)은 정부시책이나 행정제도 및 그 운영의 개선에 관한 국민의 창의적인 의견이나 고안(이하 "국민제안"이라 한다)을 접수·처리하여야 한다.

② 제1항에 따른 국민제안의 운영 및 절차 등에 필요한 사항은 대통령령으로 정한다.

(3) 국민참여 청구(제52조의3)

행정청은 주요 정책 등에 관한 국민과 전문가의 의견을 듣거나 국민이 참여할 수 있는 온라인 또는 오프라인 창구를 설치·운영할 수 있다.

(4) 온라인 정책토론(제53조)

① 행정청은 국민에게 영향을 미치는 주요 정책 등에 대하여 국민의 다양하고 창의적인 의견을 널리 수렴하기 위하여 정보통신망을 이용한 정책토론, 즉 온라인 정책토론을 실시할 수 있다.

② 행정청은 효율적인 온라인 정책토론을 위하여 과제별로 한시적인 토론 패널을 구성하여 해당 토론에 참여시킬 수 있다. 이 경우 패널의 구성에 있어서는 공정성 및 객관성이 확보될 수 있도록 노력하여야 한다.

③ 행정청은 온라인 정책토론이 공정하고 중립적으로 운영되도록 하기 위하여 필요한 조치를 할 수 있다.

④ 토론 패널의 구성, 운영방법 그 밖에 온라인 정책토론의 운영을 위하여 필요한 사항은 대통령령으로 정한다.

12. 보칙

(1) 비용의 부담(제54조)

행정절차에 소요되는 비용은 행정청이 부담한다. 다만, 당사자 등이 자기를 위하여 스스로 지출한 비용은 그러하지 아니하다.

(2) 참고인 등에 대한 비용지급(제55조)

행정청은 행정절차의 진행에 필요한 참고인·감정인 등에게 예산의 범위 안에서 여비와 일당을 지급할 수 있다.

(3) 협조요청 등(제56조)

행정안전부장관[제4장(입법예고)의 경우에는 법제처장을 말한다]은 이 법의 효율적인 운영을 위하여 노력하여야 하며, 필요한 경우에는 그 운영 상황과 실태를 확인할 수 있고, 관계 행정청에 관련 자료의 제출 등 협조를 요청할 수 있다.

🔬 판례연구 행정절차법

1. 기본 판례

행정에 관한 공권력 작용에도 절차상의 적법성이 요구된다.

> 헌법 제12조 제3항 본문은 동조 제1항과 함께 적법절차원리의 일반조항에 해당하는 것으로서, 형사절차상의 영역에 한정되지 않고 입법, 행정 등 국가의 모든 공권력의 작용에는 절차상의 적법성뿐만 아니라 법률의 구체적 내용도 합리성과 정당성을 갖춘 실체적인 적법성이 있어야 한다는 적법절차의 원칙을 헌법의 기본원리로 명시하고 있는 것이다(헌재 1992.12.24. 92헌가8).

2. 관련 판례

① 공정거래위원회의 시정조치 및 과징금납부명령에 대해서는 행정절차법을 적용하여 의견청취절차를 생략할 수 없다.

② 군인사법령에 의하여 진급예정자명단에 포함된 자에 대한 진급선발을 취소하는 처분은 행정절차법 적용배제사항이 아니다.

③ 산업기능요원 편입취소처분은 행정절차법 적용제외사항이 아니다.

④ 신청에 앞서 신청서의 내용에 대한 검토요청만으로 행정절차법상 신청으로 볼 수 없다.

⑤ 사전통지로 많은 액수의 손실보상금을 기대하여 공사를 감행할 우려는 사전통지의 예외사유가 아니다.

⑥ 수익적 행정행위의 신청에 대한 거부처분은 사전통지의 대상이 되지 않는다.

⑦ 도로구역변경고시는 사전통지나 의견청취의 대상이 되는 처분이 아니다.

⑧ 행정처분의 상대방이 불출석한 경우가 청문의 실시의 예외사유에 해당하지 않는다.

⑨ 청문을 포함한 당사자의 의견청취절차 없이 어떤 행정처분을 한 경우에도 관계법령에서 당사자의 의견청취절차를 시행하도록 규정하지 않고 있는 경우에는 그 행정처분이 위법하게 되는 것은 아니다.

⑩ 사인과의 협약으로 법령상 요구되는 청문을 배제할 수 없다.

⑪ 청문의 의견에 행정청은 기속되지 않는다.

⑫ 법령상 당연히 확정된 의무부과의 경우 의견제출의 기회를 부여하지 않아도 된다.

⑬ 추모공원건립추진협의회가 그 명의로 개최한 공청회는 행정청이 개최한 공청회가 아니므로, 위 공청회의 개최에 관하여 행정절차법에서 정한 절차를 준수하여야 하는 것은 아니다.

⑭ 당사자가 그 근거를 알 수 있을 정도로 상당한 이유를 제시한 경우에는 당해 처분의 근거 및 이유를 구체적 조항 및 내용까지 명시하지 않았더라도 그 처분이 위법이라 볼 수 없다.

◎ 핵심정리 예외사항

사전통지의 예외	① 공공의 안전 또는 복리를 위하여 긴급히 처분을 할 필요가 있는 경우 ② 법령등에서 요구된 자격이 없거나 없어지게 되면 반드시 일정한 처분을 하여야 하는 경우에 그 자격이 없거나 없어지게 된 사실이 법원의 재판 등에 의하여 객관적으로 증명된 경우 ③ 해당 처분의 성질상 의견청취가 현저히 곤란하거나 명백히 불필요하다고 인정될 만한 상당한 이유가 있는 경우
처분 이유제시 예외	① 신청 내용을 모두 그대로 인정하는 처분인 경우 ② 단순·반복적인 처분 또는 경미한 처분으로서 당사자가 그 이유를 명백히 알 수 있는 경우 ③ 긴급히 처분을 할 필요가 있는 경우 [참고] ①의 경우 처분 후 당사자가 요청하는 경우에도 이유제시 불요

제1절 정보공개 제도

1 의의

'행정정보공개 제도'란 개인이 행정주체가 보유하고 있는 정보에 접근하여 그것을 이용할 수 있게 하기 위하여 개인에게 정보공개를 청구할 수 있는 권리를 보장하고, 행정주체에 대하여 정보공개의무를 지도록 하는 제도를 의미한다.

2 필요성과 문제점

1. 필요성

(1) 국가의 사정이나 지역의 사정을 국민이나 주민이 알 수 있도록 한다.

(2) 국민이나 주민이 행정의사 결정과정에 효과적으로 참여할 수 있게 되며, 국민의 기본권의 하나인 알 권리를 실현한다.

(3) 정보공개는 행정의 비밀주의에 대한 견제를 통해 행정권한의 남용을 방지하고, 정치 및 행정의 공공성을 확보하는 데 기여한다.

2. 문제점

(1) 과도한 정보공개는 국가기밀이나 개인정보에 대한 침해가능성이 있다.

(2) 행정부담이 가중되고 기업비밀이 악용될 수 있으며, 부실정보·정보조작으로 정보질서의 혼란을 초래한다.

(3) 정보무능력자는 정보에 접근이 어려워 불평등을 초래할 수 있다.

3 법적 근거

1. 헌법상 근거

(1) 정보공개청구권은 **헌법상의 '알 권리'**에서 그 근거를 구할 수 있다. 알 권리에 대하여는 헌법에 직접적인 규정은 없으나, ① 헌법 제21조의 표현의 자유에서 근거를 찾는 견해와, ② 국민주권, 인간의 존엄과 가치 및 행복추구권에서 찾는 견해가 있다.

(2) 판례

알 권리는 개별법의 구체화 없이 헌법적 근거만으로 인정된다는 것이 판례의 입장이다. 즉, 판례는 공공기관의 정보공개에 관한 법률과 같은 실정법의 근거가 없는 경우에도 헌법 제21조의 표현의 자유에서 도출되는 알 권리에 의하여 정보공개청구권이 인정될 수 있다는 입장이다.

핵심 OX

01 헌법재판소는 정보공개청구권을 알 권리의 핵심으로 파악하고 있으며, 알 권리의 헌법상 근거를 헌법 제21조의 표현의 자유에서 찾고 있다.
10. 지방9급 (   )

01 ○

헌법 제21조 ① 모든 국민은 언론·출판의 자유와 집회·결사의 자유를 가진다.

② 언론·출판에 대한 허가나 검열과 집회·결사에 대한 허가는 인정되지 아니한다.

③ 통신·방송의 시설기준과 신문의 기능을 보장하기 위하여 필요한 사항은 법률로 정한다.

④ 언론·출판은 타인의 명예나 권리 또는 공중도덕이나 사회윤리를 침해하여서는 아니 된다. 언론·출판이 타인의 명예나 권리를 침해한 때에는 피해자는 이에 대한 피해의 배상을 청구할 수 있다.

⚖ 관련판례

1 **알 권리가 헌법 제21조에 의해 직접 보장될 수 있는 기본권인지 여부(적극)**

'알 권리'는 표현의 자유에 당연히 포함되는 것으로 보아야 하며 인권에 관한 세계선언 제19조도 '알 권리'를 명시적으로 보장하고 있다. 헌법상 입법의 공개(제50조 제1항), 재판의 공개(제109조)와는 달리 행정의 공개에 대하여서는 명문규정을 두고 있지 않지만 '알 권리'의 생성기반을 살펴볼 때 이 권리의 핵심은 정부가 보유하고 있는 정보에 대한 국민의 '알 권리', 즉 <u>국민의 정부에 대한 일반적 정보공개를 구할 권리(청구권적 기본권)</u>라고 할 것이며, 이러한 '알 권리'의 실현은 법률의 제정이 뒤따라 이를 구체화시키는 것이 충실하고도 바람직하지만, 그러한 법률이 제정되어 있지 않다고 하더라도 불가능한 것은 아니고 <u>헌법 제21조에 의해 직접 보장될 수 있다고 하는</u> 것이 헌법재판소의 확립된 판례인 것이다(헌재 1991.5.13. 90헌마133).

2 국민의 '알 권리', 즉 정보에의 접근·수집·처리의 자유는 자유권적 성질과 청구권적 성질을 공유하는 것으로서 헌법 제21조에 의하여 직접 보장되는 권리이다(대판 2009.12.10. 2009두12785).

---

2. 법률상 근거

정보공개에 관한 일반법으로 공공기관의 정보공개에 관한 법률이 1996년 12월 31일에 공포되어 1998년 1월 1일부터 시행되고 있다. 공공기관의 정보공개에 관한 법률 시행 이전에도 학설·판례에 의하여 인정되어 왔다.

3. 조례

지방자치단체는 그 소관 사무에 관하여 법령의 범위에서 정보공개에 관한 조례를 정할 수 있다(공공기관의 정보공개에 관한 법률 제4조 제2항).

⚖ 관련판례

청주시의회에서 의결한 청주시 행정정보공개조례안이 주민의 권리를 제한하거나 의무를 부과하는 조례라고는 단정할 수 없어 그 제정에 있어서 반드시 법률의 개별적 위임이 따로 필요한 것은 아니라고 한 사례

지방자치단체는 그 내용이 주민의 권리의 제한 또는 의무의 부과에 관한 사항이거나 벌칙에 관한 사항이 아닌 한 법률의 위임이 없더라도 조례를 제정할 수 있다 할 것인데 <u>청주시의회에서 의결한 청주시행정정보공개조례안</u>은 행정에 대한 주민의 알 권리의 실현을 그 근본내용으로 하면서도 이로 인한 개인의 권익침해 가능성을 배제하고 있으므로 이를 들어 주민의 권리를 제한하거나 의무를 부과하는 조례라고는 단정할 수 없고 따라서 <u>그 제정에 있어서 반드시 법률의 개별적 위임이 따로 필요한 것은 아니다</u>(대판 1992.6.23. 92추17).

4 공공기관의 정보공개에 관한 법률의 주요 내용

❶
약칭: 정보공개법

◈ **핵심정리** 공공기관의 정보공개에 관한 법률❶ 개요

근거	• 헌법: 알 권리(해석상) • 공공기관의 정보공개에 관한 법률
적용제외	• 국가안전보장에 관련되는 정보 • 보안업무를 관장하는 기관에서 국가안전보장과 관련된 정보분석을 목적으로 수집되거나 작성된 정보
공개청구권자	• 모든 국민(자연인, 법인, 법인 아닌 사단·재단) • 일정 범위의 외국인 • 정보공개청구인은 해당정보의 공개를 구할 법률상이익을 입증할 필요 없음
대상정보	직무상 작성하여 취득하여 관리하고 있는 문서(전자문서 포함) 및 전자매체를 비롯한 모든 형태의 매체 등에 기록된 사항
공개의무자	• 국가 • 지방자치단체 • 공공기관
비공개대상정보	8가지
정보공개청구	• 서면 • 구술
공개결정기간	• 10일 • 10일 범위 내 1회 연장(부득이한 사유가 있는 경우)
공개	• 부분공개 • 즉시공개 • 전자적 공개
비용부담	청구인 부담(원칙)
불복절차	• 이의신청 • 행정심판 • 행정소송
정보공개심의회	• 국가기관 • 지방자치단체 • 공기업
정보공개위원회	행정안전부장관 소속

핵심 OX

01 정보공개청구인은 자신에게 해당 정보의 공개를 구할 법률상 이익이 있음을 입증하여야 한다.
18. 지방교행 ( )

1. 정보의 개념

정보라 함은 **공공기관**이 **직무상** 작성 또는 취득하여 관리하고 있는 **문서**(전자문서를 포함)·도면·사진·필름·테이프·슬라이드 및 그 밖에 이에 준하는 **매체** 등에 기록된 사항을 말한다. 즉, 서면정보에 한정하지 않는다.

> **제2조【정의】** 이 법에서 사용하는 용어의 뜻은 다음과 같다.
> 1. '정보'란 공공기관이 직무상 작성 또는 취득하여 관리하고 있는 문서(전자문서를 포함한다. 이하 같다) 및 전자매체를 비롯한 모든 형태의 매체 등에 기록된 사항을 말한다.

핵심 OX

02 '정보'란 공공기관이 직무상 작성 또는 취득하여 관리하고 있는 문서·도면·사진·필름·테이프·슬라이드 및 그 밖에 이에 준하는 매체 등에 기록된 사항을 말한다.
11. 지방9급 ( )

01 X   02 ○

공공기관의 정보공개에 관한 법률에서 말하는 공개 대상 정보는 정보 그 자체가 아닌 정보공개법 제2조 제1호에서 예시하고 있는 매체 등에 기록된 사항을 의미한다(대판 2013.1.24. 2010두18918).

2. 정보공개청구권자

모든 국민은 정보의 공개를 청구할 권리를 가진다(제5조 제1항). 모든 국민이 청구권자이므로 반드시 이해관계인에 한정하지 않는다. 여기에서 말하는 국민에는 자연인은 물론 법인과 권리능력 없는 사단·재단도 포함된다고 본다. 정보공개를 청구할 수 있는 외국인에 관하여는 대통령령으로 다음과 같이 정한다. 한편 지방자치단체는 정보공개의무자에 해당할 뿐 정보공개청구권자인 국민에 해당하지 않는다.

> **시행령 제3조 【외국인의 정보공개청구】** 법 제5조 제2항의 규정에 의하여 정보공개를 청구할 수 있는 외국인은 다음 각 호의 어느 하나에 해당하는 자로 한다.
> 1. 국내에 일정한 주소를 두고 거주하거나 학술·연구를 위하여 일시적으로 체류하는 사람
> 2. 국내에 사무소를 두고 있는 법인 또는 단체

1 **환경운동연합이 정보공개청구권을 가지는지 여부(적극)**

공공기관의 정보공개에 관한 법률 제5조 제1항은 "모든 국민은 정보의 공개를 청구할 권리를 가진다."라고 규정하고 있는데, 여기에서 말하는 국민에는 자연인은 물론 법인, 권리능력 없는 사단·재단도 포함되고, 법인, 권리능력 없는 사단·재단 등의 경우에는 설립목적을 불문하며, 한편 정보공개청구권은 법률상 보호되는 구체적인 권리이므로 청구인이 공공기관에 대하여 정보공개를 청구하였다가 거부처분을 받은 것 자체가 법률상 이익의 침해에 해당한다(대판 2003.12.12. 2003두8050).

2 공공기관의 정보공개에 관한 법률은 국민을 정보공개청구권자로, 지방자치단체를 국민에 대응하는 정보공개의무자로 상정하고 있다고 할 것이므로, 지방자치단체는 공공기관의 정보공개에 관한 법률 제5조에서 정한 정보공개청구권자인 '국민'에 해당되지 아니한다(서울행법 2005.10.12. 2005구합10484).

3 정보공개청구의 목적에는 특별한 제한이 없으므로 오로지 상대방을 괴롭힐 목적으로 정보공개를 구하고 있다는 등의 특별한 사정이 없는 한 정보공개의 청구는 권리남용에 해당한다고 볼 수 없다(대판 2006.8.24. 2004두2783).

3. 정보공개의무자

(1) 정보공개의 원칙(제3조)

공공기관이 보유·관리하는 정보는 국민의 알 권리 보장 등을 위하여 이 법에서 정하는 바에 따라 적극적으로 공개하여야 한다. 한편 정보공개의무는 법령의 명문규정에 의해 공개의무가 있는 등 특별한 사정이 없는 한 특정의 정보에 대한 공개청구가 있는 경우에야 비로소 인정된다는 것이 판례의 입장이다.

01 국민의 알 권리에서 파생되는 정부의 정보공개의무는 특별한 사정이 없는 한 적극적인 정보수집행위, 특히 특정정보에 대하여 공개청구를 하지 아니하였지만 그 정보와 이해관계를 가지는 자에 대해서도 존재한다. 08. 국가7급 (   )

02 알 권리에서 파생되는 정보의 공개의무는 특별한 사정이 없는 한, 특정의 정보에 대한 공개청구가 있는 경우에 비로소 존재한다. 12. 지방7급 (   )

🔨 관련판례

1 특정의 정보에 대한 공개청구가 없어도 정보의 공개의무가 있는지 여부(소극)

알 권리에서 파생되는 정부의 공개의무는 특별한 사정이 없는 한 국민의 적극적인 정보수집행위, 특히 특정의 정보에 대한 공개청구가 있는 경우에야 비로소 존재하므로, 정보공개청구가 없었던 경우 대한민국과 중화인민공화국이 2000.7.31. 체결한 양국간 마늘교역에 관한 합의서 및 그 부속서 중 "2003.1.1.부터 한국의 민간기업이 자유롭게 마늘을 수입할 수 있다."는 부분을 사전에 마늘재배농가들에게 공개할 정부의 의무는 인정되지 아니한다(헌재 2004.12.16. 2002헌마579).

2 비공개사유에 해당하는지를 주장·증명하지 아니한 채 개괄적인 사유만을 들어 공개를 거부할 수 있는지 여부(소극)

[1] 구 공공기관의 정보공개에 관한 법률에 따라 청구인이 청구대상정보를 기재할 때 청구대상정보 특정의 정도/정보비공개결정의 취소를 구하는 사건에서 공개를 청구한 정보의 내용과 범위를 확정할 수 있을 정도로 특정되었다고 볼 수 없는 부분이 포함되어 있는 경우 법원이 취해야 할 조치

구 공공기관의 정보공개에 관한 법률 제10조 제1항 제2호는 정보의 공개를 청구하는 자는 정보공개청구서에 '공개를 청구하는 정보의 내용' 등을 기재하도록 규정하고 있다. 청구인이 이에 따라 청구대상정보를 기재할 때에는 사회일반인의 관점에서 청구대상정보의 내용과 범위를 확정할 수 있을 정도로 특정하여야 한다. 또한 정보비공개결정의 취소를 구하는 사건에서, 청구인이 공개를 청구한 정보의 내용 중 너무 포괄적이거나 막연하여 사회일반인의 관점에서 그 내용과 범위를 확정할 수 있을 정도로 특정되었다고 볼 수 없는 부분이 포함되어 있다면, 이를 심리하는 법원으로서는 마땅히 정보공개법 제20조 제2항의 규정에 따라 공공기관에 그가 보유·관리하고 있는 청구대상정보를 제출하도록 하여, 이를 비공개로 열람·심사하는 등의 방법으로 청구대상정보의 내용과 범위를 특정시켜야 한다.

[2] 정보공개를 요구받은 공공기관이 구 공공기관의 정보공개에 관한 법률 제9조 제1항 중 몇 호에서 정한 비공개사유에 해당하는지를 주장·증명하지 아니한 채 개괄적인 사유만을 들어 공개를 거부할 수 있는지 여부(소극)

구 공공기관의 정보공개에 관한 법률 제13조 제4항은 공공기관이 정보를 비공개하는 결정을 한 때에는 비공개이유를 구체적으로 명시하여 청구인에게 그 사실을 통지하여야 한다고 규정하고 있다. 정보공개법 제1조, 제3조, 제6조는 국민의 알 권리를 보장하고 국정에 대한 국민의 참여와 국정운영의 투명성을 확보하기 위하여 공공기관이 보유·관리하는 정보를 모든 국민에게 원칙적으로 공개하도록 하고 있다. 그러므로 국민으로부터 보유·관리하는 정보에 대한 공개를 요구받은 공공기관으로서는, 정보공개법 제9조 제1항 각 호에서 정하고 있는 비공개사유에 해당하지 않는 한 이를 공개하여야 한다. 이를 거부하는 경우라 할지라도, 대상이 된 정보의 내용을 구체적으로 확인·검토하여, 어느 부분이 어떠한 법익 또는 기본권과 충돌되어 정보공개법 제9조 제1항 몇 호에서 정하고 있는 비공개사유에 해당하는지를 주장·증명하여야만 하고, 그에 이르지 아니한 채 개괄적인 사유만을 들어 공개를 거부하는 것은 허용되지 아니한다.

(2) 적용범위(제4조)

① 정보의 공개에 관하여는 다른 법률에 특별한 규정이 있는 경우를 제외하고는 공공기관의 정보공개에 관한 법률이 정하는 바에 의한다.

② 지방자치단체는 그 소관 사무에 관하여 법령의 범위 안에서 정보공개에 관한 조례를 정할 수 있다.

③ 국가안전보장에 관련되는 정보 및 보안업무를 관장하는 기관에서 국가안전보장과 관련된 정보 분석을 목적으로 수집되거나 작성된 정보에 대하여는 공공기관의 정보공개에 관한 법률을 적용하지 아니한다. 다만, 제8조 제1항에 따른 정보목록의 작성·비치 및 공개에 대해서는 그러하지 아니한다.

> ### ⚖ 관련판례
>
> **형사소송법 제59조의2가 구 공공기관의 정보공개에 관한 법률 제4조 제1항에서 정한 '정보의 공개에 관하여 다른 법률에 특별한 규정이 있는 경우'에 해당하는지 여부(적극) 및 형사재판확정기록의 공개에 관하여 구 공공기관의 정보공개에 관한 법률에 의한 공개청구가 허용되는지 여부(소극)**
>
> [1] 구 공공기관의 정보공개에 관한 법률(2013.8.6. 법률 제11991호로 개정되기 전의 것, 이하 '정보공개법'이라고 한다) 제4조 제1항은 "정보의 공개에 관하여는 다른 법률에 특별한 규정이 있는 경우를 제외하고는 이 법이 정하는 바에 의한다."라고 규정하고 있다. 여기서 '정보공개에 관하여 다른 법률에 특별한 규정이 있는 경우'에 해당한다고 하여 정보공개법의 적용을 배제하기 위해서는, 특별한 규정이 '법률'이어야 하고, 나아가 내용이 정보공개의 대상 및 범위, 정보공개의 절차, 비공개 대상 정보 등에 관하여 정보공개법과 달리 규정하고 있는 것이어야 한다.
>
> [2] 형사소송법 제59조의2의 내용·취지 등을 고려하면, 형사소송법 제59조의2는 형사재판확정기록의 공개 여부나 공개 범위, 불복절차 등에 대하여 구 공공기관의 정보공개에 관한 법률(2013.8.6. 법률 제11991호로 개정되기 전의 것, 이하 '정보공개법'이라고 한다)과 달리 규정하고 있는 것으로 정보공개법 제4조 제1항에서 정한 '정보의 공개에 관하여 다른 법률에 특별한 규정이 있는 경우'에 해당한다. 따라서 형사재판확정기록의 공개에 관하여는 정보공개법에 의한 공개청구가 허용되지 아니한다(대판 2016.12.15. 2013두20882).

(3) 공공기관의 의미(제2조 제3호)

① '공공기관'이라 함은 ㉠ **국가기관**(국회, 법원, 헌법재판소, 중앙선거관리위원회, 중앙행정기관 및 그 소속기관과 행정기관 소속 위원회의 설치·운영에 관한 법률에 따른 위원회), ㉡ **지방자치단체**, ㉢ 공공기관의 운영에 관한 법률 제2조에 따른 **공공기관**, ㉣ 지방공기업법에 따른 지방공사 및 지방공단, ㉤ 그 밖에 대통령령이 정하는 다음의 기관을 말한다.

② **사립대학교**도 정보공개의무를 지는 공공기관이므로 사립대학교에 정보공개를 청구하였다가 거부되면 사립대학교 총장을 피고로 취소소송을 제기할 수 있다(대판 2006.8.24. 2004두2783).

핵심 OX

03 '정보공개에 관하여 다른 법률에 특별한 규정이 있는 경우'에 해당한다고 하여 정보공개법의 적용을 배제하기 위해서는, 특별한 규정이 '법률'이어야 하고, 내용이 정보공개의 대상 및 범위, 정보공개의 절차, 비공개 대상 정보 등에 관하여 정보공개법과 달리 규정하고 있는 것이어야 한다. 15. 국회8급 ( )

핵심 OX

04 정보공개의무를 지는 공공기관에는 국가기관과 지방자치단체만이 해당한다. 14. 서울9급 ( )

05 국회는 공공기관의 정보공개에 관한 법률상 공공기관에 해당하지만 동법이 적용되는 것이 아니라 국회정보공개규칙이 적용된다. 19. 국회8급 ( )

06 국가 또는 지방자치단체로부터 보조금을 받는 사회복지법인과 사회복지사업을 하는 비영리법인도 공개대상이 되는 공공기관에 포함된다. 14. 사복, 08. 지방7급 ( )

03 ○ 04 × 05 × 06 ○

시행령 제2조 【공공기관의 범위】 공공기관의 정보공개에 관한 법률 제2조 제3호 마목에서 '그 밖에 대통령령으로 정하는 기관'이란 다음 각 호의 기관 또는 단체를 말한다.

1. 유아교육법, 초·중등교육법, 고등교육법에 따른 각급 학교 또는 그 밖의 다른 법률에 따라 설치된 학교
2. 삭제
3. 지방자치단체 출자·출연 기관의 운영에 관한 법률 제2조 제1항에 따른 출자기관 및 출연기관
4. 특별법에 따라 설립된 특수법인
5. 사회복지사업법 제42조 제1항에 따라 국가나 지방자치단체로부터 보조금을 받는 사회복지법인과 사회복지사업을 하는 비영리법인
6. 제5호 외에 보조금 관리에 관한 법률 제9조 또는 지방재정법 제17조 제1항 각 호 외의 부분 단서에 따라 국가나 지방자치단체로부터 연간 5천만원 이상의 보조금을 받는 기관 또는 단체. 다만, 정보공개 대상 정보는 해당 연도에 보조를 받은 사업으로 한정한다.

관련판례

1 사립대학교가 정보공개의무를 지는 공공기관인지 여부(적극)

공공기관은 국가기관에 한정되는 것이 아니라 지방자치단체, 정부투자기관, 그 밖에 공동체 전체의 이익에 중요한 역할이나 기능을 수행하는 기관도 포함되는 것으로 해석되고, 여기에 정보공개의 목적, 교육의 공공성 및 공·사립학교의 동질성, 사립대학교에 대한 국가의 재정지원 및 보조 등 여러 사정을 고려해 보면, 사립대학교에 대한 국비 지원이 한정적·일시적·국부적이라는 점을 고려하더라도, 같은 법 시행령 제2조 제1호가 정보공개의무를 지는 공공기관의 하나로 사립대학교를 들고 있는 것이 모법인 구 공공기관의 정보공개에 관한 법률의 위임 범위를 벗어났다거나 사립대학교가 국비의 지원을 받는 범위 내에서만 공공기관의 성격을 가진다고 볼 수 없다(대판 2006.8.24. 2004두2783).

2 한국방송공사(KBS)가 정보공개의무가 있는 공공기관에 해당하는지 여부(적극)

방송법이라는 특별법에 의하여 설립 운영되는 한국방송공사(KBS)는 공공기관의 정보공개에 관한 법률 시행령 제2조 제4호의 '특별법에 의하여 설립된 특수법인'으로서 정보공개의무가 있는 공공기관의 정보공개에 관한 법률 제2조 제3호의 '공공기관'에 해당한다(대판 2010.12.23. 2008두13101).

3 '한국증권업협회'가 정보공개의무가 있는 공공기관에 해당하는지 여부(소극)

'한국증권업협회'는 증권회사 상호간의 업무질서를 유지하고 유가증권의 공정한 매매거래 및 투자자 보호를 위하여 일정 규모 이상인 증권회사 등으로 구성된 회원조직으로서, 증권거래법 또는 그 법에 의한 명령에 대하여 특별한 규정이 있는 것을 제외하고는 민법 중 사단법인에 관한 규정을 준용 받는 점, 그 업무가 국가기관 등에 준할 정도로 공동체 전체의 이익에 중요한 역할이나 기능에 해당하는 공공성을 갖는다고 볼 수 없는 점 등에 비추어, 공공기관의 정보공개에 관한 법률 시행령 제2조 제4호의 '특별법에 의하여 설립된 특수법인'에 해당한다고 보기 어렵다(대판 2010.4.29. 2008두5643).

4 학교에 대하여 구 교육관련기관의 정보공개에 관한 특례법이 적용되는 경우, 구 공공기관의 정보공개에 관한 법률을 적용할 수 없는지 여부(소극)

교육기관정보공개법은 공공기관이 직무상 작성 또는 취득하여 관리하고 있는 정보 가운데 교육관련기관이 학교교육과 관련하여 직무상 작성 또는 취득하여 관리하고 있는 정보의 공개에 관하여 특별히 규율하는 법률이므로, 학교에 대하여 교육기관정보공개법이 적용된다고 하여 더 이상 정보공개법을 적용할 수 없게 되는 것은 아니라고 할 것이다(대판 2013.11.28. 2011두5049).

4. 행정정보의 공표 등(제7조)

(1) 공공기관은 다음에 해당하는 정보는 공개의 구체적 범위, 공개의 주기·시기 및 방법 등을 미리 정하여 정보통신망 등을 통하여 알리고, 이에 따라 **정기적으로 공개**하여야 한다. 다만, 비공개정보(제9조)에 해당하는 정보는 그러하지 아니하다.

① 국민생활에 매우 큰 영향을 미치는 정책에 관한 정보

② 국가의 시책으로 시행하는 공사 등 대규모의 예산이 투입되는 사업에 관한 정보

③ 예산집행의 내용과 사업평가결과 등 행정감시를 위하여 필요한 정보

④ 그 밖에 공공기관의 장이 정하는 정보

(2) 공공기관은 (1)의 사항 이외에도 국민이 알아야 할 필요가 있는 정보를 국민에게 공개하도록 적극적으로 노력하여야 한다.

5. 정보목록의 작성·비치 등(제8조 및 제8조의2)

(1) 공공기관은 당해 기관이 보유·관리하는 정보에 대하여 국민이 쉽게 알 수 있도록 정보목록을 작성·비치하고, 그 목록을 정보통신망을 활용한 정보공개시스템 등을 통하여 공개하여야 한다. 다만, 정보목록 중 비공개 대상 정보가 포함되어 있는 경우에는 당해 부분을 비치·공개하지 아니할 수 있다.

(2) 공공기관은 정보의 공개에 관한 사무를 신속하고 원활하게 수행하기 위하여 정보공개장소를 확보하고, 공개에 필요한 시설을 갖추어야 한다.

(3) 공공기관 중 중앙행정기관 및 대통령령으로 정하는 기관은 **전자적 형태**로 보유·관리하는 정보 중 공개대상으로 분류된 정보를 국민의 정보공개청구가 없더라도 정보통신망을 활용한 정보공개시스템 등을 통하여 공개하여야 한다(제8조의2).

6. 비공개 대상 정보(제9조)

공공기관이 보유·관리하는 정보는 원칙적으로 공개대상이 된다. 즉, 공개청구의 대상이 되는 정보는 공공기관이 보유·관리하고 있는 정보에 한정된다. 판례에 의하면, 공공기관이 정보를 보유·관리하고 있을 상당한 개연성에 대해서는 정보공개청구권자에게 입증책임이 있다. 비공개 대상 정보일지라도 공개여부에 대한 결정은 공공기관의 재량행위에 속한다. 판례에 의하면, 비공개 대상 정보에 해당하는지에 대해서는 당해 공공기관이 입증하여야 한다.

> **정보공개를 요구받은 공공기관이 비공개사유에 해당하는지를 주장·입증하지 아니한 채 개괄적인 사유만을 들어 그 공개를 거부할 수 있는지 여부(소극)**
>
> 공공기관의 정보공개에 관한 법률 제1조, 제3조, 제6조는 국민의 알 권리를 보장하고 국정에 대한 국민의 참여와 국정운영의 투명성을 확보하기 위하여 공공기관이 보유·관리하는 정보를 모든 국민에게 원칙적으로 공개하도록 하고 있으므로, 국민으로부터 보유·관리하는 정보에 대한 공개를 요구받은 공공기관으로서는 같은 법 제7조 제1항 각 호에서 정하고 있는 비공개사유에 해당하지 않는 한 이를 공개하여야 할 것이고, 만일 이를 거부하는 경우라 할지라도 대상이 된 정보의 내용을 구체적으로 확인·검토하여 어느 부분이 어떠한 법익 또는 기본권과 충돌되어 같은 법 제7조 제1항 몇 호에서 정하고 있는 비공개사유에 해당하는지를 주장·입증하여야만 할 것이며, 그에 이르지 아니한 채 개괄적인 사유만을 들어 공개를 거부하는 것은 허용되지 아니한다(대판 2003.12.11. 2001두8827).

(1) 공공기관이 보유·관리하는 정보는 공개대상이 되지만, 다음에 해당하는 정보에 대하여는 이를 공개하지 아니할 수 있다.

① 다른 법률 또는 법률이 위임한 명령(국회규칙·대법원규칙·헌법재판소규칙·중앙선거관리위원회규칙·**대통령령 및 조례에 한함**❶)에 의하여 비밀 또는 비공개사항으로 규정된 정보

② 국가안전보장·국방·통일·외교관계 등에 관한 사항으로서 공개될 경우 **국가의 중대한 이익**을 현저히 해할 우려가 있다고 인정되는 정보

③ 공개될 경우 **국민의 생명·신체 및 재산**의 보호에 현저한 지장을 초래할 우려가 있다고 인정되는 정보

④ **진행 중인 재판에 관련된 정보**와 범죄의 예방, 수사, 공소의 제기 및 유지, **형의 집행, 교정**, 보안처분에 관한 사항으로서 공개될 경우 그 직무수행을 현저히 곤란하게 하거나 형사피고인의 공정한 재판을 받을 권리를 침해한다고 인정할 만한 상당한 이유가 있는 정보

⑤ 감사·감독·검사·시험·규제·입찰계약·기술개발·인사관리·**의사결정과정 또는 내부 검토과정**에 있는 사항 등으로서 공개될 경우 업무의 공정한 수행이나 연구·개발에 현저한 지장을 초래한다고 인정할 만한 상당한 이유가 있는 정보. 다만, 의사결정과정 또는 내부검토과정을 이유로 비공개할 경우에는 제13조 제5항에 따라 통지를 할 때 **의사결정과정 또는 내부검토과정의 단계 및 종료 예정일을 함께 안내하여야 하며**, 의사결정과정 및 내부검토과정이 종료되면 제10조에 따른 청구인에게 이를 통지하여야 한다.

⑥ 해당 정보에 포함되어 있는 이름·주민등록번호 등 개인에 관한 사항으로서 공개될 경우 **개인의 사생활의 비밀 또는 자유를 침해**할 우려가 있다고 인정되는 정보. 다만, 다음에 열거한 개인에 관한 정보는 제외한다.

㉠ **법령**이 정하는 바에 따라 열람할 수 있는 정보

㉡ **공공기관이 공표를 목적**으로 작성하거나 취득한 정보로서, 개인의 사생활의 비밀과 자유를 부당하게 침해하지 않는 정보

© 공공기관이 작성하거나 취득한 정보로서 공개하는 것이 공익 또는 개인의 권리구제를 위하여 필요하다고 인정되는 정보

② **직무를 수행한 공무원의 성명·직위**

⑩ 공개하는 것이 공익을 위하여 필요한 경우로 법령에 의하여 국가 또는 지방자치단체가 업무의 일부를 위탁 또는 위촉한 개인의 성명·직업

⑦ 법인·단체 또는 개인의 **경영·영업상 비밀**에 관한 사항으로서 공개될 경우 법인 등의 정당한 이익을 현저히 해할 우려가 있다고 인정되는 정보. 다만 다음에 열거한 정보를 제외한다.

  ㉠ 사업활동에 의하여 발생하는 위해로부터 사람의 생명·신체 또는 건강을 보호하기 위하여 공개할 필요가 있는 정보

  ㉡ 위법·부당한 사업활동으로부터 국민의 재산 또는 생활을 보호하기 위하여 공개할 필요가 있는 정보

⑧ 공개될 경우 **부동산투기·매점매석** 등으로 특정인에게 이익 또는 불이익을 줄 우려가 있다고 인정되는 정보

(2) 공공기관은 (1)의 어느 하나에 해당하는 정보가 기간의 경과 등으로 인하여 비공개의 필요성이 없어진 경우에는 당해 정보를 공개대상으로 하여야 한다.

(3) 공공기관은 (1)의 범위 안에서 당해 공공기관의 업무의 성격을 고려하여 비공개 대상 정보의 범위에 관한 세부기준을 수립하고 이를 공개하여야 한다.

(4) 공공기관(국회·법원·헌법재판소 및 중앙선거관리위원회는 제외한다)은 위의 기준에 따라 수립된 비공개 세부 기준이 (1)의 비공개 요건에 부합하는지 3년마다 점검하고 필요한 경우 비공개 세부 기준을 개선하여 그 점검 및 개선 결과를 행정안전부장관에게 제출하여야 한다.

⚖ 관련판례

구 공공기관의 정보공개에 관한 법률 제9조 제1항 제7호에서 정한 '법인 등의 경영·영업상 비밀'의 의미 및 그 공개 여부를 판단하는 기준과 방법

구 공공기관의 정보공개에 관한 법률은 공공기관이 보유·관리하는 정보에 대한 국민의 공개청구 및 공공기관의 공개의무에 관하여 필요한 사항을 정함으로써 국민의 알 권리를 보장하고 국정에 대한 국민의 참여와 국정운영의 투명성을 확보함을 목적으로 한다. 이에 따라 공공기관이 보유·관리하는 모든 정보를 원칙적 공개대상으로 하면서, 다만 사업체인 법인 등의 사업활동에 관한 비밀의 유출을 방지하여 정당한 이익을 보호하고자 하는 취지에서, 정보공개법 제9조 제1항 제7호로 '법인·단체 또는 개인의 경영·영업상 비밀로서 공개될 경우 법인 등의 정당한 이익을 현저히 해할 우려가 있다고 인정되는 정보'를 비공개 대상 정보로 규정하고 있다. 이와 같은 정보공개법의 입법 목적 등을 고려하여 보면, 정보공개법 제9조 제1항 제7호에서 정한 '법인 등의 경영·영업상 비밀'은 '타인에게 알려지지 아니함이 유리한 사업활동에 관한 일체의 정보' 또는 '사업활동에 관한 일체의 비밀사항'을 의미하는 것이고, 그 공개 여부는 공개를 거부할 만한 정당한 이익이 있는지에 따라 결정되어야 한다. 이러한 정당한 이익이 있는지는 정보공개법의 입법 취지에 비추어 이를 엄격하게 판단하여야 한다(대판 2018.4.12. 2014두5477).

1 교육공무원의 근무성적평정의 결과를 공개하지 아니한다고 규정하고 있는 교육공무원 승진규정 제26조를 근거로 정보공개청구를 거부하는 것이 타당한지 여부(소극)

교육공무원법 제13조, 제14조의 위임에 따라 제정된 교육공무원 승진규정은 정보공개에 관한 사항에 관하여 구체적인 법률의 위임에 따라 제정된 명령이라고 할 수 없고, 따라서 교육공무원 승진규정 제26조에서 근무성적평정의 결과를 공개하지 아니한다고 규정하고 있다고 하더라도 위 교육공무원 승진규정은 공공기관의 정보공개에 관한 법률 제9조 제1항 제1호에서 말하는 법률이 위임한 명령에 해당하지 아니하므로 위 규정을 근거로 정보공개청구를 거부하는 것은 잘못이다(대판 2006.10.26. 2006두11910).

2 검찰보존사무규칙의 법적 성질(=행정규칙) 및 같은 규칙에서 불기소사건기록 등의 열람·등사를 제한하는 것이 구 공공기관의 정보공개에 관한 법률 제7조 제1항 제1호의 '다른 법률 또는 법률에 의한 명령에 의하여 비공개사항으로 규정된 경우'에 해당하는지 여부(소극)

구 정보공개법 제7조 제1항 제1호 소정의 '법률에 의한 명령'은 법률의 위임규정에 의하여 제정된 대통령령, 총리령, 부령 전부를 의미한다기보다는 정보의 공개에 관하여 법률의 구체적인 위임 아래 제정된 법규명령(위임명령)을 의미한다고 보아야 할 것인바, 검찰보존사무규칙(1996.5.1. 법무부령 제425호로 개정된 것)은 비록 법무부령으로 되어 있으나, 그 중 불기소사건기록 등의 열람·등사에 대하여 제한하고 있는 부분은 위임 근거가 없어 행정기관 내부의 사무처리준칙으로서 행정규칙에 불과하므로, 위 규칙에 의한 열람·등사의 제한을 구 정보공개법 제7조 제1항 제1호의 '다른 법률 또는 법률에 의한 명령에 의하여 비공개사항으로 규정된 경우'에 해당한다고 볼 수 없다(대판 2004.9.23. 2003두1370).

3 공직자윤리법상의 등록의무자가 구 공직자윤리법 시행규칙 제12조 관련 [별지 14호 서식]에 따라 정부공직자윤리위원회에 제출한 문서에 포함되어 있는 고지거부자의 인적사항이, 구 공공기관의 정보공개에 관한 법률 제7조 제1항 제6호 단서 다목에 정한 '공개하는 것이 공익을 위하여 필요하다고 인정되는 정보'에 해당하는지 여부(소극)

공직자윤리법상의 등록의무자가 정부공직자윤리위원회에 제출한 구 공직자윤리법 시행규칙 제12조 관련 [별지 14호 서식]의 문서에 포함되어 있는 고지거부자의 인적사항[고지거부자의 성명, 서명(날인)]은 개인식별정보에 해당하는데, 위 문서의 정보는 구 공직자윤리법에 의한 등록사항이 아니고 공직자윤리위원회가 고지거부자에게 같은 법 제12조 제4항에서 정한 고지거부사유가 존재하는지를 심사하기 위하여 취득한 정보에 불과한 점, 고지거부자의 인적사항의 공개와 공직자윤리법의 입법목적인 공직자의 청렴성과 직무수행의 공정성 확보는 서로 관련성이 없거나 있다 하더라도 간접적인 것에 불과한 반면, 고지거부자의 인적사항을 공개할 경우 그 고지거부자의 인격권 내지 사생활 등이 심각하게 침해될 우려가 있는 점 및 고지거부자의 지위, 고지거부제도의 취지 등에 비추어, 고지거부자의 인적사항의 비공개에 의하여 보호되는 이익보다 공개에 의하여 보호되는 이익이 우월하다고 단정할 수 없으므로, 결국 고지거부자의 인적사항은 공개하는 것이 공익을 위하여 필요하다고 인정되는 정보에 해당하지 않는다(대판 2007.12.13. 2005두13117).

비교판례

인적사항은 비공개정보지만 문서는 비공개정보가 아니다.

공직자윤리법상의 등록의무자가 구 공직자윤리법 시행규칙 제12조 관련 [별지 14호 서식]에 따라 제출한, '자신의 재산등록사항의 고지를 거부한 직계존비속의 본인과의 관계, 성명, 고지거부사유, 서명(날인)'이 기재되어 있는 문서가 구 공공기관의 정보공개에 관한 법률 제7조 제1항 제1호에 정한 법령비정보(法令秘情報)에 해당하는지 여부(소극)

공직자윤리법상의 등록의무자가 제출한 '자신의 재산등록사항의 고지를 거부한 직계존비속의 본인과의 관계, 성명, 고지거부사유, 서명(날인)'이 기재되어 있는 구 공직자윤리법 시행규칙(2005.11.16. 행정자치부령 제303호로 개정되기 전의 것) 제12조 관련 [별지 14호 서식]의 문서는 구 공직자윤리법에 의한 등록사항이 아니므로, 같은 법 제10조 제3항 및 제14조의 각 규정에 의하여 열람복사가 금지되거나 누설이 금지된 정보가 아니고, 나아가 구 공공기관의 정보공개에 관한 법률 제7조 제1항 제1호에 정한 법령비정보에도 해당하지 않는다(대판 2007.12.13. 2005두13117).

4 **국방부의 한국형 다목적 헬기(KMH) 도입사업에 대한 감사원장의 감사결과보고서가 군사2급비밀에 해당하는 이상 공공기관의 정보공개에 관한 법률 제9조 제1항 제1호의 비공개정보인지 여부(적극)**

국방부의 한국형 다목적 헬기(KMH) 도입사업에 대한 감사원장의 감사결과보고서가 군사2급비밀에 해당하는 이상 공공기관의 정보공개에 관한 법률 제9조 제1항 제1호에 의하여 공개하지 아니할 수 있다(대판 2006.11.10. 2006두9351).

5 **'학교폭력대책자치위원회 회의록'이 공공기관의 정보공개에 관한 법률 제9조 제1항 제5호의 '공개될 경우 업무의 공정한 수행에 현저한 지장을 초래한다고 인정할 만한 상당한 이유가 있는 정보'에 해당하는지 여부(적극)**

학교폭력대책자치위원회에서의 자유롭고 활발한 심의·의결이 보장되기 위해서는 위원회가 종료된 후라도 심의·의결 과정에서 개개 위원들이 한 발언내용이 외부에 공개되지 않는다는 것이 철저히 보장되어야 한다는 점, 학교폭력예방 및 대책에 관한 법률 제21조 제3항이 학교폭력대책자치위원회의 회의를 공개하지 못하도록 명문으로 규정하고 있는 것은, 회의록 공개를 통한 알 권리 보장과 학교폭력대책자치위원회 운영의 투명성 확보 요청을 다소 후퇴시켜서라도 초등학교·중학교·고등학교·특수학교 내외에서 학생들 사이에서 발생한 학교폭력의 예방 및 대책에 관련된 사항을 심의하는 학교폭력대책자치위원회 업무수행의 공정성을 최대한 확보하기 위한 것으로 보이는 점 등을 고려하면, 학교폭력대책자치위원회의 회의록은 공공기관의 정보공개에 관한 법률 제9조 제1항 제5호의 '공개될 경우 업무의 공정한 수행에 현저한 지장을 초래한다고 인정할 만한 상당한 이유가 있는 정보'에 해당한다(대판 2010.6.10. 2010두2913).

6 **국가정보원이 직원에게 지급하는 현금급여 및 월초수당에 관한 정보가 공공기관의 정보공개에 관한 법률 제9조 제1항 제1호의 비공개 대상 정보인 '다른 법률에 의하여 비공개사항으로 규정된 정보'에 해당하는지 여부(적극)**

국가정보원법 제12조가 국회에 대한 관계에서조차 국가정보원 예산내역의 공개를 제한하고 있는 것은, 정보활동의 비밀보장을 위한 것으로서, 그 밖의 관계에서도 국가정보원의 예산내역을 비공개사항으로 한다는 것을 전제로 하고 있다고 볼 수 있고, 예산집행내역의 공개는 예산내역의 공개와 다를 바 없어, 비공개사항으로 되어 있는 '예산내역'에는 예산집행내역도 포함된다고 보아야 하며, 국가정보원이 그 직원에게 지급하는 현금급여 및 월초수당에 관한 정보는 국가정보원 예산집행내역의 일부를 구성하는 것이므로, 위 현금급여 및 월초수당에 관한 정보는 국가정보원법 제12조에 의하여 비공개사항으로 규정된 정보로서 공공기관의 정보공개에 관한 법률 제9조 제1항 제1호의 비공개 대상 정보인 '다른 법률에 의하여 비공개사항으로 규정된 정보'에 해당한다고 보아야 하고, 위 현금급여 및 월초수당이 근로의 대가로서의 성격을 가진다거나 정보공개청구인이 해당 직원의 배우자라고 하여 달리 볼 것은 아니다(대판 2010.12.23. 2010두14800).

7 **국가정보원의 조직·소재지 및 정원에 관한 정보가 공공기관의 정보공개에 관한 법률 제9조 제1항 제1호에서 말하는 '다른 법률에 의하여 비공개사항으로 규정된 정보'에 해당하는지 여부(원칙적 적극)**

구 국가정보원법 제6조는 "국가정보원의 조직·소재지 및 정원은 국가안전보장을 위하여 필요한 경우에는 이를 공개하지 아니할 수 있다."고 규정하고 있다. 여기서 '국가안전보장'이란 국가의 존립, 헌법의 기본질서의 유지 등을 포함하는 개념으로서 국가의 독립, 영토의 보전, 헌법과 법률의 기능 및 헌법에 의하여 설치된 국가기관의 유지 등의 의미로 이해할 수 있는데, 국외 정보 및 국내 보안정보(대공, 대정부 전복, 방첩, 대테러 및 국제범죄조직에 관한 정보)의 수집·작성 및 배포 등을 포함하는 국가정보원의 직무내용과 범위(제3조), 그 조직과 정원을 국가정보원장이 대통령의 승인을 받아 정하도록 하고 있는 점(제4조, 제5조 제2항), 정보활동의 비밀보장을 위하여 국가정보원에 대한 국회 정보위원회의 예산심의까지도 비공개로 하고 국회 정보위원회 위원으로 하여금 국가정보원의 예산 내역을 공개하거나 누설하지 못하도록 하고 있는 점(제12조 제5항) 등 구 국가정보원법상 관련 규정의 내용, 형식, 체계 등을 종합적으로 살펴보면, 국가정보원의 조직·소재지 및 정원에 관한 정보는 특별한 사정이 없는 한 국가안전보장을 위하여 비공개가 필요한 경우로서 구 국가정보원법 제6조에서 정한 비공개사항에 해당하고, 결국 공공기관의 정보공개에 관한 법률 제9조 제1항 제1호에서 말하는 '다른 법률에 의하여 비공개사항으로 규정된 정보'에도 해당한다고 보는 것이 타당하다(대판 2013.1.24. 2010두18918).

핵심 OX

01 보안관찰법 소정의 보안관찰 관련 통계자료는 공공기관의 정보공개에 관한 법률소정의 비공개 대상 정보에 해당하지 않는다.
19·15. 지방9급, 08. 국가7급 (   )

8 **보안관찰법 소정의 보안관찰 관련 통계자료가 공공기관의 정보공개에 관한 법률 제7조 제1항 제2호·제3호 소정의 비공개 대상 정보에 해당하는지 여부(적극)**

보안관찰처분을 규정한 보안관찰법에 대하여 헌법재판소도 이미 그 합헌성을 인정한 바 있고, 보안관찰법 소정의 보안관찰 관련 통계자료는 우리나라 53개 지방검찰청 및 지청관할지역에서 매월 보고된 보안관찰처분에 관한 각종 자료로서, 보안관찰처분대상자 또는 피보안관찰자들의 매월별 규모, 그 처분 시기, 지역별 분포에 대한 전국적 현황과 추이를 한눈에 파악할 수 있는 구체적이고 광범위한 자료에 해당하므로 '통계자료'라고 하여도 그 함의(含意)를 통하여 나타내는 의미가 있음이 분명하여 가치중립적일 수는 없고, 그 통계자료의 분석에 의하여 대남공작활동이 유리한 지역으로 보안관찰처분대상자가 많은 지역을 선택하는 등으로 위 정보가 북한정보기관에 의한 간첩의 파견, 포섭, 선전선동을 위한 교두보의 확보 등 북한의 대남전략에 있어 매우 유용한 자료로 악용될 우려가 없다고 할 수 없으므로, 위 정보는 공공기관의 정보공개에 관한 법률 제7조 제1항 제2호 소정의 공개될 경우 국가안전보장·국방·통일·외교관계 등 국가의 중대한 이익을 해할 우려가 있는 정보, 또는 제3호 소정의 공개될 경우 국민의 생명·신체 및 재산의 보호 기타 공공의 안전과 이익을 현저히 해할 우려가 있다고 인정되는 정보에 해당한다(대판 2004.3.18. 2001두8254 전합).

01 X

9 공공기관의 정보공개에 관한 법률 제9조 제1항 제4호에서 비공개 대상 정보로 정하고 있는 '진행 중인 재판에 관련된 정보'의 범위

공공기관의 정보공개에 관한 법률의 입법목적, 정보공개의 원칙, 비공개 대상 정보의 규정 형식과 취지 등을 고려하면, 법원 이외의 공공기관이 정보공개법 제9조 제1항 제4호에서 정한 '진행 중인 재판에 관련된 정보'에 해당한다는 사유로 정보공개를 거부하기 위하여는 <u>반드시 그 정보가 진행 중인 재판의 소송기록 자체에 포함된 내용일 필요는 없다</u>. 그러나 재판에 관련된 일체의 정보가 그에 해당하는 것은 아니고, <u>진행 중인 재판의 심리 또는 재판결과에 구체적으로 영향을 미칠 위험이 있는 정보</u>에 한정된다고 보는 것이 타당하다(대판 2011.11.24. 2009두19021).

10 교도관의 근무보고서가 비공개 대상 정보에 해당하는지 여부(소극)

교도소에 수용 중이던 재소자가 담당 교도관들을 상대로 가혹행위를 이유로 형사고소 및 민사소송을 제기하면서 그 증명자료 확보를 위해 '근무보고서'와 '징벌위원회 회의록' 등의 정보공개를 요청하였으나 교도소장이 이를 거부한 사안에서, 근무보고서는 공공기관의 정보공개에 관한 법률 제9조 제1항 제4호에 정한 <u>비공개 대상 정보에 해당한다고 볼 수 없고</u>, 징벌위원회 회의록 중 비공개 심사·의결 부분은 위 법 제9조 제1항 제5호의 비공개사유에 해당하지만 재소자의 진술, 위원장 및 위원들과 재소자 사이의 문답 등 징벌절차 진행 부분은 비공개사유에 해당하지 않는다고 보아 <u>분리 공개가 허용된다</u>(대판 2009.12.10. 2009두12785).

11 의사결정과정에 제공된 회의관련 자료나 의사결정과정이 기록된 회의록 등이 공공기관의 정보공개에 관한 법률 제7조 제1항 제5호 소정의 '의사결정과정에 있는 사항'에 준하는 사항으로서 비공개 대상 정보에 해당되는지 여부(적극)

공공기관의 정보공개에 관한 법률상 비공개 대상 정보의 입법 취지에 비추어 살펴보면, 같은 법 제7조 제1항 제5호에서의 '감사·감독·검사·시험·규제·입찰계약·기술개발·인사관리·의사결정과정 또는 내부검토과정에 있는 사항'은 <u>비공개 대상 정보를 예시적으로 열거한 것</u>이라고 할 것이므로 의사결정과정에 제공된 회의관련자료나 의사결정과정이 기록된 회의록 등은 의사가 결정되거나 의사가 집행된 경우에는 더 이상 의사결정과정에 있는 사항 그 자체라고는 할 수 없으나, 의사결정과정에 있는 사항에 준하는 사항으로서 <u>비공개 대상 정보에 포함될 수 있다</u>(대판 2003.8.22. 2002두12946).

12 사법시험 제2차 시험의 '답안지 열람'은 시험문항에 대한 채점위원별 채점 결과의 열람과 달리 사법시험업무의 수행에 현저한 지장을 초래한다고 볼 수 없다고 한 사례

사법시험 제2차 시험의 답안지 열람은 시험문항에 대한 채점위원별 채점 결과의 열람과 달리 사법시험업무의 수행에 현저한 지장을 초래한다고 볼 수 없다(대판 2003.3.14. 2000두6114).

13 문제은행 출제방식을 채택하고 있는 치과의사 국가시험의 문제지와 정답지는 공공기관의 정보공개에 관한 법률상 비공개 대상 정보에 해당한다고 한 사례

치과의사 국가시험에서 채택하고 있는 문제은행 출제방식이 출제의 시간·비용을 줄이면서도 양질의 문항을 확보 할 수 있는 등 많은 장점을 가지고 있는 점, 그 시험문제를 공개할 경우 발생하게 될 결과와 시험업무에 초래될 부작용 등을 감안하면, 위 시험의 문제지와 그 정답지를 공개하는 것은 시험업무의 공정한 수행이나 연구·개발에 현저한 지장을 초래한다고 인정할 만한 상당한 이유가 있는 경우에 해당하므로, 공공기관의 정보공개에 관한 법률 제9조 제1항 제5호에 따라 이를 <u>공개하지 않을 수 있다</u>(대판 2007.6.15. 2006두15936).

01 대통령의 사면권 행사는 고도의 정치적 행위이므로 그 정보의 공개가 사면권 자체를 부정하게 될 위험이 있고 해당 정보의 당사자들의 사생활의 비밀도 침해할 우려가 있기 때문에 공공기관의 정보공개에 관한 법률상의 비공개사유에 해당된다.

15. 사복, 10. 국회8급 (　)

02 지방자치단체의 업무추진비 세부항목별 집행내역 및 그에 관한 증빙서류에 포함된 개인에 관한 정보는 공공기관의 정보공개에 관한 법률 소정의 '공개하는 것이 공익을 위하여 필요하다고 인정되는 정보'에 해당하여 공개대상이 된다.

19. 지방9급, 18. 서울9급, 11. 국가9급 (　)

14 사면대상자들의 사면실시건의서와 그와 관련된 국무회의 안건자료에 관한 정보가 구 공공기관의 정보공개에 관한 법률에서 정한 비공개사유에 해당하는지 여부(소극)

사면대상자들의 사면실시건의서와 그와 관련된 국무회의 안건자료에 관한 정보는 그 공개로 얻는 이익이 그로 인하여 침해되는 당사자들의 사생활의 비밀에 관한 이익보다 더욱 크므로, 구 공공기관의 정보공개에 관한 법률 제7조 제1항 제6호에서 정한 비공개사유에 해당하지 않는다(대판 2006.12.7. 2005두241).

15 지방자치단체의 업무추진비 세부항목별 집행내역 및 그에 관한 증빙서류에 포함된 개인에 관한 정보는 '공개하는 것이 공익을 위하여 필요하다고 인정되는 정보'에 해당하지 않는다고 한 사례

법 제7조 제1항 제6호는 비공개 대상 정보의 하나로 '당해 정보에 포함되어 있는 이름·주민등록번호 등에 의하여 특정인을 식별할 수 있는 개인에 관한 정보'를 규정하면서, 같은 호 단서 다목으로 '공공기관이 작성하거나 취득한 정보로서 공개하는 것이 공익 또는 개인의 권리구제를 위하여 필요하다고 인정되는 정보'는 제외된다고 규정하고 있는데, 여기서 '공개하는 것이 공익을 위하여 필요하다고 인정되는 정보'에 해당하는지 여부는 비공개에 의하여 보호되는 개인의 사생활 보호 등의 이익과 공개에 의하여 보호되는 국정운영의 투명성 확보 등의 공익을 비교·교량하여 구체적 사안에 따라 신중히 판단하여야 할 것인바, 이 사건 정보 중 개인에 관한 정보는 특별한 사정이 없는 한 그 개인의 사생활 보호라는 관점에서 보더라도 위와 같은 정보가 공개되는 것은 바람직하지 않으며 위 정보의 비공개에 의하여 보호되는 이익보다 공개에 의하여 보호되는 이익이 우월하다고 단정할 수도 없으므로, 이는 '공개하는 것이 공익을 위하여 필요하다고 인정되는 정보'에 해당하지 않는다고 봄이 상당하다(대판 2003.3.11. 2001두6425).

16 정보공개법 제9조 제1항 제6호 본문의 비공개대상이 되는 정보에 이름·주민등록번호 등 정보의 형식이나 유형을 기준으로 비공개 대상 정보에 해당하는지 여부를 판단하는 '개인식별정보' 뿐만 아니라 그 외에 정보의 내용을 구체적으로 살펴 '개인에 관한 사항의 공개로 인하여 개인의 내밀한 내용의 비밀 등이 알려지게 되고, 그 결과 인격적·정신적 내면생활에 지장을 초래하거나 자유로운 사생활을 영위할 수 없게 될 위험성이 있는 정보'도 포함되는지 여부(적극)

일반적으로 사생활의 비밀은 국가 또는 제3자가 개인의 사생활영역을 들여다보거나 공개하는 것에 대한 보호를 제공하는 기본권이며, 사생활의 자유는 국가 또는 제3자가 개인의 사생활의 자유로운 형성을 방해하거나 금지하는 것에 대한 보호를 의미한다. 이러한 정보공개법의 개정 연혁, 내용 및 취지 등에 헌법상 보장되는 사생활의 비밀 및 자유의 내용을 보태어 보면, 정보공개법 제9조 제1항 제6호 본문의 규정에 따라 비공개대상이 되는 정보에는 구 정보공개법상 이름·주민등록번호 등 정보의 형식이나 유형을 기준으로 비공개 대상 정보에 해당하는지 여부를 판단하는 '개인식별정보' 뿐만 아니라 그 외에 정보의 내용을 구체적으로 살펴 '개인에 관한 사항의 공개로 인하여 개인의 내밀한 내용의 비밀 등이 알려지게 되고, 그 결과 인격적·정신적 내면생활에 지장을 초래하거나 자유로운 사생활을 영위할 수 없게 될 위험성이 있는 정보'도 포함된다고 새겨야 한다. 따라서 불기소처분 기록 중 피의자신문조서 등에 기재된 피의자 등의 인적사항 이외의 진술내용 역시 개인의 사생활의 비밀 또는 자유를 침해할 우려가 인정되는 경우 정보공개법 제9조 제1항 제6호 본문 소정의 비공개대상에 해당한다고 할 것이다(대판 2012.6.18. 2011두2361 전합).

17 '망인들에 대한 독립유공자서훈 공적심사위원회의 심의·의결 과정 및 그 내용을 기재한 회의록'이 공개 대상 정보인지 여부(소극)

[1] 공공기관의 정보공개에 관한 법률 제9조 제1항 제5호에서 규정하고 있는 '공개될 경우 업무의 공정한 수행에 현저한 지장을 초래한다고 인정할 만한 상당한 이유가 있는 경우'란 같은 법 제1조의 정보공개제도의 목적 및 같은 법 제9조 제1항 제5호의 규정에 의한 비공개 대상 정보의 입법 취지에 비추어 볼 때 공개될 경우 업무의 공정한 수행이 객관적으로 현저하게 지장을 받을 것이라는 고도의 개연성이 존재하는 경우를 의미한다. 여기에 해당하는지 여부는 비공개에 의하여 보호되는 업무수행의 공정성 등의 이익과 공개에 의하여 보호되는 국민의 알 권리의 보장과 국정에 대한 국민의 참여 및 국정운영의 투명성 확보 등의 이익을 비교·교량하여 구체적인 사안에 따라 신중하게 판단되어야 한다.

[2] 甲이 친족인 망 乙 등에 대한 독립유공자 포상신청을 하였다가 독립유공자서훈 공적심사위원회(이하 '공적심사위원회'라 한다)의 심사를 거쳐 포상에 포함되지 못하였다는 내용의 공적심사 결과를 통지받자 국가보훈처장에게 '망인들에 대한 공적심사위원회의 심의·의결 과정 및 그 내용을 기재한 회의록' 등의 공개를 청구하였는데, 국가보훈처장이 위 회의록은 공공기관의 정보공개에 관한 법률(이하 '정보공개법'이라 한다) 제9조 제1항 제5호에 따라 공개할 수 없다는 통보를 한 사안에서, 독립유공자 등록에 관한 신청당사자의 알 권리 보장에는 불가피한 제한이 따를 수밖에 없고 관계 법령에서 제한을 다소나마 해소하기 위해 조치를 마련하고 있는 점, 공적심사위원회의 심사에는 심사위원들의 전문적·주관적 판단이 상당 부분 개입될 수밖에 없는 심사의 본질에 비추어, 공개를 염두에 두지 않은 상태에서의 심사가 그렇지 않은 경우보다 더 자유롭고 활발한 토의를 거쳐 객관적이고 공정한 심사 결과에 이를 개연성이 큰 점 등 위 회의록 공개에 의하여 보호되는 알 권리의 보장과 비공개에 의하여 보호되는 업무수행의 공정성 등의 이익 등을 비교·교량해 볼 때, 위 회의록은 정보공개법 제9조 제1항 제5호에서 정한 <u>'공개될 경우 업무의 공정한 수행에 현저한 지장을 초래한다고 인정할 만한 상당한 이유가 있는 정보'</u>에 해당함에도 이와 달리 본 원심판결에 비공개 대상 정보에 관한 법리를 오해한 위법이 있다(대판 2014.7.24. 2013두20301).

18 '2002학년도부터 2005학년도까지의 대학수학능력시험 원데이터'가 비공개 대상 정보에 해당하는지 여부(소극)

'2002년도 및 2003년도 국가 수준 학업성취도평가 자료'는 표본조사 방식으로 이루어졌을 뿐만 아니라 학교식별정보 등도 포함되어 있어서 그 원자료 전부가 그대로 공개될 경우 학업성취도평가 업무의 공정한 수행이 객관적으로 현저하게 지장을 받을 것이라는 고도의 개연성이 존재한다고 볼 여지가 있어 공공기관의 정보공개에 관한 법률 제9조 제1항 제5호에서 정한 비공개 대상 정보에 해당하는 부분이 있으나, '2002학년도부터 2005학년도까지의 대학수학능력시험 원데이터'는 연구 목적으로 그 정보의 공개를 청구하는 경우, 공개로 인하여 초래될 부작용이 공개로 얻을 수 있는 이익보다 더 클 것이라고 단정하기 어려우므로 그 공개로 대학수학능력시험 업무의 공정한 수행이 객관적으로 현저하게 지장을 받을 것이라는 고도의 개연성이 존재한다고 볼 수 없어 위 조항의 <u>비공개 대상 정보에 해당하지 않는다</u>(대판 2010.2.25. 2007두9877).

03 독립유공자서훈 공적심사위원회의 심의·의결 과정 및 그 내용을 기재한 회의록은 독립유공자 등록에 관한 신청당사자의 알 권리 보장과 공정한 업무수행을 위해서 공개되어야 한다. 19. 국회8급 ( )

04 '2002학년도부터 2005학년도까지의 대학수학능력시험 원데이터'는 연구목적으로 그 정보의 공개를 청구하는 경우라도 공개로 인하여 초래될 부작용이 공개로 얻을 수 있는 이익보다 더 클 것이므로, 그 공개로 대학수학능력시험 업무의 공정한 수행이 객관적으로 현저하게 지장을 받을 것이라는 개연성이 있어 비공개 대상 정보에 해당한다. 16. 사복 ( )

05 '2002학년도부터 2005학년도까지의 대학수학능력시험 원데이터'는 연구목적으로 그 정보의 공개를 청구하는 경우 공공기관의 정보공개에 관한 법률 소정의 비공개 대상 정보에 해당한다. 24. 국가9급 ( )

03 X **04** X **05** X

19 甲이 외교부장관에게 한·일 군사정보보호협정 및 한·일 상호군수지원협정과 관련하여 각종 회의자료 및 회의록 등의 정보에 대한 공개를 청구하였으나, 외교부장관이 공개 청구 정보 중 일부를 제외한 나머지 정보들에 대하여 비공개 결정을 한 사안에서, 위 정보는 비공개 대상 정보에 해당하고, 공개가 가능한 부분과 공개가 불가능한 부분을 쉽게 분리하는 것이 불가능하여 부분공개도 가능하지 않다고 한 사례

이 사건 쟁점 정보가 공개된다면, 이 사건 협정들의 체결과 관련한 우리나라의 대응 전략이나 일본 측의 입장에 관한 내용이 그대로 노출되어 우리나라가 향후 유사한 협정을 체결할 때에 협정 상대 국가들의 교섭 정보로 활용될 수 있는 여지가 충분할 뿐만 아니라 상대국과의 외교적 신뢰관계에 심각한 타격을 줄 수 있는 점 등에 비추어 보면, 이 사건 쟁점 정보는 구 정보공개법 제9조 제1항 제2호에서 정한 비공개 대상 정보에 해당한다. … 나아가 이 사건 쟁점 정보는 상호 유기적으로 결합되어 있어 공개가 가능한 부분과 공개가 불가능한 부분을 용이하게 분리하는 것이 불가능하고, 이 사건 쟁점 정보에 관한 목록에는 '문서의 제목, 생산 날짜, 문서 내용을 추론할 수 있는 목차 등'이 포함되어 있어 목록의 공개만으로도 한·일 양국간의 논의 주제와 논의 내용, 그에 대한 우리나라의 입장 및 전략을 추론할 수 있는 가능성이 충분하여 부분공개도 가능하지 않다(대판 2019.1.17. 2015두46512).

20 외국 또는 외국기관으로부터 비공개를 전제로 정보를 입수하였다는 이유만으로 이를 공개할 경우 업무의 공정한 수행에 현저한 지장을 받을 것이라고 단정할 수 있는지 여부(소극)

외국 또는 외국기관으로부터 비공개를 전제로 정보를 입수하였다는 이유만으로 이를 공개할 경우 업무의 공정한 수행에 현저한 지장을 받을 것이라고 단정할 수는 없다. 다만, 위와 같은 사정은 정보 제공자와의 관계, 정보 제공자의 의사, 정보의 취득 경위, 정보의 내용 등과 함께 업무의 공정한 수행에 현저한 지장이 있는지를 판단할 때 고려하여야 할 형량 요소이다(대판 2018.9.28. 2017두69892).

21 한국방송공사의 '수시집행 접대성 경비의 건별 집행서류 일체'는 공공기관의 정보공개에 관한 법률 제9조 제1항 제7호의 비공개대상정보에 해당하는지 여부(소극)

정보공개법 제9조 제1항 제7호 소정의 비공개대상정보인 '법인 등의 경영·영업상 비밀'이란 '일반적으로 알려져 있지 아니하고 독립된 경제적 가치를 가지며, 상당한 노력에 의하여 비밀로 유지·관리된 생산방법, 판매방법 기타 영업활동에 유용한 기술상 또는 경영상의 정보'를 말한다. 이 사건 정보에 피고 주장과 같이 거래 일시 및 거래 장소 등의 정보가 기재되어 있다 하더라도 그 정보가 피고의 영업상 유·무형의 비밀에 해당한다거나 이를 공개할 경우 피고의 정당한 이익이 현저히 침해받는다고 인정할 만한 아무런 근거가 없는 반면, 오히려 피고가 텔레비전 수상기를 소지한 국민들이 납부하는 수신료 등으로 운영되는 공영방송사로서 이 사건 업무추진비 등에 대하여 자의적이고 방만한 예산집행의 여지를 미리 차단하고 시민들의 감시를 보장함으로써 그 집행의 합법성과 효율성을 확보하기 위하여서라도 그 집행증빙을 공개할 필요성이 크다고 할 것이다. 이 사건 정보가 공개될 경우 피고의 정당한 이익을 현저히 해할 우려가 있다고 인정하기는 어렵다고 보이므로 이 사건 정보는 정보공개법 제9조 제1항 제7호의 비공개대상정보에 해당한다고 볼 수 없다(대판 2008.10.23. 2007두1798).

7. 정보공개의 절차

(1) 정보공개청구(제10조) - 서면·구술

① 정보의 공개를 청구하는 자는 당해 정보를 보유하거나 관리하고 있는 공공기관에 대하여 **정보공개청구서를 제출**하거나 **말(구술)로써** 정보의 공개를 청구할 수 있다.

② 정보공개청구서에는 청구인의 이름·생년월일·주소 및 연락처(전화번호·전자우편주소 등을 말함), 공개를 청구하는 정보의 내용 및 공개방법을 기재하여야 한다. 주민등록번호는 예외적으로만 기재한다(본인임을 확인하고 공개 여부를 결정할 필요가 있는 정보를 청구하는 경우로 한정한다).

> ⚖ **관련판례**
>
> **공공기관의 정보공개에 관한 법률에 따른 정보공개청구시 요구되는 대상정보 특정의 정도**
>
> 공공기관의 정보공개에 관한 법률 제10조 제1항 제2호는 정보의 공개를 청구하는 자는 정보공개청구서에 '공개를 청구하는 정보의 내용' 등을 기재할 것을 규정하고 있는바, 청구대상정보를 기재함에 있어서는 사회일반인의 관점에서 청구대상정보의 내용과 범위를 확정할 수 있을 정도로 특정함을 요한다(대판 2007.6.1. 2007두2555).

(2) 정보공개결정기간(제11조)

① 공공기관은 정보공개의 청구가 있는 때에는 청구를 받은 날부터 **10일 이내**에 공개 여부를 결정하여야 한다. 공공기관은 부득이한 사유로 위 기간 이내에 공개 여부를 결정할 수 없는 때에는 그 기간이 끝나는 날의 다음 날부터 기산하여 **10일의 범위**에서 공개 여부 결정기간을 **연장**할 수 있다. 이 경우 공공기관은 연장된 사실과 연장사유를 청구인에게 지체 없이 문서로 통지하여야 한다.

② 종래에는 정보공개를 청구한 날부터 20일 이내에 공공기관이 공개 여부를 결정하지 아니한 때에는 비공개의 결정이 있는 것으로 본다는 규정을 두었으나, 최근 개정을 통해 삭제하였다.

③ 공공기관은 공개청구된 공개 대상 정보의 전부 또는 일부가 제3자와 관련이 있다고 인정되는 때에는 그 사실을 **제3자에게 지체 없이 통지**하여야 하며, 필요한 경우에는 그의 의견을 들을 수 있다.

(3) 반복 청구 등의 처리(제11조의2)

① 공공기관은 제11조에도 불구하고 제10조 제1항 및 제2항에 따른 정보공개 청구가 다음 각 호의 어느 하나에 해당하는 경우에는 정보공개 청구 대상 정보의 성격, 종전 청구와의 내용적 유사성·관련성, 종전 청구와 동일한 답변을 할 수밖에 없는 사정 등을 종합적으로 고려하여 해당 청구를 종결 처리할 수 있다. 이 경우 종결 처리 사실을 청구인에게 알려야 한다.

　㉠ 정보공개를 청구하여 정보공개 여부에 대한 결정의 통지를 받은 자가 정당한 사유 없이 해당 정보의 공개를 다시 청구하는 경우

　㉡ 정보공개 청구가 제11조 제5항에 따라 민원으로 처리되었으나 다시 같은 청구를 하는 경우

② 공공기관은 제11조에도 불구하고 제10조 제1항 및 제2항에 따른 정보공개 청구가 다음 각 호의 어느 하나에 해당하는 경우에는 다음 각 호의 구분에 따라 안내하고, 해당 청구를 종결 처리할 수 있다.

㉠ 제7조 제1항에 따른 정보 등 공개를 목적으로 작성되어 이미 정보통신망 등을 통하여 공개된 정보를 청구하는 경우: 해당 정보의 소재(所在)를 안내

㉡ 다른 법령이나 사회통념상 청구인의 여건 등에 비추어 수령할 수 없는 방법으로 정보공개 청구를 하는 경우: 수령이 가능한 방법으로 청구하도록 안내

(4) 정보공개심의회(제12조)

① 공공기관은 정보공개 여부 등을 심의하기 위하여 정보공개심의회를 설치 · 운영한다. 이 경우 국가기관등의 규모와 업무성격, 지리적 여건, 청구인의 편의 등을 고려하여 소속 상급기관(지방공사 · 지방공단의 경우에는 해당 지방공사 · 지방공단을 설립한 지방자치단체를 말한다)에서 협의를 거쳐 심의회를 통합하여 설치 · 운영할 수 있다. **심의회는 위원장 1인을 포함하여 5명 이상 7명 이하의 위원으로 구성**한다.

② 심의회의 위원은 소속 공무원, 임직원 또는 외부 전문가로 지명하거나 위촉하되, 그 중 **3분의 2**는 해당 국가기관등의 업무 또는 정보공개의 업무에 관한 지식을 가진 외부 전문가로 위촉하여야 한다. 다만, 제9조 제1항 제2호 및 제4호에 해당하는 업무를 주로 하는 국가기관은 그 국가기관의 장이 외부 전문가의 위촉 비율을 따로 정하되, 최소한 **3분의 1 이상**은 외부 전문가로 위촉하여야 한다.

(5) 위원의 제척 · 기피 · 회피(제12조의2)

① 심의회의 위원이 다음 각 호의 어느 하나에 해당하는 경우에는 심의회의 심의에서 제척(除斥)된다.

㉠ 위원 또는 그 배우자나 배우자이었던 사람이 해당 심의사항의 당사자(당사자가 법인 · 단체 등인 경우에는 그 임원 또는 직원을 포함한다. 이하 이 호 및 제2호에서 같다)이거나 그 심의사항의 당사자와 공동권리자 또는 공동의무자인 경우

㉡ 위원이 해당 심의사항의 당사자와 친족이거나 친족이었던 경우

㉢ 위원이 해당 심의사항에 대하여 증언, 진술, 자문, 연구, 용역 또는 감정을 한 경우

㉣ 위원이나 위원이 속한 법인 등이 해당 심의사항의 당사자의 대리인이거나 대리인이었던 경우

② 심의회의 심의사항의 당사자는 위원에게 공정한 심의를 기대하기 어려운 사정이 있는 경우에는 심의회에 기피(忌避) 신청을 할 수 있고, 심의회는 의결로 기피 여부를 결정하여야 한다. 이 경우 기피 신청의 대상인 위원은 그 의결에 참여할 수 없다.

③ 위원은 제1항 각 호에 따른 제척 사유에 해당하는 경우에는 심의회에 그 사실을 알리고 스스로 해당 안건의 심의에서 회피(回避)하여야 한다.

④ 위원이 제1항 각 호의 어느 하나에 해당함에도 불구하고 회피신청을 하지 아니하여 심의회 심의의 공정성을 해친 경우 국가기관등의 장은 해당 위원을 해촉하거나 해임할 수 있다.

(6) 정보공개 여부 결정의 통지(제13조)

① 공공기관은 정보의 공개를 결정한 경우에는 **공개일시·공개장소** 등을 명시하여 청구인에게 통지하여야 한다.

② 공공기관은 청구인이 **사본 또는 복제물**의 교부를 원하는 경우에는 원칙적으로 이를 교부하여야 한다. 다만, 공개대상 정보의 양이 너무 많아 정상적인 업무수행에 현저한 지장을 초래할 우려가 있는 경우에는 정보의 사본·복제물을 일정 기간별로 나누어 제공하거나 열람과 병행하여 제공할 수 있다.

③ 공공기관은 정보를 공개함에 있어 그 정보의 원본이 더럽혀지거나 파손될 우려가 있거나 그 밖에 상당한 이유가 있다고 인정할 때에는 그 정보의 사본·복제물을 공개할 수 있다.

④ 공공기관은 정보의 **비공개결정**을 한 때에는 그 사실을 청구인에게 지체 없이 **문서로 통지**하여야 한다. 이 경우 제9조 제1항 각 호 중 어느 규정에 해당하는 비공개 대상 정보인지를 포함한 **비공개이유·불복방법 및 불복절차**를 구체적으로 명시하여야 한다.

(7) 부분공개(제14조)

공개청구한 정보가 비공개 대상 정보인 부분과 공개가 가능한 부분이 혼합되어 있는 경우, 공개청구의 취지에 어긋나지 아니하는 범위 안에서 두 부분을 분리할 수 있는 때에는 비공개 대상 정보에 해당하는 부분을 제외하고 공개하여야 한다.

(8) 정보의 전자적 공개(제15조)

① 공공기관은 전자적 형태로 보유·관리하는 정보에 대하여 청구인이 전자적 형태로 공개하여 줄 것을 요청하는 경우에는 당해 정보의 성질상 현저히 곤란한 경우를 제외하고는 청구인의 요청에 따라야 한다.

② 공공기관은 전자적 형태로 보유·관리하지 아니하는 정보에 대하여 청구인이 전자적 형태로 공개하여 줄 것을 요청한 경우에는, 정상적인 업무수행에 현저한 지장을 초래하거나 당해 정보의 성질이 훼손될 우려가 없는 한 그 정보를 전자적 형태로 변환하여 공개할 수 있다.

(9) 즉시공개(제16조)

다음에 해당하는 정보로서 즉시 또는 말(구술)로 처리가 가능한 정보에 대하여는 정보공개절차에 관한 규정에 의한 절차를 거치지 아니하고 공개하여야 한다.

① 법령 등에 의하여 공개를 목적으로 작성된 정보

② 일반 국민에게 알리기 위하여 작성된 각종 홍보자료

③ 공개하기로 결정된 정보로서, 공개에 오랜 시간이 걸리지 아니하는 정보

④ 그 밖에 공공기관의 장이 정하는 정보

핵심 OX

04 정보공개시 공개장소와 시간을 명시해야 한다. 04. 경기도9급 ( )

05 공개대상의 양이 과다하여 정상적인 업무수행에 현저한 지장을 초래할 우려가 있는 경우에는 이를 기간별로 나누어 교부하거나 열람과 병행하여 교부할 수 있다. 18·15. 서울7급 ( )

06 공공기관은 정보의 공개 또는 비공개를 결정한 때에는 이를 청구인에게 통지하여야 한다. 13. 서울9급 ( )

07 공공기관은 정보의 비공개결정을 한 경우 청구인에게 비공개 이유와 불복의 방법 및 절차를 구체적으로 밝혀 문서로 통지하여야 한다. 15. 교행, 12. 사복, 04. 경기9급 ( )

08 정보공개거부처분취소소송에서 공개를 거부한 정보에 비공개대상 부분과 공개가 가능한 부분이 혼합되어 있는 경우, 공개청구의 취지에 어긋나지 아니하는 범위 안에서 두 부분을 분리할 수 있다면 법원은 청구취지의 변경이 없더라도 공개가 가능한 정보에 관한 부분만의 일부취소를 명할 수 있다. 18. 지방9급, 15·10. 국가9급 ( )

09 행정청이 공개를 거부한 정보에 비공개 사유에 해당하는 부분과 그렇지 않은 부분이 혼재되어 있는 경우에는 그 전부에 대해 공개하여야 한다. 12. 국가9급 ( )

10 공공기관은 전자적 형태로 보유·관리하는 정보에 대하여 청구인이 전자적 형태로 공개를 요청하는 경우에는 원칙적으로 이에 응하여야 한다. 13. 지방9급, 11. 국가7급 ( )

11 정보공개가 결정되고 공개에 오랜 시간이 걸리지 않는 정보는 구술로도 공개할 수 있다. 11. 국가9급 ( )

04 ○ **05** ○ **06** ○ **07** ○ **08** ○ **09** X
10 ○ **11** ○

(10) 비용부담(제17조)

비용은 실비의 범위 안에서 **청구인의 부담**으로 한다. 다만, 정보의 사용목적이 공공복리의 유지·증진을 위하여 필요하다고 인정되는 경우에는 비용을 감면할 수 있다.

관련판례

1 정보공개 청구권자가 공개를 청구하는 정보와 어떤 관련성을 가질 것을 요구하거나 정보공개청구의 목적에 특별한 제한을 두고 있지 아니하므로 정보공개 청구권자의 권리구제 가능성 등은 정보의 공개 여부 결정에 아무런 영향을 미치지 못한다(대판 2017.9.7. 2017두44558).

2 공공기관의 정보공개에 관한 법률상 공개청구의 대상이 되는 정보에 해당하는 문서가 원본이어야 하는지 여부(소극)

공공기관의 정보공개에 관한 법률상 공개청구의 대상이 되는 정보란 공공기관이 직무상 작성 또는 취득하여 현재 보유·관리하고 있는 문서에 한정되는 것이기는 하나, 그 문서가 반드시 원본일 필요는 없다(대판 2006.5.25. 2006두3049).

3 오로지 상대방을 괴롭힐 목적으로 정보공개를 구하고 있다는 등의 특별한 사정이 없는 한, 정보공개청구가 권리남용에 해당한다고 볼 수 없다고 한 사례

구 정보공개법의 목적, 규정 내용 및 취지 등에 비추어 보면, 정보공개청구의 목적에 특별한 제한이 있다고 할 수 없으므로, 피고의 주장과 같이 원고가 이 사건 정보공개를 청구한 목적이 이 사건 손해배상소송에 제출할 증거자료를 획득하기 위한 것이었고 위 소송이 이미 종결되었다고 하더라도, 원고가 오로지 피고를 괴롭힐 목적으로 정보공개를 구하고 있다는 등의 특별한 사정이 없는 한, 위와 같은 사정만으로는 원고가 이 사건 소송을 계속하고 있는 것이 권리남용에 해당한다고 볼 수 없다(대판 2004.9.23. 2003두1370).

4 국민의 정보공개청구가 권리의 남용에 해당하는 것이 명백한 경우, 정보공개청구권의 행사를 허용해야 하는지 여부(소극)

일반적인 정보공개청구권의 의미와 성질, 구 공공기관의 정보공개에 관한 법률 (2013.8.6. 법률 제11991호로 개정되기 전의 것, 이하 '정보공개법'이라 한다) 제3조, 제5조 제1항, 제6조의 규정 내용과 입법 목적, 정보공개법이 정보공개청구권의 행사와 관련하여 정보의 사용 목적이나 정보에 접근하려는 이유에 관한 어떠한 제한을 두고 있지 아니한 점 등을 고려하면, 국민의 정보공개청구는 정보공개법 제9조에 정한 비공개 대상 정보에 해당하지 아니하는 한 원칙적으로 폭넓게 허용되어야 하지만, 실제로는 해당 정보를 취득 또는 활용할 의사가 전혀 없이 정보공개제도를 이용하여 사회통념상 용인될 수 없는 부당한 이득을 얻으려 하거나, 오로지 공공기관의 담당공무원을 괴롭힐 목적으로 정보공개청구를 하는 경우처럼 권리의 남용에 해당하는 것이 명백한 경우에는 정보공개청구권의 행사를 허용하지 아니하는 것이 옳다(대판 2014.12.24. 2014두9349).

5 정보공개를 청구하는 자가 공공기관에 대해 정보의 사본 또는 출력물의 교부의 방법으로 공개방법을 선택하여 정보공개청구를 한 경우, 공개청구를 받은 공공기관이 그 공개방법을 선택할 재량권이 있는지 여부(소극)

정보공개를 청구하는 자가 공공기관에 대해 정보의 사본 또는 출력물의 교부의 방법으로 공개방법을 선택하여 정보공개청구를 한 경우에 공개청구를 받은 공공기관으로서는 같은 법 제8조 제2항에서 규정한 정보의 사본 또는 복제물의 교부를 제한할 수 있는 사유에 해당하지 않는 한 정보공개청구자가 선택한 공개방법에 따라 정보를 공개하여야 하므로 그 공개방법을 선택할 재량권이 없다고 해석함이 상당하다(대판 2003.12.12. 2003두8050).

6 공개청구의 대상이 되는 정보가 이미 다른 사람에게 공개되어 널리 알려져 있다거나, 인터넷이나 관보 등을 통하여 공개되어 인터넷 검색이나 도서관에서의 열람 등을 통하여 쉽게 알 수 있다고 하여 소의 이익이 없다거나 비공개결정이 정당화될 수 있는지 여부(소극)

정보공개청구의 대상이 이미 널리 알려진 사항이라 하더라도 그 공개의 방법만을 제한할 수 있도록 규정하고 있을 뿐 공개 자체를 제한하고 있지는 아니하므로, <u>공개청구의 대상이 되는 정보가 이미 다른 사람에게 공개하여 널리 알려져 있다거나 인터넷이나 관보 등을 통하여 공개하여 인터넷 검색이나 도서관에서의 열람 등을 통하여 쉽게 알 수 있다는 사정만으로는 소의 이익이 없다거나 비공개결정이 정당화될 수는 없다</u>(대판 2008.11.27. 2005두15694).

7 비공개 대상 정보에 해당하는 부분과 공개가 가능한 부분이 구별되고 이를 분리할 수 있는 경우, 법원의 판결주문 기재방법

법원이 행정청의 정보공개거부처분의 위법 여부를 심리한 결과, 공개를 거부한 정보에 비공개 대상 정보에 해당하는 부분과 공개가 가능한 부분이 혼합되어 있고 공개청구의 취지에 어긋나지 아니하는 범위 안에서 두 부분을 분리할 수 있음을 인정할 수 있을 때에는, 위 정보 중 <u>공개가 가능한 부분을 특정</u>하고 판결의 주문에 행정청의 위 <u>거부처분 중 공개가 가능한 정보에 관한 부분만을 취소한다고 표시하여야 한다</u>(대판 2003.3.11. 2001두6425).

8 [1] 정보공개청구인에게 특정한 정보공개방법을 지정하여 청구할 수 있는 법령상 신청권이 있는지 여부(적극)

구 공공기관의 정보공개에 관한 법률(2013.8.6. 법률 제11991호로 개정되기 전의 것, 이하 '구 정보공개법'이라고 한다)은, 정보의 공개를 청구하는 이(이하 '청구인'이라고 한다)가 정보공개방법도 아울러 지정하여 정보공개를 청구할 수 있도록 하고 있고, <u>전자적 형태의 정보를 전자적으로 공개하여 줄 것을 요청한 경우에는 공공기관은 원칙적으로 요청에 응할 의무가 있고</u>, 나아가 비전자적 형태의 정보에 관해서도 전자적 형태로 공개하여 줄 것을 요청하면 재량판단에 따라 전자적 형태로 변환하여 공개할 수 있도록 하고 있다. 이는 정보의 효율적 활용을 도모하고 청구인의 편의를 제고함으로써 구 정보공개법의 목적인 국민의 알 권리를 충실하게 보장하려는 것이므로, 청구인에게는 특정한 공개방법을 지정하여 정보공개를 청구할 수 있는 법령상 신청권이 있다.

[2] **공공기관이 공개청구의 대상이 된 정보를 청구인이 신청한 공개방법 이외의 방법으로 공개하기로 하는 결정을 한 경우, 정보공개방법에 관한 부분에 대하여 일부 거부처분을 한 것인지 여부(적극) 및 이에 대하여 항고소송으로 다툴 수 있는지 여부(적극)**

따라서 공공기관이 공개청구의 대상이 된 정보를 공개는 하되, 청구인이 신청한 공개방법 이외의 방법으로 공개하기로 하는 결정을 하였다면, 이는 정보공개청구 중 <u>정보공개방법에 관한 부분에 대하여 일부 거부처분을 한 것이고</u>, 청구인은 그에 대하여 <u>항고소송으로 다툴 수 있다</u>(대판 2016.11.10. 2016두44674).

8. 불복구제절차

(1) 이의신청(제18조) – 임의절차

① 이의신청: 청구인이 정보공개와 관련한 공공기관의 비공개 또는 부분공개의 결정에 대하여 불복이 있거나 정보공개청구 후 20일이 경과하도록 정보공개 결정이 없는 때에는, 공공기관으로부터 **정보공개 여부의 결정통지를 받은 날** 또는 정보공개청구 후 **20일이 경과한 날**부터 30일 이내에 해당 공공기관에 **문서로** 이의신청을 할 수 있다.

01 청구인이 정보공개와 관련한 공공기관의 결정에 대하여 불복이 있거나 정보공개 청구 후 10일이 경과하도록 정보공개 결정이 없는 때에는 행정심판법에서 정하는 바에 따라 행정심판을 청구할 수 있다.

23. 지방9급 (　)

02 정보공개청구인은 공공기관의 비공개결정에 대해 이의신청절차를 거치지 아니하면 행정심판을 청구할 수 없다.

19. 서울9급(2월), 16. 국가9급, 15. 교행·국회8급, 11. 지방9급 (　)

03 정보공개 관련결정에 대하여 행정소송이 제기된 경우에 재판장은 필요시 당사자 없이 비공개로 해당 정보를 열람할 수 있다. 11. 국가9급 (　)

04 행정소송에서 재판장은 필요하다고 인정되는 경우 당사자를 참여시키지 아니하고 제출된 공개청구정보를 비공개로 열람·심사할 수 있다.

09. 관세사 (　)

05 행정소송의 재판기록 일부의 정보공개청구에 대한 비공개결정은 전자문서로 통지할 수 없다.

19. 국가9급 (　)

06 정보비공개결정 취소소송에서 공공기관이 청구정보를 증거로 법원에 제출하여 법원을 통하여 그 사본을 청구인에게 교부되게 하여 정보를 공개하게 된 경우에는 비공개결정의 취소를 구할 소의 이익이 소멸한다.

18. 국가7급 (　)

07 정보공개거부결정의 취소를 구하는 소송에서는 각 행정청의 정보공개심의회가 피고가 된다.

13. 지방9급 (　)

② **이의신청의 결정기간**: 공공기관은 이의신청을 받은 날부터 7일 이내에 그 이의신청에 대하여 결정하고, 그 결과를 청구인에게 지체 없이 문서로 통지하여야 한다. 다만, 부득이한 사유로 정해진 기간 이내에 결정할 수 없는 때에는 그 기간이 끝나는 날의 다음 날부터 기산하여 7일의 범위에서 연장할 수 있으며, 연장사유를 청구인에게 통지하여야 한다.

(2) 행정심판(제19조)

① 청구인이 정보공개와 관련한 공공기관의 결정에 대하여 불복이 있거나 정보공개청구 후 20일이 경과하도록 정보공개결정이 없는 때에는 행정심판법이 정하는 바에 따라 **행정심판**을 청구할 수 있다. 이 경우 국가기관 및 지방자치단체 외의 공공기관의 결정에 대한 감독행정기관은 관계 중앙행정기관의 장 또는 지방자치단체의 장으로 한다.

② 청구인은 이의신청절차를 거치지 아니하고 행정심판을 청구할 수 있다(임의절차).

(3) 행정소송(제20조)

① 청구인이 정보공개와 관련한 공공기관의 결정에 대하여 불복이 있거나 정보공개청구 후 20일이 경과하도록 정보공개 결정이 없는 때에는 행정소송법이 정하는 바에 따라 **행정소송**을 제기할 수 있다. 행정소송은 행정심판을 거치지 아니하고 제기할 수 있다(임의절차).

② 재판장은 필요하다고 인정되는 때에는 당사자를 참여시키지 아니하고 제출된 공개청구정보를 **비공개로 열람·심사**할 수 있다.

⚖ **관련판례**

정보비공개결정 취소소송에서 공공기관이 청구정보를 증거로 법원에 제출하여 법원을 통하여 그 사본을 청구인에게 교부되게 하여 정보를 공개하게 된 경우에는 비공개결정의 취소를 구할 소의 이익이 소멸하는지 여부(소극)

청구인이 정보공개거부처분의 취소를 구하는 소송에서 공공기관이 청구정보를 증거 등으로 법원에 제출하여 법원을 통하여 그 사본을 청구인에게 교부 또는 송달되게 하여 결과적으로 청구인에게 정보를 공개하는 셈이 되었다고 하더라도, 이러한 우회적인 방법은 정보공개법이 예정하고 있지 아니한 방법으로서 정보공개법에 의한 공개라고 볼 수는 없으므로, 당해 정보의 비공개결정의 취소를 구할 소의 이익은 소멸되지 않는다(대판 2016.12.15. 2012두11409·11416).

---

(4) 제3자의 비공개요청 등(제21조)

① 공개 대상 정보의 전부 또는 일부가 제3자와 관련이 있는 경우에, 공개청구된 사실을 통지받은 제3자는 통지받은 날부터 **3일 이내**에 당해 공공기관에 자신과 관련된 정보를 공개하지 아니할 것을 요청할 수 있다.

② 위 ①의 비공개요청에도 불구하고 공공기관이 공개결정을 하는 때에는 공개결정이유와 공개실시일을 명시하여 지체 없이 **문서로 통지**하여야 하며, 제3자는 당해 공공기관에 문서로 **이의신청**을 하거나 **행정심판 또는 행정소송**을 제기할 수 있다. 이 경우 이의신청은 통지를 받은 날부터 **7일 이내**에 하여야 한다.

③ 공공기관은 ②에 의한 공개결정일과 공개실시일의 사이에 최소한 **30일**의 간격을 두어야 한다.

⚡ 관련판례

1 공공기관에 대하여 정보공개를 청구하였다가 거부처분을 받은 것 자체가 법률상 이익의 침해에 해당하는지 여부(적극)

공공기관의 정보공개에 관한 법률 제6조 제1항은 "모든 국민은 정보의 공개를 청구할 권리를 가진다."라고 규정하고 있는데, 여기에서 말하는 국민에는 자연인은 물론 법인, 권리능력 없는 사단·재단도 포함되고, 한편 정보공개청구권은 법률상 보호되는 구체적인 권리이므로 청구인이 공공기관에 대하여 정보공개를 청구하였다가 거부처분을 받은 것 자체가 <u>법률상 이익의 침해에 해당</u>한다(대판 2004.8.20. 2003두8302).

2 경찰서장의 수사기록사본교부거부처분에 대하여 행정소송절차를 거치지 아니하고 곧바로 헌법소원심판을 청구할 수 있는지의 여부(소극)

공공기관의 정보공개에 관한 법률 제6조, 제9조, 제18조에 의하여 국민에게 불기소사건기록의 열람, 등사를 청구할 권리 내지 법에 정하여진 절차에 따라 그 허가 여부의 처분을 행할 것을 요구할 수 있는 법규상의 지위가 부여되었으므로 경찰서장의 수사기록사본교부거부처분은 <u>행정소송의 대상이 된다</u> 할 것이므로 직접 헌법소원심판의 대상으로 삼을 수 없다(헌재 2001.2.22. 2000헌마620).

3 공공기관이 공개를 구하는 정보를 보유·관리하고 있지 아니한 경우, 정보공개거부처분의 취소를 구할 법률상의 이익이 있는지 여부(소극)

정보공개제도는 공공기관이 보유·관리하는 정보를 그 상태대로 공개하는 제도라는 점 등에 비추어 보면, 정보공개를 구하는 자가 공개를 구하는 정보를 행정기관이 보유·관리하고 있을 상당한 개연성이 있다는 점을 입증함으로써 족하다 할 것이지만, 공공기관이 그 정보를 보유·관리하고 있지 아니한 경우에는 특별한 사정이 없는 한 정보공개거부처분의 취소를 구할 법률상의 이익이 없다(대판 2006.1.13. 2003두9459).

4 공개를 구하는 정보를 공공기관이 한 때 보유·관리하였으나 후에 그 정보가 담긴 문서 등이 폐기되어 존재하지 않게 된 것이라면, 그 정보를 더 이상 보유·관리하고 있지 아니하다는 점에 대한 입증책임이 공공기관에게 있는지 여부(적극)

[1] 무릇 정보공개제도는 공공기관이 보유·관리하는 정보를 그 상태대로 공개하는 제도로서, 공개를 구하는 정보를 공공기관이 보유·관리하고 있을 상당한 개연성이 있다는 점에 대하여 원칙적으로 공개청구자에게 입증책임이 있다고 할 것이지만, 공개를 구하는 정보를 공공기관이 한 때 보유·관리하였으나 후에 그 정보가 담긴 문서 등이 폐기되어 존재하지 않게 된 것이라면, 그 <u>정보를 더 이상 보유·관리하고 있지 아니하다는 점에 대한 입증책임은 공공기관에게 있다고 할 것이다</u>(대판 2004.12.9. 2003두12707).

[2] 교도소장이 재단법인 교정협회로 송금한 수익금 총액과 교도소장에게 배당된 수익금액 및 사용내역, 교도소직원회 수지에 관한 결산결과와 사업계획 및 예산서, 수용자 외부병원 이송진료와 관련한 이송진료자 수, 이송진료자의 진료내역별 현황, 이송진료자의 진료비 지급 현황, 이송진료자의 진료비 총액 대비 예산지급액, 이송진료자의 병명별 현황, 수용자신문구독현황과 관련한 각 신문별 구독신청자 수 등에 관한 정보는 구 공공기관의 정보공개에 관한 법률(2004.1.29. 법률 제7127호로 전문 개정되기 전의 것) 제7조 제1항 제4호에서 비공개대상으로 규정한 '형의 집행, 교정에 관한 사항으로서 공개될 경우 그 직무수행을 현저히 곤란하게 하는 정보'에 해당하기 어렵다(대판 2004.12.9. 2003두12707).

5 **제3자의 비공개요청이 있다는 사유만으로 정보공개법상 정보의 비공개사유에 해당하는지 여부(소극)**

제3자와 관련이 있는 정보라고 하더라도 당해 공공기관이 이를 보유·관리하고 있는 이상 정보공개법 제9조 제1항 단서 각 호의 비공개사유에 해당하지 아니하면 정보공개의 대상이 되는 정보에 해당한다고 보아야 할 것이다. 따라서 정보공개법 제11조 제3항이 "공공기관은 공개청구 된 공개 대상 정보의 전부 또는 일부가 제3자와 관련이 있다고 인정되는 때에는 그 사실을 제3자에게 지체 없이 통지하여야 하며, 필요한 경우에는 그의 의견을 청취할 수 있다."고, 제21조 제1항이 "제11조 제3항의 규정에 의하여 공개청구된 사실을 통지받은 제3자는 통지받은 날부터 3일 이내에 당해 공공기관에 대하여 자신과 관련된 정보를 공개하지 아니할 것을 요청할 수 있다."라고 규정하고 있다고 하더라도, 이는 공공기관이 보유·관리하고 있는 정보가 제3자와 관련이 있는 경우 그 정보공개여부를 결정함에 있어 공공기관이 제3자와의 관계에서 거쳐야 할 절차를 규정한 것에 불과할 뿐, 제3자의 비공개요청이 있다는 사유만으로 정보공개법상 정보의 비공개사유에 해당한다고 볼 수 없다(대판 2008.9.25. 2008두8680).

9. 기타

(1) 정보공개위원회의 설치(제22조)

① 다음 사항을 심의·조정하기 위하여 **행정안전부장관 소속**하에 정보공개위원회를 둔다.

  ㉠ 정보공개에 관한 정책의 수립 및 제도개선에 관한 사항

  ㉡ 정보공개에 관한 기준 수립에 관한 사항

  ㉢ 심의회 심의결과의 조사·분석 및 심의기준 개선 관련 의견제시에 관한 사항

  ㉣ 공공기관의 정보공개 운영실태 평가 및 그 결과 처리에 관한 사항

  ㉤ 정보공개와 관련된 불합리한 제도·법령 및 그 운영에 대한 조사 및 개선권고에 관한 사항

  ㉥ 그 밖에 정보공개에 관하여 대통령령이 정하는 사항

② 정보공개위원회는 성별을 고려하여 위원장과 부위원장 각 1명을 포함한 **11명의 위원**으로 구성한다. 위원장을 포함한 7명은 공무원이 아닌 사람으로 위촉하여야 한다.

핵심 OX

01 공개청구된 사실을 통지받은 제3자가 당해 공공기관에 공개하지 아니할 것을 요청하는 때에는 공공기관은 비공개결정을 하여야 한다.

12. 지방9급 (   )

01 X

구분	정보공개심의회(제12조)	정보공개위원회(제22조)
소속	국가기관·지방자치단체·공기업 소속 (위원장 1명 포함하여 5명 이상 7명 이하로 구성)	행정안전부장관 소속 (위원장과 부위원장 각 1명을 포함한 11명의 위원으로 구성)
업무	정보공개 여부 등을 심의	• 정보공개에 관한 정책의 수립 및 제도개선에 관한 사항 • 정보공개에 관한 기준 수립에 관한 사항 • 공공기관의 정보공개 운영실태 평가 및 그 결과 처리에 관한 사항 • 그 밖에 정보공개에 관하여 대통령령이 정하는 사항

(2) 제도총괄 등(제24조)

① **행정안전부장관**은 공공기관의 정보공개에 관한 법률에 의한 정보공개제도의 정책수립 및 제도개선사항 등에 관한 기획·총괄업무를 관장한다.

② 행정안전부장관은 정보공개에 관하여 필요할 경우에 공공기관(국회·법원·헌법재판소 및 중앙선거관리위원회는 제외한다)의 장에게 정보공개 처리 실태의 개선을 권고할 수 있다. 이 경우 권고를 받은 공공기관은 이를 이행하기 위하여 성실하게 노력하여야 하며, 그 조치결과를 행정안전부장관에게 알려야 한다.

(3) 신분보장(제28조)

누구든지 이 법에 따른 정당한 정보공개를 이유로 징계조치 등 어떠한 신분상 불이익이나 근무조건상의 차별을 받지 아니한다.

⚖️ **판례연구** 정보공개제도(1)

1. 기본 판례

정보공개법상 비공개사유는 제한적으로 해석해야 하고 비공개사유에 해당하지 않는 한 이를 공개해야 한다.

> 정보공개를 요구받은 공공기관이 법률 제7조 제1항 각 호에서 정하고 있는 비공개사유에 해당하지 않는 한 이를 공개해야 할 것이고, 비공개사유에 해당하는 지를 주장·입증하지 아니한 채 개괄적인 사유만을 들어 그 공개를 거부할 수 없다(대판 2003.12.11. 2001두8827).

2. 관련 판례

비공개 대상 정보	공개 대상 정보
• 의사결정과정에 제공된 회의관련자료나 의사결정과정이 기록된 회의록 등은 의사결정과정에 있는 사항에 준하는 사항으로서 비공개 대상 정보에 포함될 수 있다. • 보안관찰법 소정의 보안관찰관련 통계자료는 공개될 경우 국가의 중대한 이익을 해할 우려가 있는 정보에 해당된다.	• 사법시험 2차 시험의 답안지 열람은 시험업무의 수행에 현저한 지장을 초래한다고 볼 수 없다. • 교육공무원 승진규정은 공공기관의 정보공개에 관한 법률 제9조 제1항 제1호에서 말하는 법률이 위임한 명령에 해당하지 아니하므로 위 규정을 근거로 정보공개청구를

- 시험문항에 대한 채점위원별 채점결과는 비공개 대상 정보에 해당한다.
- 문제은행 출제방식을 채택하고 있는 치과의사 국가시험의 문제지와 정답지는 공공기관의 정보공개에 관한 법률상 비공개 대상 정보에 해당한다.
- 지방자치단체의 업무추진비 세부항목별 집행내역 및 그에 관한 증빙서류에 포함된 개인에 관한 정보는 '공개하는 것이 공익을 위하여 필요하다고 인정되는 정보'에 해당하지 않는다.
- 법인 등이 거래하는 금융기관의 계좌번호에 관한 정보는 비공개 대상 정보에 해당한다.
- 비공개사유로서 '법인 등의 경영·영업상 비밀'은 '타인에게 알려지지 아니함이 유리한 사업활동에 관한 일체의 정보' 또는 '사업활동에 관한 일체의 비밀사항'으로 해석함이 상당하다.

- 거부하는 것은 잘못이다(교육공무원 근무평정).
- 검찰보존사무규칙(법무부령) 제22조의 성질은 행정기관 내부의 사무처리준칙이므로 같은 규칙상의 열람·등사의 제한이 정보공개에 관한 법률상의 '다른 법률 또는 법률에 의한 명령에 의하여 비공개사항으로 규정'된 경우에 해당하지 않는다.
- 대한주택공사의 아파트분양원가 산출내역에 관한 정보는 비공개 대상 정보에 해당하지 않는다.
- 한국방송공사의 '수시집행 접대성 경비의 건별 집행서류 일체'에 관한 정보는 비공개 대상 정보에 해당하지 않는다.

⚖️ 판례연구 정보공개제도(2)

1. 기본 판례
정보공개청구권을 가지는 국민에는 자연인은 물론 법인, 권리능력 없는 사단·재단도 포함되고 법인의 경우 설립목적을 불문한다.

> 공공기관의 정보공개에 관한 법률 제6조 제1항은 "모든 국민은 정보의 공개를 청구할 권리를 가진다."고 규정하고 있는데, 여기에서 말하는 국민에는 자연인은 물론 법인, 권리능력 없는 사단·재단도 포함되고, 법인, 권리능력 없는 사단·재단 등의 경우에는 설립목적을 불문하며, 한편 정보공개청구권은 법률상 보호되는 구체적인 권리이므로 청구인이 공공기관에 대하여 정보공개를 청구하였다가 거부처분을 받은 것 자체가 법률상 이익의 침해에 해당한다(대판 2003.12.12. 2003두8050).

2. 관련 판례
① 오로지 상대방을 괴롭힐 목적으로 정보공개를 구하고 있다는 등의 특별한 사정이 없는 한 정보공개의 청구가 신의칙에 반하거나 권리남용에 해당한다고 볼 수 없다.
② 공개청구의 대상이 되는 정보는 반드시 원본일 필요가 없다.
③ 정보공개청구가 없었던 경우 정보공개의 의무는 인정되지 않는다.
④ 비공개 대상 정보와 공개 대상 정보가 분리될 수 있는 경우 공개가 가능한 부분을 특정하고 판결주문에 공개가 가능한 부분만 취소한다고 표시하여야 한다.
⑤ 공공기관이 그 정보를 보유·관리하고 있지 아니한 경우 특별한 사정이 없는 한 정보공개거부처분의 취소를 구할 법률상 이익이 없다.
⑥ 사립대학교가 국비의 지원을 받는 범위내에서만 공공기관의 성격을 가지는 것은 아니다.
⑦ 정보공개청구자가 선택한 공개방법에 따라 정보를 공개해야 한다.
⑧ 정보공개를 청구하다가 거부처분을 받은 것 자체가 법률상 이익의 침해에 해당한다고 할 것이고, 거부처분을 받은 것 이외에 추가로 어떤 법률상 이익을 가질 것을 요구하는 것은 아니다.

제2절 | 개인정보 보호 제도

1 서설

1. 개인정보 보호의 의미

(1) 개인정보의 보호란 '개인은 자기의 정보를 스스로 통제할 수 있는 **정보적 자기결정권**을 가지며, 국가는 이를 개인의 기본권의 하나로서 보호하는 것'을 말한다.

(2) 개인정보 보호는 종전에는 개인적 생활영역에 대한 부당한 침해에 대한 보호로 비교적 소극적으로 해석되었다. 그러나 오늘날은 1960년대 중반 이후의 컴퓨터 기타 정보통신의 발달로 개인정보의 수집·보관이 가능하게 됨에 따라, 개인은 누구나 자신에 관한 정보를 관리하고 공개함에 있어 스스로 결정할 수 있고, 틀린 것이 있으면 정정을 구할 수 있다고 하는 적극적 권한으로 확대되었다.

2. 개인정보 보호의 종류

(1) 개인정보 보호는 '공공부문에서의 개인정보 보호'와 '민간부문에서의 개인정보 보호'로 나뉜다.

(2) 개인정보 보호는 종전에는 공공부문에 의한 개인정보침해를 주로 다루었으나, 오늘날에 민간부문에 의한 피해가 급증함에 따라 민간부문도 포함하게 되었다.

2 법적 근거

1. 헌법상 근거

헌법 제17조는 "모든 국민은 사생활의 비밀과 자유를 침해받지 않는다."라고 규정하여 사생활의 비밀과 자유를 보장하고 있다. 따라서 개인정보 보호의 헌법적 근거는 직접적으로는 **사생활의 비밀과 자유**에 관한 제17조 규정이라 할 것이다. 그러나 개인정보의 보호는 그 밖에도 인간의 존엄과 가치 및 행복추구권, 주거의 자유, 통신의 비밀 등에 관한 규정에 의해서도 보장된다.

> #### 🔎 관련판례
>
> **개인정보자기결정권이 독자적 기본권으로서 헌법에 명시되지 아니한 기본권인지 여부 (적극)**
> 개인정보자기결정권의 헌법상 근거로는 헌법 제17조의 사생활의 비밀과 자유, 헌법 제10조 제1문의 인간의 존엄과 가치 및 행복추구권에 근거를 둔 일반적 인격권 또는 위 조문들과 동시에 우리 헌법의 자유민주적 기본질서 규정 또는 국민주권원리와 민주주의원리 등을 고려할 수 있으나, 개인정보자기결정권으로 보호하려는 내용을 위 각 기본권들 및 헌법원리들 중 일부에 완전히 포섭시키는 것은 불가능하다고 할 것이므로, 그 헌법적 근거를 굳이 어느 한두 개에 국한시키는 것은 바람직하지 않은 것으로 보이고, 오히려 개인정보자기결정권은 이들을 이념적 기초로 하는 독자적 기본권으로서 헌법에 명시되지 아니한 기본권이라고 보아야 할 것이다(헌재 2005.5.26. 2004헌마190).

2. 법률상 근거

개인정보 보호에 관한 일반법으로는 종래 공공기관으로부터 개인정보를 보호하기 위해 공공기관의 개인정보보호에 관한 법률이 1994년에 제정되어 1995년부터 시행되었으나, 최근 폐지되고 민간부문까지 포함한 개인정보 보호법이 2011년에 제정되어 시행되고 있다.

3 개인정보 보호법의 주요 내용

1. 목적(제1조)

제1조 【목적】 이 법은 개인정보의 처리 및 보호에 관한 사항을 정함으로써 개인의 자유와 권리를 보호하고, 나아가 개인의 존엄과 가치를 구현함을 목적으로 한다.

2. 용어(제2조)

제2조 【정의】 이 법에서 사용하는 용어의 뜻은 다음과 같다.
1. '개인정보'란 살아 있는 개인에 관한 정보로서 다음 각 목의 어느 하나에 해당하는 정보를 말한다.
   가. 성명, 주민등록번호 및 영상 등을 통하여 개인을 알아볼 수 있는 정보
   나. 해당 정보만으로는 특정 개인을 알아볼 수 없더라도 다른 정보와 쉽게 결합하여 알아볼 수 있는 정보. 이 경우 쉽게 결합할 수 있는지 여부는 다른 정보의 입수 가능성 등 개인을 알아보는 데 소요되는 시간, 비용, 기술 등을 합리적으로 고려하여야 한다.
   다. 가목 또는 나목을 제1호의2에 따라 가명처리함으로써 원래의 상태로 복원하기 위한 추가 정보의 사용·결합 없이는 특정 개인을 알아볼 수 없는 정보(이하 '가명정보'라 한다)
1의2. '가명처리'란 개인정보의 일부를 삭제하거나 일부 또는 전부를 대체하는 등의 방법으로 추가 정보가 없이는 특정 개인을 알아볼 수 없도록 처리하는 것을 말한다.
2. '처리'란 개인정보의 수집, 생성, 연계, 연동, 기록, 저장, 보유, 가공, 편집, 검색, 출력, 정정(訂正), 복구, 이용, 제공, 공개, 파기(破棄), 그 밖에 이와 유사한 행위를 말한다.
3. '정보주체'란 처리되는 정보에 의하여 알아볼 수 있는 사람으로서 그 정보의 주체가 되는 사람을 말한다.
4. '개인정보파일'이란 개인정보를 쉽게 검색할 수 있도록 일정한 규칙에 따라 체계적으로 배열하거나 구성한 개인정보의 집합물(集合物)을 말한다.
5. '개인정보처리자'란 업무를 목적으로 개인정보파일을 운용하기 위하여 스스로 또는 다른 사람을 통하여 개인정보를 처리하는 공공기관, 법인, 단체 및 개인 등을 말한다.
6. '공공기관'이란 다음 각 목의 기관을 말한다.
   가. 국회, 법원, 헌법재판소, 중앙선거관리위원회의 행정사무를 처리하는 기관, 중앙행정기관(대통령 소속 기관과 국무총리 소속 기관을 포함한다) 및 그 소속 기관, 지방자치단체
   나. 그 밖의 국가기관 및 공공단체 중 대통령령으로 정하는 기관

7. "고정형 영상정보처리기기"란 일정한 공간에 설치되어 지속적 또는 주기적으로 사람 또는 사물의 영상 등을 촬영하거나 이를 유·무선망을 통하여 전송하는 장치로서 대통령령으로 정하는 장치를 말한다.

7의2. "이동형 영상정보처리기기"란 사람이 신체에 착용 또는 휴대하거나 이동 가능한 물체에 부착 또는 거치(据置)하여 사람 또는 사물의 영상 등을 촬영하거나 이를 유·무선망을 통하여 전송하는 장치로서 대통령령으로 정하는 장치를 말한다.

8. '과학적 연구'란 기술의 개발과 실증, 기초연구, 응용연구 및 민간 투자 연구 등 과학적 방법을 적용하는 연구를 말한다.

⚖ 관련판례

공적 생활에서 형성되었거나 이미 공개된 개인정보까지 개인정보자기결정권에 포함되는지 여부(적극)

인간의 존엄과 가치, 행복추구권을 규정한 헌법 제10조 제1문에서 도출되는 일반적 인격권 및 헌법 제17조의 사생활의 비밀과 자유에 의하여 보장되는 개인정보자기결정권은, 자신에 관한 정보가 언제, 누구에게, 어느 범위까지 알려지고 또 이용되도록 할 것인지를 그 정보주체가 스스로 결정할 수 있는 권리이다. 즉 정보주체가 개인정보의 공개와 이용에 관하여 스스로 결정할 권리를 말한다. 개인정보자기결정권의 보호대상이 되는 개인정보는 개인의 신체, 신념, 사회적 지위, 신분 등과 같이 개인의 인격주체성을 특징짓는 사항으로서 그 개인의 동일성을 식별할 수 있게 하는 일체의 정보라고 할 수 있고, 반드시 개인의 내밀한 영역이나 사사(私事)의 영역에 속하는 정보에 국한되지 않고 공적 생활에서 형성되었거나 이미 공개된 개인정보까지 포함한다. 또한 그러한 개인정보를 대상으로 한 조사·수집·보관·처리·이용 등의 행위는 모두 원칙적으로 개인정보자기결정권에 대한 제한에 해당한다(헌재 2005.5.26. 99헌마513 등).

---

3. 개인정보 보호원칙(제3조)

제3조 【개인정보 보호 원칙】 ① 개인정보처리자는 개인정보의 처리 목적을 명확하게 하여야 하고 그 목적에 필요한 범위에서 최소한의 개인정보만을 적법하고 정당하게 수집하여야 한다.

② 개인정보처리자는 개인정보의 처리 목적에 필요한 범위에서 적합하게 개인정보를 처리하여야 하며, 그 목적 외의 용도로 활용하여서는 아니 된다.

③ 개인정보처리자는 개인정보의 처리 목적에 필요한 범위에서 개인정보의 정확성, 완전성 및 최신성이 보장되도록 하여야 한다.

④ 개인정보처리자는 개인정보의 처리 방법 및 종류 등에 따라 정보주체의 권리가 침해받을 가능성과 그 위험 정도를 고려하여 개인정보를 안전하게 관리하여야 한다.

⑤ 개인정보처리자는 제30조에 따른 개인정보 처리방침 등 개인정보의 처리에 관한 사항을 공개하여야 하며, 열람청구권 등 정보주체의 권리를 보장하여야 한다.

⑥ 개인정보처리자는 정보주체의 사생활 침해를 최소화하는 방법으로 개인정보를 처리하여야 한다.

⑦ 개인정보처리자는 개인정보를 익명 또는 가명으로 처리하여도 개인정보 수집목적을 달성할 수 있는 경우 익명처리가 가능한 경우에는 익명에 의하여, 익명처리로 목적을 달성할 수 없는 경우에는 가명에 의하여 처리될 수 있도록 하여야 한다.

⑧ 개인정보처리자는 이 법 및 관계 법령에서 규정하고 있는 책임과 의무를 준수하고 실천함으로써 정보주체의 신뢰를 얻기 위하여 노력하여야 한다.

4. 정보주체의 권리(제4조)

제4조【정보주체의 권리】 정보주체는 자신의 개인정보 처리와 관련하여 다음 각 호의 권리를 가진다.
1. 개인정보의 처리에 관한 정보를 제공받을 권리
2. 개인정보의 처리에 관한 동의 여부, 동의 범위 등을 선택하고 결정할 권리
3. 개인정보의 처리 여부를 확인하고 개인정보에 대한 열람(사본의 발급을 포함한다. 이하 같다) 및 전송을 요구할 권리
4. 개인정보의 처리 정지, 정정·삭제 및 파기를 요구할 권리
5. 개인정보의 처리로 인하여 발생한 피해를 신속하고 공정한 절차에 따라 구제받을 권리
6. 완전히 자동화된 개인정보 처리에 따른 결정을 거부하거나 그에 대한 설명 등을 요구할 권리

5. 국가 등의 책무(제5조)

제5조【국가 등의 책무】 ① 국가와 지방자치단체는 개인정보의 목적 외 수집, 오용·남용 및 무분별한 감시·추적 등에 따른 폐해를 방지하여 인간의 존엄과 개인의 사생활 보호를 도모하기 위한 시책을 강구하여야 한다.
② 국가와 지방자치단체는 제4조에 따른 정보주체의 권리를 보호하기 위하여 법령의 개선 등 필요한 시책을 마련하여야 한다.
③ 국가와 지방자치단체는 만 14세 미만 아동이 개인정보 처리가 미치는 영향과 정보주체의 권리 등을 명확하게 알 수 있도록 만 14세 미만 아동의 개인정보 보호에 필요한 시책을 마련하여야 한다.
④ 국가와 지방자치단체는 개인정보의 처리에 관한 불합리한 사회적 관행을 개선하기 위하여 개인정보처리자의 자율적인 개인정보 보호활동을 존중하고 촉진·지원하여야 한다.
⑤ 국가와 지방자치단체는 개인정보의 처리에 관한 법령 또는 조례를 적용할 때에는 정보주체의 권리가 보장될 수 있도록 개인정보 보호 원칙에 맞게 적용하여야 한다.

6. 다른 법률과의 관계(제6조)

제6조【다른 법률과의 관계】 ① 개인정보의 처리 및 보호에 관하여 다른 법률에 특별한 규정이 있는 경우를 제외하고는 이 법에서 정하는 바에 따른다.
② 개인정보의 처리 및 보호에 관한 다른 법률을 제정하거나 개정하는 경우에는 이 법의 목적과 원칙에 맞도록 하여야 한다.

핵심 OX

01 정보주체는 자신의 개인정보처리와 관련하여 개인정보의 처리 정지, 정정·삭제 및 파기를 요구할 권리를 가진다. 12. 지방9급 ( )

01 ○

7. 개인정보의 처리

(1) 개인정보의 수집·이용(제15조)

제15조 【개인정보의 수집·이용】 ① 개인정보처리자는 다음 각 호의 어느 하나에 해당하는 경우에는 개인정보를 수집할 수 있으며 그 수집 목적의 범위에서 이용할 수 있다.
1. 정보주체의 동의를 받은 경우
2. 법률에 특별한 규정이 있거나 법령상 의무를 준수하기 위하여 불가피한 경우
3. 공공기관이 법령 등에서 정하는 소관 업무의 수행을 위하여 불가피한 경우
4. 정보주체와 체결한 계약을 이행하거나 계약을 체결하는 과정에서 정보주체의 요청에 따른 조치를 이행하기 위하여 필요한 경우
5. 명백히 정보주체 또는 제3자의 급박한 생명, 신체, 재산의 이익을 위하여 필요하다고 인정되는 경우
6. 개인정보처리자의 정당한 이익을 달성하기 위하여 필요한 경우로서 명백하게 정보주체의 권리보다 우선하는 경우. 이 경우 개인정보처리자의 정당한 이익과 상당한 관련이 있고 합리적인 범위를 초과하지 아니하는 경우에 한한다.
7. 공중위생 등 공공의 안전과 안녕을 위하여 긴급히 필요한 경우
② 개인정보처리자는 제1항 제1호에 따른 동의를 받을 때에는 다음 각 호의 사항을 정보주체에게 알려야 한다. 다음 각 호의 어느 하나의 사항을 변경하는 경우에도 이를 알리고 동의를 받아야 한다.
1. 개인정보의 수집·이용 목적
2. 수집하려는 개인정보의 항목
3. 개인정보의 보유 및 이용 기간
4. 동의를 거부할 권리가 있다는 사실 및 동의 거부에 따른 불이익이 있는 경우에는 그 불이익의 내용
③ 개인정보처리자는 당초 수집 목적과 합리적으로 관련된 범위에서 정보주체에게 불이익이 발생하는지 여부, 암호화 등 안전성 확보에 필요한 조치를 하였는지 여부 등을 고려하여 대통령령으로 정하는 바에 따라 정보주체의 동의 없이 개인정보를 이용할 수 있다.

(2) 개인정보의 수집 제한(제16조)

제16조 【개인정보의 수집 제한】 ① 개인정보처리자는 제15조 제1항 각 호의 어느 하나에 해당하여 개인정보를 수집하는 경우에는 그 목적에 필요한 최소한의 개인정보를 수집하여야 한다. 이 경우 최소한의 개인정보 수집이라는 입증책임은 개인정보처리자가 부담한다.
② 개인정보처리자는 정보주체의 동의를 받아 개인정보를 수집하는 경우 필요한 최소한의 정보 외의 개인정보 수집에는 동의하지 아니할 수 있다는 사실을 구체적으로 알리고 개인정보를 수집하여야 한다.
③ 개인정보처리자는 정보주체가 필요한 최소한의 정보 외의 개인정보 수집에 동의하지 아니한다는 이유로 정보주체에게 재화 또는 서비스의 제공을 거부하여서는 아니 된다.

(3) 개인정보의 제공(제17조)

제17조 【개인정보의 제공】 ① 개인정보처리자는 다음 각 호의 어느 하나에 해당되는 경우에는 정보주체의 개인정보를 제3자에게 제공(공유를 포함한다. 이하 같다)할 수 있다.
1. 정보주체의 동의를 받은 경우
2. 제15조 제1항 제2호, 제3호 및 제5호부터 제7호까지에 따라 개인정보를 수집한 목적 범위에서 개인정보를 제공하는 경우
② 개인정보처리자는 제1항 제1호에 따른 동의를 받을 때에는 다음 각 호의 사항을 정보주체에게 알려야 한다. 다음 각 호의 어느 하나의 사항을 변경하는 경우에도 이를 알리고 동의를 받아야 한다.
1. 개인정보를 제공받는 자
2. 개인정보를 제공받는 자의 개인정보 이용 목적
3. 제공하는 개인정보의 항목
4. 개인정보를 제공받는 자의 개인정보 보유 및 이용 기간
5. 동의를 거부할 권리가 있다는 사실 및 동의 거부에 따른 불이익이 있는 경우에는 그 불이익의 내용
③ 삭제
④ 개인정보처리자는 당초 수집 목적과 합리적으로 관련된 범위에서 정보주체에게 불이익이 발생하는지 여부, 암호화 등 안전성 확보에 필요한 조치를 하였는지 여부 등을 고려하여 대통령령으로 정하는 바에 따라 정보주체의 동의 없이 개인정보를 제공할 수 있다.

⚖ 관련판례

공개된 개인정보를 수집하여 제3자에게 제공한 행위에 대하여 개인정보자기결정권의 침해를 이유로 위자료를 청구한 사건

로앤비는 종합적인 법률정보를 제공하는 사이트인 '로앤비'(이하 '이 사건 사이트'라 한다)를 운영하는 회사로서, 주식회사 법률신문사로부터 제공받은 법조인 데이터베이스상의 개인정보와 자체적으로 수집하여 데이터베이스로 구축한 국내 법과대학 교수들의 개인정보를 이 사건 사이트 내의 '법조인' 항목에서 유료(개인정보만 따로 떼어내어 판매하는 방식이 아니라 피고 로앤비가 제공하는 다른 콘텐츠와 결합하여 전체적으로 요금을 받는 방식이다)로 제공하는 사업을 영위하였다. 로앤비는 2010.12.17.경 원고의 사진, 성명, 성별, 출생연도, 직업, 직장, 학력, 경력 등의 개인정보를 수집하여 이 사건 사이트 내의 '법조인' 항목에 올린 다음 이를 유료로 제3자에게 제공하여 왔다.

[1] 개인정보자기결정권을 침해·제한한다고 주장되는 행위의 내용이 이미 정보주체의 의사에 따라 공개된 개인정보를 별도의 동의 없이 영리 목적으로 수집·제공하였다는 것인 경우, 정보처리 행위의 위법성 여부를 판단하는 기준 및 정보처리자에게 영리 목적이 있었다는 사정만으로 곧바로 정보처리 행위를 위법하다고 할 수 있는지 여부(소극)

개인정보자기결정권이라는 인격적 법익을 침해·제한한다고 주장되는 행위의 내용이 이미 정보주체의 의사에 따라 공개된 개인정보를 그의 별도의 동의 없이 영리 목적으로 수집·제공하였다는 것인 경우에는, 정보처리 행위로 침해될 수 있는 정보주체의 인격적 법익과 그 행위로 보호받을 수 있는 정보처리자 등의 법적 이익이 하나의 법률관계를 둘러싸고 충돌하게 된다. 이때는 정보주체가 공적인 존재인지, 개인정보의 공공성과 공익성, 원래 공개한 대상 범위, 개인정보 처리의 목적·절차·이용형태의 상당성과 필요성, 개인정보 처리로 침해될 수 있는 이익의 성질과 내용 등 여러 사정을 종합적으로 고려하여, 개인정보에 관한 인격권 보호에 의하여 얻을 수 있는

이익과 정보처리 행위로 얻을 수 있는 이익 즉 정보처리자의 '알 권리'와 이를 기반으로 한 정보수용자의 '알 권리' 및 표현의 자유, 정보처리자의 영업의 자유, 사회 전체의 경제적 효율성 등의 가치를 구체적으로 비교 형량하여 어느 쪽 이익이 더 우월한 것으로 평가할 수 있는지에 따라 정보처리 행위의 최종적인 위법성 여부를 판단하여야 하고, 단지 정보처리자에게 영리 목적이 있었다는 사정만으로 곧바로 정보처리 행위를 위법하다고 할 수는 없다.

[2] 이미 공개된 개인정보를 정보주체의 동의가 있었다고 객관적으로 인정되는 범위 내에서 수집·이용·제공 등 처리를 할 때 정보주체의 별도의 동의가 필요한지 여부(소극) 및 동의를 받지 아니한 경우, 개인정보 보호법 제15조나 제17조를 위반한 것인지 여부(소극)

2011.3.29. 법률 제10465호로 제정되어 2011.9.30.부터 시행된 개인정보 보호법은 개인정보처리자의 개인정보 수집·이용(제15조)과 제3자 제공(제17조)에 원칙적으로 정보주체의 동의가 필요하다고 규정하면서도, 대상이 되는 개인정보를 공개된 것과 공개되지 아니한 것으로 나누어 달리 규율하고 있지는 아니하다. 정보주체가 직접 또는 제3자를 통하여 이미 공개한 개인정보는 공개 당시 정보주체가 자신의 개인정보에 대한 수집이나 제3자 제공 등의 처리에 대하여 일정한 범위 내에서 동의를 하였다고 할 것이다. 이와 같이 공개된 개인정보를 객관적으로 보아 정보주체가 동의한 범위 내에서 처리하는 것으로 평가할 수 있는 경우에도 동의의 범위가 외부에 표시되지 아니하였다는 이유만으로 또다시 정보주체의 별도의 동의를 받을 것을 요구한다면 이는 정보주체의 공개의사에도 부합하지 아니하거니와 정보주체나 개인정보처리자에게 무의미한 동의절차를 밟기 위한 비용만을 부담시키는 결과가 된다. 다른 한편 개인정보 보호법 제20조는 공개된 개인정보 등을 수집·처리하는 때에는 정보주체의 요구가 있으면 즉시 개인정보의 수집 출처, 개인정보의 처리 목적, 제37조에 따른 개인정보 처리의 정지를 요구할 권리가 있다는 사실을 정보주체에게 알리도록 규정하고 있으므로, 공개된 개인정보에 대한 정보주체의 개인정보자기결정권은 이러한 사후통제에 의하여 보호받게 된다.

따라서 이미 공개된 개인정보를 정보주체의 동의가 있었다고 객관적으로 인정되는 범위 내에서 수집·이용·제공 등 처리를 할 때는 정보주체의 별도의 동의는 불필요하다고 보아야 하고, 별도의 동의를 받지 아니하였다고 하여 개인정보 보호법 제15조나 제17조를 위반한 것으로 볼 수 없다. 그리고 정보주체의 동의가 있었다고 인정되는 범위 내인지는 공개된 개인정보의 성격, 공개의 형태와 대상 범위, 그로부터 추단되는 정보주체의 공개 의도 내지 목적뿐만 아니라, 정보처리자의 정보제공 등 처리의 형태와 정보제공으로 공개의 대상 범위가 원래의 것과 달라졌는지, 정보제공이 정보주체의 원래의 공개 목적과 상당한 관련성이 있는지 등을 검토하여 객관적으로 판단하여야 한다.

[3] 법률정보 제공 사이트를 운영하는 甲 주식회사가 공립대학교인 乙 대학교 법과대학 법학과 교수로 재직 중인 丙의 사진, 성명, 성별, 출생연도, 직업, 직장, 학력, 경력 등의 개인정보를 위 법학과 홈페이지 등을 통해 수집하여 위 사이트 내 '법조인' 항목에서 유료로 제공한 사안에서, 甲 회사의 행위를 丙의 개인정보자기결정권을 침해하는 위법한 행위로 평가하거나, 甲 회사가 개인정보 보호법 제15조나 제17조를 위반하였다고 볼 수 없다고 한 사례

법률정보 제공 사이트를 운영하는 甲 주식회사가 공립대학교인 乙 대학교 법과대학 법학과 교수로 재직 중인 丙의 사진, 성명, 성별, 출생연도, 직업, 직장, 학력, 경력 등의 개인정보를 위 법학과 홈페이지 등을 통해 수집하여 위 사이트 내 '법조인' 항목에서 유료로 제공한 사안에서, 甲 회사가 영리 목적으로 丙의 개인정보를 수집하여 제3자에게 제공하였더라도 그에 의하여 얻을 수 있는 법적 이익이 정보처리를 막음으로써 얻을 수 있는 정보주체의 인격적 법익에 비하여 우월하므로, 甲 회사의 행위를 丙의 개인정보자기결정권을 침해하는 위법한 행위로 평가할 수 없고, 甲 회사가 丙의

핵심 OX

01 이미 공개된 개인정보를 정보주체의 동의가 있었다고 객관적으로 인정되는 범위 내에서 처리를 할 때는 정보주체의 별도의 동의는 불필요하다고 보아야 하고, 별도의 동의를 받지 아니하였다고 하여 개인정보 보호법을 위반한 것으로 볼 수 없다. 21. 국가9급 ( )

01 ○

개인정보를 수집하여 제3자에게 제공한 행위는 丙의 동의가 있었다고 객관적으로 인정되는 범위 내이고, 甲 회사에 영리 목적이 있었다고 하여 달리 볼 수 없으므로, 甲 회사가 丙의 별도의 동의를 받지 아니하였다고 하여 개인정보 보호법 제15조나 제17조를 위반하였다고 볼 수 없다(대판 2016.8.17. 2014다235080).

(4) 개인정보의 목적 외 이용·제공 제한

제18조【개인정보의 목적 외 이용·제공 제한】 ① 개인정보처리자는 개인정보를 제15조 제1항에 따른 범위를 초과하여 이용하거나 제17조 제1항 및 제28조의8 제1항에 따른 범위를 초과하여 제3자에게 제공하여서는 아니 된다.

② 제1항에도 불구하고 개인정보처리자는 다음 각 호의 어느 하나에 해당하는 경우에는 정보주체 또는 제3자의 이익을 부당하게 침해할 우려가 있을 때를 제외하고는 개인정보를 목적 외의 용도로 이용하거나 이를 제3자에게 제공할 수 있다. 다만, 제5호부터 제9호까지에 따른 경우는 공공기관의 경우로 한정한다.

1. 정보주체로부터 별도의 동의를 받은 경우
2. 다른 법률에 특별한 규정이 있는 경우
3. 명백히 정보주체 또는 제3자의 급박한 생명, 신체, 재산의 이익을 위하여 필요하다고 인정되는 경우
5. 개인정보를 목적 외의 용도로 이용하거나 이를 제3자에게 제공하지 아니하면 다른 법률에서 정하는 소관 업무를 수행할 수 없는 경우로서 보호위원회의 심의·의결을 거친 경우
6. 조약, 그 밖의 국제협정의 이행을 위하여 외국정부 또는 국제기구에 제공하기 위하여 필요한 경우
7. 범죄의 수사와 공소의 제기 및 유지를 위하여 필요한 경우
8. 법원의 재판업무 수행을 위하여 필요한 경우
9. 형(刑) 및 감호, 보호처분의 집행을 위하여 필요한 경우
10. 공중위생 등 공공의 안전과 안녕을 위하여 긴급히 필요한 경우

③ 개인정보처리자는 제2항 제1호에 따른 동의를 받을 때에는 다음 각 호의 사항을 정보주체에게 알려야 한다. 다음 각 호의 어느 하나의 사항을 변경하는 경우에도 이를 알리고 동의를 받아야 한다.

1. 개인정보를 제공받는 자
2. 개인정보의 이용 목적(제공 시에는 제공받는 자의 이용 목적을 말한다)
3. 이용 또는 제공하는 개인정보의 항목
4. 개인정보의 보유 및 이용 기간(제공 시에는 제공받는 자의 보유 및 이용 기간을 말한다)
5. 동의를 거부할 권리가 있다는 사실 및 동의 거부에 따른 불이익이 있는 경우에는 그 불이익의 내용

④ 공공기관은 제2항 제2호부터 제6호까지, 제8호부터 제10호까지에 따라 개인정보를 목적 외의 용도로 이용하거나 이를 제3자에게 제공하는 경우에는 그 이용 또는 제공의 법적 근거, 목적 및 범위 등에 관하여 필요한 사항을 보호위원회가 고시로 정하는 바에 따라 관보 또는 인터넷 홈페이지 등에 게재하여야 한다.

⑤ 개인정보처리자는 제2항 각 호의 어느 하나의 경우에 해당하여 개인정보를 목적 외의 용도로 제3자에게 제공하는 경우에는 개인정보를 제공받는 자에게 이용 목적, 이용 방법, 그 밖에 필요한 사항에 대하여 제한을 하거나, 개인정보의 안전성 확보를 위하여 필요한 조치를 마련하도록 요청하여야 한다. 이 경우 요청을 받은 자는 개인정보의 안전성 확보를 위하여 필요한 조치를 하여야 한다.

(5) 개인정보를 제공받은 자의 이용·제공 제한(제19조)

제19조 【개인정보를 제공받은 자의 이용·제공 제한】 개인정보처리자로부터 개인정보를 제공받은 자는 다음 각 호의 어느 하나에 해당하는 경우를 제외하고는 개인정보를 제공받은 목적 외의 용도로 이용하거나 이를 제3자에게 제공하여서는 아니 된다.
1. 정보주체로부터 별도의 동의를 받은 경우
2. 다른 법률에 특별한 규정이 있는 경우

(6) 정보주체 이외로부터 수집한 개인정보의 수집 출처 등 통지(제20조)

제20조 【정보주체 이외로부터 수집한 개인정보의 수집 출처 등 통지】 ① 개인정보처리자가 정보주체 이외로부터 수집한 개인정보를 처리하는 때에는 정보주체의 요구가 있으면 즉시 다음 각 호의 모든 사항을 정보주체에게 알려야 한다.
1. 개인정보의 수집 출처
2. 개인정보의 처리 목적
3. 제37조에 따른 개인정보 처리의 정지를 요구하거나 동의를 철회할 권리가 있다는 사실
② 제1항에도 불구하고 처리하는 개인정보의 종류·규모, 종업원 수 및 매출액 규모 등을 고려하여 대통령령으로 정하는 기준에 해당하는 개인정보처리자가 제17조 제1항 제1호에 따라 정보주체 이외로부터 개인정보를 수집하여 처리하는 때에는 제1항 각 호의 모든 사항을 정보주체에게 알려야 한다. 다만, 개인정보처리자가 수집한 정보에 연락처 등 정보주체에게 알릴 수 있는 개인정보가 포함되지 아니한 경우에는 그러하지 아니하다.
③ 제2항 본문에 따라 알리는 경우 정보주체에게 알리는 시기·방법 및 절차 등 필요한 사항은 대통령령으로 정한다.
④ 제1항과 제2항 본문은 다음 각 호의 어느 하나에 해당하는 경우에는 적용하지 아니한다. 다만, 이 법에 따른 정보주체의 권리보다 명백히 우선하는 경우에 한한다.
1. 통지를 요구하는 대상이 되는 개인정보가 제32조 제2항 각 호의 어느 하나에 해당하는 개인정보파일에 포함되어 있는 경우
2. 통지로 인하여 다른 사람의 생명·신체를 해할 우려가 있거나 다른 사람의 재산과 그 밖의 이익을 부당하게 침해할 우려가 있는 경우

(7) 개인정보 이용·제공 내역의 통지(제20조의2)

제20조의2 【개인정보 이용·제공 내역의 통지】 ① 대통령령으로 정하는 기준에 해당하는 개인정보처리자는 이 법에 따라 수집한 개인정보의 이용·제공 내역이나 이용·제공 내역을 확인할 수 있는 정보시스템에 접속하는 방법을 주기적으로 정보주체에게 통지하여야 한다. 다만, 연락처 등 정보주체에게 통지할 수 있는 개인정보를 수집·보유하지 아니한 경우에는 통지하지 아니할 수 있다.
② 제1항에 따른 통지의 대상이 되는 정보주체의 범위, 통지 대상 정보, 통지 주기 및 방법 등에 필요한 사항은 대통령령으로 정한다.

(8) 개인정보의 파기(제21조)

제21조【개인정보의 파기】 ① 개인정보처리자는 보유기간의 경과, 개인정보의 처리 목적 달성, 가명정보의 처리 기간 경과 등 그 개인정보가 불필요하게 되었을 때에는 지체 없이 그 개인정보를 파기하여야 한다. 다만, 다른 법령에 따라 보존하여야 하는 경우에는 그러하지 아니하다.
② 개인정보처리자가 제1항에 따라 개인정보를 파기할 때에는 복구 또는 재생되지 아니하도록 조치하여야 한다.
③ 개인정보처리자가 제1항 단서에 따라 개인정보를 파기하지 아니하고 보존하여야 하는 경우에는 해당 개인정보 또는 개인정보파일을 다른 개인정보와 분리하여서 저장·관리하여야 한다.
④ 개인정보의 파기방법 및 절차 등에 필요한 사항은 대통령령으로 정한다.

(9) 동의를 받는 방법(제22조)

제22조【동의를 받는 방법】 ① 개인정보처리자는 이 법에 따른 개인정보의 처리에 대하여 정보주체(제22조의2 제1항에 따른 법정대리인을 포함한다. 이하 이 조에서 같다)의 동의를 받을 때에는 각각의 동의 사항을 구분하여 정보주체가 이를 명확하게 인지할 수 있도록 알리고 동의를 받아야 한다. 이 경우 다음 각 호의 경우에는 동의 사항을 구분하여 각각 동의를 받아야 한다.
1. 제15조 제1항 제1호에 따라 동의를 받는 경우
2. 제17조 제1항 제1호에 따라 동의를 받는 경우
3. 제18조 제2항 제1호에 따라 동의를 받는 경우
4. 제19조 제1호에 따라 동의를 받는 경우
5. 제23조 제1항 제1호에 따라 동의를 받는 경우
6. 제24조 제1항 제1호에 따라 동의를 받는 경우
7. 재화나 서비스를 홍보하거나 판매를 권유하기 위하여 개인정보의 처리에 대한 동의를 받으려는 경우
8. 그 밖에 정보주체를 보호하기 위하여 동의 사항을 구분하여 동의를 받아야 할 필요가 있는 경우로서 대통령령으로 정하는 경우
② 개인정보처리자는 제1항의 동의를 서면(전자문서 및 전자거래 기본법 제2조 제1호에 따른 전자문서를 포함한다)으로 받을 때에는 개인정보의 수집·이용 목적, 수집·이용하려는 개인정보의 항목 등 대통령령으로 정하는 중요한 내용을 보호위원회가 고시로 정하는 방법에 따라 명확히 표시하여 알아보기 쉽게 하여야 한다.
③ 개인정보처리자는 정보주체의 동의 없이 처리할 수 있는 개인정보에 대해서는 그 항목과 처리의 법적 근거를 정보주체의 동의를 받아 처리하는 개인정보와 구분하여 제30조 제2항에 따라 공개하거나 전자우편 등 대통령령으로 정하는 방법에 따라 정보주체에게 알려야 한다. 이 경우 동의 없이 처리할 수 있는 개인정보라는 입증책임은 개인정보처리자가 부담한다.
④ 삭제
⑤ 개인정보처리자는 정보주체가 선택적으로 동의할 수 있는 사항을 동의하지 아니하거나 제1항 제3호 및 제7호에 따른 동의를 하지 아니한다는 이유로 정보주체에게 재화 또는 서비스의 제공을 거부하여서는 아니 된다.
⑥ 삭제
⑦ 제1항부터 제5항까지에서 규정한 사항 외에 정보주체의 동의를 받는 세부적인 방법에 관하여 필요한 사항은 개인정보의 수집매체 등을 고려하여 대통령령으로 정한다.

(10) 아동의 개인정보 보호(제22조의2)

제22조의2 【아동의 개인정보 보호】 ① 개인정보처리자는 만 14세 미만 아동의 개인정보를 처리하기 위하여 이 법에 따른 동의를 받아야 할 때에는 그 법정대리인의 동의를 받아야 하며, 법정대리인이 동의하였는지를 확인하여야 한다.

② 제1항에도 불구하고 법정대리인의 동의를 받기 위하여 필요한 최소한의 정보로서 대통령령으로 정하는 정보는 법정대리인의 동의 없이 해당 아동으로부터 직접 수집할 수 있다.

③ 개인정보처리자는 만 14세 미만의 아동에게 개인정보 처리와 관련한 사항의 고지 등을 할 때에는 이해하기 쉬운 양식과 명확하고 알기 쉬운 언어를 사용하여야 한다.

④ 제1항부터 제3항까지에서 규정한 사항 외에 동의 및 동의 확인 방법 등에 필요한 사항은 대통령령으로 정한다.

8. 개인정보의 처리 제한

(1) 민감정보의 처리 제한(제23조)

제23조 【민감정보의 처리 제한】 ① 개인정보처리자는 사상·신념, 노동조합·정당의 가입·탈퇴, 정치적 견해, 건강, 성생활 등에 관한 정보, 그 밖에 정보주체의 사생활을 현저히 침해할 우려가 있는 개인정보로서 대통령령으로 정하는 정보(이하 "민감정보"라 한다)를 처리하여서는 아니 된다. 다만, 다음 각 호의 어느 하나에 해당하는 경우에는 그러하지 아니하다.

1. 정보주체에게 제15조 제2항 각 호 또는 제17조 제2항 각 호의 사항을 알리고 다른 개인정보의 처리에 대한 동의와 별도로 동의를 받은 경우
2. 법령에서 민감정보의 처리를 요구하거나 허용하는 경우

② 개인정보처리자가 제1항 각 호에 따라 민감정보를 처리하는 경우에는 그 민감정보가 분실·도난·유출·위조·변조 또는 훼손되지 아니하도록 제29조에 따른 안전성 확보에 필요한 조치를 하여야 한다.

③ 개인정보처리자는 재화 또는 서비스를 제공하는 과정에서 공개되는 정보에 정보주체의 민감정보가 포함됨으로써 사생활 침해의 위험성이 있다고 판단하는 때에는 재화 또는 서비스의 제공 전에 민감정보의 공개 가능성 및 비공개를 선택하는 방법을 정보주체가 알아보기 쉽게 알려야 한다.

(2) 고유식별정보의 처리 제한(제24조)

제24조 【고유식별정보의 처리 제한】 ① 개인정보처리자는 다음 각 호의 경우를 제외하고는 법령에 따라 개인을 고유하게 구별하기 위하여 부여된 식별정보로서 대통령령으로 정하는 정보(이하 "고유식별정보❶"라 한다)를 처리할 수 없다.

1. 정보주체에게 제15조 제2항 각 호 또는 제17조 제2항 각 호의 사항을 알리고 다른 개인정보의 처리에 대한 동의와 별도로 동의를 받은 경우
2. 법령에서 구체적으로 고유식별정보의 처리를 요구하거나 허용하는 경우

③ 개인정보처리자가 제1항 각 호에 따라 고유식별정보를 처리하는 경우에는 그 고유식별정보가 분실·도난·유출·위조·변조 또는 훼손되지 아니하도록 대통령령으로 정하는 바에 따라 암호화 등 안전성 확보에 필요한 조치를 하여야 한다.

❶ 고유식별정보(개인정보 보호법 시행령 제19조)
· 주민등록번호
· 여권번호
· 운전면허번호
· 외국인등록번호

④ 보호위원회는 처리하는 개인정보의 종류·규모, 종업원 수 및 매출액 규모 등을 고려하여 대통령령으로 정하는 기준에 해당하는 개인정보처리자가 제3항에 따라 안전성 확보에 필요한 조치를 하였는지에 관하여 대통령령으로 정하는 바에 따라 정기적으로 조사하여야 한다.

⑤ 보호위원회는 대통령령으로 정하는 전문기관으로 하여금 제4항에 따른 조사를 수행하게 할 수 있다.

(3) 주민등록번호 처리의 제한(제24조의2)

제24조의2 【주민등록번호 처리의 제한】 ① 제24조 제1항에도 불구하고 개인정보처리자는 다음 각 호의 어느 하나에 해당하는 경우를 제외하고는 주민등록번호를 처리할 수 없다.
1. 법률·대통령령·국회규칙·대법원규칙·헌법재판소규칙·중앙선거관리위원회규칙 및 감사원규칙에서 구체적으로 주민등록번호의 처리를 요구하거나 허용한 경우
2. 정보주체 또는 제3자의 급박한 생명, 신체, 재산의 이익을 위하여 명백히 필요하다고 인정되는 경우
3. 제1호 및 제2호에 준하여 주민등록번호 처리가 불가피한 경우로서 보호위원회가 고시로 정하는 경우

② 개인정보처리자는 제24조 제3항에도 불구하고 주민등록번호가 분실·도난·유출·위조·변조 또는 훼손되지 아니하도록 암호화 조치를 통하여 안전하게 보관하여야 한다. 이 경우 암호화 적용 대상 및 대상별 적용 시기 등에 관하여 필요한 사항은 개인정보의 처리 규모와 유출 시 영향 등을 고려하여 대통령령으로 정한다.

③ 개인정보처리자는 제1항 각 호에 따라 주민등록번호를 처리하는 경우에도 정보주체가 인터넷 홈페이지를 통하여 회원으로 가입하는 단계에서는 주민등록번호를 사용하지 아니하고도 회원으로 가입할 수 있는 방법을 제공하여야 한다.

④ 보호위원회는 개인정보처리자가 제3항에 따른 방법을 제공할 수 있도록 관계 법령의 정비, 계획의 수립, 필요한 시설 및 시스템의 구축 등 제반 조치를 마련·지원할 수 있다.

(4) 고정형 영상정보처리기기의 설치·운영 제한(제25조)

제25조 【고정형 영상정보처리기기의 설치·운영 제한】 ① 누구든지 다음 각 호의 경우를 제외하고는 공개된 장소에 고정형 영상정보처리기기를 설치·운영하여서는 아니 된다.
1. 법령에서 구체적으로 허용하고 있는 경우
2. 범죄의 예방 및 수사를 위하여 필요한 경우
3. 시설의 안전 및 관리, 화재 예방을 위하여 정당한 권한을 가진 자가 설치·운영하는 경우
4. 교통단속을 위하여 정당한 권한을 가진 자가 설치·운영하는 경우
5. 교통정보의 수집·분석 및 제공을 위하여 정당한 권한을 가진 자가 설치·운영하는 경우
6. 촬영된 영상정보를 저장하지 아니하는 경우로서 대통령령으로 정하는 경우

② 누구든지 불특정 다수가 이용하는 목욕실, 화장실, 발한실(發汗室), 탈의실 등 개인의 사생활을 현저히 침해할 우려가 있는 장소의 내부를 볼 수 있도록 고정형 영상정보처리기기를 설치·운영하여서는 아니 된다. 다만, 교도소, 정신보건 시설 등 법령에 근거하여 사람을 구금하거나 보호하는 시설로서 대통령령으로 정하는 시설에 대하여는 그러하지 아니하다.

③ 제1항 각 호에 따라 고정형 영상정보처리기기를 설치·운영하려는 공공기관의 장과 제2항 단서에 따라 고정형 영상정보처리기기를 설치·운영하려는 자는 공청회·설명회의 개최 등 대통령령으로 정하는 절차를 거쳐 관계 전문가 및 이해관계인의 의견을 수렴하여야 한다.

④ 제1항 각 호에 따라 고정형 영상정보처리기기를 설치·운영하는 자(이하 "고정형 영상정보처리기기운영자"라 한다)는 정보주체가 쉽게 인식할 수 있도록 다음 각 호의 사항이 포함된 안내판을 설치하는 등 필요한 조치를 하여야 한다. 다만, 군사기지 및 군사시설 보호법 제2조 제2호에 따른 군사시설, 통합방위법 제2조 제13호에 따른 국가중요시설, 그 밖에 대통령령으로 정하는 시설의 경우에는 그러하지 아니하다.

1. 설치 목적 및 장소
2. 촬영 범위 및 시간
3. 관리책임자의 연락처
4. 그 밖에 대통령령으로 정하는 사항

⑤ <u>고정형 영상정보처리기기운영자는 고정형 영상정보처리기기의 설치 목적과 다른 목적으로 고정형 영상정보처리기기를 임의로 조작하거나 다른 곳을 비춰서는 아니 되며, 녹음기능은 사용할 수 없다.</u>

⑥ 고정형 영상정보처리기기운영자는 개인정보가 분실·도난·유출·위조·변조 또는 훼손되지 아니하도록 제29조에 따라 안전성 확보에 필요한 조치를 하여야 한다.

⑦ 고정형 영상정보처리기기운영자는 대통령령으로 정하는 바에 따라 고정형 영상정보처리기기 운영·관리 방침을 마련하여야 한다. 다만, 제30조에 따른 개인정보 처리방침을 정할 때 고정형 영상정보처리기기 운영·관리에 관한 사항을 포함시킨 경우에는 고정형 영상정보처리기기 운영·관리 방침을 마련하지 아니할 수 있다.

⑧ 고정형 영상정보처리기기운영자는 고정형 영상정보처리기기의 설치·운영에 관한 사무를 위탁할 수 있다. 다만, 공공기관이 고정형 영상정보처리기기 설치·운영에 관한 사무를 위탁하는 경우에는 대통령령으로 정하는 절차 및 요건에 따라야 한다.

(5) 이동형 영상정보처리기기의 운영 제한(제25조의2)

제25조의2【이동형 영상정보처리기기의 운영 제한】 ① 업무를 목적으로 이동형 영상정보처리기기를 운영하려는 자는 다음 각 호의 경우를 제외하고는 공개된 장소에서 이동형 영상정보처리기기로 사람 또는 그 사람과 관련된 사물의 영상(개인정보에 해당하는 경우로 한정한다. 이하 같다)을 촬영하여서는 아니 된다.

1. 제15조 제1항 각 호의 어느 하나에 해당하는 경우
2. 촬영 사실을 명확히 표시하여 정보주체가 촬영 사실을 알 수 있도록 하였음에도 불구하고 촬영 거부 의사를 밝히지 아니한 경우. 이 경우 정보주체의 권리를 부당하게 침해할 우려가 없고 합리적인 범위를 초과하지 아니하는 경우로 한정한다.
3. 그 밖에 제1호 및 제2호에 준하는 경우로서 대통령령으로 정하는 경우

② 누구든지 불특정 다수가 이용하는 목욕실, 화장실, 발한실, 탈의실 등 개인의 사생활을 현저히 침해할 우려가 있는 장소의 내부를 볼 수 있는 곳에서 이동형 영상정보처리기기로 사람 또는 그 사람과 관련된 사물의 영상을 촬영하여서는 아니 된다. 다만, 인명의 구조·구급 등을 위하여 필요한 경우로서 대통령령으로 정하는 경우에는 그러하지 아니하다.

③ 제1항 각 호에 해당하여 이동형 영상정보처리기기로 사람 또는 그 사람과 관련된 사물의 영상을 촬영하는 경우에는 불빛, 소리, 안내판 등 대통령령으로 정하는 바에 따라 촬영 사실을 표시하고 알려야 한다.

④ 제1항부터 제3항까지에서 규정한 사항 외에 이동형 영상정보처리기기의 운영에 관하여는 제25조 제6항부터 제8항까지의 규정을 준용한다.

(6) 업무위탁에 따른 개인정보의 처리 제한(제26조)

제26조【업무위탁에 따른 개인정보의 처리 제한】 ① 개인정보처리자가 제3자에게 개인정보의 처리 업무를 위탁하는 경우에는 다음 각 호의 내용이 포함된 문서로 하여야 한다.
1. 위탁업무 수행 목적 외 개인정보의 처리 금지에 관한 사항
2. 개인정보의 기술적·관리적 보호조치에 관한 사항
3. 그 밖에 개인정보의 안전한 관리를 위하여 대통령령으로 정한 사항
② 제1항에 따라 개인정보의 처리 업무를 위탁하는 개인정보처리자(이하 "위탁자"라 한다)는 위탁하는 업무의 내용과 개인정보 처리 업무를 위탁받아 처리하는 자(개인정보 처리 업무를 위탁받아 처리하는 자로부터 위탁받은 업무를 다시 위탁받은 제3자를 포함하며, 이하 "수탁자"라 한다)를 정보주체가 언제든지 쉽게 확인할 수 있도록 대통령령으로 정하는 방법에 따라 공개하여야 한다.
③ 위탁자가 재화 또는 서비스를 홍보하거나 판매를 권유하는 업무를 위탁하는 경우에는 대통령령으로 정하는 방법에 따라 위탁하는 업무의 내용과 수탁자를 정보주체에게 알려야 한다. 위탁하는 업무의 내용이나 수탁자가 변경된 경우에도 또한 같다.
④ 위탁자는 업무 위탁으로 인하여 정보주체의 개인정보가 분실·도난·유출·위조·변조 또는 훼손되지 아니하도록 수탁자를 교육하고, 처리 현황 점검 등 대통령령으로 정하는 바에 따라 수탁자가 개인정보를 안전하게 처리하는지를 감독하여야 한다.
⑤ 수탁자는 개인정보처리자로부터 위탁받은 해당 업무 범위를 초과하여 개인정보를 이용하거나 제3자에게 제공하여서는 아니 된다.
⑥ 수탁자는 위탁받은 개인정보의 처리 업무를 제3자에게 다시 위탁하려는 경우에는 위탁자의 동의를 받아야 한다.
⑦ 수탁자가 위탁받은 업무와 관련하여 개인정보를 처리하는 과정에서 이 법을 위반하여 발생한 손해배상책임에 대하여는 수탁자를 개인정보처리자의 소속 직원으로 본다.
⑧ 수탁자에 관하여는 제15조부터 제18조까지, 제21조, 제22조, 제22조의2, 제23조, 제24조, 제24조의2, 제25조, 제25조의2, 제27조, 제28조, 제28조의2부터 제28조의5까지, 제28조의7부터 제28조의11까지, 제29조, 제30조, 제30조의2, 제31조, 제33조, 제34조, 제34조의2, 제35조, 제35조의2, 제36조, 제37조, 제37조의2, 제38조, 제59조, 제63조, 제63조의2 및 제64조의2를 준용한다. 이 경우 "개인정보처리자"는 "수탁자"로 본다.

(7) 영업양도 등에 따른 개인정보의 이전 제한(제27조)

제27조【영업양도 등에 따른 개인정보의 이전 제한】 ① 개인정보처리자는 영업의 전부 또는 일부의 양도·합병 등으로 개인정보를 다른 사람에게 이전하는 경우에는 미리 다음 각 호의 사항을 대통령령으로 정하는 방법에 따라 해당 정보주체에게 알려야 한다.
1. 개인정보를 이전하려는 사실
2. 개인정보를 이전받는 자(이하 "영업양수자등"이라 한다)의 성명(법인의 경우에는 법인의 명칭을 말한다), 주소, 전화번호 및 그 밖의 연락처
3. 정보주체가 개인정보의 이전을 원하지 아니하는 경우 조치할 수 있는 방법 및 절차

② 영업양수자등은 개인정보를 이전받았을 때에는 지체 없이 그 사실을 대통령령으로 정하는 방법에 따라 정보주체에게 알려야 한다. 다만, 개인정보처리자가 제1항에 따라 그 이전 사실을 이미 알린 경우에는 그러하지 아니하다.

③ 영업양수자등은 영업의 양도·합병 등으로 개인정보를 이전받은 경우에는 이전 당시의 본래 목적으로만 개인정보를 이용하거나 제3자에게 제공할 수 있다. 이 경우 영업양수자등은 개인정보처리자로 본다.

(8) 개인정보취급자에 대한 감독(제28조)

> **제28조【개인정보취급자에 대한 감독】** ① 개인정보처리자는 개인정보를 처리함에 있어서 개인정보가 안전하게 관리될 수 있도록 임직원, 파견근로자, 시간제근로자 등 개인정보처리자의 지휘·감독을 받아 개인정보를 처리하는 자(이하 "개인정보취급자"라 한다)의 범위를 최소한으로 제한하고, 개인정보취급자에 대하여 적절한 관리·감독을 하여야 한다.
> ② 개인정보처리자는 개인정보의 적정한 취급을 보장하기 위하여 개인정보취급자에게 정기적으로 필요한 교육을 실시하여야 한다.

9. 가명정보의 처리에 관한 특례

(1) 가명정보의 처리(제28조의2)

> **제28조의2【가명정보의 처리 등】** ① 개인정보처리자는 통계작성, 과학적 연구, 공익적 기록보존 등을 위하여 정보주체의 동의 없이 가명정보를 처리할 수 있다.
> ② 개인정보처리자는 제1항에 따라 가명정보를 제3자에게 제공하는 경우에는 특정 개인을 알아보기 위하여 사용될 수 있는 정보를 포함해서는 아니 된다.

(2) 가명정보의 결합 제한(제28조의3)

> **제28조의3【가명정보의 결합 제한】** ① 제28조의2에도 불구하고 통계작성, 과학적 연구, 공익적 기록보존 등을 위한 서로 다른 개인정보처리자 간의 가명정보의 결합은 보호위원회 또는 관계 중앙행정기관의 장이 지정하는 전문기관이 수행한다.
> ② 결합을 수행한 기관 외부로 결합된 정보를 반출하려는 개인정보처리자는 가명정보 또는 제58조의2에 해당하는 정보로 처리한 뒤 전문기관의 장의 승인을 받아야 한다.
> ③ 제1항에 따른 결합 절차와 방법, 전문기관의 지정과 지정 취소 기준·절차, 관리·감독, 제2항에 따른 반출 및 승인 기준·절차 등 필요한 사항은 대통령령으로 정한다.

(3) 가명정보에 대한 안전조치의무 등(제28조의4)

> **제28조의4【가명정보에 대한 안전조치의무 등】** ① 개인정보처리자는 제28조의2 또는 제28조의3에 따라 가명정보를 처리하는 경우에는 원래의 상태로 복원하기 위한 추가 정보를 별도로 분리하여 보관·관리하는 등 해당 정보가 분실·도난·유출·위조·변조 또는 훼손되지 않도록 대통령령으로 정하는 바에 따라 안전성 확보에 필요한 기술적·관리적 및 물리적 조치를 하여야 한다.

② 개인정보처리자는 제28조의2 또는 제28조의3에 따라 가명정보를 처리하는 경우 처리목적 등을 고려하여 가명정보의 처리 기간을 별도로 정할 수 있다.
③ 개인정보처리자는 제28조의2 또는 제28조의3에 따라 가명정보를 처리하고자 하는 경우에는 가명정보의 처리 목적, 제3자 제공 시 제공받는 자, 가명정보의 처리 기간(제2항에 따라 처리 기간을 별도로 정한 경우에 한한다) 등 가명정보의 처리 내용을 관리하기 위하여 대통령령으로 정하는 사항에 대한 관련 기록을 작성하여 보관하여야 하며, 가명정보를 파기한 경우에는 파기한 날부터 3년 이상 보관하여야 한다.

(4) 가명정보 처리 시 금지의무 등(제28조의5)

제28조의5【가명정보 처리 시 금지의무 등】 ① 제28조의2 또는 제28조의3에 따라 가명정보를 처리하는 자는 특정 개인을 알아보기 위한 목적으로 가명정보를 처리해서는 아니 된다.
② 개인정보처리자는 제28조의2 또는 제28조의3에 따라 가명정보를 처리하는 과정에서 특정 개인을 알아볼 수 있는 정보가 생성된 경우에는 즉시 해당 정보의 처리를 중지하고, 지체 없이 회수·파기하여야 한다.

(5) 적용범위(제28조의7)

제28조의7【적용범위】 제28조의2 또는 제28조의3에 따라 처리된 가명정보는 제20조, 제20조의2, 제27조, 제34조 제1항, 제35조, 제35조의2, 제36조 및 제37조를 적용하지 아니한다.

10. 개인정보의 국외 이전

(1) 개인정보의 국외 이전(제28조의8)

제28조의8【개인정보의 국외 이전】 ① 개인정보처리자는 개인정보를 국외로 제공(조회되는 경우를 포함한다)·처리위탁·보관(이하 이 절에서 "이전"이라 한다)하여서는 아니 된다. 다만, 다음 각 호의 어느 하나에 해당하는 경우에는 개인정보를 국외로 이전할 수 있다.
1. 정보주체로부터 국외 이전에 관한 별도의 동의를 받은 경우
2. 법률, 대한민국을 당사자로 하는 조약 또는 그 밖의 국제협정에 개인정보의 국외 이전에 관한 특별한 규정이 있는 경우
3. 정보주체와의 계약의 체결 및 이행을 위하여 개인정보의 처리위탁·보관이 필요한 경우로서 다음 각 목의 어느 하나에 해당하는 경우
   가. 제2항 각 호의 사항을 제30조에 따른 개인정보 처리방침에 공개한 경우
   나. 전자우편 등 대통령령으로 정하는 방법에 따라 제2항 각 호의 사항을 정보주체에게 알린 경우
4. 개인정보를 이전받는 자가 제32조의2에 따른 개인정보 보호 인증 등 보호위원회가 정하여 고시하는 인증을 받은 경우로서 다음 각 목의 조치를 모두 한 경우
   가. 개인정보 보호에 필요한 안전조치 및 정보주체 권리보장에 필요한 조치
   나. 인증받은 사항을 개인정보가 이전되는 국가에서 이행하기 위하여 필요한 조치

5. 개인정보가 이전되는 국가 또는 국제기구의 개인정보 보호체계, 정보주체 권리보장 범위, 피해구제 절차 등이 이 법에 따른 개인정보 보호 수준과 실질적으로 동등한 수준을 갖추었다고 보호위원회가 인정하는 경우

② 개인정보처리자는 제1항 제1호에 따른 동의를 받을 때에는 미리 다음 각 호의 사항을 정보주체에게 알려야 한다.

1. 이전되는 개인정보 항목
2. 개인정보가 이전되는 국가, 시기 및 방법
3. 개인정보를 이전받는 자의 성명(법인인 경우에는 그 명칭과 연락처를 말한다)
4. 개인정보를 이전받는 자의 개인정보 이용목적 및 보유·이용 기간
5. 개인정보의 이전을 거부하는 방법, 절차 및 거부의 효과

③ 개인정보처리자는 제2항 각 호의 어느 하나에 해당하는 사항을 변경하는 경우에는 정보주체에게 알리고 동의를 받아야 한다.

④ 개인정보처리자는 제1항 각 호 외의 부분 단서에 따라 개인정보를 국외로 이전하는 경우 국외 이전과 관련한 이 법의 다른 규정, 제17조부터 제19조까지의 규정 및 제5장의 규정을 준수하여야 하고, 대통령령으로 정하는 보호조치를 하여야 한다.

⑤ 개인정보처리자는 이 법을 위반하는 사항을 내용으로 하는 개인정보의 국외 이전에 관한 계약을 체결하여서는 아니 된다.

⑥ 제1항부터 제5항까지에서 규정한 사항 외에 개인정보 국외 이전의 기준 및 절차 등에 필요한 사항은 대통령령으로 정한다.

(2) 개인정보의 국외 이전 중지 명령(제28조의9)

제28조의9【개인정보의 국외 이전 중지 명령】 ① 보호위원회는 개인정보의 국외 이전이 계속되고 있거나 추가적인 국외 이전이 예상되는 경우로서 다음 각 호의 어느 하나에 해당하는 경우에는 개인정보처리자에게 개인정보의 국외 이전을 중지할 것을 명할 수 있다.

1. 제28조의8 제1항, 제4항 또는 제5항을 위반한 경우
2. 개인정보를 이전받는 자나 개인정보가 이전되는 국가 또는 국제기구가 이 법에 따른 개인정보 보호 수준에 비하여 개인정보를 적정하게 보호하지 아니하여 정보주체에게 피해가 발생하거나 발생할 우려가 현저한 경우

② 개인정보처리자는 제1항에 따른 국외 이전 중지 명령을 받은 경우에는 명령을 받은 날부터 7일 이내에 보호위원회에 이의를 제기할 수 있다.

③ 제1항에 따른 개인정보 국외 이전 중지 명령의 기준, 제2항에 따른 불복 절차 등에 필요한 사항은 대통령령으로 정한다.

(3) 상호주의(제28조의10)

제28조의10【상호주의】 제28조의8에도 불구하고 개인정보의 국외 이전을 제한하는 국가의 개인정보처리자에 대해서는 해당 국가의 수준에 상응하는 제한을 할 수 있다. 다만, 조약 또는 그 밖의 국제협정의 이행에 필요한 경우에는 그러하지 아니하다.

(4) 준용규정(제28조의11)

> **제28조의11【준용규정】** 제28조의8 제1항 각 호 외의 부분 단서에 따라 개인정보를 이전받은 자가 해당 개인정보를 제3국으로 이전하는 경우에 관하여는 제28조의8 및 제28조의9를 준용한다. 이 경우 "개인정보처리자"는 "개인정보를 이전받은 자"로, "개인정보를 이전받는 자"는 "제3국에서 개인정보를 이전받는 자"로 본다.

11. 개인정보의 안전한 관리

(1) 안전조치의무(제29조)

> **제29조【안전조치의무】** 개인정보처리자는 개인정보가 분실·도난·유출·위조·변조 또는 훼손되지 아니하도록 내부 관리계획 수립, 접속기록 보관 등 대통령령으로 정하는 바에 따라 안전성 확보에 필요한 기술적·관리적 및 물리적 조치를 하여야 한다

(2) 개인정보 처리방침의 수립 및 공개(제30조)

> **제30조【개인정보 처리방침의 수립 및 공개】** ① 개인정보처리자는 다음 각 호의 사항이 포함된 개인정보의 처리 방침(이하 "개인정보 처리방침"이라 한다)을 정하여야 한다. 이 경우 공공기관은 제32조에 따라 등록대상이 되는 개인정보파일에 대하여 개인정보 처리방침을 정한다.
> 1. 개인정보의 처리 목적
> 2. 개인정보의 처리 및 보유 기간
> 3. 개인정보의 제3자 제공에 관한 사항(해당되는 경우에만 정한다)
> 3의2. 개인정보의 파기절차 및 파기방법(제21조 제1항 단서에 따라 개인정보를 보존하여야 하는 경우에는 그 보존근거와 보존하는 개인정보 항목을 포함한다)
> 3의3. 제23조 제3항에 따른 민감정보의 공개 가능성 및 비공개를 선택하는 방법(해당되는 경우에만 정한다)
> 4. 개인정보처리의 위탁에 관한 사항(해당되는 경우에만 정한다)
> 4의2. 제28조의2 및 제28조의3에 따른 가명정보의 처리 등에 관한 사항(해당되는 경우에만 정한다)
> 5. 정보주체와 법정대리인의 권리·의무 및 그 행사방법에 관한 사항
> 6. 제31조에 따른 개인정보 보호책임자의 성명 또는 개인정보 보호업무 및 관련 고충사항을 처리하는 부서의 명칭과 전화번호 등 연락처
> 7. 인터넷 접속정보파일 등 개인정보를 자동으로 수집하는 장치의 설치·운영 및 그 거부에 관한 사항(해당하는 경우에만 정한다)
> 8. 그 밖에 개인정보의 처리에 관하여 대통령령으로 정한 사항
> ② 개인정보처리자가 개인정보 처리방침을 수립하거나 변경하는 경우에는 정보주체가 쉽게 확인할 수 있도록 대통령령으로 정하는 방법에 따라 공개하여야 한다.
> ③ 개인정보 처리방침의 내용과 개인정보처리자와 정보주체 간에 체결한 계약의 내용이 다른 경우에는 정보주체에게 유리한 것을 적용한다.
> ④ 보호위원회는 개인정보 처리방침의 작성지침을 정하여 개인정보처리자에게 그 준수를 권장할 수 있다.

(3) 개인정보 처리방침의 평가 및 개선권고(제30조의2)

제30조의2 【개인정보 처리방침의 평가 및 개선권고】 ① 보호위원회는 개인정보 처리방침에 관하여 다음 각 호의 사항을 평가하고, 평가 결과 개선이 필요하다고 인정하는 경우에는 개인정보처리자에게 제61조 제2항에 따라 개선을 권고할 수 있다.

1. 이 법에 따라 개인정보 처리방침에 포함하여야 할 사항을 적정하게 정하고 있는지 여부
2. 개인정보 처리방침을 알기 쉽게 작성하였는지 여부
3. 개인정보 처리방침을 정보주체가 쉽게 확인할 수 있는 방법으로 공개하고 있는지 여부

② 개인정보 처리방침의 평가 대상, 기준 및 절차 등에 필요한 사항은 대통령령으로 정한다.

(4) 개인정보 보호책임자의 지정 등(제31조)

제31조 【개인정보 보호책임자의 지정 등】 ① 개인정보처리자는 개인정보의 처리에 관한 업무를 총괄해서 책임질 개인정보 보호책임자를 지정하여야 한다. 다만, 종업원 수, 매출액 등이 대통령령으로 정하는 기준에 해당하는 개인정보처리자의 경우에는 지정하지 아니할 수 있다.

② 제1항 단서에 따라 개인정보 보호책임자를 지정하지 아니하는 경우에는 개인정보처리자의 사업주 또는 대표자가 개인정보 보호책임자가 된다.

③ 개인정보 보호책임자는 다음 각 호의 업무를 수행한다.

1. 개인정보 보호 계획의 수립 및 시행
2. 개인정보 처리 실태 및 관행의 정기적인 조사 및 개선
3. 개인정보 처리와 관련한 불만의 처리 및 피해 구제
4. 개인정보 유출 및 오용·남용 방지를 위한 내부통제시스템의 구축
5. 개인정보 보호 교육 계획의 수립 및 시행
6. 개인정보파일의 보호 및 관리·감독
7. 그 밖에 개인정보의 적절한 처리를 위하여 대통령령으로 정한 업무

④ 개인정보 보호책임자는 제3항 각 호의 업무를 수행함에 있어서 필요한 경우 개인정보의 처리 현황, 처리 체계 등에 대하여 수시로 조사하거나 관계 당사자로부터 보고를 받을 수 있다.

⑤ 개인정보 보호책임자는 개인정보 보호와 관련하여 이 법 및 다른 관계 법령의 위반 사실을 알게 된 경우에는 즉시 개선조치를 하여야 하며, 필요하면 소속 기관 또는 단체의 장에게 개선조치를 보고하여야 한다.

⑥ 개인정보처리자는 개인정보 보호책임자가 제3항 각 호의 업무를 수행함에 있어서 정당한 이유 없이 불이익을 주거나 받게 하여서는 아니 되며, 개인정보 보호책임자가 업무를 독립적으로 수행할 수 있도록 보장하여야 한다.

⑦ 개인정보처리자는 개인정보의 안전한 처리 및 보호, 정보의 교류, 그 밖에 대통령령으로 정하는 공동의 사업을 수행하기 위하여 제1항에 따른 개인정보 보호책임자를 구성원으로 하는 개인정보 보호책임자 협의회를 구성·운영할 수 있다.

⑧ 보호위원회는 제7항에 따른 개인정보 보호책임자 협의회의 활동에 필요한 지원을 할 수 있다.

⑨ 제1항에 따른 개인정보 보호책임자의 자격요건, 제3항에 따른 업무 및 제6항에 따른 독립성 보장 등에 필요한 사항은 매출액, 개인정보의 보유 규모 등을 고려하여 대통령령으로 정한다.

(5) 국내대리인의 지정(제31조의2)

제31조의2 【국내대리인의 지정】 ① 국내에 주소 또는 영업소가 없는 개인정보처리자로서 매출액, 개인정보의 보유 규모 등을 고려하여 대통령령으로 정하는 자는 다음 각 호의 사항을 대리하는 자(이하 "국내대리인"이라 한다)를 지정하여야 한다. 이 경우 국내대리인의 지정은 문서로 하여야 한다.

1. 제31조 제3항에 따른 개인정보 보호책임자의 업무
2. 제34조 제1항 및 제3항에 따른 개인정보 유출 등의 통지 및 신고
3. 제63조 제1항에 따른 물품·서류 등 자료의 제출

② 국내대리인은 국내에 주소 또는 영업소가 있어야 한다.

③ 개인정보처리자는 제1항에 따라 국내대리인을 지정하는 경우에는 다음 각 호의 사항을 개인정보 처리방침에 포함하여야 한다.

1. 국내대리인의 성명(법인의 경우에는 그 명칭 및 대표자의 성명을 말한다)
2. 국내대리인의 주소(법인의 경우에는 영업소의 소재지를 말한다), 전화번호 및 전자우편 주소

④ 국내대리인이 제1항 각 호와 관련하여 이 법을 위반한 경우에는 개인정보처리자가 그 행위를 한 것으로 본다.

(6) 개인정보파일의 등록 및 공개(제32조)

제32조 【개인정보파일의 등록 및 공개】 ① 공공기관의 장이 개인정보파일을 운용하는 경우에는 다음 각 호의 사항을 보호위원회에 등록하여야 한다. 등록한 사항이 변경된 경우에도 또한 같다.

1. 개인정보파일의 명칭
2. 개인정보파일의 운영 근거 및 목적
3. 개인정보파일에 기록되는 개인정보의 항목
4. 개인정보의 처리방법
5. 개인정보의 보유기간
6. 개인정보를 통상적 또는 반복적으로 제공하는 경우에는 그 제공받는 자
7. 그 밖에 대통령령으로 정하는 사항

② 다음 각 호의 어느 하나에 해당하는 개인정보파일에 대하여는 제1항을 적용하지 아니한다.

1. 국가 안전, 외교상 비밀, 그 밖에 국가의 중대한 이익에 관한 사항을 기록한 개인정보파일
2. 범죄의 수사, 공소의 제기 및 유지, 형 및 감호의 집행, 교정처분, 보호처분, 보안관찰처분과 출입국관리에 관한 사항을 기록한 개인정보파일
3. 조세범처벌법에 따른 범칙행위 조사 및 관세법에 따른 범칙행위 조사에 관한 사항을 기록한 개인정보파일
4. 일회적으로 운영되는 파일 등 지속적으로 관리할 필요성이 낮다고 인정되어 대통령령으로 정하는 개인정보파일
5. 다른 법령에 따라 비밀로 분류된 개인정보파일

③ 보호위원회는 필요하면 제1항에 따른 개인정보파일의 등록여부와 그 내용을 검토하여 해당 공공기관의 장에게 개선을 권고할 수 있다.

④ 보호위원회는 정보주체의 권리 보장 등을 위하여 필요한 경우 제1항에 따른 개인정보파일의 등록 현황을 누구든지 쉽게 열람할 수 있도록 공개할 수 있다.

⑤ 제1항에 따른 등록과 제4항에 따른 공개의 방법, 범위 및 절차에 관하여 필요한 사항은 대통령령으로 정한다.

⑥ 국회, 법원, 헌법재판소, 중앙선거관리위원회(그 소속 기관을 포함한다)의 개인정보파일 등록 및 공개에 관하여는 국회규칙, 대법원규칙, 헌법재판소규칙 및 중앙선거관리위원회규칙으로 정한다.

(7) 개인정보 보호 인증(제32조의2)

제32조의2 【개인정보 보호 인증】 ① 보호위원회는 개인정보처리자의 개인정보 처리 및 보호와 관련한 일련의 조치가 이 법에 부합하는지 등에 관하여 인증할 수 있다.

② 제1항에 따른 인증의 유효기간은 3년으로 한다.

③ 보호위원회는 다음 각 호의 어느 하나에 해당하는 경우에는 대통령령으로 정하는 바에 따라 제1항에 따른 인증을 취소할 수 있다. 다만, 제1호에 해당하는 경우에는 취소하여야 한다.

1. 거짓이나 그 밖의 부정한 방법으로 개인정보 보호 인증을 받은 경우

2. 제4항에 따른 사후관리를 거부 또는 방해한 경우

3. 제8항에 따른 인증기준에 미달하게 된 경우

4. 개인정보 보호 관련 법령을 위반하고 그 위반사유가 중대한 경우

④ 보호위원회는 개인정보 보호 인증의 실효성 유지를 위하여 연 1회 이상 사후관리를 실시하여야 한다.

⑤ 보호위원회는 대통령령으로 정하는 전문기관으로 하여금 제1항에 따른 인증, 제3항에 따른 인증 취소, 제4항에 따른 사후관리 및 제7항에 따른 인증 심사원 관리 업무를 수행하게 할 수 있다.

⑥ 제1항에 따른 인증을 받은 자는 대통령령으로 정하는 바에 따라 인증의 내용을 표시하거나 홍보할 수 있다.

⑦ 제1항에 따른 인증을 위하여 필요한 심사를 수행할 심사원의 자격 및 자격 취소 요건 등에 관하여는 전문성과 경력 및 그 밖에 필요한 사항을 고려하여 대통령령으로 정한다.

⑧ 그 밖에 개인정보 관리체계, 정보주체 권리보장, 안전성 확보조치가 이 법에 부합하는지 여부 등 제1항에 따른 인증의 기준·방법·절차 등 필요한 사항은 대통령령으로 정한다.

(8) 개인정보 영향평가(제33조)

제33조 【개인정보 영향평가】 ① 공공기관의 장은 대통령령으로 정하는 기준에 해당하는 개인정보파일의 운용으로 인하여 정보주체의 개인정보 침해가 우려되는 경우에는 그 위험요인의 분석과 개선 사항 도출을 위한 평가(이하 "영향평가"라 한다)를 하고 그 결과를 보호위원회에 제출하여야 한다.

② 보호위원회는 대통령령으로 정하는 인력·설비 및 그 밖에 필요한 요건을 갖춘 자를 영향평가를 수행하는 기관(이하 "평가기관"이라 한다)으로 지정할 수 있으며, 공공기관의 장은 영향평가를 평가기관에 의뢰하여야 한다.

③ 영향평가를 하는 경우에는 다음 각 호의 사항을 고려하여야 한다.

1. 처리하는 개인정보의 수

2. 개인정보의 제3자 제공 여부

핵심 OX

01 공공기관의 장은 대통령령으로 정하는 기준에 해당하는 개인정보파일의 운용으로 인하여 정보주체의 개인정보 침해가 우려되는 경우에는 그 위험요인을 분석하고 개선사항을 도출하기 위하여 '개인정보 영향평가'를 하고 그 결과를 산업통상자원부장관을 거쳐 국무총리에게 보고하여야 한다. 12. 국회9급 (　　)

01 X

3. 정보주체의 권리를 해할 가능성 및 그 위험 정도

4. 그 밖에 대통령령으로 정한 사항

④ 보호위원회는 제1항에 따라 제출받은 영향평가 결과에 대하여 의견을 제시할 수 있다.

⑤ 공공기관의 장은 제1항에 따라 영향평가를 한 개인정보파일을 제32조 제1항에 따라 등록할 때에는 영향평가 결과를 함께 첨부하여야 한다.

⑥ 보호위원회는 영향평가의 활성화를 위하여 관계 전문가의 육성, 영향평가 기준의 개발·보급 등 필요한 조치를 마련하여야 한다.

⑦ 보호위원회는 제2항에 따라 지정된 평가기관이 다음 각 호의 어느 하나에 해당하는 경우에는 평가기관의 지정을 취소할 수 있다. 다만, 제1호 또는 제2호에 해당하는 경우에는 평가기관의 지정을 취소하여야 한다.

1. 거짓이나 그 밖의 부정한 방법으로 지정을 받은 경우

2. 지정된 평가기관 스스로 지정취소를 원하거나 폐업한 경우

3. 제2항에 따른 지정요건을 충족하지 못하게 된 경우

4. 고의 또는 중대한 과실로 영향평가업무를 부실하게 수행하여 그 업무를 적정하게 수행할 수 없다고 인정되는 경우

5. 그 밖에 대통령령으로 정하는 사유에 해당하는 경우

⑧ 보호위원회는 제7항에 따라 지정을 취소하는 경우에는 행정절차법에 따른 청문을 실시하여야 한다.

⑨ 제1항에 따른 영향평가의 기준·방법·절차 등에 관하여 필요한 사항은 대통령령으로 정한다.

⑩ 국회, 법원, 헌법재판소, 중앙선거관리위원회(그 소속 기관을 포함한다)의 영향평가에 관한 사항은 국회규칙, 대법원규칙, 헌법재판소규칙 및 중앙선거관리위원회규칙으로 정하는 바에 따른다.

⑪ 공공기관 외의 개인정보처리자는 개인정보파일 운용으로 인하여 정보주체의 개인정보 침해가 우려되는 경우에는 영향평가를 하기 위하여 적극 노력하여야 한다.

(9) 개인정보 유출 등의 통지·신고(제34조)

제34조【개인정보 유출 등의 통지·신고】 ① 개인정보처리자는 개인정보가 분실·도난·유출(이하 이 조에서 "유출등"이라 한다)되었음을 알게 되었을 때에는 지체 없이 해당 정보주체에게 다음 각 호의 사항을 알려야 한다. 다만, 정보주체의 연락처를 알 수 없는 경우 등 정당한 사유가 있는 경우에는 대통령령으로 정하는 바에 따라 통지를 갈음하는 조치를 취할 수 있다.

1. 유출등이 된 개인정보의 항목

2. 유출등이 된 시점과 그 경위

3. 유출등으로 인하여 발생할 수 있는 피해를 최소화하기 위하여 정보주체가 할 수 있는 방법 등에 관한 정보

4. 개인정보처리자의 대응조치 및 피해 구제절차

5. 정보주체에게 피해가 발생한 경우 신고 등을 접수할 수 있는 담당부서 및 연락처

② 개인정보처리자는 개인정보가 유출등이 된 경우 그 피해를 최소화하기 위한 대책을 마련하고 필요한 조치를 하여야 한다.

③ 개인정보처리자는 개인정보의 유출등이 있음을 알게 되었을 때에는 개인정보의 유형, 유출등의 경로 및 규모 등을 고려하여 대통령령으로 정하는 바에 따라 제1항 각 호의 사항을 지체 없이 보호위원회 또는 대통령령으로 정하는 전문기관에 신고하여야 한다.

이 경우 보호위원회 또는 대통령령으로 정하는 전문기관은 피해 확산방지, 피해 복구 등을 위한 기술을 지원할 수 있다.

④ 제1항에 따른 유출등의 통지 및 제3항에 따른 유출등의 신고의 시기, 방법, 절차 등에 필요한 사항은 대통령령으로 정한다.

(10) 노출된 개인정보의 삭제 · 차단(제34조의2)

제34조의2【노출된 개인정보의 삭제 · 차단】 ① 개인정보처리자는 고유식별정보, 계좌정보, 신용카드정보 등 개인정보가 정보통신망을 통하여 공중(公衆)에 노출되지 아니하도록 하여야 한다.

② 개인정보처리자는 공중에 노출된 개인정보에 대하여 보호위원회 또는 대통령령으로 지정한 전문기관의 요청이 있는 경우에는 해당 정보를 삭제하거나 차단하는 등 필요한 조치를 하여야 한다.

12. 정보주체의 권리 보장

(1) 개인정보의 열람(제35조)

제35조【개인정보의 열람】 ① 정보주체는 개인정보처리자가 처리하는 자신의 개인정보에 대한 열람을 해당 개인정보처리자에게 요구할 수 있다.

② 제1항에도 불구하고 정보주체가 자신의 개인정보에 대한 열람을 공공기관에 요구하고자 할 때에는 공공기관에 직접 열람을 요구하거나 대통령령으로 정하는 바에 따라 보호위원회를 통하여 열람을 요구할 수 있다.

③ 개인정보처리자는 제1항 및 제2항에 따른 열람을 요구받았을 때에는 대통령령으로 정하는 기간 내에 정보주체가 해당 개인정보를 열람할 수 있도록 하여야 한다. 이 경우 해당 기간 내에 열람할 수 없는 정당한 사유가 있을 때에는 정보주체에게 그 사유를 알리고 열람을 연기할 수 있으며, 그 사유가 소멸하면 지체 없이 열람하게 하여야 한다.

④ 개인정보처리자는 다음 각 호의 어느 하나에 해당하는 경우에는 정보주체에게 그 사유를 알리고 열람을 제한하거나 거절할 수 있다.

1. 법률에 따라 열람이 금지되거나 제한되는 경우
2. 다른 사람의 생명 · 신체를 해할 우려가 있거나 다른 사람의 재산과 그 밖의 이익을 부당하게 침해할 우려가 있는 경우
3. 공공기관이 다음 각 목의 어느 하나에 해당하는 업무를 수행할 때 중대한 지장을 초래하는 경우
   가. 조세의 부과 · 징수 또는 환급에 관한 업무
   나. 초 · 중등교육법 및 고등교육법에 따른 각급 학교, 평생교육법에 따른 평생교육시설, 그 밖의 다른 법률에 따라 설치된 고등교육기관에서의 성적 평가 또는 입학자 선발에 관한 업무
   다. 학력 · 기능 및 채용에 관한 시험, 자격 심사에 관한 업무
   라. 보상금 · 급부금 산정 등에 대하여 진행 중인 평가 또는 판단에 관한 업무
   마. 다른 법률에 따라 진행 중인 감사 및 조사에 관한 업무

⑤ 제1항부터 제4항까지의 규정에 따른 열람 요구, 열람 제한, 통지 등의 방법 및 절차에 관하여 필요한 사항은 대통령령으로 정한다.

(2) 개인정보의 전송 요구(제35조의2)

제35조의2【개인정보의 전송 요구】 ① 정보주체는 개인정보 처리 능력 등을 고려하여 대통령령으로 정하는 기준에 해당하는 개인정보처리자에 대하여 다음 각 호의 요건을 모두 충족하는 개인정보를 자신에게로 전송할 것을 요구할 수 있다.

1. 정보주체가 전송을 요구하는 개인정보가 정보주체 본인에 관한 개인정보로서 다음 각 목의 어느 하나에 해당하는 정보일 것
   가. 제15조 제1항 제1호, 제23조 제1항 제1호 또는 제24조 제1항 제1호에 따른 동의를 받아 처리되는 개인정보
   나. 제15조 제1항 제4호에 따라 체결한 계약을 이행하거나 계약을 체결하는 과정에서 정보주체의 요청에 따른 조치를 이행하기 위하여 처리되는 개인정보
   다. 제15조 제1항 제2호 · 제3호, 제23조 제1항 제2호 또는 제24조 제1항 제2호에 따라 처리되는 개인정보 중 정보주체의 이익이나 공익적 목적을 위하여 관계 중앙행정기관의 장의 요청에 따라 보호위원회가 심의 · 의결하여 전송 요구의 대상으로 지정한 개인정보
2. 전송을 요구하는 개인정보가 개인정보처리자가 수집한 개인정보를 기초로 분석 · 가공하여 별도로 생성한 정보가 아닐 것
3. 전송을 요구하는 개인정보가 컴퓨터 등 정보처리장치로 처리되는 개인정보일 것

② 정보주체는 매출액, 개인정보의 보유 규모, 개인정보 처리 능력, 산업별 특성 등을 고려하여 대통령령으로 정하는 기준에 해당하는 개인정보처리자에 대하여 제1항에 따른 전송 요구 대상인 개인정보를 기술적으로 허용되는 합리적인 범위에서 다음 각 호의 자에게 전송할 것을 요구할 수 있다.

1. 제35조의3 제1항에 따른 개인정보관리 전문기관
2. 제29조에 따른 안전조치의무를 이행하고 대통령령으로 정하는 시설 및 기술 기준을 충족하는 자

③ 개인정보처리자는 제1항 및 제2항에 따른 전송 요구를 받은 경우에는 시간, 비용, 기술적으로 허용되는 합리적인 범위에서 해당 정보를 컴퓨터 등 정보처리장치로 처리 가능한 형태로 전송하여야 한다.

④ 제1항 및 제2항에 따른 전송 요구를 받은 개인정보처리자는 다음 각 호의 어느 하나에 해당하는 법률의 관련 규정에도 불구하고 정보주체에 관한 개인정보를 전송하여야 한다.

1. 국세기본법 제81조의13
2. 지방세기본법 제86조
3. 그 밖에 제1호 및 제2호와 유사한 규정으로서 대통령령으로 정하는 법률의 규정

⑤ 정보주체는 제1항 및 제2항에 따른 전송 요구를 철회할 수 있다.

⑥ 개인정보처리자는 정보주체의 본인 여부가 확인되지 아니하는 경우 등 대통령령으로 정하는 경우에는 제1항 및 제2항에 따른 전송 요구를 거절하거나 전송을 중단할 수 있다.

⑦ 정보주체는 제1항 및 제2항에 따른 전송 요구로 인하여 타인의 권리나 정당한 이익을 침해하여서는 아니 된다.

⑧ 제1항부터 제7항까지에서 규정한 사항 외에 전송 요구의 대상이 되는 정보의 범위, 전송 요구의 방법, 전송의 기한 및 방법, 전송 요구 철회의 방법, 전송 요구의 거절 및 전송 중단의 방법 등 필요한 사항은 대통령령으로 정한다.

(3) 개인정보관리 전문기관(제35조의3)

제35조의3【개인정보관리 전문기관】 ① 다음 각 호의 업무를 수행하려는 자는 보호위원회 또는 관계 중앙행정기관의 장으로부터 개인정보관리 전문기관의 지정을 받아야 한다.

1. 제35조의2에 따른 개인정보의 전송 요구권 행사 지원
2. 정보주체의 권리행사를 지원하기 위한 개인정보 전송시스템의 구축 및 표준화
3. 정보주체의 권리행사를 지원하기 위한 개인정보의 관리·분석
4. 그 밖에 정보주체의 권리행사를 효과적으로 지원하기 위하여 대통령령으로 정하는 업무

② 제1항에 따른 개인정보관리 전문기관의 지정요건은 다음 각 호와 같다.

1. 개인정보를 전송·관리·분석할 수 있는 기술수준 및 전문성을 갖추었을 것
2. 개인정보를 안전하게 관리할 수 있는 안전성 확보조치 수준을 갖추었을 것
3. 개인정보관리 전문기관의 안정적인 운영에 필요한 재정능력을 갖추었을 것

③ 개인정보관리 전문기관은 다음 각 호의 어느 하나에 해당하는 행위를 하여서는 아니 된다.

1. 정보주체에게 개인정보의 전송 요구를 강요하거나 부당하게 유도하는 행위
2. 그 밖에 개인정보를 침해하거나 정보주체의 권리를 제한할 우려가 있는 행위로서 대통령령으로 정하는 행위

④ 보호위원회 및 관계 중앙행정기관의 장은 개인정보관리 전문기관이 다음 각 호의 어느 하나에 해당하는 경우에는 개인정보관리 전문기관의 지정을 취소할 수 있다. 다만, 제1호에 해당하는 경우에는 지정을 취소하여야 한다.

1. 거짓이나 부정한 방법으로 지정을 받은 경우
2. 제2항에 따른 지정요건을 갖추지 못하게 된 경우

⑤ 보호위원회 및 관계 중앙행정기관의 장은 제4항에 따라 지정을 취소하는 경우에는 행정절차법에 따른 청문을 실시하여야 한다.

⑥ 보호위원회 및 관계 중앙행정기관의 장은 개인정보관리 전문기관에 대하여 업무 수행에 필요한 지원을 할 수 있다.

⑦ 개인정보관리 전문기관은 정보주체의 요구에 따라 제1항 각 호의 업무를 수행하는 경우 정보주체로부터 그 업무 수행에 필요한 비용을 받을 수 있다.

⑧ 제1항에 따른 개인정보관리 전문기관의 지정 절차, 제2항에 따른 지정요건의 세부기준, 제4항에 따른 지정취소의 절차 등에 필요한 사항은 대통령령으로 정한다.

(4) 개인정보 전송 관리 및 지원(제35조의4)

제35조의4【개인정보 전송 관리 및 지원】 ① 보호위원회는 제35조의2 제1항 및 제2항에 따른 개인정보처리자 및 제35조의3 제1항에 따른 개인정보관리 전문기관 현황, 활용내역 및 관리실태 등을 체계적으로 관리·감독하여야 한다.

② 보호위원회는 개인정보가 안전하고 효율적으로 전송될 수 있도록 다음 각 호의 사항을 포함한 개인정보 전송 지원 플랫폼을 구축·운영할 수 있다.

1. 개인정보관리 전문기관 현황 및 전송 가능한 개인정보 항목 목록
2. 정보주체의 개인정보 전송 요구·철회 내역
3. 개인정보의 전송 이력 관리 등 지원 기능
4. 그 밖에 개인정보 전송을 위하여 필요한 사항

③ 보호위원회는 제2항에 따른 개인정보 전송지원 플랫폼의 효율적 운영을 위하여 개인정보관리 전문기관에서 구축·운영하고 있는 전송 시스템을 상호 연계하거나 통합할 수 있다. 이 경우 관계 중앙행정기관의 장 및 해당 개인정보관리 전문기관과 사전에 협의하여야 한다.
④ 제1항부터 제3항까지의 규정에 따른 관리·감독과 개인정보 전송지원 플랫폼의 구축 및 운영에 필요한 사항은 대통령령으로 정한다.

(5) 개인정보의 정정·삭제(제36조)

제36조 【개인정보의 정정·삭제】 ① 제35조에 따라 자신의 개인정보를 열람한 정보주체는 개인정보처리자에게 그 개인정보의 정정 또는 삭제를 요구할 수 있다. 다만, 다른 법령에서 그 개인정보가 수집 대상으로 명시되어 있는 경우에는 그 삭제를 요구할 수 없다.
② 개인정보처리자는 제1항에 따른 정보주체의 요구를 받았을 때에는 개인정보의 정정 또는 삭제에 관하여 다른 법령에 특별한 절차가 규정되어 있는 경우를 제외하고는 지체 없이 그 개인정보를 조사하여 정보주체의 요구에 따라 정정·삭제 등 필요한 조치를 한 후 그 결과를 정보주체에게 알려야 한다.
③ 개인정보처리자가 제2항에 따라 개인정보를 삭제할 때에는 복구 또는 재생되지 아니하도록 조치하여야 한다.
④ 개인정보처리자는 정보주체의 요구가 제1항 단서에 해당될 때에는 지체 없이 그 내용을 정보주체에게 알려야 한다.
⑤ 개인정보처리자는 제2항에 따른 조사를 할 때 필요하면 해당 정보주체에게 정정·삭제 요구사항의 확인에 필요한 증거자료를 제출하게 할 수 있다.
⑥ 제1항·제2항 및 제4항에 따른 정정 또는 삭제 요구, 통지 방법 및 절차 등에 필요한 사항은 대통령령으로 정한다.

(6) 개인정보의 처리정지 등(제37조)

제37조 【개인정보의 처리정지 등】 ① 정보주체는 개인정보처리자에 대하여 자신의 개인정보 처리의 정지를 요구하거나 개인정보 처리에 대한 동의를 철회할 수 있다. 이 경우 공공기관에 대해서는 제32조에 따라 등록 대상이 되는 개인정보파일 중 자신의 개인정보에 대한 처리의 정지를 요구하거나 개인정보 처리에 대한 동의를 철회할 수 있다.
② 개인정보처리자는 제1항에 따른 처리정지 요구를 받았을 때에는 지체 없이 정보주체의 요구에 따라 개인정보 처리의 전부를 정지하거나 일부를 정지하여야 한다. 다만, 다음 각 호의 어느 하나에 해당하는 경우에는 정보주체의 처리정지 요구를 거절할 수 있다.
1. 법률에 특별한 규정이 있거나 법령상 의무를 준수하기 위하여 불가피한 경우
2. 다른 사람의 생명·신체를 해할 우려가 있거나 다른 사람의 재산과 그 밖의 이익을 부당하게 침해할 우려가 있는 경우
3. 공공기관이 개인정보를 처리하지 아니하면 다른 법률에서 정하는 소관 업무를 수행할 수 없는 경우
4. 개인정보를 처리하지 아니하면 정보주체와 약정한 서비스를 제공하지 못하는 등 계약의 이행이 곤란한 경우로서 정보주체가 그 계약의 해지 의사를 명확하게 밝히지 아니한 경우

③ 개인정보처리자는 정보주체가 제1항에 따라 동의를 철회한 때에는 지체 없이 수집된 개인정보를 복구·재생할 수 없도록 파기하는 등 필요한 조치를 하여야 한다. 다만, 제2항 각 호의 어느 하나에 해당하는 경우에는 동의 철회에 따른 조치를 하지 아니할 수 있다.

④ 개인정보처리자는 제2항 단서에 따라 처리정지 요구를 거절하거나 제3항 단서에 따라 동의 철회에 따른 조치를 하지 아니하였을 때에는 정보주체에게 지체 없이 그 사유를 알려야 한다.

⑤ 개인정보처리자는 정보주체의 요구에 따라 처리가 정지된 개인정보에 대하여 지체 없이 해당 개인정보의 파기 등 필요한 조치를 하여야 한다.

⑥ 제1항부터 제5항까지의 규정에 따른 처리정지의 요구, 동의 철회, 처리정지의 거절, 통지 등의 방법 및 절차에 필요한 사항은 대통령령으로 정한다.

(7) 자동화된 결정에 대한 정보주체의 권리 등(제37조의2)

제37조의2【자동화된 결정에 대한 정보주체의 권리 등】 ① 정보주체는 완전히 자동화된 시스템(인공지능 기술을 적용한 시스템을 포함한다)으로 개인정보를 처리하여 이루어지는 결정(행정기본법 제20조에 따른 행정청의 자동적 처분은 제외하며, 이하 이 조에서 "자동화된 결정"이라 한다)이 자신의 권리 또는 의무에 중대한 영향을 미치는 경우에는 해당 개인정보처리자에 대하여 해당 결정을 거부할 수 있는 권리를 가진다. 다만, 자동화된 결정이 제15조 제1항 제1호·제2호 및 제4호에 따라 이루어지는 경우에는 그러하지 아니하다.

② 정보주체는 개인정보처리자가 자동화된 결정을 한 경우에는 그 결정에 대하여 설명 등을 요구할 수 있다.

③ 개인정보처리자는 제1항 또는 제2항에 따라 정보주체가 자동화된 결정을 거부하거나 이에 대한 설명 등을 요구한 경우에는 정당한 사유가 없는 한 자동화된 결정을 적용하지 아니하거나 인적 개입에 의한 재처리·설명 등 필요한 조치를 하여야 한다.

④ 개인정보처리자는 자동화된 결정의 기준과 절차, 개인정보가 처리되는 방식 등을 정보주체가 쉽게 확인할 수 있도록 공개하여야 한다.

⑤ 제1항부터 제4항까지에서 규정한 사항 외에 자동화된 결정의 거부·설명 등을 요구하는 절차 및 방법, 거부·설명 등의 요구에 따른 필요한 조치, 자동화된 결정의 기준·절차 및 개인정보가 처리되는 방식의 공개 등에 필요한 사항은 대통령령으로 정한다.

(8) 권리행사의 방법 및 절차(제38조)

제38조【권리행사의 방법 및 절차】 ① 정보주체는 제35조에 따른 열람, 제35조의2에 따른 전송, 제36조에 따른 정정·삭제, 제37조에 따른 처리정지 및 동의 철회, 제37조의2에 따른 거부·설명 등의 요구(이하 "열람등요구"라 한다)를 문서 등 대통령령으로 정하는 방법·절차에 따라 대리인에게 하게 할 수 있다.

② 만 14세 미만 아동의 법정대리인은 개인정보처리자에게 그 아동의 개인정보 열람등요구를 할 수 있다.

③ 개인정보처리자는 열람등요구를 하는 자에게 대통령령으로 정하는 바에 따라 수수료와 우송료(사본의 우송을 청구하는 경우에 한한다)를 청구할 수 있다. 다만, 제35조의2 제2항에 따른 전송 요구의 경우에는 전송을 위해 추가로 필요한 설비 등을 함께 고려하여 수수료를 산정할 수 있다.
④ 개인정보처리자는 정보주체가 열람등요구를 할 수 있는 구체적인 방법과 절차를 마련하고, 이를 정보주체가 알 수 있도록 공개하여야 한다. 이 경우 열람등요구의 방법과 절차는 해당 개인정보의 수집 방법과 절차보다 어렵지 아니하도록 하여야 한다.
⑤ 개인정보처리자는 정보주체가 열람등요구에 대한 거절 등 조치에 대하여 불복이 있는 경우 이의를 제기할 수 있도록 필요한 절차를 마련하고 안내하여야 한다.

(9) 손해배상책임(제39조)

제39조【손해배상책임】 ① 정보주체는 개인정보처리자가 이 법을 위반한 행위로 손해를 입으면 개인정보처리자에게 손해배상을 청구할 수 있다. 이 경우 그 <u>개인정보처리자는 고의 또는 과실이 없음을 입증하지 아니하면 책임을 면할 수 없다.</u>
③ 개인정보처리자의 고의 또는 중대한 과실로 인하여 개인정보가 분실·도난·유출·위조·변조 또는 훼손된 경우로서 정보주체에게 손해가 발생한 때에는 법원은 그 <u>손해액의 5배를 넘지 아니하는 범위에서 손해배상액을 정할 수 있다.</u> 다만, <u>개인정보처리자가 고의 또는 중대한 과실이 없음을 증명한 경우에는 그러하지 아니하다.</u>
④ 법원은 제3항의 배상액을 정할 때에는 다음 각 호의 사항을 고려하여야 한다.
1. 고의 또는 손해 발생의 우려를 인식한 정도
2. 위반행위로 인하여 입은 피해 규모
3. 위법행위로 인하여 개인정보처리자가 취득한 경제적 이익
4. 위반행위에 따른 벌금 및 과징금
5. 위반행위의 기간·횟수 등
6. 개인정보처리자의 재산상태
7. 개인정보처리자가 정보주체의 개인정보 분실·도난·유출 후 해당 개인정보를 회수하기 위하여 노력한 정도
8. 개인정보처리자가 정보주체의 피해구제를 위하여 노력한 정도

(10) 법정손해배상의 청구(제39조의2)

제39조의2【법정손해배상의 청구】 ① 제39조 제1항에도 불구하고 정보주체는 개인정보처리자의 고의 또는 과실로 인하여 개인정보가 분실·도난·유출·위조·변조 또는 훼손된 경우에는 300만원 이하의 범위에서 상당한 금액을 손해액으로 하여 배상을 청구할 수 있다. 이 경우 해당 개인정보처리자는 고의 또는 과실이 없음을 입증하지 아니하면 책임을 면할 수 없다.
② 법원은 제1항에 따른 청구가 있는 경우에 변론 전체의 취지와 증거조사의 결과를 고려하여 제1항의 범위에서 상당한 손해액을 인정할 수 있다.
③ 제39조에 따라 손해배상을 청구한 정보주체는 사실심(事實審)의 변론이 종결되기 전까지 그 청구를 제1항에 따른 청구로 변경할 수 있다.

(11) 자료의 제출(제39조의3)

제39조의3【자료의 제출】 ① 법원은 이 법을 위반한 행위로 인한 손해배상청구소송에서 당사자의 신청에 따라 상대방 당사자에게 해당 손해의 증명 또는 손해액의 산정에 필요한 자료의 제출을 명할 수 있다. 다만, 제출명령을 받은 자가 그 자료의 제출을 거부할 정당한 이유가 있으면 그러하지 아니하다.

② 법원은 제1항에 따른 제출명령을 받은 자가 그 자료의 제출을 거부할 정당한 이유가 있다고 주장하는 경우에는 그 주장의 당부(當否)를 판단하기 위하여 자료의 제시를 명할 수 있다. 이 경우 법원은 그 자료를 다른 사람이 보게 하여서는 아니 된다.

③ 제1항에 따라 제출되어야 할 자료가 부정경쟁방지 및 영업비밀보호에 관한 법률 제2조 제2호에 따른 영업비밀(이하 "영업비밀"이라 한다)에 해당하나 손해의 증명 또는 손해액의 산정에 반드시 필요한 경우에는 제1항 단서에 따른 정당한 이유로 보지 아니한다. 이 경우 법원은 제출명령의 목적 내에서 열람할 수 있는 범위 또는 열람할 수 있는 사람을 지정하여야 한다.

④ 법원은 제1항에 따른 제출명령을 받은 자가 정당한 이유 없이 그 명령에 따르지 아니한 경우에는 자료의 기재에 대한 신청인의 주장을 진실한 것으로 인정할 수 있다.

⑤ 법원은 제4항에 해당하는 경우 신청인이 자료의 기재에 관하여 구체적으로 주장하기에 현저히 곤란한 사정이 있고 자료로 증명할 사실을 다른 증거로 증명하는 것을 기대하기도 어려운 경우에는 신청인이 자료의 기재로 증명하려는 사실에 관한 주장을 진실한 것으로 인정할 수 있다.

(12) 비밀유지명령(제39조의4)

제39조의4【비밀유지명령】 ① 법원은 이 법을 위반한 행위로 인한 손해배상청구소송에서 당사자의 신청에 따른 결정으로 다음 각 호의 자에게 그 당사자가 보유한 영업비밀을 해당 소송의 계속적인 수행 외의 목적으로 사용하거나 그 영업비밀에 관계된 이 항에 따른 명령을 받은 자 외의 자에게 공개하지 아니할 것을 명할 수 있다. 다만, 그 신청 시점까지 다음 각 호의 자가 준비서면의 열람이나 증거조사 외의 방법으로 그 영업비밀을 이미 취득하고 있는 경우에는 그러하지 아니하다.

1. 다른 당사자(법인인 경우에는 그 대표자를 말한다)
2. 당사자를 위하여 해당 소송을 대리하는 자
3. 그 밖에 해당 소송으로 영업비밀을 알게 된 자

② 제1항에 따른 명령(이하 "비밀유지명령"이라 한다)을 신청하는 자는 다음 각 호의 사유를 모두 소명하여야 한다.

1. 이미 제출하였거나 제출하여야 할 준비서면, 이미 조사하였거나 조사하여야 할 증거 또는 제39조의3 제1항에 따라 제출하였거나 제출하여야 할 자료에 영업비밀이 포함되어 있다는 것
2. 제1호의 영업비밀이 해당 소송 수행 외의 목적으로 사용되거나 공개되면 당사자의 영업에 지장을 줄 우려가 있어 이를 방지하기 위하여 영업비밀의 사용 또는 공개를 제한할 필요가 있다는 것

③ 비밀유지명령의 신청은 다음 각 호의 사항을 적은 서면으로 하여야 한다.

1. 비밀유지명령을 받을 자
2. 비밀유지명령의 대상이 될 영업비밀을 특정하기에 충분한 사실
3. 제2항 각 호의 사유에 해당하는 사실

④ 법원은 비밀유지명령이 결정된 경우에는 그 결정서를 비밀유지명령을 받을 자에게 송달하여야 한다.

⑤ 비밀유지명령은 제4항의 결정서가 비밀유지명령을 받을 자에게 송달된 때부터 효력이 발생한다.

⑥ 비밀유지명령의 신청을 기각하거나 각하한 재판에 대해서는 즉시항고를 할 수 있다.

(13) 비밀유지명령의 취소(제39조의5)

제39조의5【비밀유지명령의 취소】 ① 비밀유지명령을 신청한 자 또는 비밀유지명령을 받은 자는 제39조의4 제2항 각 호의 사유에 부합하지 아니하는 사실이나 사정이 있는 경우 소송기록을 보관하고 있는 법원(소송기록을 보관하고 있는 법원이 없는 경우에는 비밀유지명령을 내린 법원을 말한다)에 비밀유지명령의 취소를 신청할 수 있다.

② 법원은 비밀유지명령의 취소신청에 대한 재판이 있는 경우에는 그 결정서를 그 신청을 한 자 및 상대방에게 송달하여야 한다.

③ 비밀유지명령의 취소신청에 대한 재판에 대해서는 즉시항고를 할 수 있다.

④ 비밀유지명령을 취소하는 재판은 확정되어야 효력이 발생한다.

⑤ 비밀유지명령을 취소하는 재판을 한 법원은 비밀유지명령의 취소신청을 한 자 또는 상대방 외에 해당 영업비밀에 관한 비밀유지명령을 받은 자가 있는 경우에는 그 자에게 즉시 비밀유지명령의 취소 재판을 한 사실을 알려야 한다.

(14) 소송기록 열람 등의 청구 통지 등(제39조의6)

제39조의6【소송기록 열람 등의 청구 통지 등】 ① 비밀유지명령이 내려진 소송(모든 비밀유지명령이 취소된 소송은 제외한다)에 관한 소송기록에 대하여 민사소송법 제163조 제1항에 따라 열람 등의 신청인을 당사자로 제한하는 결정이 있었던 경우로서 당사자가 같은 항에서 규정하는 비밀 기재부분의 열람 등의 청구를 하였으나 그 청구 절차를 해당 소송에서 비밀유지명령을 받지 아니한 자가 밟은 경우에는 법원서기관, 법원사무관, 법원주사 또는 법원주사보(이하 이 조에서 "법원사무관등"이라 한다)는 같은 항의 신청을 한 당사자(그 열람 등의 청구를 한 자는 제외한다. 이하 제3항에서 같다)에게 그 청구 직후에 그 열람 등의 청구가 있었다는 사실을 알려야 한다.

② 법원사무관등은 제1항의 청구가 있었던 날부터 2주일이 지날 때까지(그 청구 절차를 밟은 자에 대한 비밀유지명령 신청이 그 기간 내에 이루어진 경우에는 그 신청에 대한 재판이 확정되는 시점까지를 말한다) 그 청구 절차를 밟은 자에게 제1항의 비밀 기재부분의 열람 등을 하게 하여서는 아니 된다.

③ 제2항은 제1항의 열람 등의 청구를 한 자에게 제1항의 비밀 기재부분의 열람 등을 하게 하는 것에 대하여 민사소송법 제163조 제1항의 신청을 한 당사자 모두가 동의하는 경우에는 적용되지 아니한다.

(15) 손해배상의 보장(제39조의7)

> **제39조의7【손해배상의 보장】** ① 개인정보처리자로서 매출액, 개인정보의 보유 규모 등을 고려하여 대통령령으로 정하는 기준에 해당하는 자는 제39조 및 제39조의2에 따른 손해배상책임의 이행을 위하여 보험 또는 공제에 가입하거나 준비금을 적립하는 등 필요한 조치를 하여야 한다.
> ② 제1항에도 불구하고 다음 각 호의 어느 하나에 해당하는 자는 제1항에 따른 조치를 하지 아니할 수 있다.
> 1. 대통령령으로 정하는 공공기관, 비영리법인 및 단체
> 2. 소상공인기본법 제2조 제1항에 따른 소상공인으로서 대통령령으로 정하는 자에게 개인정보 처리를 위탁한 자
> 3. 다른 법률에 따라 제39조 및 제39조의2에 따른 손해배상책임의 이행을 보장하는 보험 또는 공제에 가입하거나 준비금을 적립한 개인정보처리자
> ③ 제1항 및 제2항에 따른 개인정보처리자의 손해배상책임 이행 기준 등에 필요한 사항은 대통령령으로 정한다.

13. 개인정보 분쟁조정위원회

(1) 설치 및 구성(제40조)

> **제40조【설치 및 구성】** ① 개인정보에 관한 분쟁의 조정(調停)을 위하여 개인정보 분쟁조정위원회(이하 "분쟁조정위원회"라 한다)를 둔다.
> ② 분쟁조정위원회는 위원장 1명을 포함한 30명 이내의 위원으로 구성하며, 위원은 당연직위원과 위촉위원으로 구성한다.
> ③ 위촉위원은 다음 각 호의 어느 하나에 해당하는 사람 중에서 보호위원회 위원장이 위촉하고, 대통령령으로 정하는 국가기관 소속 공무원은 당연직위원이 된다.
> 1. 개인정보 보호업무를 관장하는 중앙행정기관의 고위공무원단에 속하는 공무원으로 재직하였던 사람 또는 이에 상당하는 공공부문 및 관련 단체의 직에 재직하고 있거나 재직하였던 사람으로서 개인정보 보호업무의 경험이 있는 사람
> 2. 대학이나 공인된 연구기관에서 부교수 이상 또는 이에 상당하는 직에 재직하고 있거나 재직하였던 사람
> 3. 판사·검사 또는 변호사로 재직하고 있거나 재직하였던 사람
> 4. 개인정보 보호와 관련된 시민사회단체 또는 소비자단체로부터 추천을 받은 사람
> 5. 개인정보처리자로 구성된 사업자단체의 임원으로 재직하고 있거나 재직하였던 사람
> ④ 위원장은 위원 중에서 공무원이 아닌 사람으로 보호위원회 위원장이 위촉한다.
> ⑤ 위원장과 위촉위원의 임기는 2년으로 하되, 1차에 한하여 연임할 수 있다.
> ⑥ 분쟁조정위원회는 분쟁조정 업무를 효율적으로 수행하기 위하여 필요하면 대통령령으로 정하는 바에 따라 조정사건의 분야별로 5명 이내의 위원으로 구성되는 조정부를 둘 수 있다. 이 경우 조정부가 분쟁조정위원회에서 위임받아 의결한 사항은 분쟁조정위원회에서 의결한 것으로 본다.
> ⑦ 분쟁조정위원회 또는 조정부는 재적위원 과반수의 출석으로 개의하며 출석위원 과반수의 찬성으로 의결한다.
> ⑧ 보호위원회는 분쟁조정 접수, 사실 확인 등 분쟁조정에 필요한 사무를 처리할 수 있다.
> ⑨ 이 법에서 정한 사항 외에 분쟁조정위원회 운영에 필요한 사항은 대통령령으로 정한다.

(2) 위원의 신분보장(제41조)

> **제41조【위원의 신분보장】** 위원은 자격정지 이상의 형을 선고받거나 심신상의 장애로 직무를 수행할 수 없는 경우를 제외하고는 그의 의사에 반하여 면직되거나 해촉되지 아니한다.

(3) 위원의 제척 · 기피 · 회피(제42조)

> **제42조【위원의 제척 · 기피 · 회피】** ① 분쟁조정위원회의 위원은 다음 각 호의 어느 하나에 해당하는 경우에는 제43조 제1항에 따라 분쟁조정위원회에 신청된 분쟁조정사건(이하 이 조에서 "사건"이라 한다)의 심의 · 의결에서 제척(除斥)된다.
> 1. 위원 또는 그 배우자나 배우자였던 자가 그 사건의 당사자가 되거나 그 사건에 관하여 공동의 권리자 또는 의무자의 관계에 있는 경우
> 2. 위원이 그 사건의 당사자와 친족이거나 친족이었던 경우
> 3. 위원이 그 사건에 관하여 증언, 감정, 법률자문을 한 경우
> 4. 위원이 그 사건에 관하여 당사자의 대리인으로서 관여하거나 관여하였던 경우
> ② 당사자는 위원에게 공정한 심의 · 의결을 기대하기 어려운 사정이 있으면 위원장에게 기피신청을 할 수 있다. 이 경우 위원장은 기피신청에 대하여 분쟁조정위원회의 의결을 거치지 아니하고 결정한다.
> ③ 위원이 제1항 또는 제2항의 사유에 해당하는 경우에는 스스로 그 사건의 심의 · 의결에서 회피할 수 있다.

(4) 조정의 신청 등(제43조)

> **제43조【조정의 신청 등】** ① 개인정보와 관련한 분쟁의 조정을 원하는 자는 분쟁조정위원회에 분쟁조정을 신청할 수 있다.
> ② 분쟁조정위원회는 당사자 일방으로부터 분쟁조정 신청을 받았을 때에는 그 신청내용을 상대방에게 알려야 한다.
> ③ 개인정보처리자가 제2항에 따른 분쟁조정의 통지를 받은 경우에는 특별한 사유가 없으면 분쟁조정에 응하여야 한다.

(5) 처리기간(제44조)

> **제44조【처리기간】** ① 분쟁조정위원회는 제43조 제1항에 따른 분쟁조정 신청을 받은 날부터 60일 이내에 이를 심사하여 조정안을 작성하여야 한다. 다만, 부득이한 사정이 있는 경우에는 분쟁조정위원회의 의결로 처리기간을 연장할 수 있다.
> ② 분쟁조정위원회는 제1항 단서에 따라 처리기간을 연장한 경우에는 기간연장의 사유와 그 밖의 기간연장에 관한 사항을 신청인에게 알려야 한다.

(6) 자료의 요청 및 사실조사 등(제45조)

제45조【자료의 요청 및 사실조사 등】 ① 분쟁조정위원회는 제43조 제1항에 따라 분쟁조정 신청을 받았을 때에는 해당 분쟁의 조정을 위하여 필요한 자료를 분쟁당사자에게 요청할 수 있다. 이 경우 분쟁당사자는 정당한 사유가 없으면 요청에 따라야 한다.
② 분쟁조정위원회는 분쟁의 조정을 위하여 사실 확인이 필요한 경우에는 분쟁조정위원회의 위원 또는 대통령령으로 정하는 사무기구의 소속 공무원으로 하여금 사건과 관련된 장소에 출입하여 관련 자료를 조사하거나 열람하게 할 수 있다. 이 경우 분쟁당사자는 해당 조사·열람을 거부할 정당한 사유가 있을 때에는 그 사유를 소명하고 조사·열람에 따르지 아니할 수 있다.
③ 제2항에 따른 조사·열람을 하는 위원 또는 공무원은 그 권한을 표시하는 증표를 지니고 이를 관계인에게 내보여야 한다.
④ 분쟁조정위원회는 분쟁의 조정을 위하여 필요하다고 인정하면 관계 기관 등에 자료 또는 의견의 제출 등 필요한 협조를 요청할 수 있다.
⑤ 분쟁조정위원회는 필요하다고 인정하면 분쟁당사자나 참고인을 위원회에 출석하도록 하여 그 의견을 들을 수 있다.

(7) 진술의 원용 제한(제45조의2)

제45조의2【진술의 원용 제한】 조정절차에서의 의견과 진술은 소송(해당 조정에 대한 준재심은 제외한다)에서 원용(援用)하지 못한다.

(8) 조정 전 합의 권고(제46조)

제46조【조정 전 합의 권고】 분쟁조정위원회는 제43조 제1항에 따라 분쟁조정 신청을 받았을 때에는 당사자에게 그 내용을 제시하고 조정 전 합의를 권고할 수 있다.

(9) 분쟁의 조정(제47조)

제47조【분쟁의 조정】 ① 분쟁조정위원회는 다음 각 호의 어느 하나의 사항을 포함하여 조정안을 작성할 수 있다.
1. 조사 대상 침해행위의 중지
2. 원상회복, 손해배상, 그 밖에 필요한 구제조치
3. 같거나 비슷한 침해의 재발을 방지하기 위하여 필요한 조치
② 분쟁조정위원회는 제1항에 따라 조정안을 작성하면 지체 없이 각 당사자에게 제시하여야 한다.
③ 제2항에 따라 <u>조정안을 제시받은 당사자가 제시받은 날부터 15일 이내에 수락 여부를 알리지 아니하면 조정을 수락한 것으로 본다.</u>
④ 당사자가 조정내용을 수락한 경우(제3항에 따라 수락한 것으로 보는 경우를 포함한다) 분쟁조정위원회는 조정서를 작성하고, 분쟁조정위원회의 위원장과 각 당사자가 기명날인 또는 서명을 한 후 조정서 정본을 지체 없이 각 당사자 또는 그 대리인에게 송달하여야 한다. 다만, 제3항에 따라 수락한 것으로 보는 경우에는 각 당사자의 기명날인 및 서명을 생략할 수 있다.
⑤ 제4항에 따른 조정의 내용은 재판상 화해와 동일한 효력을 갖는다.

(10) 조정의 거부 및 중지(제48조)

> **제48조【조정의 거부 및 중지】** ① 분쟁조정위원회는 분쟁의 성질상 분쟁조정위원회에서 조정하는 것이 적합하지 아니하다고 인정하거나 부정한 목적으로 조정이 신청되었다고 인정하는 경우에는 그 조정을 거부할 수 있다. 이 경우 조정거부의 사유 등을 신청인에게 알려야 한다.
> ② 분쟁조정위원회는 신청된 조정사건에 대한 처리절차를 진행하던 중에 한 쪽 당사자가 소를 제기하면 그 조정의 처리를 중지하고 이를 당사자에게 알려야 한다.

(11) 집단분쟁조정(제49조)

> **제49조【집단분쟁조정】** ① 국가 및 지방자치단체, 개인정보 보호단체 및 기관, 정보주체, 개인정보처리자는 정보주체의 피해 또는 권리침해가 다수의 정보주체에게 같거나 비슷한 유형으로 발생하는 경우로서 대통령령으로 정하는 사건에 대하여는 분쟁조정위원회에 일괄적인 분쟁조정(이하 "집단분쟁조정"이라 한다)을 의뢰 또는 신청할 수 있다.
> ② 제1항에 따라 집단분쟁조정을 의뢰받거나 신청받은 분쟁조정위원회는 그 의결로써 제3항부터 제7항까지의 규정에 따른 집단분쟁조정의 절차를 개시할 수 있다. 이 경우 분쟁조정위원회는 대통령령으로 정하는 기간 동안 그 절차의 개시를 공고하여야 한다.
> ③ 분쟁조정위원회는 집단분쟁조정의 당사자가 아닌 정보주체 또는 개인정보처리자로부터 그 분쟁조정의 당사자에 추가로 포함될 수 있도록 하는 신청을 받을 수 있다.
> ④ 분쟁조정위원회는 그 의결로써 제1항 및 제3항에 따른 집단분쟁조정의 당사자 중에서 공동의 이익을 대표하기에 가장 적합한 1인 또는 수인을 대표당사자로 선임할 수 있다.
> ⑤ 분쟁조정위원회는 개인정보처리자가 분쟁조정위원회의 집단분쟁조정의 내용을 수락한 경우에는 집단분쟁조정의 당사자가 아닌 자로서 피해를 입은 정보주체에 대한 보상계획서를 작성하여 분쟁조정위원회에 제출하도록 권고할 수 있다.
> ⑥ 제48조 제2항에도 불구하고 분쟁조정위원회는 집단분쟁조정의 당사자인 다수의 정보주체 중 일부의 정보주체가 법원에 소를 제기한 경우에는 그 절차를 중지하지 아니하고, 소를 제기한 일부의 정보주체를 그 절차에서 제외한다.
> ⑦ 집단분쟁조정의 기간은 제2항에 따른 공고가 종료된 날의 다음 날부터 60일 이내로 한다. 다만, 부득이한 사정이 있는 경우에는 분쟁조정위원회의 의결로 처리기간을 연장할 수 있다.
> ⑧ 집단분쟁조정의 절차 등에 관하여 필요한 사항은 대통령령으로 정한다.

(12) 조정절차 등(제50조)

> **제50조【조정절차 등】** ① 제43조부터 제49조까지의 규정에서 정한 것 외에 분쟁의 조정방법, 조정절차 및 조정업무의 처리 등에 필요한 사항은 대통령령으로 정한다.
> ② 분쟁조정위원회의 운영 및 분쟁조정 절차에 관하여 이 법에서 규정하지 아니한 사항에 대하여는 민사조정법을 준용한다.

(13) 개선의견의 통보(제50조의2)

> 제50조의2 【개선의견의 통보】 분쟁조정위원회는 소관 업무 수행과 관련하여 개인정보 보호 및 정보주체의 권리 보호를 위한 개선의견을 보호위원회 및 관계 중앙행정기관의 장에게 통보할 수 있다.

14. 개인정보 단체소송

(1) 단체소송의 대상 등(제51조)

> 제51조 【단체소송의 대상 등】 다음 각 호의 어느 하나에 해당하는 단체는 개인정보처리자가 제49조에 따른 집단분쟁조정을 거부하거나 집단분쟁조정의 결과를 수락하지 아니한 경우에는 법원에 권리침해 행위의 금지·중지를 구하는 소송(이하 "단체소송"이라 한다)을 제기할 수 있다.
> 1. 소비자기본법 제29조에 따라 공정거래위원회에 등록한 소비자단체로서 다음 각 목의 요건을 모두 갖춘 단체
>   가. 정관에 따라 상시적으로 정보주체의 권익증진을 주된 목적으로 하는 단체일 것
>   나. 단체의 정회원수가 <u>1천명 이상</u>일 것
>   다. 소비자기본법 제29조에 따른 등록 후 <u>3년</u>이 경과하였을 것
> 2. 비영리민간단체 지원법 제2조에 따른 비영리민간단체로서 다음 각 목의 요건을 모두 갖춘 단체
>   가. 법률상 또는 사실상 동일한 침해를 입은 <u>100명 이상의 정보주체로부터 단체소송의 제기를 요청받을 것</u>
>   나. 정관에 개인정보 보호를 단체의 목적으로 명시한 후 최근 <u>3년 이상 이를 위한 활동실적이 있을 것</u>
>   다. 단체의 상시 구성원수가 <u>5천명 이상</u>일 것
>   라. <u>중앙행정기관에 등록</u>되어 있을 것

(2) 전속관할(제52조)

> 제52조 【전속관할】 ① 단체소송의 소는 피고의 주된 사무소 또는 영업소가 있는 곳, 주된 사무소나 영업소가 없는 경우에는 주된 업무담당자의 주소가 있는 곳의 지방법원 본원 합의부의 관할에 전속한다.
> ② 제1항을 외국사업자에 적용하는 경우 대한민국에 있는 이들의 주된 사무소·영업소 또는 업무담당자의 주소에 따라 정한다.

(3) 소송대리인의 선임(제53조)

> 제53조 【소송대리인의 선임】 단체소송의 원고는 변호사를 소송대리인으로 선임하여야 한다.

(4) 소송허가신청(제54조)

> **제54조【소송허가신청】** ① 단체소송을 제기하는 단체는 소장과 함께 다음 각 호의 사항을 기재한 소송허가신청서를 법원에 제출하여야 한다.
> 1. 원고 및 그 소송대리인
> 2. 피고
> 3. 정보주체의 침해된 권리의 내용
> ② 제1항에 따른 소송허가신청서에는 다음 각 호의 자료를 첨부하여야 한다.
> 1. 소제기단체가 제51조 각 호의 어느 하나에 해당하는 요건을 갖추고 있음을 소명하는 자료
> 2. 개인정보처리자가 조정을 거부하였거나 조정결과를 수락하지 아니하였음을 증명하는 서류

(5) 소송허가요건 등(제55조)

핵심 OX

01 개인정보 보호법상 단체소송을 허가하거나 불허가하는 법원의 결정에 대하여는 더 이상 소송으로 다툴 수 없다. 16·15. 지방9급 (　)

> **제55조【소송허가요건 등】** ① 법원은 다음 각 호의 요건을 모두 갖춘 경우에 한하여 결정으로 단체소송을 허가한다.
> 1. 개인정보처리자가 분쟁조정위원회의 조정을 거부하거나 조정결과를 수락하지 아니하였을 것
> 2. 제54조에 따른 소송허가신청서의 기재사항에 흠결이 없을 것
> ② 단체소송을 허가하거나 불허가하는 결정에 대하여는 즉시항고할 수 있다.

(6) 확정판결의 효력(제56조)

> **제56조【확정판결의 효력】** 원고의 청구를 기각하는 판결이 확정된 경우 이와 동일한 사안에 관하여는 제51조에 따른 다른 단체는 단체소송을 제기할 수 없다. 다만, 다음 각 호의 어느 하나에 해당하는 경우에는 그러하지 아니하다.
> 1. 판결이 확정된 후 그 사안과 관련하여 국가·지방자치단체 또는 국가·지방자치단체가 설립한 기관에 의하여 새로운 증거가 나타난 경우
> 2. 기각판결이 원고의 고의로 인한 것임이 밝혀진 경우

(7) 민사소송법의 적용 등(제57조)

핵심 OX

02 개인정보 단체소송에 관하여 개인정보 보호법에 특별한 규정이 없는 경우에는 행정소송법을 적용한다. 16. 지방9급 (　)

> **제57조【민사소송법의 적용 등】** ① 단체소송에 관하여 이 법에 특별한 규정이 없는 경우에는 민사소송법을 적용한다.
> ② 제55조에 따른 단체소송의 허가결정이 있는 경우에는 민사집행법 제4편에 따른 보전처분을 할 수 있다.
> ③ 단체소송의 절차에 관하여 필요한 사항은 대법원규칙으로 정한다.

01 X **02** X

15. 개인정보 보호정책의 수립 등

(1) 개인정보 보호위원회(제7조 내지 제7조의4)

제7조【개인정보 보호위원회】 ① 개인정보 보호에 관한 사무를 독립적으로 수행하기 위하여 국무총리 소속으로 개인정보 보호위원회(이하 "보호위원회"라 한다)를 둔다.

② 보호위원회는 <u>정부조직법 제2조에 따른 중앙행정기관으로 본다.</u> 다만, 다음 각 호의 사항에 대하여는 정부조직법 제18조를 적용하지 아니한다.

1. 제7조의8 제3호 및 제4호의 사무
2. 제7조의9 제1항의 심의·의결 사항 중 제1호에 해당하는 사항

제7조의2【보호위원회의 구성 등】 ① 보호위원회는 <u>상임위원 2명(위원장 1명, 부위원장 1명)을 포함한 9명의 위원으로 구성한다.</u>

② 보호위원회의 위원은 개인정보 보호에 관한 경력과 전문지식이 풍부한 다음 각 호의 사람 중에서 위원장과 부위원장은 국무총리의 제청으로, 그 외 위원 중 2명은 위원장의 제청으로, 2명은 대통령이 소속되거나 소속되었던 정당의 교섭단체 추천으로, 3명은 그 외의 교섭단체 추천으로 대통령이 임명 또는 위촉한다.

1. 개인정보 보호 업무를 담당하는 3급 이상 공무원(고위공무원단에 속하는 공무원을 포함한다)의 직에 있거나 있었던 사람
2. 판사·검사·변호사의 직에 10년 이상 있거나 있었던 사람
3. 공공기관 또는 단체(개인정보처리자로 구성된 단체를 포함한다)에 3년 이상 임원으로 재직하였거나 이들 기관 또는 단체로부터 추천받은 사람으로서 개인정보 보호 업무를 3년 이상 담당하였던 사람
4. 개인정보 관련 분야에 전문지식이 있고 고등교육법 제2조 제1호에 따른 학교에서 부교수 이상으로 5년 이상 재직하고 있거나 재직하였던 사람

③ 위원장과 부위원장은 정무직 공무원으로 임명한다.

④ 위원장, 부위원장, 제7조의13에 따른 사무처의 장은 정부조직법 제10조에도 불구하고 정부위원이 된다.

제7조의3【위원장】 ① 위원장은 보호위원회를 대표하고, 보호위원회의 회의를 주재하며, 소관 사무를 총괄한다.

② 위원장이 부득이한 사유로 직무를 수행할 수 없을 때에는 부위원장이 그 직무를 대행하고, 위원장·부위원장이 모두 부득이한 사유로 직무를 수행할 수 없을 때에는 위원회가 미리 정하는 위원이 위원장의 직무를 대행한다.

③ 위원장은 국회에 출석하여 보호위원회의 소관 사무에 관하여 의견을 진술할 수 있으며, 국회에서 요구하면 출석하여 보고하거나 답변하여야 한다.

④ 위원장은 국무회의에 출석하여 발언할 수 있으며, 그 소관 사무에 관하여 국무총리에게 의안 제출을 건의할 수 있다.

제7조의4【위원의 임기】 ① <u>위원의 임기는 3년으로 하되, 한 차례만 연임할 수 있다.</u>

② 위원이 궐위된 때에는 지체 없이 새로운 위원을 임명 또는 위촉하여야 한다. 이 경우 후임으로 임명 또는 위촉된 위원의 임기는 새로이 개시된다.

(2) 보호위원회의 소관 사무 등(제7조의8 내지 제7조의13)

① 보호위원회의 소관 사무(제7조의8)

> **제7조의8 【보호위원회의 소관 사무】** 보호위원회는 다음 각 호의 소관 사무를 수행한다.
> 1. 개인정보의 보호와 관련된 법령의 개선에 관한 사항
> 2. 개인정보 보호와 관련된 정책·제도·계획 수립·집행에 관한 사항
> 3. 정보주체의 권리침해에 대한 조사 및 이에 따른 처분에 관한 사항
> 4. 개인정보의 처리와 관련한 고충처리·권리구제 및 개인정보에 관한 분쟁의 조정
> 5. 개인정보 보호를 위한 국제기구 및 외국의 개인정보 보호기구와의 교류·협력
> 6. 개인정보 보호에 관한 법령·정책·제도·실태 등의 조사·연구, 교육 및 홍보에 관한 사항
> 7. 개인정보 보호에 관한 기술개발의 지원·보급, 기술의 표준화 및 전문인력의 양성에 관한 사항
> 8. 이 법 및 다른 법령에 따라 보호위원회의 사무로 규정된 사항

② 보호위원회의 심의·의결 사항 등(제7조의9)

> **제7조의9 【보호위원회의 심의·의결 사항 등】** ① 보호위원회는 다음 각 호의 사항을 심의·의결한다.
> 1. 제8조의2에 따른 개인정보 침해요인 평가에 관한 사항
> 2. 제9조에 따른 기본계획 및 제10조에 따른 시행계획에 관한 사항
> 3. 개인정보 보호와 관련된 정책, 제도 및 법령의 개선에 관한 사항
> 4. 개인정보의 처리에 관한 공공기관 간의 의견조정에 관한 사항
> 5. 개인정보 보호에 관한 법령의 해석·운용에 관한 사항
> 6. 제18조 제2항 제5호에 따른 개인정보의 이용·제공에 관한 사항
> 6의2. 제28조의9에 따른 개인정보의 국외 이전 중지 명령에 관한 사항
> 7. 제33조 제4항에 따른 영향평가 결과에 관한 사항
> 8. 제64조의2에 따른 과징금 부과에 관한 사항
> 9. 제61조에 따른 의견제시 및 개선권고에 관한 사항
> 9의2. 제63조의2 제2항에 따른 시정권고에 관한 사항
> 10. 제64조에 따른 시정조치 등에 관한 사항
> 11. 제65조에 따른 고발 및 징계권고에 관한 사항
> 12. 제66조에 따른 처리 결과의 공표 및 공표명령에 관한 사항
> 13. 제75조에 따른 과태료 부과에 관한 사항
> 14. 소관 법령 및 보호위원회 규칙의 제정·개정 및 폐지에 관한 사항
> 15. 개인정보 보호와 관련하여 보호위원회의 위원장 또는 위원 2명 이상이 회의에 부치는 사항
> 16. 그 밖에 이 법 또는 다른 법령에 따라 보호위원회가 심의·의결하는 사항
> ② 보호위원회는 제1항 각 호의 사항을 심의·의결하기 위하여 필요한 경우 다음 각 호의 조치를 할 수 있다.
> 1. 관계 공무원, 개인정보 보호에 관한 전문 지식이 있는 사람이나 시민사회단체 및 관련 사업자로부터의 의견 청취
> 2. 관계 기관 등에 대한 자료제출이나 사실조회 요구

③ 제2항 제2호에 따른 요구를 받은 관계 기관 등은 특별한 사정이 없으면 이에 따라야 한다.

④ 보호위원회는 제1항 제3호의 사항을 심의·의결한 경우에는 관계 기관에 그 개선을 권고할 수 있다.

⑤ 보호위원회는 제4항에 따른 권고 내용의 이행 여부를 점검할 수 있다.

③ 회의(제7조의10)

> **제7조의10【회의】** ① 보호위원회의 회의는 위원장이 필요하다고 인정하거나 재적위원 4분의 1 이상의 요구가 있는 경우에 위원장이 소집한다.
>
> ② 위원장 또는 2명 이상의 위원은 보호위원회에 의안을 제의할 수 있다.
>
> ③ 보호위원회의 회의는 재적위원 과반수의 출석으로 개의하고, 출석위원 과반수의 찬성으로 의결한다.

④ 위원의 제척·기피·회피(제7조의11)

> **제7조의11【위원의 제척·기피·회피】** ① 위원은 다음 각 호의 어느 하나에 해당하는 경우에는 심의·의결에서 제척된다.
> 1. 위원 또는 그 배우자나 배우자였던 자가 해당 사안의 당사자가 되거나 그 사건에 관하여 공동의 권리자 또는 의무자의 관계에 있는 경우
> 2. 위원이 해당 사안의 당사자와 친족이거나 친족이었던 경우
> 3. 위원이 해당 사안에 관하여 증언, 감정, 법률자문을 한 경우
> 4. 위원이 해당 사안에 관하여 당사자의 대리인으로서 관여하거나 관여하였던 경우
> 5. 위원이나 위원이 속한 공공기관·법인 또는 단체 등이 조언 등 지원을 하고 있는 자와 이해관계가 있는 경우
>
> ② 위원에게 심의·의결의 공정을 기대하기 어려운 사정이 있는 경우 당사자는 기피 신청을 할 수 있고, 보호위원회는 의결로 이를 결정한다.
>
> ③ 위원이 제1항 또는 제2항의 사유가 있는 경우에는 해당 사안에 대하여 회피할 수 있다.

⑤ 소위원회(제7조의12)

> **제7조의12【소위원회】** ① 보호위원회는 효율적인 업무 수행을 위하여 개인정보 침해 정도가 경미하거나 유사·반복되는 사항 등을 심의·의결할 소위원회를 둘 수 있다.
>
> ② 소위원회는 3명의 위원으로 구성한다.
>
> ③ 소위원회가 제1항에 따라 심의·의결한 것은 보호위원회가 심의·의결한 것으로 본다.
>
> ④ 소위원회의 회의는 구성위원 전원의 출석과 출석위원 전원의 찬성으로 의결한다.

⑥ 사무처 및 운영 등(제7조의13, 제7조의14)

> **제7조의13 【사무처】** 보호위원회의 사무를 처리하기 위하여 보호위원회에 사무처를 두며, 이 법에 규정된 것 외에 보호위원회의 조직에 관한 사항은 대통령령으로 정한다.
>
> **제7조의14 【운영 등】** 이 법과 다른 법령에 규정된 것 외에 보호위원회의 운영 등에 필요한 사항은 보호위원회의 규칙으로 정한다.

(3) 개인정보 침해요인 평가(제8조의2)

> **제8조의2 【개인정보 침해요인 평가】** ① 중앙행정기관의 장은 소관 법령의 제정 또는 개정을 통하여 개인정보 처리를 수반하는 정책이나 제도를 도입·변경하는 경우에는 보호위원회에 개인정보 침해요인 평가를 요청하여야 한다.
> ② 보호위원회가 제1항에 따른 요청을 받은 때에는 해당 법령의 개인정보 침해요인을 분석·검토하여 그 법령의 소관기관의 장에게 그 개선을 위하여 필요한 사항을 권고할 수 있다.
> ③ 제1항에 따른 개인정보 침해요인 평가의 절차와 방법에 관하여 필요한 사항은 대통령령으로 정한다.

(4) 기본계획(제9조)

> **제9조 【기본계획】** ① 보호위원회는 개인정보의 보호와 정보주체의 권익 보장을 위하여 3년마다 개인정보 보호 기본계획(이하 "기본계획"이라 한다)을 관계 중앙행정기관의 장과 협의하여 수립한다.
> ② 기본계획에는 다음 각 호의 사항이 포함되어야 한다.
> 1. 개인정보 보호의 기본목표와 추진방향
> 2. 개인정보 보호와 관련된 제도 및 법령의 개선
> 3. 개인정보 침해 방지를 위한 대책
> 4. 개인정보 보호 자율규제의 활성화
> 5. 개인정보 보호 교육·홍보의 활성화
> 6. 개인정보 보호를 위한 전문인력의 양성
> 7. 그 밖에 개인정보 보호를 위하여 필요한 사항
> ③ 국회, 법원, 헌법재판소, 중앙선거관리위원회는 해당 기관(그 소속 기관을 포함한다)의 개인정보 보호를 위한 기본계획을 수립·시행할 수 있다.

(5) 시행계획(제10조)

> **제10조 【시행계획】** ① 중앙행정기관의 장은 기본계획에 따라 매년 개인정보 보호를 위한 시행계획을 작성하여 보호위원회에 제출하고, 보호위원회의 심의·의결을 거쳐 시행하여야 한다.
> ② 시행계획의 수립·시행에 필요한 사항은 대통령령으로 정한다.

(6) 자료제출 요구 등(제11조)

> **제11조【자료제출 요구 등】** ① 보호위원회는 기본계획을 효율적으로 수립하기 위하여 개인정보처리자, 관계 중앙행정기관의 장, 지방자치단체의 장 및 관계 기관·단체 등에 개인정보처리자의 법규 준수 현황과 개인정보 관리 실태 등에 관한 자료의 제출이나 의견의 진술 등을 요구할 수 있다.
> ② 보호위원회는 개인정보 보호 정책 추진, 성과평가 등을 위하여 필요한 경우 개인정보처리자, 관계 중앙행정기관의 장, 지방자치단체의 장 및 관계 기관·단체 등을 대상으로 개인정보관리 수준 및 실태파악 등을 위한 조사를 실시할 수 있다.
> ③ 중앙행정기관의 장은 시행계획을 효율적으로 수립·추진하기 위하여 소관 분야의 개인정보처리자에게 제1항에 따른 자료제출 등을 요구할 수 있다.
> ④ 제1항부터 제3항까지에 따른 자료제출 등을 요구받은 자는 특별한 사정이 없으면 이에 따라야 한다.
> ⑤ 제1항부터 제3항까지에 따른 자료제출 등의 범위와 방법 등 필요한 사항은 대통령령으로 정한다.

(7) 개인정보 보호수준 평가(제11조의2)

> **제11조의2【개인정보 보호수준 평가】** ① 보호위원회는 공공기관 중 중앙행정기관 및 그 소속기관, 지방자치단체, 그 밖에 대통령령으로 정하는 기관을 대상으로 매년 개인정보 보호 정책·업무의 수행 및 이 법에 따른 의무의 준수 여부 등을 평가(이하 "개인정보 보호수준 평가"라 한다)하여야 한다.
> ② 보호위원회는 개인정보 보호수준 평가에 필요한 경우 해당 공공기관의 장에게 관련 자료를 제출하게 할 수 있다.
> ③ 보호위원회는 개인정보 보호수준 평가의 결과를 인터넷 홈페이지 등을 통하여 공개할 수 있다.
> ④ 보호위원회는 개인정보 보호수준 평가의 결과에 따라 우수기관 및 그 소속 직원에 대하여 포상할 수 있고, 개인정보 보호를 위하여 필요하다고 인정하면 해당 공공기관의 장에게 개선을 권고할 수 있다. 이 경우 권고를 받은 공공기관의 장은 이를 이행하기 위하여 성실하게 노력하여야 하며, 그 조치 결과를 보호위원회에 알려야 한다.
> ⑤ 그 밖에 개인정보 보호수준 평가의 기준·방법·절차 및 제2항에 따른 자료 제출의 범위 등에 필요한 사항은 대통령령으로 정한다.

(8) 개인정보 보호지침(제12조)

> **제12조【개인정보 보호지침】** ① 보호위원회는 개인정보의 처리에 관한 기준, 개인정보 침해의 유형 및 예방조치 등에 관한 표준 개인정보 보호지침(이하 "표준지침"이라 한다)을 정하여 개인정보처리자에게 그 준수를 권장할 수 있다.
> ② 중앙행정기관의 장은 표준지침에 따라 소관 분야의 개인정보 처리와 관련한 개인정보 보호지침을 정하여 개인정보처리자에게 그 준수를 권장할 수 있다.
> ③ 국회, 법원, 헌법재판소 및 중앙선거관리위원회는 해당 기관(그 소속 기관을 포함한다)의 개인정보 보호지침을 정하여 시행할 수 있다.

(9) 자율규제의 촉진 및 지원(제13조)

제13조 【자율규제의 촉진 및 지원】 보호위원회는 개인정보처리자의 자율적인 개인정보 보호활동을 촉진하고 지원하기 위하여 다음 각 호의 필요한 시책을 마련하여야 한다.
1. 개인정보 보호에 관한 교육·홍보
2. 개인정보 보호와 관련된 기관·단체의 육성 및 지원
3. 개인정보 보호 인증마크의 도입·시행 지원
4. 개인정보처리자의 자율적인 규약의 제정·시행 지원
5. 그 밖에 개인정보처리자의 자율적 개인정보 보호활동을 지원하기 위하여 필요한 사항

(10) 개인정보 보호의 날(제13조의2)

제13조의2 【개인정보 보호의 날】 ① 개인정보의 보호 및 처리의 중요성을 국민에게 알리기 위하여 매년 9월 30일을 개인정보 보호의 날로 지정한다.
② 국가와 지방자치단체는 개인정보 보호의 날이 포함된 주간에 개인정보 보호 문화 확산을 위한 각종 행사를 실시할 수 있다.

(11) 국제협력(제14조)

제14조 【국제협력】 ① 정부는 국제적 환경에서의 개인정보 보호 수준을 향상시키기 위하여 필요한 시책을 마련하여야 한다.
② 정부는 개인정보 국외 이전으로 인하여 정보주체의 권리가 침해되지 아니하도록 관련 시책을 마련하여야 한다.

학습 점검 문제

01 행정절차에 대한 내용으로 옳은 것은? (다툼이 있는 경우 판례에 의함)

① 구 광업법에 근거하여 처분청이 광업용 토지수용을 위한 사업인정을 하면서 토지소유자와 토지에 관한 권리를 가진 자의 의견을 들은 경우 처분청은 그 의견에 기속된다.

② 구 공중위생법상 유기장업허가취소처분을 함에 있어서 두 차례에 걸쳐 발송한 청문통지서가 모두 반송되어 온 경우, 처분의 상대방이 청문일시에 불출석하였다는 이유로 청문을 거치지 않고 한 침해적 행정처분은 적법하다.

③ 묘지공원과 화장장의 후보지를 선정하는 과정에서 추모공원건립추진협의회가 후보지 주민들의 의견을 청취하기 위하여 그 명의로 개최한 공청회는 행정절차법에서 정한 절차를 준수하여야 하는 것은 아니다.

④ 공정거래위원회의 시정조치 및 과징금납부명령에 행정절차법 소정의 의견청취절차 생략사유가 존재하면 공정거래위원회는 행정절차법을 적용하여 의견청취절차를 생략할 수 있다.

정답 및 해설

01 묘지공원과 화장장의 후보지를 선정하는 과정에서 서울특별시, 비영리법인, 일반 기업 등이 공동발족한 협의체인 추모공원건립추진협의회가 후보지 주민들의 의견을 청취하기 위하여 그 명의로 개최한 공청회는 행정청이 도시계획시설결정을 하면서 개최한 공청회가 아니므로, 위 공청회의 개최에 관하여 행정절차법에서 정한 절차를 준수하여야 하는 것은 아니다(대판 2007.4.12. 2005두1893).

| 선지분석 |

① 광업법 제88조 제2항에서 처분청이 같은 법 제1항의 규정에 의하여 광업용 토지수용을 위한 사업인정을 하고자 할 때에 토지소유자와 토지에 관한 권리를 가진 자의 의견을 들어야 한다고 한 것은 그 사업인정 여부를 결정함에 있어서 소유자나 기타 권리자가 의견을 반영할 기회를 주어 이를 참작하도록 하고자 하는 데 있을 뿐, 처분청이 그 의견에 기속되는 것은 아니다(대판 1995.12.22. 95누30).

② 처분의 성질상 의견청취가 현저히 곤란하거나 명백히 불필요한 경우의 판단기준은 당해 행정처분의 성질에 비추어 판단하여야 하는 것이지, 행정처분의 상대방에 대한 청문통지서가 반송되었다거나, 행정처분의 상대방이 청문일시에 불출석하였다는 이유로 청문을 실시하지 아니하고 한 침해적 행정처분은 위법하다(대판 2001.4.13. 2000두3337).

④ 행정절차법 제3조 제2항, 같은 법 시행령 제2조 제6호에 의하면 공정거래위원회의 의결·결정을 거쳐 행하는 사항에는 행정절차법의 적용이 제외되게 되어 있으므로, 설사 공정거래위원회의 시정조치 및 과징금납부명령에 행정절차법 소정의 의견청취절차 생략사유가 존재한다고 하더라도, 공정거래위원회는 행정절차법을 적용하여 의견청취절차를 생략할 수는 없다(대판 2001.5.8. 2000두10212).

정답 01 ③

02 행정절차에 대한 내용으로 옳지 않은 것은? (다툼이 있는 경우 판례에 의함)

① 공무원 인사관계 법령에 의한 처분에 관한 사항이라 하더라도 전부에 대하여 행정절차법의 적용이 배제되는 것이 아니라, 성질상 행정절차를 거치기 곤란하거나 불필요하다고 인정되는 처분이나 행정절차에 준하는 절차를 거치도록 하고 있는 처분의 경우에만 행정절차법의 적용이 배제되는 것으로 보아야 한다.

② 군인사법령에 의하여 진급예정자명단에 포함된 자에 대하여 의견제출의 기회를 부여하지 아니한 채 진급선발을 취소하는 처분을 한 것은 절차상 하자가 있어 위법하다.

③ 한국방송공사의 설치·운영에 관한 사항을 정하고 있는 방송법은 제50조 제2항에서 "사장은 이사회의 제청으로 대통령이 임명한다."고 규정하고 있을 뿐 한국방송공사 사장에 대한 해임에 관하여는 명시적 규정을 두고 있지 아니하므로, 한국방송공사 사장의 임명권자인 대통령에게 해임권한이 없다고 보는 것이 타당하다.

④ 도시·군계획시설결정과 실시계획인가는 도시·군계획시설사업을 위하여 이루어지는 단계적 행정절차에서 별도의 요건과 절차에 따라 별개의 법률효과를 발생시키는 독립적인 행정처분이다. 그러므로 선행처분인 도시·군계획시설결정에 하자가 있더라도 그것이 당연무효가 아닌 한 원칙적으로 후행처분인 실시 계획인가에 승계되지 않는다.

03 다음 사례에 대한 내용으로 옳지 않은 것은?

> 유흥주점영업허가를 받아 주점을 운영하는 甲은 A시장으로부터 연령을 확인하지 않고 청소년을 주점에 출입시켜 청소년보호법을 위반하였다는 사실을 이유로 한 영업허가취소처분을 받았다. 甲은 이에 불복하여 취소소송을 제기하였고 취소확정판결을 받았다.

① A시장은 甲이 청소년을 유흥접객원으로 고용하여 유흥행위를 하게 하였다는 이유로 다시 영업허가취소처분을 할 수는 있다.

② 영업허가취소처분은 지나치게 가혹하다는 이유로 취소확정판결이 내려졌다면, A시장은 甲에게 연령을 확인하지 않고 청소년을 출입시켰다는 이유로 영업허가정지처분을 할 수는 있다.

③ 청소년들을 주점에 출입시킨 사실이 없다는 이유로 취소확정판결이 내려졌다면, A시장은 甲에게 연령을 확인하지 않고 청소년을 출입시켰다는 이유로 영업허가취소처분을 할 수는 없다.

④ 청문절차를 거치지 않았다는 이유로 취소확정판결이 내려졌다면, A시장은 적법한 청문절차를 거치더라도 甲에게 연령을 확인하지 않고 청소년을 출입시켰다는 이유로 영업허가취소처분을 할 수는 없다.

04 개인정보 보호법에 대한 내용으로 옳지 않은 것은? (다툼이 있는 경우 판례에 의함)

① 시장·군수 또는 구청장이 개인의 지문정보를 수집하고, 경찰청장이 이를 보관·전산화하여 범죄수사목적에 이용하는 것은 모두 개인정보자기결정권을 제한하는 것이다.

② 개인정보자기결정권의 보호대상이 되는 개인정보는 개인의 신체, 신념, 사회적 지위, 신분 등과 같이 개인의 인격주체성을 특징짓는 사항으로서 그 개인의 동일성을 식별할 수 있는 일체의 정보이고, 이미 공개된 개인정보는 포함하지 않는다.

③ 개인정보 보호법을 위반한 개인정보처리자의 행위로 손해를 입은 정보주체가 개인정보처리자에게 손해배상을 청구한 경우, 그 개인정보처리자는 고의 또는 과실이 없음을 입증하지 아니하면 책임을 면할 수 없다.

④ 법인의 정보는 개인정보 보호법의 보호대상이 아니다.

정답 및 해설

02 한국방송공사의 설치·운영에 관한 사항을 정하고 있는 방송법은 제50조 제2항에서 "사장은 이사회의 제청으로 대통령이 임명한다."고 규정하고 있는데, 한국방송공사 사장에 대한 해임에 관하여는 명시적 규정을 두고 있지 않다. 그러나 감사원은 한국방송공사에 대한 외부감사를 실시하고(방송법 제63조 제3항), 임용권자 또는 임용제청권자에게 임원 등의 해임을 요구할 수 있는데(감사원법 제32조 제9항) 이는 대통령에게 한국방송공사 사장 해임권한이 있음을 전제로 한 것으로 볼 수 있는 점, 방송법 제정으로 폐지된 구 한국방송공사법(2000.1.12. 법률 제6139호 방송법 부칙 제2조 제3호로 폐지) 제15조 제1항은 대통령이 한국방송공사 사장을 '임면'하도록 규정되어 있었고, 방송법 제정으로 대통령의 해임권을 제한하기 위해 '임명'이라는 용어를 사용하였다면 해임 제한에 관한 규정을 따로 두어 이를 명확히 할 수 있었을 텐데도 방송법에 한국방송공사 사장의 해임 제한 등 신분보장에 관한 규정이 없는 점 등에 비추어, 방송법에서 '임면' 대신 '임명'이라는 용어를 사용한 입법 취지가 대통령의 해임권을 배제하기 위한 것으로 보기 어려운 점 등 방송법의 입법 경과와 연혁, 다른 법률과의 관계, 입법 형식 등을 종합하면, 한국방송공사 사장의 임명권자인 대통령에게 해임권한도 있다고 보는 것이 타당하다(대판 2012.2.23. 2011두5001).

03 청문절차를 거치지 않았다는 이유로 취소확정판결이 내려졌다면, A시장은 적법한 청문절차를 거쳐서 甲에게 연령을 확인하지 않고 청소년을 출입시켰다는 이유로 영업허가취소처분을 할 수 있다.

│ 선지분석 │
① 기속력은 판결의 주문과 이유에서 적시된 개개의 위법사유에만 미치기 때문에 종전 처분과 기본적 사실관계에 동일성이 없는 다른 사유를 이유로 동일한 처분을 하는 것은 기속력에 위반되지 않는다. 따라서 A시장은 甲이 청소년을 유흥접객원으로 고용하여 유흥행위를 하게 하였다는 이유로 다시 영업허가취소처분을 할 수 있다.
② 종전 처분의 위법사유를 보완한 후 동일 내용의 처분을 하는 것은 기속력에 반하지 않는다. 따라서 영업허가취소처분이 지나치게 가혹하다는 사유(비례의 원칙이나 평등의 원칙 등 위반)로 취소판결이 내려졌다면, A시장은 영업허가정지처분을 할 수는 있다.
③ 청소년들을 주점에 출입시킨 사실이 없다는 이유로 취소확정판결이 내려졌다면 A시장이 甲에게 연령을 확인하지 않고 청소년을 출입시켰다는 이유로 영업허가취소처분을 하는 것은 취소된 처분과 동일한 이유로 처분을 반복하는 것이므로 기속력에 반하여 허용되지 않는다.

04 개인정보자기결정권의 보호대상이 되는 개인정보는 개인의 신체, 신념, 사회적 지위, 신분등과 같이 개인의 인격주체성을 특징짓는 사항으로서 개인의 동일성을 식별할 수 있게 하는 일체의 정보라고 할 수 있고, 반드시 개인의 내밀한 영역에 속하는 정보에 국한되지 않고 공적 생활에서 형성되었거나 이미 공개된 개인정보까지 포함한다. 또한 그러한 개인정보를 대상으로 한 조사·수집·보관·처리·이용 등의 행위는 모두 원칙적으로 개인정보자기결정권에 대한 제한에 해당한다(대판 2016.8.17. 2014다235080).

│ 선지분석 │
① 개인정보자기결정권은 자신에 관한 정보가 언제 누구에게 어느 범위까지 알려지고 또 이용되도록 할 것인지를 그 정보주체가 스스로 결정할 수 있는 권리, 즉 정보주체가 개인정보의 공개와 이용에 관하여 스스로 결정할 권리를 말하는바, 개인의 고유성, 동일성을 나타내는 지문은 그 정보주체를 타인으로부터 식별가능하게 하는 개인정보이므로, 시장·군수 또는 구청장이 개인의 지문정보를 수집하고, 경찰청장이 이를 보관·전산화하여 범죄 수사목적에 이용하는 것은 모두 개인정보자기결정권을 제한하는 것이다(헌재 2005.5.26. 99헌마513).
③ 정보주체는 개인정보처리자가 이 법을 위반한 행위로 손해를 입으면 개인정보처리자에게 손해배상을 청구할 수 있다. 이 경우 그 개인정보처리자는 고의 또는 과실이 없음을 입증하지 아니하면 책임을 면할 수 없다(개인정보 보호법 제39조 제1항).
④ "개인정보"란 살아 있는 개인에 관한 정보로서 성명, 주민등록번호 및 영상 등을 통하여 개인을 알아볼 수 있는 정보(해당 정보만으로는 특정 개인을 알아볼 수 없더라도 다른 정보와 쉽게 결합하여 알아볼 수 있는 것을 포함한다)를 말한다(개인정보 보호법 제2조 제1호). 결국, 법인정보와 사자정보는 동법의 보호대상이 아니다.

정답 **02** ③ **03** ④ **04** ②

05 공공기관의 정보공개에 관한 법률상 정보공개에 대한 내용으로 옳은 것은? (다툼이 있는 경우 판례에 의함)

① 공개청구된 정보가 인터넷을 통하여 공개되어 인터넷 검색을 통하여 쉽게 알 수 있다는 사정만으로 비공개결정이 정당화될 수는 없다.

② 정보공개 청구 후 20일이 경과하도록 정보공개 결정이 없는 경우, 이의신청은 허용되나 행정심판청구는 허용되지 않는다.

③ 정보의 공개 및 우송 등에 드는 비용은 정보공개청구를 받은 행정청이 부담한다.

④ 행정소송의 재판기록 일부의 정보공개청구에 대한 비공개결정은 전자문서로 통지할 수 없다.

정답 및 해설

05 정보공개법 제8조 제2항은 정보공개청구의 대상이 이미 널리 알려진 사항이라 하더라도 그 공개의 방법만을 제한할 수 있도록 규정하고 있을 뿐 공개 자체를 제한하고 있지는 아니하므로, 공개청구의 대상이 되는 정보가 이미 다른 사람에게 공개하여 널리 알려져 있다거나 인터넷이나 관보 등을 통하여 공개하여 인터넷검색이나 도서관에 서의 열람 등을 통하여 쉽게 알 수 있다는 사정만으로는 소의 이익이 없다거나 비공개결정이 정당화될 수는 없다(대판 2008.11.27. 2005두15694).

| 선지분석 |

② **공공기관의 정보공개에 관한 법률 제18조 【이의신청】** ① 청구인이 정보공개와 관련한 공공기관의 비공개 결정 또는 부분 공개 결정에 대하여 불복이 있거나 정보공개 청구 후 20일이 경과하도록 정보공개 결정이 없는 때에는 공공기관으로부터 정보공개 여부의 결정 통지를 받은 날 또는 정보공개 청구 후 20일이 경과한 날부터 30일 이내에 해당 공공기관에 문서로 이의신청을 할 수 있다.

제19조 【행정심판】 ① 청구인이 정보공개와 관련한 공공기관의 결정에 대하여 불복이 있거나 정보공개 청구 후 20일이 경과하도록 정보공개 결정이 없는 때에는 행정심판법에서 정하는 바에 따라 행정심판을 청구할 수 있다.

제20조 【행정소송】 ① 청구인이 정보공개와 관련한 공공기관의 결정에 대하여 불복이 있거나 정보공개 청구 후 20일이 경과하도록 정보공개 결정이 없는 때에는 행정소송법에서 정하는 바에 따라 행정소송을 제기할 수 있다.

③ **공공기관의 정보공개에 관한 법률 제17조 【비용 부담】** ① 정보의 공개 및 우송 등에 드는 비용은 실비(實費)의 범위에서 청구인이 부담한다.

④ 甲이 재판기록 일부의 정보공개를 청구한 데 대하여 서울행정법원장이 민사소송법 제162조를 이유로 소송기록의 정보를 비공개한다는 결정을 전자문서로 통지한 사안에서, '문서'에 '전자문서'를 포함한다고 규정한 구 공공기관의 정보공개에 관한 법률(이하 '정보공개법'이라 한다) 제2조와 정보의 비공개 결정을 '문서'로 통지하도록 정한 정보공개법 제13조 제4항의 규정에 의하면 정보의 비공개결정은 전자문서로 통지할 수 있고, 위 규정들은 행정절차법 제3조 제1항에서 행정절차법의 적용이 제외되는 것으로 정한 '다른 법률'에 특별한 규정이 있는 경우에 해당하므로, 비공개결정 당시 정보의 비공개결정은 정보공개법 제13조 제4항에 의하여 전자문서로 통지할 수 있다(대판 2014.4.10. 2012두17384).

정답 **05** ①

MEMO

판례색인

- 대법원 판결
- 대법원 결정
- 행정법원 판결
- 헌법재판소 결정

판례색인

대판 1993.8.24. 93누5673	927, 928	대판 1994.12.23. 94누477	973
대판 1993.9.10. 92도1136	670	대판 1995.1.20. 94누6529	69, 429
대판 1993.9.14. 92누4611	96, 424, 425	대판 1995.1.24. 94다45302	764, 771
대판 1993.9.14. 92누16690	619	대판 1995.2.24. 94누9146	163
대판 1993.9.28. 92누15093	926	대판 1995.2.24. 94다57671	765
대판 1993.10.8. 93누2032	312, 321	대판 1995.3.10. 94누7027	392
대판 1993.10.12. 93누883	303	대판 1995.3.28. 94누6925	214
대판 1993.10.26. 93누6331	438, 443	대판 1995.3.28. 94누12920	382
대판 1993.10.26. 93다6409	810	대판 1995.4.25. 93누13728	51
대판 1993.11.9. 93누14271	624	대판 1995.4.28. 94다55019	99
대판 1993.11.23. 93누15212	99	대판 1995.5.14. 91도627	342
대판 1993.11.23. 93누16833	680	대판 1995.6.9. 94누10870	94, 132, 135
대판 1993.11.26. 93누7341	39	대판 1995.6.13. 94다56883	313, 318, 323
대판 1993.11.26. 93다18389	693	대판 1995.6.29. 95누4674	676
대판 1993.12.7. 91누11612	96	대판 1995.6.30. 93추83	185, 648
대판 1993.12.21. 92누14441	928	대판 1995.6.30. 94다14407	795
대판 1994.1.11. 93누10057	150	대판 1995.7.11. 94누4615	355
대판 1994.1.25. 93누7365	96	대판 1995.7.28. 95누2623	624, 887
대판 1994.1.25. 93누8542	379	대판 1995.7.28. 95누4629	958
대판 1994.1.28. 93누22029	418	대판 1995.8.22. 94누5694 전합	189, 198
대판 1994.3.8. 92누1728	305	대판 1995.9.5. 94누16250	862
대판 1994.3.22. 93누18969	502	대판 1995.9.15. 94누4455	125
대판 1994.3.22. 93누22517	64	대판 1995.9.15. 94다16045	391
대판 1994.3.22. 93다56220	141	대판 1995.9.15. 95누6311	385
대판 1994.4.12. 93다11807	719	대판 1995.9.15. 95누6724	927
대판 1994.4.26. 92누17402	954	대판 1995.9.15. 95누7345	975
대판 1994.4.29. 93누12626	937	대판 1995.9.26. 94누14544	113
대판 1994.5.10. 93다23422	141	대판 1995.9.29. 95누5332	828
대판 1994.5.24. 92다35783 전합	794	대판 1995.10.13. 95다32747	730
대판 1994.5.24. 93누5666	185	대판 1995.11.7. 95누9730	366
대판 1994.6.14. 93도3247	446	대판 1995.11.10. 94누11866	274
대판 1994.8.9. 94누3414	502	대판 1995.11.10. 95누5714	262
대판 1994.8.12. 94누2190	915	대판 1995.11.10. 95다23897	729
대판 1994.8.26. 93누20467	699	대판 1995.11.14. 94다50922	141
대판 1994.8.26. 94누3223	364, 438	대판 1995.11.14. 95누2036	302
대판 1994.9.9. 93누22234	911	대판 1995.11.14. 95누10181	63
대판 1994.10.11. 94누4820	952	대판 1995.11.21. 95누9099	690
대판 1994.10.14. 93누22753	287, 291	대판 1995.12.8. 95카기16	187
대판 1994.10.25. 93누21231	297	대판 1995.12.22. 94다51253	99, 144
대판 1994.10.28. 92누9463	357, 358	대판 1995.12.22. 95누30	501
대판 1994.10.28. 94누5144	620, 621	대판 1995.12.22. 95누4636	94, 424
대판 1994.11.8. 94누26141	729	대판 1995.12.26. 95누14220	937
대판 1994.11.11. 94다28000	143, 340	대판 1996.1.23. 95누13746	63, 64, 68
대판 1994.11.22. 94다32924	767	대판 1996.2.9. 95누12507	381
대판 1994.12.2. 92누14250	644	대판 1996.2.9. 95누14978	887
대판 1994.12.13. 93다49482	445	대판 1996.2.13. 95누11023	94

대판 1996.2.13. 95다3510	98
대판 1996.2.15. 94다31235 전합	93, 413, 987
대판 1996.2.15. 95다38677 전합	719
대판 1996.2.23. 95누2685	888
대판 1996.2.23. 95누3787	63
대판 1996.3.22. 95누5509	959
대판 1996.3.22. 96누433	689, 690
대판 1996.4.12. 95누7727	226
대판 1996.4.12. 96도158	687, 688
대판 1996.4.26. 95다11436	91
대판 1996.5.10. 96누2903	58
대판 1996.5.16. 95누4810 전합	286, 291
대판 1996.5.31. 94다15271	716
대판 1996.5.31. 95누10617	424
대판 1996.6.11. 95누12460	919
대판 1996.6.14. 95누17823	486
대판 1996.6.25. 95누1880	965
대판 1996.6.28. 94다54511	789
대판 1996.6.28. 96누4374	611, 616
대판 1996.6.28. 96누4992	401
대판 1996.7.26. 94누13848	781
대판 1996.7.30. 95누12897	72
대판 1996.8.20. 95누10877	71, 276, 334, 430
대판 1996.8.23. 94누13589	80
대판 1996.8.23. 96누1665	239
대판 1996.9.6. 96누5995	58
대판 1996.9.20. 95누8003	198, 199, 899, 917
대판 1996.10.11. 96누6172	282
대판 1996.10.11. 96누8086	621
대판 1996.10.29. 96누8253	279
대판 1996.11.8. 96누9959	399, 400
대판 1996.11.8. 96다20581	322
대판 1996.11.12. 96누1221	52, 354
대판 1996.11.29. 95다21709	69
대판 1996.11.29. 96누8567	414
대판 1996.12.6. 96누6417	93
대판 1996.12.20. 96누9799	373, 955
대판 1996.12.20. 96누14708	97
대판 1997.1.21. 95누12941	221
대판 1997.1.21. 96누3401	390
대판 1997.2.14. 96누15428	613
대판 1997.2.14. 96다28066	774
대판 1997.2.14. 96다36159	755
대판 1997.2.25. 96추213	81
대판 1997.2.28. 96누1757	640
대판 1997.2.28. 96누17578	401

대판 2000.11.10. 2000두727	67	
대판 2000.11.28. 99두3416	991	
대판 2000.11.28. 99두5443	499, 505	
대판 2000.12.12. 99두12243	393	
대판 2001.1.5. 98다39060	720	
대판 2001.1.16. 99두10988	166, 272	
대판 2001.2.9. 98두17593	236, 239, 278	
대판 2001.2.9. 2000두6206	58	
대판 2001.2.15. 96다42420 전합	776, 777	
대판 2001.2.23. 99두6002	635	
대판 2001.2.23. 2000다68924	362	
대판 2001.3.9. 99두5207	213	
대판 2001.3.23. 99두6392	942	
대판 2001.4.13. 2000두3337	472, 499	
대판 2001.4.13. 2000두6411	786	
대판 2001.4.24. 99두5412	65, 68	
대판 2001.4.24. 2000다16114	723	
대판 2001.4.24. 2000두5203 등	66	
대판 2001.4.27. 2000다50237	340	
대판 2001.5.8. 2000두6916	861	
대판 2001.5.8. 2000두10212	479	
대판 2001.6.12. 99두8930	957	
대판 2001.6.12. 2000다18547	191, 196	
대판 2001.6.15. 99두509	96, 318, 320, 321	
대판 2001.6.29. 99다56468	781	
대판 2001.7.10. 98다38364	74	
대판 2001.7.27. 99두2970	925	
대판 2001.7.27. 99두5092	850	
대판 2001.8.21. 2000다12419	139	
대판 2001.8.21. 2000두8745	333	
대판 2001.8.24. 99두9971	149	
대판 2001.8.24. 2000두2716	195	
대판 2001.9.25. 2000두2426	790	
대판 2001.9.25. 2001다41865	770	
대판 2001.10.12. 2001다47290	723	
대판 2001.10.12. 2001두274	332	
대판 2001.10.12. 2001두4078	616	
대판 2001.10.30. 2000두5616	944	
대판 2001.11.13. 2000두536	843	
대판 2001.11.30. 2000다68474	693	
대판 2001.11.30. 2001두5866	264	
대판 2001.12.11. 99두1823	247	
대판 2001.12.11. 2001다33604	97	
대판 2001.12.11. 2001두7541	892	
대판 2001.12.11. 2001두7794	424	
대판 2001.12.24. 2001다54038	99	

대판 2002.2.5. 2001두5286	389	
대판 2002.2.8. 2000두4057	81, 239	
대판 2002.2.22. 2001다23447	724	
대판 2002.2.26. 99다35300	788	
대판 2002.3.12. 2000다55225 · 55232	740	
대판 2002.3.12. 2000다73612	155	
대판 2002.4.12. 2000두5944	700	
대판 2002.4.26. 2000다16350	277	
대판 2002.5.17. 2000두8912	489	
대판 2002.5.24. 2000두3641	292	
대판 2002.5.28. 2000두6121	698	
대판 2002.5.28. 2001두9653	392	
대판 2002.6.28. 2001두10028	242	
대판 2002.7.9. 2001두10084	350	
대판 2002.7.12. 2002두3317	639	
대판 2002.7.23. 2000두9151	854	
대판 2002.7.26. 2001두3532	906	
대판 2002.8.16. 2002마1022	628	
대판 2002.8.23. 2001두2959	360	
대판 2002.8.23. 2001두5651	186	
대판 2002.8.27. 2002두3850	842	
대판 2002.9.4. 2001두9370	66	
대판 2002.9.6. 2002두554	478	
대판 2002.9.24. 2000두5661	313	
대판 2002.10.11. 2000두8226	406, 408	
대판 2002.10.11. 2001두151	271	
대판 2002.10.25. 2001두4450	884	
대판 2002.10.25. 2002두5795	282	
대판 2002.11.8. 2001두1512	68, 69	
대판 2002.11.13. 2001두1543	372, 474	
대판 2002.11.22. 2001도849	675, 676	
대판 2002.11.26. 2002두5948	427	
대판 2002.12.10. 2001두3228	335	
대판 2002.12.10. 2001두5422	382	
대판 2002.12.10. 2001두6333	405	
대판 2003.2.14. 2001두7015	495	
대판 2003.2.14. 2002다62678	750	
대판 2003.3.11. 2001두6425	526, 533, 957	
대판 2003.3.14. 2000두6114	525	
대판 2003.3.14. 2002다57218	58	
대판 2003.3.28. 2002두11905	279	
대판 2003.3.28. 2002두12113	28	
대판 2003.4.25. 2001다59842	743	
대판 2003.4.25. 2001두1369	792	
대판 2003.5.16. 2002두3669	638	
대판 2003.5.30. 2003다6422	312, 394	

대판 2003.5.30. 2003다9339	316	
대판 2003.6.27. 2002두6965	67	
대판 2003.7.11. 99다24218	723, 725	
대판 2003.7.11. 2001두6289	162	
대판 2003.8.22. 2002두12946	525	
대판 2003.9.5. 2001두403	62, 63, 67, 215	
대판 2003.9.5. 2002두3522	982, 992	
대판 2003.9.23. 2001두10936	66, 417, 418	
대판 2003.11.27. 2001다 33789 · 33796 · 33802 · 33819	733	
대판 2003.11.28. 2003두674	492, 495	
대판 2003.12.11. 2001다65236	735	
대판 2003.12.11. 2001두8827	520, 941	
대판 2003.12.12. 2003두8050	515, 532, 538	
대판 2003.12.26. 2003두1875	65	
대판 2004.1.15. 2002두2444	964	
대판 2004.3.18. 2001두8254 전합	524	
대판 2004.3.25. 2003두12837	275	
대판 2004.3.26. 2003다54490	726	
대판 2004.3.26. 2003도7878	34, 35, 36, 37	
대판 2004.4.9. 2001두6197	699	
대판 2004.4.9. 2002다10691	445	
대판 2004.4.9. 2003두13908	327	
대판 2004.4.22. 2000두7735 전합	302	
대판 2004.4.22. 2003두9015 전합	297, 298	
대판 2004.4.27. 2003두8821	114, 418	
대판 2004.4.28. 2003두1806	413, 920	
대판 2004.5.28. 2002두5016	283	
대판 2004.5.28. 2004두961	242	
대판 2004.5.28. 2004두1254	494, 496	
대판 2004.6.10. 2002두12618	621	
대판 2004.6.25. 2003다69652	737	
대판 2004.7.8. 2002두1946	126	
대판 2004.7.8. 2002두8350	499	
대판 2004.7.22. 2004다19715	166	
대판 2004.8.20. 2003두8302	535	
대판 2004.9.23. 2003다49009	748	
대판 2004.9.23. 2003두1370	522, 532	
대판 2004.9.24. 2002두68713	423	
대판 2004.9.24. 2003두13236	491	
대판 2004.10.15. 2002다68485	144, 284	
대판 2004.10.15. 2003두6573	152	
대판 2004.11.12. 2003두12042	239, 246	
대판 2004.11.25. 2004두7023	275	
대판 2004.11.26. 2003두2403	356, 362	
대판 2004.12.9. 2003두12707	535, 536	

대판 2008.9.25. 2008두8680	536
대판 2008.10.9. 2008두6127	64
대판 2008.10.23. 2007두1798	528
대판 2008.11.13. 2007두160	488
대판 2008.11.13. 2008두8628	249
대판 2008.11.13. 2008두13491	295
대판 2008.11.20. 2007두8287	80
대판 2008.11.20. 2007두18154 전합	640
대판 2008.11.27. 2005두15694	533
대판 2009.1.30. 2006다17850	149, 161
대판 2009.1.30. 2007두7277	298
대판 2009.1.30. 2008두16155	479, 497
대판 2009.1.30. 2008두17936	43
대판 2009.2.12. 2005다65500	87, 306, 310
대판 2009.2.12. 2007두17359	299
대판 2009.2.26. 2006두16243	162
대판 2009.3.12. 2006다28454	262, 266, 277
대판 2009.3.12. 2008두11525	298
대판 2009.3.12. 2008두12610	795
대판 2009.3.12. 2008두18052	296
대판 2009.3.26. 2008두21300	77
대판 2009.4.9. 2008두23153	340
대판 2009.4.23. 2008도6829	156
대판 2009.5.14. 2006두17390	929
대판 2009.5.28. 2006다16215	736
대판 2009.5.28. 2006두16403	930
대판 2009.6.11. 2008도6530	672
대판 2009.6.11. 2009다1122	610
대판 2009.6.18. 2008두10997 전합	165
대판 2009.6.23. 2006두16786	249
대판 2009.6.25. 2006다18174	323
대판 2009.6.25. 2006도824	343
대판 2009.6.25. 2008두13132	85
대판 2009.7.23. 2006다87798	746
대판 2009.7.23. 2008두10560	976
대판 2009.9.10. 2008두9324	332
대판 2009.9.17. 2007다2428 전합	94, 413, 986
대판 2009.9.24. 2008다60568	281, 287
대판 2009.9.24. 2009두2825	355
대판 2009.10.15. 2008다93001	106
대판 2009.10.22. 2007두3480 등	195
대판 2009.10.29. 2007두26285	195, 359
대판 2009.11.26. 2007두4018	100
대판 2009.11.26. 2008두16087	244
대판 2009.12.10. 2006다87538	141
대판 2009.12.10. 2007다63966	317, 319

대판 2009.12.10. 2007두20140	328
대판 2009.12.10. 2009두8359	960
대판 2009.12.10. 2009두12785	513, 525
대판 2009.12.24. 2009다51288	24
대판 2009.12.24. 2009두7967	63, 83, 84, 85
대판 2009.12.24. 2009두12853	908
대판 2009.12.24. 2009두14507	629
대판 2010.1.28. 2007다82950·82967	613, 721
대판 2010.1.28. 2007도9331	88
대판 2010.1.28. 2009두4845	292
대판 2010.1.28. 2009두19137	250
대판 2010.2.11. 2009도9807	670
대판 2010.2.25. 2007두9877	527
대판 2010.2.25. 2009두102	367
대판 2010.4.8. 2009다90092	340
대판 2010.4.8. 2009두22997	214
대판 2010.4.29. 2008두5643	518
대판 2010.4.29. 2009다97925	155, 159
대판 2010.4.29. 2009두18547	272
대판 2010.5.13. 2009두19168	879
대판 2010.5.27. 2009두1983	190
대판 2010.6.10. 2010두2913	523
대판 2010.6.24. 2007두16493	930
대판 2010.6.25. 2007두12514 전합	933
대판 2010.7.15. 2009두19069	250, 282
대판 2010.7.15. 2010두7031	247
대판 2010.7.22. 2010다13527	749
대판 2010.7.22. 2010두5745	405
대판 2010.8.19. 2008두822	804
대판 2010.9.9. 2008다77795	731
대판 2010.10.28. 2010두12682	630
대판 2010.11.11. 2010두14367	98
대판 2010.11.18. 2008두167	155, 157
대판 2010.12 9. 2007두6571	789
대판 2010.12.9. 2010두1248	287
대판 2010.12.9. 2010두16349	223
대판 2010.12.16. 2010도5986	38
대판 2010.12.23. 2008두13101	518
대판 2010.12.23. 2010두14800	524
대판 2011.1.20. 2010두14954 전합	165
대판 2011.1.27. 2009두1051	805
대판 2011.1.27. 2010두20508	242, 283
대판 2011.1.27. 2010두23033	242
대판 2011.2.24. 2009헌마164	405
대판 2011.3.10. 2010다85942	778
대판 2011.3.24. 2010두25527	641

대판 2011.5.13. 2009다26831	51
대판 2011.5.26. 2008두18335	277
대판 2011.6.10. 2010두7321	157
대판 2011.7.14. 2011두3685	805
대판 2011.7.28. 2011두5728	275
대판 2011.8.25. 2011두3371	300
대판 2011.9.8. 2009다66969	759
대판 2011.9.8. 2009두6766	164
대판 2011.9.8. 2010다48240	623
대판 2011.9.8. 2011다34521	740
대판 2011.10.13. 2008두17905	794
대판 2011.10.13. 2009다43461	985
대판 2011.11.10. 2011도11109	326, 368, 369
대판 2011.11.10. 2011두12283	243
대판 2011.11.10. 2011재두148	329
대판 2011.11.24. 2009두19021	525, 942
대판 2012.1.12. 2010두5806	414
대판 2012.1.12. 2010두12354	299
대판 2012.2.9. 2009두16305	271
대판 2012.2.9. 2011다35210	731
대판 2012.2.16. 2010두10907 전합	360
대판 2012.2.23. 2011두5001	480, 497, 890
대판 2012.3.15. 2011다17328	982
대판 2012.3.29. 2011다104253	219
대판 2012.3.29. 2011두23375	387
대판 2012.4.12. 2010두4612	639
대판 2012.5.24. 2012도1284	724
대판 2012.5.24. 2012두1891	401
대판 2012.6.14. 2010두19720	910
대판 2012.6.18. 2011두2361 전합	526
대판 2012.6.28. 2010두2005	882
대판 2012.6.28. 2011두20505	248
대판 2012.7.5. 2010다72076	220, 221
대판 2012.7.5. 2011두13187·13194	881
대판 2012.7.5. 2011두19239 전합	248
대판 2012.7.26. 2010다50625	365
대판 2012.7.26. 2010다95666	725, 737
대판 2012.8.23. 2010두13463	356
대판 2012.9.13. 2012두3859	941
대판 2012.9.27. 2011두27247	929
대판 2012.10.11. 2012두13245	364
대판 2012.10.18. 2010두12347	482
대판 2012.11.15. 2011다48452	724
대판 2012.11.29. 2012도10269	59
대판 2012.12.13. 2011두29144	163, 495
대판 2012.12.20. 2011두30878 전합	191, 222

행정법원 판결

헌법재판소 결정

MEMO

MEMO

신동욱

약력
현 | 해커스공무원 행정법 강의
현 | 해커스공무원 헌법 강의
전 | 서울시 교육청 헌법 특강
전 | 2017 EBS 특강
전 | 2013, 2014 경찰청 헌법 특강
전 | 교육부 평생교육진흥원 학점은행 교수
전 | 금강대 초빙교수
전 | 강남 박문각행정고시학원 헌법 강의

저서
해커스공무원 처음 행정법 만화판례집
해커스공무원 신동욱 행정법총론 기본서
해커스공무원 신동욱 행정법총론 조문해설집
해커스공무원 神행정법총론 핵심요약집
해커스공무원 神행정법총론 단원별 기출문제집
해커스공무원 神행정법총론 핵심 기출 OX
해커스공무원 神행정법총론 사례형 기출+실전문제집
해커스공무원 神행정법총론 실전동형모의고사 1·2
해커스공무원 처음 헌법 만화판례집
해커스공무원 神헌법 기본서
해커스공무원 神헌법 조문해설집
해커스공무원 神헌법 핵심요약집
해커스공무원 神헌법 단원별 기출문제집
해커스공무원 神헌법 핵심 기출 OX
해커스공무원 神헌법 실전동형모의고사 1·2
해커스군무원 神행정법 단원별 기출문제집

2025 대비 최신개정판

해커스공무원

신동욱
행정법총론 기본서 | 1권

개정 11판 1쇄 발행 2024년 7월 5일

지은이	신동욱, 해커스 공무원시험연구소 공편저
펴낸곳	해커스패스
펴낸이	해커스공무원 출판팀

주소	서울특별시 강남구 강남대로 428 해커스공무원
고객센터	1588-4055
교재 관련 문의	gosi@hackerspass.com
	해커스공무원 사이트(gosi.Hackers.com) 교재 Q&A 게시판
	카카오톡 플러스 친구 [해커스공무원 노량진캠퍼스]
학원 강의 및 동영상강의	gosi.Hackers.com

ISBN	1권: 979-11-7244-212-5 (14360)
	세트: 979-11-7244-211-8 (14360)
Serial Number	11-01-01

공무원 교육 1위,
해커스공무원 gosi.Hackers.com

해커스공무원

· **해커스공무원 학원 및 인강**(교재 내 인강 할인쿠폰 수록)
· 해커스 스타강사의 **공무원 행정법 무료 특강**
· 정확한 성적 분석으로 약점 극복이 가능한 **합격예측 온라인 모의고사**(교재 내 응시권 및 해설강의 수강권 수록)